香港經濟年鑑

1993

经济导报社

香港經濟年鑑1993
經濟導報社編
❖❖❖❖❖❖❖❖❖❖❖❖❖❖❖❖❖❖❖❖❖
經濟導報社出版
香港軒尼詩道342號11－12樓
永發印務有限公司印刷
1993年9月出版
定價每冊港幣240元
國際書號：962-7063-101-9

第一篇　專題綜合論述

第二篇　香港經濟概況

工業

貿易、商業

農副業・漁業

附錄：

第三篇　香港對外經濟關係

第四篇　香港經濟統計

1　**香港生產總值**

第五篇　工商經濟便覽

一九九三年《香港經濟年鑑》廣告索引

第一篇

專題綜合論述

第一篇　專題綜合論述

一九九三年香港經濟筆談

政府對提高產品品質的促進

香港工業署署長　鮑明(T.H. Barma)

世界上其他地方早已不將香港視作只是生產廉價塑膠產品及製造成衣的地方。事實上，紡織品、成衣及塑膠產品仍然佔我們工業生產的大部分，但目前的趨勢是越趨先進及多元化。現時香港除了生產優質時裝，和收音機及跳字錶一類流行電子消費品外，更生產心律監察器、微型電腦及電腦周邊產品、數碼蜂巢式電話、鐳射唱盤和衞星接收器。我們現正面對鄰近地方的激烈競爭、消費者更高的要求、我們的主要市場日益加强的保護主義，以及勞工與其他資源的沉重壓力。目前工業界所側重的不在數量方面，而是在市場銷售的敏感性及彈性、準時交貨、將先進科技應用在製造工序方面，以及更有效管理與運用資源等因素。最重要的是產品最終的品質及可靠性。

品質不單止增加產品的價值。競爭越趨劇烈時，品質是關乎存亡的問題。要作出的選擇是，改善品質而生意興隆，抑或將貨就價而衰落。

政府早在十多年前開始以積極支持方式，促進香港工商業的品質準則和處理方面的發展。政府在八十年代初期的品質遠見(如在一九七九年經濟多元化諮詢委員會的報告內所察覺)促使其後一系列品質支援服務的發展，這些服務已成為香港的品質形象的不可或缺的部分。

標準及校正實驗所於一九八四年成立，是保存本港官方參考計量標準的機構。這些都是高層次的計量標準，可追溯至首要的海外機構例如英國國家物理實驗所及美國國家科學及技術學院。有關標準通過精確的校正服務提供給工業及其他使用人士。標準及校正實驗所，獲得英國國家物理實驗所通過其國家計量認可服務處獨立認可。

品質服務基礎設施的另一項重要發展是，香港實驗所認可計劃於一九八五年開始推行。設立該項計劃的三個目標是——(i)對達到指定水平的測試實驗所給予認可；(ii)提高本港實驗所的測試及管理標準；及(iii)爭取本地及海外機構承認認可實驗所發出的測試資料及證書。認可程序涉及嚴格制度，規定要符合技術與非技術準則。認可計劃在國際上獲得廣泛承認，並與英國國家計量認可服務處、澳洲國家檢驗局協會、美國實驗所認可協會，以及紐西蘭測試實驗所登記局簽訂雙邊認可協議。此外，亦會在適當時候磋商其他雙邊協議。

香港的經濟體系基本上是以出口爲主，而就製成品而言，工業首要關注的是符合主要海外市場所訂定的標準、要求及規格。工業署於一九八六年設立產品標準資料組，以便有關人士取得關於該等標準的資料。該組存有來自許多國家超過80,000個規格標準。該組爲本港工業及其他使用人士提供有關海外的產品安全、衞生和檢定標準，以及所需的證明。該組亦提供技術輔導服務，目的在於協助說明海外規格的技術內容，並在需要時提供建議可行的方法，使產品能夠符合指定的要求。

隨着品質服務建立良好的基礎，並獲得國際上廣泛認可及承認，下一個步驟就是研究有助工業更快邁向優質製造的其他方法。

工業署在一九九〇年推展一項品質宣傳運動，以提高本地廠商對品質的認識。這個長期推行的運動，强調需要認識品質管理及全力投入參與。此外，還定期舉辦研討會、研習班及品質管理簡介會，令參加者瞭解品質的重要，並促進致力邁向商業運作的全面品質管理方法。品質宣傳活動也包括鼓勵與支持非政府組織改良品質的工作和舉辦適當的研討會及訓練課程。

配合品質宣傳運動的展開，香港品質保證局在一九八九年成立，根據一項以ISO 9000品質管理標準爲基礎的計劃，作爲第三者向有關公司頒發檢定資格。品質保證局是一間獲政府資助的機構，由一個由主要工業家、品質專家及主要貿易與工業機構組成的委員會管理。到目前爲止，有35間公司及機構獲該局頒發檢定資格，該局目前正在處理169宗檢定資格申請。此外，超過500間公司曾就該項計劃提出諮詢。該局須要檢討本身的業務計劃，以配合這些如雪片飛來的大量申請書。政府方面，除每年向該局提供一筆津貼之外，最近已批出一筆2,000萬元的貸款，使該局能對市場作出迅速和有效的回應。

對很多公司而言，在成功開始進行品質改善計劃及取得ISO 9000品質證明之前，須要徵詢顧問的意見。在香港，我們很幸運有一些機構，包括香港生產力促進局，能夠提供有效的品質管理顧問服務。由於每間公司都有本身特別的要求，顧問通常按需求提供意見及援助。

政府將會繼續維持及增强現有品質支援服務，並確保在需要時及時增設服務。我們會持續提高商業運作的質素。我們現正監察海外市場的趨勢，尤其是本港主要貿易夥伴方面，以確定新的需求。

香港經貿面臨六大機遇

香港副貿易署長　翟信賢(C. Jackson)

對香港未來的經貿前景，各有各的看法，本人希望藉此篇幅，就一些較爲普遍的論點發表一點個人意見，分析一下香港在世界經貿體系中所扮演的角色。

目前最廣爲行內人談論的話題包括(一)香港和中國間的邊界已逐漸消失；(二)香港是中國在國際間的耳目；(三)貨品貿易是香港的命脈；(四)香港在經濟方面取得的成就全賴其成功的商業活動；(五)香港是執行關稅及貿易總協定(關貿總協定)的典範；(六)香港擁有强勁的經濟基礎。以上是對香港的一些概括性的描述，代表了一些人對香港的普遍觀點。本人亦就此談談自己的看法。

保留中港邊境具經濟效益

首先是對有關邊境"消失"的看法。對經濟學者和商人來說，這樣的看法似乎把問題過份簡單化了。無可否認，香港擁有的技術和財經知識連同中國提供的廉價勞工和土地，的確製造了一個經濟神話。近年來，越境投資、商業活動和交通流量均有龐大增長。這些發展均是健康的和極其自然的，因爲相鄰地區在經濟活動方面加緊合作，以期更加善用雙方的資源，實在是最自然不過的事。不過，只有繼續保持兩地間的邊界，香港才可以維持它對這樣驚人的經濟增長所作出的貢獻。

若要維持商界對香港的信心；若要香港能繼續對中國的經濟增長作出重大貢獻，我們實有需要確保《中英聯合聲明》的條款得以貫徹執行。《聯合聲明》和《基本法》的確爲未來的特區政府奠下基礎，使香港保留自由港、獨立關稅地區、國際金融中心的地位，資金得以自由流動。香港分別在一九八六和八七年以獨立身份加入關貿總協定和海關合作理事會成爲締約成員。我們亦一直積極參與在過去六年舉行的關貿總協定烏拉圭回合多邊貿易談判。我們在一些如紡織品和反傾銷問題上更扮演着重要的角色。我們在海關合作理事會的參與和表現，更爲我們贏得國際間不少讚許。香港海關的同僚憑着他們對付非法毒品的堅毅不屈的決心，亦得以在其他國家的海關當局中建立超卓的信譽。兩年前，港府更成立了知識產權署。而貿易署所負責的，是確保香港履行它與貿易夥伴所簽訂的雙邊及多邊貿易義務。我們實施一套詳盡且具效率的紡織品配額管制制度。我們亦履行巴黎統籌委員會的義務，監管技術敏感的貨品進出香港。我們本着眼前的成就再繼續發展，這對維繫世界各地的商人在港的投資信心是十分重要的，而對增强港人對香港能維持獨立的經濟及商業地位的信心亦非常重要。

上述的措施都要靠着中港間一條明顯的邊界才可執行。中港間的邊境必須受到嚴密監管。也就是這個原因，說明了爲什麼貿易署遭受以下指控時感到不慣。指控包括：我們的紡織品配額被用在中國製貨品上，或香港被用作爲一條非法轉運虛報貨品的路線。當然，這種情況可能偶然會發生。沒有一套制度是完善的。不過，我們將非常認眞地對付此等違法行爲。這些非法活動不僅觸犯我們簽訂的紡織品雙邊協議，亦破壞了香港商業自主的根本精神。我們將透過邊境檢查，與其他地區海關加緊合作、搜集情報、發出懸賞及起訴違法者，盡力阻止此類活動。要取得各國的信賴，香港必須保有商業自主權。中港之間的邊境極具經濟效益，萬萬不能消失。

香港對中國貢獻將繼續增加

第二個一般的看法是香港是中國放眼世界的耳目。從多方面來看這確是事實。不過，香港更是世界各國拓展中國市場的門戶。中國在舉行第十四屆黨大會時，再次重申中國致力推行市場改革和參與世界經濟運作。中國與美國在進行三〇一條款談判後，在九二年十月終達成協議，便是一個好的例子。這次的協議可說是序幕而已。中國決意爭取重返關貿，在拖延三年之後，最後努力，現已展開。雖然困難仍然存在，但我一點不奇怪它將在九三年秋天可獲解決。重返關貿對中國究竟有多大影響目前仍未知曉，中國國內開放改革的程度、在各省應如何推行等等問題仍有相當爭議。我不是這些問題的專家。但我確信重返關貿在未來數年對中國的經濟及貿易制度將產生重大的影響；中國的貿易制度會變得更開放、更具透明度、更具競爭力、和來得更成功。中國在貿易上賺取的收入亦會用來購買外國的貨品及引進外地服務，亦會展開在外國的投資。在這種情況下，我不得不提提台灣所扮演的角色。台灣亦正申請加入關貿。待中國和台灣獲准進入關貿後，兩地將有更大機會建立更友好的經濟關係，令雙方受益。此外，再加上南韓與中國最近關係正常化、日本在中國作出大量投資，而香港在這些經濟轉變中亦有着一定程度的參與，我們可以開始想像中國東部沿岸地區以至內陸地區的龐大經濟發展。我認爲香港會分得一杯羹。目前，香港固然是中國的其中一名主要的投資者，尤以製造業爲甚。日本、韓國和台灣亦將有更大的參與。但香港的貢獻將繼續增加，並更趨重要。

服務業將成香港主要經濟命脈

第三個我希望討論的是貨品貿易是香港的命脈，這固然是事實。我們的製造業產量以實質計算，較十年前高出百分之八十，而我們的轉口，主要是中國製品，亦有驚人的增長，在九一年的轉口貨品價值增長爲百分之三十，而九二年頭十個月亦增長了百分之三十。我們的航空及港口設施亦有了擴展計劃。在過去十年，我們的貨櫃碼頭港口的吞吐量差不多增加三倍；據目前情況估計，港口容量在九十年代結束時需要倍增，而在下一世紀的頭十年再會倍增。香港這個港口所處理的貨櫃量，是中國所有港口所處理的五倍。很多的貨品都是香港在內地投資生產的。不過，我要指出主要的一點是，香港在這不斷增長的貨品貿易中所提供的貢獻却是以下列的服務爲主：財經、管理、品質管制、市場銷售和運輸服務。香港公司在中國均取得訂單和經營生產業務。至於其他的公司則提供與貿易有關的服務：銀行、運輸、貨物處理服務。目前，我們的本地生產總值有超過百分之六十是來自服務業。服務業已成爲香港的另一主要命脈。製造業，特別是涉及先進技術的，將繼續佔一重要席位。不過在未來，香港將會憑着本身是個成功的服務業中心而聞名。我們現時已有爲外地提供服務及服務業職位。最近的兩個例子是：國泰航空公司將於九三年春季把其公司的會計部遷往廣州；香港電訊亦正考慮將其部份的電話查詢服務遷返內地。先進的電子技術便可令此成爲事實。掌握技術的人才將在深圳及廣東其他地方凝聚，令經濟得以進一步增長。香港亦將繼續在一個經濟正在增長的地區裏面前邁進。因此，目前烏拉圭回合多邊貿易談判正計劃把多邊貿易規則擴展至包括服務貿易，這對我們來說，實在正合時宜。這項計劃已如衆人所料被證實爲一項艱巨的工作。不過，我深信今次談判可獲成功，因爲這關乎很多國家，特別是西方的主要經濟地區的利益。初期可能會出現偏離關貿條文的情況，但這個制度將可漸上軌道，鼓勵有份參與制訂的各方開放自己的服務業，讓大家在各方同意的規則下互相競爭。若中國和台灣能在未來加入關貿成爲會員，他們也將受這些規則約束。日本和東協各國亦將一樣。香港將成爲得益者。

商業活動應由商人自主決定

我剛才提及的第四個一般常見的看法是香港的經濟如此成功全賴其成功的商業活動，的確如此。但奇怪的，同樣亦是重要的一點是，香港的成就亦有賴它那置諸死地而後生的精神。隨着世界的經濟活動不斷變化，香港有不少行業式微：例如塑膠花、假髮和橡膠鞋曾是香港的主要出口貨品，但潮流一下子轉變令出口市場突然停頓，很多商號亦隨之而倒閉。政府一直採取不干預政策，致令我們的經濟體系保持靈活和有效率。港府不扶助夕陽工業，並不表示我們漠視這些廠家所遭遇的困難，只不過這些行業的隱退有助香港取得更大的成功。這是我們在未來遇到有工業發出求助呼喊時(我深信必會重視)所需記着的。令香港在未來建立强勁經濟的要訣，就是要繼續致力讓商界自行衡量利益與風險的承擔。

作出調整以適應關貿新規則

我提供的另一項看法是香港在執行關貿協定規則方面若不是最成功的，也是其中一個最佳典範。我相信這是事實，而這亦是國際貿易夥伴對港的評價。香港在一九八六年以獨立身份成爲關貿的締約成員時，我們已享有自由貿易的經濟制度，香港並沒有受政府的保護行業，且擁有開放市場。因此，香港在加入關貿時並沒有作出任何額外的犧牲。不過，隨着關貿的條文收緊，並擴大至包括服務及知識產權等範圍，若要繼續維持美譽，我們可能需要在未來作出一些調整。例如：目前烏拉圭回合正在討論的有關服務業的條文是針對所有服務性行業的，包括專業人士(醫生、律師、會計師)；財經行業(銀行、保險公司)；航運及陸上運輸，及電訊業。有些行業已符合烏拉圭回合貿易談判文本，但亦有一些需要作出適當調節，方能合格。擬好及開始實施後，當有關服務業的條文眞正的考驗將在稍後才出現。政府也可能需要應變。我們仍在商討有關的細節，無論最終結果如何，我們都堅持一切均要合乎道義原則。很多關貿締約成員在這方面遭遇重大困難，致令目前烏拉圭回合貿易談判障礙重重。我有信心烏拉圭回合多邊貿易談判可取得成功，有關的細節可能需要在未來數月才能定出。不過，今次漫長的談判中各方所付出的努力將可令日後的多邊貿易制度更加完善。香港雖然只是衆多貿易實體的其中一個，政治影響力也小，但貨品及服務貿易的擴展却涉及香港很大的利益，而長遠來說，香港將會是主要的得益者。要把握這機會，香港實有需要遵守關貿訂下的條文。

盡全力遊說美國給予中國最惠國待遇

我提到最後一個一般人常持有的看法是香港擁有强勁的經濟基礎。我確信這是事實。香港在亞太地區佔有戰略性的位置；基建網絡發達；擁有旣低又簡單的稅制，及勤奮和擁有優良技術的勞工。不過，我們擁有的優點主要來自和華南地區的經濟關係，而最大的隱憂則是美國可能取消給予中國的最惠國待遇。若這情況出現，則美國會對中國進口的貨品大幅增收關稅，令很多在內地的業務及香港的轉口貿易蒙受極大打擊。雖然在以往，香港在遭遇類似，甚或更大的挫折時都能振作起來，但在目前這個關鍵時期，這樣的挫折對香港來說將會是個沉重的打擊。涉及目前我們面對的挑戰是確保美國候任總統克林頓的智囊團，在九三年一月二十日出任的新政府成員，和美國國會議員清楚及有效地知道這訊息。我們認爲，讓最惠國待遇附加條件是極爲冒險的策略，而有識之士必須本着衆人的利益令這問題獲得圓滿解決。我們正在檢討我們採用的遊說訊息及資源等細節，並將加强二者，仔細訂下遊說的目標。我們將與私人機構緊密合作，因爲它們在整個遊說行動中亦扮演着重要的角色。我們決心把這件事辦好。

我們目前雖然面對多項挑戰，但同樣亦有很多機會在我們眼前。我們必須努力確保美國繼續對中國給予最惠國待遇；烏拉圭回合多邊貿易談判取得成功；繼續爲我們的貨品及服務貿易制度釐訂更開放及負責的標準；繼續改善本港的基建及技術，以確保香港在未來能穩住成爲一個發達的服務業中心；遵從由商人自己作出商業決定這個原則；行使我們在商業活動方面的自主權。

目前，世界的貿易環境正處於艱難時期，主要的西方國家均陷入經濟衰退，而烏拉圭回合多邊貿易談判面對的問題仍有待解決。不過，國際間的貿易仍有增長。

我們面對的不明朗因素只是國際貿易在未來的增長速度將會如何。目前肯定的一點是，香港較任何其他地區更能從將來的經濟增長中得益，龐大的機會在我們眼前，最大的挑戰是如何善用這些機會。

香港銀行業之發展與一九九三年經濟展望

香港銀行公會主席　黎恪義(Tony Nicolle)

由於本地經濟持續增長，加上中國之經濟改革，對香港的銀行業而言，一九九二年確是一個好年頭。這與很多工業國家出現經濟疲弱及房地產價格偏軟，導致銀行業處於困境之情況構成强烈對比。

截止本年九月底，本港銀行體系內之總存款，較去年同期上升13.7％。正如一九九一年一樣，外幣存款的增長較港元存款爲慢。部份原因是因爲很多工業國家經濟疲弱及貨幣供應增長放緩，因而可能引致在香港之離岸及企業外幣存款增長較慢。至九月底，港元存款上升17.7％，而外幣存款則只上升11％。

在資產方面，銀行體系之未償還貸款餘額在九月底時，較去年同期上升了23.9％。當中離岸貸款增長了21.4％，反映出香港作爲地區性金融中心之地位進一步加强。不過，這增長率，較過去五年的平均年增長率之51.8％爲低。由於需要提高資本充足比率，影響到很多跨國銀行，特別是一些日本和美國的銀行，不大願意擴張其包括香港在內的資產負債表。

供本地使用之貸款增長15.9％，與本地名義生產總值之增長相若。當中本地貿易融資貸款只上升了8.4％，而其他供本地使用貸款則上升了16.7％。自去年實施七成按揭上限後，住宅樓宇按揭貸款增長放緩至九月底時的18.4％，而一九九一年全年則上升了34.9％。此外，信用卡透支之未償還貸款則持續快速增長，至九月底時，上升了44.2％，與一九九一年之增幅差不多，但該項貸款之數額仍相當小，截至九月底時，總數額僅爲港幣93億元，佔全部本地用貸款總額不足1％。

由於港元貸款與存款在一九九二年間以相若步伐增長，因而在九月底時之港元貸存比率，跟十二個月前之水平一樣。不過，本港銀行界對本港以外銀行之港元淨負債(作爲港元貸款部份資金來源)於同期由港幣71億上升至737億元。

在營業額有健康增長的情況下，本地銀行業務之盈利維持良好。香港經濟壯旺，支持了强勁的資產價格，使壞賬水平相對地低，對一些銀行而言，更可收回以往之壞賬。股票市場活躍及大量新股上市，不但對商人銀行帶來不少業務機會，亦給予銀行增加貸款予申請上市股票者之機會。

零售銀行業之盈利因私人貸款需求强勁而得益。除了以上提到住宅按揭及信用卡貸款有快速增長外，其他私人貸款亦上升了35.4%，對居者有其屋及私人參與居屋計劃之貸款，則上升了32.5%。在打擊通貨膨脹及樓價需要降溫的前提下，銀行公會所定之存款利率與最優惠利率之差距，亦自去年八月開始被擴闊，這無疑對改善銀行之利潤有幫助。不過，不可忽略的是，由短期存款作爲資金來源所支持的長期按揭貸款，在樓價偏高的情況下，銀行亦需面對不少風險。

一些跨國銀行由於其本國出現的問題，從而在本港之活動能力減低，使到本地企業銀行之業務因競爭減少而受惠。這情況在一九九二年持續。再加上各銀行需要創造合理之資本回報率，令企業貸款之息差，雖然幅度仍小，但仍續有改善。不過，在貿易融資方面，在各銀行之競爭下，利潤幅度普遍下降。

一九九二年外滙及資金買賣的活動，亦較沉寂的一九九一年有所改進。度過淡靜的第一季度以後，外滙買賣在今年後期轉趨活躍。這有賴於外滙市場之波動增加，特別在歐洲貨幣機制出現混亂時期。在本港之股票市場之新股認購，反應熱烈，使港元貨幣市場之交易量增加。年中美元息率向下而港息跟隨，再加上更爲傾斜之收益曲線，令港元長期債務工具之買賣趨於活躍，長期港元掉期市場之活動亦有所增加。

在成本方面，銀行從高通脹及持續勞工短缺引致薪金上升而帶來的壓力，持續上升。員工流轉比率仍維持於高水平，這對挽留技術及培訓均做成困難。在此情況下，注重成本效益並提高服務質素便成爲管理階層的重要挑戰。要維持其競爭能力，很多銀行均在資訊科技系統，提高服務水平及員工培訓這方面作出大量投資，用於市場推廣及產品或服務創新之成本支出，亦因而要增加。對消費者而言，這代表更佳和更有效率的服務。

展望前景，提高服務質素並減低成本，將繼續爲一挑戰。香港有370多間銀行及接受存款機構，是世界上競爭最激烈的銀行市場之一，競爭及成本上升將侵蝕銀行的邊際利潤，除了盡量減低不必要之成本外，銀行將來可能要對其價格結構進行認眞的檢討。

假如這次中英爭論能合理地解決，則香港在來年的經濟前景仍然樂觀。但成本上漲以及未能聘請足夠具備適當技術的員工而帶來之困難將會持續。當香港逐步邁向九七，以及中國更爲開放，並跟香港及世界各地建立更緊密之經濟聯繫，香港銀行業的發展機會將肯定增加，業務的機會固然存在，但維持領先地位則會相當吃力。因此，優良及謹愼之管理，特別是在風險管理及策略部署兩方面便相當重要。

經濟發展與前景

縱使工業化國家之經濟表現較預期爲差，一九九二年香港經濟有平穩的增長。

實質本地生產總值預計較去年上升5%。中國經濟深化改革，特別是第十四屆全國黨代表大會及之前所發生之連串事情，不但有助提高本港在一九九二年之經濟表現，更支持對本地長遠經濟展望的信心。

在中國進行外發加工持續增長，使到頭十個月本地的轉口貿易增長了31%，而本地的出口則只上升了2%。因此，轉口貿易佔了總出口額的75%，而一九九一年則只有69%。

在貿易快速增長，中國長遠之經濟前景樂觀及香港未來數年需要大量基建投資等因素刺激下，留用入口之資本貨在首三季上升了20%，反映出投資意願相當蓬勃。消費者信心亦頗强勁，零售量在頭九個月內增加了12.8%。

香港經濟趨向以服務業爲主的結構性轉移仍然持續。在一九九二月六月，製造業之僱員人數爲58.73萬人，比去年同期減少了14%。在同一時期內，主要服務業僱員人數則上升了4.4%。這個結構轉變過程，導致勞工市場持續緊張，工資上揚，使消費物價之通脹率維持在高水平。以甲類消費物價指數計算，頭十個月之平均通脹率爲9.4%。

展望一九九三年，我們相信香港之經濟前景仍然樂觀。在中、港經濟聯繫快速增加的情況下，本地經濟將繼續受惠於中國之持續經濟改革及其增長動力。在過去一至兩年間，中國之外來投資以極快速度增長，因此中國跟其他地方之貿易應繼續增長。香港在促進中國之改革與發展上所扮演的角色，及作爲中國跟其他地區的橋樑作用將會更形重要。由於這種關係，中國跟其他工業國家，特別是美國出現任何經濟關係之惡化，將會對香港在一九九三年之經濟表現有不良的影響。

另一方面，中國的經濟在某些環節和地區正出現過熱的問題。生產快速上升，已使一些結構上之不平衡更爲嚴重，特別是在鐵路運輸，能源及某些原材料上。中國有關當局已開始處理這些問題，至於中國領導人能否使經濟“軟著陸”，或有效地推行微觀改革以解決一些結構性問題，則有待觀察。不過，就算中國之週期性及結構性問題在來年惡化至需要採取一些猛烈的緊縮經濟及金融政策，這對香港的經濟在一九九三年表現的負面影響將有限。中國之入口將減少並影響香港出口往中國的業務，但中國之經濟聯繫不少是與外發加工出口有關，而此等業務會因中國緊縮政策而減輕成本壓力。

另一方面，其他工業國家之經濟情況不甚樂觀。在美國，結構性問題如高失業及家庭負債，商業物業供應過剩，及減少軍備開支等，均拖慢經濟復甦之步伐。不過，最近之數據顯示增長步伐正開始回升。

在德國，統一的代價仍然沉重地拖累着其經濟。爲了控制由統一所需支出而帶來的通脹影響，德國中央銀行需要將利率維持於高水平，這情況在一九九三年初大概不會改變。在日本，負債引致的通貨緊縮過程大概仍會維持一段時間，這對銀行體系正產生不良影響。存貨週期之調整過程亦引致生產及投資縮減，進而使消費開支下降。所提出用以刺激經濟之追加預算中的財政政策，亦會因政治問題而被拖延。這些因素正在顯示，經濟增長需一段時間後才可再現生氣。

就整體"經濟合作及發展國家"而言，預期一九九三年之增長將會表現呆滯，惟較一九九二年則有輕微改善。不過，香港之出口由於具價格競爭能力，大概不會受到嚴重影響。再者，工業國家經濟表現疲弱，已普遍地減低價格壓力。例如在美國，由於現時之增長溫和大概不會構成新的通脹壓力，因此預期美國利率在一九九三年只會輕微上升。影響所及，本港利率在一九九三年可能只會緩慢上升。

從內部看，香港的經濟增長仍會受資源有限所規範。勞動人口之增長已然停滯，而失業率亦處於低水平，一個較成熟的經濟，當中服務業佔其本地生產值比例漸多，亦表示生產力的增長會較八十年代時爲慢。

總體而言，本港在一九九三年之實質經濟增長可達5.5%，較一九九二年的5%的預計增長略快。但是預測通貨膨脹仍會高企，一九九三年的平均膨脹率爲的10%，一九九二年則估計爲9.5%。

最近就香港政制改革及銜接的爭論而導致中、英關係方面的新發展，並未改變上列的增長預測。不過，香港政權能否平穩順利移交，已出現了一重要的不穩定因素。爲保持香港及其前途的信心，中英政府應盡快解決當前的問題，並全面恢復公開眞誠的討論，而這亦符合各方面之利益。

中國爲香港金融業發展帶來了重大新機遇

中國銀行港澳管理處主任　黃滌岩

過去一年，香港金融業發展良好。其中一個的動力來源是中國因素。在未來一年以至更長的時間內，中國因素還將給香港金融業發展提供源源不絕的新機會。注入新的活力，開拓新的天地。

中國經濟出現新局面

環視西方經濟，"三頭馬車"中，美國經濟仍掙扎在復甦的起步線上，日本徘徊在衰退的谷底，德國更不知何時才能到達衰退苦海的彼岸，對比之下，中國經濟過去一年的高速增長，確實予人"風景這邊獨好"的强烈感覺。

中國經濟經過一九八八年下半年到九一年下半年的三年治理整頓後，"過熱"得到了明顯的紓緩，產業結構進行了合理的調整，供求失衡有所改善，爲經濟恢復正常高速增長建立了良好的基礎。九二年早春，中國改革開放的總設計師鄧小平南下巡視，就中國深化改革、擴大開放、加速經濟建設步伐和建設有中國特色的社會主義等問題發表了重要講話，全國上下爲之振奮，從中央到地方，從沿海省市到內陸省份，紛紛按照這一講話精神進行了部署、改革、開放和經濟建設的步伐明顯加快。同年十月召開的中共十四大，作出了中國經濟體制改革的目標是建立和完善社會主義市場經濟體制的重大決定，這是思想上另一次大解放，實踐上另一次大飛躍，理論上另一次大突破。束縛既已解除，內地經濟建設正在出現更加蓬勃發展、欣欣向榮的新局面。

據中國的專家估計，一九九二年中國國民生產總值將超過2萬億元，比上年增長12.1%；工業總產值增長率將爲20%；農業總產值增長約爲3.54%；國民收入增長12.8%；全社會固定資產投資增31%；社會商品零售額增15.5%；零售物價漲幅則估計控制在5%左右。

在擴大開放政策下，中國對外經濟增長良好。九二年首十一個月的進出口總額達1,409億美元，已超過九一年全年的總額；估計全年貿易總額肯定超過1,500億美元·進出口將分別增長21.1%和16.5%。一至九月全國新批利用外資協議2.8萬項，協議外資投資金額爲364億美元，二者均比上年同期成倍增長；實際利用外資117億美元，增長52%。

香港金融業獲更廣闊發展空間

內地經濟以較快速度發展，爲過去十多年來已與內地建立了密切聯繫的香港金融業帶來了大量的業務機會，以香港爲基地的本地和國際金融機構不失時機地大力開展對華業務和中港合作業務。

①銀行界配合香港與內地貿易的大幅增長，積極提供貿易融資服務。香港與內地之間的進口、出口和轉口貿易總額在九一年已逾5,000億元、比七九年增長達28倍的龐大基礎上，九二年頭九個月比上年同期再增26.5%而達4,510億元，高於同期香港外貿總額22.3%的增幅。其中，港產品對內地出口增15.2%，轉口至內地增37.2%，明顯高於期內香港對世界出口增長的2%和轉口的30.7%。香港銀行業在對華貿易融資方面獲得了大量的業務，成爲九二年利潤的一個重要來源。

②港商對內地投資進入了一個歷史新高潮，對銀行和股市提出了巨大的融資需求。港商自內地在七九年開放以來一直是最大的外來投資者，七九年至九一年間，在中國的外來投資實際金額300多億美元中，港商投資佔近六成。然而，過去一年來，港商對內地投資規模之大、投資領域之廣、參與投資的大財團之多，都是前所未有的。香港許多大型上市公司紛紛北上，從鄰近的廣東、福建沿海的地區，到長江流域，以至華北、東北，積極尋求投資合作項目，而且着眼點遠遠超出了過去中小型企業以出口加工生產爲主的投資範圍，不少資金投到基礎設施如港口、電廠、碼頭、高速公路、房地產成片開發等方面，一些項目涉及的資金達數億元以至數十

億元，且多數項目都在短時間內得到落實，迅速動工。爲了吸引外資，內地省、市紛紛到香港作招商推廣活動，獲得了良好的反應。就如十一月底北京市來港舉行投資及貿易洽談會，短短一個星期內已簽合同的投資金額就達52億美元。十二月初舉行的廣州市對外經濟合作項目洽談會中，港商與廣州市簽訂合作項目的投資額也近50億美元。這些爲數龐大的投資資金的籌集，主要通過香港的金融機構安排和提供，以銀行貸款、銀團貸款或是發行股票、發行債券票據的方式籌措。

③中國業務的迅速發展，加上內地逐步開放金融市場，吸引了愈來愈多的銀行和金融機構北上設點經營。七九年以來，外資銀行已陸續獲准在五個特區及上海市開設分行，九二年六月，國務院又宣佈批准大連、天津、青島、南京、寧波、福州、廣州等七個沿海城市引進外資銀行分行，以擴大對外開放，增加引進及利用外資，促進外向型經濟發展，推進金融體制改革。至今年十一月，內地共開設外資、合資金融機構67家，外資銀行代表處225家。一些大銀行已部署在內地建立廣泛的分行網絡，開展全面的銀行業務。在香港零售銀行業務漸趨飽和，競爭白熱化的情況下，內地金融市場的逐步開放，無疑爲本港銀行和金融機構開放了廣闊的發展空間。

④香港證券業在中國籌資者和國際投資者之間，發揮了重要的中介作用。中國企業股份制的發展，內地證券市場的對外開放，使香港證券業與內地的合作有了重大的突破。香港多家商人銀行、證券商和專業機構，協助上海和深圳兩地的證券交易商，成功發行了中國企業B股；20多家香港金融機構成爲了B股的特許承銷商或特許證券商；承銷、分銷及代理買賣B股。與此同時，隨着中國投資熱的興起，香港的銀行和證券公司在過去一年多內設立了20多個中國基金，在香港和海外籌集了近十億美元的資金，投資於內地B股和其他非上市企業、項目，以及香港及其他地方的"中國概念股"，這些中國基金大多獲得超額認購，例如，中銀中國基金原計劃集1億美元，結果因超額認購而擴大到1.5億美元。九二年十月初，香港聯合交易所宣佈了9家擬於九三年直接來港上市的內地企業名單，市場初步反應良好，現在，聯交所和多個專業機構正在積極協助這些企業的具體上市事宜。過去一年來，幾家中資企業在香港上市招股，分別獲得近百倍至幾百倍的超額認購；很多在內地有生產、投資業務的香港上市公司，其股份因"中國概念股"的身份而在市場上受到投資者歡迎；香港整體股市也因內地經濟前景良好而吸引了世界各地的外資大量流入；在在反映了香港和海外投資者把香港視爲踏足中國市場、分享中國發展機會的重要基地和橋樑。

未來發展充滿機會

展望前景，香港金融業將在中國內地的未來發展中得到更多的機會和更大的利益。

首先，中國改革開放進入了一個新的發展階段，經濟將繼續高速增長。根據江澤民總書記在中共十四大發表的報告，九十年代我國國民生產總值的平均增長率將向8%到9%的目標前進。內地的經濟專家估計，九三年的經濟增幅可能仍在10%以上。這與世界水平比較，無論如何都是很高的增長速度。

中國進一步擴大對外開放，既是經濟發展的迫切需要，又得到國家政策的有力推動。十四大提出，對外開放的地域要擴大，形成高層次、多渠道、全方位開放的格局；利用外資的領域要拓寬，繼續完善投資環境，積極吸引外商投資；積極開拓國際市場，促進外貿多元化，發展外向型經濟。在內地加快經濟建設和擴大對外開放的過程中，香港作爲中國對外經濟、貿易、金融、技術、知識聯繫的橋樑和窗口，將會發揮日益重要的作用。

其次，內地爲配合恢復關稅及貿易總協定締約國地位所作的努力，有助其促進外貿的發展，提高對外資的吸引，開放包括金融服務在內的勞務貿易。爲恢復關貿總協定地位、實現有關市場准入的承諾，中國採取了一系列改革外貿體制的重大措施，例如，從九二年年底起降低3,371種進口商品的關稅，這一新中國歷史上涉及商品範圍最廣、關稅下降幅度最大的調稅措施，將使中國的關稅下降7.3%；此外，中國將在兩年內取消三分之二以上的進口許可證，並大幅度減少其他非關稅措施，基本取消進出口指令性計劃。這些措施的實施，以及中國最終恢復關貿地位，將刺激中國外貿的增長。香港作爲中國最重要的轉口貿易中心，內地作爲港產品第二大出口市場，將從中獲益。另一方面，中國“入關”後，產品出口條件的改善，產品內銷限制的放寬，勞務貿易的開放，都將增加中國對外資包括港商投資的吸引力。香港金融業的貿易和投資融資業務，將因而受惠。

再者，內地加快發展企業股份制和證劵市場，以及將內地的證劵業務推向國際市場，將增加與香港證劵業的合作和對香港證劵市場的利用。內地在八十年代向外籌集經濟建設資金，主要依靠軟性貸款和直接投資等渠道，九十年代的集資在繼續利用上述渠道的同時，將增加對證劵市場的利用，包括發行股票和債劵。內地在發展證劵及其他金融市場的過程中，非常重視借鑑香港的經驗，借助香港金融和專業機構的協助，這將爲香港金融業提供新的業務機會，因此，一些本港金融機構已經或計劃在內地設置機構，爭取早着先鞭；而內地要在海外市場集資，最有地利、人和之便的場所，也是香港。

中國市場經濟體制路向的確立，改革開放和經濟建設步伐的加快，爲香港與內地加强經濟貿易合作創造了極其廣闊的發展前景。香港作爲亞太區的主要金融中心之一，憑藉其金融機構衆多、集資能力充裕、國際聯繫廣泛、專業人才鼎盛的優勢，應可爲內地提供各種融資及其他金融服務；這種合作關係的發展，既有助於加速內地的經濟發展，也有利於鞏固和加强香港作爲地區性金融中心的地位，促進香港金融業和整體經濟的繁榮穩定。

香港後過渡期的管理人才

香港管理專業協會主席　李國寶議員

二十世紀九十年代的特徵是"變"，而且是急劇和出人意表的轉變。這無疑令素以靈活適應稱著的港人增加挑戰，若配合得宜，可令本地經濟順利過渡至另一高峯。

香港管理人員現在要解決的，除了因為出口導向而面對外部經濟的影響外，還須要掌握內部政治、經濟及社會的改變。

事實上，本地高瞻遠矚的管理人員，早於八十年代初，便已作出準備，以便在生產成本日高、保護主義甚囂塵上、環保意識高昂、經濟轉型、以及香港主權回歸前後數年可能出現的不穩定環境中保持競爭能力。

綜合近年的發展，香港管理人員若要在九十年代後半期進一步發展，便須要面向國際、瞭解國情、掌握科技、關心環保、多作文化交流、承擔社會責任、推行整體品管、上下溝通、建立公司文化，成為一位既是專才、又是通才的企業管理全才。

面向國際、瞭解國情

近年香港投資多元化，生產外移，過往出口導向的製造及貿易中心角色，今日已轉為生產服務基地和金融中心，對於國際形勢和中國大陸的發展，比以前更須要瞭解。特別是香港與華南地區作進一步連繫時，中國在國際政治舞台的一舉一動，都會影響到中國的最大海外投資者和僱主——香港企業家。

此外，主權回歸，令香港和中國關係更趨緊密；而在一國兩制下，香港可繼續憑藉先進的通訊設備、完善的基本建設和國際金融中心地位，擔當橋頭堡角色。九間國營企業準備於九三年安排在港上市，便是最佳明證。要充分發揮香港這方面的作用，便需透徹瞭解國內最新政經發展動向。

文化交流、掌握科技

近年香港企業分散投資、生產外移、加上人才流失，需聘請海外僱員作為塡補，於是令本地管理人員與外國人的接觸漸趨密切。過往與外國人的接觸，本地管理人員多是下級關係，但現在卻是倒過來以管理階層或投資夥伴的身份接觸，因此便需瞭解各地文化，方便管理，以收事半功倍之效。

而科技的突破性發展，除正急劇改變人類的生活模式外，還決定誰是未來經濟的主宰，擊退其他競爭者。

香港近年在設計創新方面，作了不少突破性嘗試，且獲得國際上的認可。但在科技上，基於種種原因，除個別的應用，一般跟先進國家比較，還有一段距離。科技界普遍認爲，基因工程、電腦、人工智能、激光、人造衞星、高科技陶瓷、强化纖維及超導體等，將深遠地影響着未來的經濟競賽。

香港不應繼續像過往般被動地接納人家開發的成果。相反，管理人員可在這方面引導企業參予一定的投資，以確保香港不會在高科技上被對手拋離。

承擔社會責任、關注環保

雖然投資外地情況極爲普遍，但管理人員對香港社會的責任卻有增無減。除被委任或當選爲各級議會成員，參予地區以至中央的事務外，不少管理人員還推動各種公益活動、從事志願工作，環保便是其中一個例子，廢紙回收、少用膠袋、物料循環使用、改善污染環境的工序都是方向之一。事實上，擁有豐富管理經驗的人士在後過渡期承擔更多社會責任，肯定會有助平穩過渡。

推行整體品管、建立公司文化

面對九十年代的挑戰，焦點在於高質素，如何達致，是本港經濟前景的重要決定因素。而今日的管理人員所提及的質素，並不僅局限於卓越的產品或服務，還包括整個管理系統與程序。

成功的機構在各方面均能達致高質素，因爲高質素的產品及服務，與高生產力、低成本及高利潤相輔相成。若要眞正實行優質管理，各企業必須建立長、短期目標，以及配套策略和經營計劃。而且，還要在各個管理環境上不斷完善。

七、八十年代日本的經濟奇蹟喚醒全球企業，大小企業紛紛學習“整體品管”。不過，“整體品管”並非一蹴而就，更不是僅僅在生產過程中的檢查，而是必須植根於每一個階層，成爲企業上下的一個信念，這就必須建立公司文化。

事實上，推行品質管理的困難在於如何使全體職工意識到高質素的重要性，知道品質的問題所在。況且，處理某項工作的人員，最淸楚本身的工作，而若能把前線人員組織起來成爲團隊，其發揮的作用更大。

總括而言，香港後過渡期經已進入跨地區經營，管理人員承擔的較以前更多、更廣，而其中最重要的便是“變”，亦因爲如此，管理人員便需要：

㈠對可能影響企業的政治、經濟、社會因素詳細分析，訂定應變計劃；

㈡加强核心業務的發展，而非作欠缺連繫的多元化投資；

㈢詳細研究本身的競爭力；

㈣構思靈活的金融對沖策略。

香港貿易發展局
一九九三年拓展方針

香港貿易發展局總裁　羅永燦

一九九二年的香港出口表現較預期爲佳。雖然西歐經濟明顯放緩，以致香港對該地區出口只有溫和增長，但亞洲和北美洲兩大市場對港貨的需求保持興旺，所以首九個月的總出口仍然有22%可觀升幅。年內香港對拉丁美洲、中東、澳大利亞、非洲等大部份其他地區的出口都有較大幅度增長。唯一令人失望的是東歐，首九個月出口下降17%。

預料工業國家九三年的經濟環境應有一些改善。美國方面，期待已久的經濟復甦雖然緩慢，但上升之趨勢卻極爲明顯。德國的經濟衰退不會進一步變本加厲，而仍然處於經濟調整的日本亦在政府的刺激政策之下得以穩定下來。因此，本港九三年的總出口估計仍會有不俗表現。

本港九二年的出口表現未受全球經濟放緩影響，顯示本港貿易基礎穩固，原因之一是海外消費者轉向購買物有所値的產品，有利本港出口。此外，中國內地的發展也對本港出口有促進作用。港商在大陸進行生產，不但可以提高產品在海外市場的競爭力，而國內蓬勃的經濟亦將繼續刺激本港的貿易增長。

這兩個主要因素，加上亞洲多個市場以及世界各地新興市場前景，將會繼續加强本港在九三年的出口表現。

美國民主黨的克林頓當選總統，對中美貿易所產生的影響仍屬未知之數。雖然克林頓在競選期間聲言要在延續中國的最優惠貿易國待遇時附加條件，但鑒於美國目前面對一連串內部經濟問題，預料他在制定對華貿易政策時，亦會考慮美國的經濟利益和中美的貿易關係。

假如中國的最惠國地位得以延續，預料九三年本港出口將有穩健增長：總値可望上升19%，實質增長17%。本產出口增長預計仍然偏低，出口値與實質增長分別只是上升3%和1%，遠遠及不上轉口的25%和23%。

因應以上的預測，貿易發展局爲九三至九四年度的推廣活動定出如下方針。

一、在中國大陸開發新的業務機會

由一九九一年起，貿發局已在廣州、北京、大連、武漢等地成功開發了四個“香港精品廊”，爲在國內設廠生產的港商提供直接的銷售點，打開國內消費市場，並舉辦連串活動，建立起精品廊的形象。此外，由於中國開始開放進口市場，港商在國內消費市場肯定會遇到更强大的競爭壓力，貿發局將會加强在國內推廣港貨的活動，地點包括上海、瀋陽、哈爾濱、杭州、成都、太原等具有强大消費潛力的大城市。目前已有200多家香港公司報名參加這些活動，並且預定了攤位。

中國政府最近指示在沿海、沿河、沿邊等地方建設特別發展區，當中就包含大量與內陸省份貿易或者在當地設廠生產的機會。另外，中國開放第三產業，例如銀行、法律、會計、運輸、倉庫、電訊及其他貿易服務，也是在國內開展新業務的好機會，尤其是在華南和沿海地區；貿發局將會以巡迴展覽、研討會、考察團等形式協助香港服務行業在內地發展。

中國開放與獨聯體和越南的邊境貿易，港商也大可因利乘便，通過中國邊境向獨聯體和越南輸出貨品。貿發局曾組織工商團體到哈爾濱，推展與俄羅斯遠東地區的貿易，將來還會組團到新疆和廣西考察。

另一方面，貿發局會協助大陸各省市在香港舉行產品展銷會，爲香港廠商在原料和成品方面拓展新的貨源。貿發局與中國國家科學技術委員會每年十月在港舉辦的"中國科技週"，九二年起易名"中國科技交易會"。中國訂於九三年七月在港舉行一個屬於國防工業技術商業用途的展覽會，貿發局將會從旁協助。

以加强香港與華南地區經濟聯繫爲宗旨的港粵、港深經濟合作研討會，九三年將會繼續舉行。貿發局在九二年十二月和九三年初先後開設廣州和深圳辦事處。

二、市場多元化

一九九三年新市場拓展計劃範圍包括亞洲、拉丁美洲、中東、東歐、非洲。爲了促進新市場拓展活動，貿發局正研究在布宜諾斯艾利斯、聖保羅市、胡志明市、華沙等地開設顧問辦事處，並考慮爲港商組織考察團，出訪墨西哥、柬埔寨、緬甸、埃及、菲律賓、印度、斯里蘭卡、印尼等發展中國家，探討在當地投資設廠內銷的可能性，克服進口限制的障礙。

三、鞏固傳統市場

貿發局預期美國經濟在九三年將會繼續復甦，西歐經濟亦會從單一市場得到一定刺激，所以打算在來年加强兩地的推廣活動，主要是安排港商參加歐、美各大展銷會，並在攤位陳設上改良，提高港製產品的形象。

四、推動工業產品多元化

經過深入研究，貿發局認爲應該擴闊本港的製造業基礎，使工業產品多元化。除卻目前本港幾個主要製造業如成衣、玩具、電子等外，以下各類產品是值得推廣的：(1)環保工業產品(如生物降解的膠袋、循環再造產品等)；(2)傢俬；(3)藥品；(4)

保健儀器；(5)食品；(6)電腦軟件；(7)產品設計與研製服務；(8)印刷品；(9)模具；(10)文具；(11)化粧用品；(12)運動用品；(13)鞋類；(14)手搖工具、釘、鎖匙、廚具；(15)陶瓷；(16)照明裝置、電筒。

五、增强香港作爲亞洲展覽中心的地位

香港地處亞洲太平洋地區中心，是天然的貿易交滙點，也是通往中國的大門，因而成爲地區貿易和工商服務中心。同時，在香港會議展覽中心擧行的國際展銷會數目也迅速增加，而且參展廠商和參觀者的數目迭破紀錄，奠定了香港作爲亞洲展覽中心的地位。貿發局來年會繼續主辦15個國際性展覽會。由於展覽規模不斷擴大，會展中心漸漸顯得不敷應用，有必要加以擴建。

保持香港產品國際競爭力的途徑——生產力與品質

香港生產力促進局總幹事　　陳少感

在九十年代處理生產力問題，無論是世界哪處地方，都是項極具挑戰性的工作。品質是改善生產力的要素，亦是業務成功的關鍵。本文將集中探討品質的問題，及品質管理的工作。

以品質作爲業務策略

九十年代，在會議桌上最經常討論的業務策略就是品質。品質策略兼顧成本、符合規格及準時交貨三個主要的競爭因素，因此至爲重要。

現時世界各國都日漸注重品質。從很多方面來看，這股關注品質的"新浪潮"是由日本人開創的，令到世界市場均要求產品具備優良品質及高度可靠性，由日本人支配的汽車和電子消費產品市場便是些好例子。精明的歐洲公司亦已開始追求品質證明，美國公司則盡力達到六個綜合性的品質標準。

在香港，只有一個維持業務的方法，就是增加產品或服務的"價值"，使其超過生產成本。現時各項成本均上升，廠商愈來愈感到有需要改善品質標準。

香港商人最少可採取兩種途徑。第一種是如常運作，繼續經營低增值能力的業務，但由於成本上升，這些公司將愈來愈難以在香港立足。正是這類公司首先將生產線遷往華南地區，但不久他們會發現，華南地區的成本同樣急劇上升，於是要繼

續尋找成本較低的地方。

第二種途徑是提高附加值，公司需要學習新技能、增添新服務，更快速地回應市場的需要。現時漸多香港公司採用此途徑，並獲得成效。他們的業務策略是轉向高檔產品市場、針對需求更大的市場及進行地區性生產，藉以減低成本和改善品質。這些公司採用品質改善工具、設計工程技能等“軟”技術，後者包括生產設計、品質設計、製造業資訊系統、“切合時宜”的生產措施、生產標準化、產品及生產系統的改良設計。

香港未來的工業成就，有賴第二類型的公司。

對於這類公司來說，品質是九十年代的業務策略，亦是最富挑戰性的工作。公司必須在業務策略中加進品質計劃，業務才有成功的機會。

全面品質管理

全面品質管理具有策略性價值，因此備受談論。全面品質管理究竟是甚麼意思呢？全面品質管理是一種管理方法，可以讓公司針對顧客所需的產品和服務，提高其附加值。達成目標的方法主要是避免浪費和重做，及改善工作程序。這是一個不斷改善的過程，要品質持續獲得改善，必須在機構內建立品質文化，而這種文化應能顧及系統、技術和人力三方面。

在甚麼地方開始品質工作是無關重要的。有些公司先設立品質系統，然後讓員工隨系統運作。有些公司則首先成立品質圈和工作改善小組，讓員工熟習品質工作。其他公司在工程方面着手，引入生產設計和統計製程管制等技巧。

全面品質管理是過程而非目標，但前進的方向必須正確，必須不斷兼顧技術、系統和人力等問題。

ISO 9000

世界上沒有其他品質系統像ISO 9000標準系列那樣具影響力。國際標準化組織在一九八七年制定ISO 9000標準，其後至少有51個國家不加修改便直接採用。ISO 9000逐漸成爲國際品質系統的基礎，不論是發達國家或發展中國家，對ISO 9000均極爲關注，將其視爲提高國際競爭力的策略。

世界趨勢

過去十多年來，世界上漸多有實力的公司由管理階層展開自行評估的工作。他們或依據ISO 9000品質標準，或跟從美國Malcolm Baldrige國立品質獎訂下的準則，評估公司本身在全面品質管理上的表現。獲得ISO 9000證書或Malcolm Baldrige獎項的公司，均是在多個方面獲得傑出的成就，包括滿足顧客需要、優異產品性能、生產工序質素、供應商質素、準時交貨、優質服務等等。

根據Juran Institute的資料，在一九九〇年有超過10萬家公司申請競逐Malcolm Baldrige獎，但事實上大部份公司均沒有想過要取得獎項，他們只不過是希望利用獎項的評審準則來自行評核。在歐洲的情況亦差不多，訂立ISO 9000品質標準和設立新的歐洲品質獎，用意都是推廣改善品質的概念，希望公司能夠將概念容納在業務策略之中。

香港的品質運動

一九九〇年三月，香港政府正式展開品質關注運動，鼓勵本港廠商實行"全民參與"的品質管理。推行品質管理應由高層管理開始，負責引入結構良好的品質管理系統，令公司的品質管制事務不再限於單純的檢查工作，將品質的概念植根在公司的整體運作之中，政府亦鼓勵香港公司採用全面品質管理的策略來不斷改善產品和服務的品質，藉以在國際市場的激烈競爭下爭取顧客的信心。

政府自一九九〇年起在總督工業獎中設立兩個新獎項，這是政府在品質方面所作的另一項努力。新設的獎項包括品質管理獎，由工業署統籌，另一個是生產力獎，由香港生產力促進局籌辦。這些獎項的目標和品質關注運動一樣，是爲了引起廠商對品質和生產力問題的關注。成功推行品質改善計劃的公司通常較有機會奪得這些崇高的獎項。

香港品質保證局是政府資助機構，在香港以獨立第三者的身份評核申請ISO 9000證書的公司，至今共簽發24張證書。香港大部份申請ISO 9000證書的公司均聘用外界顧問，在申請過程中汲取建議。申請需時九個月到兩年不等。

生產力促進局的角色及品質管理活動

自一九八九年開始，生產力促進局共協助超過70家公司從事有關ISO 9000的活動。超過4,000人參加生產力促進局主辦的訓練課程和海外考察團。

成功取得ISO 9000證書

生產力促進局提供ISO 9000顧問服務，協助兩家製造商最先取得ISO 9001證書，此外，亦協助一家樓宇承建商最先取得ISO 9002證書。現時全港仍只有一家公司取得此項證書。

取得ISO 9001證書的兩家廠商是電腦產品亞太有限公司及飛利浦香港有限公司，同是電子製造商，申請證書各自花了一年時間，相對來說比較快捷。

申請公司先全面分析本身的品質管制系統，找出與ISO 9000標準的差距，再編製品質手册、訂立工作程序及指引。此後踏入實行階段，生產力促進局訓練公司的職員擔任審核員的工作，負責檢查及糾正公司不符合ISO 9000標準的地方，以便公司獲取證書。

生產力促進局協助的第三間公司是瑞安承建有限公司，這次的申請過程較爲複雜。當時建築業對ISO 9000仍然非常陌生，即使在英國，成功取得證書的公司也是寥寥可數。瑞安選擇了生產力促進局爲顧問，在七月即成爲香港首家獲得ISO 9002證書的樓宇承建商。現時距香港房屋委員會訂立的期限只有數個月，相信其他樓宇承建商皆會仿效瑞安的做法。

鐘錶業品質手册

生產力促進局爲求擴闊接觸面，決定針對個別行業提供服務。今年六月，生產力促進局與香港錶廠商會訂立合作計劃，協助鐘錶業根據ISO 9000標準編製一系列品質及程序手册。此外，雙方合作成立了香港錶廠品質會，會員可以利用手册上的資料來提高產品品質和生產力。

包羅各行業的品質會

生產力促進局早於三月成立了另一個ISO 9000品質會，任何行業均可參加，會員公司可以在此就品質改善方面的最新發展交流資訊。初步反應熱烈，製造、服務、建造、顧問行業的公司及學術團體均派代表參加。

全面品質管理服務

生產力促進局提供的全面品質管理服務過程如下：生產力促進局的顧問首先協助公司管理階層找出改善公司運作的先決條件。進入第二階段，公司需發動全公司職員參與，使公司具備更佳的條件去採納新的方法，作出突破性的改進。生產力促進局擔任的是發起人的角色，由於公司的目標是不斷改進，生產力促進局鼓勵公司逐步接管品質改善計劃。全面品質管理可令個人及公司的意識基本轉變，促使全公司員工一致行動，無論任何階層在決策時均以品質爲首要考慮。

結論

由於勞工密集的裝配活動紛紛轉往華南地區進行，香港製造業正經歷重大的結構轉變。本港廠商無法再在低檔次的產品市場競爭，他們必須尋求辦法，提高和改善產品及服務的附加值。迅速回應市場需求是成功要素之一，此外，很多公司亦意識到，品質工作並非單一個部門的責任，公司需要發揮創造力和積極性，不斷改善人力、系統和技術各方面，進而持續改善產品和服務的品質。

香港公司若要攀上世界級水平，必須把品質作爲首要考慮。生產力促進局堅守任務，鼓勵工業界採用各種品質管理技巧，使他們保持競爭能力。追求品質的概念將會跨越香港，傳播到華南地區的製造業務，香港只有和華南地區結成一整體經濟區域，才能在國際市場上維持雄厚的競爭實力。

香港証券市場與
中國企業在港上市的最新發展

香港聯合交易所行政總裁　周文耀

香港聯合交易所於一九九一年重新制訂一套長遠的策略性發展計劃，訂定了聯交所的長遠發展目標是要致力爲證券發行機構和投資者提供一個公平、穩健及有效率的證券市場，藉以促進香港和中國的資本籌集。而聯交所亦是根據這項長遠的策略性發展計劃，在一九九二年全面開展了各方面的工作，並取得令人滿意的成績。

在年內，聯交所繼續就上市規則定期進行檢討，以確保上市規則旣能符合國際標準，亦能配合市場的發展需要。此外，在今年六月，香港的證券交收已邁進中央結算的新紀元。此系統投入服務，再加上聯交所年內引進如經紀財務月報表及忠誠保險等多項新措施，已大大加强了香港證券市場的風險管理，而到明年第一季，聯交所便會推出自動對盤交易系統。而股票拋空和期權買賣亦可望於九三年五月及九四年初先後實現。這些發展都有助市場的流通量，促進交易和交收運作，引進更多新投資產品和加强對投資者的保障。令市場邁向更公平、穩健及有效率的長遠目標。

在促進中國企業透過香港的資本市場集資方面，聯交所在九二年內亦取得令人滿意的進展。

在一九九二年第二季，聯交所與中國國務院屬下之國家經濟體制改革委員會開始了有關促進中國企業籌集發展資金，幫助中國經濟長遠發展的討論。在今年九月，體改委與聯交所在北京舉辦了一個爲期十二日之“中國企業股份制研討班”，學員對研討班反應非常熱烈，在促進中國透過國外市場籌集資本方面邁出了第一步，令中國企業可以開始籌劃改變彼等的組織機制，由國家機構逐步轉變爲股份企業。

距離研討班結束後僅兩星期，聯交所已接獲國務院方面之通知，已有九間中國大型企業獲選籌備在香港申請上市。而中國方面亦向聯交所表示，上述之上市申請將會按照香港之規則進行，目的是希望這些上市公司都能夠符合國際的標準上市。

至最近，九家企業中的部份公司已成功聘得會計師以進行必須的會計改編工作。以上海石化爲例，目前已有30名本港會計師行派往之工作人員聯同該公司的40名會計，合作進行會計改制工作，在十二月前，所有九間企業已完成聘請會計師進行盤點工作。而其他專業工作人員及顧問的聘請工作，亦會盡快完成。

至於聯交所方面，目前亦正與體改委緊密合作，積極研究中國企業來港上市將遇到之其他問題，其中包括與國際標準銜接之問題，經研究後，中國方面已於十一月中就現行的會計規範意見，提出一份補充文件，而一份中國股份制公司之規範意見亦已發出，目的是要股份企業的會計財務報表編制，能夠符合國際標準。

在投資者保障方面，由於目前中國尚未有一套全國性的公司法及證券法，因此對投資者的保障規例，就需要透過擴大公司章程將保障投資者的條文包括在公司章程內，以提供保障。而有部份可能引起法律爭議的灰色地帶，則可能需要附加在上市協議的補充文件內。此外，就股份企業同時在中港兩地的交易所雙重上市所涉及在上市、交易及交收結算及過戶等方面的研究工作亦已展開。

至於在發展兩地的證監合作方面，各有關方面包括中國現時的兩間交易所、證券監管機構、本地的證監處及聯交所將會就監管問題及各機構的職能簽署多邊備忘錄。此外，在培訓證券市場的監管人員方面，工作亦非常順利，目前除卻各專業機構與企業之間安排之學員培訓外，在明年初中國的證券監察機構亦將有6至9名職員來港在聯交所受訓，範圍將包括證券上市、交易和交收等各方面。在長遠培訓工作方面，聯交所將會設立一培訓基金，以作為聯交所培訓中國證券專業人員的經費。

上述各項進展，只是涉及聯交所層面的部份發展，而透過其他私人及專業機構各自安排的合作，亦每日不斷在進行。在各方面積極推動的情況下，預期在明年上半年，將可見到九間中國企業中的部份企業在聯交所上市，達到促進中國企業在本港市場籌集資金的第一項目標，令香港成為中國證券發行機構與國外投資者的滙聚市場。

出口信用保險
促進香港出口業務的發展

香港出口信用保險局總監　杜鼎(David K. Dowding)

香港經濟的增長往往由出口帶動。在日趨劇烈的競爭環境下，香港出口商及廠商所面對的困難亦相繼增加。

近年來香港各主要海外市場均呈現經濟衰退現象，而銀行界亦普遍收緊信貸，令買家對賒賬的需求增加。出口商願否予買家放賬便可能成為買賣能否成交的先決條件。

放賬可以加強出口商競爭能力，但亦可能因收不到貨款而引致嚴重損失，以致影響出口商的盈利，資金週轉，與及償還銀行貸款之能力。利用出口信用保險，出口商便可避免於放賬予海外買家時可能導致的風險。

香港出口信用保險局於一九六六年由政府立例設立，以鼓勵及支持本港出口貿易之發展。保險局乃香港政府全資擁有並獲政府保證承擔全部責任。

保險局向出口商所提供之最實質服務，乃保證出口商因買家或國家風險出現不能收到貨款的情況時，可獲高達所受損失九成之賠償。買家風險包括無力償還債務或破產、拖欠及背約，而國家風險則包括外滙短缺、入口證被取消、貨物被禁入口、戰爭、動亂及天災等。

保險局亦爲保戶提供有關海外買家信用狀況諮詢服務。當保戶欲以放賬方式與海外買家貿易時，可隨時向保險局申請有關該買家之信用限額。在接到申請後，保險局會調查及審核該買家之信用狀況，並考慮到其所在市場之政治、法律、貿易及經濟狀況、及所採用之付款方式，以釐定該海外買家之信用限額。此信用限額可視作對該海外買家授信之指標，使保戶能對該海外買家提供適當之放賬額。此項服務乃基於保險局二十多年之承保經驗，其與世界各地的商業資料調查機構、無數銀行及其他信用保險機構等所建立之龐大國際資料網，及與信用保險業國際總會之緊密聯繫。對於因爲缺乏時間、資源及經驗而未能客觀評估其買家信用之出口商而言，此項服務尤爲重要。

當保戶遇到買家付款困難時，保險局可向保戶提供風險管理服務，引導出口商採取適當行動，以避免或盡量減少損失。保險局爲提供此項服務，經常與海外律師行及債務追討機構保持聯繫。

保戶亦可透過授權書之方式授權保險局將賠款直接付給指定銀行。此種安排現已獲本港銀行界廣泛接受作爲出口單據貼現之副抵押品，對出口融資有幫助。

保險局主要透過一系列之短期保單以保障賒賬期長達一百八十天之出口貨物及服務。除本地出口貨物及服務外，保險局並接受轉口貨及在中國或鄰近國家製造而直接輸往歐美等地貨物的投保。保險局更可爲個別出口商製訂各類特別保單，以迎合出口商之不同需求。有關資本性貨品及特殊服務的出口保險，保險局更可提供賒賬期達五年或更久之申請及長期保單。

在過往之二十六年來，保險局竭力爲出口商服務，現今每年之承保額高達150億港元，美國、英國及德國爲最大受保市場。在受保貨品方面，主要的爲成衣及紡織品、玩具、收音機及電子零件等，與香港整體出口分佈相似。

展望新的一年，海外主要市場之前景仍不大明朗，商業破產率仍會繼續高企，出口商應考慮利用出口信用保險以繼續拓展業務。

“前店後廠”模式與香港經濟發展路向

香港中華廠商聯合會會長　梁欽榮

“前店後廠”經濟合作模式

香港經濟在七十年代憑藉輕工業的蓬勃而得以起飛，爲今日驕人的經濟成就奠定基礎。但隨着經濟和社會環境的不斷發展，各種生產成本如工資、租金及土地價格的不斷上漲，依賴勞工密集模式發展的本港輕工業在七十年代末八十年代初便逐漸喪失原先的優勢。香港廠商遂必須尋求出路，開發新的生產基地，以降低生產成本，維持產品的競爭能力。

當時，適值中國開始實施改革開放政策，以吸引外商到大陸投資，一個擁有大量廉價勞動力和土地而又接鄰香港的省份——廣東，便成爲香港廠商的出路。香港廠商紛紛將勞工密集的生產工序北移，在鄰近的珠江三角洲一帶更迅速建立多項合資、獨資企業和出口加工項目，進行生產，而將產品設計、管理、銷售、運輸及其他有關服務保留在香港進行。這種合作模式令香港的產業結構與華南地區溶爲一體，前者主要作爲市場窗口，後者則作爲生產基地；學者稱之爲“前店後廠模式”。

非正式數據顯示，七至八成的中型至大型香港廠家已在大陸尤其是廣東省一帶開設分廠或加工工場，產品類別包括電子產品、皮具、玩具、成衣及鐘錶製成品等。估計現時香港廠商單在珠江三角洲就已設廠逾2萬家，投資140億美元，僱用近300萬名工人。

這些數字均顯示出廣東與香港有着密切的經濟關係，而這合作關係亦帶動了兩地在金融、旅遊及商業資訊的進一步交流。香港在作爲通往中國市場的橋樑方面，得以奠定其金融服務中心、貿易和運輸中轉中心的地位，而廣東在成爲香港工業後勤生產基地之餘，亦能發展爲中國對外開放的前哨基地。現時，兩地已成爲不可分割及唇齒相依的貿易夥伴。

粵港兩地經濟結構根本問題

雖然廣東與香港的合作模式在現階段能夠使兩地得益。但我們不可忽略存在於兩地經濟結構的一些根本問題。

一、香港必須把現時的工業結構，提升到資本及科技密集生產模式。可惜，因香港政府一直以來實施積極不干預政策，沒有製訂一長遠的工業政策，使到香港缺乏鞏固的工業基礎，而高科技發展亦停滯不前。反觀南韓及台灣，正因爲政府早於七十年代開始大力發展高科技工業，發展已比香港領先不少。一旦與其他亞洲小龍相比，香港以至在廣東省進行的生產活動，其科技質素就顯得遜色，這無疑削弱了香港在國際市場上的競爭力。香港應加快步伐，提升現有科技，發明高質素新產品以維持在國際市場的競爭地位。

二、香港與廣東兩地工業結構都偏重輕工業及來料加工業，而原材料工業發展卻非常薄弱。以香港來說，工業基本上以輕工業爲主導，而大部分工業用的原料都需入口自日本、南韓及台灣。這反映香港廠家將生產工序北移無疑使廣東一帶的輕工業急速發展，但卻使當地的原料製造業與本港一樣追不上輕工業的發展需求。這迫使香港及廣東須依賴其他國家提供原材料，無形中增加了生產成本及產品附加值，削弱了產品的競爭力。

三、國際政治及經濟形勢的急劇轉變，令到廣東與香港面臨各種挑戰。西歐步向單一市場，並有納入東歐發展成泛歐集團的趨勢。北美(美、加、墨)自由貿易區的形成，且有併入南美部份國家發展成泛美集團的可能，以及最近倡議成立的亞洲自由貿易區，均顯示世界經濟格局朝着泛歐、泛美及泛亞太三大經濟區域方向發展。每個區域之間可能會相互競爭及因本身的經濟利益而顯得較自保及排外。香港要與世界各國經濟實力較量，必須要與其他亞太國家加强聯繫，增强區域發展能力，並繼續維護自由貿易精神。

發展路向

"前店後廠"的合作模式無疑可使香港及華南地區獲得資源互補的優勢，但香港與廣東以至全中國的合作形式不能單停留在互補形式的合作上。兩地必須把合作層次提升，攜手調節及提升兩地的產業及科技結構，改善及開發更多資源，加强產品設計，發明高質素新產品及提高服務水準，務使產品能保持競爭能力，行銷世界市場。

其次，香港亦須與大陸進行科技研究，加快將內地的成果商品化，並開拓迎合市場需求的新工業。在這方面，中港雙方可合作發明新產品，組織科學及技術交流會，展覽，設立科學基金，訓練科技人才，與及合作設立推廣科學技術的組織。

此外，兩地亦應共同發展原材料及重要組件以應付日益龐大的工業需求。香港可以先與廣東合作建立原料供應基地，製造一些中介原料如皮毛、布匹及電子組件，以應付華南地區現時的需要。

結論

"前店後廠"的經濟合作關係，已證明確能爲香港及中國特別是廣東省珠江三角洲一帶帶來裨益，但面對迅速變化的世界市場需求和經濟氣候，兩地的合作關係有必要再推進及深化，才能進一步互惠互利。這將有賴兩地政府更爲緊密的溝通和聯繫，以拓展兩地經濟利益爲大前提，共同商議訂立長、中、短期的計劃和措施。

從工業角度看中港經濟關係

香港工業總會主席　張鑑泉議員

中國大陸充裕的勞工和土地資源，及其甚具開拓潛質的龐大市場早已成為許多外商投資的焦點，加上中國對外開放政策正以前所未有的擴闊及深化程度呈沿海、沿邊、沿江梯次發展的形式全面發展。目前，中國口岸已擴展至一百五十個，而一直未有開放予外資參與的第三產業已在今年上半年重新開放給外商，北京、上海、天津、廣州、深圳、珠海等六個城市已獲得第三產業的審批權，使大量外資紛紛進入長江流域及珠江三角洲，對中國整體經濟產生更深遠的影響。

基於地理上的因素，廣東省一直比其他省份先走一步，無論在改革的步伐，開放的程度，政策的創新，經濟發展的速度，基本建設的規模，出口的增長，或人民生活水準的上升等，都領先於全國，而珠江三角洲更是廣東經濟的動脈，每年工業總產值增加19.7%，社會總產值在十年間增值十倍，可見這與香港廠商紛紛轉移工業陣地不無關係。然而，在過去十多年來，港商不斷把勞工密集的工業程序北移至華南地區，以便降低日益上升的經營成本，改善生產力及商品在國際市場競爭的能力，爭取更多海外訂單及邊際利潤，導致香港的內部經濟結構出現基本性的轉變，兩地"前店後廠"的合作模式更形明顯。這也說明了本地的製造業生產也曾呈現下降的趨勢，同時又未能及時加緊在本地的資本投資，形成港貨出口增長放緩，甚至出現輕微縮減，直至在今年次季，本地的出口才重現了百分之五的增長。

基於得到華南在工業用地及勞工方面的支持，香港的工業才能夠獲得更大發展潛力，並保持本地生產總值得到穩定的增長，證明了港商在工業的投資確在很大程度上仍依賴中國華南，特別是廣東及珠江三角洲，東南亞地區實難取代。

香港與內地的經濟關係越是密切，中國對外貿易關係的變化越受港商的關注；尤其是中美此起彼落的貿易糾紛及談判，不論在三〇一調查或最惠國待遇上都使港商在國內策略上承受重大的壓力及衝擊。然而，雖然美國仍是本港轉口及出口的主要市場，若中美貿易關係出現倒退的現象，也不會顯著地令港商到內地投資的意欲驟減，理由很簡單：中國政府更進一步切實推行經濟開放政策，增加貿易條款的透明度，提供多項優惠政策及放寬限制，如內銷權的申請及稅率優惠等，所以國內市場仍具有相當的吸引力。

至於長江流域地區，由於地理限制，交通運輸不便，加上不同語言，訊息交流與香港有相當距離，其發展料不會在短期內像華南地區般迅速，但在國內當局致力平衡沿海地區及內陸地區經濟發展下，政府將採用更多種優惠條件，圖以吸引外資入注長江流域地區。而且隨着沿海地區的發展已趨飽和，薪金亦較內陸地區爲高，加上長江流域各大城市歷史悠久的工業基礎及較高的勞工質素，故長江流域的發展潛力是不容忽視的。

註：張鑑泉議員於一九九三年五月十八日病逝。

航運業疲弱不景的一年

香港船東協會主席　高凌(Peter J. Cowling)

一九九二年市場整體表現極差，原因是全球經濟放緩和船隊運力的增加。船東收入和資產值的急劇下降乃有目共睹之事實。

在最近一次航運市場周期高位大舉入市的北歐船東，已經面臨嚴峻的局面，衆多的破產個案令九二年成爲投機性K/S(專門投資船東業的投資公司，譯者註)市場崩潰的紀念碑。

在乾貨船市場，運費從年初開始便向下滑落，儘管間中出現過幾次季節性的反彈，但全年市道幾乎一路向下，波羅的綜合運費指數(BIF)創紀錄地下跌了三成。雖說市道普遍都不甚景氣，而論歐洲和日本鋼產量急劇下降對市場造成的影響，要數海岬型船首當其衝，破舊老船連找租家都覺得困難，所以有些只得封存起來，而對市場更有好處的是舊船拆解量有所增加。局部糧食海運的增加令巴拿馬型船享受了一些短暫的好景。然而，目前美灣至日本的糧食運費雖企於22美元/噸的價位，但比起年初的25美元/噸水平仍然遜色，並且燃油價格已上升了大約三成。輕便型船市場在此期間證明相對穩定，收入下降了約一成五至二成。

在貨運市場滑坡的背景下，二手船成交量降到很低的水平，因爲買家相信運費將不可避免地再向下調整，令未來的收入得不到保證。在交投淡靜的同時，船價明顯下挫，特別是高齡噸位的市價跌幅更大，其中海岬型船再次成爲大跌幅冠軍，以七十年代早期建造的老船爲例，年初時還有700萬美元的市價，但到年尾只剩350萬了。新式的輕便型和巴拿馬型船情況尚好，船價下降了大約一成。

對於油輪船東來說，一九九二是災難性的一年。我們再次發現我們正處在一個主要由噸位過剩所導致的市場蕭條期的中間。過去二十多年來油輪市場的繁榮期只得五年，油輪船東可謂頑强、堅韌一族。在今年大多數日子裏，幾乎所有油輪的運費收入僅僅可以勉强抵償成本支出。巨型油輪的航次運費指數，在今年三月和七月曾跌至三十幾點的水平，加上待租時間延長，令船東面臨封存或拆解其噸位的選擇。儘管有不少船東選擇了封存的辦法，但我們高興地看到大多數人選擇了拆船。

不難理解，對於租家似乎缺乏責任心的行爲，即不肯向那些花費巨額資金建造的新船支付合理運費，船東頗感沮喪並毫不隱瞞地表達他們的不滿情緒，因爲只有這些新船才能向貨主提供安全有效的運輸服務。令人悲哀的是，談論已久的兩極化運費或租金結構至今仍是一個概念，而沒有成爲現實。

面對如此疲軟的運費市場，船價不可避免地受到壓力，反映出整個市場的蕭條。舊船價格跌得最厲害，跌幅達到三至五成。七十年代早期至中期建造的巨型油輪，在年初時還以800-1,000萬美元的價格易手，但至年末只得以500萬美元的價格賣給拆船商。買賣成交疏落，買家的活動僅限於小額資金的生意，並以希臘買家爲主。

有別於航運業的不景氣，拆船市場表現一枝獨秀，並且對航運市場的未來至關重要。在中國經濟高漲的同時，廢鋼船價格又向下跌落，令中國拆船商活躍於世界拆船市場。全年的拆船量節節上升，至今已有一千三百五十萬噸的舊船被拆解，而去年同期的水平僅僅三百四十萬噸。今年大概拆掉了二十艘巨型油輪，而去年僅拆掉了二艘。目前就這一點而言，討論已久的拆船行業拆解能力不足，在現實中似乎不成問題，今年我們所目睹的船價下跌，已肯定是解決中國拆船能力問題的關鍵之一。

最後，儘管九二年是整個市場困難的一年，但香港船東經受住了風暴的考驗。當市場在八八至八九年處於短暫的上升過程中，香港船東所表現出的謹愼小心，現在正開始體現其正確性。儘管疲軟的貨運市場還將伴隨我們度過一段時間，但在今後十二至十八個月內，出現轉機的因素已經成就。新船訂單停滯不前，船隊在老化，拆船量在增加，租家對老齡噸位的評估標準正在收緊。一旦全球經濟回升，我們應該可以看到一個强勁的市場復甦。香港船東完全可以把握住下次市場周期的機會。香港已保持了作爲世界一流航運中心之一的地位，本協會成員控制了六千八百萬載重噸的船隊，因此我們仍然是世界航運業中一支不可低估的力量，我們的意見會得到廣泛地聽取和尊重。

香港中資企業的特點及其前景

香港中國企業協會總幹事　曹慧聰

香港中資企業，指的是中國內地資本或具有中國內地資本在香港註册成立的企業。其中大多數是內地資本的獨資企業，少數是內地資本與香港當地資本或海外資本聯合經營或參股經營的企業。

香港中資企業源遠流長。它們的歷史是不斷發展、壯大的歷史，是不斷爲香港的繁榮穩定和中國的社會主義建設事業做出貢獻的歷史，在中國和香港的經貿發展史上譜寫了光輝燦爛的一頁。

香港中資企業，在中國改革開放後的八十年代得到了迅猛的發展，在八十年代後期進行了清理整頓，進入九十年代以來正在健康發展的軌道上前進。目前的香港中資企業，主要具有以下幾個主要特點：

一、數量上比較穩定，質量上進一步提高。經過清理整頓，經國家批准保留下來的中資企業還有一千多家，其中近千家是香港中國企業協會的會員。這兩年經國家新批准在香港成立的中資企業很少。質量上的提高，主要表現在：中資企業能夠按照國家的方針、政策和香港的法律合法經營業務；絕大部分中資企業都努力提高經營管理水平，獲得盈利；有些中資企業已扭虧爲盈或以盈抵虧。經濟效益普遍提高。

二、經營業務的範圍遍及香港多個經濟領域。包括製造業、進出口貿易、金融、保險、運輸、旅遊、建築、房地產、投資、百貨零售、廣告、諮詢服務、包裝裝璜、印刷、出版、賓館飯店、專業服務等行業，中資已成爲融合到整個香港經濟活動中一支不可忽視的重要力量。

三、在經營方式上已開始採用國際市場的習慣做法。一是向多元化、集團化、國際化的方向發展。例如招商局(集團)有限公司由過去以經營航運業爲主發展到目前經營船運、工業、貿易、金融、倉儲、碼頭、金融、保險、旅遊、酒店、建築、地產等多種業務，而且其業務已向內地和海外發展。二是一些中資公司已開始採用收購香港上市公司或由本公司直接在香港上市的辦法，在香港發行股票集資，不但受到香港投資者歡迎，也較快地壯大了這些公司的資本實力。今年以來，招商局海虹、中國海外、中旅國際、越秀投資等中資公司已先後直接在香港上市，認購股票的情況非常踴躍和熱烈，反映了廣大投資者對香港中資企業的前景看法。

四、對促進香港的繁榮穩定和中國的社會主義建設事業，發揮着越來越重要的作用。這些作用表現在多個方面，現僅就貿易和投資兩個方面來說明。在貿易方面，目前香港中資企業每年組織內地商品供應香港本銷或轉口和經香港爲內地進口物資的總額約爲2,000多億港元，約佔香港整個進出口貿易總額的13%。在投資方面，據香港有關部門統計，香港中資企業在香港各行各業中的投資總額已達160億至170億美元，佔中資在港投資總額中的比重，僅次於英資，居第二位；並以香港爲橋樑，不但爲內地引進了大量的港資或外資，而且在香港自行集資，幾乎在內地各省、市、自治區都有直接投資，積極參與內地的經濟開發和建設。有些中資企業還單獨同有關企業聯合在內地投資建立了或正在建立大型的成片的開發區。例如“蛇口工業區”、“漳州經濟開發區”、“廣州保稅區”、“浦東新上海城”、“烟台高科技電子城”、“深圳世界之窗”等。上述情況說明，香港中資企業對加强香港和內地的經濟合作，促進兩地的經濟發展，發揮着越來越重要的作用。

五、香港中資企業建立了自己的組織，成爲一支有組織的力量。一九九一年，經中國銀行港澳管理處和華潤、招商、中旅(集團)有限公司負責人的倡議和其他中資企業的附議，經港英政府批准，香港中資企業建立了自己的組織——香港中國企業協會。協會成立一年多來，根據協會章程和會董會的決議，積極、認眞地開展了各項工作。例如通過組團出訪、舉辦大型的經貿洽談會和研討會，促進了香港、內地、海外之間在各個經濟領域的交流、合作和發展；通過互訪、聯合舉辦或共同參加有關業務活動、組織旅遊、舉辦文藝和體育比賽等方式，廣泛開展聯誼活動，增進了會員之間、內派職工與當地職工之間、會員與香港同業之間的友誼和團結；並在加强對會員的協調、管理和服務方面，都取得了良好的成績，對促進香港的平穩過渡、維護香港的繁榮穩定、推進中國的社會主義建設事業、促使香港中資企業的健康發展，都起到了較好的作用，顯示了中資企業組織起來的力量。

展望未來，香港的前景是美好的，香港中資企業的前景也是美好的。香港進入後過渡期和進入九七年以後，仍將會保持繁榮穩定。首先，中國仍將在政治上穩定，經濟上發展，繼續改革開放，爲香港的繁榮穩定提供了根本保證；其次，香港地處東南亞地區的中心，這一地區政治上仍將會比較穩定，經濟上繼續發展；再者，香港本身已具有相當深厚的經濟基礎，今後仍將保持自由港地位，資金和貨物進出口自由，稅率比較低，在這裏進行貿易和投資活動比較賺錢。因此，香港資本和其他國際資本除了仍會在香港進行投資和貿易活動外，還會繼續通過香港到中國內地和東南亞地區去進行投資和貿易活動，香港的經濟發展會繼續得益於中國內地和東南亞地區。香港具有的主客觀有利條件，會使香港繼續保持繁榮和穩定。香港中資企業今後將遵循“一國兩制”的方針，一如既往地同香港華資企業和在港的國際資本企業携手合作，積極促進香港與內地、香港與海外之間在各個經濟領域的交流和合作，爲香港的繁榮穩定作出自己應有的貢獻。同時，隨着香港整體經濟的發展，在香港的各種中資企業也會得到相應的發展，香港中資企業也會在共同發展中而得到發展。目前，雖然中英雙方在政制問題上的爭論使香港經濟的某些方面出現一些暫時的波動，但是我們堅信，香港終究會按照基本法的規定，實現平穩過渡，保持繁榮穩定。我們對香港的前途充滿信心，我們對香港中資企業的前途也充滿信心。

香港旅遊業成績驕人

香港旅遊協會執行總幹事　蘇凌雲(Eugene C.Sullivan)

香港旅遊業在一九九二年業績驕人，無論就入境旅客人次、旅遊收益及酒店房間供應方面均有迅速增長。在世界經濟呈現不景氣的時候，香港仍有如此突破性的表現，令旅遊業人士感到無限欣慰。

就入境旅客人次而言，本港於去年十一月中已打破抵港人次紀錄。一九九一年來港遊客打破600萬大關。共有603.2萬人次，而九二年十一月則已經打破九一年全年紀錄，相信九二年來港旅客增長率為15-17%，接近700萬人次。

來港旅客當中以台灣人居首位，其次是日本，跟着是東南亞。台灣及日本市場在九〇、九一年的表現相約，各佔遊客市場20%，基於台灣發展潛力頗大，估計台灣市場將開始拋離日本。截至去年十月，台灣訪客達135.69萬人次，佔總市場24%，日本訪客則有110萬人次，約佔總市場19%。

就旅遊收益方面，九二年首二季的收益達329億，較九一年同期增長22%。來自各主要市場的遊客消費均見增長，其中以台灣升幅最高，達80%，整體消費額達85億港元，每人平均消費7,076元。其次增幅最高的是東南亞市場，遊客消費共54億港元，增幅近三成。唯是日本市場無論於整體或每人平均消費均呈下跌，分別是2%及一成。總括來說，遊客消費數字令人滿意，將打破九一年396億港元的紀錄。

九二年內，共有5間新酒店落成，提供近3,000個房間，紓緩了酒店的供求情況。據本會預測，今後數年的遊客數目將會穩步上揚，酒店投資者可望獲得理想回報。

近年來，本會大力推展獎勵旅遊及國際會議，深信這是吸引大量訪客及增加旅遊收益的途徑。去年六月，國際獅子會年會在本港舉行，與會者多達20,000人，使六月全港酒店入住率由九一年的74%冒升上81%，為年內遊客淡季的六、七月帶來可觀的遊客人數，他們的消費惠及酒店、商戶、旅行社及食肆等等。今年十一月，一九九三國際青年商會世界大會將在本港舉行，屆時又成為香港一大盛事。

旅協的市場推廣主題為“香港——吸引您多留一天”，鼓勵遊客延長在港逗留時間，增加他們的消費。在宣傳角度方面着眼，香港對不同市場來說有不同的吸引：在亞洲，旅協突出香港國際大都會的魅力，擁有多姿多采的飲食、夜間消閒、購物及觀光特色，是個適合擧家同遊的地方；在日本，旅協强調遊客只要付出能力之內的花費，便可擁有一流的享受及旅遊樂趣；在北美及歐洲，旅協强調香港的東方神秘色彩，以及其現代化面貌下的中國傳統生活方式；在澳紐，旅協宣傳香港是亞洲區內五光十色的城市。總之，本會積極推廣香港爲旅遊目的地，而不是亞洲區一個中轉站。

旅遊業的發展中，旅協擔當着一個舉足輕重的角色，在Travel Trade Gazette Asia及PATA Travel News兩份旅遊業刋物擧辦的九二旅遊業大獎選擧中，本會僥倖榮膺"最佳國家旅遊機構"，對我們來說是莫大的鼓舞。

展望來年旅遊業在大勢下可以穩步發展，唯盼中、英雙方在新機場計劃上早日排除歧見，達成協議，讓遊客在九七年可使用世界級的先進設施；與此同時，由於旅遊業易受環境因素影響，如治安、通脹、污染等，本會希望香港政府及全港市民鼎力合作，讓這個僱有全港18萬人的行業繼續發展，促進香港進步繁榮。

"支持旅遊業，經濟更優越"。

順祝各位讀者新年進步。

酒店業供求漸趨平衡

香港酒店業主聯會執行總幹事　李漢成

過去一年，本港酒店業的入住率令人滿意。尤其上半年有多個國際性會議在香港擧行，對酒店生意貢獻不菲。四、五月份的亞太區旅遊協會年會和亞洲發展銀行會議擧行期間，本港有多間酒店的入住率達90％以上。根據旅遊協會提供數字，一九九二年來港旅客數字估計較上一年增加一成半；而酒店就有80％的入住率，這個數字對酒店業來說無疑起了一個鼓舞作用。

競爭激烈削減利潤收益

然而我們不能忽略過去一年來港旅客的來源地和旅遊性質有着很大變化，因此在消費結構上亦有所轉變，以致甲級酒店的經營仍然存在很大壓力。 九九二年，東南亞的旅客來港增幅最大，然而東南亞旅客並不重視住宿酒店的消費，因此儘管遊客數字增加，只會有利中、下級檔次酒店的入住率，甲級酒店受惠甚微。

另一方面，近年來酒店業務低沉，紛紛以減價招徠，造成酒店房間價格低於應有水平，因此入住率提高，對某些酒店經營者的收益亦無補於事。

不過令人樂觀的是酒店供求狀況在未來幾年將會有所改變。理由是除了遊客在未來會有穩定增長外，新酒店供應減少亦有助現時酒店業改善其營運。回顧八十年代中期，本港旅遊業一片好景，投資者亦紛紛投資興建酒店，造成近兩年有不少新酒店投入服務，超過旅客的需求。但隨着酒店業走下坡，部份酒店興建計劃擱置，因此預期未來幾年酒店供應將會達致平衡，而過去出現的大幅折扣將逐漸減少，酒店房間租金亦可望今年提高。

九五年後酒店房間將呈緊絀

投資者對興建新酒店的熱衷程度冷卻，主要原因是新機場的興建進度趦趄不前；而港府通過的賓館條例，亦打擊投資者的投資意慾。本會一貫堅決反對條例中載有追溯權及要求酒店關閉部份地方以進行改建等不合理的條文。況且一九九一年六月條例生效後，產生兩項意料不到的嚴重後果：一是正規計劃酒店與無牌賓館受到劃一標準的監管；二是該項新條例由政務司負責執行，其屬下的政務總署並無處理酒店及旅遊業的經驗，其監管能力令人懷疑。目前，我們仍然與政府研究如何完善新法例，使法例趨於合理。

此外，未來本港旅遊業的發展情況仍是一個未知數，投資者對此亦較過去審愼。而近期中、英政府的爭拗，亦影響了投資者的信心。

値得憂慮的是酒店工程減少，可能導致本港酒店房間在九五年後出現供不應求的情況，打擊旅遊事業。

據估計，未來三年，本港將有5間新酒店落成，增加1,600個房間；假如每年本港有5％遊客增長，那麼一九九五年後本港酒店房間將會出現緊絀情況。

當務之急乃培訓酒店員工

勞工短缺仍然是困擾本港酒店業的老問題。酒店一向希望能夠提供高服務水準的行業，我們不想見到酒店服務水準質素受人手短缺影響而下降。不過我們深信未來幾年，當新酒店相繼落成，趨於穩定後，人手短缺情況將逐漸得到改善。

另一方面，我們亦不主張輸入外地勞工，但鑑於本地勞工一時不能補充空缺，輸入勞工不過是權宜之計，以解燃眉之急。長遠來說，我們還是希望本港能加强培訓工作，盡量吸納本地人才。

撇開近期中英之間的爭論，一九九三年，本港酒店業的表現將會比去年理想。一來是估計旅客會有穩定增長；另一方面，地區性旅客明顯增加，正好彌補部份流失的歐美旅客。而酒店房間的價格亦會調整至合理水平。更重要的是中國深化開放改革的政策，將有利於香港的各行各業。因此，長遠來看，我們依然是抱着樂觀態度去面對本港的酒店業務。

保持香港玩具業地位的途徑

香港玩具協會會長　丁鶴壽

香港玩具業於五十年代萌芽，經過二十年的發展，奠定了深厚的基礎，終於在一九七二年取代了日本，成爲世界最大的玩具出口國，並在其後連續十六年高踞領導地位。及至一九八七年才被台灣超越。香港的玩具出口王位之失，是由於中國實行開放政策之後，香港玩具廠商陸續遷往中國大陸生產之故。時至今日在中國大陸設廠生產者佔了香港玩具廠商的絕大部分。就一九九一年來說，港商中國成品經香港出口海外市場，達到400億港元之鉅，加上本港出口50億港元，全年玩具出口總值超過450億港元。此驕人成績，非任何其它生產國所能企及。

玩具業的主導生產模式是"原件生產"。這個主流支配着這個行業凡三十年之久。當然，行內亦有以生產自己牌子產品而成功的實例，但爲數畢竟不多，在這個利潤微薄而競爭激烈的行業裏，要另闢蹊徑，實在不是易事，而當我們回顧在工業進化的歷程裏，勞工密集的工業始終要交棒給新興的發展中國家。在這個交接過程之中，我們正好爲玩具業擬定未來要走的方向。

生產自己牌子玩具，回報率無疑比較高，但要冒的風險卻相對較大，這除了因爲在產品研究和市場推廣方面的投資鉅大之外，廠家的最大憂慮是產品能否符合消費者的口味，能否創造潮流。事實上，如果廠商沒有充裕的人力財力以及對市場有深入的認識，發展自己牌子的路線實在不易成功，因爲當龐大的投資變作成品，而成品卻未爲市場所接受，鉅額投資可以霎時化爲烏有。由是之故，只有財力雄厚而勇於進取的廠商才會走生產自己牌子的路線。走這條路線是值得鼓勵的，但也是要廠商絕對審慎考慮的生產模式。

在未來五年之內，"原件製造"的生產模式相信仍然會主宰着玩具業的發展。所不同於今日的，是香港和中國大陸兩地"前店後舖"的關係會變得更加密切；而香港的玩具業也只可以倚賴這個互惠互利的關係繼續跟海外對手競爭。九七年前如是，九七年後也應如是。

然而，港中兩地之間玩具業的合作是否就是那麼天衣無縫呢？答案是否定的，就過去三、四年來說，玩具業就受到很多令人不勝其煩的問題所困擾。撇開歐美近年經濟不景的宏觀問題不表，首先有八九年的天安門事件，由於外國買家恐怕貨源受政治因素影響而中斷，就曾不斷逼使廠家將生產線撤離中國大陸，結果導致一些廠商轉移到東南亞設廠生產。還幸"六四"餘波漸漸平伏，玩具業的生產才回復正常。九〇年初，美國人權份子聯同工會指責中國利用童工以及勞改犯生產玩具，發起國人抵制中國玩具。雖然事件因爲得不到廣泛支持而平息下來，但已觸發了業內人士的極度恐慌。踏入九一年，美國又因知識產權問題對中國進行"特別301"調查；而於九二年則爲中國開放市場問題而觸發"301條款"調查。與此同時，中國最惠國地位的延續，每年均成爲美國政黨間的爭議而備受威脅。凡此種種，無不打擊了廠商的投資意慾和信心，使港中兩地玩具業的長遠發展蒙上暗影。

以上所提到的種種問題，雖然不是玩具業所單獨面對的問題，但畢竟對這行業起了衝擊作用，而對於這些外圍因素，廠商所能做的亦非常有限，特別是中美間的貿易問題，港商處於夾縫之中，除了盡力進行游說之外，只能冀望這些貿易紛爭得到排解，以免殃及池魚，廠商的無奈是可以理解的。

然而最令廠商困擾的，莫過於中國政府於六月間頒佈推行玩具出口質量許可證制度，對出口的玩具實施監管。在新制度下，製造商的產品出口，必須符合國家所訂定的安全標準，或是買家合同上所定的標準；除此之外，製造商還要將本身的品質管理系統提升至符合ISO 9003或國內的同等標準，才能獲得頒發出口許可證。

根據執法機關的公文，許可證制度是爲了加强對出口玩具安全質量的監督管理，提高產品質量，保障消費者的安全和健康，促進對外貿易的發展。法例的精神是正確且值得支持的，但法例的執行方式，卻顯然欠缺周詳考慮，且由於法例由頒佈日起短短二年間即要全面執行，廠商未必有足夠時間去進行改革，以符合新例要求，這無異扼殺了他們繼續經營的機會。

法例最令廠商反感的地方在於：

㈠法例的精神是要提高質量，取締那些不合標準的廠戶。因此，三資企業應列於豁免監管之列。理由非常簡單，自國家開放以來，這些企業的出口額年年激增，更未有聽聞海外買家有關質量的投訴，自我監管近乎畫蛇添足。

㈡玩具業作爲創滙企業每年爲國家帶來超過400億港元的出口貿易，而集中於廣東省內的千多間玩具廠爲最大的創滙原動力。在未來一年內，時間上絕對不容許這千多間工廠將質量管理系統提升至ISO 9003水平，而發證單位更無可能有足夠合乎資格的人員去對企業進行評估、發證。在這情況下，海外買家必然將訂單分散至其他國家生產，400億港元的出口貿易，將淪爲法例下的試驗品。

㈢海外買家爲了要確定貨源能有穩定的供應，必會要求香港的玩具商將生產線轉移到沒有出口限制的地方，倘若廠商因此被迫將生產線撤離中國大陸，此誠非他們所願，亦非國家之福。

中港兩地的玩具業，可以說是唇齒相依。香港商人的長處是長袖善舞，善於鑽營開拓，所以應該扮演"前店"的角色；中國大陸幅員廣闊，資源豐富，理應繼續扮演"後舖"的角色。事實上國際貿易正是建立在分工合作、互補長短的基礎上。

九七之後，香港回歸中國，香港在這過渡期間能否保持玩具王國的地位，端視乎中港兩地間的合作能否維繫。像"玩具出口質量許可證"之類的法例，只會自亂陣腳，對玩具業造成衝擊。而正因九七之後中港一體，兩地之間更應互相配合，緊密合作，使雙方在工、貿上的優勢能盡量發揮，我相信這是保持香港玩具業領導地位的唯一途徑。

製衣業仍將保持領導地位

香港製衣業總會會長　關文錦

我很高興接受經濟導報邀請，代表香港製衣業，談一談一九九三年本港製衣業發展前景。我首先多謝經濟導報這一份有份量的刊物，在過去一年內，給香港及亞洲地區，從事各類工業貿易及經濟研究階層，提供了無數準確和分析精湛的資料。

對於香港製衣業來年發展前景，目前似乎並沒有較爲重要的有利因素，雖然關稅及貿易總協定紡織品委員會宣佈，延長多纖協議一年直至九三年底止，這在烏拉圭關貿談判未有轉機前，對本港成衣製造廠家在接洽訂單時，可起穩定作用，但由於受到全球性經濟衰退影響，本港成衣的主要出口市場，北美洲和歐洲的訂單已顯著地減少。

在保持及爭取海外市場方面，我們面對日益劇烈的競爭，大部份亞洲鄰近地區貨品成本，都較我們低廉，而本港的地價及工資，則不斷上升，使我們辛苦建立的優勢，備受威脅。但在這種種困難下，我並不悲觀，我相信香港仍然會保持世界成衣製造領袖地位，仍然是全球第一大成衣出口地區。本港製衣業獲得這個榮銜，是我們全體製衣廠商努力奮鬥成果。我們擁有高水平的製造技術及管理人手專材，並能靈活適應市場的需求和口味。明年我們會更加努力，研究高科技自動化的作業，以減低成本和解決工人不足問題，製造高質素產品，發展新時尚和多方面的設計，以爭取市場。

我們同業亦會向海外及東南亞，找尋適合生產地區，建設製造基地，配合我們發展之優良技術，人事管理，及累積經驗，成立一系列以本港爲控制中心的跨國整體機構，保持香港製衣業在國際間的地位。

此外，我希望在一九九三年，政府會更正面地確認紡織製衣對本港經濟的重要性，長久以來，我們的產品出口一直都佔本港出口總值首位，不容否認地爲本港帶來鉅大的經濟利益，因此政府應該在本業勞工短缺，及配額制度等問題，採取較有彈性的措施，使本業能保持競爭條件。

鐘錶業過去一年回顧及未來發展

香港錶廠商會會長　李秀恆

一九九二年首三季香港的鐘錶出口總值爲112.09億港元，比上年同期下降了10%。但轉口貿易則首次超越出口金額，爲150.49億元，大幅增加41%。

手錶數量方面，首三季爲1.41億隻，而轉口則爲3.25億隻，合共4.66億隻，增加20%，金額爲164.89億元，上升25%。平均價爲美金4.54元。

上述數字明顯意味着本港的高通脹仍未解決，港府輸入勞工政策亦未能幫助廠家提供足夠勞動力，使廠商北移形勢方興未艾。而中國大陸交通逐步改善，電力及通訊發展理想，使港商在生產時所遇的障礙日漸減少；而近期國內房地產蓬勃，大量吸引投資者購入廠房及增加土地儲備，留待未來發展或賺取額外利潤。

在國內開放第三產業政策下，港商積極參與，雖然很多優惠政策尚未正式頒佈，但爭取內銷權，樹立牌子形象，於各省市開設銷售及服務點，已成爲本港鐘錶商今年內的頭號發展目標。

首三季在手錶出口及轉口值方面，中國大陸(＋80%)，阿拉伯聯合酋長國(＋57%)，及日本(＋24%)，均有超過理想升幅，而美國於感恩節銷售理想，存貨不多，所以聖誕節訂單也普遍比往年增加2-3成。

由於機芯價格下降，另一方面品質提高，使行針石英錶已成爲主流，市場對跳字錶及機械錶需求漸減，優雅款品及多功能的計時行針石英錶更成爲"市場主流"。

自中東戰爭平息，蘇聯解體，使國際間軍備競賽停頓，而以美國爲首的軍事强國，減少了武器銷售而損失大批外滙，軍人回流亦使失業人數增加，雖然世界普遍在低利率趨勢濃罩下，但經濟增長則裹足不前，生意不景確使部份實力不足公司面臨倒閉危機。

香港鐘錶業在逆境中，業務也有所增長，實賴同業孜孜不倦，向困難挑戰的精神。外國零件生產商，擴張過度，爭持激烈；間接使本港廠商付出便宜價格，便可採購優質產品，有助競爭。外國經濟不景，正是香港廠家發揮財力，收購其他牌子或銷售網絡的良好時機。在另一方面，高消費者也轉移到中下價貨品。而爲着擴大宣傳競爭，很多公司大量採購手錶作禮品刺激市場。本港廠家在國內不斷擴大產量，在熾熱的角力下，廠家單靠便宜價格已不能生存；在剛舉行的鐘錶展覽會上，不難發覺本港很多公司的陳列展品在款色設計及質感上，已有很大的改進及突破。

預測一九九三年在美國新總統克林頓上台後，是否給予中國最優惠國待遇的問題仍不太明朗，香港將間接受到影響。歐洲共市一體化，北美自由貿易區也是一種貿易屏障。但本港廠家有敏銳的國際市場觸角，如明年世界歐美經濟慢步復甦，加上中國大陸改革開放政策及加入國際關貿總協定決心下，想必會爲港商製造更多合作機會，進一步打入國內市場，故有理由估計明年鐘錶業出口及轉口也應有15-20%的穩定增長。

塑膠業的發展路向及前景

港九塑膠製造商聯合會主席　梁祺祐

香港製造業一向充滿活力，其成功經驗及對本港經濟的重大貢獻，備受稱道。戰後四十年，香港從簡單的轉口貿易，迅速邁向製造業興起發展的工業化道路。作爲本港製造業三大支柱之一的塑膠工業，自六十年代至八十年代，不斷創下輝煌業績，成爲世界塑膠花生產王國和玩具生產王國，享譽海外。

八十年代，中國改革開放，給香港塑膠業之發展帶來新契機。香港製造業，尤其是勞工密集的塑膠工業，大規模遷入大陸投資設廠。以最初的來料加工，發展至規模龐大的獨資合資企業；投資地點從深圳、向珠江三角洲、再向北迅速作輻射擴展。目前，香港塑膠業主要生產工序僅有16%屬較高技術層次而尚留在香港，80%業已遷往大陸，基本集中於華南一帶，4%則分散於東南亞各國。

因此，由香港直接出口的塑膠製品貨值逐年下降，轉口貨值則連續多年大幅上升。一九九一年，本業製品轉口貨值及直接出口貨值分別爲624億港元和127億港元，即轉口爲本地出口之5倍！政府統計數字顯示，九一年本業轉口貨值比九〇年急升43%，本地出口則下降12%；九二年上半年轉口比九一年同期增長42%，本地出口則下降4%。

工廠內遷，是因爲香港製造業需要擺脫本港土地勞工短缺的壓力，尋求新空間以擴大生產，並從充裕而廉宜的土地勞工資源中獲益，降低生產成本，降低產品價格以加强市場競爭力。就目前的表現來看，香港塑膠業確因內遷而適時走出困境、步入佳境。往昔，香港塑膠業以中小型工廠爲主，僱員不足數十名，廠房不過數千呎。如今，廠房數層乃至成片開發，工人數百上千，生產綫井然有序，確是面貌一新。

但是，過速過熱的擴展却造成生產力迅速過剩。適逢世界經濟持續不景，訂單減少，同業競爭更形激烈，唯有降價搶單。因而，尋找足夠訂單餵飽日夜開動的機器，變成廠家當前最大難題。而隨着珠江三角洲繁榮發展，土地租金工資水電及諸多費用急劇增加，這些隱藏成本於無形中抵銷了廠家部份可見利潤。政府發佈的調查報告就指出，雖然本業生產工序大舉內遷，但塑膠業的利潤水平未有提高，反而稍低於國際標準。爲逃避上述壓力，一些本業廠家又計劃把工廠遷往內陸省份。這種"設廠愈來愈遠、壓價愈來愈低"的情況已引起同業的深切關注。

就在香港製造業廠家忙於內遷的時候，三小龍則另尋發展路向，台韓短期內創立了高科技工業，星加坡推動科技研究與工業發展卓有收效，日本工業更成爲無可爭議的世界領袖之一。反觀香港工業，遷入大陸後，多數中小型廠家僅着眼於價格低廉的實惠，而較少注重引進先進科技以提高產品檔次；加之九七問題，一般廠家寧投資於擴大生產在短期獲得回收，而不願投資於技術轉型。在這背景下，香港與日、韓、台、星在生產技術上的差距便進一步擴大。而鄰近地區，尤其東南亞各國則急起直追，成爲香港强勁對手。因此，香港塑膠業加速技術轉型，向高增值產品進軍，已成當務之急。

由於香港自身條件的限制，本業未來發展以及工業轉型的完成，應特別注重吸收世界最新科技及運用中國現有科技成果，用於改良廠家現有生產技術及效率，提高產品精確度，改善品質標準。在這方面，香港貿易發展局、香港生產力促進局、香港塑膠科技中心及各大專院校、政府機構、各大商會團體，均做了大量工作，推動中港科技合作。如果說，本港塑膠業內遷的原動力是尋求大陸廉宜的勞工土地資源，那末，推動本業發展的新動力就應該是發掘大陸專業人才及科技資源。目前，珠江三角洲一帶，各廠對延攬人才、培訓人才、管理人才均十分重視，這是十分可喜的現象。

近來，中美貿易不斷出現摩擦，雖每次都化險爲夷，但却對香港造成反覆震盪。本港塑膠製品有一半出口到美國市場，尤以塑膠玩具、家庭電器、人造首飾等爲大宗。如果美國取消中國最惠國待遇，許多投巨資於中國設廠並以美國爲主要出口市場的廠家將難以經營。美國民主黨上台，使中國再獲最惠國待遇又添困難。因此，本業廠家除了要盡一份力量，向美國國會議員游說解釋外，也宜未雨綢繆，及早訂出應變措施。這其中，最急切最有效的莫過於邁向市場多元化，加强拓展歐洲日本市場，尤其是發展中國家市場。東南亞及南美近來政治穩定帶來經濟發展，市場潛力頗大；東歐各國開始邁向市場機制；擁有12億人口的中國，更是有待開拓的世界最龐大市場。這些市場對各類玩具、家庭用品、小型電器的需求甚殷，港製產品價廉物美，品質設計均佳，再加上香港在地理及通訊上之優勢，拓展新市場的前景甚爲樂觀。只要建立起多元化的國際市場，香港塑膠業就能經受一切政治變動、經濟不景的衝擊，而立於不敗之地。

隨着九七接近，中英港間政治歧見及經濟紛爭當在所難免，令廠家對長遠巨額投資變得謹慎。設若九號貨櫃碼頭及新機場計劃受阻延，香港經濟包括本業出口當受一定影響。但無論如何，十多年的合作，已使中港經濟建立起互相滲透、相輔相成、進退與共的密切關係。這種合作幫助了南中國的經濟起飛，也幫助香港在世界經濟不景情況下，經濟仍連年獲可喜增長。隨着中國進一步走向世界，香港作爲“窗口”和“橋樑”的作用將更形重要，作爲亞太區金融中心、資訊中心、貨運中心的地位更獲加强，香港的前景、本業的前景當更樂觀。中國改革更廣闊、更深入的進程，將帶動香港塑膠業進一步向北遷移，並植根於更開放更穩固的基礎，憑借香港發達的資訊系統、完善的交通設施、蓬勃的金融服務，以及優秀的設計、技術、管理、貿易人才，結合內地土地人力資源，發展內地龐大的科技隊伍和潛在市場，香港塑膠業應可在九十年代再攀高峯。

香港建築業經營新動向

香港建築商會會長　張金龍

中、英兩國因港督彭定康政治改革方案再起風雲，新機場計劃首當其衝，暫不知何時雙方會再就該問題進行討論，看來機場計劃仍陰影重重。

香港政府自九一年起便爲這龐大基建計劃開始壓縮公共工程開支。去年這情況一直無變。對本地建造業來說，機場計劃並不如想像般給他們帶來多多好處。

根據統計數字，過去一年，政府批出的常規性公共合約數目明顯減少，政府這樣做目的自然是要爲應付未來龐大開支而重新調配社會資源。由於機場工程合約紛紛落入外地財團之手，剩下來有限的公共工程合約，對本地承建商更形重要，他們爲了爭奪這些合約，顧不得利潤多寡，不惜將價錢壓至最低。這種“爭崩頭”現象屢見不鮮，行內競爭劇烈，經營倍加困難。

機場工程已於去年展開，而政府批出的合約金額因此有所上升，一般人可能以爲，本地承建商必能從中受惠，但事實並非如此。政府批出的合約金額有所上升，只是因爲機場合約龐大所致，這些合約動輒十數億元，基於本地承建商大多是中、小型，財力不足以負荷，所以中標者多爲外來財團。

其實，本地承建商在香港已經經營多年，擁有一定的實力和經驗，技術方面亦不比外國弱。鑒於新機場工程合約評審制度對本地公司不利，因此形成機場工程由外來財團壟斷，公共工程由本地承建擔當的分化局面，這個情況已經對本地承建商的繼續生存構成影響。

至於私人建造方面，過去一年，由於政府實施連串打擊炒樓措施及銀行收緊樓宇按揭，地產市場已經冷卻下來。發展商亦均採取審愼態度，使建造私人樓宇的速度由去年中已然減慢，建築界估計今年這個狀況會持續。

踏入九三年，機場項目仍是各方關注的焦點，建築業很大程度要視乎機場問題能否順利解決，才有生機。政府爲應付基建而縮減其他公共建設，已成定局，所以，機場項目舉足輕重。

但值得一提的是，政府在基建計劃上總是講一套，做一套，例如預算與實質支出互不配合的情況嚴重。單是去年，政府批出的工程合約金額只是預算的五成，令多個項目被逼押後或拖延，工程拖慢，對香港整體經濟均不利。

至於政府批出機場合約的手法，亦有必要加以檢討和改善，以提高本地建築商的參與性，尤其是在設計合約時，應將內容分拆，使本地承建商有機會與外地承建商公平競爭，讓他們亦可爲本港歷來最龐大的基建工程作出貢獻。

香港毛織業前景審慎樂觀

香港毛織出口廠商會主席　陸增鏞

一九九二年香港毛織業經營困難。毛織品出口的兩大市場美國及歐洲的經濟都陷衰退困境，購買力下降，消費力疲弱。

以美國來說，去年是大選年，人們都認爲布殊總統會實施各項措施刺激美國經濟發展，但事與願違，美國經濟並沒有預期中理想，復甦極其緩慢，直到第三季各項經濟指標才有極輕微的增長。影響所及，香港毛織品訂單並沒有增加，出口也沒有增長。

至於歐洲市場也比廠商的預期爲差。兩年前，蘇聯東歐等國家解體，市場突然間開放，只要能進口的消費品都被搶購一空，去銷的港製毛衣也一樣很受市場歡迎。廠商帶着這個概念，去年初估計歐洲市場會是一片好景。而事實上歐洲市場的表現與預計却是兩回事，表現很差勁。主要原因是廠商對蘇聯解體及德國的統一過分樂觀，大部份人都忽略了，由計劃經濟走向市場經濟，其社會、經濟、政府等結構都需時間作適當調整，並不是風平浪靜的。過去一年就是碰上困難的一年，德國經濟沒有以前好，英國市場也很疲弱，獨聯體東歐等國已沒有解體時對本港以至東南亞的平價產品的大量需求。所以過去一年香港毛織品出口的第二大市場——歐洲的生意也很差。

總的來說，去年的毛織品出口有一點點增長，但增幅很小，約5%。

估計一九九三年香港的出口市場是審慎樂觀。港產品出口的兩大市場會在去年的基礎上有微升。所持理由爲：美國總統大選已定，估計克林頓上任後的首要任務是刺激國內經濟增長，解決國內人民的吃飯問題。若美國經濟復甦，全世界經濟都得益，香港也不例外，出口產品會增加。但從另一角度看，也有隱憂，克林頓要刺激美國經濟發展，就要保護國內的勞工，對進口商品徵收重稅，保護主義色彩定會加强。這種做法，對發展中國家極爲不利。明年如中國能順利重返關稅貿易總協定，最惠國待遇問題也隨即解決，這樣香港將得益。

估計一九九二年聖誕節美國消費市場較前兩年活躍。原因是今冬寒流還未出現，毛衫正適合這樣暖和的冬天，此外時裝潮流轉型，今冬毛衫潮流有捲土重來之勢。基於上述兩個因素，今冬聖誕節銷貨會好，貨倉清貨。這樣一九九三年香港毛衫的訂單會增加。

至於歐洲的消費力也會適當提高。特別是歐洲共同市場實行單一市場，這對香港短期來說是有利的。以前歐洲共市各國是獨立的經濟體系，每一個國家的紡織品配額都有很嚴格限制，當年配額有剩餘也不能在其他國家使用，現歐洲實施一體化，廠家可根據市場需求轉移，合理地在共市多個國家內使用配額。具體來說，估計一九九三年德國經濟會在去年的基礎上有一定的發展，東歐各國經濟也會慢慢好轉。每一個國家都把搞活經濟復甦經濟放在第一位，事實上，歐洲幾億人口的大市場總有一定的需求，去年歐洲經濟已跌至低點，因此一九九三年歐洲市場消費能力會比去年好，香港毛針織業也會因而受惠。

踏入一九九三年，最值得高興的是：香港毛針織業近三年來一直都在洗脫美國的傾銷指控。現在美國國際貿易委員會以六票對零票否決了美國國際貿易法庭的裁定，認爲香港、台灣、南朝鮮等出口的人造毛衫沒有對美國製造商做成危害。這是香港多年以來少有的勝利。今年本港廠商無需再擔憂被指控傾銷而要繳付傾銷稅項。

不過鑑於過去一連串的傾銷調查對本港廠商均構成一定的負擔，因此各廠商仍要爲日後有可能被指爲傾銷商做好準備，包括要熟悉美國或歐洲當地的法律、會計制度和成本計算法，所謂入境問禁，要先了解人家，特別是中小型的廠商更應該做好準備工作。其次香港廠商一有機會就要做宣傳工作，介紹香港，使他們了解香港工業發展。這樣做比有問題出現時才到處做游說工作要有效的多。

後過渡期勞工團體所面對的問題

香港工會聯合會理事長　鄭耀棠

被英國人統治了超過一百年的香港，將在四年半後摘去殖民地的帽子，重歸中國的版圖，成爲中國的一個特別行政區。從中華民族的發展史來看，這是我們民族從上一世紀的衰弱，以至被分割，經過百年的奮鬥，終於再次走上興旺和統一的又一個重要標誌。對於身上流着中華民族鮮血的大多數香港人來說，這是一件大喜事。在這個歷史轉變的過程中，香港勞工團體將會面對什麼問題？應該如何定位？能夠有何作爲？確實須要從事勞工運動的人認眞思考。

香港擺脫殖民統治的過程跟其他殖民地有很大的不同。它不是經歷戰爭和羣衆鬥爭來解決，也不是外國統治者搞“非殖民地化”過程的產物，更不是走向獨立的道路。它是在民族的主體(中國大陸)已經獨立了幾十年，而且有着相當國力的情況下，以談判的方式，通過中英兩國簽署聯合聲明來取得主權的和平回歸。這一獨特的情況使香港在脫離殖民統治的過程中出現了一個“過渡期”，即由英國人統治過渡到主權回歸中國，並由香港的中國人自己管治的權力移交過程。由於其他國家和地區是經過長期的羣衆鬥爭來擺脫殖民統治，其中，工人組織更往往成爲爭取民族解放的主要力量。因此，工人和其他階層人士對自我管治的信心和民族獨立的意識都比較强(如新加坡)。在香港，應該肯定地說，絕大部份的工人對於結束殖民統治和主權回歸中國是積極支持和起推動作用的，因此，無論在“三條條約”的爭論中，在中英聯合聲明公佈後，或者是基本法制定的過程，大部分工人組織都站在民族回歸的立場上，對殖民主義持批判的態度。但是，當解決了主權治權的問題後，香港工人和其他階層的市民是否有足夠的管治信心和意識，却是值得關注的問題。因爲在百多年殖民統治下，“港人治港”的觀念根本不可能建立起來，而中華民族的意識也很少在教育中灌輸，現在，要在短短幾年時間內解決權力的轉移，需要港人有很强的管治信心和民族意識，以取代殖民統治。面對這個問題，勞工團體確有責任做大量的教育工作，使包括工人在內的各階層市民樹立起“治港”的信心和回歸的“民族意識”。

政治上，在一國兩制下建立“港人治港”的政府，是擺脫殖民統治的重要一環。過去，殖民地政府一直實行以英國人爲統治集團主體的管治方式，本地的華人官員和兩局議員只起着執行政策和諮詢意見的作用，廣大的市民更難以涉足政治。英國人根本不願意與港人分享權力，也不會主動培養本地的管治人才。只有在中英聯合聲明確定了“港人治港”後，英國人才提出“本地化”的建議和在一定程度上開放權力。但是，在主觀上，英國人始終希望其政治影響力可以延續下去。近期彭定康提出的政改方案，正是反映了英國人的意圖，要影響九七後的特區政府。當然，英國人管治香港的某些經驗是有值得借鑑的地方，但更重要的，是要靠港人自己的努力，在基本法規定的前提下，制定出符合香港實際的循序漸進的民主政制，選擇自己的管治人才，而不應該有所謂的“教車師傅”。這樣，才能眞正脫離殖民統治，實現“港人治港”。爲了達到這個目標，勞工團體便無可避免地要參與政治活動，參與選擇治港人才的工作。同時，未來的特區政府將會是一個有各階層代表人物參與的政府，而不是現時由某一個利益階層壟斷的政府，於是，勞工組織與其他階層的團體同樣應該在提供管治人才，和籌組特區政府方面，扮演一個積極的角色。

對於過渡時期的經濟問題，無論是投資者或者是打工仔，都是最關心的，因爲它是社會進步的基礎。二次大戰後一大批國家和地區相繼擺脫了殖民統治，但是，在經濟的發展上却十分懸殊。當中無疑是受到不同因素的影響，而最重要和最共通的一點，就是政局是否穩定。不少國家和地區的經驗說明，沒有穩定的政局，沒有勞資兩方面的共同努力，就沒有經濟的繁榮。今天香港的經濟已經有了相當的發展，成爲了亞太地區的金融中心、貿易中心和自由港，工業出口也有廣闊的市場，同時，近年來更着了中國開放市場的先機，與華南經濟緊密聯繫，有一定的經濟發展優勢。但是，並非沒有潛在的危機。如果過渡期政治不穩定，對經濟發展將構成打擊，對勞資雙方和整體社會都不利，因此，維護政局穩定和發展經濟，是香港勞資雙方的共同利益和責任所在。

我們說經濟的發展是工人的生活待遇得到改善的基礎，但經濟的發展不等於工人的生活必然得到保障。過去二十年來香港經濟起飛，社會財富增長不少，然而，勞動者所獲得的分配却十分不合理，貧富差距的情況不是縮窄了，而是擴大了。若然沒有勞工組織的努力爭取，這種情況恐怕更甚。還使我們擔心的，是一些投資者和僱主在過渡期抱着短期心態，只顧賺錢而不理會工人的要求，不改善工人的待遇和福利，造成貧富差距更趨惡化，加劇勞資衝突。輸入勞工就是一例。面對這種情況，勞工組織應有保護勞工階層利益的職責，促使僱主考慮工人的需要，合理地改善工人的待遇。這樣，才可以均衡社會的利益，減少社會的衝擊，有助於平穩過渡。

面對歷史性的轉變，勞資關係必然受到影響，會出現新的變化。過去一段長時間裏，香港在殖民政府的統治下，工人組織在政治、經濟以至社會各個層面都受歧視，有時候甚至受壓制，處於極端不平等的位置上，這往往成爲社會不穩定和導致衝突的原因。隨着殖民統治淡出、特區建立起來，勞資雙方應該建立什麼樣的關係才有利於雙方的共同要求：政治穩定和經濟發展，是值得探討的題目。在現代社會中，不少人已經認識到，投資者和勞動者都是社會的主體，兩者都是當今社會發展的動力。雖然，相互間存在必然的利益矛盾，但有着互相依存的一面。從這個觀念出發，建立一種平等和互利的勞資關係，應是今後的發展趨勢。

總括來說，在後過渡期香港勞工團體將會遇到很多新的問題，面對不少新的挑戰。從另一個角度來說，也正是勞工團體發揮自己作用的一個重要契機。我們將會好好把握這個時機，與其他階層共同携手，推動這個歷史轉變的進程。

一九九三年澳門經濟前景展望

澳門中華總商會會長　馬萬祺

一九九二年澳門經濟在平穩中略有增長，從一至三季統計數字看，經濟發展將優於一九九一年同期。對外貿易在歐共體和美國兩個主要出口市場仍未復甦的情況下，貿易總額為198.1億元(澳門元，下同)，較九一年同期增7.8%。建築業發展蓬勃，首三季建成單位數目和面積均較九一年同期大幅增加。一至九月抵澳旅客人數達400多萬人次，較九一年增2%，銀行業保持穩健，而失業率和通脹率亦分別較九一年同期下降一個百分點左右。估計全年的本地生產總值增長率為4%，較九一年的3.1%略有增長。

一九九二年首三季澳門製品的兩個主要出口市場，美國和歐洲共同體仍陷於經濟衰退或緩慢發展狀態；同時澳門製造業亦遇到發展上的困擾，因此出口貿易雖有所增長，但與進口貿易比較則呈現逆差。預期一九九三年美國市場在經濟進一步復甦帶動下，消費力轉强，對海外貿易貨品需求增加，對本澳出口將產生有利影響。而歐洲共市由於德、法、英等國經濟陷於低沉狀態，故本澳製品出口歐共體市場的前景未可樂觀。另一方面，歐共體在新一年內改用統一配額制度後，對澳門紡織品輸出的影響亦有待觀察。至於九三年澳門製品出口仍將以紡織品為主。

近年來，政府和廠商們一直在探求工業轉型的路向，九三年內廠商已有計劃組團往鄰近地區考察吸取經驗，而政府已擬在短期內頒佈一項鼓勵投資法例，主要為給予購置新廠房和設備的廠商提供利息補貼，相信這些措施將有助製造業的發展。

包括觀光、遊覽、娛樂和博彩的旅遊業，將繼續在整體經濟增長中發揮主導作用。預期隨着本澳道路網重整工程的完結，增設公園和美化遊憩區的計劃實施，以及新港澳碼頭和關閘檢查站建成啓用，澳門的交通系統和城市建設將更趨完善，有利旅遊業的發展。但政府在新一年裏將提高遊客人頭稅，使進一步吸引遊客來澳面臨成本加重的考驗。估計九三年內旅遊業及其相關行業將會在改善服務，增加設施和宣傳推廣方面加强競爭。

建築業在九二年內蓬勃發展，首三季建成各類樓宇的單位數目1.2萬多個，建築面積100多萬平方米，分別較九一年同期大幅增加127%和80.4%。而正在興建的地盤仍有多個，故預期九三年發展將有所放緩。至於地產物業交易在經歷前一階段的熱潮，以及國內有多個地區在港澳進行物業發售的影響下，市道亦有所放緩，估計經一段消化調整期後，市道會重趨活躍。

澳門政府在九三年度施政報告的財經政策中，將基建和運輸列爲優先處理項目。預計九三年有兩個大型建設項目，即新港澳客運碼頭和第二條澳氹大橋建成使用，兩項基建對於改善澳門的內外交通，和發展離島新市鎮將發揮積極效用。

九二年內澳門銀行利率一再下調，至目前已爲一個很低的水平。八月份銀行存款總額出現兩年來首次下降，銀行界人士認爲由於存款利率太低和國內連續推出多個大型樓盤，吸引了部分資金外調所致。澳門元與港元掛鈎，利率亦跟隨港元變動，因此九三年的利率走勢仍受外圍因素影響。九三年澳門財政收支預算均爲79.7億元，爲歷年最大預算。而政府財政收入的主要來源仍將取自博彩專營稅，顯示政府財政倚重某個行業的局面未有改變。

隨着澳門經濟結構調整、轉型，商業服務業的地位和作用日漸加强。近年在百貨零售和電訊傳訊方面業務發展較爲顯著。九三年底，日資八佰伴公司首次在澳門開設綜合性大型商場，在零售業內引起熱烈反應，預料年內將會促使原有百貨零售業加强和改善經營管理，而行業內的競爭亦會加劇。

一九九三年對於澳門未來的發展具有非常重要的意義，經歷了四年起草與諮詢的澳門基本法將在年內定稿和正式公佈。此後，澳門的政治、經濟和社會事務，將會沿着與基本法銜接的方向發展。經濟發展需要有一個好的投資環境，而政局穩定爲首要因素。從一九八六年中葡兩國政府舉行澳門問題談判，一九八七年簽訂中葡聯合聲明，一九八八年開始澳門基本法的起草和及後的諮詢，幾年來，由於中葡兩國政府是處於合作和協商的氣氛中解決問題，使澳門的政局一直保持穩定，爲澳門的經濟發展提供了非常重要的保障。希望這一局面在過渡期內得以繼續和保持。

澳門經濟發展的另一有利因素是處於一個新興發展的地區之中，受益於鄰近經濟發達的香港和經濟迅速增長的中國內地。尤其是國內珠江三角洲一帶近年經濟蓬勃發展，與澳門的經濟貿易往來日趨頻密，對本澳的經濟發展產生有力的促進作用。一九九二年澳門政府在加强與鄰近地區的經貿協作關係方面，採取了積極的態度。分別舉辦了幾次大型的經濟研討會和工商座談會，探討澳門與歐共體和國內珠江三角洲的經貿合作發展前景。與此同時，政府部門和民間商會亦紛紛外出，或邀請其他地區經濟代表團來澳進行洽談、考察，謀求合作的方式和途徑。這些努力在九三年將會有部分取得實質性成果，使澳門經濟發展更增添活力和呈現多元化。

《經濟導報》社論

送別難忘的一九九二年

剛剛過去的一九九二年，是難忘的一年。

這是就與香港關係密切的中國和香港的情況而說的。

先說中國。一九九二年春，鄧小平南下深圳、珠海、上海等地，發表了要進一步解放思想、加速改革開放的講話。講話得到全國人民的擁護，喚起了中國改革開放的新潮。一年來，神州大地出現了多少驚人的變化，人們已不再糾纏於“姓資”“姓社”的爭論，堅持一個中心和兩個基本點，一心一意地想方設法把經濟搞上去。十月舉行的中共十四大，系統地總結了鄧小平建設有中國特色的社會主義的理論，明確了要建立社會主義市場經濟體制，大力深化改革，到處出現了奮力開拓、力爭上游的局面，那種顧忌重重、因循守舊、安於現狀的心態在逐漸消除。現在令人擔心的倒是出現了一些不切實際、盲目攀比、過熱過急的苗頭。中國領導人要求注意這種現象，加以防止和克服，以保證經濟穩定持續的增長。

在十四年中國改革開放過程中，發揮了巨大作用而又同時深受其益的香港，在去年開始的中國新的改革開放熱潮中，又得風氣之先，再次發揮其種種優勢，中港經貿合作關係進一步加强。只要回顧一下去年有多少省、市、自治區來港的大型招商活動，只要計算一下去年有多少港商(其中包括第一次到中國投資的香港財團)湧往中國，只要看一看多少台商、外商通過香港進入中國市場，就會感到這個新的中國熱的威力。“要發財，到中國去”；“中國市場經濟越發展，就會創造更多的香港資本家”等等，已是香港的共識。一九九二年的事實再次有力證明，只要中國沿着改革開放的道路前進，香港就一定得益，香港的利益已和中國的利益緊密聯繫在一起。

再說香港。在西方經濟仍舊步履蹣跚、未脫衰退困境之際，香港一直保持着繁榮穩定的局面，鄧小平講話之後的鄧旋風又促使香港經濟更加發展。但是，港人不無遺憾地看到，七月到任的新港督彭定康於十月七日發表第一份施政報告提出了“憲制方案”，這個方案違背了中英聯合聲明，違背了與基本法的銜接，違背了中英兩國的諒解和協議，在受到中國政府和許多港人的批評後，彭定康堅持錯誤，採取對抗的態度，以致中英之間的爭論不斷升級，造成香港社會分化，經濟動盪，人心波動，股市下挫，投資環境受到影響。雖然中國政府一再義正辭嚴地指明英方的錯誤，要求港英當局改弦易轍，回到聯合聲明的軌道上來。英方對待中英聯合聲明的態度使港人憂慮，使中英之間的關係嚴峻。一九九二年香港政治經濟形勢的如此發展，是任何港人在年頭所未預料到的，也是港人所不願見的。要不是香港經濟基礎深厚，要不是鄧旋風所帶來的大大有利香港的種種好處，港人眞不能想像今天的香港局面將是怎樣的。

旋風的威力，英方的改變政策，使得一九九二年成爲香港難忘的一年。回顧過去，目的爲了展望未來，在新的一年裏，港人既看到十四大後中國改革開放的大好形勢，一定會繼續造福香港；也看到目前香港政制爭論久拖不決帶來的影響，我們希望港英改變“三違背”的錯誤立場，盡快拋棄彭定康的“政改方案”，這樣才能恢復與中國的合作關係，使香港的繁榮穩定得到保證。最近一些經濟機構和人士都預測今年經濟仍會在去年的基礎上繼續增長，這顯然是以中英爭論終獲解決爲前提的。

在迎接一九九三年來臨之時，也迎來了本報的第四十七個年頭。作爲一本植根香港、服務香港的經濟周刊，我們一定一本初衷，竭誠爲香港繁榮穩定出力，不辜負廣大讀者對我們的支持和期望。

（《經濟導報》總2301－2期）

展望今年香港經濟前景

在本報每年的頭幾期中，我們一向邀請了港澳知名人士和工商企業家進行筆談；由編輯部同事撰寫上一年香港經濟、國際經濟和東南亞經濟的年結。在這些筆談和年結中，有關本港經濟上一年的回顧和新一年的展望，從來爲讀者所重視。

到本期止，我們已刊登了香港各界人士對香港經濟的筆談和一九九二年香港經濟年結。從這些文章和資料中，讀者對於去年本港經濟肯定會有一個較爲突出的印象，即去年經濟明顯地分成兩段：在首三季度，香港經濟在出口帶動下表現强勁，內部需求增長，投資旺盛，股市上升，一派欣欣向榮的景象。去年一月鄧小平視察南方發表重要講話，引起中國改革開放的新潮，加强了中港經貿合作關係，又大大促進了香港經濟的發展。但是，在十月七日新督彭定康提出所謂“憲制改革方案”之後，由於他拒不接受中方的忠告，不肯收回這“三違背”的方案，與中方對抗，中英雙方之間的爭論不斷升級，致使香港社會分化，經濟動盪，股市下挫，人心波動，投資環境受到影響，一個好端端的香港經濟蒙受衝擊。幸好是香港本身經濟基礎穩固雄厚，而中國改革開放的新形勢和中共十四大關於建立社會主義市場經濟的決策使中港經濟貿易關係得到加强，從而繼續保證香港經濟的發展。去年香港出口未受影響，最新貿易統計顯示，從一月到十一月，港產品出口增1.8%，轉口增29.9%，出口增21.4%，進口增23.2%，都比上一年同期增加了。即使是十一月之後股市所出現的急挫，從全年恒生指數最高的6447.11降到年底收市的5512.39，即回落14.5%，但仍比上一年底收市的4297.33大幅上升了28.3%；上市、集資和每天平均成交額仍都創出了新水平。全年來看，香港經濟預計仍有5%的增長率，較之迄今未脫衰退困境的西方經濟，甚至是較之全球較爲活躍的亞洲和西太平洋地區，香港經濟的表現仍居前列。可以想像得到，要是沒有十月之後因憲制方案而引起的動盪，香港經濟原來應有更佳的表現的。

回顧去年，是爲了展望今年。承繼去年出現的兩段經濟表現，今年香港經濟顯然有着較爲特殊的背景，它使我們從兩方面來考慮問題：

一方面，香港經濟有着令人樂觀的條件。中共十四大精神在貫徹中，去年底，中國當局接連在農業、經濟、財政、計劃、對外經貿、體制改革等方面舉行了全國性的工作會議，要求解放思想和實事求是相結合，決定要圍繞建立社會主義市場經濟體制的目標，進行深化和配套的改革，繼續擴大開放，中國進一步發展的勢頭將繼續是今年香港經濟增長的重大因素。今年內如果中國能解決恢復關貿總協定的席位，香港又將獲得更多經貿機會。而美國和西方國家走向復甦，對香港也是利好的條件。

但另一方面，由於彭定康還未拋棄其憲制方案，中英爭論迄未解決，香港經濟還存在許多不明朗的因素。這存在兩種可能：如果爭論解決，中英恢復合作，香港經濟自然受惠，穩定繁榮可期；而如果彭定康堅持錯誤，不肯回到聯合聲明的軌道上來，這對今年香港經濟肯定會有負面影響。

由於上述兩方面情況的存在，因此，在展望今年經濟前景時，香港各金融機構、工商界和學者專家的預測多是兩本賬：一是如果彭定康拋棄憲制方案，中英恢復合作，預計今年香港經濟又會有5-5.5%的增長；二是如果彭定康堅持錯誤，中英繼續爭論，儘管中國改革開放新形勢仍大有利香港經濟的發展，但因中英爭論存在勢必影響香港經濟，從而使香港經濟增長率下降1-1.5百分點，只有4-4.5%。

今年離香港回歸不過四年多的時間了。爲了順利銜接，這四年多的時間極爲寶貴。我們希望港英拋棄"三違背"的憲制方案，回到聯合聲明的軌道上來，恢復中英合作，保持今年和今後三年香港經濟繼續增長，穩定繁榮，以保證香港的平穩過渡。

（《經濟導報》總2203期）

再說雞年香港經濟前景

一

剛剛過去的一月份，既迎來一九九三年，又迎來癸酉雞年。在這中西文化交滙的香港社會裏，先見到璀璨的聖誕燈飾和到處派送的賀年卡，又聽到悅耳的恭喜發財和萬事勝意的祝福聲。農曆春節假期，大街小巷，喜氣洋洋，洋溢着溫馨祥和、和諧友善的氣氛。

今年春節後於新年元旦不過三週，但翻一翻香港報刊對雞年的評論，聽一聽街頭巷尾對今年的期望，就會發現，人們常從金雞報曉、金雞迎春、聞雞起舞、雞是德禽等等好話說起，儘管並不諱言還存在着許多不明朗的因素，但對於雞年香港經濟的看法，却是普遍趨於看好的，人們期望中英爭論最終能得到解決，香港繼續穩定繁榮。

港人有着比較樂觀的態度，是有根據的。

先向北望，與香港有着密切關係的中國大陸，呈現出一片持續的蓬勃發展的景象。除夕夜，鄧小平在上海會見各界人士時說，實踐證明，以江澤民爲核心的黨中央領導集體的工作做得是好的，是可以信任的。許多元老如陳雲、彭眞、王震在節前露面時也都作出這樣的贊語。鄧小平充分肯定上海去年做了別人不能做的事情。他說，當然，走一步，回頭看一下是必要的。要注意穩妥，避免損失，特別要避免大的損失。有一點小的損失不要緊，回頭總結經驗，改正缺點就是了。因此他希望上海不要喪失機遇，乘風破浪，脚步紮實，克服困難，更上一層樓。鄧小平這番話，何止是對上海而言，它對於全中國也都是適用的。總的精神仍舊是要珍惜機遇，解放思想，實事求是，更上層樓。再考慮到鄧小平還及時地提出要重視農業，以及中國當局已重視到經濟發展過程中出現的某些困難和突出問題，並正在積極解決，因此今年中國社會穩定，經濟持續發展，改革開放深化是完全可期的。這就爲香港經濟的發展再次創造良好的機遇和動力。

再向西看，一月二十日，美國第四十二任總統克林頓宣誓就職，這是長達十二年共和黨執政之後的新的民主黨政權。在就職演說中，克林頓多次反覆强調美國要變革，要以變革爲朋友。克林頓面對着美國極其嚴酷和困難的現實，包袱沉重，他究竟能兌現多少他的競選諾言，仍是未知之數，但他是在振興美國經濟的背景和要求下上台的，他肯定在這方面要有所作爲。如果美國經濟能開始走上復甦之路和逐步得到改善，這對於香港經濟自然又是一個利好的消息。

最後再看香港本身。中英關於政制改革的爭論，暫時還未有妥善解決的跡象。但非常明顯地，通過幾個月來的爭論，是非更加分明，廣大港人充分認識到香港在過渡時期的後半階段，最需要的是社會穩定，經濟繁榮，順利銜接，平穩過渡。這是港人的最大民意，也是港人的最大利益。因此港人對雞年的最大希望就是港英當局會拋棄政改方案，回到中英聯合聲明的軌道上來。人們期望港英當局更加着力於保持香港經濟的穩定繁榮，在這方面需要的是良好的社會治安，穩定的投資環境，安居樂業的生活條件。要做到這些是絕不容易的。以抑制通貨膨脹爲例，上週統計處公佈，去年通脹率爲9.4%，這比之前年的12%，自然有了改善，值得肯定。但如果因此而沾沾自喜，甚而掉以輕心，那就會帶來隱患。不要說刺激通脹的種種因素並未去除，香港抑制通脹的手段並不充分，只要說保持單位數如9.4%的通脹率就是相當大的數字，對經濟和民生都是沉重的壓力。由此可見，雞年縱有許多有利的因素，但也有許多問題需要解決。只要港人共同努力，發揮以往的應變能力，化解不利因素，促進經濟發展。倘若港英當局能在政制改革問題上改弦更張，使香港形勢雨過天青，雞年經濟發展就一定會比猴年好。

（《經濟導報》總2304期）

今年香港對外貿易仍可看好

分析和展望香港經濟時，一個極其重要的內容是香港的對外貿易情況。這不僅因爲香港從來就是自由開放的外向型經濟體系，自由港和國際貿易中心是香港的生命線和帶動經濟發展的動力；而且因爲處在九十年代的今天，在香港經濟結構轉型和升級過程中，香港對外貿易仍起着主要的作用，對各行業影響甚大。

一九九二年香港經濟獲得5%的實質增長率就和對外貿易(尤其是轉口貿易)表現强勁及本地內部需求殷切密切相關。統計資料顯示，一九九二年香港對外貿易總額達18,834.14億元(合2,414.62億美元)，比一九九一年實質增長20.7%。其中出口總額9,249.52億元，實增19.1%；進口總額9,584.62億元，實增22.2%。在出口中，港產品出口總值2,341.24億元，幾乎沒有實質增長(只增0.2%，還比一九九一年的0.4%增幅低)，但令人矚目的是轉口貿易特別强勁，達6,908.29億元，實質增幅爲28.1%。轉口貿易在對外貿易總額中的比重佔36.7%，而在出口貿易總額中的比重則從一九九一年的69.8%升至74.7%。近幾年香港轉口貿易的强勁增長及其在出口貿易中比重的不斷上升，正好從一個側面反映香港作爲轉口港和服務中心的地位在發揮着更大的作用。這也正是香港經濟結構轉型的一個內容。

只講數字顯然不夠，還需要進一步探討香港對外貿易結構，看來在這方面有兩點值得注意：

一是一九九二年香港對外貿易的增長是在西方經濟呆滯、復甦步履艱難而且步伐參差不齊的情況下取得的。但與西方相比，亞太地區却是蓬勃發展的經濟地帶。這種鮮明對比，在香港對外貿易上表現相當明顯。以港產品出口爲例，輸中國大陸增14%，輸整個亞太地區增9%(其中輸新加坡、馬來西亞、菲律賓和澳門都是兩位數增長)，而輸美國僅增3%，輸德國、英國和日本則是負增長。再說轉口貿易，輸往中國大陸增幅38%，在轉口總值中佔的比重爲31%，都比輸美國(34%和21%)、日本(27%和5%)高；雖然輸英國增幅還高，達40%，但它的數值不及輸中國大陸的十分之一，而在轉口總值中所佔的比重仍只有3%，和一九九一年沒有改變。至於輸新加坡、菲律賓、馬來西亞、澳門等地則都獲有15-38%的增長。

二是從整個香港對外貿易看，中國大陸和美國至關重要。中國大陸近年來早已升爲香港第一大貿易伙伴，一九九二年香港與中國大陸的貿易額佔香港貿易總額的33.36%。而美國，儘管它的地位已相當下降，但它仍是港產品出口的第一大市場和第二大轉口市場。香港同中國大陸、美國的貿易額就佔了香港貿易總額的48.42%。

因此，在分析香港對外貿易時，只要同中國大陸和美國的貿易，同亞太地區的貿易能保持較强勁的增長，香港對外貿易就可看好。從今年來看，亞太地區仍是全球心目中的蓬勃發展地區；美國克林頓新政府採取的振興經濟計劃的效果還是未知之數，但它在努力改善經濟狀況和目前美國復甦的態勢稍好於其他西方國家也是事實；至於中國大陸，在去年經濟高速增長的基礎上，今年的基調仍是抓緊機遇，加速改革開放和建設步伐，促進經濟又快又好地發展，正在北京舉行的人大、政協兩會充分反映了這一信息。中國因素日益成爲香港經濟和貿易繼續增長的決定性因素，這已成共識。正是從這些有利因素出發，即使中英政制爭論未得解決，難怪香港經濟界仍然看好今年香港對外貿易。自然，有關美國對華最惠國待遇問題仍是一個不明朗的因素，如果出現美國提出附加條件乃至撤銷的情況，對香港貿易自有巨大衝擊。香港貿易署曾作過預估。但照目前情況看，既然中美兩國相互給予最惠國待遇是對等、互惠條件，如不繼續，何止對中國大陸不利，對香港不利，對美國亦無好處。美國對此自需採取較爲理智和愼重的態度。因此目前香港經濟界人士對於今年香港對外貿易仍抱着審愼樂觀的態度，並預期其仍將有較大的增幅。

（《經濟導報》總2312期）

今後五年是香港發展的關鍵時期

全世界矚目的中國“兩會”——全國人大八屆一次會議和全國政協八屆一次會議相繼在北京閉幕了。這次“兩會”內容豐富，成就巨大，博得了海內外的稱讚。

中國新的國家領導人和政協領導人已經產生。經過多方協商和充分醞釀，新的國家主席、人大委員長、政協主席、國務院總理、國務院組成人員和各部委負責人已經選出和決定。這爲政局穩定、經濟持續發展提供了最有力的保證。

修改憲法一些條款，是此次人大會議的一項重要議題。隨着中國改革開放和建設的不斷發展，中國在經濟、政治和社會生活的各方面都發生了巨大變化，或已獲有新的經驗和認識，或是原有的一些規定已與實際情況不相適應。爲了順應時代要求，順乎民心所向，憲法需作及時的修改。在這次修改中，新的憲法條文明確指出：“我國正處於社會主義初級階段。國家的根本任務是，根據建設有中國特色社會主義的理論，集中力量進行社會主義現代化建設。”加進了“堅持改革開放”，修改國營經濟爲國有經濟，確定“農村中的家庭聯產承包爲主的責任制和生產、供銷、信用、消費等各種形式的合作經濟，是社會主義勞動羣衆集體所有制經濟。”把“國家在社會主義公有制的基礎上實行計劃經濟”改爲“國家實行社會主義市場經濟”。國家根本大法的這些重大修改，符合實際，推動未來，保證了中國特色的社會主義事業的發展。

人大會議通過了《中華人民共和國澳門特別行政區基本法》和關於設立澳門特別行政區等決定。三年前，全國人大七屆三次會議通過了中華人民共和國香港特別行政區基本法和關於設立香港特別行政區等決定，而三年後的今天，澳門基本法又得通過。在本世紀結束之前，中國將先後恢復對香港和澳門行使主權，這是全國人民感到揚眉吐氣的大事。

審議和通過政府工作、預算、國家經濟和社會發展計劃的報告，並作出有關決議，自是本屆人大最爲重要的任務。因爲政府的首要任務就是發展經濟。李鵬總理在政府工作報告中提出要抓住機遇，深化改革，擴大開放，加速發展，集中全國力量把經濟建設搞上去。“八五”計劃的主要指標已作了調整，把國民經濟增長速度由原定平均每年6%調高到8-9%，今年增長速度則定爲8%。經濟增長所要求的速度應是在優化結構、技術進步、改善管理、提高效益的基礎上實現的較快的經濟發展速度。

爲了完成改革開放和建設的繁重任務，江澤民在人大閉幕會上以國家主席身份發表了重要講話，呼籲要有偉大的創業精神來進行偉大的創業實踐。這就是解放思想、實事求是，積極探索、勇於創新，艱苦奮鬥、知難而進，學習外國、自強不息，謙虛謹愼、不驕不躁，同心同德、顧全大局，勤儉節約、淸正廉潔，勵精圖治、無私奉獻。

在今年“兩會”上，香港問題成了一個熱點話題，針對港督彭定康提出和拒不放棄的“三違背”的政改方案和目前中英爭論的情況，李鵬總理在報告中再次嚴肅指出中國政府的原則立場：一九九七年七月一日，中國將恢復對香港行使主權。這是中國的神聖權力，絕不允許受到任何干擾和破壞。港英當局爲香港政權的順利交接和平穩過渡製造混亂和障礙，由此而引起的嚴重後果，只能由英國政府負完全責任。此次人大會議審議了廣東省代表團的提案，通過了關於授權全國人大常委會設立香港特別行政區籌備委員會的準備工作機構的決定。

八層全國人大會期的五年印今後五年是中國改革開放和建設的關鍵時期，而在這過程中，即不過四年多一點的時間內，香港將回歸祖國的懷抱，因此今後五年也正是香港變化發展的關鍵時期。不論在這過渡階段，還會出現什麼樣的風雨，香港經濟終將克服種種困難，沿着中英聯合聲明所確定的路線前進。因爲今後五年中國的富强進步已爲香港的繁榮穩定提供了最有力的保證。

（《經濟導報》總2313期）

香港特別行政區
籌委會預備工作委員會成立

全國人民代表大會關於授權全國人民代表大會常務委員會設立香港特別行政區籌備委員會的準備工作機構的決定

（1993年3月31日八屆全國人大一次會議通過）

第八屆全國人民代表大會第一次會議審議了廣東省代表團提出的建議成立香港特別行政區籌備委員會的預備工作委員會的議案，根據1990年4月4日第七屆全國人民代表大會第三次會議通過的《全國人民代表大會關於香港特別行政區第一屆政府和立法會產生辦法的決定》中關於1996年內全國人民代表大會設立香港特別行政區籌備委員會的規定，考慮到1997年我國恢復對香港行使主權的時間日益臨近，爲了保證1997年的平穩過渡，有大量的準備工作需要進行，決定：授權第八屆全國人民代表大會常務委員會設立香港特別行政區籌備委員會的準備工作機構，着手進行各項有關準備工作。

八屆全國人大常委會第二次會議關於設立預委會的決定

（一九九三年七月二日）

根據第八屆全國人民代表大會第一次會議《關於授權全國人民代表大會常務委員會設立香港特別行政區籌備委員會準備工作機構的決定》，第八屆全國人民代表大會常務委員會第二次會議決定，設立全國人民代表大會常務委員會香港特別行政區籌備委員會預備工作委員會。該委員會是全國人民代表大會常務委員會的工作機構，其職責是在香港特別行政區籌備委員會成立前，爲一九九七年中國對香港恢復行使主權，實現平穩過渡，進行各項有關準備工作。

香港特別行政區籌備委員會預備工作委員會在香港特別行政區籌備委員會成立後結束工作。

與會的一百三十七位委員中，一百三十三位贊成該議案，兩位棄權，兩人未按表決器，無人反對。

香港特別行政區籌備委員會預備工作委員會名單

（一九九三年七月二日）

主任委員	錢其琛
副主任委員	霍英東　安子介　李福善　姜恩柱　魯　平 周　南　鄭　義
秘書長	魯　平
副秘書長	陳滋英　秦文俊
香港委員	廖瑤珠　吳康民　曾憲梓　李澤添　劉皇發 譚惠珠　邵友保　陳日新　徐四民　徐展堂 曾鈺成　李國寶　鄔維庸　李嘉誠　查濟民 黃保欣　羅德丞　梁振英　羅康瑞　鍾士元 譚耀宗　朱幼麟　倪少傑　方黃吉雯 劉兆佳　羅叔清　范徐麗泰
內地委員	趙稷華　邵天任　王啟人　王鳳超　李偉庭 陳　偉　曾曉松　甘子玉　李國華　周小川 陳　元　高尚全　經叔平　田期玉　徐惠滋 王叔文　蕭蔚雲　吳建璠　萬紹芬　周成奎

預備工作委員會五小組名單

（一九九三年七月十五日）

政務小組	組長：蕭蔚雲、梁振英 成員：黃保欣、劉兆佳、曾鈺成、鍾士元、羅德丞、朱幼麟、劉皇發、徐展堂、廖瑤珠、查濟民、倪少傑、陳日新、范徐麗泰、方黃吉雯、李福善、羅叔清、徐四民、王鳳超、陳偉、趙稷華、邵天任、周成奎、秦文俊。
經濟小組	組長：方黃吉雯、高尚全 成員：李嘉誠、邵友保、霍英東、李國寶、羅康瑞、曾憲梓、查濟民、黃保欣、李澤添、倪少傑、鍾士元、劉皇發、梁振英、譚耀宗、周

小川、陳　元、李國華、俞曉松、甘子玉、經叔平、王啓人、李偉庭、萬紹芬

法律小組	組長：李福善、邵天任
	成員：廖瑤珠、李國寶、譚惠珠、陳滋英、陳偉、王鳳超、趙稷華、王叔文、吳建璠、王啓人、蕭蔚雲、秦文俊
社會及保安小組	組長：范徐麗泰、王叔文
	成員：李澤添、朱幼麟、羅德丞、吳康民、譚惠珠、譚耀宗、羅叔清、徐展堂、田期玉、徐惠滋、陳滋英
文化小組	組長：鄔維庸、吳建璠
	成員：徐四民、吳康民、劉兆佳、曾鈺成、李澤添、曾憲梓、霍英東、李偉庭、萬紹芬、田期玉、周成奎

在第一次全體會議上錢其琛的開幕詞

（一九九三年七月十六日）

各位委員：

香港特別行政區籌備委員會預備工作委員會第一次全體會議現在開幕了。我很高興能有機會與各位委員共事，爲國家對香港順利恢復行使主權，保證香港平穩過渡和長期穩定繁榮而一起履行職責。

各位委員，距離一九九七年七月一日，這個我國對香港恢復行使主權的日子已經不足四年了。一九八四年十二月十九日，我國政府按照"一國兩制"的總方針和據此提出的解決香港前途問題的十二條具體方針政策，同英國政府經過和平談判，簽署了關於香港問題的聯合聲明。我國政府在聯合聲明中宣佈了對香港的一系列特殊的方針和政策，表明了我國將按照"一國兩制"的原則保持香港穩定和繁榮的決心和誠意。

這一決心和誠意爲後來的香港基本法的起草工作所進一步證實。衆所周知，爲了完成這部史無前例的基本法，我們花費了將近五年的時間。在這期間，起草委員會經歷了"兩下兩上"的程序，通過各種渠道和方式，廣泛聽取了社會各界，特別是

香港各方面的意見。我們所做的這一切，就是爲了使“一國兩制”的總方針，以及保持香港原有的制度和生活方式五十年不變，“港人治港，高度自治”等一系列具體方針政策得到法律上的保障。基本法將爲全國各族人民所共同遵守，它也是我們爲香港的平穩過渡和政權的順利交接作好各項準備工作的準則和基礎。

近十年來的歷程證明，我們對貫徹落實“一國兩制”堅定不移，充滿了信心。我國政府是信守聯合聲明的。無論形勢發生什麼樣的變化，都動搖不了我們按照“一國兩制”的方針收回香港的決心。我們這個委員會的任務就是要根據基本法，爲香港的平穩過渡、政權的順利交接和保持香港長期的穩定繁榮進行調查研究，提供意見和建議，爲實施基本法做好各項準備工作。

各位委員，從現在起再經歷三個“七·一”，就到了我國對香港恢復行使主權的七月一日了。根據全國人大及其常務委員會的決定，我認爲，我們這個委員會的具體職責大致有如下幾項：

第一，爲設立香港特別行政區籌備委員會的有關事宜進行研究，並提出意見；

第二，在籌委會成立前，對其工作預先作探討，特別是就第一屆政府和立法會的具體產生辦法進行思考、研究並提出建議，供籌委會成立後參考；

第三，推廣和宣傳基本法；

第四，對香港現行法律中與香港基本法相抵觸的條款提出處理意見；

第五，研究跨越九七年並可能對香港特別行政區利益產生重大影響的事項，並提出意見；

第六，研究同我國對香港恢復行使主權，實現平穩過渡有關的其他事宜；

第七，處理全國人大常委會交辦的有關事項。

我們這個委員會是全國人大常委會下設的一個工作機構，我們的研究結果、提出的意見和建議都將提供全國人大常委會、國務院或一九九六年成立的香港特別行政區籌備委員會參考。從現在開始到一九九六年，預委會大體上將有兩年半的工作時間。今年下半年要制訂出工作計劃。明後兩年要逐步深入展開各項研究工作，形成各項建議。到一九九六年籌委會一成立，我們的預委會即結束自己的工作。所以，我們的預委會既不是什麼“第二個權力中心”，也不是什麼“影子內閣”。

各位委員，我們所承擔的工作是全體中國人民，尤其是六百萬香港同胞普遍關注的大事，我們必須在工作中發揚民主，集思廣議，廣泛地傾聽包括香港社會在內的各界人士的意見和建議，團結廣大香港同胞，齊心協力，一起參與到籌備成立香港特別行政區的各項準備工作中去。

各位委員，我們這個委員會的工作從今天起已經正式開始了，我相信大家一定能夠以自己的聰明才智，爲迎接一九九七年的來臨作出自己應有的貢獻。只要我們同心同德，羣策羣力，在內地各族人民和香港各界同胞的支持下，我們就一定能圓滿完成全國人大常委會交給我們的各項任務。

錢其琛的閉幕詞（摘要）

（一九九三年七月十七日）

錢其琛說，兩天來，各位委員懷着飽滿的熱情參加了大會的各項活動。在各位委員的積極努力下，我們圓滿完成了本次預委會全體會議的任務，達到了預期的目的。

錢其琛說，這次會議討論通過了籌備工作委員會的工作規則；確定了五個專題小組的分組名單和各小組組長的人選；各小組還就今後的工作規劃和工作方法作了初步討論；還有幾位委員作了大會發言，互通了情況，交流了思想。在大會期間，一些委員還就預備工作委員會今後如何開展工作提出了許多好的建議。

錢其琛說，這次會議是成功的，開了一個好頭。會後各專題小組將要開始各自的工作。近期的工作任務是要制訂各專題小組的具體工作規劃及工作進度表。他希望這項工作能在年內召開的第二次具體會議前完成。

會議公報

（一九九三年七月十七日）

全國人民代表大會常務委員會香港特別行政區籌備委員會預備工作委員會第一次全體會議，於一九九三年七月十六日至十七日在北京舉行。

會議期間，江澤民、喬石、李瑞環、朱鎔基、榮毅仁、錢其琛、姬鵬飛會見了到會的全體委員。全國人大常委會委員長喬石向各位委員頒發了任命書。會議由預備工作委員會主任錢其琛主持，討論通過了預備工作委員會工作規則，並決定預備工作委員會下設政務、經濟、法律、文化、社會及保安等五個專題小組。會議期間舉行了分組討論和專題小組會議。委員會就預備工作委員會的職責和任務進行了討論，並就各專題小組的工作規劃初步交換了意見。部分委員在全體會議上發了言。委員們認為，隨着一九九七年七月一日我國對香港恢復行使主權日期的日益臨近，立即着手進行有關的準備工作是非常必要的，這將有利於香港的平穩過渡和繁榮穩定。

第一次全體會議之後，各專題小組將根據各自的任務開展工作。

會議決定，預備工作委員會第二次全體會議將於今年十二月在北京舉行。

中英聯合聲明

執行情況資料專輯

（一九九二年九月至一九九三年七月）

中英聯合聯絡小組

第二十四次會議新聞公報

（一九九二年九月二十三日）

中英聯合聯絡小組第二十四次會議於一九九二年九月二十一日至二十三日在倫敦舉行。

聯合聯絡小組進一步討論了目前在香港用於防務目的的土地的前途問題。

聯合聯絡小組討論了同香港有關的國際權利與義務問題，就科技、國際犯罪、運輸（公路和鐵路）和國際私法方面的十三項國際條約一九九七年後繼續適用於香港的問題達成了協議，並就另兩項國際私法公約的具體安排取得了一致意見。

聯合聯絡小組就聯合聲明有關一九九七年後在香港居留權的條款的實施問題進一步交換了意見。會議期間，雙方專家就該問題的某些方面進行了討論。

雙方就香港民航協定問題進一步交換了意見，並取得了進展。

聯合聯絡小組就香港與有關國家之間的投資保護協定交換了意見。

聯合聯絡小組就香港與有關國家之間的移交逃犯協定交換了意見，並取得了進展。

聯合聯絡小組進一步討論了跨越一九九七年的主要專營權問題，並取得了進展。

聯合聯絡小組進一討論了香港同某些國家的刑事司法協助問題，並就協定範本在原則上達成了一致意見。

聯合聯絡小組討論了香港旅行證件問題，並就回港證在一九九七年前後的過渡性安排問題達成了一致意見。

下次聯合聯絡小組會議將於一九九二年十二月在香港舉行。

第二十五次會議

（一九九二年十二月十日）

中英聯合聯絡小組第二十五次會議於一九九二年十二月八日至十日在北京舉行。雙方在會後沒有像以往那樣，發表聯合公報。

中方首席代表郭豐民在稍後舉行的簡報會上指出，這次會議沒有達成任何協議，是因爲中英合作的基礎已受到了嚴重的破壞。

這是自一九八五年七月中英聯合聯絡小組第一次會議在倫敦舉行以來，首次未能在會議結束後發表聯合公報，也是首次未能確定下一次會議的開會日期。

第二十六次會議新聞公報

（一九九三年六月二十三日）

中英聯合聯絡小組第二十六次會議於一九九三年六月二十一日至二十三日在香港舉行。

聯合聯絡小組進一步討論了目前在香港用於防務目的的土地的前途問題、跨越一九九七年的專營權、合約及有關的問題、香港同某些國家的刑事司法協助問題、香港與有關國家之間的移交逃犯協定、法律本地化、法律適應化、聯合聲明有關一九九七年後在香港居留權的條款的實施問題、香港旅行證件過渡性安排問題、互免簽證協定、公務員長俸保障問題和香港與外國對等承認及執行民商事判決問題。

聯合聯絡小組討論了同香港有關的國際權利與義務問題，並就科技方面的一項國際條約一九九七年後繼續適於香港問題達成了協議。

雙方就香港民航協定問題進一步交換了意見，並取得了進展。

聯合聯絡小組就香港與有關國家之間的投資保護協定交換了意見，並取得了進展。下次聯合聯絡小組會議的時間和地點，將由雙方另行商定。

中英土地委員會會議

第二十七次會議

（一九九三年五月十一日）

一九九三年五月七日和十一日，中英土地委員會舉行第二十七次會議。雙方商定一九九三/九四財政年度的批地計劃爲一百二十七點八公頃，其中商業、住宅、工業用途二十三點三七公頃；居者有其屋計劃、夾心階層房屋計劃、私人機構參建居屋計劃、香港房屋協會發展用地、鄉村屋宇二十七點六三公頃；公用事業、教育、福利、宗教、康樂和其他用途十四點七公頃；以及特殊需求用途六十二點一公頃，其中包括爛角咀發電站四十五點五九公頃用地。

雙方還商定，另撥出五公頃土地作爲補充批地計劃，在年內視需求情況決定從中推出土地的數量。

中英就香港一九九四/九五年選舉安排問題的會談

（一九九三年四月十三日）

中英雙方商定，兩國政府代表將於一九九三年四月二十二日開始在北京根據中英聯合聲明、與基本法銜接的原則以及中英已達成的有關協議和諒解就香港一九九四/九五年選舉安排問題舉行會談。中華人民共和國政府代表爲外交部副部長姜恩柱，英國政府代表爲英國駐華大使麥若彬。

中英第一輪會談

（一九九三年四月二十四日）

英國政府代表、英國駐華大使麥若彬，與中國政府代表、中華人民共和國外交部副部長姜恩柱，於一九九三年四月二十二至二十四日在北京根據中英聯合聲明、與基本法銜接的原則以及中英已達成的有關協議和諒解，就香港一九九四/九五年選舉安排問題舉行了第一輪會談。

雙方商定，第二輪會談將於四月二十八日、二十九日在北京舉行。

中英第二輪會談

（一九九三年四月二十九日）

中英雙方同意，英國政府代表、英國駐華大使麥若彬與中國政府代表、中華人民共和國副外長姜恩柱將於一九九三年五月二十一日至二十三日在北京根據中英聯合聲明、與基本法銜接的原則以及中英已達成的有關協議和諒解就香港一九九四/九五年選舉安排問題舉行第三輪會談。

中英第三輪會談

（一九九三年五月二十三日）

中英雙方商定，中國政府代表、外交部副部長姜恩柱和英國政府代表、英國駐華大使麥若彬將於一九九三年五月二十八日和二十九日在北京根據中英聯合聲明、與基本法銜接的原則以及中英已達成的有關協議和諒解，就香港一九九四/九五年選舉安排問題舉行第四輪會談。

中英第四輪會談

（一九九三年五月三十日）

中英雙方商定，中國政府代表、外交部副部長姜恩柱和英國政府代表、英國駐華大使麥若彬將於一九九三年六月十四日至十六日在北京根據中英聯合聲明、與基本法銜接的原則以及中英已達成有關協議和諒解，就香港一九九四至一九九五年選舉安排問題舉行第五輪會談。

中英第五輪會談

（一九九三年六月十六日）

中英雙方商定，中國政府代表、外交部副部長姜恩柱和英國政府代表、英國駐華大使麥若彬將於一九九三年六月二十三日至二十五日在北京根據中英聯合聲明、與基本法銜接的原則以及中英已達成的有關協議和諒解，就香港一九九四/九五年選舉安排問題舉行第六輪會談。

中英第六輪會談

（一九九三年六月二十五日）

中英雙方商定，中國政府代表、外交部副部長姜恩柱和英國政府代表、英國駐華大使麥若彬將於一九九三年七月五日至六日在北京根據中英聯合聲明、與基本法銜接的原則以及中英已達成的有關協議和諒解，就香港一九九四/九五年選舉安排問題舉行第七輪會談。

中英第七輪會談

（一九九三年七月六日）

中英雙方商定，中國政府代表、外交部副部長姜恩柱和英國政府代表、英國駐華大使麥若彬將於一九九三年七月二十日至二十二日在北京根據中英聯合聲明、與基本法銜接的原則以及中英已達成的有關協議和諒解，就香港一九九四/九五年選舉安排問題舉行第八輪會談。

中英第八輪會談

（一九九三年七月二十二日）

中英雙方商定，中國政府代表、外交部副部長姜恩柱和英國政府代表、英國駐華大使麥若彬將於一九九三年八月十六日及十七日在北京根據中英聯合聲明、與基本法銜接的原則以及中英已達成的有關協議和諒解，就香港一九九四/九五年選舉安排問題舉行第九輪會談。

中葡聯合聲明
執行情況資料專輯
（一九九二年十一月至一九九三年六月）

中華人民共和國澳門特別行政區
基本法起草委員會會議

第九次全體會議

姬鵬飛的講話

（一九九三年一月十三日）

中華人民共和國澳門特別行政區基本法起草委員會第九次全體會議現在開幕。

去年，全國人民代表大會常務委員會公佈了《中華人民共和國澳門特別行政區基本法(草案)》，在澳門和內地徵求意見。在四個月的徵求意見期間，起草委員會受全國人大常委會的委託，向澳門各界人士和中央各部門、各民主黨派、各人民團體廣泛徵求了意見，並通過各省、自治區、直轄市人大常委會徵集了各方面的意見。部分內地委員還應澳門特別行政區基本法諮詢委員會的邀請，赴澳門與在澳門的起草委員一起聽取各界人士的意見。在諮詢期內，諮詢委員會做了大量的工作，舉辦座談會、講座、基本法知識比賽多種多樣的活動，收集各界人士的意見。他們的工作得到了起草委員會和澳門各界的好評。

在徵求意見結束後，起草委員會各專題小組於去年九月舉行了會議，在認眞研究各界人士的意見、建議後，對基本法草案的條文提出了一些修改建議。與此同時，區旗區徽評選委員會根據起草委員的意見，對區旗區徽圖案作了修改。在隨後召開的第三次主任委員擴大會議上，審議了各專題小組對基本法草案的修改建議和區旗區徽評選委員會推薦的兩套區旗區徽圖案，對此提出了一些修改建議，一併提交本次會議討論。

我們這次會議的主要議程是：審議和通過報請全國人民代表大會審議的《中華人民共和國澳門特別行政區基本法(草案)》、中華人民共和國澳門特別行政區區旗區徽圖案(草案)以及《關於提請全國人民代表大會審議中華人民共和國澳門特別行政區基本法(草案)的決定》。在討論中，專題小組和委員可以按照規定的程序對基本法草案提出修改提案。經過表決，如獲得三分之二多數同意的修改提案將取代原條文。

各位委員，在過去的四年多時間裏，大家爲了把"一國兩制"的總方針和國家對澳門的各項基本政策用法律的形式明確規定下來，爲了保持澳門的長期穩定和發展，做了很有成效的工作，本次會議將要通過的《中華人民共和國澳門特別行政區基本法(草案)》就是大家辛勤勞動的結晶。我希望委員們繼續發揚認眞負責、民主協商的精神，通力合作，善始善終，把我們這次會議開好，圓滿地完成歷史賦予我們的光榮任務。

姬鵬飛的閉幕詞

(一九九三年一月十五日)

經過四天的緊張工作，我們的會議已經完成了預定的各項議程。一部體現"一個國家，兩種制度"總方針和我國對澳門的基本方針政策的法律草案終於在大家的共同努力下完成了。這是繼香港基本法之後的又一部具有歷史意義和國際意義的法律文件，它標誌着中國人民爲實現祖國統一，確保澳門長期穩定發展而採取的重大步驟。

在這次會議期間，我們對基本法草案進行了最後的討論、修改和完善，專題小組和委員一共提出了二十六個修改提案。經過以無記名的投票方式表決，有十八個修改提案獲得全體委員三分之二以上多數通過。這次會議還評選出了澳門特別行政區區旗和區徽圖案(草案)。會議決定，把修改後的《中華人民共和國澳門特別行政區基本法(草案)》和澳門特別行政區區旗區徽圖案(草案)一併提請全國人民代表大會常務委員會審議，並建議全國人民代表大會常務委員會將其提請第八屆全國人民代表大會第一次會議審議。

各位委員，自從一九八八年八月基本法起草委員會成立以來，在長達四年零五個月時間裏，我們先後舉行了九次全體會議、七十次專題小組會議、三次主任委員擴大會議、三次區旗區徽圖案評選委員會會議，還先後就澳門基本法草案徵求意見稿和澳門基本法草案兩次在澳門和全國其他地區廣泛徵求意見。

今年三月，第八屆全國人民代表大會第一次會議就要召開，《中華人民共和國澳門特別行政區基本法》一經這次會議審議通過，我們就完成了全國人民代表大會以及包括澳門同胞在內的全國人民賦予的重托，完成了一項載入史册的大事。

澳門基本法的通過，標誌着澳門進入了過渡時期的新階段。爲了實現一九九九年的平穩過渡，保持和發展澳門的長期穩定繁榮，澳門的政治、經濟、文化等社會生活各個方面的演進都需要同基本法的規定相銜接，這是澳門和內地共同的利益所在。因此，我們面臨的一個新任務就是要使澳門基本法在澳門和全國其他地區家喻戶曉，也就是使"一國兩制"和中央對澳門的一系列方針政策深入人心。各位都曾爲起草這部基本法付出了辛勤的勞動，耗費了大量的時間和精力，希望今後也同樣能爲推廣和維護基本法作出自己的貢獻。

我再一次代表起草委員會向關心和支持基本法起草工作的全國人民特別是澳門同胞，向對基本法起草工作給予大力幫助的澳門特別行政區基本法諮詢委員會，向熱心、忠實地報道基本法起草情況的新聞界朋友們，向在起草基本法過程中付出辛勤勞動的起草委員會秘書處的工作人員們表示衷心地感謝，感謝他們四年多來給予的合作和幫助。

各位委員，現在我宣佈，中華人民共和國澳門特別行政區基本法起草委員會第九次全體會議閉幕。

新聞公報

（一九九三年一月十五日）

中華人民共和國澳門特別行政區基本法起草委員會第九次全體會議於一九九三年一月十三日至十五日在北京舉行。

會議聽取了起草委員會五個專題小組修改基本法草案有關條文的工作報告。聽取了魯平秘書長關於修改基本法草案的說明，聽取了區旗、區徽圖案評選委員會關於區旗、區徽圖案修改情況的工作報告。會議採取無記名投票的方式，以全體委員三分之二以上的多數通過了十八個修改提案。會議還評選出了澳門特別行政區區旗、區徽圖案(草案)。

會議決定將經修改通過的《中華人民共和國澳門特別行政區基本法(草案)》、澳門特別行政區區旗、區徽圖案(草案)以及爲全國人民代表大會草擬的《全國人民代表大會關於澳門特別行政區第一屆政府、立法會和司法機關產生辦法的決定(草案)》和《澳門特別行政區基本法起草委員會關於設立全國人民代表大會常務委員會澳門特別行政區基本法委員會的建議》提請中國人民代表大會常務委員會審議，並建議全國人民代表大會常務委員會提請第八屆全國人民代表大會第一次會議審議。

澳門特別行政區基本法是一部體現"一國兩制"方針的全國性法律。經過四年零五個月的工作，起草委員會完成了起草基本法這項歷史任務，這是全體委員辛勤勞動、通力合作的結晶，也是全國人民，特別是澳門同胞和澳門特別行政區基本法諮詢委員會支持和參與的結果，會議向他們表示最衷心的感謝。

中華人民共和國
澳門特別行政區基本法

一九九三年三月三十一日第八屆全國人民代表大會第一次會議通過

序　言

澳門，包括澳門半島、氹仔島和路環島，自古以來就是中國的領土，十六世紀中葉以後被葡萄牙逐步佔領。一九八七年四月十三日，中葡兩國政府簽署了關於澳門問題的聯合聲明，確認中華人民共和國政府於一九九九年十二月二十日恢復對澳門行使主權，從而實現了長期以來中國人民收回澳門的共同願望。

爲了維護國家的統一和領土完整，有利於澳門的社會穩定和經濟發展，考慮到澳門的歷史和現實情況，國家決定，在對澳門恢復行使主權時，根據中華人民共和國憲法第三十一條的規定，設立澳門特別行政區，並按照“一個國家，兩種制度”的方針，不在澳門實行社會主義的制度和政策。國家對澳門的基本方針政策，已由中國政府在中葡聯合聲明中予以闡明。

根據中華人民共和國憲法，全國人民代表大會特制定中華人民共和國澳門特別行政區基本法，規定澳門特別行政區實行的制度，以保障國家對澳門的基本方針政策的實施。

第一章　總則

第一條　澳門特別行政區是中華人民共和國不可分離的部分。

第二條　中華人民共和國全國人民代表大會授權澳門特別行政區依照本法的規定實行高度自治，享有行政管理權、立法權、獨立的司法權和終審權。

第三條　澳門特別行政區的行政機關和立法機關由澳門特別行政區永久性居民依照本法有關規定組成。

第四條　澳門特別行政區依法保障澳門特別行政區居民和其他人的權利和自由。

第五條　澳門特別行政區不實行社會主義的制度和政策，保持原有的資本主義制度和生活方式，五十年不變。

第六條　澳門特別行政區以法律保護私有財產權。

第七條　澳門特別行政區境內的土地和自然資源，除在澳門特別行政區成立前已依法確認的私有土地外，屬於國家所有，由澳門特別行政區政府負責管理、使用、開發、出租或批給個人、法人使用或開發，其收入全部歸澳門特別行政區政府支配。

第八條　澳門原有的法律、法令、行政法規和其他規範性文件，除同本法相抵觸或經澳門特別行政區的立法機關或其他有關機關依照法定程序作出修改者外，予以保留。

第九條　澳門特別行政區的行政機關、立法機關和司法機關，除使用中文外，還可使用葡文，葡文也是正式語文。

第十條　澳門特別行政區除懸掛和使用中華人民共和國國旗和國徽外，還可懸掛和使用澳門特別行政區區旗和區徽。

澳門特別行政區的區旗是繪有五星、蓮花、大橋、海水圖案的綠色旗幟。

澳門特別行政區的區徽，中間是五星、蓮花、大橋、海水，周圍寫有"中華人民共和國澳門特別行政區"和葡文"澳門"。

第十一條　根據中華人民共和國憲法第三十一條，澳門特別行政區的制度和政策，包括社會、經濟制度，有關保障居民的基本權利和自由的制度，行政管理、立法和司法方面的制度，以及有關政策，均以本法的規定爲依據。

澳門特別行政區的任何法律、法令、行政法規和其他規範性文件均不得同本法相抵觸。

第二章　中央和澳門特別行政區的關係

第十二條　澳門特別行政區是中華人民共和國的一個享有高度自治權的地方行政區域，直轄於中央人民政府。

第十三條　中央人民政府負責管理與澳門特別行政區有關的外交事務。

中華人民共和國外交部在澳門設立機構處理外交事務。

中央人民政府授權澳門特別行政區依照本法自行處理有關的對外事務。

第十四條　中央人民政府負責管理澳門特別行政區的防務。

澳門特別行政區政府負責維持澳門特別行政區的社會治安。

第十五條　中央人民政府依照本法有關規定任免澳門特別行政區行政長官、政府主要官員和檢察長。

第十六條　澳門特別行政區享有行政管理權，依照本法有關規定自行處理澳門特別行政區的行政事務。

第十七條 澳門特別行政區享有立法權。

澳門特別行政區的立法機關制定的法律須報全國人民代表大會常務委員會備案。備案不影響該法律的生效。

全國人民代表大會常務委員會在徵詢其所屬的澳門特別行政區基本法委員會的意見後，如認爲澳門特別行政區立法機關制定的任何法律不符合本法關於中央管理的事務及中央和澳門特別行政區關係的條款，可將有關法律發回，但不作修改。經全國人民代表大會常務委員會發回的法律立即失效。該法律的失效，除澳門特別行政區的法律另有規定外，無溯及力。

第十八條 在澳門特別行政區實行的法律爲本法以及本法第八條規定的澳門原有法律和澳門特別行政區立法機關制定的法律。

全國性法律除列於本法附件三者外，不在澳門特別行政區實施。凡列於本法附件三的法律，由澳門特別行政區在當地公佈或立法實施。

全國人民代表大會常務委員會在徵詢其所屬的澳門特別行政區基本法委員會和澳門特別行政區政府的意見後，可對列於本法附件三的法律作出增減。列入附件三的法律應限於有關國防、外交和其他依照本法規定不屬於澳門特別行政區自治範圍的法律。

在全國人民代表大會常務委員會決定宣佈戰爭狀態或因澳門特別行政區內發生澳門特別行政區政府不能控制的危及國家統一或安全的動亂而決定澳門特別行政區進入緊急狀態時，中央人民政府可發佈命令將有關全國性法律在澳門特別行政區實施。

第十九條 澳門特別行政區享有獨立的司法權和終審權。

澳門特別行政區法院除繼續保持澳門原有法律制度和原則對法院審判權所作的限制外，對澳門特別行政區所有的案件均有審判權。

澳門特別行政區法院對國防、外交等國家行爲無管轄權。澳門特別行政區法院在審理案件中遇有涉及國防、外交等國家行爲的事實問題，應取得行政長官就該等問題發出的證明文件，上述文件對法院有約束力。行政長官在發出證明文件前，須取得中央人民政府的證明書。

第二十條 澳門特別行政區可享有全國人民代表大會、全國人民代表大會常務委員會或中央人民政府授予的其他權力。

第二十一條 澳門特別行政區居民中的中國公民依法參與國家事務的管理。

根據全國人民代表大會確定的代表名額和代表產生辦法，由澳門特別行政區居民中的中國公民在澳門選出澳門特別行政區的全國人民代表大會代表，參加最高國家權力機關的工作。

第二十二條 中央人民政府所屬各部門、各省、自治區、直轄市均不得干預澳門特別行政區依照本法自行管理的事務。

中央各部門、各省、自治區、直轄市如需在澳門特別行政區設立機構，須徵得澳門特別行政區政府同意並經中央人民政府批准。

中央各部門、各省、自治區、直轄市在澳門特別行政區設立的一切機構及其人員均須遵守澳門特別行政區的法律。

各省、自治區、直轄市的人進入澳門特別行政區須辦理批准手續，其中進入澳門特別行政區定居的人數由中央人民政府主管部門徵求澳門特別行政區政府的意見後確定。

澳門特別行政區可在北京設立辦事機構。

第二十三條　澳門特別行政區應自行立法禁止任何叛國、分裂國家、煽動叛亂、顛覆中央人民政府及竊取國家機密的行爲，禁止外國的政治性組織或團體在澳門特別行政區進行政治活動，禁止澳門特別行政區的政治性組織或團體與外國的政治性組織或團體建立聯繫。

第三章　居民的基本權利和義務

第二十四條　澳門特別行政區居民，簡稱澳門居民，包括永久性居民和非永久性居民。

澳門特別行政區永久性居民爲：

(一)在澳門特別行政區成立以前或以後在澳門出生的中國公民及其在澳門以外所生的中國籍子女；

(二)在澳門特別行政區成立以前或以後在澳門通常居住連續七年以上的中國公民及在其成爲永久性居民後在澳門以外所生的中國籍子女；

(三)在澳門特別行政區成立以前或以後在澳門出生並以澳門爲永久居住地的葡萄牙人；

(四)在澳門特別行政區成立以前或以後在澳門通常居住連續七年以上並以澳門爲永久居住地的葡萄牙人；

(五)在澳門特別行政區成立以前或以後在澳門通常居住連續七年以上並以澳門爲永久居住地的其他人；

(六)第(五)項所列永久性居民在澳門特別行政區成立以前或以後在澳門出生的未滿十八歲的子女。

以上居民在澳門特別行政區享有居留權並有資格領取澳門特別行政區永久性居民身份證。

澳門特別行政區非永久性居民爲：有資格依照澳門特別行政區法律領取澳門居民身份證，但沒有居留權的人。

第二十五條　澳門居民在法律面前一律平等，不因國籍、血統、種族、性別、語言、宗教、政治或思想信仰、文化程度、經濟狀況或社會條件而受到歧視。

第二十六條　澳門特別行政區永久性居民依法享有選舉權和被選舉權。

第二十七條　澳門居民享有言論、新聞、出版的自由，結社、集會、遊行、示威的自由，組織和參加工會、罷工的權利和自由。

第二十八條　澳門居民的人身自由不受侵犯。

澳門居民不受任意或非法的逮捕、拘留、監禁。對任意或非法的拘留、監禁，居民有權向法院申請頒發人身保護令。

禁止非法搜查居民的身體、剝奪或者限制居民的人身自由。

禁止對居民施行酷刑或予以非人道的對待。

第二十九條　澳門居民除其行為依照當時法律明文規定為犯罪和應受懲處外，不受刑罰處罰。

澳門居民在被指控犯罪時，享有盡早接受法院審判的權利，在法院判罪之前均假定無罪。

第三十條　澳門居民的人格尊嚴不受侵犯。禁止用任何方法對居民進行侮辱、誹謗和誣告陷害。

澳門居民享有個人的名譽權、私人生活和家庭生活的隱私權。

第三十一條　澳門居民的住宅和其他房屋不受侵犯。禁止任意或非法搜查、侵入居民的住宅和其他房屋。

第三十二條　澳門居民的通訊自由和通訊秘密受法律保護。除因公共安全和追查刑事犯罪的需要，由有關機關依照法律規定對通訊進行檢查外，任何部門或個人不得以任何理由侵犯居民的通訊自由和通訊秘密。

第三十三條　澳門居民有在澳門特別行政區境內遷徙的自由，有移居其他國家和地區的自由。澳門居民有旅行和出入境的自由，有依照法律取得各種旅行證件的權利。有效旅行證件持有人，除非受到法律制止，可自由離開澳門特別行政區，無需特別批准。

第三十四條　澳門居民有信仰的自由。

澳門居民有宗教信仰的自由，有公開傳教和舉行、參加宗教活動的自由。

第三十五條　澳門居民有選擇職業和工作的自由。

第三十六條　澳門居民有權訴諸法律，向法院提起訴訟，得到律師的幫助以保護自己的合法權益，以及獲得司法補救。

澳門居民有權對行政部門和行政人員的行為向法院提起訴訟。

第三十七條　澳門居民有從事教育、學術研究、文學藝術創作和其他文化活動的自由。

第三十八條　澳門居民的婚姻自由、成立家庭和自願生育的權利受法律保護。

婦女的合法權益受澳門特別行政區的保護。

未成年人、老年人和殘疾人受澳門特別行政區的關懷和保護。

第三十九條　澳門居民有依法享受社會福利的權利。勞工的福利待遇和退休保障受法律保護。

第四十條　《公民權利和政治權利國際公約》、《經濟、社會與文化權利的國際公約》和國際勞工公約適用於澳門的有關規定繼續有效，通過澳門特別行政區的法律予以實施。

澳門居民享有的權利和自由，除依法規定外不得限制，此種限制不得與本條第一款規定抵觸。

第四十一條　澳門居民享有澳門特別行政區法律保障的其他權利和自由。

第四十二條　在澳門的葡萄牙後裔居民的利益依法受澳門特別行政區的保護，他們的習俗和文化傳統應受尊重。

第四十三條　在澳門特別行政區境內的澳門居民以外的其他人，依法享有本章規定的澳門居民的權利和自由。

第四十四條　澳門居民和在澳門的其他人有遵守澳門特別行政區實行的法律的義務。

第四章　政治體制

第一節　行政長官

第四十五條　澳門特別行政區行政長官是澳門特別行政區的首長，代表澳門特別行政區。

澳門特別行政區行政長官依照本法規定對中央人民政府和澳門特別行政區負責。

第四十六條　澳門特別行政區行政長官由年滿四十周歲，在澳門通常居住連續滿二十年的澳門特別行政區永久性居民中的中國公民擔任。

第四十七條　澳門特別行政區行政長官在當地通過選舉或協商產生，由中央人民政府任命。

行政長官的產生辦法由附件一《澳門特別行政區行政長官的產生辦法》規定。

第四十八條　澳門特別行政區行政長官任期五年，可連任一次。

第四十九條　澳門特別行政區行政長官在任職期內不得具有外國居留權，不得從事私人贏利活動。行政長官就任時應向澳門特別行政區終審法院院長申報財產，記錄在案。

第五十條　澳門特別行政區行政長官行使下列職權：

(一)領導澳門特別行政區政府；

(二)負責執行本法和依照本法適用於澳門特別行政區的其他法律；

(三)簽署立法會通過的法案，公佈法律；

簽署立法會通過的財政預算案，將財政預算、決算報中央人民政府備案；

(四)決定政府政策，發佈行政命令；

(五)制定行政法規並頒佈執行；

(六)提名並報請中央人民政府任命下列主要官員：各司司長、廉政專員、審計長、警察部門主要負責人和海關主要負責人；建議中央人民政府免除上述官員職務；

(七)委任部分立法會議員；

(八)任免行政會委員；

(九)依照法定程序任免各級法院院長和法官，任免檢察官；

(十)依照法定程序提名並報請中央人民政府任命檢察長，建議中央人民政府免除檢察長的職務；

(十一)依照法定程序任免公職人員；

(十二)執行中央人民政府就本法規定的有關事務發出的指令；

(十三)代表澳門特別行政區政府處理中央授權的對外事務和其他事務；

(十四)批准向立法會提出有關財政收入或支出的動議；

(十五)根據國家和澳門特別行政區的安全或重大公共利益的需要，決定政府官員或其他負責政府公務的人員是否向立法會或其所屬的委員會作證和提供證據；

(十六)依法頒授澳門特別行政區獎章和榮譽稱號；

(十七)依法赦免或減輕刑事罪犯的刑罰；

(十八)處理請願、申訴事項。

第五十一條　澳門特別行政區行政長官如認爲立法會通過的法案不符合澳門特別行政區的整體利益，可在九十日內提出書面理由並將法案發回立法會重議。立法會如以不少於全體議員三分之二多數再次通過原案，行政長官必須在三十日內簽署公佈或依照本法第五十二條的規定處理。

第五十二條　澳門特別行政區行政長官遇有下列情況之一時，可解散立法會：

(一)行政長官拒絕簽署立法會再次通過的法案；

(二)立法會拒絕通過政府提出的財政預算案或行政長官認爲關係到澳門特別行政區整體利益的法案，經協商仍不能取得一致意見。

行政長官在解散立法會前，須徵詢行政會的意見，解散時應向公衆說明理由。

行政長官在其一任期內只能解散立法會一次。

第五十三條　澳門特別行政區行政長官在立法會未通過政府提出的財政預算案時，可按上一財政年度的開支標準批准臨時短期撥款。

第五十四條　澳門特別行政區行政長官如有下列情況之一者必須辭職：

（一）因嚴重疾病或其他原因無力履行職務；

（二）因兩次拒絕簽署立法會通過的法案而解散立法會，重選的立法會仍以全體議員三分之二多數通過所爭議的原案，而行政長官在三十日內拒絕簽署；

（三）因立法會拒絕通過財政預算案或關係到澳門特別行政區整體利益的法案而解散立法會，重選的立法會仍拒絕通過所爭議的原案。

第五十五條　澳門特別行政區行政長官短期不能履行職務時，由各司司長按各司的排列順序臨時代理其職務。各司的排列順序由法律規定。

行政長官出缺時，應在一百二十日內依照本法第四十七條的規定產生新的行政長官。行政長官出缺期間的職務代理，依照本條第一款規定辦理，並報中央人民政府批准。代理行政長官應遵守本法第四十九條的規定。

第五十六條　澳門特別行政區行政會是協助行政長官決策的機構。

第五十七條　澳門特別行政區行政會的委員由行政長官從政府主要官員、立法會議員和社會人士中委任，其任免由行政長官決定，行政會委員的任期不超過委任他的行政長官的任期，但在新的行政長官就任前，原行政會委員暫時留任。

澳門特別行政區行政會委員由澳門特別行政區永久性居民中的中國公民擔任。

行政會委員的人數爲七至十一人。行政長官認爲必要時可邀請有關人士列席行政會會議。

第五十八條　澳門特別行政區行政會由行政長官主持。行政會的會議每月至少舉行一次。行政長官在作出重要決策、向立法會提交法案、制定行政法規和解散立法會前，須徵詢行政會的意見，但人事任免、紀律制裁和緊急情況下採取的措施除外。

行政長官如不採納行政會多數委員的意見，應將具體理由記錄在案。

第五十九條　澳門特別行政區設立廉政公署，獨立工作。廉政專員對行政長官負責。

第六十條　澳門特別行政區設立審計署，獨立工作，審計長對行政長官負責。

第二節　行政機關

第六十一條　澳門特別行政區政府是澳門特別行政區的行政機關。

第六十二條　澳門特別行政區政府的首長是澳門特別行政區行政長官。澳門特別行政區政府設司、局、廳、處。

第六十三條　澳門特別行政區政府的主要官員由在澳門通常居住連續滿十五年的澳門特別行政區永久性居民中的中國公民擔任。

澳門特別行政區主要官員就任時應向澳門特別行政區終審法院院長申報財產，記錄在案。

第六十四條　澳門特別行政區政府行使下列職權：

(一)制定並執行政策；

(二)管理各項行政事務；

(三)辦理本法規定的中央人民政府授權的對外事務；

(四)編制並提出財政預算、決算；

(五)提出法案、議案，草擬行政法規；

(六)委派官員列席立法會會議聽取意見或代表政府發言。

第六十五條　澳門特別行政區政府必須遵守法律，對澳門特別行政區立法會負責：執行立法會通過並已生效的法律；定期向立法會作施政報告；答覆立法會議員的質詢。

第六十六條　澳門特別行政區行政機關可根據需要設立諮詢組織。

第三節　立法機關

第六十七條　澳門特別行政區立法會是澳門特別行政區的立法機關。

第六十八條　澳門特別行政區立法會議員由澳門特別行政區永久性居民擔任。

立法會多數議員由選舉產生。

立法會的產生辦法由附件二《澳門特別行政區立法會的產生辦法》規定。

立法會議員就任時應依法申報經濟狀況。

第六十九條　澳門特別行政區立法會除第一屆另有規定外，每屆任期四年。

第七十條　澳門特別行政區立法會如經行政長官依照本法規定解散，須於九十日內依照本法第六十八條的規定重新產生。

第七十一條　澳門特別行政區立法會行使下列職權：

(一)依照本法規定和法定程序制定、修改、暫停實施和廢除法律；

(二)審核、通過政府提出的財政預算案；審議政府提出的預算執行情況報告；

(三)根據政府提案決定稅收，批准由政府承擔的債務；

(四)聽取行政長官的施政報告並進行辯論；

(五)就公共利益問題進行辯論；

(六)接受澳門居民申訴並作出處理；

(七)如立法會全體議員三分之一聯合動議，指控行政長官有嚴重違法或瀆職行爲而不辭職，經立法會通過決議，可委託終審法院院長負責組成獨立的調查委員會進行調查。調查委員會如認爲有足夠証據構成上述指控，立法會以全體議員三分之二多數通過，可提出彈劾案，報請中央人民政府決定；

(八)在行使上述各項職權時，如有需要，可傳召和要求有關人士作證和提供證據。

第七十二條　澳門特別行政區立法會設主席、副主席各一人。主席、副主席由立法會議員互選產生。

澳門特別行政區立法會主席、副主席由在澳門通常居住連續十五年的澳門特別行政區永久性居民中的中國公民擔任。

第七十三條 澳門特別行政區立法會主席缺席時由副主席代理。

澳門特別行政區立法會主席或副主席出缺時，另行選舉。

第七十四條 澳門特別行政區立法會主席行使下列職權：

(一)主持會議；

(二)決定議程，應行政長官的要求將政府提出的議案優先列入議程；

(三)決定開會日期；

(四)在休會期間可召開特別會議；

(五)召開緊急會議或應行政長官的要求召開緊急會議；

(六)立法會議事規則所規定的其他職權。

第七十五條 澳門特別行政區立法會議員依照本法規定和法定程序提出議案。凡不涉及公共收支、政治體制或政府運作的議案，可由立法會議員個別或聯名提出。凡涉及政府政策的議案，在提出前必須得到行政長官的書面同意。

第七十六條 澳門特別行政區立法會議員有權依照法定程序對政府的工作提出質詢。

第七十七條 澳門特別行政區立法會舉行會議的法定人數爲不少於全體議員的二分之一。除本法另有規定外，立法會的法案、議案由全體議員過半數通過。

立法會議事規則由立法會自行制定，但不得與本法相抵觸。

第七十八條 澳門特別行政區立法會通過的法案，須經行政長官簽署、公佈，方能生效。

第七十九條 澳門特別行政區立法會議員在立法會會議上的發言和表決，不受法律追究。

第八十條 澳門特別行政區立法會議員非經立法會許可不受逮捕，但現行犯不在此限。

第八十一條 澳門特別行政區立法會議員如有下列情況之一，經立法會決定，即喪失其立法會議員的資格：

(一)因嚴重疾病或其他原因無力履行職務；

(二)擔任法律規定不得兼任的職務；

(三)未得到立法會主席同意，連續五次或間斷十五次缺席會議而無合理解釋；

(四)違反立法會議員誓言；

(五)在澳門特別行政區區內或區外犯有刑事罪行，被判處監禁三十日以上。

第四節 司法機關

第八十二條 澳門特別行政區法院行使審判權。

第八十三條　澳門特別行政區法院獨立進行審判，只服從法律，不受任何干涉。

第八十四條　澳門特別行政區設立初級法院、中級法院和終審法院。

澳門特別行政區終審權屬於澳門特別行政區終審法院。

澳門特別行政區法院的組織、職權和運作由法律規定。

第八十五條　澳門特別行政區初級法院可根據需要設立若干專門法庭。

原刑事起訴法庭的制度繼續保留。

第八十六條　澳門特別行政區設立行政法院。行政法院是管轄行政訴訟和稅務訴訟的法院。不服行政法院裁決者。可向中級法院上訴。

第八十七條　澳門特別行政區各級法院的法官，根據當地法官、律師和知名人士組成的獨立委員會的推薦，由行政長官任命。法官的選用以其專業資格爲標準，符合標準的外籍法官也可聘用。

法官只有在無力履行其職責或行爲與其所任職務不相稱的情況下，行政長官才可根據終審法院院長任命的不少於三名當地法官組成的審議庭的建議，予以免職。

終審法院法官的免職由行政長官根據澳門特別行政區立法會議員組成的審議委員會的建議決定。

終審法院法官的任命和免職須報全國人民代表大會常務委員會備案。

第八十八條　澳門特別行政區各級法院的院長由行政長官從法官中選任。

終審法院院長由澳門特別行政區永久性居民中的中國公民擔任。

終審法院院長的任命和免職須報全國人民代表大會常務委員會備案。

第八十九條　澳門特別行政區法官依法進行審判，不聽從任何命令或指示，但本法第十九條第三款規定的情況除外。

法官履行審判職責的行爲不受法律追究。

法官在任職期間，不得兼任其他公職或任何私人職務，也不得在政治性團體中擔任任何職務。

第九十條　澳門特別行政區檢察院獨立行使法律賦予的檢察職能，不受任何干涉。

澳門特別行政區檢察長由澳門特別行政區永久性居民中的中國公民擔任，由行政長官提名，報中央人民政府任命。

檢察官經檢察長提名，由行政長官任命。

檢察院的組織、職權和運作由法律規定。

第九十一條　原在澳門實行的司法輔助人員的任免制度予以保留。

第九十二條　澳門特別行政區政府可參照原在澳門實行的辦法，作出有關當地和外來的律師在澳門特別行政區執業的規定。

第九十三條　澳門特別行政區可與全國其他地區的司法機關通過協商依法進行

司法方面的聯繫和相互提供協助。

第九十四條　在中央人民政府協助和授權下，澳門特別行政區可與外國就司法互助關係作出適當安排。

第五節　市政機構

第九十五條　澳門特別行政區可設立非政權性的市政機構。市政機構受政府委託爲居民提供文化、康樂、環境衛生等方面的服務，並就有關上述事務向澳門特別行政區政府提供諮詢意見。

第九十六條　市政機構的職權和組成由法律規定。

第六節　公務人員

第九十七條　澳門特別行政區的公務人員必須是澳門特別行政區永久性居民。本法第九十八條和九十九條規定的公務人員，以及澳門特別行政區聘用的某些專業技術人員和初級公務人員除外。

第九十八條　澳門特別行政區成立時，原在澳門任職的公務人員，包括警務人員和司法輔助人員，均可留用，繼續工作，其薪金、津貼、福利待遇不低於原來的標準，原來享有的年資予以保留。

依照澳門原有法律享有退休金和贍養費待遇的留用公務人員，在澳門特別行政區成立後退休的，不論其所屬國籍或居住地點，澳門特別行政區向他們或其家屬支付不低於原來標準的應得的退休金和贍養費。

第九十九條　澳門特別行政區可任用原澳門公務人員中的或持有澳門特別行政區永久性居民身份證的葡籍和其他外籍人士擔任各級公務人員，但本法另有規定者除外。

澳門特別行政區有關部門還可聘請葡籍和其他外籍人士擔任顧問和專業技術職務。

上述人員只能以個人身份受聘，並對澳門特別行政區負責。

第一百條　公務人員應根據其本人的資格、經驗和才能予以任用和提升。澳門原有關於公務人員的錄用、紀律、提升和正常晉級制度基本不變，但得根據澳門社會的發展加以改進。

第七節　宣誓效忠

第一百零一條　澳門特別行政區行政長官、主要官員、行政會委員、立法會議員、法官和檢察官，必須擁護中華人民共和國澳門特別行政區基本法，盡忠職守，廉潔奉公，效忠中華人民共和國澳門特別行政區，並依法宣誓。

第一百零二條　澳門特別行政區行政長官、主要官員、立法會主席、終審法院院長、檢察長在就職時，除按本法第一百零一條的規定宣誓外，還必須宣誓效忠中華人民共和國。

第五章　經濟

第一百零三條　澳門特別行政區依法保護私人和法人財產的取得、使用、處置和繼承的權利，以及依法徵用私人和法人財產時被徵用財產的所有人得到補償的權利。

徵用財產的補償應相當於該財產當時的實際價值，可自由兌換，不得無故遲延支付。

企業所有權和外來投資均受法律保護。

第一百零四條　澳門特別行政區保持財政獨立。

澳門特別行政區財政收入全部由澳門特別行政區自行支配，不上繳中央人民政府。

中央人民政府不在澳門特別行政區徵稅。

第一百零五條　澳門特別行政區的財政預算以量入爲出爲原則，力求收支平衡，避免赤字，並與本地生產總值的增長率相適應。

第一百零六條　澳門特別行政區實行獨立的稅收制度。

澳門特別行政區參照原在澳門實行的低稅政策，自行立法規定稅種、稅率、稅收寬免和其他稅務事項。專營稅制由法律另作規定。

第一百零七條　澳門特別行政區的貨幣金融制度由法律規定。

澳門特別行政區政府自行制定貨幣金融政策，保障金融市場和各種金融機構的經營自由，並依法進行管理和監督。

第一百零八條　澳門元爲澳門特別行政區的法定貨幣，繼續流通。

澳門貨幣發行權屬於澳門特別行政區政府。澳門貨幣的發行須有百分之百的準備金。澳門貨幣的發行制度和準備金制度，由法律規定。

澳門特別行政區政府可授權指定銀行行使或繼續行使發行澳門貨幣的代理職能。

第一百零九條　澳門特別行政區不實行外滙管制政策。澳門元自由兌換。

澳門特別行政區的外滙儲備由澳門特別行政區政府依法管理和支配。

澳門特別行政區政府保障資金的流動和進出自由。

第一百一十條　澳門特別行政區保持自由港地位，除法律另有規定外，不徵收關稅。

第一百一十一條　澳門特別行政區實行自由貿易政策，保障貨物、無形財產和資本的流動自由。

第一百一十二條　澳門特別行政區爲單獨的關稅地區。

澳門特別行政區可以"中國澳門"的名義參加《關稅和貿易總協定》、關於國際紡織品貿易安排等有關國際組織和國際貿易協定，包括優惠貿易安排。

澳門特別行政區取得的和以前取得仍繼續有效的出口配額、關稅優惠和其他類似安排，全由澳門特別行政區享有。

第一百一十三條　澳門特別行政區根據當時的產地規則，可對產品簽發產地來源證。

第一百一十四條　澳門特別行政區依法保護工商企業的自由經營，自行制定工商業的發展政策。

澳門特別行政區改善經濟環境和提供法律保障，以促進工商業的發展，鼓勵投資和技術進步，並開發新產業和新市場。

第一百一十五條　澳門特別行政區根據經濟發展的情況，自行制定勞工政策，完善勞工法律。

澳門特別行政區設立由政府、僱主團體、僱員團體的代表組成的諮詢性的協調組織。

第一百一十六條　澳門特別行政區保持和完善原在澳門實行的航運經營和管理體制，自行制定航運政策。

澳門特別行政區經中央人民政府授權可進行船舶登記，並依照澳門特別行政區的法律以"中國澳門"的名義頒發有關證件。

除外國軍用船隻進入澳門特別行政區須經中央人民政府特別許可外，其他船舶可依照澳門特別行政區的法律進出其港口。

澳門特別行政區的私營的航運及與航運有關的企業和碼頭可繼續自由經營。

第一百一十七條　澳門特別行政區政府經中央人民政府具體授權可自行制定民用航空的各項管理制度。

第一百一十八條　澳門特別行政區根據本地整體利益自行制定旅遊娛樂業的政策。

第一百一十九條　澳門特別行政區政府依法實行環境保護。

第一百二十條　澳門特別行政區依法承認和保護澳門特別行政區成立前已批出或決定的年期超過一九九九年十二月十九日的合法土地契約和與土地契約有關的一切權利。

澳門特別行政區成立後新批或續批土地，按照澳門特別行政區有關土地法律及政策處理。

第六章　文化和社會事務

第一百二十一條　澳門特別行政區政府自行制定教育政策，包括教育體制和管理、教學語言、經費分配、考試制度、承認學歷和學位等政策，推動教育的發展。

澳門特別行政區政府依法推行義務教育。

社會團體和私人可依法舉辦各種教育事業。

第一百二十二條 澳門原有各類學校均可繼續開辦，澳門特別行政區各類學校均有辦學的自主性，依法享有教學自由和學術自由。

各類學校可以繼續從澳門特別行政區以外招聘教職員和選用教材。學生享有選擇院校和在澳門特別行政區以外求學的自由。

第一百二十三條 澳門特別行政區政府自行制定促進醫療衛生服務和發展中西醫藥的政策。社會團體和私人可依法提供各種醫療衛生服務。

第一百二十四條 澳門特別行政區政府自行制定科學技術政策，依法保護科學技術的研究成果、專利和發明創造。

澳門特別行政區政府自行確定適用於澳門的各類科學技術標準和規格。

第一百二十五條 澳門特別行政區政府自行制定文化政策，包括文學藝術、廣播、電影、電視等政策。

澳門特別行政區政府依法保護作者的文學藝術及其他的創作成果和合法權益。

澳門特別行政區政府依法保護名勝、古蹟和其他歷史文物，並保護文物所有者的合法權益。

第一百二十六條 澳門特別行政區政府自行制定新聞、出版政策。

第一百二十七條 澳門特別行政區政府自行制定體育政策。民間體育團體可依法繼續存在和發展。

第一百二十八條 澳門特別行政區政府根據宗教信仰自由的原則，不干預宗教組織的內部事務，不干預宗教組織和教徒同澳門以外地區的宗教組織和教徒保持及發展關係，不限制與澳門特別行政區法律沒有抵觸的宗教活動。

宗教組織可依法開辦宗教院校和其他學校、醫院和福利機構以及提供其他社會服務。宗教組織開辦的學校可以繼續提供宗教教育，包括開設宗教課程。

宗教組織依法享有財產的取得、使用、處置、繼承以及接受捐獻的權利。宗教組織在財產方面的原有權益依法受到保護。

第一百二十九條 澳門特別行政區政府自行確定專業制度，根據公平合理的原則，制定有關評審和頒授各種專業和執業資格的辦法。

在澳門特別行政區成立以前已經取得專業資格和執業資格者，根據澳門特別行政區的有關規定可保留原有的資格。

澳門特別行政區政府根據有關規定承認在澳門特別行政區成立以前已被承認的專業和專業團體，並可根據社會發展需要，經諮詢有關方面的意見，承認新的專業和專業團體。

第一百三十條 澳門特別行政區政府在原有社會福利制度的基礎上，根據經濟條件和社會需要自行制定有關社會福利的發展和改進的政策。

第一百三十一條 澳門特別行政區的社會服務團體，在不抵觸法律的情況下，可以自行決定其服務方式。

第一百三十二條　澳門特別行政區政府根據需要和可能逐步改善原在澳門實行的對教育、科學、技術、文化、體育、康樂、醫療衛生、社會福利、社會工作等方面的民間組織的資助政策。

第一百三十三條　澳門特別行政區的教育、科學、技術、文化、新聞、出版、體育、康樂、專業、醫療衛生、勞工、婦女、青年、歸僑、社會福利、社會工作等方面的民間團體和宗教組織同全國其他地區相應的團體和組織的關係，以互不隸屬、互不干涉、互相尊重的原則爲基礎。

第一百三十四條　澳門特別行政區的教育、科學、技術、文化、新聞、出版、體育、康樂、專業、醫療衛生、勞工、婦女、青年、歸僑、社會福利、社會工作等方面的民間團體和宗教組織可同世界各國、各地區及國際的有關團體和組織保持和發展關係，各該團體和組織可根據需要冠用“中國澳門”的名義，參與有關活動。

第七章　對外事務

第一百三十五條　澳門特別行政區政府的代表，可作爲中華人民共和國政府代表團的成員，參加由中央人民政府進行的同澳門特別行政區直接有關的外交談判。

第一百三十六條　澳門特別行政區可在經濟、貿易、金融、航運、通訊、旅遊、文化、科技、體育等適當領域以“中國澳門”的名義，單獨地同世界各國、各地區及有關國際組織保持和發展關係，簽訂和履行有關協議。

第一百三十七條　對以國家爲單位參加的、同澳門特別行政區有關的、適當領域的國際組織和國際會議，澳門特別行政區政府可派遣代表作爲中華人民共和國代表團的成員或以中央人民政府和上述有關國際組織或國際會議允許的身份參加，並以“中國澳門”的名義發表意見。

澳門特別行政區可以“中國澳門”的名義參加不以國家爲單位參加的國際組織和國際會議。

對中華人民共和國已參加而澳門也以某種形式參加的國際組織，中央人民政府將根據情況和澳門特別行政區的需要採取措施，使澳門特別行政區以適當形式繼續保持在這些組織中的地位。

對中華人民共和國尚未參加而澳門已以某種形式參加的國際組織，中央人民政府將根據情況和需要使澳門特別行政區以適當形式繼續參加這些組織。

第一百三十八條　中華人民共和國締結的國際協議，中央人民政府可根據情況和澳門特別行政區的需要，在徵詢澳門特別行政區政府的意見後，決定是否適用於澳門特別行政區。

中華人民共和國尚未參加但已適用於澳門的國際協議仍可繼續適用。中央人民政府根據情況和需要授權或協助澳門特別行政區政府作出適當安排，使其他與其有關的國際協議適用於澳門特別行政區。

第一百三十九條　中央人民政府授權澳門特別行政區政府依照法律給持有澳門特別行政區永久性居民身份證的中國公民簽發中華人民共和國澳門特別行政區護照，給在澳門特別行政區的其他合法居留者簽發中華人民共和國澳門特別行政區的其他旅行證件。上述護照和旅行證件，前往各國和各地區有效，並載明持有人有返回澳門特別行政區的權利。

對世界各國或各地區的人入境、逗留和離境，澳門特別行政區政府可實行出入境管制。

第一百四十條　中央人民政府協助或授權澳門特別行政區政府同有關國家和地區談判和簽訂互免簽證協議。

第一百四十一條　澳門特別行政區可根據需要在外國設立官方或半官方的經濟和貿易機構，報中央人民政府備案。

第一百四十二條　外國在澳門特別行政區設立領事機構或其他官方、半官方機構，須經中央人民政府批准。

已同中華人民共和國建立正式外交關係的國家在澳門設立的領事機構和其他官方機構，可予保留。

尚未同中華人民共和國建立正式外交關係的國家在澳門設立的領事機構和其他官方機構，可根據情况予以保留或改爲半官方機構。

尚未爲中華人民共和國承認的國家，只能在澳門特別行政區設立民間機構。

第八章　本法的解釋和修改

第一百四十三條　本法的解釋權屬於全國人民代表大會常務委員會。

全國人民代表大會常務委員會授權澳門特別行政區法院在審理案件時對本法關於澳門特別行政區自治範圍內的條款自行解釋。

澳門特別行政區法院在審理案件時對本法的其他條款也可解釋。但如澳門特別行政區法院在審理案件時需要對本法關於中央人民政府管理的事務或中央和澳門特別行政區關係的條款進行解釋，而該條款的解釋又影響到案件的判決，在對該案件作出不可上訴的終局判決前，應由澳門特別行政區終審法院提請全國人民代表大會常務委員會對有關條款作出解釋。如全國人民代表大會常務委員會作出解釋，澳門特別行政區法院在引用該條款時，應以全國人民代表大會常務委員會的解釋爲準。但在此以前作出的判決不受影響。

全國人民代表大會常務委員會在對本法進行解釋前，徵詢其所屬的澳門特別行政區基本法委員會的意見。

第一百四十四條　本法的修改權屬於全國人民代表大會。

本法的修改提案權屬於全國人民代表大會常務委員會、國務院和澳門特別行政區。澳門特別行政區的修改議案，須經澳門特別行政區的全國人民代表大會代表三分之二的多數、澳門特別行政區立法會全體議員三分之二多數和澳門特別行政區行政長官同意後，交由澳門特別行政區出席全國人民代表大會的代表團向全國人民代表大會提出。

本法的修改議案在列入全國人民代表大會的議程前，先由澳門特別行政區基本法委員會研究並提出意見。

本法的任何修改，均不得同中華人民共和國對澳門既定的基本方針政策相抵觸。

第九章　附　則

第一百四十五條　澳門特別行政區成立時，澳門原有法律除由全國人民代表大會常務委員會宣佈爲同本法抵觸者外，採用爲澳門特別行政區法律，如以後發現有的法律與本法抵觸，可依照本法規定和法定程序修改或停止生效。

根據澳門原有法律取得效力的文件、證件、契約及其所包含的權利和義務，在不抵觸本法的前提下繼續有效，受澳門特別行政區的承認和保護。

原澳門政府所簽訂的有效期超過一九九九年十二月十九日的契約，除中央人民政府授權的機構已公開宣佈爲不符合中葡聯合聲明關於過渡時期安排的規定，須經澳門特別行政區政府重新審查者外，繼續有效。

附件一

澳門特別行政區行政長官的產生辦法

一、行政長官由一個具有廣泛代表性的選舉委員會依照本法選出，由中央人民政府任命。

二、選舉委員會委員共300人，由下列各界人士組成：

工商、金融界	100人
文化、教育、專業等界	80人
勞工、社會服務、宗教等界	80人
立法會議員的代表、市政機構成員的代表、澳門地區全國人大代表、澳門地區全國政協委員的代表	40人

選舉委員會每屆任期五年。

三、各個界別的劃分，以及每個界別中何種組織可以產生選舉委員會委員的名額，由澳門特別行政區根據民主、開放的原則制定選舉法加以規定。

各界別法定團體根據選舉法規定的分配名額和選舉辦法自行選出選舉委員會委員。

選舉委員會委員以個人身份投票。

四、不少於50名的選舉委員會委員可聯合提名行政長官候選人。每名委員只可提出一名候選人。

五、選舉委員會根據提名的名單，經一人一票無記名投票選出行政長官候任人。具體選舉辦法由選舉法規定。

六、第一任行政長官按照《全國人民代表大會關於澳門特別行政區第一屆政府、立法會和司法機關產生辦法的決定》產生。

七、二〇〇九年及以後行政長官的產生辦法如需修改，須經立法會全體議員三分之二多數通過，行政長官同意，並報全國人民代表大會常務委員會批准。

附件二

澳門特別行政區立法會的產生辦法

一、澳門特別行政區第一屆立法會按照《全國人民代表大會關於澳門特別行政區第一屆政府、立法會和司法機關產生辦法的決定》產生。

第二屆立法會由27人組成，其中：

直接選舉的議員	10人
間接選舉的議員	10人
委任的議員	7人

第三屆及以後各屆立法會由29人組成，其中：

直接選舉的議員	12人
間接選舉的議員	10人
委任的議員	7人

二、議員的具體選舉辦法，由澳門特別行政區政府提出並經立法會通過的選舉法加以規定。

三、二〇〇九年及以後澳門特別行政區立法會的產生辦法如需修改，須經立法會全體議員三分之二多數通過，行政長官同意，並報全國人民代表大會常務委員會備案。

附件三

在澳門特別行政區實施的全國性法律

下列全國性法律，自一九九九年十二月二十日起由澳門特別行政區在當地公佈或立法實施。

一、《關於中華人民共和國國都、紀年、國歌、國旗的決議》

二、《關於中華人民共和國國慶日的決議》

三、《中華人民共和國國籍法》

四、《中華人民共和國外交特權與豁免條例》

五、《中華人民共和國領事特權與豁免條例》

六、《中華人民共和國國旗法》

七、《中華人民共和國國徽法》

八、《中華人民共和國領海及毗連區法》

全國人民代表大會
關於《中華人民共和國澳門特別行政區基本法》的決定

一九九三年三月卅一日第八屆全國人民代表大會第一次會議通過

第八屆全國人民代表大會第一次會議通過《中華人民共和國澳門特別行政區基本法》，包括附件一：《澳門特別行政區行政長官的產生辦法》，附件二：《澳門特別行政區立法會的產生辦法》，附件三：《在澳門特別行政區實施的全國性法律》，以及澳門特別行政區區旗和區徽圖案。《中華人民共和國憲法》第三十一條規定："國家在必要時得設立特別行政區。在特別行政區內實行的制度按照具體情況由全國人民代表大會以法律規定。"澳門特別行政區基本法是根據《中華人民共和國憲法》按照澳門的具體情況制定的，是符合憲法的。澳門特別行政區設立後實行的制度、政策和法律，以澳門特別行政區基本法爲依據。

《中華人民共和國澳門特別行政區基本法》自一九九九年十二月二十日起實施。

全國人民代表大會
關於設立中華人民共和國澳門特別行政區的決定

一九九三年三月卅一日第八屆全國人民代表大會第一次會議通過

第八屆全國人民代表大會第一次會議根據《中華人民共和國憲法》第三十一條和第六十二條第十三項的規定，決定：

一、自一九九九年十二月二十日起設立澳門特別行政區。

二、澳門特別行政區的區域包括澳門半島、氹仔島和路環島。澳門特別行政區的行政區域圖由國務院另行公佈。

全國人民代表大會
關於澳門特別行政區第一屆政府、立法會和司法權機關產生辦法的決定

一九九三年三月卅一日第八屆全國人民代表大會第一次會議通過

一、澳門特別行政區第一屆政府、立法會和司法機關根據體現國家主權、平穩過渡的原則產生。

二、全國人民代表大會設立澳門特別行政區籌備委員會，負責籌備成立澳門

特別行政區的有關事宜，根據本決定規定第一屆政府、立法會和司法機關的具體產生辦法。籌備委員會由內地委員和不少於百分之五十的澳門委員組成，主任委員和委員由全國人民代表大會常務委員會委任。

三、澳門特別行政區籌備委員會負責籌組澳門特別行政區第一屆政府推選委員會(以下簡稱推選委員會)。

推選委員會全部由澳門永久性居民組成，必須具有廣泛代表性，成員包括澳門地區全國人民代表大會代表、澳門地區全國政協委員的代表、澳門特別行政區成立前曾在澳門行政、立法、諮詢機構任職並有實際經驗的人士和各階層、界別中具有代表性的人士。

推選委員會由二百人組成，其中：

工商、金融界	六十人
文化、教育、專業等界	五十人
勞工、社會服務、宗教等界	五十人
原政界人士、澳門地區全國人大代表、澳門地區全國政協委員的代表	四十人

四、推選委員會在當地通過協商或協商後提名選舉的方式，產生第一任行政長官的人選，報中央人民政府任命。第一任行政長官的任期與正常任期相同。

五、第一屆澳門特別行政區政府由澳門特別行政區行政長官依照澳門特別行政區基本法規定負責籌組。

六、澳門特別行政區第一屆立法會由二十三人組成，其中直接選舉產生議員八人，間接選舉產生議員八人，行政長官委任議員七人。原澳門最後一屆立法會的組成如符合本決定和澳門特別行政區基本法的有關規定，其中由選舉產生的議員如擁護中華人民共和國澳門特別行政區基本法、願意效忠中華人民共和國澳門特別行政區並符合澳門特別行政區基本法規定條件者，經澳門特別行政區籌備委員會確認，即可成爲澳門特別行政區第一屆立法會議員。如有議員缺額，由澳門特別行政區籌備委員會決定補充。

澳門特別行政區第一屆立法會議員的任期至二○○一年十月十五日。

七、澳門特別行政區法院由澳門特別行政區籌備委員會依照澳門特別行政區基本法負責籌組。

全國人民代表大會
關於批准澳門特別行政區基本法起草委員會關於設立全國人民代表大會常務委員會澳門特別行政區基本法委員會的建議的決定

一九九三年三月卅一日第八屆全國人民代表大會第一次會議通過

第八屆全國人民代表大會第一次會議決定：

一、批准澳門特別行政區基本法起草委員會關於設立全國人民代表大會常務委員會澳門特別行政區基本法委員會的建議。

二、在《中華人民共和國澳門特別行政區基本法》實施時，設立全國人民代表大會常務委員會澳門特別行政區基本法委員會。

澳門特別行政區基本法起草委員會
關於設立全國人民代表大會常務委員會
澳門特別行政區基本法委員會的建議

一九九三年三月卅一日第八屆全國人民代表大會第一次會議通過

一、名稱：全國人民代表大會常務委員會澳門特別行政區基本法委員會。

二、隸屬關係：是全國人民代表大會常務委員會下設的工作委員會。

三、任務：就有關澳門特別行政區基本法第十七條、第十八條、第一百四十三條、第一百四十四條實施中的問題進行研究，並向全國人民代表大會常務委員會提供意見。

四、組成：成員十人，由全國人民代表大會常務委員會任命內地和澳門人士各五人組成，其中包括法律界人士，任期五年。澳門委員須由在外國無居留權的澳門特別行政區永久性居民中的中國公民擔任，由澳門特別行政區行政長官、立法會主席和終審法院院長聯合提名，報全國人民代表大會常務委員會任命。

中華人民共和國澳門特別行政區
基本法諮詢委員會會議

第八次全體會議

（一九九三年一月十八日）

澳門基本法諮委會第八次全體會議於一九九三年一月十八日在澳門展覽中心舉行。議程包括：一、確認諮委會第七次全會的會議紀要；二、諮委會副主任何厚鏵發表諮委會一九九二年下半年的工作報告；三、諮委會副主任唐星樵作一九九三年的工作建議報告；四、審議常委崔世昌所作的一九九二年下半年財務報告；五、委員陳錫僑及周樹利作關於一九九三年工作報告的建議。

第九次全體會議

（一九九三年五月六日）

澳門基本法諮委會第九次全體會議於一九九三年五月六日在澳門展覽中心舉行。議程包括：一、確認諮委會第八次全會的會議紀要；二、聽取並通過諮委會副主任何厚鏵所作的《關於澳門基本法諮詢委員會四年工作總結報告》；三、審議並通常委崔世昌所作的《關於財務運作情況的總結報告》；四、聽取秘書長廖澤雲所作的《關於基本法諮委會善後工作安排的建議。》

這是澳門基本法諮詢委員會成立四年多來舉行的最後一次全體會議。

中葡聯合聯絡小組

第十五次會議

（一九九二年十一月十日至十三日）

中葡聯合聯絡小組第十五次全體會議於一九九二年十一月十日至十三日在北京舉行。雙方正式確認了《公民權利和政治權利國際公約》、《經濟、社會與文化權利國際公約》適用於澳門所達成的協議。

雙方就澳門加入亞太電信組織、海關合作理事會和倫敦會議對《關於消耗臭氧層的物質的蒙特利爾議定書》的修正適用於澳門問題達成了協議。

雙方還就澳門參加亞太發展中心、世界衞生組織西太平洋區域委員會和亞太經濟合作會議達成原則協議。

雙方繼續審議了公務員本地化、落實中文的官方地位和法律中譯問題取得的進展，並就澳門過渡時期的其他重要問題交換了意見。

雙方注意到澳門機場建設的進展情況，並指定了雙方代表團的代表就空運協議範本工作小組的運作進行聯繫，該小組應早日開始工作。

會議以建設性的精神在親切友好的氣氛中進行。

中葡聯合聯絡小組第十六次全體會議定於一九九三年三月九日至十二日在澳門舉行。

第十六次會議

（一九九三年三月九日至十二日）

中葡聯合聯絡小組第十六次會議於一九九三年三月九日至十二日在澳門舉行。

會議期間，雙方繼續就澳門過渡期的語文、公務員本地化、法律三大問題進行磋商，並簽署了關於澳門加入亞太發展中心和參加世界衞生組織西太平洋區域委員會的會談紀要。

雙方還就中方參與澳門貨幣發行，就澳門國際機場有關問題以及與過渡期有關的其他重要事項交換了意見。

會議是在友好合作的氣氛中進行的。

雙方商定，中葡聯合聯絡小組第十七次會議將於一九九三年六月二十二日至二十五日在里斯本舉行。

第十七次會議

（一九九三年六月二十六日）

中葡聯合聯絡小組於六月二十二日至二十五日在里斯本舉行第十七次會議，就澳門過渡期三大問題，即落實中文的官方地位、法律翻譯和公務員本地化問題，進行了磋商。

此外，會議還討論了澳門政府公務員退休金問題和與過渡期穩定和發展有關的其他事項。

雙方就澳門國際機場有關的懸而未決問題達成協議，並簽署了航空運輸協議的有關文件。

雙方就澳門加入國際組織問題交流了情況，葡方提交了澳門擬優先加入的其他國際組織的名單。

雙方還就有關中國銀行參與的澳門未來的發鈔體制交換了意見，並商定爲此成立工作小組。

會議是在友好合作的氣氛中進行的。

雙方商定，中葡聯合聯絡小組第十八次會議將於一九九三年十一月九日至十二日在澳門舉行。

中葡土地小組

第九次會議

（一九九二年十一月四日）

中葡土地小組第九次全體會議於一九九二年十一月四日在澳門舉行。

雙方就批地的有關問題，包括批地收益的使用和管理、土地開發成本的調整以及葡方向中方交付土地收益的安排達成協議。

雙方還同意澳葡政府一九九二年批地計劃爲三十六公頃，其中：商業和住宅用地二十公頃，工業用地三點六公頃，公共事業用地四點四公頃，其他用地八公頃。

會議是在合作、坦誠的氣氛中進行的。

第十次會議

（一九九三年四月三十日）

中葡土地小組第十次全體會議於一九九三年四月三十日在澳門舉行。雙方同意澳葡政府一九九三年度批地計劃爲二十二點五公頃，用途如下：

住宅、商業和寫字樓用地十二點七三公頃，公共事業用地七點四六公頃，其他用地二點三一公頃。

會議是在坦誠和友好合作的氣氛中進行的。

第二篇

香港經濟概況

香港政府忠告市民：吸煙危害健康
焦油含量中

第二篇　香港經濟概況

工業

貿易、商業

農副業·漁業

附錄：

香港經濟概況

工　業

一九九二年的香港工業

【概　述】　在第二次世界大戰前，香港的製造業規模很小，到四十年代後期，大陸大批移民湧入，為香港發展工業帶來必須的勞動力和生產技術，一九五〇年朝鮮戰爭爆發，聯合國對大陸實施貿易禁運，香港轉口貿易遭受打擊，於是自五十年代起，香港被迫開拓生產產品外銷，以發展香港經濟，而在六十、七十年代開始迅速發展，並成為香港經濟的重要環節。

香港的工業在一九八六至一九八八年達到了蓬勃飛躍的階段，每年的港製產品出口均有兩位數的增長數字，不過，隨着香港土地資源不足、勞工成本上漲、勞工短缺等因素，香港廠商也逐漸把工廠遷往大陸，從調查數字顯示，現時香港在大陸共僱用了約300萬的勞工，而香港的勞工階層，則由以往的90萬大軍銳減至約50多萬人，反映出香港工業逐漸由工業轉向第三產業發展，而香港工業的特色包括：以中小型工業為主；製造業多從事加工、安裝工序；製造產品九成以上向外出口，故海外市場的需求直接影響香港工業生產的盛衰。

【一九九二年產銷情況】　一九九二年香港工業生產指數較一九九一年上升1.6%，而在各大類工業指數中，紙類製品和印刷業持續蓬勃，生產量有雙位數字增長達16.9%；至於紡織業及食品、飲品及煙草製造業的升幅則較為溫和，分別為4.2%及5.4%；在電器及電子用具、機械、專業及光學儀器製造業方面，總生產量輕微上升2%，但個別工業有差異性的表現，其中機械、設備、儀器及其零組件的生產量上升15.2%，而電器及電子用具則下跌3.8%。

以紙類製品和印刷業生產量而言，九三年生產量持續上升，主要原因是外國生產商來港設廠生產數目增加，致本地生產量有所加大，故本地同業生產量實質並未有兩位數字的增長，而據部份業內人士表示，印刷業自農曆年後，市場便轉趨放緩，而這是由於外圍經濟不景影響下，海外訂單減少；同時本地消費疲弱，印刷及紙類製品的需求銳減，故廠家盈利情況亦有所減少，但整體言，行内情況亦較為平穩。

另外，在成衣製造業方面，生產量也逐漸回穩，在一九九二年輕微回升0.9%；化學製品、橡膠製品及非金屬礦產品生產量則下跌4.7%，其中塑膠製品的生產量更出現減少現象；而基本金屬及金屬裝配業也同樣有4.5%的跌幅；除鞋類以外的衣着則增長了0.9%。

在接單情況方面，一九九二年綜合訂單平均接單數為4.45個月，而在分類項目上，衣着接單情況為4.77個月；紡織業為2.26個月；橡膠業是3.14個月；金屬製品為4.49個月；電機及電子產品業的手頭訂單則有5.61個月。

至於有關工業投資方面，一九九二年較一九九一年有大幅增加，據港府統計資料顯示，在原料及半製成品方面，一九九一年只有2,930.56億元，而一九九二年則增加至3,299.49億元；在資本財方面，一九九一年有1,227.45億元，而一九九二年則有1,677.98億元。

在工業人口方面，香港在八十年初工業全盛時期，製造業人數超過90萬人，但隨着廠家紛紛內遷北徙，工業人口迅速減少，在一九九一年六月時只剩下68萬人，到了一九九二年六月更跌至58萬人，顯示出香港的勞動人口由第二產業向第三產業轉移，工人也面對更多職業重新分配的轉變，而未來這種情形預料仍然會持續發展。

【新趨勢】 隨着大陸改革開放的發展，香港製造業在珠江三角洲加工設廠越來越多，普遍行業泰半已在大陸設置生產廠房，塑膠、鐘錶、電子、製衣、玩具、五金等行業更已大幅收縮在港的生產基地，香港已淪為負責對外拓展市場、接單設計、安排生產、轉口付運的工作服務中心。

根據政府統計處資料表示，大部份的製造商認為，香港本地的價格競爭，仍然是所遇到的主要業務問題，個別製造業方面，以紡織業而言，則為訂單不足及需要面對日趨激烈的價格爭逐；電子業在生產設施的運用程度已有輕微改善，工資及樓宇租金壓力亦有所紓緩。

在部份行業類別中，塑膠業是表現較不理想的一個，業內一些較大的廠商所接訂單亦未如理想，展望前景，廠商估計業務情況和生產設施的運用程度，仍然放緩；食用、飲料及煙草業在九三年的業績保持平穩，而煙草製造商則估計來自大陸的訂單會增加，故預計市場前景會有所改善。

在全球的經濟發展中，亞洲地區的經濟發展日漸被重視，在關稅及貿易總協定的研究年報中，香港已躍升為全球第十大貿易地區，在出口方面，也由原來的第十一位晉升為第十位，入口亦由以往的第十二位晉升為第十位。在全球吹起一片“中國概念風”的情形下，故香港現時的形勢是，北望神州成自然之勢，但對於香港的工業發展而言，短期借助大陸低價生產成本優點，只可以治標，長遠的情形是，改善品質才是決定香港工商業未來發展的重要因素。

現時全球經濟體系已邁入一個重新整合的狀態，亞洲市場、歐洲市場、美洲市場等有形或無形的組合，新興工業國家的崛起，也帶給昔日的四小龍更多競爭壓力，而在未來的商業世界中，品質開始成為一個地區的工業能否爭勝的評價標準，注重一個完善的品質管理系統，將會有助減低成本、增加產量、確保產品維持高質素，有利爭取市場，部份港府官員亦指出，本港的廠商在爭取國際的品質鑑定如ISO9000及ISO9002時，將建立起品質管理系統與公司商業計劃結合的經驗，而在香港以大陸作為擴展地區製造中心的情形下，亦可以令到香港的工業結構變得更加簡化和更有效率。

在大陸具有土地、人力、原料等供應優勢，香港工業北移既是無法挽回的事，但如仍然停滯於單純生產低檔產品，只會造成惡性競爭的效應，九二年的競價活動已令部份本港廠家成為受害者，在出口市場僧多粥少的情形下，外有東南亞其他發展中國家紛紛競逐生產市場的壓力，具有遠見的工業界人士，亦積極高呼需要積極提升生產層次，增製中上價貨以期提高收入，而本港廠商可利用中港工業的結構轉變，而採用更自動化、更高生產力，及可產生更高增值和科技生產方法，以提升香港的工業產品層次，才能實現提高出口收入的目標。

各行工業

食品加工業

【概　述】　隨着生活水平的提高，飲食支出雖然在一般家庭開支中所佔的比率有下降趨勢，但從絕對值來看，歷年來仍然不斷地在增長。香港人有不同的飲食愛好，因此諸如麵包、點心、糖果、餅乾、醬油、奶類製品、即食麵、涼果、糕點和罐頭等各類食品均有相當大的市場。

本港食品加工工業適應人們口味和習慣的變化，配合先進的科技，為消費者提供了琳琅滿目的食品。例如，由於近年香港急凍技術及即食麵加工技術迅速提高和發展，許多食品經加工後仍可保鮮保質，原汁原味遠銷各地，均廣受消費者的歡迎。

另方面，即食麵在衆多食品類中，發展又頗為突出。一位業內人士表示，即食麵市場在港仍有拓展的餘地。他說，在生活節奏緊迫的香港，即食麵為人們帶來方便，且價廉物美。數年前，即食麵處於推廣階段，需求量連年上升，其後牌子越來越多，在激烈的競爭中，現只有數隻牌子的即食麵的銷售較平穩。

在糖果和涼果類中，後者的銷量受到前者迅猛增長的影響。但由於涼果是中國傳統食品，自有一番風味，所以仍有不少市場。香港涼果加工廠最興盛時期有百餘家，現只剩寥寥無幾，而且大多是以加工糖薑為最大宗，產品主要供出口，而原料則主要從中國內地、台灣、泰國和越南等地買入。

據政府一九九二年九月底的統計數字顯示，全港共有食品加工廠765家，僱員19,646人，比上年減少91家，但僱員則增加980人。

【產銷情況】　即食麵：一九八五年日本一家食品大公司在大埔工業邨投資設廠，意欲進一步拓展香港即食麵市場。據該公司負責人表示，本港即食麵市場在一九八八年開始進入飽和期，因此市場增長已趨放緩。在過往數年即食麵的平均增長率約為5～7%，而一九九一年比一九九〇只增長5.0%，他預測未來的增長將逐步減慢。目前該企業系統生產的即食麵及碗裝即食麵在本港市場佔有率分別為50%及70%。據統計，港人平均每年消耗40包左右的即食麵。

涼果：本港不少市民愛吃涼果，每年銷量達8,000—10,000噸，總銷售值近億元。以內地來貨為主，佔市場總銷量的六、七成，出售的中式涼果主要包括有：梅、李、檸檬、杏、金桔、山楂、薑和橄欖等。

西餅：美心、超群和聖安娜三大西餅集團競爭激烈，各方不時以打折扣招徠顧客。大集團相互競爭，各方面並沒有出現遍體鱗傷的情況，但不少小型餅店卻大受影響，顧客都被大集團挖去了。

急凍點心：由於經營成本日漸增加，急凍點心的價錢也不斷提高，所以實得利潤並不多。本港市場日前有幾十種急凍點心銷售，年銷售量超過千噸，在過去幾年間的年平均增長率達到 20～25%，不過近年來已出現放緩的趨勢。麵包：日、法式麵包予人“新鮮熱辣”的感覺，而且乾淨衛生，越來越受普羅大衆的歡迎。日式和法式麵包店近年越開越多，已有飽和之象，有部分店舖支持不了，不得不倒閉。

曲奇餅：近幾年港人逐漸喜食即時出爐的熱烘烘的曲奇餅，不少人把它當作日常小食。顧客中，約一半是本地，另一半是美國人、英國人和日本人等。即場焗製的曲奇餅的材料多為朱古力和椰子。

香港有各式各様的食品出口。一九九二年通心粉、意大利粉、麵條和米粉等共出口 474 萬公斤，值 5,269 萬元，主要市場為美國、中國大陸和新加坡等地；各種蜜餞（不含可可）出口 411 萬公斤，值 13,264 萬元，主要市場為中國大陸、美國和澳門等地。

【新動向】香港食品加工今後發展的方向，應和今後飲食生活的改變方向相一致：①社會化：食品生產社會化，逐步提供人們更方便、快捷、便宜和種類繁多的食品；②科學化：要求食品加工不斷改完生產技術，謀求各類食品富有營養價值和特有風味。

近幾年來，香港素食成風。有人因為宗教避免殺生而吃素，有的為了環保，有的為了健康，更有的為了美容減肥。長素吃者也好，偶爾素食也好，無疑都促使了素食市場的發展。素食菜館林立，素食品入口源源，充滿生意頭腦的香港商人開始生產製造素食品，自然也希望開拓另一條食品財路。

飲料製造業

【概　述】　香港飲料製造業已有 100 多年歷史，產品可分兩類：非酒精類及酒精類。前者包括汽水、礦泉水、果汁和荳品類等。後者包括啤酒及中式酒。

非酒精類飲品的銷量以汽水最大，據統計，太古汽水廠的飲品約佔香港汽水市場的三分之二。其餘香港荳品、屈臣氏、聯合及永南都是香港極具規模的非酒精類飲品製造商。這一行業競爭激烈，除其本身所生產的色香味兼具的軟性飲品互相競爭之外，無味的蒸餾水與傳統的中國熱茶也是不可忽視的對手。各廠不斷在廣告宣傳、擴大推銷網以及改良包裝方面下功夫，其中最顯而易見的是飲品包裝的變化，從傳統的玻璃樽裝進展到鋁質包裝，近年還有短樽裝、紙包保鮮裝、巨型膠樽裝等，並有各種不同的形狀和容量。

本港酒精飲品製造商以啤酒廠商為主。業內人士據各啤酒商每年向港府繳交的稅額計算其市場分配：生力啤是最大供應商；嘉士伯次之；藍帶啤酒居第三位。事實上，本地的啤酒市場不算大，一九九〇年全港的啤酒總銷量大約為二億公升，全年平均每人約消費 30 公升左右，在亞洲列第二名，僅次於日本。但如同歐美相比，消費量則僅及德國西部和澳洲的五分之一。而本地啤酒市場主要為本地啤酒佔據。入口啤酒以美國產品最受歡迎，其次為中國大陸和南韓。不過進口啤酒的市場佔有率並不大。這是因為進口啤酒只依賴批發商找尋市場，分銷網過於狹窄。反觀本地啤酒廠都有自己的車隊上門銷售，而進口啤酒的價格也較本地啤酒貴，再加上本地啤酒的質素相當高，不像其他亞洲國家，進口及本地啤酒的質量相距甚遠。如此種種，進口啤酒自就難以打入本港市場。

據統計處統計，一九九二年九月底本港飲料製造廠共 18 家，比上年減少 4 家；僱員 3,776 人，亦比上年減少 278 人。

【產銷情況】　據香港政府統計處發表的數字顯示，一九九二年飲料出口值為 340.5 億元，比上年增 18.6%。其中，非酒精類飲類出口量為 5,791 萬公升，值 264,811 萬元。這類產品以各種汽水及 250 毫升至 360 毫升的包裝飲料為主。主要出口市場為中國大陸、澳門、日本和美國等地。

啤酒出口量 2,155 萬公升，值 139,381 萬元，主要出口市場為新加坡、澳門和中國。

中式酒出口量 0.65 萬公升，值 225 萬元，主要出口市場為泰國和中國。

一九九二年香港飲料入口值為 58.1 億元，比上年增 15.0%；轉口值則為 30.0 億元，亦比上年增 20.5%。

【新動向】　在非酒精類飲品市場競爭相當激烈中，消費者可能每天要接受逾 40 個廣告訊息。因此，要在同類商品脫穎而出是相當困難。港人對健康愈來愈重視，這有利於蒸餾水、礦泉水和涼茶等健康飲料的銷售。如目前本港市面上的涼茶舖裝修優雅舒適，雖然仍強調中國傳統的形象，但過去那種“街坊式”似乎已逐漸淘汰。尤其透過特許經營方式，建立涼茶舖的企業特色，採用中央生產單位代替以前設在店舖後面的獨立廚房，加上各分店劃一的裝修，把這個古老行業在外表、食品質素及服務方面重新包裝，革新整個行業的面貌。

捲烟業

【概　述】　香港人吸烟的歷史可追溯至十九世紀，那時中國人用吸管吸食俗稱為“水烟”。二次大戰後西風東漸，“烟仔”才廣為流行，而香港捲烟業也以六十年代為最旺盛時期。當時，香港共有捲烟廠五家，至一九七〇年時，有兩家捲烟廠先後宣佈停業，現時本港只剩下南洋、香港和英美三家烟廠。

港產香烟與進口烟售價不同，港產烟以低價招徠，故在市場上有一定的銷路。目前港產烟有六、七成是供香港市場銷售的，其餘供出口，在香港市面上常見的八十多個牌子香烟中，港製烟約佔三十多種，其中流行的牌子包括有南洋烟廠的“紅雙喜”、香港烟廠的“良友”，以及英美烟廠的“萬寶路”、“雲士頓”、“三個五”和“希爾頓”等。

香港烟草業協會於一九八四年一月一日成立。該協會由五名普通會員及兩名名譽會員組成。五名普通會員分別為五家跨國烟草機構即英美烟草、雷諾士、菲利浦奧里斯、國際烟草及日本烟草。五家烟草公司代理的香烟銷量約佔本港市場的80%以上。

【產銷情況】據統計，一九九二年九月底香港有烟廠6家，僱員1,309人，比上年21人。

一九九二年香港總出口的香烟及其製品值126.1億元，比上年增16.2%；而進口的各種香烟及其製品總值133.9億元，比上年增20.6%。

由於幾年來港府不斷增加烟草稅，使得各類香烟零售價大幅提高。烟民為節省消費開支，都紛紛改吸港製香烟，使港製烟的銷路在近年來有顯著增加。實際上，港製香烟的品質與外國貨相差不大。目前香港的捲烟廠已大部份使用全自動化設備進行生產，切烟絲時可使烟絲切得極為柔軟而幼細，捲烟時烟絲捲得均勻而不鬆不緊。製烟葉的方法亦科學化，故此品質不差。而在價格上又比進口香烟便宜，因而在競爭上佔有優勢。

然而，近年港府大力推行的反吸烟運動成績良好，本港吸烟人數正在逐漸減少，使香烟的銷量出現下降。據統計，一九八二年本港香烟銷量達高峰時，共銷售89億支，其後不斷下降，到一九八六年銷量跌至60億支。據最近海關公佈的統計數字顯示，一九九一年已只剩49.1億支。而在年滿十五歲以上的人口中，吸烟人士的比例也從一九八四年的24%下跌至一九九〇年的15.7%。這種連續下降的趨勢，烟商所受的打擊可想而知。由於烟價暴升，由內地走私進入香港日趨嚴重，私烟售價一般較市面香烟每包便宜七至八元，一九九二年烟草業生意額約比一九九一年下降接近兩成。

【新動向】 自一九九〇年十二月一日起，香港廣告便不能再以直接或間接的形式於香港電視媒介（包括電視和電台）中播放。據有關調查機構發表的統計數字顯示，一九八九年香烟廣告開支共 2.8 億元，其中 1.7 億元用於電視媒介，這數字約佔電視廣告總收益的 8.0%。而一九九二年八月開始，已在公共場所及公共運輸工具全面禁烟。

在一九九三年二月公佈的財政預算案中，烟草稅加幅為 10%。零售商也立即將香烟價格調升，每包加價由 1.5～2.0 元不等。以二十支裝“萬寶路”香烟為例，由原本 20 元一包加至 22 元。

紡紗業

【概　述】 紡織工業是香港的古老行業，有四十多年歷史。首間棉紡廠成立於一九四七年，一九五八至一九六一年，香港的紡紗業發展較為突出，這期間紗廠由 17 家增至 31 家。但期間日本、台灣等地的紡織業飛快發展，而香港紡織工業仍循老路，明顯落後於香港鄰近國家和地區。七十年代初，香港棉紡工業由傳統的環錠紡趨向空氣紡發展，很多紗廠添加新的機械設備，空氣紡的生產能力比環錠紡高得多。

踏入八十年代，香港棉紡業逐漸走下坡，由於棉紡工業是土地、勞工、能源較為密集的行業，在香港工業史上，曾因大量廉價勞工供應，土地及能源價格亦較低的情況下，寫下輝煌的一頁。但隨着社會經濟發展，土地價格不斷上升，加上通貨膨脹，工資及一切能源連續高漲，這些變化使香港棉紡工業生產成本大幅增加，產品難與成本較低的地區競爭，致令紗廠陸續結束。前後不過十年，全港棉紡工業廠大幅減少。截至一九九二年十二月底，香港棉紡廠只有 155 家，從業人數 6,503 人，比上一年大大減少。

【產銷情況】 一九九二年，棉紡價格依然疲軟，面對巴基斯坦棉紗產量激增，本港紡紗業也大受打擊，日漸式微。

上半年，本港的羊毛紡紗銷路相當理想，原因可追溯至一九九一年底，由於羊毛價格沉寂了相當一段長時間，當時便有彈升趨勢，一般情緒轉為樂觀，日本買家趁機在國際市場大量吸納，原來是淨出口的日本，亦在投機氣氛下，轉為淨入口國家，精紡紗市價因而一度扯高三成。

但踏入三、四月份，紡紗的後勁轉呈不繼，價格亦掉頭滑落，究其原因，除紡織品市場基礎薄弱，各入口市場表現失望，令買家作了技術性錯誤估計外，主要是存貨過剩，將市價扯回一九九一年中低水平。四、五月份以來，市況更差，製衣、紡織業不景所帶來的影響在五月份裏愈見明顯，部份業者的生意甚至出現過高達三成的跌幅。

巴基斯坦政府為求疏導庫存，七月時決定，將棉紗出口稅收調低，每公斤由三盧比減為一盧比，即每包棉紗出口稅減了 14.5 美元。

本地棉紗價格方面，亦因出口棉紗地區如巴基斯坦及大陸的競爭，進一步使成品價及原料價的跌幅拉遠。而事實上紗價跌幅往往大於棉花價跌幅，由於內地紡紗廠數目及機械不斷增加，內部需求並未能追趕生產，逼使向本港及國際市場大量傾銷。

儘管十月初，棉產國巴基斯坦遭受水災困擾，約有 150 萬至 200 萬包（每包 400 磅）棉花因受沾濕而完全報銷，但若以當地年產量 1,400 萬包計算，浸毀部份，只能抵銷當年該國產量過餘的部份，基本上對國際市場起不了刺激作用。

年初 20 支毛紗 30 港元一磅，年終就跌至 23 元一磅；56 支羊毛條，南美來貨年初 4.8 美元一公斤，年終只有 4.1 美元；而澳洲貨則 5.2 美元一公斤，年終賣 4.8 美元一公斤。48 支毛紗年初 50 港元一磅，年終售 40 港元；而澳洲 64 支羊毛條，年初 7 美元一公斤，年終售 5.9 美元一公斤。

目前本地製成的紡紗已喪失出口能力，全部供本地使用，原因是印尼、巴基斯坦和泰國的競爭壓力很大，勞動成本便宜，加上當地政府在原料供應上有補貼，製成的 20 支精梭紗的平均價（每 400 磅計算），香港較東南亞地區貴 1,500 至 1,600 元。

雖然紡紗業面對多種困難，邊際利潤低於 5%，但該工業已收縮至極限階段，由於餘下在港經營的廠房多走向自動化生產，故棉紗的總產量仍維持穩定增長，每年約 90 萬包，質量也能保持。業界考慮將生產線遷移地點，集中東南亞區，中國則因為當地電力供應不足，影響在國內設廠的意欲，但美國對越南即將撤銷禁運，越南也會成為港商投資的重點。

【新動向】 一九九三年的紡紗市場，估計不會太壞，尤其歐美零售商存貨水平相當低，再配合經濟繼續轉好，預期訂單及單價均可以造高。

不過也有業者採取審慎態度，主要視乎美國總統克林頓上台後，經濟表現能否刺激本港紡織成衣出口而定。

織布業

【概　述】織布業在香港已發展了 40 多年，產品主要為各類型的布疋，如燈芯絨、牛仔布、斜紋布、帆布等為主，而隨着香港工業式微，織布業已有日落西山之勢，由於織布業為勞力密集行業，較宜在未開發地區經營，而在十多年來，大陸及東南亞地區的織布工業已漸成氣候，在價格便宜的市場競爭下，加上保護主義打擊紡織成衣工業，織布業在池魚之殃及勞力不足下，行業發展大受打擊，在一九九二年本港棉織布廠有155家，從業人員6,503人，比九一年減少了5家及1,546人。

【產銷情況】 一九九二年香港的各出口市場中，大陸仍然是佔有一個舉足輕重的地位，而在大陸市場外，其他亞洲如東南亞的發展中國家，出口市場亦不斷冒升，相較之下，歐美市場則較為遜色；至於在進口和轉口市場的表現，意大利、英國的產品仍然佔香港織布業進口市場的三甲席位，其原因大抵是其產品走高級質素路線，故市場有一定的需求量，不過大陸的產品進口通常亦保持在冠亞席位之爭，可謂平分秋色；但在轉口市場的舞台上，大陸則佔絕對的優勢，預料隨着大陸經濟的開放，轉口的貨量及成交額會有更強勁的增長，而值得注意的是，南韓的轉口貨值已穩守第二、第三席位，儼然有一股黑馬之勢，故此相信南韓的轉口貨值在未來會有更佳的增長表現。

1992年香港織布業部份產品出口值
及前三位出口地區資料

	數量	數值（萬元）
含短纖維的絲織布	1,104,871平方米	4,068.2
中國	993,042平方米	3,569.7
意大利	16,118平方米	134.6
加拿大	23,854平方米	109.6
粗梳羊毛、幼動物毛梭織布	237,267平方米	734.5
中國	164,740平方米	664.3
台灣	70,000平方米	56.5
南非	1,314平方米	7.1
精梳羊毛、幼動物毛梭織布	244,386平方米	877.8
中國	231,668平方米	825.4
越南	7,660平方米	20.6
加拿大	1,639平方米	8.5
合成纖維布	449,770平方米	1,269.4
中國	424,148平方米	1,146.6
菲律賓	21,170平方米	108.3
南韓	2,787平方米	10.7
亞麻梭織布（含85%或以上）	2,332,106平方米	5,559.9
中國	1,649,549平方米	3,215.8
台灣	150,250平方米	540.8
澳門	129,641平方米	486.7
亞麻梭織布（少於85%）	10,859,266平方米	15,815.4
中國	5,235,451平方米	7,028.6
澳洲	843,406平方米	1,725
加拿大	891,732平方米	1,129.3

1992 年香港織布業部份產品進口及轉口值統計

	進口		轉口	
	數量(平方米)	數值(萬元)	數量(平方米)	數值(萬元)
含短纖維的絲織布	7,494,579	24,005.7	9,351,652	28,701.9
粗梳羊毛、幼動物毛梭織布	4,252,820	23,039.5	2,382,560	10,393
精梳羊毛、幼動物毛梭織布	13,172,944	81,323.6	4,464,827	22,904.4

	進口		轉口	
	數量(平方米)	數值(萬元)	數量(平方米)	數值(萬元)
合成纖維布	8,671,704	28,000.1	5,152,511	15,952.3
亞麻梭織布(含 85% 或以上)	25,251,115	48,592.7	9,546,106	18,804.3
亞麻梭織布(少於 85%)	41,502,671	41,728	21,021,098	24,330.5

【新動勢】 由於本港成衣製造業生產線已大部份北遷大陸,處於上游的織布業,亦難免要配合市場生產發展,加上鄰近泰國等發展中國家冒起,故相信香港織布業未來在進口及轉口市場上,會有更不俗的表現。

針織業

【概　述】 在香港紡織業中,棉針織是最早設立的行業,而毛針織業則萌芽於一九五八年。

初時,香港的針織廠僅生產針織布,原料全靠進口。至一九四八年後,香港陸續建立紗廠,針織廠的棉紗供應才逐漸增加。

戰前香港的毛針織廠僅為家庭式的羊毛衫織造場,用的是手織機,生產設備簡陋,產品款式簡單。近十年來,隨着市場的擴大,技術的進步,生產方式已由原始的手織機,逐步走向花式自動機。不少中、小型廠家,已擁有現代化的電子自動機,並採用電腦管理。

歐美各國是針織品銷售的巨大市場。一九七〇年,美國對香港毛衫實行限制,一九七六年歐洲同樣採取了進口限制。在貿易保護主義威脅日增的情況下,香港廠家積極因應轉向生產高品質、高價格的貨品。

【產銷情況】 據統計資料顯示,截至一九九二年底,本港針織廠共有 1,372 家,僱用員工 36,605 人。一九九二年全年針織出口總值為 131.8 億元。

一九九二年香港針織成衣主要出口統計

項目	出口總值（萬港元）
男裝外衣	3,694.7
男裝套衫	972.8
男裝連身衫	8,458.3
男裝外套	9,404
男裝褲	321,127
男裝恤衫	128,347
男裝內衣	95,530
男裝晚裝	24,436.7
男裝浴衣	545.8
女裝外衣	5,387.9
女裝套衫	8,806
女裝連身衫	17,272.9
女裝外套	9,156.7
女裝裙	33,855.4
女裝恤衫	22,690.3
女裝褲	100,776
女裝罩衣	90,227.2
女裝隨意服	4,136.1
女裝內衣	14,9884.3
女裝晚裝	58,493.5

一九九二年針織業市道有輕微下跌，出口成績下跌5%，廠家利潤普遍比一九九一年減少，只能勉強維持生產線運作。一九九二年針織業比一九九一年差的原因是歐洲市場疲弱所致，據業內人士分析，導致歐洲針織消費市場疲弱的原因有四點：（一）一九九二年歐洲多國有大選，消費意欲相對沉寂；（二）可能是歐洲天氣，四季明顯分野已逐漸迷糊，例如英國五月份天氣仍然酷熱，毛衫銷量生意甚差；（三）在東西德合併初期，每週接單非常頻密，但在一九九二年德國經濟負債愈見沉重，消費者對購物的興趣大大減退；（四）歐洲百貨公司捉拿不到市場的真正需求。因此，訂貨出現混亂，影響所致，本港一些廠家及貿易公司，更時常出現來材料過份短缺或囤積的情況。

業內面對這困難，很多針織業廠家除把生產線移入中國外，均已試圖打開中國國內內銷市場，來抵銷部份歐洲市場的影響，該業內人士說，以百貨公司寄銷方式打進中國國內市場比較容易及穩定，風險亦是最少的，即使貨物沒有銷路，貨物仍控制在手。

【新動向】　據業內人士表示，由於歐洲政局不穩定及美國經濟復甦緩慢，將令大部份本港針織廠接單受影響，估計一九九三年香港針織業的表現是十年來最差的一年。

業內人士又說，在一九九三年首五個月，大部份廠家接單都未如理想，另一方面，歐洲及新西蘭的毛織原料跌價，而棉紗原料亦出現堆積現象，加上其他生產成本昂貴，故一九九三年是針織業艱辛的一年，他希望下半年，歐洲市場回復穩定，美國經濟加速復甦，香港針織業可保持穩定。

漂染業

【概　述】　漂染業在香港有四十多年的歷史，早期的漂染廠規模小，設備簡陋。五十年代末期為該業的全速發展時期，多家大型漂染廠在港設立。八十年代香港漂染業進入電腦年代，引進電腦染缸，以電腦控制染色和配色，染色效果提高。八十年代中、末期開始，由於香港勞工成本提高，土地租金價格昂貴，再加上港府管制污染行業。香港漂染廠不斷外遷，其中以內遷中國內地最多，根據業內人士估計，截至一九九二年底，有近一半的漂染廠已外遷。而據統計處數字顯示，到一九九二年底香港開設的漂染廠有 372 家，僱用 15,913 名員工。香港漂染廠以中小型為主，擁有超過 100 人較具規模的漂染廠不足 10 家。

【產銷情況】　在紡織市道停滯不前，生產成本不斷上漲，用於環保之投資操作費用大幅增加，加上來自鄰近地區的競爭日益加劇，使得印染業的經營困境在一九九二年仍沒有好轉。大部份廠商的生意比一九九一年下跌二至三成，尤其是第四季內訂單奇缺，平均開工率不到七成，業者只能苦撐悶局。

為了改善印染業的困境，業內人士針對技術、土地、勞動力及污染法例等，已轉向提高生產級數，加強技術、設備及管理的路向。此外，北移國內發展亦是一個較佳做法。

事實上，香港廠商為了避免與中國進口的成品布直接競爭，部份印染廠將資源調往生產較高級的產品，包括精梳布、雙面花人造棉等。由於此類產品可爭取高價訂單，因此可以抵銷較高的生產成本。此外，印染技術方面近年亦發展得很快，例如泡沫加工、冷染、超細纖維染色等，已為很多廠商接納。

此外，基於需要配合本港作為地區性採購中心的地位，一個強力的印染業作為對製衣業提供足夠及迅速的技術支援是必要的。但香港受到地少人多，勞動力不足及外來成品布越來越多等現實限制。

不過，按目前情況估計，印染業的總部，包括設計、財務、銷售、物料、生產方法及技術等，將會繼續利用香港所擁有製衣業及地區性採購中心提供服務。

至於污染方面，印染業是排放廢水量較大的行業之一，它主要的污染物是未上染的染料、助劑、化學藥品、表面活性劑和漿料等。港府為了加強這方面的環保措施，已決定由一九九三年實施水質方面的管制，如管制廠房排出的水溫及酸鹹等。為了配合這需求，部份印染廠有需要增額外設備去改善排放的污水水質。

而遷往中國的印染廠商，也存在環保問題。中國在過去幾年已開始環保，對污染工業已有所管制，包括要求廠商裝置化污設備，將污水引至污水處，再加進化學劑進行過濾。一般排污量約 1 千立方米的小型廠房，在這方面的投資約 100 萬港元，排污量 5 千立方米的大廠，投資費更高達 1,000 萬元。但相對香港，雖然廠商於國內投資時需要加上環保方面投資，但在土地、房租及工廠方面均比香港便宜，所以廠商還是樂意到內地設廠，導致本港漂染廠減少。據估計，現時內地約有 100 多間的內遷漂染廠。不過，目前東莞、廣州、惠州一帶已不歡迎染廠投資，除非同老企業合作，而建新廠幾乎不獲審批。

香港漂染廠還存在工人老化問題，除部份新移民肯入行外，其他青年人都不願意當漂染工人。

【新動向】 一九九二年上半年香港漂染廠接獲訂單量，維持上年同期水平。由於內地廠家以較低報價壟斷貨量大的訂單，港商唯有依賴貨量少的訂單快速付運的訂單作生存之道。

港商使用的染料多從歐洲或日本進口，由於日圓匯價在一九九三年上半年以來不斷上漲，使得染料售價在一九九三年上半年也上漲 15%左右，但因漲價只屬匯率波動，非供應短缺，同時也有其他國家的產品可以代替，故日本染料漲價對行內影響不大。

一九九三年上半年漂染廠以美國單佔多，歐洲單則普遍仍受經濟衰退困擾而未見起色，其中個別國家如意大利等，漸趨向以單一款式生產小批量貨品，故貨量少訂單在市場漸漸大行其道。

儘管本港受到環境保護條例影響，及技術性勞工缺乏的威脅，促使廠商依靠中國作後勤基地以生產。不過內地本土廠家能以極低價格報單，內地設廠的港商在競爭中也難得到甜頭。

現時內地廠家對染色及印花成品布的報價，相當於港商生產不經加工染色的胚布價，故在同類成品布報價方面，內地廠與香港廠的報價差距極大。因此一般貨量大的訂單已被內地廠壟斷。

不過，由於中國本土染廠缺乏靈活付運的能力，港商的策略，以在兩周內交貨的急單為主要目標，以快速回應為主要競爭手段。基於市場對款式要求逐漸講究，往往同一款式只生產少數貨量並須快速起貨，數量少於數百碼胚布染色，在市場也很普遍。因此靈活性較強的廠商靠此生存。

製衣業

【概　述】　製衣業是香港發展最完善又最具規模的第一大行業，已有五六十年歷史。該業的產品自七十年代以來一直保持世界領先地位，致令香港成為國際知名度甚高的製衣中心。七十年代中期，港製成衣出口值佔香港產品出口總值曾高達40%，對促進香港經濟繁榮起着重大作用。但自一九八六年開始，儘管香港成衣出口仍然有所增長，特別一九八七年出口增長超逾二成，但仍不能奪回世界成衣出口第一的殊榮，一九八八年更被南韓超前，居第三名。但由一九九〇年開始，以出口總值計，港產成衣又重登第一的寶座，但若按港產成衣出口計算仍居第二位。

據港府統計，至一九九二年底止，全港共有製衣廠 6,346 家比上年底的 6,914 家減少 568 家；僱用員工也由上年底的 18.12 萬人減少至一九九二年底的 15.56 萬人。此外至一九九一年底外資在香港開設的製衣廠有 104 家，僱用員工 1.70 萬人，總投資為 31.87 億元。當年出口值為 93.38 億元，以出口美國和本銷為主，各佔 29.88 億元和 29.70 億元。

中國的改革開放吸引了不少香港廠商到內地投資設廠。香港製衣廠商也不甘後人，紛紛把工廠遷移內地。估計目前全港製衣廠有八成是在內地生產。

【產銷情況】　本港製衣業在過去一年接單數目有新增加，但實質的邊際利潤增長則有限。由於鄰近地區競爭較大，港商所接的訂單價錢並沒有提高，令業內出現萎縮的情況。

根據統計，一九九二年成衣出口總值達 1,552.52 億元，比上年增 12%，但港製成衣出口則為 771.56 億元，僅比上年增加 2%。年內本港製衣業的發展並不理想，既有內因也有外因。一年多來，香港受到不少傾銷指控，加上中國能否取得最惠國待遇問題及關貿總協定烏拉圭回合談判未能如期達成協議，均對本港造成困擾。但製衣業萎縮的主因，則是工資上漲，及通脹令成本不斷上升所致。年內製衣業產銷有如下幾個特點：（一）去銷美國的成衣製品增加，主要是當地息口持續向下，以及中國控制配額不善，經常超出配額限制的數目，間接刺激本港的生意額。年內部份類目的成衣產品訂單大為增加，例如中價及高價的恤衫。一九九二年內香港輸美成衣為 371.43 億元，比上年出口增加 27%，佔出口值的 48.1%。（二）去銷歐洲共市的港製成衣則出現減少。全年出口共 236.29 億元，比上年減少 6%。年內歐洲成衣訂單量較差，而且急單情況頗多。由於對存貨的嚴格控制，不少買家要求一個月內起貨，加上經濟不景，對於較大額的訂單持審慎態度。（三）港產成衣輸往台灣大幅增加。一九九二年內共出口 8.79 億元，比上年的 3.41 億元增加 1.58 倍，成為香港成衣外銷全球增幅最大地區。另據台灣紡拓會統計，一九九一年台灣入口香港成衣服飾總額高達1.13億美元，佔全台成衣進口總量的45%，香港已遠超意大利、日本，成為台灣最大成衣供應地。事實上，近幾年台灣不斷降低消費品進口關稅，香港成衣由於設計新穎、緊貼歐美潮流，而且價錢合理，遠較歐美時裝便宜，因此深受消費者歡迎，銷量亦迅速上升。

香港出銷中國內地的成衣也大幅增加，一九九二年出口值為33.29億元雖然只佔港產成衣出口的4.3%，但比上年卻增加32%。

儘管港產成衣出口台灣和中國兩地大幅增加，但由於兩地所佔比重僅為5.4%，因此暫時來說對整個製衣業影響不大。

玆將港產成衣出口情況表列如下：

	1991年	1992年		
出口地區	億元	億元	增減%	佔%
美國	346.76	371.43	48.1	+7
德國	116.67	102.47	13.3	−12
英國	80.23	78.72	10.2	−2
中國	25.29	33.29	4.3	+32
加拿大	26.36	30.87	4.0	+17
日本	35.19	30.27	3.9	−14
荷蘭	18.55	19.82	2.6	+7
法國	13.19	13.20	1.7	+7
瑞士	14.13	12.61	1.6	−11
瑞典	13.15	10.66	1.4	−19
其他	65.73	68.21	8.8	+3.8
合計	755.25	771.56	100.0	+2
非針織男性服裝	154.02	149.99	19.4	−3
非針織女性服裝	192.97	195.70	25.4	+1
針織男性服裝	34.80	34.78	4.5	+1
針織女性服裝	85.14	97.17	12.6	+14
其他紡織品成衣	236.73	250.72	32.5	+6
其他非紡織品成衣及配料	32.22	26.11	3.4	+19
紡織成衣配料	19.36	17.09	2.2	−12

【新動向】　香港製衣業在過去一年中，可說是度過了一個艱難時期。香港製衣業出口的兩大主要市場美國和共市都受到不同因素的打擊，以致影響外地進口成衣。近期美國市場已有改善的跡象，但預計兩地經濟全面復甦，估計是九三年年底的事，因此未來香港製衣業發展仍將繼續在中國沿海設廠，但隨着這些地區的生產成本上漲，成衣生產將會在遷往較北及落後的地區。除向中國投資外，其它發展中地區如越南、泰國、緬甸等地，將會是香港製衣業、海外投資設廠的另一趨向。

香港製衣業會隨着開展香港本銷市場之勢，進而開拓中國內銷市場，如佐丹奴、鱷魚恤在國內設分銷店等。隨着中國經濟的飛躍發展，中國不僅提供香港廠家出口較廉的成衣之外，在未來兩三年，中國內銷市場將會成為香港的第三個主要成衣市場。

手套業

【概　述】　香港手套業僅有幾十年的歷史。第二次世界大戰前，港九雖有不少針織廠兼織毛線或棉線手套，但專業生產手套的廠則不多。原來香港市場上銷售和轉口的手套，均以日本貨佔大宗。但在第二次世界大戰以後，由於歐美各工業國紛紛制訂保護勞工條例，工人操作時需要手套，因此對勞工手套的需求大增，為香港手套製造業的產銷帶來了不可多得的機遇，專業的手套廠紛紛增設，這是一九五二年以後的事。

現時香港手套的產銷，仍以勞工手套為大宗。據悉，過往數年間，主要西方國家所需的廉價勞工手套，有約七成是由香港供應的。由於配合製衣業時裝化的發展方向，港製手套無論在款式、質地或顏色上均有很大的改進和配合。不過，由於歐美各國的貿易保護主義日益高漲，港製手套去銷受到配額限制，加之在外銷市場受到南韓、泰國、中國內地、台灣等亞洲其他產地低成本手套的競爭，致使香港手套業的發展受到一定的制約，產銷難有出色的突破和發展。

【產銷情況】　據香港統計處統計，截至一九九二年底，香港共有手套製造廠 151 家，比上年減少 4 家；全業就業人數僅有 1,793 人，比上年減少 82 人。這一情況，反映了香港手套製造業的持續萎縮。

近年本港手套出口一直趨降，去年仍維持這一勢頭。一九九二年港製手套出口情況如下：

項目	數量（萬對）	價值（億元）
非針織手套	3,865	1.15
未列名針織手套	1,843	0.77
針織手套	8,592	2.43
皮手套	1,621	0.08
橡膠手套	12	0.15

儘管港製手套出口表現欠佳，但轉口方面就相當理想，這和手套製造商將工廠或生產線遷往大陸有關，本港的工廠實際更多地扮演後勤支援的角色。具體轉口表現在於：

項目	數量(億對)	價值(億元)
非針織手套	1.15	6.56
未列名針織手套	0.32	1.44
針織手套	0.6	2.38
皮手套	3.03	20.72
橡膠手套	1.51	0.51

【新動向】 今年本港的手套產銷估計仍會與往年一樣，港製品出口仍跌，而轉口量就增加。畢竟，中國內地有低廉的土地與勞動力，可幫助廠商降低生產成本，繼續與亞洲其他地區一較長短。但長遠而言，手套業要在產銷方面有所突破，仍須致力發展款式新穎、質地良好的高檔產品，如此才能立於不敗之地。

手袋、旅行用品製造業

【概　述】 香港手袋及旅行用品製造業已有數十年歷史，產品主要包括手袋、旅行袋、揹囊、購物袋、化妝箱、雜用袋、皮箱、銀包、公事包及書包等。

在五十年代至七十年代初期，由於本港入口的手袋產品(如意大利、法國貨)價錢相當高，因此銷量不多。一些廠商便抄襲這些產品的款式，以中等價錢售賣，而顧客亦樂於使用。到了七十年代，本港女士們對手袋的要求愈來愈高，同時，歐洲貨由於生產設備日益進步，價格相對下降，港產品的銷量遂受影響。據業內人士估計，在七十年代初，港製手袋佔本地市場95%，七十年代末期降至50%，現時仍以外國貨為主。

據政府統計，截止去年底，本港的手袋製造廠與僱用人數分別為282家與2,292人，比上年繼續減少56家及695人；而皮革用品(手袋及旅行用)的廠家與僱員人數分別為164家及1,461人，比上年增19家及140人。

【產銷情況】 據政府統計，一九九二年本地製手袋及旅行用品的出口值為10.2億元，較上年的10.45億元減2.4%；而九二年手袋及旅行用品的轉口值為238億元，較上年的199億元增19.6%。九二年該業具體類別的出口與轉口情況如下：

類別	出口值(億元)	轉口值(億元)
手袋	3.52	84.95
錢包	1.27	25.75
公文包、旅行用衣箱、小提箱	0.67	20.41
其它各類旅行袋及購物袋	2.3	70.10
其它旅行用品	2.36	2.48

去年本港的手袋出品表現尚算平穩，沒有太顯著的下跌。美國市場方面的表現有輕微增長，升幅約為5%。美國的入口商的主要銷售對象是百貨公司及連鎖店，而銀行對信貸者所銷售的貨品，均有嚴格釐定標準，一般銷售有潮流性質的貨品如手袋，借貸等級會較低，態度亦較為保守，因銀行唯恐潮流過後，借貸者容易出現財務困難，陡增加借貸風險。

歐洲方面九二年升跌幅度不超過5%水平，假如美國市場形勢好轉，也會帶動歐洲生意的起色。東南亞九二年生意總體有溫和增長，預期台灣、新加坡等都會隨美國市場的復甦而有更佳表現。至於日本市場，去年生意有明顯下跌，廠家必須多找一些新客戶，才能夠彌補這一跌幅。而一向封閉的南韓市場去年有突破性發展，有部份廠家已成功地打入這個市場，但因在當地開本土內銷的客戶，不一定熟悉本港供貨情況，廠家要多花本錢做宣傳推廣。

值得一提的是內地市場，去年增長勢頭甚佳，事實上，現時已有不少業商已轉專攻內地市場，這與內地近年開放，人民消費力提高有很大關係，內地批發商人入貨也很積極，尤以中價全皮手袋最受歡迎。據業內人士反映，以目前情形來看，深圳和廣州的生意最難做，而北方大城市利潤則較豐。不過，內地生意放帳數期較長，加上人民幣不斷貶值，風險較高。

由於手袋及旅行用品製造廠繼續北移，由中國製造的手袋及旅行用品經港轉口數字亦連年創新高，表現相當理想。

【新動向】 由於很多生產手袋的工廠都遷移至內地，因此留港的廠家主要是生產高價貨品為主。要生產較高附加值的產品，必須發展名牌，這方面可借鑑日本的經驗，日本很多大的皮具廠都取得法國及意大利名牌的生產權，在高價貨品方面的發展相當順利，但港商大都不敢貿然冒險，因若市場推廣工作失敗，便會招致血本無歸。但未來發展也實在只有走高價路線，廠家應多作嘗試。

另一方面，香港漸漸在發展成為皮具手袋業的供應、貿易及技術支援的中心。但目前業內仍面對不少困難，如技術人員缺乏、技術培訓不足等，因為國內的工業技術水平偏低，對其技術方面的指導就會相對增加，因此業內亦很希望政府能設立一些課程對該行的技術人員進行培訓，以適應該行業今後的發展。

皮草製造業

【概　述】 香港缺乏野生動物資源，缺乏製造皮草的原料，但香港縫製皮草的技術高超，以致歐美國家及日本買家都到香港購買皮草，使這冷門生意變得大有可為。香港皮草製造業始創於三十年代，初時，只有幾家小型工廠製造一些皮草衣物，直至六十年代，隨着遊客和本銷需求增加，皮草成衣工廠也相繼開設。到了七十年代初期，因開拓海外市場成功，將香港皮草製造業帶進一個新紀元。特別是七十年代下半期，產銷大增，使香港一躍而成為世界著名的皮草服裝製造中心之一。自一九七八年初，香港皮草成衣的出口總量，一直穩佔世界第一位。

香港皮草服裝所用的毛皮全部依靠進口，包括高級的紫貂皮、豹皮、狐狸皮等，廉價有兔皮、羊皮、松鼠皮和紫羔皮等，還有馬皮、貓皮、狗皮、黃狼皮、狸子皮、麝鼠皮、獾皮、獺皮等。其中大部份已經硝製，部份是進口後才在香港硝製。

香港皮草業能迅速發展，主要是具備了幾個有利條件：首先是原料進口和成品出口均免徵關稅，因此在原料供應上較方便。皮草原料主要來自中國內地、歐洲、美洲和非洲等地。歐、美、非等地的原料價格一般比較高，且來貨慢、交貨期長，因此中國內地成為香港皮草原料最大的供應者。中國內地供應的原料，主要有兔皮、黃鼠狼皮、羊皮、貂皮和狐皮等，而歐美各地則主要供應較名貴的皮草。其次是香港生產成本較日本和歐洲為低，縫製工藝精巧，加工技術已達國際水平，生產效率較高，交貨期準確，所以港製皮草服裝在海外甚受歡迎，已經與法國的巴黎、西德的法蘭克福、意大利的米蘭、美國的紐約、丹麥的哥本哈根一起被公認為皮草製造中心。不過，由於港製皮草服裝主要是外銷，難免會受到世界各地經濟盛衰的影響，市場不太穩定。

【產銷情況】 根據一九九三年政府的最新資料，目前香港共有皮草皮革製造廠約有 207 家，僱員約 3,000 人。

1992 年皮草業出口統計

項目	出口價值（億元）
皮草成衣及附件	
日本	6.48
瑞士	2.16
美國	1.94
西班牙	1.15
總計	13.70
皮革成衣	
日本	4.21
德國	0.3
總計	5.97
皮革衣服附件	
泰國	0.20
中國	0.03
總計	0.26

1993 年皮草業轉口統計

項　目	轉口價值（億元）
皮草成衣及附件	
美國	1.51
瑞士	1.27
西班牙	0.91
中國	0.54
總計	5.84
皮革成衣	
美國	10.54
日本	1.78
加拿大	1.59
德國	1.27
總計	16.66
皮革衣服附件	
美國	495 （萬元）
中國	338 （萬元）
泰國	140 （萬元）
總計	1,172 （萬元）

去年本港整體皮草出口量比上年下跌了近18%。去年皮草出口市場以歐洲表現為佳，尤其是意大利、西班牙、瑞士等，帶動了整個歐洲市場的升幅。相反，日本及美國則普遍受國內經濟不景氣的影響，出口數量下跌，由於跌幅遠超於出口歐洲市場的增幅，整體出口量依然是下降。

全件式的皮草銷量雖有下降，但目前潮流傾向在服裝衣領、袖口鑲配皮草，但通常歸入成衣項目出口，若計算該類皮草出口，整體出口量跌幅將較18%為低。

此外，中國內地經濟發展迅速，民衆的消費能力有所提高，為港商提供一個銷售高檔製品的試點。去年出口中國內地的皮草生意額相當理想，其中以中檔貨色（2,000－8,000元）最受歡迎，內地人士對合資企業在內地設廠生產的皮草製品亦情有獨鍾，去年皮草出口中國的貨值有兩成多的升幅。不過，目前中國內地市場無論在質與量兩方面都未臻至成熟，相信要經三至五年時間才可躍升為本港皮草的主要出口市場。

至於皮草業需面對的主要問題是勞工短缺，過去幾年本地皮草生產商被內地充裕而低廉的勞工所吸引，紛紛到內地設廠，業內人手不足的壓力因而得到紓緩，但設計人員至今仍有大量空缺待填補。為此，香港毛皮廠商聯會最近幾年都舉辦公開性的皮草時裝設計比賽，希望能吸引曾接受專業設計訓練的人士，例如理工學院的設計系學生，加入皮草設計及製造行業。

【新動向】　從今年上半年歐美皮草拍賣會顯示，貂皮及狐狸皮的原料價格升幅高達三成，反映廠家對世界皮草市場前景感到樂觀。業內人士表示，美國去年十二月至今年上半年的零售額持續上升，零售商的皮草存貨不多，而本港今年二月份皮草展覽會的訂單較去年上升二至三成，估計今年輸美的出口亦有相近的增幅。而本港最大的皮草出口市場日本去年銷量有下降的情況，但隨着日圓升值，日本客來港辦貨亦有增加，故估計今年日本方面的銷售情況會有所好轉。

中國內地市場由於發展潛力大，故愈來愈吸引港商的注意。現時本港的皮草服裝多透過內地的百貨公司以寄售的方式銷售，但業內人士認為，以連鎖店方式經營更為適合，故這將會是今後港商拓展內地市場的新趨勢。

製鞋業

【概　述】　製鞋業是本港歷史最悠久的製造業之一，遠在四十年代便已有工廠設立。過去本港製鞋業基本上是家庭作坊式生產，完全靠手工操作。直到五十年代後期，一些較具規模的鞋類製造廠先後設立，部份鞋類製作才轉為機器生產。

近些年來，鞋類製造廠生產工具已有很大革新，除繪鞋樣和裁料外，已使用車面機、打雞眼機、啤底機、上邊機、割邊機、打平機、搖鞋機、釘踭機、車底機、囉沙機等，部份機器且由數碼控制，生產管理已步入電腦化，由於生產工具愈益先進，產量及花款也日益增加，規格亦較為劃一，因此，出口訂單絕大部份都落在擁有這些機械生產的大廠手上。

根據最新統計，全港現有的製鞋工廠從上年的有 306 家，僱員人數為 4,377 人，整個行業仍處在縮減中。

【產銷情況】 一九九二年本港製鞋業整體表現頗佳，在十大出口國家及入口國家中，均名列第二位。雖然在去年第三季，中美就三〇一問題未能達成協議前，本港訂單一度流失超過五成，幸而談判成功，問題解決後，訂單迅速回流，致使下半年的接單情況比上半年更好。

近年，由於本港鞋業工廠大多已北移至華南地區生產，據有關資料統計，目前本港鞋廠在廣東省所開設的鞋廠就設有 2,000 多家三資企業，因此，本地出口的鞋類便逐年減少，而與此同時，在大陸加工經港轉口到其它國家的鞋類卻大幅增長，令致本港成為一重要的鞋業貿易中心，去年的鞋類轉口總值已超過 300 億港元。具體情況如下：

1992 年鞋類出口及轉口統計

類別	出口數量（雙）	出口數值（萬元）	轉口數量（萬雙）	轉口數值（億元）
拖鞋及便鞋	280	6.2	11	0.09
滑雪靴	7,476	45.5	13	0.08
運動鞋	231,969	463.9	3,490	8.62
防水鞋	26,115	108.3	8,421	1.16
橡膠及塑膠鞋	6,001,377	10,408	59,269	146.51
皮鞋	2,967,39	28,380	18,153	136.94
布鞋	4,193,3	5,119	26,840	35.92
其它類鞋	723,39	1,460	7,660	0.99
鞋履附件	——	8,408	——	22.57

就目前情形來看，香港鞋類的最大市場仍是美國，佔總體出口超過五成，而歐洲則佔三成，其他則輸往東南亞、中東及非洲等。東歐及獨聯體是新興的市場，他們對鞋類貨品的需求也很大，可是暫時而言他們的消費能力仍較低，因此，香港鞋商只好多注意市場的實際情況，希望能循序漸進地打開這兩個新興市場。

中國有 11 億人口，無疑是一個龐大的市場，而且中國人民的生活水準在不斷提高，加上其樂意對外開放零售業市場，吸引了很多鞋商去拓展這一潛力巨大的市場，愈來愈多原件製造商紛紛以售價 200－300 元（或以下）人民幣的產品，或自立牌子，冀求打開市場銷路。

由於近幾年港台兩地的鞋商都在內地大肆擴張生產線，令供求關係失衡，迫使市場提早進入消化期，各廠家為搶海外訂單，更出現互相踐踏的混亂局面，成為買家市場。買家為求更多選擇及爭取有利條件，亦很鼓勵製鞋商繼續大生產線，事實上，買家的態度亦轉趨轉向尋求有實力的公司，如提早下訂金給廠家買料，但要求進一步削減單價以相就，為此，一些先天已不足，後天實力又未能配合的商人就有被淘汰的危險。據業內人士估計，被淘汰的廠家會以台商居多，而港商因進入內地較早，比較熟悉國內的情況，如經營靈活，又配合內銷市場，將能繼續生存。

【新動向】　今年各類出口鞋款，女裝方面將走回七十年代的款式，“鬆糕鞋”將再度領導新潮流。運動鞋地位將依然穩固，但有趨勢顯示，一部份設計走向便鞋發展，如有色行路鞋等，而運動鞋本身，繼氣墊及泵氣設計後，有閃燈新技術帶出，專為夜間運動而設計。

因美國對中國的最惠國待遇問題年年引起爭論，加上今年共市將實施進口配額的潛在影響困擾，鞋商會將部份產量分流至其他國家，以保障本身業務的延續。

傢俬製造業

【概　述】　香港傢俬製造業歷史悠久，四十年代起已經有上海師傅在港經營。至五十和六十年代，國內廉價傢俬佔據了大部份本港市場。這種情況延續至七十年代後期，之後這一地位漸被本港山寨廠的膠板訂造傢俬所取代，理由是香港經濟起飛，港人收入增加，對款式及對居住環境的配合開始講究起來。與此同時，日本機械化生產的書枱亦流行了一段時間，繼而台灣、泰國的組合式傢俬進軍本港。近年來，北歐傢俬亦佔了本港市場一席位。在多方競爭之下，本港傢俬製造業轉向以製造商用傢俬為主，只有小部份公司製造住宅用傢俬。商用傢俬則包括辦公桌、辦公椅、文件櫃、寫字枱、餐枱和餐具櫃等。

港製出口傢俬主要分為木製、籐器和金屬傢俬，其中以木製傢俬產銷量較大。品種包括桌椅、睡床、書架、衣櫃、樟木櫃、梳化、櫥櫃、醫療傢具如手術床及可轉動斜卧的床等。採用的原料有木材、籐、竹、塑膠、乳膠、鋼、鐵、鋁及玻璃纖維等；還有手工精巧的紅木傢俬、雕刻傢俬和採用多種原料混合製成的傢俬。

事實上港製傢俬除價錢大衆化外，還能因應香港狹窄居住環境而靈活設計款式。不過隨着近年工資大幅上升，製作成本不斷上漲，加上台灣、南韓和泰國的貨品採用現代化機器大量生產，價格相對低廉，以致對港製傢俬的本銷增添不少壓力。因此，大部份本地廠商將工廠遷往國內，利用當地低廉的勞動力和寬敞的場地製造傢俬。目前港製傢俬，超過 80% 是本地廠家在內地設廠生產的。

港製傢俬出口以紅木、花梨木加工的傳統中式品種為主。這類傢俬以品質和手工優良取勝，同時，由於經過雕刻並繪上美麗的圖案而極富東方色彩，因此甚為外國人士和海外華人讚賞。目前本港製造紅木傢俬廠家約有 50 多間，而且一般都在大陸設廠。

據統計處資料，截至一九九二年，本港共有 656 間傢俬製造廠，僱用員工 3,636 人。

【產銷情況】 港產傢俬銷往海外 100 多個國家地區，以美國、中國大陸、台灣及歐洲等為主要出口市場。一九九二年本地傢俬出口總值為 4.3 億港元，比上一年減少 6.8%。

傢俬出口統計

項目	本港出口值（萬港元）
可調高轉椅	347.6
兩用床椅	13.0
未分類木椅	15,263.0
未分類金屬椅	985.7
其他未分類椅	166.3
乳膠或塑膠床墊	333.3
其他物料床墊	101.0
睡袋	545.1
其他種類床褥	1,808.5
未分類金屬辦公室傢俬	2,266.6
其他未分類金屬傢俬	4,977.2
未分類木製辦公室傢俬	5,909.5
未分類木製櫥房傢俬	626.4
未分類木製睡房傢俬	1,179.8
其他未分類木傢俬	14,341.2
塑膠傢俬	113.5
其他質料傢俬	407.8

各種出口傢俬中，以木製傢俬為最大宗，年內共出口 2.7 億港元，佔傢俬出口總值六成。木料傢俬的最大出口市場是中國，年內共輸往該地 6,578 萬元木傢俬製品，佔木傢俬出口總值的 24.36%；其次是美國的 4,574.2 萬港元；日本就有 3,979.8 萬港元。

金屬傢俬的出口佔第二位，年內出口 8,229.5 萬港元，佔傢俬出口總值 19%。金屬傢俬的主要出口市場是中國，出口值 6,085.1 萬港元，佔金屬傢俬出口總值的 74%；其次是澳門，出口值 634.1 萬港元；而日本就有 240 萬港元。

從出口數字來看，香港的傢俬製造業正在日漸式微。理由是很少年輕人願意踏足這個行業，造成傢俬製造業出現勞工短缺、工資上升，削弱了競爭能力。另一方面，在租金高昂及高工資成本帶動下，大部份有規模的傢俬公司在中國大陸設立工廠，由工廠直接推出門市發售，減少中間者利潤。

目前港產傢俬的競爭對手來自泰國、南韓、台灣及中國大陸等。雖然北歐傢俬也在不斷進入香港市場，然而由於價錢高昂，設計又未能配合香港環境需要，因此並未為普羅大衆接受。香港傢俬要與鄰近地區競爭，除了依靠傳統的優勢外，更要着重產品設計的新穎和靈活性。

【新動向】 要在香港發展傢俬製造業，無疑要面對重重困難。為了使傢俬製造業得以存活及維持競爭力，很多傢俬製造商實行產銷合一的方法，除了提高機械化的生產技術外，更自設傢俬公司，並兼營室內裝修工程，以維持經營業務。

此外，傢俬製造商亦已經比較主動地去帶領市場潮流，例如將過去受大衆歡迎的木傢俬，轉變為聚脂處理的傢俬，而布藝傢俬和真皮混合鐵通的傢俬也逐漸受到消費者歡迎。因此要增加傢俬的出口能力，只有留意海外市場的變化發展，生產配合市場需求的傢俬。現時日本已成為香港第三大傢俬出口市場，原因是近年日本經濟放緩，對歐美高價傢俬需求下降，轉而從亞洲入口，尤其港產傢俬亦配合到日本人的生活習慣，故出口到日本的港產傢俬大幅激增。

紙品業

【概　述】香港缺乏淡水和木材資源，造紙工業不發達，大部份紙張都依賴進口。不過，香港廠家擅長於紙品的加工製造，其中一項主要產品就是工業用的瓦通紙箱。

過去工業包裝的原料以木箱為主，現在多已被瓦通紙箱代替。目前，本港有規模的瓦通紙板製造廠約十多家，其產品主要供本地瓦通紙箱廠，製造各種不同類型的紙箱。最近幾年，經營紙箱製造的廠商越來越多，因此競爭相當劇烈。

紙品業的製造技術已進入機械化，生產效率比過去提高，品種方面日見增多。除瓦通紙箱和紙盒外，香港紙品業還生產摺盒、快餐盒、郵包盒、紙袋盒和牛皮信封等。其他製品尚有文具、紙花、紙扇、蠟紙、衛生紙、衛生巾、紙尿片、拜神用紙品（如金銀紙、元寶等）和紙燈籠等。

據港府統計，一九九二年九月底，香港造紙和紙製品共 1,295 家，僱員 12,754 人，比上年減少 165 家，僱員亦減少 1,112 人。其中紙盒和紙板盒廠 900 家，僱員 7,850 人，比上年減少 132 家，僱員亦減少 1,181 人。

本港製的紙箱，絕大部份是本銷。外銷則以澳門及內地為主。由於大陸實行開放政策，本港現時遷往珠江三角洲地區各類包裝紙箱廠共有 100 多家，主要產品供在廠東設廠加工的本港電子、玩具和製鞋等作出口包裝用。不過，由於現時大陸的同類紙箱廠日多，加上近年來的技術更新較快，其設備和產品質量不少已接近和超過港商企業。因此，由於競爭劇烈，一些廠家甚至已結束經營轉謀它業。

【產銷情況】 本港每年消耗的紙品大約100多萬公噸，但本港只有兩間造紙廠，最高年產量約為1.5萬噸。另一間造紙廠是生產低等再造紙，每日生產量約400噸，主要用作包裝用的咭紙。香港政府鼓勵市民收集廢紙再造。由於資源所限，本港沒有製漿廠，絕大部份紙品均需依賴進口。

包裝用紙需求殷切，端賴本港工業產品出口蓬勃帶動，尤以玩具業、電子業所用的包裝紙為最多。近幾年來本港紙張需求不斷增加，洋紙總入口每年貨值已超過110億港元。就以"紙尿片"為例，每年約消耗1億多條，零售價總值超過2億港元。如以七萬名港嬰平均計算，香港的"紙尿片"的使用為全球之冠。

【新動向】 隨着世界性的經濟衰退，近二、三年紙業亦萎縮，普遍供過於求，令紙價偏軟。不少歐美、日本紙廠亦出現虧損。現時很多日本紙廠以減產來維持紙品價格，平均減產達20—30%，希望把價格維持在一九八九年的水平。只有亞洲市場，平均每年有10%以上的增加，是全球用紙量增加速度最快的地區，尤以中國的需求更為顯著。

印刷業

【概　述】 香港印刷業不單在工業界扮演着重要角色，而且與各行各業都關係密切。目前，香港印刷業已晉身為香港五大工業之一，並已發展成為世界排行第四的印刷商品供應中心，僅次於美國、德國和日本。印刷品出口亦成了香港十大出口產品之一。

印刷業之所以獲得一定的國際地位，主要是基於歷年本港整體經濟的高速發展、工商業興旺，出口商需要精美的包裝和說明書；而本地商業活動、資訊傳訊亦須耗費大量印刷品，這些直接推動了印刷業的轉型，不僅數量增長，質量亦在需求的推動下不斷獲得改進。另一個重要的推動力則來自海外的用家，其中不乏歐美國家的用家。這就使得香港印刷業異軍突起，形象令人矚目。

【產銷情況】 據香港統計處統計資料顯示，一九九二年全港共有印刷廠及印刷業有關的公司4,829家，比一九九一年增加441　家，受僱人員40,988人，增加2,197人。一九九二年各項印刷品的出口總值為44.14億元，比一九九一年上升12%。

香港印刷品出口統計（單位：萬港元）

項目	數值
印刷書籍、簿裝書、刊物、小冊與散頁	22892.4
兒童圖書與彩色畫冊	13601.4
地圖與表冊	98.2
新聞紙	1680.9
海報	24291
圖片、設計紙、相片	3356.2
紙及紙板類	18364.9
月曆	3230
音樂印刷品或畫冊	15.9
廣告印刷品、商品印刷品	4639.8
印刷材料	779

香港印刷品主要出口市場（單位：百萬元）

美國	中國	英國	台灣	澳洲	新加坡	日本	德國	加拿大	馬來西亞
84.4	71.8	44.9	26.2	14.9	9.8	9.3	7.0	6.4	5.5

一九九二年本港印刷業發展理想，部份反映香港經濟活躍，雖然本港製造業已進入轉型期，很多過往從事工業生產的工人已轉投到服務業去，但印刷業所承受的壓力和影響仍不大。

香港印刷業商會發言人表示，香港印刷業在一九九二年有理想增幅，根據工業署九二年的數據顯示，印刷業共16%的增幅，與其他製造業的增幅比較，排行第二，其增幅範圍包括一般印刷和包裝。

他指出，印刷業可直接反映當地經濟是否發達，簡單而言，先進地區一般思想和言論的尺度較寬，對各種印刷品的包容量亦較寬，因此所印刷的書籍、刊物數量亦較多，例如商品娛樂或財經宣傳單張及介紹刊物便非常普遍，且受歡迎，並銷往國外。

隨着香港經濟文化的繁榮發展，印刷製品出口量的巨增，尤其中國大陸的改革開放，建立和發展市場經濟，人們的消費水平日高，對精美包裝印刷的需求急劇增加，業內人士普遍看好，並作好拓展業務的部署。有的在大陸增設廠房，有的立足本港引進機器和設備。一九九二年業內人士從美國、德國、日本進口先進的柯式印刷機和其他印刷機械達4.7344億港元之多，作為廠家補充更新技術設備，着眼於發展生產。

【新動向】　香港印刷業雖然已發展到一定水平，但仍有極大發展潛力，尤其華南地區的蓬勃貿易發展，帶動本港進出口貿易進一步成長，對印刷業有很大的幫助。

儘管如此，香港印刷業仍面對一些隱憂：（一）香港沒有一套高水平的印刷教育課程；（二）勞工短缺；（三）出口市場疲弱；（四）成本高昂。

雖然香港是亞洲的第二位印刷中心，在設計、科技等方面都很先進，但在教育方面，最高層次的只有技工級課程。相比其他地方，台灣有二十多間學院開辦印刷技術課程，但香港目前只有觀塘工業有比較完備的印刷技術課程，要是香港大專不積極嘗試開設印刷工業管理的學位課程，廠家只有向外招聘人才，實非長久之計。

勞工短缺的解決方法，是需增添新設備提高自動化程度，減少對人手的依賴。本港印刷業產品大致七成出口，而英美仍是主要出口市場，但英美經濟復甦緩慢，因此發展其他市場十分重要，要打開其他市場，必須推行國際認可的 ISO 9000 的質量管理標準。至於減低成本方面，印刷商須將部份生產線遷入中國內地，以減低成本。

製藥業

【概　述】　香港是華洋雜處的社會，中式成藥和西式成藥都有相當市場，因而香港製藥也包括兩大類成藥的生產，唯製藥的規模一般都不大，許多工廠亦缺乏專門的研究人員和藥劑師，所以港產成藥的品種有限，而且部份工廠的產品是依外地的要求而生產的。

目前本港約有 300 多家製藥廠，僱員 2,000 多人，多屬小型加工廠。

香港中式製藥廠的產品多為各種膏、丹、丸、散和藥油等，根據中國古老的民間驗方和傳統手法製作而成。至於西式製藥廠，產品包括水劑、片劑、針劑和膠囊四大類，多是參照通行藥方配製，或由外國製藥廠提供藥方代為配製。

【產銷情況】　香港製藥行業的生產值與其他行業相比是較小的。港產中西成藥的本銷數量有限，銷售的產品多是胃腸藥、藥油、止咳藥和感冒藥等家庭常備藥品。至於外銷方面，種類則較多，其中中式成藥佔最大宗，市場以東南亞地區為主，這大概是東南亞華僑對中式成藥較為偏好之故。

一九九二年港產成藥的外銷值為 61.30 億元，比上年增 19.0%。成藥出口較大宗的包括：止咳藥水、皮膚病用藥劑和眼藥水等，值 347 萬元，主要銷往澳門、中國大陸和馬來西亞等地。包括荷爾蒙成份的藥劑，值 22,867 萬元，主要銷往中國大陸、越南和澳門等地。

【新動向】　由於香港方面加緊對非經正途輸入的中藥材的控制，台灣商人改把澳門作為中藥材的轉口點。如台灣人喜以紅參混茶葉冲飲，及以紅參為原料製作化粧品，故需求量頗大。如以深圳的中藥市場每公斤紅參售 40 元人民幣，加上以各種途徑運往澳門的費用，每噸約 1.4 萬元，每公斤成本約 60 元左右。把該批廉價紅參運往台灣獲利相當豐厚，故此每日由非正途運往澳門轉運台灣數以噸計。

一九九二年共有 1,386 名年齡在 21 歲以下青年濫用藥物，比一九九一年上升

34.6%。鑑於濫用咳藥水的人數有大幅上升趨勢。香港政府自一月一日起已將含超過 0.1%可待因或右甲嗎喃的咳藥的銷售納入藥劑及毒藥規例的嚴格管制。

化粧品及清潔劑製造業

【概　述】　香港化粧品製造業已有七、八十年的歷史。早在戰前，廣生行生產的花露水、爽身粉，曾行銷華南及東南亞一帶，先施公司生產的牙膏、髮蠟等產品也馳名一時。戰後初期，由於東南亞各地對化粧品的需求量大，香港化粧品製造業隨之蓬勃發展起來。

但近十多年來，儘管世界各地和香港本身化粧品市場日益擴大，銷售品種也日漸增多，但香港化粧品製造業卻未見明顯發展。相反，且有式微之象。特別是近幾年來，東南亞各國對化粧品進口有所限制，或課以重稅，或不撥給外匯，甚至乾脆限制進口，使本業外銷大受影響。至於本銷市場方面，由於一般崇尚舶來貨，本港產品銷售比率已有下降。不過，據調查顯示，香港人以每人平均計算，花在香水及化粧品的費用，在世界排名約在五至七名之列，而在亞太區則佔首席的地位。

另方面，近幾年來本港生產家庭清潔用品的廠家不斷增多，而且一般頗具規模，成為本業發展的一個新趨勢。

目前本港生產的化粧品及清潔用品，以牙膏、花露水、爽身粉、洗頭用品、護髮用品、面霜、珍珠膏、唇膏、洗衣粉、洗潔精和潔廁用品等為大宗。

據港府統計處發表的統計資料顯示，一九九一年九月為止，香港有化粧品（包括香皂、香水及其他清潔劑等）廠 23 家，僱用 514 人。

【產銷情況】　據統計，一九九二年化粧品及香水（肥皂除外）進口總值為 25.9 億元，較上年增 12.2%。而經本港轉口總值為 11.29 億元，和上年持平。

本港化粧品如洗頭用品、護髮用品在市場近年已有飽和趨勢。由於不少外來產品繼續打進本港市場，競爭日趨激烈，使本港產品在本銷受到壓抑。

過去數年，本港化粧品本銷市場無疑有不少發展，這當與消費者日漸注重本身儀表及頭髮護理、美容院越開越多有關。另方面亦與生產商不斷增產新品種以滿足消費者需要分不開。一九九二年香港化粧品零售總值約在 50～60 億元。

一九九二年港產各類化粧品及清潔用品（肥皂除外）出口 14.18 億元，比一九九一年增 1.0%。其中：

香水出口 235.3 萬元，主要銷往中國大陸和日本。

爽身粉、熱痱粉和唇膏等皮膚清潔劑和潤膚劑出口 2,357.3 萬元，主要銷往中國大陸、美國和澳洲等地。

其他化粧品及盥洗用品出口 378.7 萬元，主要銷往日本、澳洲和澳門等地。

至於肥皂等清潔用品方面，一九九二年出口 83,498 萬元，比上年增 19.0%。其中，肥皂和潔廁用去污粉出口 189.4 萬公斤，值 4,628.6 萬元，主要銷往美國、中國大陸和德國。其他用途的肥皂和去污粉出口 4.3 萬公斤，值 30 萬元，主要銷往中國大陸和菲律賓。

【新動向】 一九九三至九四財政年度，香港財政司發表的財政預算案建議取消目前的 30%化粧品稅。預計將令今年香港化粧品零售增長 30%，其中六成消費會來自遊客。業者已基本上同意將化粧品零售價調低 10～12%。

蠟燭製造業

【概　述】 香港製造蠟燭歷史比較悠久，初期只是家庭式的生產，本世紀四十年代後期才出現第一家蠟燭製造廠，其後發展迅速，到七十年代，港產蠟燭不論出口量和出口值都已雄踞世界第一位。從一九八五年起，香港蠟燭的出口值被西德超過而退居世界第二位，此後地位亦有所下降，但從總體來看，香港仍是世界上一個重要的蠟燭生產和出口地。

香港蠟燭生產之所以有如此高的國際地位，主要有兩個原因：一是香港廠商能不斷提高質量，創新品種，使產品不斷優質化。如過去燒燭時有烟味，燒盡後有殘渣，而現在可以做到無烟無味，燭芯的燃點火力均勻，燒盡後不留殘渣。又如過去蠟燭品種少，款式簡單，而現在可以根據市場需求和銷售潮流，在基本蠟燭之外，創出各色各樣的藝術蠟燭、工藝蠟燭、聖誕和節日蠟燭、飾物蠟燭等新品種。二是香港廠商既注意提高蠟燭的質量和照明用途，又不斷注意使蠟燭製品藝術化，使之兼具藝術欣賞價值，誘引買者興趣。如造型，過去幾乎全是圓柱型，現在則可做到外型不似蠟燭，而像一種高級藝術品。又如蠟燭雖多以塔型為主，但高體寬窄分別很大，加上圖案花紋各異，不斷翻新，因此千姿百態，風格誘人。再如顏色，傳統上是以紅、白為主，現在則色彩多達幾十種，五彩繽紛，視感一新。香港廠商就利用了蠟燭的可塑性特點，根據市場的風尚潮流，消費者的愛好口味和買家的設計要求，盡力創新，做到造型、款式、品種、顏色多樣化，實用價值和藝術價值相結合。正是基於這兩個原因。使得香港蠟燭製造業能夠稱譽海外市場，高居世界前列。

【產銷情況】 儘管香港蠟燭製造業在世界上素負盛名，但總的說，工廠家數並不多，規模也不大，仍以中小型廠家為主，而另一方面，香港廠商正逐步將蠟燭生產移向珠江三角洲一帶，加上世界競爭激烈，因此在本港的蠟燭廠商出現難於擴展的障礙。

從一九九二年的產值數字看，不論出口、進口和轉口都增加了。

一九九二年蠟燭出口量為 1,084.50 萬公斤，出口值為 12,147.8 萬元，比一九九一年的 792.75 萬公斤和 9,480.65 萬元分別增長 36.8%和 28.1%，不過，一九九二年的蠟燭出口市場從一九九一年的 58 個減為 46 個。其中出口值在百萬元以上者前三個依次為美國 9.4 億元，加拿大 562.4 萬元，澳大利亞 392.7 萬元，都比一九九一年的出口值增加了。

一九九二年蠟燭進口量為 2,442.96 萬公斤，進口值為 16,288 萬元，比一九九一年的進口量 2,219.39 萬公斤和進口值 14,432.37 萬元分別增加 10.1%和 96.1%。在蠟燭進口中，最大量來自中內地，2,820.79 萬公斤，34,498.13 萬元，分別為進口總量的 97.8%和 96.1%。

一九九二年蠟燭轉口量為 2,820.79 公斤，轉口值為 34,999.8 萬元，比一九九一年的 2,349.29 萬公斤和 30,498.13 萬元分別增了 20.1%和 14.8%，上千萬元轉口額者有 7 個，最大的轉口市場為美國，轉口值達 1.38 億元。而一九九一年美國也是最大的轉口市場，但轉口值只有 1.31 億元。

【新動向】　香港蠟燭業的成就及其在國際市場上的地位體現了香港中小企業家適應力強，靈活性大，為提高質量、產品多樣化、市場多元化所進行的努力。港商既能依照買家訂單來樣製造，又能開創新潮流，精心設計新產品，將實用性和藝術性結合起來，這些正是香港蠟燭製造業的成功之道。但是，也要看到，一方面，蠟燭行業競爭激烈，原料、工資和廠租等成本不斷上升，利潤因而相對下降。另一方面，青年人不願入行，招聘工人不易，工人留不住，流動性大，勞工缺乏現象較嚴重。因此除了不少廠商移往大陸加工生產仍是趨勢外，如何使生產自動化、改善經營管理、降低成本以保持競爭力，繼續保持蠟燭業的國際地位，成了本港蠟燭商必須面對的現實課題。

橡膠製品業

【概　述】　香港橡膠製品業有悠久歷史，它包括橡膠鞋製造，車胎製造及其他橡膠製品。在六十年代後期，膠鞋製造業由於一些西方國家逐漸摒棄原有廉價工業產品生產，各地訂單紛紛集中到香港來，可說是香港膠鞋業的黃金時代。當時香港約

200家膠鞋工廠，工人兩萬多人，擁有千多人以上的大廠也有數家。

自七十年代後期以來，隨着南韓、台灣、馬來西亞和菲律賓等國家大量生產膠鞋，香港鞋業亦漸失去優勢。

近二十年，香港橡膠鞋類的發展一直處於內憂外患之下。在外是受到若干地區所採取的廉價競銷攻擊，同時歐美若干鞋業製造為保護本身利益，則要求政府提高關稅和入口限制。而在內一方面，廠地租值日見高昂，工人工資逐步高升，製造原料價格不斷高漲，在內外夾攻之下，香港橡膠製品業日益難於應付。

【產銷情況】 據香港統計處的統資料顯示，一九九二年橡膠製品業共有工廠140家，比一九九一年同期減少25家，僱員951名，較一九九一年減少279名。

香港橡膠業所需的原料均從外國輸入，原料進口情況如下：

類別	數量（萬公斤）	價值（萬元）
天然膠漿及其他形狀的天然橡膠	6084.25	38795
合成橡膠	6473	62560.8
再生橡膠	34.4	123.7
橡膠廢料、削皮及碎料	513.7	813.1
硫化複合橡膠	151.5	2248.5
未硫化橡膠	181.9	2748.5

一九九二年橡膠原料的整體進口量為13,438.75萬公斤，比一九九一年下降11%，進口值為10.72億元，比一九九一年下降13%，香港的橡膠原料進口地區中，以馬來西亞為最主要，一九九二年的進口數量為1,819萬公斤，進口值為11,597.1萬元。

目前，整隻鞋均用橡膠製造的已近絕跡，大部份只是鞋底或鞋面是用橡膠來製成，一九九二年鞋底及鞋面用橡膠或塑膠製造的鞋出口量有1,315.4萬對，下降30%，總值4.624億元，下降30%。不過轉口則有上升的趨勢，一九九二年轉口量為108,894.2萬對，增加39%，轉口值為329.9億元，上升41%，這顯示香港廠家大量移入中國生產。

一九九二年橡膠製品的出口情況

類別	數量（萬公斤）	價值（萬元）
硫化橡膠線及細繩	39.9	631.6
硫化橡膠	40.3	498.4
硫化橡膠喉管	10.6	199.5
硫化橡膠輸送帶	9.1	172.9
新橡膠氣胎	——	——
翻新舊橡膠氣胎	——	——
橡膠內胎	——	——
避孕袋	——	38.7
衛生或醫療用具	——	503.2

類別	數量（萬公斤）	價值（萬元）
軟質硫化橡膠手套	12.5 萬對	17.6
硫化橡膠製品	——	3728.3
各種形狀的硬質橡膠	——	14

一九九二年橡膠製品的轉口情況

類別	數量（萬公斤）	價值（萬元）
硫化橡膠線及細繩	1131	18280.4
硫化橡膠	626.7	10552.8
硫化橡膠喉管	127.6	13721.5
硫化橡膠輸送帶	116	4033.9
新橡膠氣胎	761.3 萬條	37356
翻新舊橡膠氣胎	398.8 萬條	19386.3
橡膠內胎	962.7 萬條	5276.6
避孕袋	——	505.3
衛生或醫療用具	——	——
軟質硫化橡膠手套	15086.5 萬對	5096.5
硫化橡膠製品	——	18283.7
各種形狀的硬質橡膠	——	——

車胎方面，以往以舊膠胎翻鑄為主，但一九九二年香港已沒有出口，只是作一轉口，其轉口量為 2,122.8 萬條，價值為 6.2 億元。避孕袋、軟質硫化橡膠手套及衛生醫療用具的出口值分別為 38.7 萬元、503.2 萬元及 17.6 萬元，轉口方面，只有避孕袋及橡膠手套有轉口，其轉口值為 505.3 萬元及 5,096.5 萬元。

橡膠製品（硫化橡膠線及細繩、硫化橡膠、硫化橡膠喉管、硫化橡膠喉管、硫化橡膠輸送帶、硫化橡膠製品、各種形狀的硬質橡膠）出口值為 5,244.7 萬元，轉口值為 6.9 億元。

一九九二年香港橡膠業經營並不容易，已呈萎縮之象，全年接入海外訂單沒有起色，其原因是有很多廠家為求自保，紛紛移入中國大陸設廠，加上世界競爭相當激烈，因此在本港的橡膠製品廠出現減縮的趨勢。

【新動向】 一九九三年首季本港橡膠製品出口值為 2,055.9 萬元，比一九九二年同期減少 750.7 萬元，降幅為 26.7%，轉口貨值則有大幅上升。這反映本港橡膠製品業在中國內地生產比重越來越大，而轉移在中國內地為生產基地這趨勢仍會持續發展。

據業內人士預測，一九九三年橡膠製品業的市況前景黯淡，因為不少日本、台灣、南韓商人向泰國、菲律賓、馬來西亞、印尼、中國投資設廠，大大分薄了香港出口商接單及影響香港橡膠業的競爭力。

塑膠業

【概　述】　塑膠業是戰後才開始發展的一門輕工業，除了一般性的水桶、水杯、家庭用品、和玩偶外，亦包括有電動遙控玩具、電器製品、電子產品、塑膠花、裝飾品、旅行用具等，可謂門類式式俱備。

塑料工業製品大致可分為熱溶性、熱固性兩種，而本港廠家大多以生產熱溶性塑料品為主，由於其應用技術水平較低，所需投資生產線也較少，不過鑑於大陸具有廉價的勞動力，故塑料工廠北移已成為必然的趨勢，因此以香港為基地的廠家，便需要向高科技塑料生產技術如多層薄膜共擠塑技術、共注塑法、包裝用不透性樹脂、氣注模塑空心製件技術、聚合物摻合及混合技術、電腦輔助設計及電腦輔助製造聯繫系統、材料性能電子資料庫、“適時交貨”的關係、統計控制電腦監察系統、和標準化原料取樣程序，以改善塑料工業在加工、監察、控制、和提高質素的生產環節的品管工作，向高級塑料製品市場進軍。

香港塑膠的資金有80%是投資在大陸，16%投資在本港，其餘4%則分散在泰國等地方，港商將製造工序北移，主要與行業“每名僱員計的銷售生產力”評估考慮，一般認為只有每名僱員計的銷售額超過50萬港元的廠戶，才能維持在香港環境下的競爭力，因而導致廠商北移的選擇；不過，由於買家知悉廠商北移設廠後，在沽價時會壓價，且在大陸設廠會有一些隱藏成本，抵銷了部份可見的利潤或節省款項，故並未能大幅提升塑膠業的利潤水平。

香港現有3,792家塑膠廠，較九一年減少了488家，而僱用的員工32,005人，亦較九一年減少了7,788人，若加上了九〇年減少的725家工廠和11,716名員工，則香港塑膠廠這二年來，共減少了1,213家塑膠廠，裁減約19,504人，而這可能與廠商陸續將生產線北移有關，也反映出香港只有積極提升工業的科技層次，才能繼續保持香港工業的生存。

【產銷情況】　香港塑膠業的出口產品主要有包裝業用塑膠材料及容器、聚乙烯包裝袋、餐具及家庭用品、和衛生用品。而包裝用塑膠材料及容器多為包裹用收縮性薄膜、填塞用發泡膠和氣珠紙、塑膠盒、泡罩、瓶子和瓶蓋、飯盒、杯和杯蓋等；聚乙烯包裝袋則有購物袋、手提袋、垃圾袋、服裝套袋、工業用包裝袋、食物儲存袋；餐具及家庭用品通常是聚苯乙烯刀叉餐具、檯布、保鮮紙、手套、圍裙、床褥套、雨衣和鞋套等；衛生用品則以浴帽、手術手套居多。

目前美國、歐洲共市、和澳洲是香港用後即棄塑膠產品的主要出口市場，海外的大型超級市場、百貨公司則為港製捲裝食物袋、背心型手提袋、手挽袋的主要買家；而本地食品及飲品店亦為港製發泡膠飯盒及杯子的重要買家，至於一般的塑膠餐具產品，則多來自價格便宜的中國製品市場，整體而言，歐美地區仍為香港塑膠業產品的最大買家。

1992 年香港塑膠業產品出口值及前三位地區統計

	數　量	數值（萬元）
塑料袋及其他盛載品	——	83,337.4
中國	——	37,449.2
澳洲	——	15,364.7
美國	——	6,840.5
塑膠製器皿	——	55,389
中國	——	19,456.1
美國	——	8,437.2
英國	——	3,787.5
塑膠製衛浴用品	157,529 個	292
美國	75,816 個	126.8
奈及利亞	12,350 個	35.5
中國	6,090 個	23.9
塑膠製營造用具	——	991.9
中國	——	478.1
科威特	——	80.9
泰國	——	64.5
塑料製餐廚用品	12,438 萬個	35,902.9
美國	3,503 萬個	11,213.6
中國	2,050 萬個	4,381
英國	914.7 萬個	2,885.7
塑料辦公室或學校用品	——	6,894.6
美國	——	1,913.3
中國	——	1,547.3
德國	——	577.4
塑料傢具、車身裝配用品	——	284
中國	——	159
美國	——	64.8
加拿大	——	20.5
塑像及其他塑料裝飾物品	——	223,322.5
中國		121,384.3
美國	——	22,711.6
日本	——	6,873.6
塑料衣物及衣服配件	——	24,159.6
中國	——	12,237.4
孟加拉	——	1,400.7
斯里蘭卡	——	1,297

1992 年塑膠業產品進口及轉口值統計數字

	進口		轉口	
	數量	數值（萬元）	數量	數值（萬元）
塑料袋及其他盛載品	——	109,704.8	——	82,415.4
塑膠製器皿	——	126,325.4	——	98,925.6
塑膠製衛浴用品	1,844,152個	7,783.9	799,538個	2,746.9
塑膠製營造用具	——	60,290.6	——	58,142.2
塑膠製餐廚用品	515,20.7 萬個	172,544.4	80,139.8 萬個	269,152.3
塑料辦公室或學校用品	——	40,641.4	——	63,191.6
塑料傢具、車身裝配用品	——	1,564.1	——	2,102.6
塑像及其他塑料裝飾物品	——	565,127.4	——	556,227.9
塑料衣物及衣服配件	——	86,715	——	96,882.5

【新動向】 由於大陸生產低價貨品為主，在功能區隔的因素下，生產高級的塑膠製品，已成為香港塑膠業的必然趨勢，加上歐洲國家已限制產生污染的 PVC 塑料製品入口，故此生產環保塑膠產品已成為無可避免的發展。

傳統塑膠製品由於具有不可分解的特質，一旦遭丟棄後，便會永久留傳在自然環境中，破壞自然生態，如果加以焚化處理，部份塑料亦會產生有毒的氣體，即使採用土掩法，但在普遍使用塑料及一次即棄的消費習慣下，也無法有效及徹底處理所有的塑膠製品，故此塑膠製品已成為當前環保的頭號敵人，因此使用可循環再用塑膠原料、減少用多種不可分解塑料合成的塑膠製品，及生產可自行分解的光溶塑膠製品、水溶塑膠製品、和土解塑膠製品，將會成為未來塑膠工業的產品發展方向。

玩具製造業

【概　述】 香港玩具製造業始於四十年代，起初主要依賴人手操作的機器，生產簡單的玩具。五十年代初期，由於塑膠業興起，玩具亦開始大量生產塑膠玩具。五十年代後期，玩具業在技術上取得很大的進展，開始生產利用摩擦式馬達或電池操作的玩具。六十年代後期至七十年代，玩具業更與新興的電子業相結合，大量生產各式各樣的電子玩具，並且在價格上極具競爭力，吸引大量外國公司以許可證或合約方式在本港生產玩具。香港分別於一九六四年及一九七二年取代西德及日本的地位，成為世界最大玩具出口地區。八十年代初期，玩具業不斷大幅增長，理由是海外市場對玩具的需求十分殷切。為了減低生產成本，香港的玩具製造商，在八十年代中期，相繼將生產基地遷移到中國大陸的珠江三角洲一帶，估計現時本港的玩具產品有九成在大陸完成，轉口貿易中，也有近九成是港商在國內生產的產品。

香港的玩具製造商主要分兩類：第一類是原廠委託製造商（OEM），按訂單規格而生產，產品亦用顧客指定的商標，買家自行負責產品設計、市場研究和市場銷售活動，故此，原廠委託製造商不用承擔龐大的產品研究及發展費用以及市場銷售的風險。另一類是製造商生產、設計與銷售自己牌子的玩具。

據統計資料顯示，截至一九九二年九月香港玩具製造廠共有1,383間，比上一年同期減少66間；僱用員工15,617人，減少3,219人。這種趨勢主要是由於本港廠商將生產基地北移所致。

【產銷情況】　一九九二年，本港出口玩具持續減退。但中國經香港轉口的玩具卻不斷上升。根據統計處資料，香港玩具業的出口與轉口情況如下：

	出　口		
類　別	價值（億港元）	佔總值百分比（%）	比上一年增減（±%）
總值	38.82	100	-17
玩偶	2.56	6.6	+17
其他玩具	26.06	67.1	-24
遊戲類	8.62	22.2	+11
節日用品及飾物	1.59	4.1	-35
總值	546.38	100	+36.5
玩偶	57.67	10.6	+59.7
其他玩具	361.19	66.1	+28.9
遊戲類	54.92	10.0	+50.4
節日用品及飾物	72.60	13.3	+53.1

香港玩具業十分倚重美國市場，一九九二年經香港出口和轉口到美國的玩具佔了總出口的47.8%，出口金額增加三成。美國進口玩具有突出表現主要是一九九一年的聖誕節，美國國內的玩具銷售表現理想，但礙於當時美國入口商入貨謹慎，令存貨減少，因此美國玩具進口商紛紛提早落單補倉，所以進口需求亦有所回升。另一方面，在美國舉行的幾個大型玩具展銷會都獲得理想成績，亦刺激美國消費者的購買興趣，對本港出口玩具帶來利好因素。

歐洲市場方面，年內的增長亦十分可人。英國是本港玩具銷售的第二大國，一九九二年共入口本港41.1億港元玩具，比上一年增加43%；而西班牙的升幅就十分驚人，進口港產玩具比上一年增加92%。至於日本市場方面，本港銷日的玩具產品年內有66%的增長。事實上，以往外國產品極難打進日本市場，但自從一九九二年初美國反斗城進軍日本市場後，短短一年間在當地開設了6間分店，成為港貨輸日的有力分銷渠道，而且令日商認識到港貨在當地受歡迎程度，增加日商來港購物，甚至生產玩具返銷日本的意欲。

本港大部份玩具生產線都在國內設廠，其中不少廠商更計劃將產品拓展內銷。香港玩具協會主席丁鶴壽指出，國內市場龐大，相對發展潛質較佳，預期未來內銷市場的競爭會相當激烈，不過廠商在拓展內銷權方面會有一定困難。他解釋過去大部份廠商將生產線遷往大陸時，都未完全熟悉國內情況，因此為求減低風險及避免納入稅網，廠商多以來料加工形式生產，該等產品並無內銷權，廠商在改作合資企業申請內銷時，需配合國內的條件制度、手續及成本都較繁複。

據統計資料，一九九二年本港玩具的出口市場表現如下：

	出口數值（億港元）	佔出口總值（%）	比上年增減（±%）
全球	38.82	100	－17
中國	16.63	42.8	＋9
美國	9.61	24.8	－26
英國	1.13	2.9	－33
德國	1.23	3.2	－41
台灣	0.91	2.4	＋5
日本	0.67	1.7	－22

【新動向】 一九九三年本港玩具業除了要保持以往在歐美市場的銷售業績之外，亦要加強拓展東南亞市場，如日本、中國、泰國和印尼等。丁鶴壽認為，隨着美國聖誕節期間的玩具零售表現理想，預料一九九三年本港玩具總出口會有兩成增長。

玩具品種方面，洋娃娃及填塞玩具如毛公仔等仍屬主流項目，產品以中下價貨去銷情況較佳。此外，電動玩具亦有一定銷量；反而本港電子遊戲製造商面對日本任天堂在歐美有較高市場佔有率的壓力，預期玩具項目中，電子遊戲表現起色不大。

一九九三年七月，中國即將實施出口玩具質量許可制度。雖然期間本港不少生產商對這種審檢制度提出異議，但看來這種制度勢在必行。本港一家品質標準顧問公司擔心，由於這套標準與國際間採用的 ISO 9000 未盡相同，而本港廠商要應付兩套標準，可能更需要在資源及管理上作出額外承擔。

此外一九九三年七月，本港將規定出售的玩具及兒童產品，必須符合國際玩具安全標準，以保障兒童免受傷害，違例者最高可判罰 10 萬元及入獄一年。

雖然預期一九九三年本港的玩具總出口會有雙位數字的增長，但也有幾方面的隱憂。其一是美國存貨量問題及該國經濟復甦速度；其二是歐洲政治動盪及歐幣值下降，形成一九九三年入口價格上升而影響銷量。此外，中國能否續享最惠國待遇對香港玩具業影響尤其深遠。

玻璃製造業

【概　述】　香港玻璃製造業已有七、八十年的歷史。初期產品質地較為粗糙，款式品種不多，產量也少。到六十年代後，產銷增加，品種增多，質量亦有所提高。

玻璃和玻璃製品的單位價值較小，而且種類繁雜，在香港外銷產品總值中所佔比重並不大。但是，玻璃和玻璃製品同其他產業、行業和產品的關係較密切，如食品、製藥、化妝品、電氣、電子、飲食、建築、旅遊、服務等行業都需用它，因而除了玻璃和玻璃製品本身的外銷外，這實際上還可以通過許多產業的產品而間接得到外銷；這就使玻璃和玻璃製造業具有發展潛力。

香港生產的玻璃品分為兩大類：玻璃類和玻璃製品類。兩類的產品都頗為繁雜多樣。根據新的分類法，在玻璃類中有：玻璃塊，廢碎玻璃及其他玻璃產料及碎料，球狀、棒狀或管狀的未加工玻璃，由堅硬（四火）或層壓造成的安全玻璃，車輛望後鏡，其他璃鏡片，經屈折、邊緣加工刻花、鑽孔、上搪瓷或用其他方法加工，但未裝設框架或其他物料的玻璃，供電燈、陰極射線管或類似物而用無裝置設備的開口玻璃外殼（包括燈泡及管）及其玻璃部份，鐘錶玻璃及同類玻璃，經彎曲、屈折、凹陷或同類方法製造而未經光學方法加工的非矯正或矯用眼鏡片，供製造這類玻璃的空心玻璃球及弧形玻璃，玻璃纖維（玻璃棉）及其製品（例如紗，梭織布）等。在玻璃製品類中有：大玻璃瓶、各種玻璃瓶及其他玻璃容器，保溫瓶或其他真空保溫器的玻璃膽，供餐桌、廚房、廁所、辦公室、室內裝飾或類似用途的玻璃製品，實驗室、衛生或製藥用玻璃製品，玻璃珠、仿製珍珠、仿製寶石及類似玻璃小商品，供作嵌鑲或類似裝飾用途的正方形玻璃及其他玻璃製的商品，未經光學方法加工的玻璃信號器及玻璃光學元件，其他玻璃製品等。

【產銷情況】　一九九二年玻璃類產品的出口總值共為26,607.30萬元；比一九九一年的29,112.71萬元，下降了8.6%。其中佔最大出口額的仍是經屈折、邊緣加工刻花、鑽孔上搪瓷或用其他方法加工但未裝設框架或其他物料的玻璃共為11,004萬元，比一九九 的出口額13,582.70萬元，下降了18.9%，此外，安全玻璃、玻璃鏡片的出口也分別下降了4.9%和35.6%，至於其他玻璃類產品出口則都比一九九一年增加了，其中尤以供電燈、陰極射線管或類似物品用的無裝置設備的開口玻璃外殼出口額增幅達1.14倍，即從一九九一年的59.29萬元升至一九九二年的127萬元。一九九二年出口額為7,720.2萬元的玻璃纖維亦比一九九一年的4,653.66萬元增加65.9%。至於另一項增加出口額的鐘錶玻璃出口亦從一九九一年的1,582.2萬元增至一九九二年的1,749萬元，即增長了10.5%。

一九九二年玻璃製品類產品的出口總值共為6,827.3萬元，比一九九一年的

7,731.61 萬元，下降了 11.7%，供餐桌、廚房、廁所、辦公室、室內裝飾或類似用途的玻璃製品，仍是出口額的第一位，共為 4,302.6 萬元，但仍比一九九一年的出口額 4,601.91 萬元，下降 8.6%。出口第二位的是大玻璃瓶、玻璃容器，共 1,231.11 萬元，比一九九一年的出口額 402.6 萬元，增加了 2.05 倍。佔出口第三位的是玻璃珠、仿製珠珍，寶石及類似玻璃小商品，出口 1,012.5 萬元，比一九九一年的 13.68 萬元，猛增了 73 倍。但由於在一九九一年出口中佔居第二位的玻璃化妝箱（達 2,471 萬元）在一九九二年出口中不再出現，而其他玻璃製品也不過 20.04 萬元，因此使整個玻璃製品類出口不是增加而是下降了。

一九九二年玻璃類和玻璃製品類產品共出口 33,433.6 萬元，比一九九一年的 36,844.3 萬元，下降 9.2%。

和出口對比，香港每年進口的玻璃類和玻璃製品類的數量一向較大，一九九二年，玻璃類產品的進口值為 170,263.3 萬元，可一九九一年的 151,138.18 萬元，增 12.6%；玻璃製品類產品的進口值為 190,840 萬元，比一九九一年的 126,301.39 萬元，增幅更達 51.1%，一九九二年兩類產品的進口值共為 361,104 萬元，比一九九一年的 277,439.58 萬元增了三成（30.2%）。

玻璃類和玻璃製品類產品的進口自然是為了轉口的，一九九二年玻璃類產品轉口 95,850.9 萬元，比一九九一年的 75,888.4 萬元增 26.3%；而玻璃製品類產品轉口 85,390.6 萬，比一九九一年的 55,549.5 萬元，增了五成以上（53.78）。兩類產品的轉口額，一九九二年為 181,241.5 萬元，比一九九一年的 131,437.9 萬元，增了 37.9%。

【新動向】 從一九九二年的玻璃製造業來看，兩類玻璃製品出口值都下降了，雖然幅度不大，但也說明了這個行業仍處於停滯不前的狀態，這自然也和一些工廠遷往中國內地生產有關。但從進口和轉口值繼續較大幅度增加的趨勢看，如果香港玻璃製造業能在提高質量、增加品種和降低成本等方面再作努力，這個行業仍是可以在開拓市場和增加銷量方面獲有進展的。

金屬製品業

【概　述】 香港金屬製品業的規模不大，但內涵從細到大，非常廣泛，它可以分為三大類：第一，建築用的大五金，包括鋼筋、鋼架、金屬門窗；第二，五金製成品，如鐵皮、銅片、銅枝等；第三，小五金製品，如工具、配件及螺絲釘等。

【產銷情況】 據統計資料顯示，截至一九九二年十二月止，香港共有金屬製品廠

2,594 家，比一九九一年減少 129 家，僱員為 14,813 名，比一九九一年減少 664 名。

根據香港貿易發展局的統計，一九九二年各項金屬製品的出口總值為 39.8 億元，比一九九一年下降 19.23%。

金屬製品出口統計

類別	數值（億元）	比上年增減（%）
列入鐵鋼或鋁製造業內的建築用料及零件	1.33	+30.3
儲存及運輸用金屬容器	2.63	-30.6
金屬線產品（不包括絕緣電線及圍欄拷架）	0.2	-33.3
釘、螺絲釘、螺桿、螺母和鉚釘（鐵、銅）	1.74	-26.5
手用或機用工具	2.22	-18.6
餐具製品	3.98	-25.7
劣等金屬家用器具	9.64	-33
劣等金屬製品	18.05	-6.3
總計	39.8	-19.23

金屬製品主要出口市場（億元）

國家	中國	美國	日本	英國	新加坡	馬來西亞	德國	台灣	澳洲	加拿大
數值	15.7	5.57	3.09	1.26	1.78	1.32	0.85	0.73	0.67	0.63

香港金屬製品業一九九二年上半年在整體經濟業績表現理想之下，亦有不俗發展，原因是機場工程落實和私營樓房的蓬勃興建刺激，加上主要出口市場美國的經濟衰退已見底回升，及本地消費仍然保持強勁。

可惜踏入八、九月這個多事之秋，連串不利消息接踵而來，首先中美三〇一的貿易危機，禍及香港，雖然能順利解決，但已造成影響。其次機場談判在財務安排方面亦出現障礙，令機場興建進度受阻，加上歐洲及國際金融匯市混亂失控，令逐漸好轉的五金製品業出口市場又再疲弱，令致一九九二年全年金屬製品業下跌 19.23%。

【新動向】　據業內人士表示，一九九三年金屬製品業的訂單有放緩趨勢，估計接單量比一九九二年同期下降近一成，而訂單量下降的原因，是受中國最惠國問題前景不明朗所影響，主要製造業如玩具、鐘錶等存在隱憂，連帶該等產品配件的金屬製品訂單亦受影響。

金屬製品業的發展路向方面，本港金屬製品業為配合內地廉價勞工可增強競爭力，已有近九成把生產線北移至大陸，致使該等仍在港生產的廠商，接單量顯著放緩，但由於在內地設廠的廠商在生產技術及設備方面的發展屬起步階段，與本地港商仍有一定的距離，而港商亦趨於專注配合高科技產品路線，故目前涉及電腦配件的金屬製品訂單，多為本地廠商的針對目標，即使內地廠商的訂單有涉及需要高科技生產技術的工序部份，亦有倒流至香港再加工情況。另外，近年華南地區一帶的工資與租金上升幅度甚高，隨着中國與南韓建交，南韓與台灣工業不斷在較廉價的華北華中設廠，香港廠商的低生產成本優勢於是一去不返。另一方面，廠商北移生產初期，因成本低所以許多生產線都擴大，但現在失去低成本優勢，競爭劇烈，加上要以微薄利潤維持龐大生產線，實在不易，港商宜利用香港優勢，如靈活的生產方式，資訊發達，原材料出入方便等，從事小規模產品開發及試產工作，當產品定型後，再由中國大陸生產線投產出口，而且廠商更應利用北移初期賺取的利潤再加投資，開發新產品。

機器製造業

【概　述】　香港的機器製造工業雖說歷史不短，但在七十年代以前港產機器或有關設備的構造十分簡單，主要用戶多是本地的塑膠、印刷、紡織、製衣和五金等行業的中小型廠家。七十年代以來，香港機器製造業從初級的水平逐漸升到中級水平，產品類別趨向多元化，而營銷市場也擴展到海外各地。

香港機器製造廠，大體上可分為三大類：①生產各種零件及配件的機器零件廠；②生產成套設備的工廠；③以修理為主的機器修配廠。香港機器廠絕大多數是中小企業，平均每家廠號的僱員不足 6 人。這說明了香港機器製造業平均規模甚小，在發展大型和高精密度的機器方面受到一定的限制，但是另方面卻顯示出此業具有相當大的靈活性。

據港府統計，一九九二年九月底，全港共有各類型的機器廠（包括機械、設備、儀器、零件和配件）5,831 家，僱員 37,548 人，比上年減 91 家，僱員亦減少 3,480 人。其中，特別工業機械和設備 1,519 家，僱員 9,020 人；工業機械和發電設備 200 家，僱員 2,892 人。

【產銷情況】　目前香港機器製造已具備一定的技術力量，產品種類多，包括針織和梭織布機、整染機、打磨機、注塑機、小型電機、印刷機、五金機械、鑽探設備、電鍍設備、農業機械、過濾及淨化設備、模具、氣動機械、玻璃製品機械、飲品包裝機械、醫療器材、衡量器以及辦公室設備等等。這些產品基本上可以足夠應付一般生產要求，加上設計實用和價格方面較歐美、日本生產的便宜很多，而銷後服務及資料供應也不錯，所以港產機器無論在本地市場和海外市場，均受到用戶的歡迎。

現時港產機器的主要出口市場包括中國內地、南亞各國以及中東、非洲、歐洲和拉丁美洲等地。現將近兩年各項產品出口值列舉如下：

（單位：萬港元）

項目	一九九一年出口值	一九九二年出口值	±%
發電機械及設備	641,069	775,944	+21.0
特種工業專用機器	1,209,828	1,967,425	+62.7
金工機械	220,601	320,721	+45.5
一般工業和機器設備及部件	1,242,616	1,913,795	+54.0
辦公室機器及自動化設備	3,387,995	4,252,366	+25.5
電訊、複印、記錄裝置和設備	6,024,707	6,874,618	+14.1
電動機械及設備	6,031,566	7,388,360	+22.5
道路車輛	850,948	1,720,335	+102.4
其他運輸設備	65,214	92,577	+41.9

一九九二年，香港機器製造業繼續蓬勃發展，主要由於近年來東南亞經濟發展迅速，為香港機械工業帶來不少貿易機會，尤其泰國、新加坡和馬來西亞市場最具潛力。同時，自從中國大陸對外實施開放政策以來，本港不少廠家亦利用內地廉價勞工和廠房，有的在內地直接設廠加工，有的透過外發加工形式，將部份勞工密集工序給予內地工廠加工。經過幾年來的摸索，港商到內地設廠已開始進入成熟期。

另方面，由於一九九二年日圓匯價繼續高企，日本製的機器等設備入口價仍在高位徘徊，一些一向採用日本機的廠家為減輕成本，亦轉而訂購本地的產品。當然，這也和港產機器近年來在款式及性能各方面已達到很高水平有關。如港產塑膠吹瓶機，在塑膠瓶逐漸代替玻璃器皿的今天，已在市場顯露頭角深受用戶的歡迎。而本港工業專家設計製造的精密大型注塑機面世，更標誌着本港注塑機邁進科技新里程。

至於工模製造方面，在港也有相當歷史。如塑膠、玩具、家庭用品和五金等製造業，均對工模有一定需要，據最近政府發表的數字顯示，在一九八九年香港有3,700多家獨立的模具製造廠，僱用了15,000多名工人，總生產值為25億元以上。到目前，工模廠已有50%遷入中國大陸，但一些需要高科技生產的模具，仍有七成由香港模具商供應。業內人士表示，一些港製模具憑優秀技術及先進設備，水準已超過日本，達到美國最高的DME標準規格，而港產模具價格相宜，交貨期準，因此備受本港和海外用家歡迎。

【新動向】 香港生產力促進局最近發表有關機器製造業的技術經濟調查報告顯示，本港工模廠約50%、電鍍廠50%以上、鑄造廠（壓鑄）80%以上、零件製造廠80%以上、工業機械設備製造廠60%、文儀設備製造廠80%以上、鐘錶廠80%以上、人造首飾廠90%、家庭電器廠90%、光學製品廠（如相機、眼鏡）80%已遷入大陸，但這些北移的工廠多着重降低生產成本而忽略技術發展。因此該局呼籲廠家，應在降低成本的同時加強品質管理和新產品、新技術的開發，才可增加產品的競爭力，決不應等到在市場上已失去優勢才做，這已為時已晚。

電子業

【概　述】　香港電子業始於五十年代末期。初時僅是幾家小規模廠商依賴日本進口的零件，發展收音機裝配業務。隨着微型電子及微型處理技術的新發展和市場的不斷拓展，本港電子業發展迅速，特別是過去十年，每年呈現的複式增長率達24%，因一九八五年開始增長率幾達一倍。至今已成為佔本港工業出口總值四分之一的第二大出口工業。

香港電子業，素以靈活善變見稱，對於消費者日新月異的要求，每能迅速適應，所生產的產品和零件，不但精緻質優，而且種類繁多。

【產銷情況】　本港電子業以小型企業為主，聘用50人以下的廠商約佔八成，逾500人的公司僅佔二成。

據港府統計處資料，截止一九九二年九月的本港收音機、電視機、通訊設備和儀器的廠284家，僱員8,487人，比上年增1家，但僱員則減少1,642人；電子零件和配件廠368家，僱員24,141人，比上年減少62家，僱員亦減少1,561人；電子玩具廠50家，僱員1,498人，比上年減少5家，僱員亦減少518人。

在通脹高企、勞工短缺的經濟環境下，為降低成本，增強產品競爭能力，近九成的本港電子廠家均在中國內地進行各種形式的生產活動，如加工、合作、合資或獨資辦廠等。

一九九二年香港電子製品出口總值為61,437百萬港元，比上年增3.2%。其中，電訊、錄音、音響設備和儀器出口12,983百萬元，比上年減少14.4%；轉口55,763百萬元，比上年增23.7；入口75,629百萬元，比上年增25.9%。

本港電子產品的出口在一九八九年曾出現零增長，一九九〇年恢復有5%的增長。在過去的一年，亦遇到一些不明因素困擾，如中美三〇一貿易談判、中國最惠國問題和歐美經濟衰退等，致使產品外銷一度顯著放緩。但畢竟本港電子產品中有衆多類別屬於必需品，且售價亦相對廉宜。故此一九九二年出口仍有增長。

【新動向】　香港電子業經過30多年的發展，成就驕人。展望一九九三年，世界預計將會是過去五年以來表現最好的一年，總出口增幅將會達到8%。其中，輸往中國大陸的比例，將由現時佔總產值的2－3%增至20%。主要產品是無綫電話、傳真機、影音器材、電腦及電子遊戲機等較高檔產品。相信本港產品在價格方面，仍然足以與台灣和韓國等主要對手競爭；產品的創新亦會較台灣、韓國快，故此一般對今年電子業的發展前景充滿信心。

本港的電子產品出口市場，目前以美國及中國大陸為最大，其次是新加坡、德國、英國及荷蘭。一九九三年中國可能首次超越美國，成為本港電子產品出口最大的市場。值得一提的是，由於本港電子廠家近年來在產品的推廣、質素及設計的改良、生產管理和加強及技術人員的培訓幾方面，着實下了不少工夫，以致有關製品在競爭外銷市場方面仍具優勢。廠商們不斷將產品的質素提高，由來料加工的製造推向中、高檔的發展，繼而生產自己的產品，並發展直銷市場。現時本港電子產品中，屬高科技的佔35%，如衛星通訊儀器、電腦、語言產品、光纖產品、傳真機及傳呼機等。以本港生產的電話為例，已佔55%的世界市場，其中剛在本港推出的視像電話，估計今年本銷市場增長率為60%。價格方面，會由目前的2,000～3,000元下跌約20%。業界人士認為，由於電子產品的附加值高，又沒有出口配額規定，故發展應比其他工業順利，將會逐漸取代成衣、紡織的地位，成為本港第一工業。而目前本港在東南亞電子產品生產地的排名，亦會繼續穩踞前五名之內。

錄音帶和錄影帶裝造業

【概　述】　錄音帶、錄影帶、磁碟等製造業，生產用作錄音、錄像、唱片等錄製現象的磁性錄製介體。它是香港新興但有發展潛力的行業，始創於七十年代初期，先是生產錄音帶，七十年代後期，再增產錄影帶和其他錄製介體。

香港磁帶製造業起步晚，自然難與早在此業發展的大國如日本相比，但這個行業的市場貴在於有發展潛力。隨着經濟的發展和人們收入與生活水平的提高，對磁帶的需求日漸增加。今天，利用錄音帶、錄影帶錄製各種節目，不僅日益成為千家萬戶娛樂和消閒享受的必需品，而且由於它廣泛地應用於科技、工商、管理、文化、教育、新聞傳播、諮詢顧問等領域，因而需要量日增，市場前景看好。目前世界上執此行業之牛耳者當推日本，日本製的磁帶行銷全球，在世界市場的佔有率，錄音帶為70%，錄影帶為90%，其他如鐳射唱碟、錄音錄像設備等新產品同樣佔有較大的市場率。香港業者是後來者，目前自難望其項背。但近幾年來，香港製造商在這方面相當努力，加上有塑料業和電子業作後盾，因此儘管起步遲，歷史短，但業績尚好。而且，這個行業的着眼點還不僅注意香港本地，事實上，由於勞工成本和地價租金的上升，有百分之八十以上的此業港商都在中國內地設廠生產，然後再銷往世界各地。從這個角度來看，港商生產的磁帶數量在世界市場的比重不是卜降而是上升了。

【產銷情況】 根據香港政府的新的產品分類法，用作錄音或其他類似記錄現象的未經錄製介體——磁帶在一九九二年出口情況是：闊度不超過4毫米者，共有5,844.25萬盒，14,257.6萬元，行銷58個國家和地區，其中銷中國大陸最多，2,083.92萬盒，5,699.7萬元；次為美國，1,429.99萬盒，2,659.2萬元。闊度超過4毫米但不超過6.5毫米者，共12.57萬盒，72.7萬元，銷中國大陸和日本二地，而以前量多11.18萬盒，21.6萬元；而後者則值大，1.39萬盒，51.1萬元。闊度超過6.5毫米者，共有2,343.35萬盒，53,165.9萬元，行銷63個國家和地區，其中亦以銷中國最多，538.21萬盒，32,645.7萬元，次為法國，262.85萬盒，3,7009萬元；新加坡居三，465.16萬盒，3,625.4萬元。磁碟共3.7萬個，36,013萬元，行銷36個國家和地區，其中銷美國最多，1.12萬個，13,918.6萬元。

用作音響或其他類似記錄現象的唱片、錄音帶及其他錄製介體，包括用作製造唱片的原模及主片，在一九九二年出口情況是：闊度不超過4毫米者，共有491.19萬盒，6,556.3萬元，行銷21個國家和地區，以銷北韓最多，131.75萬盒，1,070.3萬元。闊度超過6.5毫米者，共有28.23萬盒，1,363.3萬元，行銷21個國家和地區，以銷台灣最多，68,391盒，221.3萬元，唱片，8.21萬盒，189.2萬元，其他已錄的介體，3.08萬盒，19,895萬元，行銷37個國家和地區，以銷美國為最多，4,676盒，4,350.8萬元。

一九九二年香港進口錄音帶和錄影帶等磁性錄製介體，種類多，數值大。如用作錄音或其他類似記錄現象的未經錄製介體的磁帶，闊度不超4毫米者，共進口2.17億盒，44,185萬元，分別為出口量的2.71倍和2.09倍。至於用作音響或其他類似記錄現象的唱片、錄音帶及其他錄製介體，包括用作製造唱片的原模及主片，闊度不超過4毫米者，共進口284.21萬盒，2,812.8萬元，分別為出口量的57.8%和42.9%。

香港的大量進口，更多是為了轉口，因此錄音帶、錄影帶以及各種磁性錄製介體的轉口數量和價值都比較大。如闊度不超過4毫米的磁帶，一九九二年經港轉口者就達2.65億盒，51,093.5萬元，就是明顯的例子。

【新動向】 既然磁性錄製介體正隨着經濟的發展和人民生活水平的提高而日益廣泛地被使用，因此磁帶製造業的前景繼續看好。但在香港磁帶製造業的發展中，存在三種情況，值得注意：

第一，國際貿易保護主義的威脅，前幾年歐洲共市就經常對港製錄音帶進行反傾銷指控一事就是明證。雖然經過共市和香港雙方的對話和談判，情況已有所緩解。但對於此種國際保護主義的傾向仍然不可漠然視之。

第二，國際競爭相當激烈。如台灣、新加坡和泰國等正在追趕上來，並日益成為香港的主要對手。

第三，為了要發展本行業，香港要看到本身起步較晚的劣勢，因此一方面要努力提高質量和降低成本，以提高國際市場的競爭力；另一方面是要努力開拓，使市場多元化。過去幾年，中國大陸和美國一直是香港的主要市場，潛力還大，自然要設法鞏固，但與此同時，更需再努力開拓新市場。如一九九〇年香港開拓蘇聯市場就曾取得極大增長，現在業者在設法拓展獨聯體、東歐、越南、東南亞各國的市場就很積極。

電池業

【概　述】　早於二次世界大戰前，香港已開始乾電池的生產製造工業，其時的產品除了供應本港市場外，主要是以外銷華南各地為主；而在戰後，隨着世界性家電製造業、和電子業的興旺，對乾電池的需求量也大為增加，也發展出更多不同型號及製造材料的電池，使得香港乾電池業得到更大的發展空間，加上香港是世界電子鐘錶、小型電子計算機、電筒、收音機、及玩具產品的主要出口地，而這些產品往往是連同乾電池一併出口，無形中更刺激了乾電池的龐大需求。鑑於乾電池生產技術的改善，故電池製造業生產程序也日漸自動化，其中尤以生產傳統性產品的廠商減少最多，而變成以生產鈕式微型乾電池的廠家為主，而香港已取代日本成為世界鈕型電池的最大生產中心，加上電池廠商紛紛在大陸投資設廠，亦有助香港電池產品在世界市場上的競爭優勢。

【產銷情況】　香港生產的乾電池，除傳統以碳、鋅原料外，尚有氧化銀電池、氧化汞電池、和氧化錳電池，就出口言，一般以氧化錳電池為主，次為碳鋅電池、氧化汞電池和氧化銀電池。通常氧化錳電池外殼堅固，不易泄漏；氧化汞電池供電量則較低，但使用壽命長；氧化銀電池由於電流輸出穩定，能抵受氣溫變化，故多作電子錶供電用途，除了蓄電池廠外，本港的 21 家電池廠共僱用員工 2,876 人。

1992 年電池產品出口值及前三位出口地區統計：

	數量（個）	數值（萬元）
原電池及原電池組	712,159,895	36,416.6
美國	64,820,388	11,626.8
中國	236,268,969	8,556.2
台灣	166,902,079	4,038.8
蓄電池	35,315,720	53,631.8
德國	3,499,850	11,489.4

	數量（個）	數值（萬元）
美國	5,065,920	10,728.1
中國	5,601,113	7,037.1
原電池及原電池組零件	——	10,932
中國	——	7,631.2
印度	——	1,861.5
	數量（個）	數值（萬元）
日本	——	420.4
蓄電池零件	——	17,512.8
中國	——	17,373.4
印度	——	45.6
新加坡	——	41.7

1992 年電池產品進口及轉口數值統計資料：

	進口		轉口	
	數量（個）	數值（萬元）	數量（個）	數值（萬元）
原電池及原電池組	4,743,577,344	203,891.2	2,264,787,135	133,880.1
蓄電池	206,234,480	179,857.7	73,338,590	91,872.5
原電池及原電池組零件	——	6,252.5	——	4,122.6
蓄電池零件	——	26,307.7	——	1,780

【新動向】 由於傳統的電池產品含有水銀，一旦電池被廢棄後，隨着電池外殼的腐爛侵蝕，水銀便會洩漏出來，污染水質和土壤，當動物直接飲用污染水源或食用污染土壤的植物時，由於生物體內累積作用，人類在進食這些動植物後，便會造成中毒事件，影響中樞神經系統和腎臟功能，因此很多已發展地區已限制入口電池的含水銀量，這種情形導致了不含水銀電池品種的出現。

實際上，環保電池由於減低或沒有水銀成份，因此能夠避免重金屬對自然環境的污染，而現時的環保電池，除了不含水銀外，甚至強調不含鎘的成份，不會造成人體因中毒而損害肝臟和腎臟的公害問題，以鎳鎘充電電池為例，歐洲共同體已強迫電池製造商須回收用完的充電電池，同時要提煉及循環有用的物料，而本港現時亦成功研發新的鎳氫充電電池，儲電量更強和不含鎘物質，反映出環保工業產品已成為一種新的市場產品趨勢。

電筒業

【概　述】 香港遠自一九二〇年便有專業製造手電筒的工廠，可以說電筒業是香港的一門古老行業之一，在二次世界大戰前，本港的電筒廠數目不多，製造設備簡陋及手工化，故此產品品種和產量均有限，直至戰後初期，東南亞和中南美洲各地區先後來港訂購電筒，才刺激新廠的成立，不少五金廠也開始兼營製造電筒出口，到北美及西歐各工業國也向香港訂購電筒後，一時間使香港電筒業大為興旺，除了增加經營家數外，在生產設備和技術水平上，也因而得到提升，其中尤以歐美的大進口商及廠商，在與本港廠商委託製造的合作模式下，引進了更多新設計、新技術、新設備，大大加強了香港電筒產品的產品質素，使得香港的電筒銷量急速成長。

【產銷情況】　香港電筒產品分二大類，一是傳統或創新設計的手電筒；一是照明或訊號用手提電池燈。這些電筒產品大部份是出口為主，現時電筒及電泡業則共有95家，共聘用員工1,533人。

在香港電筒產品的出口市場上，從數字顯示，歐洲及大陸市場已成為香港的一個出口地區，較諸從前美國為最大買家情形，反映出市場的轉變，而這情形可能與歐洲市場開放及美國經濟放緩情況有關，鑑於歐洲及大陸市場正值開放初期，若出口市道維持不變，則將對香港電筒產品出口有良好的發展利益。

1992年香港電筒業出口值及前三位地區統計：

	數量（個）	數值（萬元）
閃光訊號燈、手電筒及提燈	14,635,311	20,731
美國	2,350,190	7,263.3
中國	1,485,964	2,487.2
德國	594,341	1,122.1
電檯燈及座地燈	815,930	6,883.6
德國	361,329	2,600.2
中國	97,607	1,452.4
美國	109,231	515.3
有關零組件	——	11,791.9
中國	——	3,359.7
德國	——	2,336.2
法國	——	1,246.7

1992年香港電筒業產品進口及轉口數值統計：

	進口		轉口	
	數量（個）	數值（萬元）	數量（個）	數值（萬元）
閃光訊號燈、手電筒及提燈	164,607,650	131,414.6	188,109,637	182,697.8
電檯燈及座地燈	12,658,201	40,050.0	14,451,078	67,013.1
有關零組件	——	113,639.4	——	135,563

【新動向】 不過，隨着香港工業的式微，電筒業也蒙受着生產線北移的影響，從港府的統計數字顯示，大陸已成為香港電筒業的產品主要來源地，廠家則多是在大陸設廠生產或是從事轉口貿易的業務，在進口數字中，閃光訊號燈、手電筒及提燈的最大來源地是大陸。

由於香港電筒產品以生產家庭用途的低價貨為主，故選擇在大陸設立分廠、合作生產、或委託加工的經營模式，有助減低廠商的生產成本，另外港商在東南亞的印尼、馬來西亞、泰國等地也設有工廠，所以預料香港仍能繼續維持電筒業的市場地位。

電泡業

【概　述】 香港的電泡製造業是一門歷史悠久的工業，可以說是電筒業及乾電池業的姊妹行業，在二次世界大戰前，香港以生產手電筒用小型燈泡為主，隨着戰後香港電筒、電池燈產銷量的增加，加上玩具業、及家庭電器的廣泛使用，帶動小型電泡的外內銷需求量，同一時間，本港的各型車輛使用情形日漸普及，汽車照明和訊號用小燈泡需求大量增加，而高樓大廈的電梯用小型電泡市場也增長迅速，遂刺激香港電泡製造業的迅速發展。

港製電泡業向以手電筒用小電泡為主，其後才陸續增加自行車用電泡、汽車用燈泡、電梯指示板用燈泡，在五十至六十年代，耶誕節的彩色閃光裝飾燈串曾盛極一時，而到一九八二年間，省電長壽的慳電燈泡也大受歡迎，加上近年商場流行使用的低壓射燈，本港電泡業已發展成一個產品門類齊全的行業。

【產銷情況】 在電泡業鼎盛時，本港曾有上百家電泡廠，但鑑於生產設備的改善、製造技術的提高、地價租金的上漲，本港電泡廠家數已減少，其中不少電泡廠甚至已將工序遷移澳門和大陸，香港目前的130家電泡及電泡零件廠，則共僱用了3,246名員工。

1992年香港電泡業出口值及前三位出口地區統計：

	數量（盞）	數值（萬元）
鎢鹵燈及其他功率低於200瓦而電壓高於100伏特的燈具	——	8,027.9
美國	——	2,426.9
中國	——	1,608
荷蘭	——	1,076.2
熱陰極螢光燈及其他	18,068,875	4,081.9
中國	10,350,136	1,778.3
台灣	739,200	791

	數量（盞）	數值（萬元）
馬來西亞	1,355,452	423,6
密封樑式燈	——	28.9
中國	——	28.9
有關零組件	——	1,250.9
中國	——	1,061.2
日本	——	51.4
德國	——	25.6

1992 年香港電泡產品進口值及轉口值統計資料：

	進口		轉口	
	數量（盞）	數值（萬元）	數量（盞）	數值（萬元）
鎢鹵燈及其他功率低於 200 瓦而電壓高於 100 伏特的燈具	——	77,895.7	——	76,117.6
熱陰極螢光燈及其他	262,743,641	53,785.2	122,918,702	31,863.3
密封樑式燈	——	4,235.2	——	3,670.7
弧光燈、紫外線及紅外線燈	3,301,800	2,006.9	819,838	1,082.2
有關零組件	——	11,373.9	——	7,145.9

【新動向】 由於西方各國均處於工業發展成熟狀態，故對生產電泡這種低價產品興趣厥如，在投資回報率低因素下，加上製造電泡的玻璃工場具污染性，受到環保法令的規限，相對而言，亞洲區便成為最佳的生產基地，香港電泡業除在本地生產外，現時亦有不少廠商在內地設廠，或把部份工序轉移大陸加工，以加強產品價格的優勢。

另外，在環保觀念影響下，耐用及低污染產品已成工業產品的發展趨勢，省電、耐用、光能效用高的慳電燈亦甚具市場吸引力，製造廉宜、具設計創意及裝飾功能的電泡產品，將成為未來電泡業的市場發展主流。

修船造船業

【概　述】 經過幾年的艱苦經營後，世界航運業於一九八七年已漸見轉機，本港修造船業也明顯改善。

香港位於亞洲航運要衝，修造船廠在爭取訂單方面有好的條件。而一九九一年港幣繼續與美元掛鈎，對日圓低企，使部份船公司將原本在日本修理的船隻轉來香港維修。

不過，香港的修造船業也面臨一些問題：①最大的障礙是廠房問題。雖然不少船廠是開設在一些偏僻的地區，如新界離島等地，但多年來的建設與發展，不少廠房又被列入發展區域，形成廠房難求。②香港修造船業目前在亞洲的幾個主要對手：日本、韓國、台灣和新加坡。其中新加坡經常將修船價錢壓低，因此也最難應付。③工人流失，勞動力短缺，工資不斷上升，材料價格上漲都造成經營成本加重。

由於修造船業是重工業，而香港彈丸之地寸金尺土，故只能局限於製造小型的特殊船隻，如高速船、拖船、遊艇和風帆滑水艇等。據統計，到一九九二年九月為止，香港的小型輪船修造廠共有 293 家，僱員 1,842 人，比上年減少 23 家，僱員亦減少 73 人；船塢 75 個，僱員 4,644 人，比上年減少 38 個，僱員則減少 625 人。

【產銷情況】 香港在面對鄰近國家和地區——新加坡、日本、韓國、菲律賓和台灣的競爭中，一九九二年修造船業務尚算不錯。但是，價錢仍不敢大幅調高，以免趕走顧客，只是將給予客戶的折扣額略為減低。由於給予顧客的優惠減少，不少廠家已取消較好的利潤。比起以往幾年由無利可圖再惡化到蝕本經營的時期，情況可說好得多了。業內人士認為，現香港船東所擁有的船隊估計高達近 4 萬噸，僅次於日本和希臘，位居全球第三位。海運進、出口貨物總量已超過一億噸，約佔全球總量的一成。葵涌碼頭的操作效率是全球最高的。本港又鄰近中國大陸，華南地區經濟的興起，均使本港修造船業務具有巨大發展潛力。

近幾年來，香港不少廠家轉向遊艇方面發展，特別是建造玻璃纖維遊艇。據海事處統計資料顯示，在過去十年中，本港登記的遊艇成倍增加，已由 1,200 多艘增至 5,400 多艘。而遊艇製造業也躍升至世界一流的水平，連美國不少頂級富翁及政要也不遠千里，親來重金訂購。如港製 83 呎長、排水量 58 噸巨型遊艇曾得到外國訂戶的讚賞。業內人士估計，未來幾年，港產遊艇將可直追國際遊艇生產王國——美國和法國，在國際市場佔一席位。據港府統計，一九九二年香港出口的可充氣的船艇 142 艘，值 177.6 萬元；不能充氣的划艇、輕舟和船舶 197 艘，值 4,565.6 萬元；帆船 1 艘，值 118.1 萬元。

【新動向】 作為香港少有的重工業，修造船業在整體香港工業結構裏，在過去的一年發展不過不失。該行業每年訂單不愁，賺錢盈利很好，但發展前景有陰影，主要受制於勞動力資源短缺、後繼人少和成本高的影響。不少船廠積極與國內同行進行合作。據業內人士分析，大陸現時造船設備和人才都不錯，工資低、土地遼闊，再加上中國正在發展出口業，因此修造船業發展很有潛力，只要中港緊密合作，將來是可以形成一般新的力量，足以與日本、南韓等地的造船業相抗衡。

據英國出版的權威修船雜誌《乾塢》對全世界主要修船廠直至一九九一年九月底的統計資料顯示，香港友聯船廠在修理船舶數上名列全世界第三位（三萬噸級以下），在載重噸方面名列世界第二位。

攝影與光學產品製品業

【概　述】　攝影與光學製品行業可以說是兩門密不可分的行業，由於生產技術具相關性，亦往往產生相互支援的效應，而在五十年代末，香港的攝影器材製造業適值發展初期，生產模式主要是引進日本、西德、和美國的技術以設計生產攝影機，隨着生產經驗的累積，再衍生出生產攝影機閃光燈、電影攝影器材和設備、幻燈機鏡頭和設備等相關產品，在產品的製造技術、工藝層次和產品質素上也大為提升，不再局限於早期生產簡單捲縮軟片攝影機的階段，而香港在七十年代已開始涉足製造 35 毫米單鏡頭反光機，踏入八十年代後則已經能生產碟型照相機，顯示出香港攝影工業的水準不斷提高。

【產銷情況】　在照相機等產品出口市場上，從出口值顯示，香港照相機的產品以出口歐美和日本等富裕地區市場為主，至於一些技術及較廉宜的產品，則仍以亞洲及大陸市場為主要出口地區。

1992 年有關照相機、配件等產品出口統計數字：

	數量（部）	數值（萬元）
各類型照相機	5,308,293	154,104.3
德國	1,608,550	54,220.4
美國	1,406,587	43,355.9
日本	313,035	16,347.6
放電燈（電子）閃光器具	819,800	6,369.8
美國	232,312	1,955.9
德國	183,321	1,947.9
日本	89,152	776.6
三腳架、及照相機零組件	——	61,651.6
中國	——	38,898.5
泰國	——	14,863
台灣	——	1,217
光學閃燈儀器零組件	——	6,984
幻燈片放映機	421	70.5

在光學製品業方面，香港主要以生產眼鏡框、眼鏡片、鏡頭、太陽鏡及望遠鏡等產品為主，其中尤以眼鏡製造為最。本港的眼鏡業始於七十年代，其中多為設備簡陋的家庭山寨式工業，產品出口則以經濟發展較遲緩的東南亞地區為主，在歷經廿多年的經營後，現時香港眼鏡業已躋身於世界市場的舞台上，穩佔中級產品市場的一席地位，同時亦開始向高級產品市場進軍。香港現時有眼鏡工廠 116 家，聘請員工 1,980 人，攝影及光學製品廠則有 157 家，共有工人 7,386 人。

1992 年香港光學產製品業進口及轉口統計數字：

	進口		轉口	
	數量	數值（萬元）	數量	數值（萬元）
隱形眼鏡鏡片	1,700,553片	7,120.4	205,810片	1,212.9
玻璃製含色素鏡片	17,544,415片	10,726.7	12,142,913片	10,031.7
非玻璃製含色素鏡片	21,293,416片	9,345.4	4,402,801片	3,237.5
光學纖維類、及磁性電鍍材料尚未鑲嵌之鏡片	——	20,261.5	——	11,163.7
眼鏡框架及裝架	——	59,136.8	——	32,645.7
眼鏡框架及裝架零組件	——	34,801.4	——	7,561.9
保護用途眼鏡	47,201,468副	55,206.1	67,272,209副	87,254.3
攝影機用鏡片	——	53,310.8	——	12,737
雙筒望遠鏡	893,663個	13,559.4	546,202個	8,275.5
其他光學儀器	——	527	——	128
光學儀器零組件及附件	——	5,519.7	——	2,545.3

由於光學產品製造業，大部份光學製品均是以大陸為出口市場，從統計數字觀察，輸入大陸的以日常生活性產品為主，而一些高級或裝飾性的製品，則以歐美市場佔較大宗，反映出香港光學製品業已突破生產中級製品的局限，而開始闖出高級製品市場的新路向。

1992 年香港光學產製品業出口統計：

	數量	數值（萬元）
隱形眼鏡鏡片	1,989片	74
玻璃製含色素鏡片	1,392,046片	653.7
非玻璃製含色素鏡片	1,160,425片	406.3
光學纖維類及磁性電鍍材料尚未鑲嵌之鏡片	——	2,784.5
眼鏡框架及裝架	——	39,746
眼鏡框架及裝架零組件	——	10,105.9
保護用途眼鏡	21,056,919副	38,661.6
攝影機用鏡片	——	3,133.8
雙筒望遠鏡	546,202個	8,275.5
其他光學儀器	——	128
光學儀器零組件及附件	——	2,545.3

【新動向】　攝影器材方面，港製的自動化輕便相機已佔有一定的市場比率，其中尤以中下級產品市場為主，單以本港的相機市場為例，接近八成的市場均屬於輕便相機及可更換鏡頭的構式相機天下，也反映出攝影活動已成為一種大衆化的活動，因此本港的攝影工業與日本攝影業的高級產品策略，在某一程度上具有市場區隔的分野，但由於關鍵技術及零組件的制約因素，也妨礙了本港攝影工業的升級，尤幸由於具有大陸龐大的廉宜人力資源，故短期言，本港的攝影工業仍擁有良好的市場

競爭優勢。

在光學產品方面，以眼鏡業而言，幾乎大部份的港商都已在大陸設置生產廠房，在成本低廉的利益下，有利香港廠家吸引歐美市場買家的訂金，加上設計人材的成長，故預計香港的眼鏡業仍能穩佔世界市場的一席之地。

鐘錶製造業

【概　述】　香港鐘錶製造業始於五十年代而在七十年代萌芽，七十年代中期電子錶崛起，實係香港鐘錶工業發展過程的重大轉捩點，使製造業步入另一新境界。當時，香港鐘錶廠商爭相製造數字錶，蔚成風氣，競銷海外各地，產品種類不斷推陳出新，加以售價廉宜，於是銷往國際市場與日俱增，逐漸形成港製電子錶在產銷功能上具有舉足輕重的份量。從一九七八年開始，中國內地推行開放政策，為行業注入了廉價勞工的新因素。又為了競銷海外市場，同業間出現貶價競爭現象，而且愈演愈烈。七十年代末期至八十年代初期的幾年間，香港電子錶業削價大混戰局面持續了一段時期，淘汰了不少實力較弱的廠商出局。

從一九八〇年至一九八二年，港製時錶出口值亦超過日本而居世界第二。又從一九八一年至一九八七年，港製鐘錶出口共增值十成半，即平均每年增長率近16%。

目前，香港的鐘錶以出口數量而言，香港是全球最大的鐘錶出口地，只在價值上排次位。這行業也僅次於成衣和電子，成為香港第三大賺取出口外匯的工業。

【產銷情況】　據統計資料顯示，一九九二年香港有鐘錶製造廠 685 家，有僱員 11,105 人。

鐘錶產品出口統計資料

項目	出口金額 / 億元	項目	出口金額 / 億元
電池腕錶	92.15	鬧鐘	0.78
機械腕錶	2.63	牆鐘	0.29
錶芯	10.3	時鐘	1.07
錶帶	13.7	鐘錶零件	18.58

鐘錶產品轉口統計資料

項目	轉口金額 / 億元	項目	轉口金額 / 億元
電池腕錶	120.87	鬧鐘	10.43
機械腕錶	10.87	牆鐘	2.04
錶芯	14.37	時鐘	2.7
錶帶	5.01	鐘錶零件	22.56

鐘錶產品十大出口市場（金額：億元）

美國	中國	日本	德國	瑞士	法國	英國	巴拿馬	西班牙	新加坡
32.2	29.8	10.1	8.4	4.5	3.99	3.93	2.7	2.71	2.7

一九九二年香港出口及轉口價值為365.5億元，比一九九一年的328億元上升11.4%，出口價值為154.8億元，比一九九一年的170.4億元下降9%，而轉口價值方面，一九九二年轉口值為210.7億元，比一九九一年的157.6億元上升33.6%，香港鐘錶最大的出口市場是美國、中國、日本、德國。

儘管一九九二年香港的鐘錶產品出口有輕微下降的情況出現，但轉口則有大幅上升，使整體出口有可觀的增幅，而做成這種情況出現是因為大部份香港廠家已移往中國設廠，致令轉口有所增加。

一九九二年世界經濟不景氣，但香港鐘錶業在逆境中仍有發展，整體出口增長可觀，原因是很多香港廠商注重品質，大多生產中下檔產品，這類產品在國際市場仍能暢銷。而被譽為鐘錶王國的瑞士、日本，由於追求名牌、高檔，在世界經濟不景氣的情況下，其產品銷售受阻，生意較差。為了求生存，這兩個國家大量鐘錶零件推銷到港，不少貨品質量好、價格便宜，反而使香港廠商得益。

另外，香港鐘錶業大部份廠商都在中國大陸設有生產基地，而中國內地市場已成為香港廠商近年拓展的重要市場，他們都能部署拓展內地市場策略，一般在內地生產的港鐘錶都能爭取一定內銷比例。

【新動向】 展望一九九三年香港鐘錶業的前景樂觀，原因九三年美國經濟將會逐漸復甦，帶動日本及歐洲的經濟，這對香港鐘錶的出口業務大有幫助，又中國一九九三年加入關貿協定後，預料香港鐘錶內銷比例將會增加，有利香港鐘錶商在中國大陸生意的發展。此外，日本和瑞士雖然是世界鐘錶出口王國，但他們的產品不可能向低檔發展，因此對香港威脅不大，而近年台灣和韓國的鐘錶出口也在發展，但畢竟他們製作鐘錶歷史較短，無論在款式和設計上都趕不上香港製品，市場訊息掌握得較慢，因此一九九三年香港製中下檔鐘錶將仍會在國際市場保持領導地位。

珠寶首飾製造業

【概　述】 珠石玉器金銀首飾業主要包括金飾、鑽石、玉器、珍珠、寶石及鑲作（除鑲嵌外，尚包括人造首飾）等六個行業。

本港較具規模的珠寶首飾行，大都自設工場，從事加工鑲作首飾。但也有不少的專業珠寶首飾廠代零售商加工或大量生產首飾出口，而不從事市場銷售。據香港政府統計，一九九二年九月止，本港共設有1,387家珠寶首飾廠，僱用員工13,821人。較上年減135家、2,383人。

珠寶首飾業是勞工密集的行業，熔金、鑄模、焊接、珠寶鑲嵌及雕刻，都是以手工為主。但某些工序現在已經自動化，例如鑄造、初步磨光、雕刻及電鍍等工序可使用失蠟鑄造機，拋光機、雕刻機、電鍍裝置及電熔爐等，以達到自動化。現時本港較大的珠寶首飾廠已擁有失蠟鑄造機大量生產首飾。據說可以比手工操作節省20%的時間。

由於廠商製造業面臨的問題是裝嵌珠寶技術缺乏，而珠寶設計的人才則反而供應充足。珠寶技工需要較長時間的訓練，而本身亦要具備一定藝術水平。因此短缺問題並非一時間可以解決。現時職業訓練局已開辦有訓練課程，希望可以應付珠寶製造業的需要。

【產銷情況】 香港是世界上製造和出口珠寶首飾的主要地區之一，僅次於意大利、美國、瑞士和原西德，居第五位。現時，該業已成為香港的第六主要出口工業。香港珠寶首飾業迅速增長的原因，主要由於珠寶進入香港不需抽進口稅，故成本較低。同時，香港工人技術頗高，設計趨時，故能吸引外地買家。另外，由於美國及日本的工作婦女數量逐年增加，故亦提高了港製品的購買力。最大的出口市場是美國和日本。

珠寶業在香港出口經濟佔着相當重要地位，在本港製造的珠寶首飾中，約有三分之二是作為外銷。一九九二年，香港珠寶首飾，連同人造首飾出口總值高達82億港元，其中珠寶首飾和金銀器50.47億港元。與前一年相比下跌了11%。

這主要受到日本、美國以及歐洲市場衰退影響，特別是日本市場跌幅最嚴重，九一年減少3%；九二年減少9%。德國方面，市場增長率亦由前年的四成，減少至去年一成。其他西歐及美洲市場包括加拿大、比利時、瑞典都出現需求倒退的情況。

一九九二年，幾個主要市場的情況：向美國的出口總額是27.3億元，佔出口總額的33.3%，較九一年的出口額沒有太大變動；日本為15.6億多元，佔總出口的19%，比九一年的出口額下跌9%；向德國的出口額約6億元，佔總數7.3%，較九一年增長12%。

在歐、美、日市場放緩的同時，本港珠寶在東南亞和中東卻大受歡迎，出口增幅和市場佔有率有顯著的上升，其中以新加坡、沙地阿拉伯、阿聯酋、科威特的增幅最大。

進口方面，主要以原料為主。一九九二年的總入口約50億元，主要入口國家順序為中國、意大利及瑞士。

九二年香港的黃金入口金額為310億港元，較上年上升11%。

九二年本港進口鑽石總值為153億港元，較九一年的120多億元上升18.75%，若把直接轉口數字計算在內，增長率更高，為25%。進口的鑽石中增長最顯著的是來自比利時和以色列的品種，九二年增幅高達四成多。據業內人士稱，按照本地鑽石市場以往的增幅一般都在一成以內，大概是5—6%之間。近年表現較好，鑽石進口較多，主要原因是為應付中國客戶的需求。根據非正式的統計，市場上有較大比例的鑽石，即八成以上是透過不同的途徑間接地轉口至中國大陸。

一九九二年來自中國的珠寶首飾轉口佔21億港元，每年的增長率為50%。

本港的人造首飾製品是以製造原料來分類的，包括：人造珠、五金人造珠、五金、塑膠、人造假鑽石。此外，還有一種特別的人造首飾——假金飾。它以銅製成各種首飾的胚子後，鍍上9—14K的真金及銀色，有的亦鑲以假鑽石、假寶石與假珠珍等。

人造首飾的種類包括：頸鍊、耳環、手鍊、吊墜、戒指及頭飾等。每一種首飾款式由十數種至100多種。製造商要經常有新設計的款式或產品推出，才能爭取到好銷路。一九九二年，由於海外市場購銷力欠勁，加上業內互相競銷，人造首飾出口表現不甚理想，而且降價爭生意現象相當明顯。同時，過去東南亞客商多來港購買人造首飾，但一九九一年起則由台灣、韓國供應，令本港出口生意受到影響。此外，歐美及中東市場亦未恢復較強的購買力。

【新動向】　儘管目前多個主要珠寶出口市場均呈現放緩，但由於新市場陸續湧現，加上美國市場自一九九二年底已開始復甦，而日本市場目前亦有好轉的跡象。由於美國及日本，仍是本港珠寶產品最大的兩個出口市場，這兩個市場的復甦，會直接帶動本港珠寶產品出口的增長。業內人士預期九三年本港珠寶的出口額，將會有一成的增長。而九三年首三個月的出口及本銷生意，亦較上年有一成二的增長。本港珠寶業的前景是樂觀的。

直接反應亞太區市場的九三年度三月初在香港舉辦的國際珠寶展覽成績不俗。到場採購的外地買家人數較去年增加，其中來自台灣、澳洲、菲律賓、泰國、南韓、印度等地的買家人數增幅尤為突出。據香港貿易發展局統計，珠寶展入場觀眾總數為11,500人次，較上年增加15%。其中外地買家共2,700多人，比去年增加35%。日本買家人數較上年有上升，他們多以購買現貨及急單為主。四天展期參觀展覽的總營業額及定單共3億元，較上年微增5%，各類產品中以珠珍、寶石首飾銷路較為暢旺，高檔貨則較偏軟。

中國人傳統上就重視黃金，有了錢就買些黃金作儲蓄，逢有喜慶，金飾更不可少。一九九一年和九二年，中國已成為亞洲最大的黃金採購國，九二年中國大陸購入黃金250噸。業內人士作了以下一個估計，假設國內人民每月收入超過一千元（人民幣，下同）的有8千萬人，以每人每年購買一千元的黃金首飾計算（目前市價計，約3錢半重），中國每年就需要857噸黃金，而目前的供應量還未達到1/3

的市場要求，顯示，國內的黃金消費市場有龐大發展潛力。而這直接帶動了本港金飾業的發展。

近幾年，由於香港珠寶金飾工人工資增長迅速，導致本港不少港商到中國進行珠寶首飾生產業務。據了解，國內約有百餘家本港廠商投資的加工廠，約佔本港註冊珠寶廠總數十分之一，其中廣東省有70—80家，番禺佔了40多家。

內地的土地及工資價格均遠較香港便宜，本港珠寶商利用這優越條件，不但降低了生產成本，提高港貨在國際間的競爭能力，更激起了外商在內地設廠的興趣，估計港商到內地投資開設珠寶首飾廠會成為趨勢。

製遮業

【概　述】　製遮業是香港的古老行業之一，早在清代，廣州和九龍都曾是華南製遮業的重要產地。英人佔港之後，香港在生產中國油紙遮的同時也生產洋布遮。百多年來，香港還由生產雨遮進而兼產太陽遮以及既不遮雨又不蔽日而只用於舞會、嘉年會、社交場合乃至陳列和裝飾用的各種花款遮，款式和花樣不斷因應潮流，推陳出新，香港出產的各類遮，七成以上供出口，輸往世界數十個國家和地區。香港至今仍和中國內地、台灣一樣同是世界出口遮的重要地區。

【產銷情況】　由於香港同中國大陸之間經濟關係的發展，特別由於香港勞工成本和地價租金昂貴，因此許多廠商將生產移向內地，勞工密集型的工業如製遮業首當其衝。因此，就製遮業來說，表現的情景是，香港本地生產趨於下降，而進口和轉口的數量則與日俱增。

根據香港政府一九九二年新的分類法，遮的生產不再細分為男遮、女遮、童遮和其他遮及太陽遮四類，而全部用"遮及太陽遮"一類計算。

一九九二年，遮及太陽遮的出口量為124.76萬把，出口值為1,982萬元，比一九九一年的出口量330.51萬把和出口值5,000.04萬元分別下降了62.3%和60.4。出口地區有39個國家，其中出口額在百萬元以上者有6國，它們是意大利（24.64萬把，387.1萬元），荷蘭（11.88萬把，242.7萬元），聯邦德國（6.61萬把，191.4萬元），中國內地（10.54萬把，163.2萬元）、日本（11.18萬把，124.4萬元）和委內瑞拉（6.69萬把，105.7萬元）。

香港自己製遮出口，但也從外地進口遮，數量和貨值年有增加，其中自中國大陸進口的雨遮，事實上大部份是香港廠商移地大陸所生產的。一九九二年，香港從23個國家和地區進口的各類遮，量為24,082.95萬把，貨值為242,211.5萬元，比一九九一年的23,114.67萬把和200,514.41萬元分別增了4.2%和20.8%。而其中來自中國內地的為23,812.07萬把和238,495.3萬元，即分別佔全部進口量的98.9%和全部進口值的98.5%。

大量的進口是和轉口密切相關的。一九九二年的轉口量為24,218.51萬把和322,036.8萬元，又比一九九一年的23,506.35萬把和384,819.8萬元分別增了3.3%和13.1%。轉口值上億元者有5國，依次為日本（10.28億元），美國（6.72億元），聯邦德國（2.85億元），意大利（2.38億元），英國（1.41億元）。

【新動向】 雨遮是難以淘汰的日用消費品，每年消費量並不低，但由於製遮業屬於勞動密集型工業，需要大量手工操作，而且是以中小工廠為主，在香港勞工成本、地價租金日趨上升的情況下，因此香港製遮業出現了本港生產日趨下降而在中國大陸生產日趨上升的情況，看來這種生產趨勢還會繼續下去。

電影製片業

【概　述】 香港電影製片業已有八十年歷史，第一齣本地製作的電影，是在一九一三年攝製的《莊子試妻》。隨着科技不斷發展，本地製作的電影也發生很大變化。五十年代是粵語片的全盛期，有時為了趕工，七天時間就草草湊成一齣電影，以致電影製作粗糙，水準參差。後來由於政治和社會環境的變遷，南洋華僑的市場逐漸消失，粵語片亦開始式微。六十年代，國語片取代粵語片，電影製作也由黑白電影演進為彩色寬銀幕，然而當時的片源主要是由台灣進口。直至七十年代，粵語片重新抬頭，取代國語片，武俠片是當時最受觀衆觀迎的片種。步入八十年代，電影題材的層面慢慢廣闊起來，觀衆也有更多選擇，功夫片讓位給現代背景的警匪片，繼而又有英雄片、黑社會片及賭騙的動作片，此外，女性題材的影片和描寫男女關係的愛情喜劇片也有增加趨勢。

要正確統計香港究竟攝製過多少部電影是十分困難的，估計自香港有電影生產至今，包括粵語片、國語片、潮語片、閩南語片等，大約超過8,000部。在所有影片中，從類型上分，製作最多的是粵劇片（包括粵劇曲片、粵劇歌唱片及粵劇故事片）、武俠片（包括功夫動作片）、喜劇片等。其次是寫實片、文藝片（包括改編自古今中外的文藝舊作的影片）、倫理片等。再其次是恐怖片、悲劇片及紀錄片等。

一九八八年十一月開始，本港實行電影三級制，所有影片都分為三級：第一級影片准予放映給任何年齡人士觀看；第二級註明“不適合兒童觀看”；而第三級則只准放映給年滿18歲或以上的人士觀看。審查標準是以定期調查所得的民意為依歸。另有一個法定的顧問小組，由約200名選自社會各階層的人士組成，協助電影分級工作。

在本港的電影製作公司中，以獨立製片公司佔絕大部份。這些獨立製片一般規模較小，平時只有三數名職員處理日常事務，聯絡集稿，到需要拍片時，才聘請導演、演員及工作人員，待片拍竣，合約便告解除，而該片則待價而沽。

本港擁有製片場、院線和發行網的電影製作公司寥寥可數，較著名的有邵氏、嘉禾，而本港五條大院線分別是嘉禾、金聲、新寶、永高和東方。這些公司擁有長期合約演員和導演。每年亦有較長期的製片計劃。

據統計資料顯示，截至一九九二年三月，香港有電影加工公司123間，僱員649名；電影製片廠5間，僱員121名。

【產銷情況】 據香港政府年報資料，一九九二年本港製作電影共有376部（其中11部與外地合作攝製），比上一年的211部增加165部。動作片和喜劇電影依然大行其道。年內，最賣座影片計有《審死官》（票房收入4,990萬元）、《花田囍事》（4,900萬元）、《鹿鼎記》（4,090萬元）及《鹿鼎記Ⅱ神龍教》（3,660萬元）。

現時香港每年的電影製作數目僅次於美國及印度，成為全球排行第三產區。而片種方面，香港電影的主流離不開動作片、喜劇片，從過去十年的電影票房中亦反映出這兩類電影都能夠取得最高票房紀錄。另一方面，動作片和喜劇片的節奏明快，配合香港人生活，況且地域性不強，最能迎合東南亞市場。

本港娛樂事業近年來呈現多元化發展，除了電視、錄映帶、鐳射影碟外，更有不少大型演唱會、話劇和舞蹈等演出，分散了觀眾的注意力。雖然一九九二年有175間電影院，比上一年多出9間，但電影觀眾數目卻仍然有減少趨勢。一九九二年，電影觀眾共達4,700萬人次，比一九九一年的5,100萬人次，減少接近8%。

近年來，港產片的質素越來越低劣，製片人和導演只視電影業為一種製造工業，着重生產技術的提高，而沒有將電影看為一種創作藝術，更沒有把劇本創作視為一種重要的製作元素。年內三級片充斥，而黑幫混入電影界，更揭發出電影製片黑暗的一面。一月十五日，由本港6個電影業組織發起的“全港演藝界抗議影圈暴力行動”大遊行，就是希望警方正視影圈暴力行動和採取積極及主動的行動。

一九九二年送檢的影片有1,186部，較上一年減少151部。其中232部被列為第一級影片（並無影片須要刪剪），485部被列為第二級影片（36部須經刪剪），469部被列為第三級影片（322部須經刪剪），而獲豁免審查的影片，包括錄影帶、幻燈片及鐳射影碟則有3,350部。

擾攘多年的電影資料館，終於在十一月經市政局會議通過成立，並計劃在西灣河填海區興建。電影資料館主要職責，是收集及保存香港的影片和有關資料（包括海報、硬照、劇本及影評等等）。

一九九二年五月，永盛公司正式宣佈斥資 15 億港元在深圳南山區興建中國電影城，估計在一九九三年底有部份可以落成啟用。

是年五月十三日，南韓政府為避免暴力影片輸入南韓，以及免除電影賣埠價產生爭執，宣佈嚴格港產片的入口管制。事實上南韓市場是本港出口電影的第二大市場，僅次於台灣，港產片被嚴格控制入口，將大大打擊本港電影界。

香港電影出口海外各地，據統計處資料，一九九一年，電影、節目的製作及發行出口值為 10.85 億港元，佔勞務出口的 0.9%，比一九九一年增加 1.8 億港元。

【新動向】 一九九三年的電影製作依然以武打片和喜劇為主。特別是一些人物傳奇片將會大行其道。但值得注意是香港的電影賣座情況大不如前幾年，這個情況可能迫使製片人要付出高昂的製作費，用大場面、大製作和大明星去刺激觀衆入場。另一方面，製作費用低廉而利潤頗高的三級片，也會是一條發展路向。

至於返回國內拍攝更是難以避免的一種趨勢，理由是大陸風光名勝甚多，富地方色彩，為觀衆帶來新鮮感，更重要是成本不高，可以較好地控制製作電影的成本。

貿易·商業

一九九二年進出口貿易

【概　況】　香港是一個典型的海島經濟結構體，可以說從生活飲食用品至工業生產原料，一切物品均倚賴外地入口，而香港擁有的最大資產，便是一個有效率及資訊充足自由的商業社會體系，加上香港位於亞洲和太平洋地區的交通要衝，因而令香港發展成區域性的貿易中心地位，因此進出口貿易便成來維持香港經濟發展的經濟命脈。

由戰後至五十年代初期，香港加工工業正值起步階段，故對外貿易主要以轉口貿易為主，其時進口商品約八成是轉銷其他市場；到五十年代末至七十代後，香港的加工工業隨着港口碼頭、倉儲運輸、通訊、銀行、保險等基礎設施的漸次完善，開始踏入經濟起飛階段，對外貿易迅速發展，貿易結構亦產生較大的變化，在一九四六年期間，香港對外貿易總額不足 20 億元，到一九六〇年超過 100 億元，一九七八年則已超過 1,000 億元，一九八〇年亦超過 2,000 億元，一九九一年更達到 15,448.68 億元，增加了 20%，當中的結構變化主要是由五十年代的轉口港變為七、八十年代的出口港產品為主，而邁入八十年代至九十年代，在大陸經濟改革下，香港轉口地位再次凸顯，在一九九一年的對外貿易額中，佔 34.6%的金額為轉口數值，並且使香港對外貿易地位，首次進佔世界排名第十位的名次。

一九九一年香港對外貿易的總額為 15,448.68 億元，當中進口貨值共 7,789.82 億元，增加 21%；港產品出口貨值 2,310.45 億元，增加 2%；轉口輸出貨值 5,348.41 億元，增長 29%。一九九二年的對外貿易總額則為 18,802.48 億元，其中進口貨值為 9,552.95 億元，增長 22.6%；港產品出口貨值 2,341.23 億元，增長 1.3%；轉口輸出貨值 6,908.29 億元，增加 29.2%。

1991 年、1992 年港製品出口貨值
十大貿易夥伴資料

	1991年		1992 年	
	貨值（億元）	佔貿易總額%	貨值（億元）	佔貿易總額%
美國	628.70	27.2	645.99	27.6
中國	544.04	23.5	619.58	26.5
德國	193.18	8.4	159.55	6.8
英國	137.05	5.9	125.41	5.4

	1991年		1992 年	
	貨值（億元）	佔貿易總額%	貨值（億元）	佔貿易總額%
日本	116.65	5	109.96	4.7
新加坡	87.93	3.8	103.60	4.4
台灣	60.66	2.6	65	2.8
加拿大	50.14	2.2	50.18	2.1
荷蘭	52.38	2.3	48.77	2.1
法國	37.10	1.6	31.63	1.4

1991 年、1992 年轉口輸出貨值 十大貿易夥伴資料

	1991年		1992 年	
	貨值（億元）	佔貿易總額	貨值（億元）	佔貿易總額%
中國	1,533.18	28.7	2,121.05	30.7
美國	1,108.02	20.7	1,485	21.5
日本	295.74	5.5	374.65	5.4
德國	320.73	6	331.03	4.8
台灣	247.65	4.6	261.55	3.8
英國	146.62	2.7	205.9	3
新加坡	120.93	2.3	138.66	2
南韓	146.31	2.7	135.88	2
加拿大	84.97	1.6	111.01	1.6
法國	90.37	1.7	110.38	1.6

1991 年、1992 年進口貨值 十大貿易夥伴資料

	1991年		1992 年	
	貨值（億元）	佔貿易總額%	貨值（億元）	佔貿易總額%
中國	2,933.56	37.7	3,543.47	37.1
日本	1,274.01	16.4	1,661.9	17.4
台灣	745.91	9.6	870.19	9.1
美國	588.36	7.6	705.94	7.4
南韓	349.44	4.5	441.55	4.6
新加坡	315.25	4	390.87	4.1
德國	166.4	2.1	219.11	2.3
英國	165.44	2.1	192.2	2
意大利	117.29	1.5	148.25	1.6
馬來西亞	98.59	1.3	128.25	1.3

【發展狀況】　一九九二年港製品出口和轉口輸出的貨值持續大幅上升，實質增幅約 19%，而一九九一年的增長則為 17%，原因在華南地區提供外地加工設施，令轉口貨物比本港出口貨物迅速增長的結構性轉移持續維持，而經香港的大陸出口貨物也快速增加，亦形成出口貨物總額增長的重大動力，鑑於華南地區的生產成本相

對較低，故亦有助香港出口貨物在世界市場的價格競爭能力。

不過港製品出口整體表現仍然偏軟，而在各市場中，以輸往大陸的香港產品增長最多，產品則大多與香港公司在大陸進行的外地加工活動有關，惟以滿足大陸市場需求的本港產品，比例亦逐漸上升，同時輸往亞太區其他市場的本地產品也有大幅增長，輸往美國的港製品則在下半年漸趨放緩，但美國仍然是港製品最大的出口市場，一九九二年輸美的港製品佔總值的28%，輸往德國、英國的港製品則處下降階段，輸往日本的港製品也同樣有所減少。

若按主要產品類別分析，現時香港輸往美國市場的港產電子零件增長最快，實質增幅約為20%，其次為布料及成衣，實質增幅分別為3%、2%，而在輸美港製家電產品、紡織縫製品、收音機及鞋類方面則顯著下降，實質計算分別下降50%、33%、31%和27%，而輸美港產鐘錶及旅行用品與手袋也輕微下降，實質跌幅分別為3%和2%左右。而綜合計算，九二年本港輸往美國的各類產品中，成衣佔最大部份，比率達57%，次為電子零件及鐘錶，比率分別為8%及7%，至於一九九二年輸往美國的紡織品及成衣配額運用率為97%，而一九九一年則有96%配額運用率。

至於輸往大陸的產品，則以港製收音機、金屬礦物和廢料、及電子零件居多，其實質升幅分別為295%、147%及78%左右，輸往大陸的港產紡織縫製品、旅行用品和手袋、成衣、金屬製品及鐘錶，也有可觀的增長，實質升幅分別是36%、33%、28%、14%、及13%，不過，輸往大陸的港製家電用品及紡織紗線則有減少，實質跌幅為13%和6%，綜合計算九二年輸往大陸的港製產品，約佔50%為原料及半製成品，反映出外地加工活動的頻繁性。

在港製品出口市場上，港產電子零件的出口進一步大幅增長，實質增幅約為31%，金屬製品的出口則為零增長，至於港製家電用品、鐘錶、旅行用品和手袋、紡織品及成衣的出口則告下降，實質跌幅分別為38%、9%、4%、3%、2%。

至於在轉口貨物貿易中，一九九二年大陸仍為本港轉口貨物的最大市場，佔本港所有轉口貨物價值的31%，而一九九一年所佔比例為29%，輸往大陸的轉口貨物，主要包括紡織紗、布料及縫製品、電動機器、工業用機器、塑料及汽車。

而本港其他轉口貨物的市場如美國、日本、德國、台灣、及英國中，以輸往英國的轉口貨物增長最快，以價值計算，增幅達40%，輸往美國、日本、台灣的貨物，則分別增加34%、27%、6%，但輸往德國的貨物則只升3%，而輸往歐洲經濟共同體各市場（德國及英國除外）和亞太區大部份市場（大陸及日本除外）的轉口貨物，也有大幅增長。

在轉口貨物來源地中，大陸是最重要的來源地，以價值計算，激增28%，主要以成衣、電訊和錄音器材、鞋類、紡織紗及布料為主；而其他貨物來源地則以日本、台灣、美國及南韓居多。

在進口貨物方面，大陸也是本港入口貨最大來源地，佔一九九二年入口貨物總值的 37%，價值共 3,540 億元，較一九九一年上升 21%，而實值增長約為 19%；日本則是第二大來源地，佔入口貨值的 17%，貨值為 1,660 億元，上升 30%，再次為台灣、美國、南韓、及新加坡。

一九九二年的進口貨物亦顯著增長，實質增幅為 22%，入口貨物增加主要是因轉口貿易大幅激增，其中大量入口貨物會留供本地使用，一九九二年留用入口貨物的實質增幅為 14%，顯示留用入口消費品及資本貨物的增長持續強勁。

整體言，一九九二年本港的出口貨物總值（港製品出口和轉口輸出）增長 21%，較入口貨物總值 23% 的增長率為低，故一九九二年的有形貿易赤字增至 300 億元，相等於入口貨物價值的 3.2%，而一九九一年的赤字則為 130 億元，約等於進口貨物價值的 1.7%。

【新動向】 一般估計，港商今後在香港的業務範圍，仍將以貿易和製造業服務為主，推銷、營銷、業務洽談、運輸、倉儲、分銷、品質控制、產品測試及檢定、產品設計、研究與發展、樣品及生產原型製作、市場研究、售後服務等為主，而一些屬生產製造的工作程序，則會大部份轉入大陸，故對於香港商界人士而言，中港結合意味着可減低成本，同時亦為未來大陸龐大的內銷市場舖路；但在對外貿易市場上，由於美國總統克林頓已表示明年對中國會實施有條件的最惠國待遇條款，故對香港而言，未來是一個充滿機會和市場增長潛力，但亦會同時面對更多新的挑戰，而對於有遠見的企業家而言，危機就是轉機將是永遠不變的真言。

一九九二年的香港商業

【概　述】　商業活動是本港經濟活動中不可缺少的一環。統計顯示，本港有達590萬人口的消費市場，而從事商業活動的商號有159,041家，從業人數超過91萬人，由此可見，商業對本港經濟的重要性。

依照法例，凡在香港從事各種經濟活動的商號，均須領取商業登記牌照。據統計，截至一九九二年三月底止，香港當局發出的有效商業登記牌照共552,068個，比一九九一年同期增加14%；年內新登記牌照的共有108,162個，比上年同期增加26.5%，而取消登記的只有76,545個，增加7.7%。

在芸芸商號中，直至一九九二年六月，經營進出口貿易的共76,260家，從業人數391,378名；經營批發業務的16,970家，從業人員77,826名；零售業務54,898家，從業人數為206,622名。此外經營酒樓、快餐店、酒吧等食肆的共9,184家，從業人員190,116名；而經營酒店、公寓的有1,417家，共有37,671名從業人員。

近年來由於港府實施新政策，逐步減少街邊的固定攤檔、大牌檔等，致使從事小販行業的人數日漸減少。據市政總署和區域市政總署提供數字，截至一九九二年十二月底止，市區共有8,816名固定檔位持牌及3,513名持牌流動小販；而新界區就有955個固定檔位持牌小販及931個持牌流動小販。

據香港註冊總署統計，一九九二年內共有58,110家新公司註冊，比一九九一年多14,135家。新公司的註冊資本總額為52.08億港元，其中資本額達500萬元或以上的有235家。年內有11,657家公司增加註冊資本，增加款額共達455.74億港元。一九九二年年底時，已註冊的本港公司共358,129家，而一九九一年則為304,538家。

此外，截至一九九二年年底時，在香港設有註冊辦事處的海外公司有3,193家，其中新登記的550家，停業的就有185家。上述在港登記的海外公司分屬72個國家，其中美國公司佔656家，英國公司365家，日本公司299家。

至於在港註冊商標總數達62,866個，其中年內獲得新註冊的商標共有5,500個，比上一年增加1,160個。主要來源為美國1,355個、香港973個、日本759個、法國362個、意大利317個、英國290個、德國287個、瑞士237個、台灣141個以及新加坡83個。

【營業情況】　自一九八九年"六四事件"之後，本港零售業市場就一蹶不振。直至一九九二年，在天時、地利、人和的配合下，零售業也漸有起色。而政府的統計數字亦顯示本港零售業已經開始壯旺起來了。然而仔細研究每個項目，就會發現儘管總零售價值有大幅增長，但依然有個別零售業務表現未能突破悶局。好像百貨業在一九九二年內本港經濟轉好，股市大幅上升的環境下，業績只有輕微增長，還未能回復到八十年代中期，每年有20%以上增長的軌道上。也有一些業內人士認為，政府統計處的數據並不能如實反映出本港零售市場的情況，因為年內汽車銷量大幅增加，致使整個零售業的數字被提高。不過從另一個方面來看，旅遊業好景，也確實對某些消費品的銷售情況帶來好處。

事實上，一九九二年本港零售業，整體上來說，理應表現良好。據統計，年內失業人口平均不到2%，工資也有一定升幅，沒有理由不帶旺消費市場。然環顧各方因素，零售業表現一般又似乎有一定的原因。一九九二年，全球經濟普遍不景，特別是美加經濟至今仍未擺脫衰退景象。此外，日本股市下跌，亦導致來港的日籍旅客平均消費明顯下降。就香港本身而言，一九九二年雖然工資增幅接近雙位數字，但在扣除通脹因素之後的實質增長率卻異常輕微，對消費活動自然造成一個不輕的打擊。據統計，一九九二年本港通脹平均為9.4%，這個數字雖然比較一九九一年已經緩和下來，但依然處於高水平，高通脹無疑削弱了市民的購買力。此外，年內本港的投資市場，除了代表股市的恆生指數全年有28.3%的升幅之外，其它投資市場如匯市等都較為疲弱，因此市民的消費都會有所節制。年內，港府利用各種方法壓抑樓價，但全年樓價平均仍有5%至8%的增幅，市民供樓負擔沉重，自然減少不必要的花費。

據貿易統計處資料，一九九二年本港進口留用的消費品共有176.99億港元，比上一年增加12.7%。此外，本港年內零售業的銷售量，除了二月的零售量大致保持不變和十一月的零售量低於10%外，每個月都有超過10%的實質增長。這個現象正說明本港零售業已經從一九八九年至九〇年的困境中脫離，開始復甦起來。

一九九二年的零售業統計數字，以一月的表現最為突出，總零售價值達142億港元，比上年同期增加35%，零售量就增加28%。一九九二年一月份的零售業能有如此突出表現，除了因為上一年一月份中東戰爭即將爆發，消費意欲普遍急劇下降，造成基數較低之外；一九九二年一月接近農曆新年，也是市民消費較大的原因。

一九九二年的總零售價值為1,595億港元，比上年增加18%；假加剔除價格上漲因素，零售量就上升12%，顯示年內的消費持續增長。

年內零售業中以耐用消費品的生意最好，其銷售額增長了三分之一，這些增長主要來自汽車及其零件銷售。一九九二年汽車及汽車零件的零售價值比上一年大幅上升50%，有41%的上升，難怪零售人士認為汽車銷量大增，所以拉高了零售業的統計數字。汽車銷量增加，主要是業內人士為了競爭市場，不惜將汽車削價求售和加強宣傳活動；再者車行推出送冷氣及牌費等優惠，亦是刺激銷量的原因。此外，一九九一年港府宣佈一九九二年會引入無鉛汽油在港銷售，消費者為了可以買到適用無鉛汽油的汽車，便壓抑購買欲，至一九九二年才購買新車；而政府沒有增加汽車入口稅亦導致消費者紛紛買車。另一方面，遷居新市鎮的人口增加，亦刺激了對汽車的需求。

在零售業統計中，增幅僅次於汽車及汽車零件的是包括汽車及汽車零件和除汽車及汽車零件外之耐用消費品，總零售價值增加 29.1%，零售量就增加 24.2%。增幅原因除了維修汽車所需購買零件的帶動之外，來港旅客增加，也為影音器材帶來銷路。假如剔除汽車及汽車零件外之耐用消費品，一九九二年的零售價值就上升 13.7%，而零售量就上升 12.3%。

此外年內增幅第二大的是衣着、鞋類及有關產品，零售價值較上一年同期上升 25.5%，零售量也有 14.2%的上升。

值得一提的是超級市場除外的食品和烟酒類，總零售價值只上升 3.8%，剔除通脹因素，零售量就下跌 2.7%。下跌原因是一九九一年增加烟草稅 100%之後，香烟銷路已經大不如前，而且走私香烟充斥市面，對本地烟草商帶來很大銷售壓力。

而超級市場的零售價值上升 9.9%，零售量也有 1.7%的上升。燃料的零售價值上升 11.9%，零售量就上升 4.7%。

和汽車及汽車零件一樣，珠寶、鐘錶和名貴禮品的銷量也十分可觀，年內總零售價值上升 18.1%，零售量就上升 22.7%。

一九九二年本港百貨業的表現平平。農曆年前，天氣轉冷，為百貨業帶來及時的氣溫，生意額比上年同期急升兩成，一月份的零售價值比上年同期上升 28.9%，零售量更有 20.1%的增幅。但農曆年後，生意又回復淡靜，一些百貨公司為了去銷積壓已久的存貨，唯有減價招徠，不少公司的貨品更是低至三折出售，為求清貨套現，減幅之大十分罕有。業內人士指出現時市民購物已越來越聰明，未減價時甚少購物，在旺銷期日益縮短的情況下，零售商只得被迫減價，而且減幅越來越大，消費者才會有興趣購物。這也解釋了為什麼一九九二年百貨商店的零售價值比上一年上升 14.1%，而零售量只有 4.9%上升的時候，百貨業人士認為百貨業的利潤其實是大不如前，因為減價促銷已令百貨業只有微利可圖。

一九九二年的雨季特長，而且連場暴雨造成很大損失。在雨季百貨業偏淡的情況下，再加上暴雨成災，自然也影響市民出外購物的興趣和心情。而每年百貨業旺銷期的聖誕節又遇上天氣暖和，使到商品，尤其是冬裝滯銷，對百貨業造成很大打擊。

事實上，本港百貨業在最近幾年的競爭已趨白熱化，一九九二年更有幾間百貨公司開設分店，經營自然比從前困難得多。況且鋪租經常大幅調升，對經營百貨業人士來說，利潤更是微薄。

一九九二年是結婚旺季，酒樓飲宴場所理應大多預訂一空，然而由於時代轉變，年青人結婚擺喜酒多喜歡選擇在酒店舉行，所以酒樓應有的生意被酒店搶走。而工廠北移，也導致酒樓年夜飯和春茗減少。據統計，一九九二年酒樓餐廳業的總收入為455億港元，比上一年增加18%，扣除價格上升影響，量計增長為6.7%。

年內本港大約有10間酒樓倒閉，並將其出售，一些發展商更將酒樓拆建成商場，不再經營酒樓業，可見酒樓業前景一片黯淡。一九九二年中式酒樓的總收入，以價值計增加16%，以數量計則只是上升4.5%，可見酒樓業的經營越來越困難。

其他食肆中，年內增幅最大的是酒吧，以價值計，比上一年增加45.7%，量計也有29.3%的增幅。其次是快餐店，以價值計增加28.5%，量計增加18.4%。至於餐廳，價值計增加15.7%，量計增加4.8%；而其他飲食場所，以價值計有14.4%的升幅，量計就上升5.4%。

【新動向】 一九九三年，本港零售業將仍裹足不前，雖然中國進一步開放及預期本港經濟有較高的增長，將對香港的經濟及消費有促進作用。另一方面，通脹緩和，也會增加市民的實質購買力。然而不利零售業的因素仍然是潛在的，例如樓價高企始終給小市民帶來沉重負擔，消費自然減弱；而機場和政制問題未能解決，也會打擊消費意欲。

至於每年中美貿易最惠國的問題，都令本地廠商、出入口商和製造業工人提心吊膽，能否順利解決，對本港經濟和市民的消費都有莫大影響。

另一方面，中英有關本港政制的爭拗也影響本地消費者的購買意欲。因此一九九三年百貨業的整體增長仍會處於低水平。

各行商業

豬牛羊肉雞鴨行

【概　述】　豬、牛、雞肉是香港居民主要的日常肉類食品，羊肉消費則主要在秋末和冬季，謂之”進補”。一向以來，向香港提供鮮活家禽的地區很多，如美國、台灣、菲律賓、泰國、馬來西亞、荷蘭、法國、英國、以色列、日本、新加坡、澳門、越南、澳洲等，但無論如何，中國依然是最大的供應商。

香港經營活豬牛羊雞鴨的商號分為進口商、批發商及鮮肉零售商三類。此業歷史悠久，經營情況亦較為穩定。據港府統計，一九九二年的進口商有 34 家，員工 198 人；批發商 192 家，員工 1,288 人；經營鮮豬牛羊肉及雞鴨的零售商則有 4,989 家，員工 14,856 人。這些零售商亦兼營魚類海產、野味及凍肉生意。本港除了街市肉枱、肉食公司從事鮮肉業務外，尚有部份流動小販及街頭零售排檔經營，但數字卻難以統計。

【營業情況】　根據港府統計，一九九二年進口供食用的活家禽、家畜共值 34.41 億元，比上年增 17.7%。

其中，活豬進口總數為 279.2 萬隻，總值 20.20 億元，頭數較上年減 1%，價值則增 20.8%。中國是本港活豬供應的主要來源地，供應量近 98%。

活牛進口 14.95 萬隻，總值 2.97 億元，分別較上年減 4.6% 及升 25.8%，以中國為主要來源地。

活羊亦以中國進口為主，共進 15,441 隻，價值 466.6 萬元，較上年減 8.2% 及增 12%。

活雞鴨鵝進口量為 72.78 萬公噸，價值 6.87 億元，量、值分別增 24.5% 及 30%。從上述數字來看，去年本港消耗的肉類食品總量（除雞鴨鵝外）有所減少，但價錢則有較大的增加。這顯示出本港市民日常的飲食結構已有所轉變，更多地食用蔬菜類食品，減少食用肉類食品。不過，港人對雞鴨鵝等肉類食品的需求卻大為增加，據統計，去年香港人一共吃了 3,000 萬隻雞，即平均每人吃去 5 隻雞。在本港市民食用的活雞中，有三之二來自中國內地，另外三分之一則由本港 2,000 多戶雞農所飼養。鑑於市民對活雞的需求大，漁農處在多年前已開始研究改良雞種，使本港雞農能用低成本及在短時間內，獲得最大收益。

長期以來，中國對輸港的鮮活食品採取配額證或許可證的辦法去管理，以控制質量和來港數量，不讓”水貨”衝擊香港市場。無奈不少地方機構、甚至一些專營公司都不予理會，使規章成為一紙空文，他們把國家配給的配額及許可證進行炒買炒賣，藉此牟取暴利，一些商人買到配額證後，便在市場上四處搜羅產品，從而導致一些質量差，不符合衛生標準的鮮活貨品充斥香港市場，當然這些貨品也比正常渠道的來港貨品要便宜，無形中衝擊了正當經營者的利益。中國政府對這種情況也在加強管理，堵塞漏洞，以保證正常的經營渠道暢順以及來港貨品的質量。

【新動向】 今年內地對港活豬活牛總體供銷正常，首季銷港大豬 49.7 萬頭，牛隻 3.25 萬頭，比去年同期仍有所減少，但同期中豬銷港則有 15.3 萬頭，較去年同期增加了 1.3 萬頭。中豬所以有所增加主要是內地中豬在本港市場佔有率增大，相對來說是本港豬農因禽畜廢物管制等原因而減少了銷售量；另一方面也同內地外貿機構積極建立出口基地，增育良種豬有很大關係。

凍肉

【概　述】 香港生活節拍緊湊，本地消費者也慢慢放棄食用新鮮肉食，改為購買方便、冷凍及雪藏的肉食。目前，凍肉在香港副食品市場上佔很大的比重。銷售對象包括一般家庭和飲食行業，甚至社團組織露營旅行也多採用凍肉作燒烤食物。

凍肉自六十年代中期就開始在本港銷售。由於當時發生多次工潮和暴動，以致副食品嚴重缺貨，一些公司就從外國入口凍肉。然而那個時候凍肉公司供應的都是未經包裝的豬扒、肉腸等。及至後來，凍肉的處理方法得到改良，不單有包裝凍肉出售，更有部份凍肉是經煮熟及消毒後才推出，而且入口的種類亦趨多元化。

香港凍肉行業經營的商品包括四大類：其一是冷藏、急凍的牛肉類；其二是供人食用的冷藏、急凍的其它肉類和具食用價值的內臟；其三是腌製、曬乾或烟過的肉類及內臟；其四是經處理的肉類和內臟。其中以第二類為最大宗，約佔香港進口肉類的六成左右，主要為冷藏及急凍的豬、牛、羊、雞、鴨、鵝、兔、家禽碎件、豬及牛的內臟、野味等。

香港市場銷售的凍肉，向來以中國來貨居首位，但年內美國來貨已超越中國，成為本港最大凍肉入口國，其次是中國、英國、巴西及荷蘭等。

成立於一九六九年的“港九凍肉行商會”，目前有包括經銷商、批發商和零售商等會員 200 家。

【營業情況】 據香港統計處統計，截至一九九二年六月止，香港經營凍肉的進口商有 188 家，僱員 1,397 人，比上年同期減少 31 家和 230 人；批發商 298 家，比上一年減少兩家，僱員 1,760 人，比上一年增加 258 人；零售商（包括肉食公司、食品公司、肉枱、攤檔及海產攤檔等）4,989 家，僱員 14,856 人，比上一年減少 323 家和 797 人。

據統計，一九九二年香港進口凍肉製品總值 53.94 億港元。比上一年增加 7%。其中新鮮、冷藏、急凍的牛肉類進口值 8.64 億港元，比上一年微增 1.3%；可供人食用的新鮮、冷藏、急凍的其它肉類和具食用價值內臟的進口值為 34.89 億港元，比上一年增加 6.3%；腌製、曬乾或烟過的肉類及內臟進口值為 1.6 億港元，比上一年略增 3.3%；經處理的肉類和內臟進口值為 8.8 億港元，比上一年增加 15.2%。轉口方面，一九九二年香港進口的凍肉類及肉製品，有 10.38 億港元的產品轉銷外地，比上一年增加 10.4%；而進口後留供本銷的為 43.56 億港元，比上一年增加 6.2%。

從以上情況來看，本港市民對急凍食品的需求與日俱增，尤其是近年有不少二人家庭出現，夫婦二人都要外出工作時，凍肉自然可以解決到每天的晚膳需要。其實除了已有穩定銷路的急凍食品外，一些加工製成品，如已經調味好的燒烤用豬扒、鷄翼等，都有不俗的銷量，且有上升趨勢。有見及此，不少超級市場、百貨公司都有出售已調味好的肉食品。

據悉，本地的凍肉市場逐漸蓋過了新鮮肉類市場，原因是凍肉價錢便宜，而且存放期限持久，但又能夠保持新鮮肉的質味，所以食用凍肉的人數逐漸增多。

一九九二年香港進口凍肉類及肉製品中，美國來貨 17.94 億港元，佔總入口額的 33%，比上年增加三成有多。而中國內地來貨 12.3 億港元，比上年減少 14%。值得留意的是英國來貨大幅增長，年內來貨 0.97 億港元，比上一年增加 17%。年內其他主要凍肉來源包括巴西 7.5 億元，荷蘭 2.3 億元，澳洲 2.05 億元及新西蘭的 1.8 億元。

據美國統計局資料，一九九二年美國出口至香港的凍肉及鮮肉達 2,653 萬美元，較上一年增加 20%。美國已經成為本港入口凍肉的主要國家。

【新動向】 雖然近年來本港興起一股素食風，但肉類的輸港數字仍然是有增無減。特別是英美兩國輸港凍肉佔總數的 35%，而英國的肉類出口商也了解到香港以至整個遠東地區的經濟發展迅速，帶動消費力的提高，所以未來幾年英國肉食出口商將致力拓展香港市場，並視與香港合作為發展中國市場的踏腳石。

其實鮮肉和凍肉的營養價值是一樣的，但價錢就相差很大，所以本地消費者對凍肉的需求不斷增加。而越來越多的超級市場、百貨公司均經營出售已包裝妥當及腌好的肉類，也是使到凍肉的銷路越來越廣泛的原因。況且，本地的飲食業發展迅速，如火鍋店等流行食肆的增加，亦有助凍肉的銷量。

另一方面，本地一些經營凍肉的超級市場，亦有意將業務擴展到中國市場，在國內開設分店經營凍肉。

蛋業行

【概　述】 蛋業在香港有悠久歷史。香港永勝街、西營盤以及九龍旺角甘霖街一帶是蛋品集散地，經營品種包括鮮鷄蛋、鮮鴨蛋、鹹蛋及皮蛋。此外，尚有蛋粉及蛋水。據香港政府統計，一九九二年本港共有批發商137家、598人，較上年減23家、47人；零售商121家、176人。在本港市場上，以鮮蛋最多，其中又以鷄蛋最大宗。

香港市場的鮮蛋主要來自中國大陸，其次是荷蘭、美國、德國、法國，甚至捷克、墨西哥、以色列及新加坡等，本港亦有一定數量生產，來源是充沛的。

【營業情況】 本港進口的鮮蛋以鷄蛋佔最大比率，約佔75%，鴨蛋佔25%。此外，尚有醃蛋（包括鹹蛋和皮蛋）。鹹蛋在本港亦有醃製。進口的蛋除供給本港消費外，亦有一部份轉口。據統計，一九九二年入口的鮮蛋有1,518,307千個，醃製蛋207,781千個，分別較上年增4.6%和10.48%，本港生產的鮮蛋52,600千個、較上年減37.76%。

鮮蛋，尤其鷄蛋，在中國的菜式中可謂千變萬化。煎、炒、焗、蒸及滾湯樣樣皆可。隨着香港人逐漸接受西式食品，鷄蛋的用途極廣泛，例如三文治、蛋糕、蛋黄等，無不需用鷄蛋，至於包糉和製月餅則需使用鹹蛋。

在香港的零售市場，鷄蛋是以每隻為銷售單位計算的。目前的零售價格是每隻7角到1元。在超級市場上往往見到1.5元三隻或2.4元三隻；鹹蛋每隻1.3—1.5元，皮蛋每隻1.5元，通常在街市都是4元三隻鹹蛋或皮蛋。這個價錢在現時香港的食品中應是較為便宜的。不過，由於香港人時尚減肥，而鷄蛋含有豐富的營養，被認為是增肥食品，故影響了銷路。另外，鷄蛋雖然用途廣泛，但味道較平淡，故此並不十分吸引。同時，由於香港的豬肉、牛肉、塘魚、海產、野味、蔬菜等副食品供應充足，價格穩定，再加上各種食品的水貨不斷流入香港市場，從而影響了蛋品銷路。

中國鮮蛋在香港所佔的市場比例近年來有下跌的趨勢。一九八六年，中國鮮蛋約佔市場的七成半，八七年則約為六成，隨着每年平均下降，到一九九一年已跌至三成半。據中國鷄蛋香港總經銷香港蛋品企業發言人表示，中國鷄蛋在香港市場比率下降的原因，主要是由於中國鷄蛋的出口有所減少，中國內部的通貨膨脹急升，使蛋類在内地的價格提升不少，內銷利潤十分理想。因此，鷄蛋內銷數目增加，出口相對減少。

目前，所有中國蛋品由香港蛋品企業有限公司統一入口，再以配額方式批發給其他零售商銷售，而所有零售商現時分別集中在中環永勝街及旺角甘霖街兩個地方。中國的鮮蛋主要來自浙江、安徽、湖南、湖北、江西；鮮鴨蛋有湖南及福建產品，鹹蛋則由中國而來，皮蛋以湖北產品最多。每年三、四月間是中國大陸鮮鷄蛋及鮮蛋大量來港的時候，每日運到很多車卡。因為那時天氣仍然較涼，一部份入凍房貯存，如果到五、六月天氣轉熱，即使入倉亦不能保持新鮮。

除中國蛋外，近幾年，美國、荷蘭鷄蛋不斷來港推銷，成為主要的鷄蛋輸港國家。美國鷄蛋於九一年對本港出口大增，約佔整個香港市場的27%。美國鷄蛋來港的大幅增加，主要由於美國增加出口的補貼，而荷蘭亦有類似美國的出口補貼。美國蛋在本港銷路大，主要因為美國鷄蛋夠大，其次急凍技術先進；外表看極為新鮮，也不會散黃或離殼，最適宜餐廳製造“荷包蛋”，而且價錢又不算太昂貴，每隻8—9角之間，比中國蛋約貴30%左右。此外，還因為美國蛋的廣告宣傳有效。本港批發商有“行街”制度。所謂“行街”是批發商派到市面去，親自到零售店的推銷員。美國鷄蛋的批發商也是由“行街”向快餐店大力推薦美國鷄蛋。雖然現時許多餐廳和快餐店都以中國蛋來做鷄蛋三文治、煎腌列等，但美國蛋白呈奶白色、蛋白量多，而蛋黃又夠大而圓好，放在餐桌上美觀悅目，引起食慾。故不少餐廳已選用美國蛋做“荷包蛋”。同時，又因為這些蛋包裝好，不少市民亦整盒整盒地買回家。

【新動向】 進入一九九三年，本港許多物品都加價，但蛋品的價格依然未見有加，銷量亦保持平穩。因為蛋品是人們的日常生活中最基本的食品，除富有營養價值之外，價錢亦十分便宜，適合各階層人士食用。所以，不管任何時候都會有銷路。

雖然外國蛋的供應足夠應付本港對蛋的需求，且價錢便宜，但本地的茶樓食肆都慣用大陸蛋，一時間難以改變市民的口睞。同時，外國亦不能供應鮮鴨蛋、鹹蛋及皮蛋等內地獨有的蛋品，故中國內地蛋品仍會在本港維持一定市場。

香港是個華洋雜居之地，居港的西方人士尤喜吃鮮鷄蛋。廣州康力公司生產的白殼鮮鷄蛋上午生產，第二天中午就可送到香港，無需經過冷凍處理，新鮮無比，深受消費者歡迎，尤其最受西方人士青睞。一九九一年該公司銷港鮮蛋6,348噸，九二年大致保持這個數量。

廣州康力公司是中國最大的商品蛋生產基地之一，已有十三年歷史，是一間擁有八十年代世界先進養鷄設備和管理技術的鮮蛋生產經營企業。該公司還引進了八十年代最先進的意大利鷄蛋分級包裝設備，建起了國內第一家蛋品分級廠。該廠每小時分揀14,400鷄蛋，能將鷄蛋自動分成四個規格，鮮蛋經水洗後，烘乾、塗蠟，自動檢出有暗裂的蛋，保證蛋的質量。該公司稱，他們將在十年內，將該公司建成中國最大的鮮蛋生產基地。看來，香港人口福不淺。

從統計數字顯示，本港出產的鷄蛋逐年下降。這主要因為本港的農業用地不斷減少，農場養鷄也越來越少。

另方面，由於經營蛋業利潤低、工作時間長，年青一輩都不願加入蛋業行，故業內人士有此行業風光不繼之嘆！

水海產業

【概　述】　水海產品是香港人日常生活必需的副食品，銷量大。香港銷售的水海產品，種類繁多。就經營習慣分，計有雜魚、淡水魚、鹹水魚、蝦、海鮮、凍魚和鹹魚等。

港九經營內地鮮活魚類及凍魚、凍蝦的批發商號有40家左右。有一半欄商專營本港魚產及澳門來貨。經營鮮活魚類及凍魚類的零售商則有2,000多家。

經營水海產品的商號分別組織有港九水產業商會、港九鮮魚行商會和港九海鮮業商會等。此外，全港還有鹹魚商號幾十家，設有香港鹹魚行進興商會。

香港缺乏財雄勢大的捕魚船隊，出海作業的漁船大都是小家庭式經營。多數漁民在購買漁船時，都向漁欄貸款。漁欄是財力較為雄厚的漁業公司，主要業務是向漁民貸款和替漁民出售魚獲。港府在港九新界設有七個魚類批發市場，進口鹹水魚及本港魚獲均須在魚類批發市場出售，並被抽取6%的佣金。

據統計，目前本港共有5,000多艘大小不同的漁船。經常出海作業的漁船超過一半以上，漁民約有2萬多人。

【營業情況】　香港居民食魚來源，包括由本港漁民捕獲、養殖以及外地供應。

一九九二年香港市場魚類、貝介、軟體動物及其乾製品進口情況如下：

進口總值為107.3億元，比上年增14.2%。其中冷凍魚1,222.4萬公斤，值31,271萬元，主要來源地為中國內地、新西蘭和阿根廷。

同期進口的鹹魚、燻魚及魚乾值20.95億元。其中鹹魚9.57萬公斤，值582.6萬元；進口乾魚1,162.7萬公斤，值19.79億元，主要來源地中國內地和新加坡。

另外，一九九二年進口貝介、軟體動物值49.59億元。其中新鮮墨魚和魷魚22.8萬公斤，值311.5萬元；冷凍、乾和鹹墨魚、魷魚2,998.7萬公斤，值6.21萬億元，主要來源地為新西蘭、台灣和中國內地。蠔162萬公斤，值11,217萬元，主要來源地為日本和中國內地。

近幾年來，香港居民喜歡吃游水海鮮，因此也帶動了這門生意。現在凡街市都有游水海鮮出售。有些酒家也特別設有海鮮池，供應游水海鮮，讓食客選擇。而本港海魚養殖亦有較大的發展，目前本港大約有28個海魚養殖區，主要分佈在北部及離島一帶。

中國內地輸港的小海產，部份是經香港到內地開設漁場或合營捕撈漁業公司的商人運銷香港。據漁農處統計，目前港人平均食魚每年約50公斤，單是入口和養殖的海產，每年便達20億元以上。廣東省供港新鮮塘魚就達三萬多噸，約佔塘魚市場的九成。主要品種為大魚、鯇魚、鯪魚和鯿魚等。內地活海鮮輸港約1—2千噸，主要為石斑、龍蝦、高蚌、海蝦等，廣東佔大部份，青島也不少。

【新動向】 水海產品是香港居民主要的日常副食品，近幾年來更發展到無海鮮不歡的消費狂熱。因此造成海鮮供不應求，價格不斷上漲。香港海鮮集散地，主要有田吓灣、南丫島和青山等地。無論淡旺季均大量進貨，進行飼養，長年供應酒樓、餐廳。

去年中大醫學系和生物系的一項聯合調查發現，用維多利亞港內海水飼養的海魚是會受到一定程度的污染，市民若不煮透海魚食下，健康可能受到影響。實驗證明，在街市出售或魚缸飼養的海魚之內臟、鰓及腹部均黏有大腸桿菌。與此同時，環保組織和漁民團體亦指責當局挖沙和將污泥填海，將影響生態環境和污染香港水域。

海味業

【概　述】 海味業在香港有悠久歷史，其特色是行業集中以及舊式獨立舖位居多，店子多在港島德輔道西，東起皇后街，西止於正街，並多集中南邊一帶，其中有部份則是兩家以上合股經營。近年來則出現集團式經營，廣設分店，經常在傳播媒介大做廣告，相應加劇了行業內的競爭，亦吸引了不少顧客。

海味業經營的商品中，冬菇銷量最大，其他如魚翅、鮑魚、元貝、蠔豉、蝦米和魷魚等亦佔不少市場。來貨方面，集中於中國大陸、日本、澳紐和南韓等地區。

每逢年節，本港市民喜歡購海味應景，酒樓餐廳也有海味，因此海味幾乎成為市民日常必需食品。在春節期間市民回鄉探親或返港，習慣上攜帶一些手信餽贈親朋戚友，也多選海味產品，因而對海味銷售常帶來刺激。不過，近來西風東漸，傳統年貨正讓位於西方食品。而內地供應增多，也令此一需求逐漸減少。

【營業情況】 在香港經濟增長放緩，通脹高企，市民收入及消費力下降等因素影響下，一九九二年零售及批發總額約比九一年下跌逾一成。

本港的農曆新年氣氛現在一年不如一年，市民逢年過節亦不太在意是否有海味，許多只是為應節或拿個"好意頭"而光顧海味店。而新年送禮亦逐漸由海味改用包裝精美的糖果餅乾之類，甚至市民回鄉探親也逐漸改買黃金首飾等。

儘管如此，但本港海味行業仍能生存，主要是因酒樓業繁榮。行內估計，酒樓業的耗量約佔入口量的60%，零售約佔20%多，餘下為轉口。近年來由於大陸經濟發展，飲食業興起，一些大酒店對海味需求日增，特別如海參、魚翅和鮑魚等，更成為搶手貨。

近年來，本港海味價格方面以魚翅及鮑魚增幅最大，魚翅價格增七成，而鮑魚則漲一倍。市民消費模式也有改變，傾向選購中價貨品，如江瑤柱、冬菇等。

香港每年輸入大量的蝦米、蠔豉、乾鮑魚、乾墨魚和乾魷魚，總值在十億元以上。

【新動向】 一九九三年海味市場生意只能審慎樂觀。主因是：本港經濟發展只能算中規中矩，而通脹高企，新年過後各種行業加風四起，使市民消費欲進一步受到打擊。普羅大衆積穀防饑，未雨綢繆對待消費。而工商活動亦不如往年活躍，對年夜飯及春茗宴請等影響甚大。

總括這幾年市道，業内人士慨言得個"守"字。事實上，在低潮中多少生意人也是這樣沉穩地守住門戶，保住大局，才能迎來另一年的好景。

米、麵粉業

【概 述】 香港居民一向以大米為主要食糧，麵粉為輔助食糧。由於本港全無稻米生產，所有的米和麵粉均需依賴進口供應。中國、澳洲與泰國均是香港食米的大供應商，而麵粉則主要從日本、中國、法國、澳洲與加拿大等地進口。

一九五一年以前，港府沒有穀米專營機構，對市民實施配給供應；一九五一年起，改由米商經辦進口；一九五四年取消配給制度，並於一九五五年一月實行進口米商儲糧及配額進口白米新制度。

管制食米進口由貿易署負責，它有一個專門機構審查食米進口商資格，核定進口配額和數量。現時香港食米的基本額分為1,000單位，每單位每季入口基數為90公噸。自一九七六年以來，港府一直保留6個單位未分配。而在一九八六年又決定，由該年第四季起，食米的入口基本額從原來的89,460公噸調低為88,380公噸，減少1,080公噸。同時政府亦收回乾豐染廠12個單位入口額，使政府保留的未分配基本額增至18個。政府規定入口米商的儲糧額為基數的5%，即每單位儲糧45公噸，換言之，本港隨時隨地皆有4.5萬公噸以上的儲米，足夠供應全港市民40至50天内的食用。此一食米管制制度在非常時期内確能起到安定人心的作用。

目前本港有食米和麵粉製品、米粉製品的進口商102家，從業人員1,075人；麵粉及食糖進口商39家，員工278人；食米批發商37家，員工362人；麵粉及食糖、食鹽批發商25家，員工150人。

本港原有三家規模較大的麵粉廠，供應60%本港市場的麵粉需求，其所需的麥籽則完全依靠進口，餘下40%的市場銷量，則全數為進口的麵粉。但在九一年已有一家麵粉廠搬入深圳蛇口工業區，並轉讓給台灣的商人經營。

自一九六七年開始，香港興起用透明膠袋盛載定量米出售的方式，及後又在膠袋上印刷商標，有了散裝米與商標米兩種銷售方式。目前散裝米的數量約佔市場的四成，商標米佔六成。

【營業情況】 一九九二年大米的進口數量與上年差不多，只微增 3.1%，價值增 5.7%。大米進口來源第一位是泰國；第二位為澳洲；中國則排名第三。具體情形如下表：

國家	92 年進口數量（公噸）	91 年進口數量（公噸）	增減（%）	92 年價值（億元）	91 年價值（億元）	增減（%）
總計	385,675	374,254	+3.1	12.74	12.05	+5.7
泰國	277,824	270,054	+2.9	8.99	8.52	+5.5
澳洲	54,316	49,613	+9.5	2.10	1.87	+12.3
中國	51,026	49,020	+4.1	1.54	1.53	+0.7

泰國食米近年在港的受歡迎度有增無減，因為本港市民近年已習慣吃軟身香米，而泰國米就正適應這種需求。因此業界預料，未來泰米在本港市場所佔的份額會越來越高。

由於本港食米市場已基本飽和，一些經營米業的公司就着力向外拓展市場，其中包括中國內地、泰國及日本等。如金源米業就到中國內地發展食米加工，事實上，中國食米品種雖多，但加工技術落後，香港廠家正好利用本身所長，引進技術，提煉優質食米，其利潤也不低於香港。

麵粉方面，去年進口量有所減縮，而進口麵粉前三名次序為：日本、澳洲、泰國，本來中國麵粉在一九九一年進口香港排名第三，但現在卻被泰國趕上，原因是中國的粉麵質素較低，且品種又不多，而由於粉麵是售價低廉的食品，消費者一般都不太計較價錢，反而質素就更重要。九二年麵粉進口的具體情況如下表：

國家	92 年進口數量（公噸）	91 年進口數量（公噸）	增減（%）	92 年價值（億元）	91 年價值（億元）	增減（%）
總計	129,939	141,910	−8.4	2.77	2.77	−
日本	114,129	131,893	−13.5	2.34	2.61	−10.3
澳洲	5,622	3,608	+55.8	0.14	0.08	+75
泰國	4,575	1,320	+247	0.11	0.03	+267

麥籽去年的進口情況是：

國家	92 年進口數量（公噸）	91 年進口數量（公噸）	增減（%）	92 年價值（億元）	91 年價值（億元）	增減（%）
總計	144,253	132,980	+8.5	2.17	1.65	+31.5
美國	132,858	124,797	+6.5	2.0	1.54	+29.9
加拿大	10,500	6,460	+62.5	0.16	0.09	+77.8

同米業一樣，香港的麵粉業經營也相當困難，競爭十分激烈，甚至可以說是陷於長期性的惡性競爭，致使利潤低微；另外，因工作繁重，收入偏低，青年一代多不願入行，勞工長期不足。因此，進軍內地不失為一新的出路。業商可藉機械較先進及粉麵質素較佳的優勢，在內地設廠及零售點，以打開市場。

【新動向】　在綠色浪潮衝擊下，香港人愈來愈注重飲食的健康和有益，近年來就興起吃糙米的潮流，市面上對糙米的提供也愈來愈多。另外就是香港家庭日趨小型化，因此米的包裝也更加趨小型，一至兩公斤裝的袋裝米亦愈來愈流行。

另外，隨着米、麵業轉往中國內地投資設廠的增加，相信日後其加工的米麵產品會回銷香港，這對香港消費者來講是一件好事，因為不但質素佳，而且價格也將較廉宜。

食用油及食用糖

【概　述】　食用油分為植物油與動物油兩大類。香港市場消費的植物油主要為花生油、菜油、豆油、粟米油、芝麻油、棕櫚油及椰油。酒樓食肆的消費以花生油、菜油及豬油為主。居民的消費七成為花生油、三成為粟米油。本港食油主要依賴進口，但有食油加工精煉業。截至一九九二年底止，經營食油進出口以及食用硬殼果及乾豆類業務的商號有 222 家，較上年增 1 家，而員工有 939 人，較上年減 195 人；而食油批發商號 28 家，較上年增 6 家，員工 247 人，較上年增 69 人。在食油的零售業務方面，居民消費基本由超級市場壟斷，而酒樓食肆的供應，往往由米商兼營。

食糖業的的狀況與食油業相近，原料依賴進口，本港亦有部份食糖加工業務。本港消費的糖類有砂糖、蜂蜜、香口膠及其它糖果、蜜餞等。根據政府統計分類，食糖進口與麵粉進口的商號列為一類，本港去年共有 39 家這類食品的進出口商，員工 278 人；而批發商有 25 家，員工 150 人。

【營業情況】　據港府統計，一九九二年進口的動、植物油與脂肪為 10.71 億元，較上年減 8.2%；同期進口的各種糖類、蜂蜜及糖果製品為 14.68 億元，比上年增 10.4%。

一九九二年轉口的動、植物油與脂肪為 4.83 億元，較上年增 6.6%；留港自用的該類商品為 5.88 億元，比上年減了 17.6%。同期轉口的糖及糖果類共值 1.58 億元，比上年增 22.8%；留港自用的食糖為 13.1 億元，較上年減 9.2%。

本港一九九二年進口食用油進口的具體情況如下：

項目	進口數量（公斤）	進口數值（億元）
粟米油	10,656,115	0.75
花生油	34,253,508	2.42
菜油及芥子油	107,092,266	4.21
芝麻油	4,643,578	0.54
豆油	4,055,810	0.19
棕櫚油	12,037,236	0.49
橄欖油	499,899	0.08

去年留港自用的食用油續有下降的趨勢，表明港人現時越來越注重健康，減少食油，轉而選擇較清淡的食品，因此對油的需求也相應減少。

食糖方面，近來年來由於食糖產大於銷，供過於求，導致食糖價格不斷下跌，但去年下半年則止跌回升，價格反彈，食糖過剩的情形得到改變。

【新動向】 今年，食糖的價格將會緩步上升，中國內地的食糖來價本已偏高，因內地通脹高企，來貨價錢不會降低，但由於中國製食糖質量仍屬低檔，在本港需求不是太大。

食用油進口留用減少的趨勢將仍然持續，而且本港市民會更偏向選擇食用一些容易吸收或消化的芥子油、粟米油等，因此，這一類食用油的進口量日後將會逐步增加。

菓菜行

【概　述】 菓菜行的經營方式，一般是代理商向外地採購，交與批發商，批發商則按來價抽取佣金，批售給士多辦館及零售商販。

據統計，一九九二年本港有菓菜批發商 821 家，3,608 人；零售商 3,919 家，7,272 人；進口商 292 家，1,317 人。

中國內地菓菜，除了廣東省產品由廣南有限公司代理外，其他產品均由五豐行代理，水菓由香港菓品公司總經銷，屬下有菓欄 10 多家。香港菓聯行總經銷各地蔬菜，屬下菜欄約 20 家，二盤商約 400—500 人，小販過萬。

外地菓菜進口分兩種，一種與海外出口商簽有長期合約，另一種則視市場個別品種的銷售情況而進貨。經營美洲線進口商組成香港美洲鮮菓進口商會。蔬菜進口商會還成立了海外入口菓菜頭盤欄商商會。

【營業情況】 香港人"食生菓多過食米"，平均每年每人消耗水菓達 200磅，食米的數量只佔這個數字的$\frac{2}{3}$。據統計資料顯示，入口食品中超過$\frac{1}{4}$是水菓類，這個數字還有上升的趨勢。

香港市場供應的水菓品種繁多，終年不斷。主要來源是中國內地、美國、澳洲、加拿大、南非、日本、菲律賓、馬來西亞和泰國及阿根廷等，成為全球水菓品種的集中地。本港年產水菓亦有相當數量。

據統計，一九九二年本港生產鮮菓及硬殼菓 2,730 公噸，比上年減少 1,220 公噸。水菓和硬殼菓（新鮮、曬乾、醃製和加工）共 1,034,559 公噸，較上年增 6.2%。

本港鮮菓市場，以進口為主，其中七、八成是從美國、澳洲及南美等地入口。大陸水菓佔總銷量的三成左右。在本港可買到的水菓品種很多，有橙、蘋菓、雪梨、桃、蜜瓜、士多啤梨、香蕉、鳳梨、芒菓、檸檬、西柚、提子、椰子、荔枝、龍眼、木瓜……等。而每一種水菓亦有不同地方的不同品種，如芒菓便有菲律賓的呂宋芒、泰國的牙芒、台灣的蘋菓芒等七、八種以上。蘋菓也來自美國、加拿大、南非、中國大陸、日本、澳洲等地。其中又分紅蘋菓、青蘋菓、金黃蘋菓和溫室蘋菓等。

在進口的百多種水菓中，仍以傳統的橙和蘋菓的入口數量佔最大宗。近兩年入口香港的蘋菓以美國蘋菓佔總入口量七成以上。這些蘋菓主要來自華盛頓州。現時市面出售的美國蘋菓，其中 95%是紅蘋菓，其次是青蘋菓和金蘋菓。

至於美國橙，近年在本港市場的佔有率在 85—95%之間。九一年因加州地區受嚴寒侵襲，鮮橙運港數量大跌，使市場佔有率下降至 67%。

以往內地水菓在香港市場上的比率很高，但近年來內地能在香港市場上佔一席位的，僅有荔枝、橙和柑桔，其他品種的水菓，已被美國、泰國和台灣的產品奪去。在過去一段時間，香港市場上的木瓜、龍眼，都是由中國輸出。但近幾年來，泰國木瓜、龍眼充斥香港市場。由於泰國木瓜清甜可口，質量比大陸的好，已成為香港酒樓的飯後菓之一，而泰國龍眼雖不如廣東石硤龍眼清甜，但由於肉質厚，加上上市時間長，買家不少。事實上，近年來，香港人對食水菓的要求已與中國人傳統習慣的“不時不食”有很大分別。因此，香港市面上出現不少“反季節”的水菓。很多水菓全年有售，反而內地的，仍按季節輸出產品。過去一年，大陸水菓來貨較上年為多。

經營生菓店也有淡旺季之分。每年的三月至五月屬於生菓業的淡季。出現淡季原因有兩個，一方面是這段期間，沒有什麼大時大節，送禮減少。另方面，則是來自世界各地的水菓供應較少。但六月份開始，來自世界各地的生菓供應紛至，種類款式又多，加上天氣漸熱，市民對生菓需求上升。至九月、十月間，天氣雖慢慢轉涼，惟中秋、冬至，聖誕、農曆新年等幾個大節日，接踵而至，生菓需求又上升。所以五月過後，生菓業一直暢旺至翌年二月。

蔬菜方面，據港府統計，一九九二年本港進口蔬菜（新鮮、凍藏或醃製）共414,367公噸；比上年減3.13%。本港生產蔬菜（新鮮、凍藏或醃製）95,000公噸，比上年減少10,000公噸，或減10.5%。

香港雖是彈丸之地，但終年不斷地出產各種各樣的瓜菜，如菜心、白菜、生菜、芥蘭、西洋菜、蘿蔔、洋葱。夏天有豆角、青瓜、通菜和各種瓜類；冬天則有辣椒、芹菜、椰菜和紅蘿蔔等20多種，約佔市場銷路的三至四成。

進口的蔬菜主要來自中國內地、美國、菲律賓、泰國、澳洲和台灣。來自中國內地的蔬菜佔60%左右，以廣東，特別珠江三角洲和寶安縣（包括深圳）最多。據說寶安縣共有7萬畝專門種菜出口到港澳地區，出口的菜場，多由港商與內地單位合作，收割的蔬菜，每天由貨車運到香港。這些地方由於氣候和地理條件同香港差不多，因此蔬菜品種亦與本港大致相同。

港人每日消耗蔬菜約1,000公噸，平均每人日食半斤。根據香港漁農處的大略統計，供應香港蔬菜最大數量的地區是深圳地區，每年從深圳入口的蔬菜超過30萬噸。另外，近幾年，泰國供港蔬菜不斷增加。由於地理環境關係，泰國所出產的蔬菜（主要有蕹菜、涼瓜、豆角）較華南地區早熟兩個月左右。例如，當泰國蕹菜上市時，華南地區尚未種植，於是大量的泰國蕹菜空運到港，然後批銷到市場出售，全過程僅數小時而已，不但新鮮，而且是獨市生意，雖價格較高，但市道甚佳，尤其是酒樓飯店樂於採用。而當華南地區蕹菜大量上市時，泰國蕹菜早已絕跡市場，而又有另一新品種空運到港。這種經營方式十分奏效，同時使香港蔬菜市場全年的供應更為平均。

香港的蔬菜由兩個蔬菜批發市場批發。一個是由若干私人股東聯營的菜聯行管理的臨時批發市場；另一個是由漁農處轄下的蔬菜統營處管理的新界蔬菜批發市場。香港的菜市場，按市場經濟規律辦事，香港政府沒有加以干涉。所以蔬菜的供應量及價格，都由供求決定，蔬菜供應量少，價格就自然飛升，供應量多，價錢就自然回落。

【新動向】 進入一九九三年，特別農曆年初一、二、三，本港出現近五十年來從未有過的貴菜情況：90元一斤豆苗、60元一斤西洋菜、48元一斤荷蘭豆。據漁農處分析，每年農曆正月菜價都較平時貴，而今年特別昂貴的原因是由於春節幾天冷鋒南下，加上微微寒雨，港人掀起邊爐熱，菜價因而急升。漁農處官員和菜販也承認，今年菜價可寫入歷史，菜販也因而大發其新年財。

幸而過了這段時間，菜價又逐漸回復常規。

生菓方面，由於受寒流影響，市道下降，價格亦相對回落。寒流過後，生意又慢慢回復正常。

由於港人對身體健康越來越重視，特別在飲食方面更大力提倡採用新鮮蔬菓，所以，市面上供應新鮮生菓及菓汁的店舖大有日益增多的趨勢。

目前，不少商人趁勢開辦菓汁專門店，或者在一些士多內增加出售菓汁，令到消費者可以隨時隨地飲到菓汁。市面上一般供應的菓汁種類繁多，除了最基本的橙汁、雪梨汁、西瓜汁、甘蔗汁之外，更有蜜瓜汁、椰子汁、木瓜牛奶、提子汁等等，只要是生菓，就可以榨製各式各樣的菓汁。

隨着香港人注意健康的意識日益增強，加上本港進口的生菓價廉物美，所以專門出售菓汁的生意大有可為，而且，這行業成本不算太貴，小小一個舖位已可經營，但利潤都相當可觀。

茶葉行

【概　述】　飲茶已成為香港人的習慣和生活的一個重要部份。

香港茶葉行經營的茶葉超過 100 種。大致分為六大類：一是烏龍茶，即半發酵茶，包括鐵觀音、色種、烏龍茶；二是花茶，俗稱香片；三是白茶，主要是壽眉；四是普洱茶，即陳茶；五是綠茶如龍井；六是紅茶。這些品種中，以普洱最為暢銷。據説普洱有開胃消滯的作用，因而深受茶客的喜愛。其次銷量較多的是烏龍茶和白茶，香片需求量較少，紅茶屬西式茶葉，由洋行進口，不屬茶葉行的範圍。

茶葉行全行商號大致分六大類：⑴頭盤商（即進口商）有 249 家、937 人，當中有專營一兩個品種，也有兼營多個茶種的；⑵二盤商，即批發商，是銷貨主力，推銷對象主要是飲食業。據一九九二年統計有 126 家、345 人；⑶零售商（門市舖）多是兼營茶葉的包括設有茶葉零售的國貨公司及辦館等，較有規模的零售商有 30—40 家；⑷兼營茶葉的莊口有幾家，主要進口外國茶葉；⑸洋莊約有 10 多家，專營加工青茶製成六堡茶出口東南亞及歐美等地；⑹加工舊茶商約有幾家，多由頭盤和二盤商經營。

一般頭、二盤商和個別零售商都有多年的歷史，選茶、加工工藝以及經營方式和手法，基本上都沿用中國的傳統習慣做法。因為茶葉係特種商品，專業性較強，所謂不熟不做，因而很少外行人經營茶葉。

香港幾千間茶樓酒家，幾乎每天都顧客盈門，茶葉消耗很大。

茶葉不但有獨特香味，有解渴生津的作用，而且在醫療上亦具有功效，對消化系統療效尤大，因而深受歡迎。

近幾年來，雖然香港人的生活逐漸西化，飲即溶咖啡、礦泉水、蒸餾水、汽水等飲品的人逐漸增多，但茶葉的品種和級數很多，豐儉由人，故許多家庭仍然以茶作為主要飲料。一些潮州籍和福建籍的香港人更喜歡品嚐“工夫茶”，因此，香港每年消耗的茶葉數量非常龐大。

【營業情況】　據統計資料顯示，一九九二年香港進口茶葉和各類茶品共 31,229 噸、5.815 億元，較上年增 6,955 公噸或增 28.6%，其中三分之二轉口。其中轉口到日本、南韓、美國及東南亞各國約 1 萬多公噸。轉銷台灣的普洱、七子餅居多，往日本的以普洱、烏龍茶為主。

銷港的茶葉中，以中國貨為最多，其餘來自斯里蘭卡、越南、泰國和台灣地區，歐美、非洲各地也有來貨。

香港歷來是中國內地茶葉的主要外銷市場。目前，中國的特種茶、綠茶出口量分別佔世界市場的九成和八成半，而紅茶則佔一成。現時全國每年 50 萬噸的茶葉總產量中，出口量約佔四成左右。一九九二年，中國茶葉出口 18 萬噸，其中出口香港市場 2.5 萬噸，創匯額 5,200 萬美元，分別比九一年增長 6% 和 6.5%。

一九九二年，本港茶葉價格一般保持平穩，各類茶葉當中，普洱及鐵觀音仍是最受歡迎的茶種，佔總銷量的 70—80%。其次為水仙、壽眉、龍井、紅茶等。由於商業利益，茶商寧願多入普洱茶葉，因為普洱愈陳愈值錢。目前本港經銷商的售價，其中一級鐵觀音每公斤近 200 元，上等龍井茶約 300 元，普洱最為便宜，一級貨每公斤售 30 元左右，普通品種只售 15 元。

隨着香港人收入不斷增加，生活水準日漸提高，享受亦逐漸多樣化。其中一種近年發展迅速的享受行業便是茶莊。以往香港亦有茶莊存在，但只是傳統的茶葉零售，與喝茶藝術完全談不上，但自從新一代的茶莊經營方式由台灣引入港之後，在短短兩三年間已有較佳的發展。

這種新一代的茶莊與傳統的茶莊之分別不大，兩者都有茶葉零售，新一代茶莊更兼開班教授飲茶之道，售賣喝茶工具，以及提供地方予顧客品茗。據行內人透露，有部份茶莊營業額每年達 1 千多萬元，而且還不斷增長。

過去的一年，流入本港的茶葉水貨仍然存在，影響了本港茶葉代理商的正常經營，尤其作為大陸特種茶港澳地區總代理的德信行，茶葉經營利益更受影響。另方面，茶葉批發商近年抽佣的幅度較以往高出 6—7%，茶葉的來價被推高，茶葉零售商的盈利因而略為下降，本港茶葉零售商認為，茶葉價格的升幅並不能追上通脹，平均低於 10%。加上近年舖位租金日益上升，致使部份茶葉零售商出現經營困難的情況。

【新動向】　現時流入本港的茶葉水貨仍然存在，影響了本港茶葉代理商的正常經營。大陸有關部門也深知問題嚴重，正採取措施去堵塞，如規定大陸茶葉出口香港，必須經由協調組統籌，加蓋印章，藉此打擊“水貨”。這樣一來，茶葉市場的“水貨”問題可說得到解決。

一九九三年開始，茶葉作為大陸計劃配額許可證管理的 38 種商品中，其中 16 種最重要的，關於國計民生和市場秩序，須由中國茶葉進出口總公司統一組織經營的出口商品之一。

現時中國每年的茶葉出口量維持在20萬噸左右，其中紅茶、綠茶、特種茶的年出口量分別為9萬噸、8萬噸、3萬噸。目前紅茶的出口經營範圍是：中茶總公司經營部份由經貿部發許可證；地方各口岸經營的，則由省級經貿委發許可證。綠茶的出口經營，統一由經貿部發許可證。特種茶經營方面，烏龍茶出口是經貿部駐各地特派員辦事處發許可證，花茶和普洱茶也由經貿部統一發許可證。

香港信德行作為中國土畜產出口在港澳地區的代理機構，現時仍是特種茶出口在港澳的總代理。九三年開始，為適應國內市場進一步開放和外貿自主權下放的新形勢，已決定特種茶中的普洱茶出口可由各口岸公司直接與外商簽約出口，但須經德信行的加簽認可手續。大陸茶葉繼續實行統一經營出口。對香港的茶葉市場會帶來穩定。

另方面，由於近年港人對生活極講究，所以茶莊有很大的生存空間，除了中產階級以外，現時高中及大專學生亦是主要客路。所以，行內人士預料九三年生意額有三成的增長，而茶葉的銷路亦將隨之而增加。

罐頭洋酒伙食行

【概　述】　香港的罐頭洋酒伙食商號歷史悠久。戰前，本行業的銷售對象以外籍居民和海洋船舶、醫院、兵營、監獄為主。戰後，由於各種罐頭食品，各類飲品日漸流行。為廣泛適應居民要求，本業供銷範圍擴大。同時，各地船舶、飛機來往香港增加，本業代辦伙食的業務也有較大發展。

超級市場、士多辦館都屬港九罐頭洋酒伙食行商會。該商會約有300個會員，所經營的是罐頭、洋酒、伙食、糖果餅乾及雜貨，與居民息息相關的食品和日用品。

據一九九二年統計，港九各區以銷售各種罐頭食品、酒類等為主的批發商共有67家503人；零售商241家、599人；進口商115家、723人。其中較大的批發商多兼營超級市場業務。這些商號大都參加了“港九罐頭洋酒伙食行商會”。

由於本港洋酒經營業務越來越大，每年營業額都過億元，有關洋酒的供銷情況，另有專文分析，本文不贅述。

【營業情況】　近幾年，由於本港惠康和百佳兩大超級市場經常推出減價戰，特價平貨以廣招徠，確實給傳統的士多和辦館帶來不少衝擊，在夾縫生存下，唯有淪為超市的後備，且有不少在汰弱留強的情況下消失。一些士多，開業時以賣煙、啤酒、汽水、餅乾、糖果為主，但自從超級市場出現，生意大跌，因此只有逐漸轉變售賣物品種類，例如開始售賣散裝的調味品及食品，如腐乳、榨菜、梅菜、鹹魚等，一些超級市場不會出售的物品，由雜貨店經營，盈利很微。但經過十多年的你爭我逐，傳統的士多、辦館數目或許已大不如前，但仍然"梗有一間係咗近"。

士多、辦館之所以能生存有一定因素。無疑，傳統的士多、辦館所售賣的貨品，與超級市場的確是大同小異，甚至是貨品沒有超級市場那麼多選擇，但它提供顧客的服務卻是熱情的、親切的。超級市場的服務卻是冷冰冰的。同時，一些上了年紀的家庭主婦不懂中、英文，對貨品標籤不易理解亦是一個原因。

由於時代變化，罐頭洋酒伙食生意也有較大變化，如輪船伙食生意，香港是補給站之一。以前，香港至各埠的輪船，多屬遠程，各客船所需伙食甚多，現在輪船來往航程縮短，同時載客比前大減。本行現在經營的都是人們所需的罐頭、洋酒、食品及日常生活必需品。

本行以飲品銷量最大，飲品種類繁多，包括汽水、啤酒、啫喱、果汁等。據香港政府統計，一九九二年，本港入口的飲料 5,814 百萬元，轉口 3,000 百萬元。實銷 2,814 百萬元，還有本港生產的飲料，可見飲料銷量之大。

現時香港汽水市場已沒有旺淡之分，整年生意額分佈都很平均。目前，香港市民平均每人每周飲用兩罐汽水，即每年飲 103 罐（335 毫升裝）。這個飲用量在亞洲僅次於新加坡而排名第二，比日本還多。香港銷出的汽水主要由本地生產。進口飲品只佔市場的一成左右。香港飲品製造商商會包括：楊協成、香港荳品、九龍牛奶、太古汽水廠、屈臣氏、嘉士伯啤酒、國聯牛奶和永南食品，其中，太古汽水廠提供的汽水佔整個市場的七成。在香港市場上銷售的汽水種類很多，包括可樂、橙汁、忌廉、檸檬……。其中可口可樂佔香港汽水市場一半以上。其他較受歡迎的有百事可樂、七喜、玉泉、屈臣氏、雪碧等。

本港啤酒市場一向穩定，波動幅度只約 2—3%。目前，港人平均每年飲用量 25—26 公升，總耗用量共 1.46 億公升。現時市場主要由本地生產的啤酒所壟斷，市場佔有率達八成。其餘兩成為入口啤酒。其中中國啤酒佔 80%，美國及南韓分別佔 4% 及 3.5%。此外，還有來自世界各地國家和地區牌子的啤酒超過 100 種。啤酒價格每年增幅為 7—10%，通常在每年新財政年度開始後不久便會加價，而實際加幅需視乎當年的稅率、通脹率及成本增加幅度而定。

食品方面，根據香港政府統計，一九九二年進口食品 43,469 百萬元，轉口 13,656 百萬元，留用 29,813 百萬元。

近七、八年來，中國酒銷量在香港市場持續下跌，但每年跌幅都不大，而累積至九一年跌 2% 左右。但九二年跌勢已有所改變。據香港海關統計，九二年中國酒的完稅量為 1,552 萬公升，較九一年的 1,517 萬公升增加 2.3%。增幅雖微但至少反映中國酒量已開始回穩。

造成中國酒市場呆滯的原因，主要是由於香港新一代的消費者喜歡啤酒及酒精度數較低的外國餐酒，對中國酒的興趣不大，在飲宴場合及大部份食肆，一般採用洋酒及啤酒，極少供應中國酒。即使是內地來港的移民，飲用中國酒的數量亦減少。另方面，老一輩對中國酒情有獨鍾的劉伶亦越來越少，有的則因健康關係及年紀老邁而減少飲酒，形成對中國酒的需求退縮。

罐頭方面，目前在香港市場銷售的罐頭，大約有數百個品種，可分為蔬菜類、肉食類、海產水產類、湯類、菇類和齋菜類等幾大類，牌子則有數十個。

香港所需的罐頭均依賴進口，主要來自中國內地、歐美及台灣，其中肉食類、菇類及淡水魚類（最馳名的是豆豉鯪魚），以內地來貨佔大部份；蔬果類則以美國及內地較多；香腸以美國及德國為主；鹹水魚方面，多數來自泰國、日本及內地；台灣來貨多為玉米、筍及齋菜。此外，罐頭鮑魚供應量較大宗的國家包括澳大利亞、新西蘭、美國、智利及南非等。

近幾年，香港每年進口罐頭大約為10億港元。其中約有30%轉口往其他國家或地區，留港銷售的有7億港元。以香港600萬人口計算平均每年每人耗用117港元左右。

在進口的罐頭中，以肉食類最多，包括家禽、豬肉、牛肉及內臟，其中以午餐肉的數量最大。如果以價值計算，鮑魚則居首位，約佔進口總值40%，肉食類則佔兩成半。

罐頭為日常佐膳必需品，故銷量一向保持穩定，近幾年增減幅度不超過5%，而九二年則因市民消費力疲弱，罐頭銷量稍為下降。不過，營業額則略有上升，主要是罐頭價格去年普遍上升5—10%。進口價上升及經營成本增重，是罐頭價格調高的主要原因。不過，內地罐頭來貨價格升幅較小，有部份甚至稍跌，原因是水貨供應增加所致。

至於中國罐頭經港轉口，近幾年的增長亦有限，因為不少海外買家是直接向中國訂貨，以節省運輸費用。

【新動向】 由於中國酒市場漸趨狹窄，外來貨供應多，價格低廉，故此市場競爭更激烈；在各項經營成本均告增加的情況下，經營會更困難。九二年中國酒的銷量雖止跌回升，但升幅不大，並不反映稍後幾年的增勢會持續，因市場的不利因素未有根本的改變。另方面，中國酒稅率在今年提高9.5%，對經營會造成新的困難。

中國罐頭由於價格便宜，質素亦越來越好，在香港市場的佔有率將會上升；而台灣貨則由於價格不斷提高，近幾年供港量已在減少中。不少品種原來是台灣貨佔優勢的，近年也被內地貨取代。至於歐美罐頭則由於保持高質素，雖然價格較高，但在香港市場仍受歡迎。

香煙業

【概　述】　本港主要的煙草公司有 9 家，開設 6 家製造廠，截止一九九二年九月份計有僱員 1,309 人；香煙批發商有 700—800 家，而零售店則有一萬多家。

本港市場上銷售的香煙，主要是從世界各地進口，流通的牌子多達 110 多種，年營業額逾 70 億港元。香港銷售的香煙大致分為“美式煙”和“英式煙”兩大類，其中“英式煙”約佔 25%，“美式煙”則佔 75%。以萬寶路銷路最佳，佔市場三成以上，其次為健牌、雲絲頓、總督、希爾頓和沙龍等。“美式煙”大多來自美國，小部份在本港加工製造。此外，還有來自日本、歐洲及其他國家和地區的香煙。不難看出，香港香煙市場的競爭相當激烈。

香煙為有稅商品，舉凡香煙或煙製成品進口和銷售都要繳稅。一九九一至九二財政年度財政司以健康為理由，原擬大幅提高煙草稅 200%，後來由於煙草商反應激烈以及走私情況嚴重，遂將煙稅加幅調低至 100%。最近一、二年均僅加煙稅 10%，反吸煙團體則批評加幅過低，對反吸煙運動沒有幫助。以數量計，一九九二年完稅香煙達 49.86 億支，比九一年增 1.5%，稅收則達 25.3 億元，亦增 42.5%。

由於不斷加稅的關係，香煙零售價亦不斷上升。以二十支裝“萬寶路”香煙為例，價格已由一九九二年之 20 元一包加至目前 22 元。其他牌子香煙每包加價亦由 1.5 元至 2.0 元不等，低價煙本身價格甚至比煙稅還低。

【營業情况】　近幾年來，香港政府致力推行反吸煙運動，同時成立“香港吸煙與健康委員會”的民間組織，大力宣傳吸煙危害健康，並立例規定渡輪、火車、電影院、音樂廳及劇院等各類公共場所都指定大部份區域列為不准吸煙區。而公共升降機、的士、地下鐵路、電氣化火車、雙層巴士與電車下層則禁止吸煙，違者可被罰款 1,000 元。港府進行反吸煙運動在過去幾年收到明顯的效果，特別是港府連年將香煙稅率提高，加重了吸煙者的負擔，煙民因而減少。據統計處的調查顯示，本港吸煙人士的比例繼續有下降的趨勢。在年滿十五歲以上的人口中，一九八二年約有 23.3% 為吸煙人士，八三年為 19.9%，八六年為 17.4%，八八年為 16.8%，到九〇年已下降至 15.7%。在一九九〇年，約 29% 的男性及 3.0% 的女性每天都吸煙，平均吸煙數量則由八二年的每天 60 支減至八八年的 15 支，到九〇年則僅為 13 支。目前，香港吸煙人數所佔的比例已是亞洲區第二最低的地區，僅次於新加坡的 13.0%。這種趨勢顯然對煙草商有很大的影響。

一九九二年本港進口煙草及其製品共值 133.9 億元，比上年增 20.6%。出口則為 126.1 億元，比上年增 16.2%。香港出口和轉口市場主要是東南亞各地。

【新動向】　由於一九九一年政府大幅增加煙稅，使香煙走私情況日趨嚴重，令煙草業收入及政府稅收下降約 23%。一九九一年本港走私香煙個案劇增至 1,779 宗，增幅近八倍，搜獲香港數目達 1,570 萬支，增幅達七倍，涉及稅款 780 萬元。據海關發表統計顯示，一九九一年本港完稅香煙為 49.1 億支，較九〇年下跌 30%，煙稅收益為 17.8 億元，比九〇年增 11.25%。

在一九九三至九四年度財政預算案中，對煙草稅僅調升 10%，是近幾年加幅最溫和的一次。另方面，港府已制訂若干較嚴格的反吸煙新措施，而公共場所及公共運輸工具全面禁煙亦於一九九二年八月實施。

酒　業

【概　述】　香港市場銷售的酒類大致分為三類，即洋酒、中式酒和啤酒。洋酒是高級奢侈品，香港人每年要花費數千萬元之鉅在洋酒上，香港人飲洋酒，首選拔蘭地，其次是餐酒。香港人特別喜愛拔蘭地，主要是認為它兼有補身作用，根據中國人的習慣特別受落。加上香港社會個多世紀以來，一向是華洋雜處的自由港，入口煙酒稅也不覺高，所以在香港飲洋酒就更加普遍。於今拔蘭地在各類酒中可說是一馬當先，“飲”風鼎盛，無論家居、酬酢、宴會、歡聚場所，皆非拔蘭地不歡，而且愈飲愈高級。拔蘭地酒是用葡萄酒經過雙重蒸餾和長時間在木桶中蘊藏而成的佳釀，一般依級別大致可分為三星、V.S.O.P. 和 X.O 等級。蘊藏時間通常由三年至數十年不等。現在 X.O. 在飲宴場合已成為身份的象徵。據估計，在芸芸洋酒產品當中，拔蘭地的市場佔有率高達五成，而其中 V.S.O.P. 級酒又佔了拔蘭地約八成的市場，其次是 X.O. 佔約一成市場。在 V.S.O.P. 的市場裏，軒尼詩、馬爹利、人頭馬及長頸鹿是其中較為暢銷的牌子，而在 X.O. 市場方面，軒尼詩 X.O. 和馬爹利及藍帶則較暢銷。

餐酒是本銷洋酒中第二大酒類，佔整個洋酒市場的三成。由於餐酒較遲推進香港市場，加上味道與一般中國人口味有出入，飲家須慢慢適應，所以它的市場佔有率比拔蘭地為低。但是，近年在一些較高級的菜館，飲餐酒的風氣亦漸普及，其中也不乏貴價酒。本銷餐酒主要來自法國、美國和澳洲。其中法國餐酒佔市場的 50% 以上，目前市面上較出名的有藍仙姑及 Mateus Rose 等。

中式酒又稱亞洲式酒，以中國酒為主，包括米酒、雜糧酒、花酒和藥酒。其中米酒銷量最高，佔六成以上。中式酒主要來自中國內地，小量來自日本、南韓、台灣、澳門等地。香港本地也有酒廠釀製，但銷量只佔總銷量一成左右。

啤酒銷量近年一直在上升，理由是普通果汁飲料價格與啤酒相差不遠，而很多年青人覺得飲啤酒有成年人感，還有部份人士相信啤酒是“鬼佬涼茶”。另外，啤酒吸引人乃是其酒精含量較低，一般含量約3%左右，而每公升的啤酒約有420千卡至500千卡的熱量，大約是成年人每天所需的熱量的15%。故此，飲啤酒就等於吃液體麵包。啤酒的氨基酸含量更是相當豐富，達17種之多。其中包括人身體不能合成的8種必需氨基酸，此外有些人飲幾杯啤酒，便可以不吃午飯或晚飯。

香港可買到啤酒有多種牌子，最暢銷莫如在香港生產的生力啤，佔全港啤酒總銷量約六成，其次是嘉士伯、青島、藍妹等。由於有大量本地和外國牌子啤酒爭奪本港市場，競爭相當激烈。

【營業情況】 據資料顯示，香港經營批發酒精飲品商有56家，僱員545人。一九九二年本港進口酒類飲品價值為25.84億元，比一九九一年6.98億元，跌幅達21.2%。

九二年本港洋酒類統計 （單位：箱）

種類	1992	比91年同期增減%
拔蘭地	308528	−16
威士忌	59251	−6
氈酒	22369	−3
伏特加	15819	−5
甜酒	27865	+7
冧酒	8076	−6
香檳／汽酒	36829	+1
餐酒	349873	+8
合計	828580	−4

由於本港洋酒市場已發展成熟及飽和，港人飲用洋酒數量呈下降趨勢，本港在一九九二年所售各類洋酒均告下降，幅度達4%，其中拔蘭地跌幅平均達16%。

據業內人士表示，此數字並非代表各種拔蘭地均銷路欠佳，事實上港人雖然減少洋酒飲用量，但高價及高質素洋酒仍受歡迎，加上一九九二年婚宴酒席較多，所以X.O.拔蘭地表現十分穩定。

另外，洋酒銷售下降的原因，是港商在國內娛樂消費等明顯增加，以致整體銷量受到較大影響。

香港轉口到國內的洋酒數量（單位：箱）

種類	1992	比91年同期增減%
拔蘭地	490264	+43.7
威士忌	70920	+34
氈酒	6664	+18.7
伏特加	4732	+102.4
甜酒	17292	+50.7
冧酒	2498	+94.8

種類	1992	比 91 年同期增減 %
香檳 / 汽酒	7307	+307
餐酒	5066	-41.8
合計	624531	+41

中國消費者對洋酒的需求正日漸增加，一九九二年，香港轉口入中國大陸的洋酒升幅達 41%，很多香港洋酒商積極拓展中國大陸市場。

另一方面，餐酒銷量則有較明顯的增長，這主要是港人對餐酒的興趣增加了，而超級市場內售賣餐酒的空間多了，反映出餐酒漸受歡迎。

港人飲啤酒，其豪飲程度雖不及歐美人士，但在東南亞地區，也算是表表者。一九九二年，本港的啤酒市場出現輕微下降的情況，但隨着市民生活質素的不斷提高，入口高級啤酒反而有可喜的增長。

中國酒在香港酒業市場卻有每下愈況之嘆。包裝裝璜追不上時代節拍，土砲形象不能消除，縱有天大名氣，亦上不了大檯，酒樓餐館鮮有陳設待客，高酒精嚇怕了量淺酒客。年青一輩對之嗤之以鼻，老一輩飲家又隨着年事日高要遵醫生吩咐減少飲量，這使中國酒的經銷商，批發商也大多意興闌珊，振作無從了。

【新動向】 本港洋酒市場的前景方面，據業內人士表示，受高通脹、人們注重健康、及酒稅高企，本港飲家減少了洋酒的飲用量，但香港人講究酒的質素，以致高級洋酒銷路較為穩定。又近年到香港旅遊的遊客主要來自台灣及東南亞，來自歐美的遊客比例則正在下跌，而基於拔蘭地及威士忌較受東南亞遊客歡迎，故這趨勢有利這兩類洋酒在本港市場的銷售，相反地，氈酒、伏特加等市場需求則會更少。

另外，中國對洋酒需求迅增，市場潛力豐厚，中國大陸已成為洋酒新興市場，香港轉口市場地位日趨重要。

至於啤酒及中國酒市道在一九九三年間，將會表現平平。

飲食業

【概　述】 香港的飲食業包括酒樓、餐廳、快餐店、酒吧及其他中式食品店，如粥麵店、冰室、涼茶店及其他飲食場所，合計共 9,184 家，共有員工 190,116 人，較一九九一年增 212 家、3,057 人。其中以酒樓和餐廳、快餐店為主。酒樓、茶館 4,514 家、119,643 人；餐廳 2,671 家、39,501 人；快餐店 1,321 家、25,417 人。

香港有“美食天堂”之稱，飲食業相當蓬勃，既不斷有新的投資加入，又有一些規模較大的酒樓、餐廳、快餐店開業或增設分店。集團式經營表現更為出色，但亦有些因生意不利而結束。

【營業情況】　隨着社會節奏的加快，港人的飲食習慣似乎正循雙向發展，一方面是高級食肆越開越多，食品之精美幾近奢侈；另方面快餐店的數量也多起來，集團式經營的情況有所發展。

據政府統計處統計，一九九二年酒樓餐廳業的總收入價值為455億元，較九一年上升18%。

在一九九二年中，酒吧及快餐店的業務均有強勁增長。與九二年比較，酒吧的總收入顯著上升，以價值計增46%，以數量計增29%。同樣地，快餐店錄得頗大升幅，以價值計上升29%，以數量計上升18%。

其他酒樓餐廳類別則錄得較為溫和的升幅。中式酒樓及餐廳的總收入以價值計均上升16%，以數量計亦上升5%，而其他飲食場所以價值及數量計的收入，分別上升14%及5%。

從香港市場研究社一份有關香港人生活的研究調查顯示，香港人外出飲食消費的習慣，近年有減省趨勢。其中以中式酒樓的消費情況最受影響，每周最少上酒樓消費一次的人均數字，由一九八九年的八成減少至五成半。同樣，光顧餐廳的密度也有減退。相反，每月只外出一趟作飲食消費的人次，則有大幅增長。顯示港人對有關支出的態度變得謹慎；亦多少反映到本港最近幾年的經濟表現，對民生造成頗具負面的影響。

一九九二年本港酒樓業承受着相當大的壓力。在本港經濟不佳、通脹率高、樓價高企的情況下，市民消費意念低，茶市、晚飯生意下跌。

據酒樓業人士指出，時下年青人結婚喜以派對形式進行，或選擇旅行結婚，故這類喜宴的生意額也大幅減少。而對富有的人來說，則着重氣派，往往首選設於酒店內的食肆。這無形中對傳統的中式酒樓生意造成打擊。

另方面，近年來本港製造商將工廠北移，亦對本地飲食業發展構成影響。現時，不少廠家的年夜飯和春茗都搬到大陸舉辦。

事實上，目前本港大多數酒樓均依靠酒宴和晚飯獲利，早午茶飯的利潤十分微薄，甚至無利可圖。故此，如年晚婚宴及新春春茗酒席不足，整年生意就會大打折扣。

反觀酒店業的宴會酒席業務則有相當增長。這主要是與市民消費行為轉變有關。由於酒店予人較高級形象，加上提供的宴會套餐較多元化從而贏得講究氣派的人的賞識，使之成為酒樓的勁敵。

近幾年，香港增長最迅速的行業之一是快餐式的飲食業。由於這類快餐店經濟實惠，以快取勝。這種形式的飲食服務，特色是原材料大量生產，劃一品質標準。各種原料可以作不同的組合。在短時間內迅速生產各款食品，而且品種多樣、中西合璧，供應快捷，價格較一般餐廳便宜。因此，深受消費者的歡迎。目前快餐店的顧客已不再局限於年青人。各種年齡的人士亦成為快餐店的常客。一家大小在快餐店用膳的情況比比皆是。

目前，本港有多個集團經營快餐業如大家樂、大快活、美心、麥當勞、必勝客、肯德基及堡加敬等。其中大快活有 90 家、麥當勞 62 家、必勝客 33 家、肯德基 15 家。此外，以這些快餐店為競爭對象的烤鷄大王、東東雲吞麵亦具有快餐的特色。無疑，這些快餐店已各自擁有一批"擁躉"。但是，顧客的消費心理總是要平又要好食，若試過一兩次不好味或貨不對辦，則以後就不會光顧或少光顧。故快餐集團頗重視顧客的口味，經常推出新菜式套餐或有特式餐飲，除此之外，還在電視上賣廣告推廣，以深入民心。

除了一些快餐集團不斷擴展業務增設分店之外，近年來一些新的快餐集團又在本港出現。

一九九一年下半年開始至九二年上半年止，先後有 3 間美式快餐集團在本港登陸，分別是哈迪斯、Jack In The Box 及 Wenday's。這三家新加入戰團的，全部都標榜食品種類多樣化。以哈迪斯為例，除銷售傳統美式快餐店的漢堡包、薯條等"例牌菜"外，也有炸鷄、意大利薄餅、沙津、米飯等，以別於麥當勞以包類為主的產品路線。總之，新式的美式快餐集團推出包類以外的食品，甚至包括素食、低卡路里食品等，有利於開拓成年人的快餐市場。因為一般城市人傾向於進食較高檔的精品式快餐，既要充飢，也能對健康有益，才廣為受落。

另外，九二年出現的"大滿漢快餐精品"連鎖店是一家新成立的中式快餐集團。大滿漢以設立中樞廚房的管理方法，為其下散佈各區分店供應食品，作為在強敵環伺的快餐市場內的取勝手段。

在香港的食品文化中，中式食品仍是主流，西式食品也已普及。然而近十年來，日式、越式、泰式以至馬來西亞、印尼食品蓬勃興起，尤以日式食品風頭最勁。

十年前，港人對日本食品還很陌生，推廣日式食品困難重重。但如今日式食品已被年輕一代的香港消費者視為新潮食品，捧場客愈來愈衆，日式食肆越開越多。目前為止，在本港開業的日本料理食肆多達 130 家以上，其中有 20 多家是由日本人經營的高級料理店，其餘的則為香港人所經營。

香港現有 130 的多家日式食肆可分為四大類：高檔日本料理店、迴轉壽司店、日式快餐及拉麵、壽司專門店。面對市場漸趨飽和，以及人力資源、租金、原料價格等多方面的壓力，預料日式食肆將朝高檔化及大衆化兩條不同路向發展。部份日式食肆正在向高級專門店進發。它們以提供正宗的壽司、天婦羅、鐵板燒、懷石料理作招徠。在店面裝飾和服務質素上盡力營造高級形象，並不惜重金從日本請來烹調高手坐鎮。另一方面，部份日式食肆則面向普羅大衆，並朝快餐式發展。由於港人生活節奏快，快餐大受忙碌的"上班一族"歡迎。一些日式食肆也追隨潮流，發展成為日式食品熱潮。現時香港的日式快餐店，包括集團式經營及獨資經營的約有

30 多家，而以集團式經營的佔多數，較有名的有吉野家等。日式快餐店所供應的食物多種多樣，而且大部份的食品，烹調方法經過改良，以迎合港人的口味。

【新動向】 香港人識飲識食，加上外來旅客親臨香港一嚐本地美食者衆，從而助長了本港飲食業的發展。但由於租金昂貴、勞工短缺，而且政府對飲食業的限制越來越厲害，例如在酒樓食肆裏不准吸烟，又或者是消防條例的更改，往往影響到食肆的經營。據最新的統計數字顯示，在今年第一季，酒樓餐廳業的總收入為 113 億元，較上年同季上升 4%。扣除這段期間價格變動的影響及有關行業總收入以數量計下跌 6%。中式酒樓的總收入以價值計保持不變，以數量計則下跌 9%。

目前港人的整體消費力減弱，為了刺激消費意欲，為了在激烈的競爭中生存，不少食肆各出奇謀，推出“新招數”，務求吸引顧客。

在中式食肆中，“任食餐”正大行其道。多間出名的粵式酒樓、海鮮酒家以至火鍋店均採取這“新招數”。如有些酒家，客人只付出港幣 148 元，便可品嚐一碗魚翅及任食海鮮，任食自選的種類多達 38 種。這個做法，能為顧客帶來一個意外的驚喜。

其實，中式的任食餐與西式的自助餐兩者大同小異，最大分別在於中菜需要“趁熱食”。所以，即使是任食餐，他們均會即叫即煮，務求每碟餸菜擺放在餐桌上都是熱辣辣的。據說這種任食自選餐還奉送生果、甜品，完全屬於一個套餐。

基於酒樓業的衰落，為了縮減舖租及人工開支，業內人士估計過萬呎的酒樓將會越來越少，而連鎖式較小規模經營的酒樓將成為趨勢。

另方面，近年傳統的中國食品店舖均紛紛由“街坊式”轉移走向高格調路線，並且由家庭式經營改為較系統化及專業管理，正趕上和不斷面對新挑戰的香港市場並肩前進。市場上先有裝修典雅華麗及分店遍佈的涼茶舖，近期的“大碗粥”及“糖朝”雖不是特許經營，分店不多，但店舖外觀及設備也強調高品味及高格調，市場也十分受落。

至於各快餐集團除繼續有計劃在本港發展，不斷增加分店之外，還因為中國大陸採購食品成本低、工人薪金低、店舖租金亦較為便宜等因素，紛紛大舉進攻中國市場。

藥材業

【概　述】 藥材可分為南北藥、西土藥、南藥和參茸幼藥數大類。南北藥和西土藥均來自中國大陸，前者泛指廣東和廣西以外的其他省份出產的藥材，後者則指是廣東和廣西所出產的藥材。南藥的產地是印尼、馬來西亞等東南亞國家。而參茸幼藥中的人參類，則以美國花旗參為大宗，其次為中國東北的野山抄參、紅參、石柱參、南韓的高麗參、日本的紅參和加拿大的西洋參等。

香港進口的藥材和參茸幼藥，除大部份在本港銷售外，也有一部份轉銷到其他市場。其中，於轉銷往台灣為最大宗，其次是轉銷往東南亞市場，還有一些轉銷往美國、加拿大和日本等地。

香港藥材行業歷史悠久。在香港開埠至第二次世界大戰的漫長歲月裏，具有悠久歷史的藥材入口商差不多都集中在港島文咸西街經營。但是，近二、三十年來，許多藥材行已紛紛遷移陣地，向高陞街及附近皇后街等處發展。過去，經營零售業務的傳統藥材鋪，都以"堂"字命名，一般只是售賣藥材，而不作其他經營。但是，現在有些新開業的藥材鋪，大都取用"藥材公司"之名，而且紛紛改變"傳統、守舊"的經營方式，將業務推向多元化。它們除售賣藥材外，還兼營中、西式藥和化粧品、海味雜貨等。最近十年來，藥材業中一些後起之秀多趨向集團化企業經營，它們和其他行業的集團公司一樣，具有雄厚的實力和獨特的經營手法，企業內部設有董事局、行政、會計、採購和電腦等各部門，並分區開設門市部，集進口和零售於一身，大量進貨，減輕成本，有利於競爭。

按照本港法例，中醫中藥向來是不受管制的，但是根據"瀕臨絕種野生動物國際貿易公約"的建議，港府漁農處已於一九八八年七月三十一日起全面禁止犀牛角等藥材在本港銷售。

香港藥材行業有多個商會組織設立。其中，香港南北藥材行以"義堂商會"是由經營南北藥材和西土藥材的商號所組成；"香港參茸幼藥寶壽堂商會"是由專辦參茸名貴藥材的商號組成；"香港中藥聯商會"的會員是藥材拆銷商；而零售藥材店則多數為"香港中華藥業商會"的會員。

據港府統計，一九九〇年六月底，香港藥材行有進出口商 1,324 家，僱員 4,593 人；批發商 655 家，僱員 2,873 人；零售商 365 家，僱員 1,489 人。

【營業情況】 據香港統計處統計，一九九二年香港進口八大類藥材總值為 27.77 億元。

其中，人工培植和野山的人參進口量為 323.9 萬公斤，值 17.08 億元；當歸、黨參、黃芪、淮山、生地、菊花和杞子進口量為 7,626.7 萬公斤，值 10.69 億元。

香港進口藥材中，人工培植的人參主要進口地為美國、中國大陸和南韓。野山人參主要進口地為美國。其他藥材大部份均由中國大陸供應。

【新動向】 香港參茸補品的市場潛力非常大，原因是這些補品已逐漸為年輕一代所接受而日趨普及化，而成為日常生活必備的高價副食品。至於日常治病的藥材，不論是本銷或轉口，也都有其固定市場。因此只要來路供應正常，藥材業的生意是可以繼續獲得穩步發展。

最近香港發現有不法商號，將低價的中國白乾參混入高價美國花旗參內，然後以花旗參價錢出售。業內人士正通過媒介，介紹其辨認方法，並希望業界自律。另外，本港市面售賣假冒中國成藥日趨嚴重，僅一九九二年首十個月海關就破獲 24 宗假冒成藥案，檢獲總值 527 萬元，估計藥商每年損失千萬元計。

超級市場

【概　述】　香港零售市場在近二十年間有着重大改變。七十年代後期，大小型超級市場如雨後春筍般興起，令不少傳統式的辦館、士多和雜貨店紛紛倒閉，其中亦有不少雜貨店和辦館迎合潮流，改為超級市場。

香港的大小超級市場遍佈港九。其中 30 至 50 間以上的超級市場的集團稱為大集團性的超級市場。10 至 30 間的稱中型集團性的超級市場，只有一間的叫個體超級市場。

超級市場、士多、辦館都同屬港九罐頭洋酒伙食行商會。據一九九二年統計，香港共有超級市場 953 家，從業人員 11,114 人，比上年增 62 家，卻減少 1,624 人。據統計，一九九二年底止，惠康超級市場共有 185 家，佔市場率四成，預期再增加 10 家；百佳超級市場 160 家；萬寧藥房 60 家，成為全港最大的藥業百貨零售商，預期將增加至 100 家；華潤超級市場 36 家；屈臣氏 60 家。分別比上年增加 166、5、6、1 家；屈臣氏大致和上年差不多。

除超級市場外，目前香港的便利店也迅速擴展。早於一九八一年開設的是怡和集團經營的“7—ELEVEN”。由於這種便利店把小型士多、藥房、快餐店和超級市場集中於一身，且通宵營業，給消費者很大方便，迎合了各階層人士的需求，深為港人所接受，發展很快。到一九九二年底，“7—ELEVEN”共有 285 家，分佈於港九新界各地區。

繼“7—ELEVEN”之後，由本港華資利豐公司和日本一間百貨公司合資開辦的 CIKCLEK 的便利店及由日本名古屋鐵道株式會社與香港萬友貿易有限公司合作經營的便利店“名鐵”亦相繼出現。

【營業情況】　目前香港共有 1.6 萬多家食品及家庭用品零售店，但超級市場佔食品、家庭用品市場零售總額的 50%以上，每個月的營業額高達 10 億港元以上。超級市場成為香港零售消費市場的主要銷售渠道，而目前最大的兩家超級市場是“惠康”和“百佳”。雖說華潤超級市場是本港第三大超市集團，但規模上與兩者的距離相差很遠，在未來一段長時間內都不大可能趕得上。

超市經營的都是民生必需品，所以生意額較為穩定。但由於行內削價競爭劇烈，加上店鋪租金昂貴，工資逐年增長，因而超市的利潤並不高，能達到8%的已值得慶幸。一些銷量較大的貨品，如大米、食油、利潤更是微薄。為了吸引顧客，這類貨品通常都是超級市場每日減價的對象。不過，由於惠康、百佳兩大集團佔去了大部份的市場份額，許多批發商為了利用這兩大銷售渠道，一般也願意以較優惠價格將貨品批發惠康和百佳銷售。其它小規模的超市則享受不到這種好處，形成不平等的競爭。因此，兩大超市集團的盈利率要比其它超市可觀得多。

近幾年來，兩大超級市場的競爭手段已不再局限於大力擴展分店網和減價戰，而是逐步轉到積極改善的服務和樹立獨有形象方面，例如銷售其自設的產品系列，惠康產品名為“黃金嘜”、百佳稱為“百佳牌”。

發展科技和提高管理，也成為兩大超市集團競爭的新熱點。惠康、百佳已在許多分店設立條碼掃描系統，提高收銀的準確程度，而且改善了效率和節省人力。百佳正在建立一套聯繫各分店的電腦系統，通過該系統各分店可了解各種貨品的銷售情況，及時補充貨品。

至於本港第三大超市集團——華潤超市由於是中資背景的關係，所以國產商品比例較高，其中中國名酒不單品種齊全，而且售價也相當便宜。華潤超市不僅在本港擴展業務，而且在深圳的業務進展順利。深圳華潤超市開張一年多來，經營情況良好，現已開設6家連鎖店，今年內還將新開8到10間。華潤超市還計劃逐步在北京、上海、大連、哈爾濱等大城市開設分店。目前，在深圳不論是營業總額或分店間數，華潤超市都處於各大中外合資或獨資超市中的“大哥大”地位。

一九九二年，本港連鎖店的業務發展較快。目前，全港約有400多間便利店，其中“7—ELEVEN”便利店的市場佔有率近八成，現有285間分店，未來數年可再容納多50間。現時本港的連鎖店中，只有7—11便利店採用特許經營方式。

因為便利店24小時經營，成本較超級市場高，一般超市貨品訂價平均以10—12%為毛利。便利店平均以20—25%為盈利標準，而其中一半作為支付租金之用。另外人工開支等佔8%，所餘純利只佔一非常低比例。由於便利店靠薄利多銷及分店數目多才能減低經營成本，獲合理利潤，所以在選擇開店地點及談判租金時，稍有不慎，數點純利便會消失在多付的租金數目內。

據統計，一九九二年，超級市場的增長較為緩慢，零售價值和零售量分別上升10%和2%。

【新動向】 據港府發表的最新統計，一九九三年，本港各零售行業二月份的銷售貨值為124.96億元，較去年同期僅增加9.5%、銷貨量增加5.9%。而超級市場的銷貨值更出現13.3%的跌幅，顯示市民的消費力有所減弱。

香港的零售業務由最早期的士多、辦館、超級市場、便利店等形式不斷演變，發展至今，一種源於美國的新購物概念—倉庫式的直銷貨場又在香港出現。九三年一月，首家逾萬平方呎的零售貨場正式啟業，直接從美國挑選最暢銷的貨品入口，以低於市面的售價，利用薄利多銷的形式，為會員提供特惠服務。

這種直銷零售貨場與超級市場有大大不同：首先直銷貨場的商品只有 1 千多種，遠少於擁有兩三萬種商品的大型超級市場。其次，這類直銷貨場也是開放式任由參觀，但必須是“會員”才能購物。不過這類會員的申請十分容易，所收的入會費亦非常低。再其次，這類直銷貨場以存貨式購物概念推銷美國特大庄貨物，或以半批發式售價賣貨的直銷貨場所出售的大部份貨物，好些都是本港的流行牌子，但必須購買一定的數量，尤其家庭用品方面，並不是你想買多少便多少，例如餅乾、洗潔精，以至很多食品都可能是一箱或者一盒。此外，在價錢方面，由於所有商品都是特大庄，節省了包裝成本，所以售價自然較超級市場為低，可能是五或是六折，甚至低到令你出乎意料的。再有凡購貨 750 元以上的有免費送貨服務。這無疑是超級市場的新突破。可以說，這種直銷商場是超級市場的勁敵。

基於直銷貨場的出現，以及超級市場漸趨飽和，且本港鋪租與工資成本上漲，勞工短缺，生意極不易為，故不少超級市場正積極向中國大陸及東南亞地區如：馬來西亞、印尼、南韓、台灣等尋求發展。“七・十一”最近在深圳同時開設幾間便利店，另在廣州、上海等地方物色新店。同時，惠康超級市場也積極物色合資夥伴，以便打入中國大陸市場。

液體燃料業

【概　述】　香港的液體燃料市場（包括液化石油氣）由六家石油產品公司，即蜆殼、加德士、美孚、埃索、華潤、東方供應，而實際操縱市場的只有三家公司。他們既是進口商也是銷售商。這些石油公司的銷售渠道，既有直接包銷到戶，也有分銷商代為推銷。飛機、船舶和汽車用油，以及一些工業用戶，多由石油公司直接供應；分佈的小客戶、家庭用戶則由分銷商供應。煤油（火水）和石油氣用戶比較分散，一般都委託分銷商推銷。

——港府規定，香港石油公司必須保證有 30 天的貯油量。香港上述 6 家油公司都擁有油庫，總貯量逾 140 萬立方米。另按規定，石油公司在輸入石油產品後的 40 天內，須向政府申報入口價，以便政府、消費者等早作監管。

【營業情況】　香港石油產品市場價格既由幾間大的石油公司操縱，其他油公司便相應跟隨，石油產品價格並非按供求或市場競爭來釐定。正因為這樣，汽油公司的競爭一向在行內就已經很劇烈，而一九九二年內這些油公司的競爭更發展到表面化的階段。近三、四年間，扭開收音機不難發現兩家大型石油公司大賣汽油廣告，並頻頻以街頭訪問形式、贈送油券或免費加油一缸進行宣傳。這一動態說明競爭已進入白熱化。

由於每間汽油公司的汽油產品價格幾乎是劃一的，因此油站位置是否方便便成為油公司之間過往最大的競爭項目，但隨着加德士油公司近年積極拓展油站的數目，由一九九二年初的27間增至年底的48間，在市場上排名第二位，佔全港173個油站的五分之一以上，而蜆殼的油站數目則是54間，兩家公司油站數目的距離相差很大。有見及此，蜆殼公司在六、七年前轉變策略，轉而在產品開發方面下功夫，期間發展出本身獨有配方的汽油產品，包括超勁汽油、超爽油渣及喜力機油等。並首次透過大型的廣告攻勢，在市場上推廣，藉此創立新的競爭項目，而這次的推廣收效，對其他對手構成了壓力。

一九九一年四月無鉛汽油面世，更令兩間油公司動用一筆龐大的廣告費，為它們獨有配方的無鉛汽油進行宣傳。在這次帶有競爭性的推廣活動結束之同時，另一個更為激烈的競爭亦隨即展開。

加德士油公司在一九九二年內推出不同類型廣告宣傳，加上該公司自一九九一年開始，創立公司企業哲學“顧客第一”，於是便藉着大小不同的廣告，把公司精神宣傳開去，以加強本身的競爭能力。事實上，自從該公司擴建油站和加強推廣以來，產品在市場的佔有率，從22%增至28%，這在發展已久的市場中，爭取到6%的市場比率增幅，實在不易。

至於蜆殼，為了突出產品在市場的地位，則推出一系列新產品，而經特別配製的汽油添加劑，更成為該公司大力推廣的項目之一。因為該公司仍為市場的領導者之一，總體市場佔有率仍達35%左右。

年內石油產品價格經八次調整，有加有減，但其中一次石油氣加價卻引起消費者不滿。事情的起緣是載滿石油氣的運送車輛在停車場內爆炸引起關注，港府立例於一九九三年一月開始實施新石油氣安全條例。為此本港各石油公司宣佈因港府嚴格石油氣安全措施，導致成本上升需要加價彌補。這部份成本就轉給了消費者而引起不滿。

新機場正在動工，而新機場的燃油供應系統已引起關注。臨時機場管理局計劃批示一個經營牌。目前七家正在香港國際機場供應飛機燃油的公司，已組成一個財團，銳意競投上述系統。估計這項系統投資總額達20億元。而佔飛機燃油供應總量23%的蜆殼石油公司建議臨時機場管理商利用海底輸油管，將飛機燃油經青衣庫輸往新機場使用，認為較合乎成本效益。

根據統計，一九九二年內新加坡及澳洲兩地進口香港的車用汽油為56.62萬公升，值8.30億元，其中99%是來自新加坡。其他輕質石油及配劑來自五個國家和地區共2.57萬公升、值0.49億元，94%來自新加坡。煤油即火水來自七個國家共進口 273.32 萬公升值 35.82 億元，新加坡來貨佔 83%。其他中級石油及配劑共進口 2.45 萬公升值 0.42 億元，新加坡來貨佔 96%。香港市場使用石油氣來自十個國家和地區共進口 559.89 萬公升值 71.21 億元，新加坡來貨佔 60%，其次為美國佔 44%；另外七個國家供應香港燃油為 344.42 萬升值 24.19 億元，新加坡來貨佔 60%，南韓佔 28%。二十三個國家和地區供應香港市場使用的潤滑油，年內只進口 10.19 萬公升值 9.97 億元，新加坡供貨仍居首位佔 46%。

另據統計，一九九二年香港各種石油產品（每一立方米等於 1,000 公升），其中已完稅的汽車用油 52.80 萬立方米，航空煤油 239.34 萬立方米，公共汽車用輕柴油 8.95 萬立方米，其他車輛用輕柴油 238.21 萬立方米，船舶用輕柴油 199.89 萬立方米，火水 10.35 萬立方米，此外，石油氣 28.32 萬立方米。

【新動向】 新一年內石油產品公司相互之間的競爭估計不會鬆懈。由於供應的產品價格統一，因此各公司只能在其他方面爭取市場。

在爭取本地市場的同時，現時已有石油公司看好中國市場。據一家以香港為基地的石油公司表示，中國在過去幾年對石油氣的需求每年都有接近一倍的增長。該公司已與日本公司在廣東珠海對開的海面，合營一個浮動的石油氣碼頭，該碼頭可儲存 8,000 噸冷藏石油氣。

化工原料業

【概　述】 化工原料是一種工業基本原料。由於本港缺乏資源，故此本地較為重要的製造業，如塑膠、紡織、漂染、食品化工、印刷、化學工業及電子等所需要的原料，大多由國外進口，因此本港經營化學原料的商號頗多。然而自中國實施開放政策以來，不少港商都將工廠轉移國內生產，所以進口留用的化工原料大大減少。據港府統計，截至一九九二年六月止，從事化工原料進出口業務的商號 1,901 家，員工 9,824 人，較上年增加 225 家及 476 人；從事化工產品批發業務的商戶 410 家，比上一年減少 24 家，從業員就有 2,241 人，比上一年減少 175 人。

香港經營的化工原料品種繁多。從大類來看，包括有機化合物、無機化合物、染料、鞣料、顏料、原始塑料及非原始塑料。由於玩具、電子等行業比較大量地使用塑料，所以，又以後一類的營業額最大。

【營業情況】 一九九二年本港化工原料市場銷售情況，大致上略為偏軟。由於很多製品及加工製品轉銷內地，所以化工原料的貨源多會由內地供應，但亦有部份港商在特區設有貨倉及寫字樓，就會從歐美、日本購買化工原料經港再轉往內地，因此本港市場銷貨在這種環境下，實銷已不如早年活躍。

一九九二年，在供過於求的情況下，化工原料價格疲不能振。儘管年中陶氏化工不理會現況，將塑料價格提升，但在訂單減少，玩具商對塑料需求不大的環境下，再加上亞洲主要供應國為求紓緩囤積壓力，紛紛削價拋售，陶氏化工亦不得不將硬塑膠及不碎膠售價調低毫半至一毫。

雖然本港染料商慣性在每年的四月及十月份提高染料價格，然而製衣業的訂單受到美國的疲弱經濟影響，普遍淡靜，因此個別公司普遍持觀望忍耐態度，不敢私自加價。

不過染料轉入大陸這份生意就有較大增長，而且發展越來越好。

事實上，現時本地染料供應商面對的困難是工資上漲及鋪租的壓力。因此為了消減壓力，轉銷大陸，拓展國內市場，未嘗不是一條出路。

根據港府統計，一九九二年香港進口的化工原料總值為 676.27 億港元，比上一年增加 11.2%；轉口額 438.6 億港元，增加 15.3%；留用額 237.67 億港元，增加 4.3%。

以下是化工原料主要類別進口、轉口及留用情況：（單位：億元）

	進口額			轉口額			留用額		
	91年	92年		91年	92年		91年	92年	
化工原料	608.06	676.27	+11.2%	380.26	438.6	+15.3%	227.8	237.67	+4.3%
其中：									
有機化合物	81.18	71.57	−11.8%	57.6	50.69	−12%	23.58	20.88	−11.4%
無機化合物	35.75	36.73	+2.7%	16.0	16.37	+2.3%	19.75	20.36	+3%
染料、鞣料、顏料	69.07	78.44	+13.5%	43.76	49.7	+13.5%	25.31	28.74	+13.5%
原始塑料	186.29	211.19	+13.3%	113.44	142.18	+25.3%	72.85	69.01	−5.2%
非原始塑料	68.42	81.61	+19.2%	34.18	45.44	+32.9%	34.24	36.17	+5.6%

一九九二年，本港進口化工原料的主要來源地是中國、台灣、日本和美國等地。

從上表看，年內本港對化工原料的需求，比較過去幾年的增幅已有所減弱。反而轉口數字，特別是塑料的轉口增幅較大，原因在於年內塑料價格普遍偏軟，吸引生產商入貨；另一方面，美國訂單增加，對本地玩具業帶來刺激，尤其本港玩具廠商已將大量工序北移，以致大部份塑料依靠香港轉口供應。

【新動向】 鑑於歐洲及東南亞的新廠年內正式投產，所以一九九三年塑料供過於求的情況會仍然存在，價格走勢亦因此而呆滯偏軟。估計要到一九九四年，待新機械試機完畢及淘汰了部份舊機後，供應量才會逐步減少，與需求扯平。

業內人士認為，一九九三年本港塑料入口量，會有一成增長，理由是一九九二年時，美國買家落單非常審慎，要求量少單急，存貨基本見底，為一九九三年接單帶來利好因素。

至於下半年走勢，整體上會較為平淡，價格亦趨平穩發展，升跌幅維持在5%的狹窄水平，而轉口到中國，年內會有兩成半的增長。

至於染料市場方面，一九九三年的生意仍然樂觀，主要是有大陸的龐大市場，可以支持一定的需求量。不過業者認為，困擾這個市場除合資法的規限外，主要是缺乏銷售渠道，出口大陸的廠家必須經過進出口公司轉銷，手續繁複亦缺乏彈性，價格更為吸引亦是徒然。因此要拓展大陸市場，單靠在港作遙控，銷量也未必理想，務必親力親為，在內地設立銷量據點才能招徠生意。

西藥行

【概　述】　香港有兩類商店經營西藥的銷售，一類是藥行，銷售一般的西藥，並兼售各種丸散膏丹的中式成藥；另一類則是藥房，專營西藥及各種醫療設備，除可銷售一般西式成藥之外，還銷售受管制的藥品。根據有關規定，藥房需有藥劑師長駐。在法律上，藥行是不能掛上“藥房”的招牌。本港部份百貨公司與超級市場亦設有西藥部，而一般藥行亦兼售化妝用品、清潔用品和嬰兒用品等。

根據香港政府統計，一九九二年本港經營西藥的進出口商有418家，較上年減少12家，員工3,797人，減254人；經營醫療保健器材的進出口商有369家，員工1,944人，較上年減23家及96人；經營西藥批發的有178家，員工1,140人，較上年分別增26家及291人；醫療保健器材的批發商今年統計與縫紉機械合為一類，共有130家與員工558人；零售方面，港府統計將西藥與化妝品店歸為一類，該類商號有1,489家，員工5,822人，較上年減少27家及增452人。

【經營情況】　根據香港政府的統計，一九九二年本港進口的藥品藥劑，總值75.77億元，比上年增加了21.6%。

主要供貨地區輸港總值及增減情況如下表：（單位：億港元）

西藥進口十大國家

	美國	德國	法國	意大利	瑞士	英國	日本	中國	南韓	新加坡
1991	5.2	4.35	2.84	4.22	8.80	3.51	4.59	13.48	0.73	1.68
1992	5.0	4.24	3.18	6.21	10.43	3.95	5.29	15.86	1.73	1.91
增減	-3.8	-2.5	+11.9	+47.2	+10.5	+12.5	+15.3	+17.0	+137	+13.7

去年本港轉口的藥品藥劑總值為57.11億元，較上年增加了18.4%，自留消費

的藥物總值是 18.66 億元，亦較上年增 32.6%。轉口的主要國家和地區如下：

	美國	德國	中國	台灣	印尼	菲律賓	南韓	泰國	越南	印度
1991	1.62	2.45	22.98	3.18	1.99	1.36	2.41	2.33	1.05	0.52
1992	1.70	2.13	25.87	3.88	2.45	1.52	2.59	2.88	2.34	1.41
增減	+4.9	−13	+12.6	+22	+23	+11.8	+7.5	+23.6	+123	+171

從上述的統計中，可以看到去年西藥的進口和轉口都有頗大的增幅，尤其是轉口中國的藥品量值都相當大。而亞洲其它第三世界國家對藥品的需求量亦有明顯的升幅，如印度、越南、印尼等。

本地市場消費的藥品也有相當大的增幅。不過，去年青少年濫用藥物的情形也是有增無減，引起社會人士的極大關注。據統計資料顯示，去年共有 1,386 名年齡在 21 歲以下的青少年首次向中央檔案室呈報，與一九九一年的 1,030 宗相比，增幅達 34.6%。當中有 25.9% 是濫用咳藥，因此政府自今年一月一日起已將含超過 0.1% 可待因或右甲嗎喃的咳藥的銷售納入藥劑及毒藥規例的嚴格管制，有關當局正對新管制的成效進行監察。

【新動向】 今年香港西藥的進口及轉口情況估計仍會保持平穩發展，而輸往中國內地的藥品及醫療器材也會有所增加，不少海外的藥品製造商對發展內地市場都有極大興趣，因為中國市場前景良好，藥物又是必需品，有龐大的市場需求，因此有些外國藥品製造商正尋求與中國的廠家合作生產。

此外，鑑於保障病人的知情權，香港消費者委員會認為所有藥物應明確清楚地以標籤列明在包裝外面，並表明藥物的成份。消委會期望所有公立及私人醫院診所應自律盡早推行。

建築材料業

【概　述】 香港建築材料業經營的業務包括買賣鋼鐵、水泥、碎石、瀝青、木材（原木和夾板）等建築前期的建材，以及紙皮石、地板、鋁窗、玻璃、釉面瓷磚、潔具和牆紙等建築後期的建材。最近好幾年來，地產業一直處於興盛狀態，亦帶動了建築材料業的好景。據港府一九九二年統計，從事建築材料進出口業務的商戶有 1,486 家，僱員 7,307 人，商戶比九一年增加了 219 家，而僱員則增加了 839 人；經營批發業務的商戶有 826 家，較上年減 144 家，僱員 4,018 人，比上年則增 141 人。由此也可見到該行業正在持續擴展中。

【營業情況】 根據香港政府統計，一九九二年香港建材業進口及轉口情況如下(億元)：

	92年進口	91年進口	增減(%)	92年轉口	91年轉口	增減(%)
建築用原木	13.39	13.59	-1.5	7.95	7.18	+10.7
砂石	4.74	4.74	0	0.43	0.27	+59.3
夾板、裝飾用木材	40.32	37.36	+7.9	30.81	25.91	+15.8
粘土、磚	12.30	10.89	+12.9	2.48	1.60	+53.7
玻璃	17.03	14.16	+20.2	8.54	5.36	+59.3
鋼材	164.45	152.92	+7.5	86.34	62.38	+38.4
水泥、磚等	21.30	19.23	+10.8	5.02	2.71	+85.3

去年本港建材市場各種材料進口除木材的進口有輕微跌幅外，其餘都有不同程度的升幅，尤其是玻璃及水泥、磚等。其實去年由於本港銀行收緊樓宇按揭，以及新機場財務問題未能與中方達成協議，以致工程延誤，因此本港去年的建材市道本來是不甚理想的。但由於中國內地尤其是珠江三角洲一帶興起了房地產熱潮，大大增加了對建材的需求，據不完全統計，從九二年一至十月全國出讓的土地有 2,000 多幅，出讓面積約 2.6 萬公頃，面積比一九八七年至一九九一年四年的總和增加約兩倍。由此令國內建材市道大為興旺，供求失衡，外資及港資財團在國內發展房地產不得不從外面進口建材，其中相當部份是經由本港轉口回內地的，因此，去年本港建材轉口成績表現理想，平均每個項目來計，升幅達四成。

在內地需求大增的形勢下，圓木以及鋼材的價格都被扯高，尤其鋼筋已成為搶手貨，去年底入口鋼筋計價與年初比較，升幅將近一倍。由於內地建築規格與本港採用的英國規格不同，所以本港建材出入口商多把內地建築規格直接交由東歐及南美各地落單。

【新動向】 由於國內的基本建設工程及各類型樓房的興建仍是方興未艾，故相信今年對建材的需求仍是相當大的，而部份建材原材的價格仍會上升。由於鋼筋等建材的轉口大有可為，目前已成為本港五金業的重要發展環節，部份小型五金行已紛紛向大型分銷商入口鋼材轉口獲利。由於日本、南韓鋼材產量少價格高，行內已轉趨向東歐國家進口鋼筋，加上現時東歐鋼筋價格比日、韓平均低逾兩成，遂成為廠家主要吸納對象。

木材方面，據貿易商稱，由於受世界性環保壓力影響，東南亞木材產量正急劇下降，馬來西亞沙巴今年初開始已禁止木材出口，而佔本港市場八、九成銷量的沙撈越木材供應亦減少一半，在來存嚴重短缺的情形下，目前供應建築用的雜木”板枋”售價比年初已升了一倍。為解決這個問題，目前木材商已着手向新畿內亞、所羅門及非洲找尋新供源，雖然這些地方的運費及本料質素等加重成本，但卻可減輕對沙撈越木材的依賴，對木材價格起緩和作用。

為因應環保的潮流，本港屋宇地政署屬下的建築物條例執行處正研究現有規定，以便對若干直接或間接地鼓勵使用硬木木材程序及要求加以修改，如在一般建造工程上，如圍板、有蓋行人路、臨時模板及內部修飾等，可建議使用其他建築物料，從而減少使用硬木材。

五金業

【概　述】　香港五金業為一重要的支援性行業。傳統上，五金業分為大五金與小五金，前者經營建築和機械所用的五金材料，後者從事其它工商業和家庭用的金屬工具，細件零件，金屬器材等業務。

按照香港五金商業總會的分類辦法，業內商號的營業可分為七類：①新鋼鐵，包括各類型全新之軟硬鋼材；②舊鋼鐵，即上述範圍用的舊料；③新非鐵金屬，包括全新之銅、鉛、錫、鋁、銻、鋅等各類五金；④舊非鐵金屬，即第三類的全部舊料；⑤新士多，包括各種全新家庭小五金及輪船用品；⑥舊士多，即第五類的全舊料；⑦機械五金，包括金工、木工、機械工具及工業器材料。

據港府統計，一九九二年九月底本港基本金屬工業的廠家為211家，僱員2,810人，比上年減少8家，僱員增190人。而金屬裝配製品（機械設備除外）的廠家為5,621家，僱員39,881人，比上年減少471家，僱員亦減少6,119人。

【營業情況】　香港市場的五金工具要依靠進口。目前，中國大陸約佔40%，日本佔20%，德國佔7%和台灣佔1%。七十年代以歐洲產品最為暢銷，八十年代初期日本產品開始打入香港市場，到八十年代中期，中國大陸產品質量有很大進步，雖不及歐、美和日本，但價格相當便宜，品質尚可接受，故市場佔有率不斷上升。

本港經濟於一九九二年表現尚好，五金業經營也算不錯。據港府統計，一九九二年鋼鐵製品出口總值3.14億美元，較上年增75%；轉口總值84.48億元，較上年增39.1%。同時，鋼鐵類製品入口總值154.58億元，較上年增8.5%。

五金業在一九九二年表現平穩，主要原因是中國繼續開放改革，對建築用的金屬產品需求增加。另方面，本港地產行業繼續表現良好，刺激鋼筋、水喉和窗花等建築用金屬品需求上升。

一九九二年香港非鋼鐵金屬品出口總值94.2億元，較上年增68.5%。據業內人士介紹，為降低生產成本，增加接單能力，目前本港80%以上的廠房都已將生產綫遷往中國大陸。本港僅作為接單、設計及精密工序的加工點。

【新動向】　進入一九九三年，業內人士一般抱有信心，因中國大陸繼續擴大開放改革，令中港貿易更加蓬勃發展。由於國內基建及房地產興旺，令建材、五金等供應追不上需求，建築及裝修用的物料均已漲價一至兩成，而鋼鐵及水泥價格更暴漲超過一倍。

中英兩方都表示，香港有興建新機場的必要。這一龐大基本建設將刺激內部需求，尤其金屬材料的需求更不容稍缺。估計未來數年，新機場的興建對五金業一定會帶來正面的刺激，不難帶起另一個五金業的新高潮。

傢俬業

【概　述】　本地傢俬行業好景與否，與地產市道的盛衰有着息息相關的聯繫。特別是近年來，自置物業的市民增加，對中、小型住宅樓宇的需求殷切，以致地產市道蓬勃發展，對傢俬的需求自然不斷上升。一九九二年，本港新增 2.5 萬個新的住宅單位供市民購買，而本港每年平均有超過 4 萬對男女結婚，其中八成以上的新婚夫婦是自購或租住獨立樓宇，這些新家庭都是傢俬公司希望網羅的對象。

此外，本港商業樓宇不斷落成，人們對辦公室傢俬的要求也日漸提高。本港商業傢俬的增長甚為迅速，每年有接近兩成的增長，市需超過 12 億港元。

香港的傢俬市場，有一半貨品來自中國，北歐傢俬的比重近年也開始增加。此外，泰國、南韓及台灣的傢俬，由於價廉耐用，所以大受港人歡迎。

北歐傢俬主要來自瑞典、丹麥、芬蘭及挪威等國家。北歐傢俬質量上乘，但款式略嫌保守，而且設計上不大配合本港一般住宅單位的實際情況，加上價錢昂貴，故只能適合大型住宅單位使用。反之，東南亞生產的傢俬就比較適合普羅大衆家庭使用。尤其是泰國和台灣的傢俬在本地市場上佔有一定位置，甚至直逼國產傢俬，不過由於價錢上仍難與國產傢俬競爭，所以未對國產傢俬構成重大威脅。

至於香港傢俬，主要以商用為主，由於本地店鋪租金昂貴，所以部份傢俬零售店也附設室內裝修設計，配合住宅單位的實際情況，而設計合適的傢俬，減輕經營成本。

【營業情況】　由於本港傢俬市場頗具發展潛力，吸引不少外國廠商來港推銷，而香港的傢俬市場亦逐漸發展成為國際市場。據統計處資料，截至一九九二年六月底止，香港傢俬零售店共 1,226 間。比上一年增加 3 間；僱用員工 5,478 人，增加 201 人。

據統計，一九九二年香港進口各種傢俬總值為 51.39 億港元，較上一年增加 17%；轉口總值為 28.7 億港元，增加 31.6%；留用值為 22.69 億元，增加 3%。至於本地出口方面，則只有 4.3 億元，比上一年下跌 6.8%。

一九九二年主要傢俬產品的進口及轉口情況如下表：

項目	進口值／萬元	轉口值／萬元
籐椅	14,017.6	20,800.5
可調高轉椅	6,277.2	2,275.8
兩用床椅	1,093.1	253.4
未分類木椅	63,126.7	23,350.8
未分類金屬椅	27,685.9	21,933.0
未分類椅	7,852.0	5,871.8
乳膠或塑膠纖維彈簧床墊	9,709.3	1,014.8
其他物料彈簧床墊	12,540.8	2,081.7
睡袋	8,830.1	11,610.8
其他種類床墊	46,872.7	26,743.1
未分類金屬辦公傢俬	23,382.2	3,360.3
其他未分類金屬傢俬	24,463.9	12,185.2
未分類木製辦公傢俬	25,678.7	9,624.6
未分類木製廚房傢具	11,085	2,096.6
未分類木製睡房傢俬	30,197.2	7,903.7
其他未分類木傢俬	117,978.3	64,100.3
塑膠傢俬	6,970.8	6,023.6
其他物質傢俬	34,096.9	53,561.0

各種進口傢俬中，以木料傢俬的進口為最大宗，全年共進口 24.8 億港元，佔全部傢俬進口總值的 48.3%。進口來源地主要是中國，年內共來貨 15.24 億港元，佔木料傢俬總進口量的 61.5%；其次是意大利的 2.62 億港元，佔 10.6%；南韓 0.87 億元，佔 3.5%；台灣 0.86 億元，佔 3.4%；新加坡 0.68 億元，佔 2.7%。

金屬傢俬年內進口量佔第二位，全年進口 7.6 億港元，佔傢俬進口量的 14.8%。金屬傢俬的進口來源地主要是中國，年內進口 3.22 億港元，佔金屬傢俬進口值的 42.4%；其次是台灣的 1.44 億元，佔 19%；第三位是日本的 0.7 億元，佔 9.2%；意大利 0.54 億元及美國的 0.44 億元。

轉口方面，木料傢俬轉口值為 10.7 億港元。主要轉口國家為美國，轉口值 3.67 億港元，佔木料傢俬總轉口值的 34.3%；其次是日本 1.43 億港元，佔 13.4%；中國 1.26 億港元，佔 11.75%。

金屬傢俬的轉口值為 3.75 億港元。主要轉往美國，轉口值為 1.68 億港元，佔 44.8%；加拿大 0.45 億港元，佔 12%；中國 0.44 億港元，佔 11.7%。

年內受到銀行收緊樓宇按揭影響，中、下檔的傢俬銷售不甚理想。一些內地設廠的港商都尋求與大陸合作，拓展內銷市場，藉此減輕本港市場互相競銷的壓力。

至於中上檔傢俬則不受樓宇按揭影響，在本港股市興旺及工業生產好轉的情況下，銷量反而比上一年增加。此外，政府繼續推行資助公務員買樓計劃，對中上檔傢俬亦有一定的支持。

過去幾年比較受市民歡迎的聚脂傢俬，年內已被木面傢俬，如花梨木及桃木面所取代；而港製真皮及半真皮梳化，由於價格較歐洲產品便宜一半，銷售量佔了大半個香港市場。

【新動向】　一九九三年的傢俬市道，端視本港樓宇的銷售情況而決定。在樓宇按揭依然收緊的情況下，中、下檔傢俬的銷量仍然受到一定限制；反而在樓換樓的置業過程中，豪華樓宇的需求大增，對中上檔傢俬的需求將隨而增加。

一九九三年的辦公室傢具受到本港政治的不明朗因素，將會大受影響。一些公司在搬遷時，都將原有裝修預算大幅削減，盡量節省開支。這種情況，無疑對高檔辦公室傢具的銷路造成影響。然而中港經貿的緊密合作，辦公室傢具的市道將仍有理想表現。

至於款式上，布藝傢俬和以金屬配真皮製造的傢俬將受到市民的觀迎。

陶瓷業

【概　述】　陶瓷製造行業歷史久遠。人們日常生活中不少日用器具、花瓶及精品擺設等大都是陶瓷製品。隨着現代化科技的發展，陶瓷製品應用於工業上，可用作工業部件，如高頻絕緣瓷可以製造電子管殼、金屬陶瓷可製造噴氣飛機的部件等。

本地生產的陶瓷器皿不多，每年都要大量從中國入口。反而國產陶瓷的產地甚多，廣東、福建、湖南、湖北及河北等省份，都有很多製造陶瓷器具的工場。其它的入口地區國家，還包括台灣、日本、南韓和英國等。雖然香港也有陶瓷廠，但多半屬於加工性質，通常是從國內運來“白胎”，再經本地人手加工繪畫，或以絲網印刷的形式加上圖案，再行燒製。

中國陶瓷可分為粉彩、新花、陶器三類，每年除了行銷香港之外，還經香港轉銷美國、日本、土耳其等地。

【營業情況】　根據香港統計處數字，截至一九九一年九月，香港有陶瓷製造廠 54 家，僱員 269 人。又截至一九九二年六月底止，香港陶瓷業進出口商號有 493 家，比上年同期增加 83 家，僱員 2,051 人，就比上年同期增加 494 人；批發商號 70 家，比上年同期減少兩家，僱員 282 人，增加 92 人；零售商號 151 間，僱員 443 人，分別比上年增加 23 間和 135 人。

一九九二年本港陶瓷器具的進口和轉口數字繼續比上一年跨進一步，反映這個行業仍然是有利可圖的。

據港府統計數字，一九九二年進口陶瓷金額為 322,521.9 萬元，比上一年增加 30.64%；其中瓷製餐具和廚具的進口額佔 154,623.3 萬元，佔入口總額的 48%；

其他瓷製家居和廁所用具 2,118.4 萬元；陶造餐具、廚具和家居及廁所用具 51,469.7 萬元；瓷製塑像飾品 106,173.5 萬元；以及陶瓷塑像和裝飾品 8,136.9 萬元。

年內香港進口的陶瓷器具仍以中國內地來貨為主。據統計，一九九二年從國內進口的陶瓷器總值 284,280.1 萬港元，佔總入口數字的 88%。其中從內地進口的瓷製餐具和廚具 134,771.5 萬元，佔該項進口值的 87%；其次是日本的 5,897.3 萬元；台灣的 3,235.1 萬元。在其他瓷製家居和廁所用具中，有 1,624.6 萬元是來自國內產品，佔該項進口總值的 76.7%；其次較大宗的還有美國來貨 12.1 萬元，而日本就來貨 109.3 萬元。陶製餐具、廚具和家居及廁所用具中，中國來貨 45,732.7 萬元，其次是日本的 2,223.1 萬元及台灣的 869.5 萬元。至於瓷製塑像和裝飾品中國來貨 96,911.7 萬元，其次是台灣的 2,908.2 萬元，而日本就 1,140.1 萬元。

觀乎以上數字，可見本地陶瓷器市場仍然有所需求。另一方面，轉銷海外市場的國家地區，對陶瓷器具的需求亦非常龐大，尤其是中國陶瓷業的歷史悠久，品種繁多，價格豐儉由人，就是面對其它東南亞國家地區的競爭，依然有一定的優勢。例如日本及英國製造的陶瓷用品，雖然手工精細，但價格就往往比中國製造的高出五、六倍；至於南韓製品，受到生產技術未到精練階段的影響，所以出口量依然有限。

據統計數字，一九九二年經本港進口後再轉銷到海外市場的陶瓷用具總值為 372,095 萬元。比進口總值還要高，比上年就增加 38.8%。其中瓷製餐具和廚具的轉口額佔 168,752.8 萬元，佔轉口總額的 45.3%；其他瓷製家居和廁所用具為 2,498.4 萬元；陶製餐具、廚具和家居及廁所用具 67,134.2 萬元；瓷製塑像和裝飾品 124,715.3 萬元，以及陶製瓷像和裝飾品 8,994.3 萬元。至於主要轉銷的市場，則以美國為主，年內轉口美國的陶瓷器具總值 161,334.2 萬元，佔轉口總額的 43%。

一九九二年港產陶瓷出口總值為 11,129.5 萬元，比上年增加 12.8%。

其實香港從進口以至轉口的陶瓷，大都是在中國製造，雖然國產陶瓷用品質量參差，但是由於中國製造陶瓷已經積聚幾千年經驗，特別是景德鎮及河北地區生產的陶瓷，質量仍有一定水準。其次是中國陶瓷廉價類居多，因為中國人工低廉，生產成本低，可以大批生產，走廉價路線。

【新動向】　香港的陶瓷市場主要靠轉口為主，由於國產陶瓷生產成本低，在海外佔有一定市場，使到本港經營陶瓷零售的店鋪面對不少壓力。

為了吸引本地人士，陶瓷商改為提供高質素的產品，有些更請名畫家在個別陶瓷上繪畫，發展商檔商品市場。

業內人士認為，過去陶瓷工藝師傅，不大理會陶瓷製品的銷量，現在講求經濟效益，因此在題材、設計方面，都會跟市場有密切配合。

電腦業

【概　述】　在全球邁向資訊科技社會的今天，香港的電腦工業亦急速發展，由原來只能承擔生產下價貨品或加工裝嵌的工序，進而逐步向中檔、高檔層次產品市場發展；從一九六三年安裝應用第一部電腦，至今天成為一個廣泛使用電腦化的社會，香港已經發展成為龐大的電腦市場，而電腦業也成為了一個頗具份量的行業。

在電腦工業範疇中，超級電腦、大電腦、迷你電腦、微電腦（個人電腦）的領域中，微電腦由於技術要求限制較少，因而成為各新興發展地區首選的電腦工業生產項目，隨着微電腦科技及功能的不斷提高及價格的下降，平均每出售100部電腦中，有約50部與個人電腦有關，而亞洲區實際上已成為微電腦主要生產地，其產量佔全球總量的一半，香港則與日本、台灣、韓國，成為亞洲重要電腦生產地之一，其出口與微電腦有關產品，約佔全球微電腦產量的十分之一，而出口市場中又以美國及歐洲市場為主。

鑑於香港奉行自由貿易政策，加上並無受到先進國家在高科技及電腦產品的輸出限制，所以香港擁有能夠不斷接觸最新電腦科技及產品的資訊，而電腦亦已廣泛應用於財務會計、庫存計算、銷售、生產品管、資料處理等工作，使用層面擴及金融業、零售業、旅遊業和製造業等行業。現時全球各國的主要電腦廠商或貿易商，大多選擇以香港為亞太區總部或設置辦事處，作為推銷產品及提供售後服務的立足點，使本港成為東南亞地區的電腦分銷集散地及維修服務中心，經營對鄰近國家和中國大陸的轉口及軟件設計工程。

【營業情況】　過往一年，雖然世界經濟景氣仍然處於緩滯階段，但整體而言，亞洲區卻呈現一片經濟熱絡的氣氛，當中尤其以中國大陸、台灣及香港的華人經濟圈最為觸目，香港也因而得到更大的經濟發展空間，其中出口方面，九二年本港電腦業出口方面有不俗的表現，電腦相關產品出口總值為33.7億元，而各類產品的出口量及出口數值如下：

1992年香港電腦產品出口總值及前三位出口地區統計：

	數量（部）	數值（萬元）
數字自動資料處理機	145,597	128,577.3
美國	78,843	82,007.3
英國	16,224	14,836.2
愛爾蘭	13,911	11,050.5
數字處理設備	493,179	138,475.4
德國	207,024	32,607.5
美國	44,464	18,362.2

	數量（部）	數值（萬元）
荷蘭	54,562	14,703.7
輸入或輸出設備	1,025,820	49,288.1
美國	176,680	20,550.7
荷蘭	40,280	11,368.3
英國	47,369	4,875.1
儲存設備	233,935	14,581.7
中國	20,977	1,969.2
英國	29,814	1,656.8
德國	31,702	1,636.7
資料處理裝備	91,158	6,092.4
英國	68,585	3,658.6
美國	13,910	1,436.9
中國	780	488.4

進口方面，九二年本港進口的電腦產品總值 121.14 億元，顯示出香港社會正日漸邁向電腦化，因而對電腦產品的相關投資亦不斷的增加。

1992 年香港電腦產品入口總值及前三位地區資料

	數量（部）	數值（萬元）
數字自動資料處理機	66,179	50,209.7
美國	21,130	21,584.8
台灣	14,067	11,725.3
日本	20,138	5,970.3
數字處理設備	1,462,864	405,301.9
中國	1,239,296	126,501.7
美國	57,141	106,749.9
新加坡	55,226	71,018.1
輸入或輸出設備	9,553,446	354,944.2
日本	664,141	143,125
中國	8,327,854	117,890.3
新加坡	72,538	37,021.9
儲存設備	5,977,096	382,954.2
新加坡	1,171,604	148,182.8
日本	2,559,197	91,137.7
美國	196,819	38,445.3
資料處理裝備	59,603	18,065.9
日本	24,712	5,110.2
美國	11,684	4,470.8
台灣	17,279	3,097.5

至於轉口方面，九二年電腦產品轉口表現可說極為理想，全年的轉口總值為 63.78 億元，較九一年增加超過 14 億多元，而在轉口市場方面，中國大陸的轉口市

場所佔的份量是日益加重，其中在電腦重要元件設備上，更佔有相當大的比重，佔香港所有轉口值的七份之一，而預料隨着中國市場的開放，中國轉口市場會有更大的增長。

1992年香港電腦產品轉口及前三位地區轉口值

	數量（部）	數值（萬元）
數字自動資料處理機	8,169	8,125.7
中國	1,388	1,893.1
新加坡	1,236	1,646.5
台灣	817	856.8
數字處理設備	562,670	225,499.2
中國	66,546	121,113.2
德國	245,905	22,024.6
荷蘭	61,628	13,009.3
輸入或輸出設備	12,701,225	280,270.4
美國	2,661,413	90,218.6
中國	319,268	66,198.2
新加坡	142,540	15,016.4
儲存設備	1,954,214	111,696.8
美國	597,567	21,104
中國	210,377	20,934
新加坡	151,867	15,502.1
資料處理裝備	28,794	12,282.6
中國	16,200	8,222.5
台灣	5,018	1,772
美國	2,379	613.2

【新動向】 電腦產業是一門變化快速，競爭激烈的科技行業，由於香港政府對工業採取不干預原則，因此香港工業相較於其他三小龍及亞洲鄰近小國，能夠獲得當地政府支持的待遇，在競爭上自然不言而喻，因此也為香港電腦工業帶來了更大的生存壓力。不過，由於大陸市場的出現，為香港工業帶來了一個鬆弛的空間，暫時彌補了香港科技水準尚待提升，而經營成本卻日漸上漲的損失，紓緩了其他發展中國家在中、下檔次產品市場爭逐的壓力，讓一些有遠見的廠家，可以有更多的時間去自行研發、或與大陸的科研力量去共同合作，提升香港電腦商品的質素和開發新型的產品，以維持香港電腦工業的市場競爭力。

現時部份電腦業人士的看法是，目前一般桌上型的電腦大致已發展成熟，所以未來的電腦工業發展，會集中在筆記簿型電腦及軟體程式上的開發工作。因為便攜式通訊工具及手提電腦日漸流行，由於筆記簿型電腦可以透過無線電話及傳呼網絡，與其他電腦系統作資料數據的交換傳送，使用戶可即時處理有關資料，加上一些電腦重要元件及零組件功能日強及更微型輕巧化，為筆記簿型電腦提供更大的發展條件，而生產成本又不斷下降，故估計筆記簿型電腦將會成為未來電腦工業的重點發展產品。

另外，香港現時約有百多家較具規模的中小型軟體公司，由於社會電腦化的發展，對軟體的需求亦相應提高，舊式的購買現成的商業軟件，或向外間拷貝翻印軟件使用的情況，再難滿足市場的需要，現時除了本地的程式設計師外，香港也有聘用印度的外籍勞工為程式設計員，甚至採用“離岸軟件開發”方式，將軟件發包與大陸的程式人員撰寫，再由香港的系統分析師遙控操作、整合測試工作，而軟體的市場除了供應本地需求外，也有日本、澳洲及新加坡的市場訂單。

由於社會的資訊化，電腦應用層面廣泛，預料隨着光碟讀寫系統、多媒體產品的盛行，筆記簿型電腦、手寫式輸入系統、記事本型電腦的出現，將可為香港的電腦工業開創更多的發展空間及商業拓展機會，保持香港作為亞洲區重要電腦產品出口市場的地位。

辦公室設備業

【概 述】 香港的辦公室設備市場可分為辦公室機械、自動數據處理機設備、部件及附件三類。據統計資料顯示，一九九二年機械及設備的批發商 524 家，比一九九一年增加 54 家，僱用人數 3,354 人，增加 1,288 人；出入口商 1,657 家，減少 634 家，僱員 15,056 人，減少 1,966 人；零售商 792 家，增加 442 家，僱員 3,292 人，增加 1,201 人。

【營業情況】 據統計資料顯示，一九九二年辦公室設備數據如下（單位：萬元）：

項目	出口	增減%	進口	增減%	轉口	增減%
辦公室機械	595,983	+11.1	449,595	+31.5	403,956	+23.8
自動數據處理機設備	974,889	+11.7	1,211,500	+57.1	637,874	+30.1
部件及附件	2,681,492	+35.4	1,730,973	+37.2	1,157,550	+55.8

一九九二年辦公室設備業表現良佳。顯示出香港對日新月異的文儀器材十分渴求，其實從市場對先進的文儀器材的接受程度，可以反映出社會經濟的一個側面，當經濟蓬勃發展，商業活動頻繁，文儀器材的銷量就會逐漸增加，一些辦公室主管為求提高工作效率，樂意投資添置新式的、性能先進的文儀器材。

一九九二年電腦市場掀起減價戰，連帶周邊產品如打印機的售價也急跌，名牌貨色，功能多多，價格低至大部份人可以負擔，直接刺激銷售量激增，在這場爭客戰中，得益當然是消費者，製造商則在自然淘汰下，不少敗仗下來。

電腦跌價原因極多，而推陳出新的影響最大，科技一日千里，昨天最受歡迎的產品，明天可以變成月下貨，正如 286 中央處理器的個人電腦早已堆滿倉，今天 386 正被淘汰，486 已進軍市場，面對此情況，生產公司本身必須要富戰挑性，適應每日都在演變的市場趨勢，競爭劇烈下，舊貨必須割價脫手，新貨也得以低價廣招徠，而且要不斷降低成本，並得掌握科技，務求在產品設計方面求突破，裝配電腦的商人已不可能賺大錢，而無法追得上這潮流的公司，紛紛在嚴重虧蝕下倒閉。

由於個人電腦跌價，消費者有餘錢去購買其他類別的電腦周邊產品，加上打印機是個人電腦應用者不可或缺的必需品，銷量增加成了必然趨勢。而在供求定律下，打印機的售價也相應下降。

圖文傳真機已成為人類通訊的重要媒介之一。香港於八十年代初推出圖文傳真機服務，至今已安裝線路總數接近 20 萬，按比例計算，高踞全球第二位，平均每 100 條商業電話線路，便有 80 條傳真線路，密度僅次於日本。

目前，是日本傳真機的天下，歐美先進國家都是用日本產品，其他開發中國家更不在話下。今天香港傳真機的普及，很大程度是因為其價格大幅下降，而性能卻不斷提高。十年前一台傳真機大小如洗衣機，而售價是 7—8 萬元，當時機種屬於 G2，傳送速度很慢，一張 A4 文件需時 6 分鐘；今天 G3 機種，一般只需一分鐘以內，而較高檔的 G3 機，需時 20 秒至 30 秒，更快是 6 秒。

一直以來，來往本地圖文傳真並不設收費，即使是海外傳真收費率亦為全球最低廉的地區之一，再加上近年來圖文傳真機不斷降價，以及港人對資訊的需求日漸增加，圖文傳真機已從初期的企業應用層面走向個人化，從商業環境高速邁向一般家庭。

雖然香港影印機市場已發展至成熟階段，並且已轉變成為替換市場，擁有多名員工的辦公室之市場滲透率已達百分之一百，而員工數目介乎三至五名的辦公室則仍未飽和。在這情況下，本港在一九九二年影印機整體市場仍有增長，以銷售量來說，約有 10% 至 15% 增幅，以零售金額而言，其增幅亦逾 15%。

【新動向】 對一九九三年電腦市場的預測，有兩種不同的意見，有人認為價格戰會使市場有轉弱的趨勢。有人則認為價格競爭賽引致的價格下降將會帶來更大的產品需求。樂觀者有這種想法是基於三個原因：（一）加促公司用戶更換舊機；（二）刺激小型企業購買電腦；（三）誘發家庭用戶開始使用電腦。

傳真機的走勢，低檔產品已降價至 2,000 餘元，相信一九九三年再降價機會不大，但未來趨勢是不加價但增加更多功能。另一個趨勢是普通紙傳真機會逐步為商界樂用，目前一般所用熱敏紙一卷，售價約 50 至 60 元，相等於 A4 紙 330 張，但普通 A4 紙 500 張，成本約 25 至 30 元。即是說熱敏紙每張 1 毫 8 仙，而普通紙 6 仙左右。長遠計優劣立見。據業內人士估計，一九九三年底，高檔機將全部轉用普通紙；而到一九九六年，中檔機也是普通紙傳真機了。

影印機的前景方面，過去市場主要提供單一顏色，近一兩年間，彩色影印機逐步普及，價格亦由 40 至 50 萬元跌至 20 多萬元，而且有漸趨普及之勢，此外，多功能影印機如兼容打印、傳真及數碼化產品前景優厚。

除了香港市場之外，很多香港公司亦致力拓展中國市場，現時中國大陸實行體制改革，出現了更多的集團公司、私人公司，也有越來越多的合資公司，新成立的公司，其增加量巨大，所需的新款而質優的辦公室設備數量極大，其市場潛力可觀。

書籍文具業

【概　述】　香港書籍文具零售商一般可分為三類：⑴以售賣教書為主；⑵以售賣各類圖書為主；⑶以售賣各種文具為主兼賣教科書及工具書。

香港流行書籍市場經常出現一陣陣熱潮。例如，早幾年流行的鬼怪故事書熱潮；以後流行武打歷史小說；過去幾年時興的 DJ 文化——幾位當紅的電台廣播人寫書風行一時。去年一些電子產品如電子字典及錄音帶也掀起一陣潮流。此外，現在香港社會正處在經濟轉型和升級的時期，市民對實用性的書籍如應用財經、商業管理、電腦書籍的需求日益殷切。

過去幾年袋裝書曾大行其道，前年已呈萎縮，去年更全面下降。袋裝書一般屬消閒性質，過去出得太濫，不少題材低俗，文字粗鄙，加上各種形式的視聽文化作為消閒工具的吸引力更大，因此袋裝書銷路陷於低潮。

另一方面，由於香港消費者態度漸趨成熟，尤其對書籍更加追求物有所值。香港人的選擇性很強，價格已不再是購買書籍的重要考慮因素。他們多願意付出較高價格，買到自己需要的書籍。

現時香港書店已逐漸由圖書館式轉移至資訊式，即由“藏書”的經營風格，變成書種多、平均書籍壽命縮短、書籍淘汰率增高的現代資訊中心的形式。

今後香港書店會繼續循着兩個大的發展方向，分別是綜合化及專門化。綜合化書店提供教育文化的整體服務，除出售玩具及電器文具等。專門化書店市場太小，發展較慢，但仍有長期的發展潛力。

在文具用品方面，過去比較不重形式，以實用為主。但是近年來香港市民生活水平提高，愈來愈重視物質美感，文具用品也突破傳統，外型設計日趨新穎，彩色鮮艷。特別是兒童和學生使用的文具比過去有很大的進步。

【營業情況】　據香港政府統計處統計，一九九二年六月，香港共有書籍、期刊、報紙批發商 186 家，僱用人員 1,449 名，比上一年同期分別增加 29 家和 494 人。文具用品批發商 504 家，僱用人員 2,225 名，分別比上一年同期減少 41 家和增加 5 人。書籍、期刊、報紙進出口商 166 家，僱用人員 929 名，分別比上一年同期增加 2 家和減少 95 人。文具用品進出口商 543 家，僱用人員 2,746 名，比上一年同期分別增加 98 家和 320 人。

一九九二年香港書籍（包括小冊子）的進口值為 7.81 億元，比上一年增加 18.7%。主要進口來源包括：(1)中國，由上一年的第三位上升為第一位，進口值 1.98 億元，增加 88.5%。(2)英國，進口值 1.40 億元，增加 17.6%。(3)美國，由上一年的第一位下降為第三位，進口值 1.12 億元，減少 9.6%。(4)台灣，進口值 0.78 億元，增加 21.8%。此外還有澳大利亞、日本和新加坡。

一九九二年香港書籍的出口值為 27.69 億元，比上一年增加 11.2%。主要出口市場包括：(1)美國，出口值 10.08 億元，增加 9.4%。(2)英國，出口值 4.99 億元，增加 7.5%。(3)台灣，出口值 2.62 億元，大幅增加 38.6%。(4)澳洲，出口值 2.20 億元，減少 3.5%。(5)中國，出口值 1.24 億元。

一九九二年香港書籍的轉口值為 2.25 億元，比上一年增加 90.6%。轉口市場包括：(1)美國，轉口值 5.712 萬元，增加 1.38 倍。(2)中國，轉口值 4,728 萬元，增加 55.5%。(3)英國，轉口值 3,285 萬元，增加 1.52 倍。以下依次是台灣、澳洲、荷蘭、加拿大、新加坡、德國和韓國。

兒童圖書進口量為 2,310 萬冊，總值 1.37 億元，比上一年分別增加 59% 和 49.8%。主要進口來源地包括：(1)中國，進口值 1.28 億元，增加 46.3%。(2)美國，進口值 444 萬元，大幅增加 4.76 倍。(3)英國，進口值 198 萬元，增加 30.2%。(4)台灣，進口值 98 萬元，增加 22.5%。

香港出版的新書種以文藝方面（尤其是流行小說）最多，約佔 40%，兒童圖書佔 20% 左右；實用知識書籍約佔 17%。過去幾年以錄影帶或錄音帶配書的英語學習書籍曾大行其道。去年電子字典出現突破性的銷路，競爭十分激烈。

近年來香港與大陸、台灣的圖書出版界往來日益增多，交流圖書，合作出版，為過去數十年所未見。這是中、港、台之間經濟貿易活動增加和文化交流密切而帶動的，"大中國"圖書市場正在逐漸形成。

據商務印書館和樹仁學院前年舉辦的一次調查，香港讀物的主要讀者層面介乎 15 歲至 34 歲之間，最受歡迎的讀物為科幻小說，佔 23%；第二位是愛情小說，佔 19%；散文佔 18.2%；武打歷史小說佔 16.8%。

香港的文具用品不少是進口貨。據政府統計處統計，一九九二年文具用品進口額為 22.84 億元，比上一年增加 45%；出口值為 18.52 億元，增加 33.9%；轉口值 17.05 億元，增加 51%。

文具用品的進口來源包括日本、德國、台灣、中國等。從日本進口的圓珠筆、鋼筆及其它筆類最多，總值 2.52 億元。以下依次是德國 1.93 億元，台灣 1.82 億元，中國 1.14 億元，法國 6,897 萬元。來自德國和法國的進口以高檔貨為主。此外，來自中國的鉛筆顏色筆等進口值 2.9 億元，佔 80%左右。

【新動向】 展望圖書經營前景，業內人士一般認為目前仍處於困難期，圖書市場細小而競爭劇烈的情況不易改變。最大的利淡因素是通脹高企、樓價標升，使一般市民購買力大為減弱，影響書籍的銷售。書價上漲趕不上通脹的升幅，租金和工資的上升使一般書店難以維持，零售點減少。另外，各種視聽器材的普及，娛樂事業的發展，使讀者難得空閒看書，也使書籍的銷售大受影響。

不過，隨着中港台圖書市場的逐漸形成，未來香港圖書事業將會出現新的氣象。香港出版的書籍在國內的市場不斷擴大，輸入中國的書籍種類不斷增多，除語言學習及字典等工具書一直維持穩定需求之外，其它如工商管理、金融、法律、資訊、飲食、設計、家居等書籍的需求增長迅速。

此外，中產階級類型的流行書籍仍然有較大潛力，這類高檔書籍的最大問題不在於市場，而是有沒有較多高質素的書籍以滿足需求。

電器及音響器材業

【概　述】 香港消費能力近年來不斷上升，生活水平提高，家用電器和音響器材的銷售額每年平均有接近三成的增長。

現在家用電器和音響器材已十分普及。例如，擁有彩色電視機的家庭已達 98%以上，擁有雪櫃、洗衣機的家庭也在 90%以上，擁有冷氣機的家庭有 72%，而錄影機的普及率也上升至 60%以上。

經銷商的推銷目標，除了針對每年約 4.5 萬多個新增家庭的需求外，更重視產品的推廣。新產品的不斷推出，對家用電器市場起了很大的刺激作用。近年興起的鐳射音響、影碟機、大屏幕電視機（25 吋以上），對推動市場表現十分突出。現在大屏幕電視機已逐漸流行和普遍。

冷氣機市場競爭十分激烈，日本、美國、南韓等國多種牌子推出新產品以加強競爭力，其中有分體式、多功能、電腦化自動控制及製造氧氣等。

【營業情況】 據香港政府統計處統計，一九九二年六月香港電器批發商共有 708 家，僱員 3,570 人，分別比上一年同期增加 46 家和減少 4 人。電器零售商共 2,249 家，僱員 10,058 人，比上一年同期分別增加 185 家和 745 人。電器出入口商共 3,764 家，僱員 29,108 人，分別增加 730 家和 5,162 人。

一九九二年主要家用電器和音響器材的進口和轉口情況如下：

家用電器	進口		轉口	
	數量（萬台）	貨值（億元）	數量（萬台）	貨值（億元）
冷氣機	95.89	22.69	20.90	6.42
洗衣機	25.66	4.46	5.35	0.61
乾衣機	2.66	0.44	0.35	0.03
雪櫃、冷藏器	27.51	5.55	7.92	1.33
洗碗機	0.95	0.08	0.01	0.02
電鬚刨	332	1.74	227	1.75
電動理髮器具	7,804	20.07	8.021	32.99
吸塵機、擦地機	938	6.21	1,120	7.20
風扇	2,578	26.03	2,388	28.06
食品加工器	2,756	13.55	2,664	19.13
電熨斗	1,283	6.59	1,298	7.94
微波爐、煮食器具	301	8.93	204	5.07
熱水器	96.91	0.96	62.52	0.71
其它家用電器	2,105	6.83	2,180	9.61
視聽器材				
各種彩色電視機	681.6	121.40	507.90	70.95
各種黑白電視機	176.2	5.95	199.29	7.76
錄影機	495.4	97.21	102.33	20.41
攝錄機	30.48	17.45	4.37	4.07
汽車收錄音機	989.6	10.97	981.68	13.03
手提收錄音機	6,432	88.43	6,666	108.98
手提收音機	6,381	16.14	6,704	25.56
附鐘收音機	1,149	4.91	1,769	18.21
Hi Fi 收錄音機	858.3	43.84	757.50	35.30
Hi Fi 收音機	15.41	1.75	11.47	0.58
電唱機	42.10	0.49	21.42	0.19
卡式錄音機	1,094	16.42	1,274	20.40
Hi Fi 設備	2,566	20.90	2,905	20.91

一九九二年香港電器市場受到經濟不景、通貨膨脹和樓價高企的不利影響，加上下半年出現政治前景不明朗的打擊，市場銷售數量僅有微增。但是，中國大陸經濟迅速發展，對家用電器需求急劇增加，使香港家用電器的進出口均有大幅上升。

據香港政府統計數字，一九九二年香港視聽器材進口總值為 756 億元，比上一年增長 20%；總出口值 687 億元，增長 14.1%；轉口值 557 億元，增長 23.7%。另據香港九龍電器商聯會所作統計顯示，一九九二年本港十六種主要電器的進口總值為 421.96 億元，比前一年增加 28.8%；該十六種電器的轉口總值為 290.84 億元，佔進口總值的 68.2%。電業界人士估計，香港去年進口的家用電器中超過一半的產品經香港轉口至中國大陸。

香港兩家電視台於一九九一年開播麗音電視（NICAM）節目，刺激電器市場先後推出麗音電視機、錄影機和解碼器，對扭轉電器市道有一定的作用。但是，在麗音電視推出初期，由於電視台提供麗音節目較少，市面可供選擇的機種不多，因此在一九九一年銷量並不理想。到一九九二年麗音節目開始普及，麗音電視機的進口數量出現58%的大幅增長。

鐳射影碟機的銷售繼續暢旺，行內競爭激烈，售價漸見下降，受到消費者的歡迎。鐳射影碟機和影碟市場仍有不少發展潛力。

一九九二年冷氣機進口將近96萬部，比上一年增長33.5%。由於上一年冷氣機銷售不如理想，存貨積壓，各代理商及零售商各出奇謀，市場競爭激烈。但是，轉銷中國大陸的冷氣機大幅增長，業界人士估計，在進口冷氣機中有20～21萬部經香港轉口至中國大陸，約佔21%。本港冷氣機最大供應來源仍然是日本，但是直接從日本進口數量已漸減少，而日本牌子在馬來西亞、泰國、台灣等地生產的冷氣機進口數量不斷增多。總的來說，日本牌子的冷氣機佔本港進口的80%以上。

近年來歐洲的洗衣機，包括意大利、法國以及美國的產品，以其較佳素質和性能在市場上大力推銷，雖然價格較貴，仍受不少消費者歡迎，衝擊了日本產品在本港市場的地位。

【新動向】 行內人士對今年電器市場抱樂觀態度，主要是因為香港經濟今年預期恢復較佳增長，而中國大陸經濟的迅速發展，對家用電器的需求將繼續增加。

在銷售方面，集團化電器公司和大型日本百貨，仍將在家用電器銷售方面佔主導地位，並展開激烈的競爭。一些小型電器商店已漸遭淘汰。前年開始出現的一些不開設門市的電器直銷公司，採取免費吸納會員、薄利多銷的經營方式吸引顧客。但是，一些害群之馬利用直銷欺騙顧客，致使此類公司業務漸趨衰落。

汽車行

【概　述】 香港汽車銷售是一個大行業，與汽車有關的公司（汽車、電單車、單車及零件）相當多，從業人員數目亦頗驚人。他們有些兼營汽車入口生意，有些則屬代銷性質，也有一些是汽車保養中心及裝配廠。據統計，一九九二年該行業有批發商1,015家、員工5,704人；較上年增57家、608人；進出口商1,191家，員工4,839人，較上年增194家、955人。

各車行因具體經營條件不同，規模也大小各異。資本雄厚的車行規模較大，不但設有營業部、陳列室，而且還有修理廠。這些車行多由外資經營，華資車行只有數家。

香港出售汽車屬集團經營，目前主要有大昌貿易行、萊龍集團、森那美、仁孚行、捷成集團、英之傑集團、合誠等。此外、獨資公司經營的有大發行、祥發行、昆和、瑞典汽車和寶樹車行等。

香港市場銷售的各種牌子型號的汽車很多，但流行的牌子和型號約有 30 多種，分別來自日本、歐洲及美國。其中以日本車為最多。歐洲車以寶馬、平治、富豪最受歡迎。而日本車則為本田、豐田、日產等。

【營業情況】 在多種利好因素影響下，一九九二年香港汽車整體銷量出現大幅增長，零售價值較上年增長 49.6%，零售量增 41.2%。售出汽車達 62,265 架，比九一年增 2.7%。據汽車業內一份統計數字顯示，在九二年，私家汽車銷量佔整體銷量的 69%，達 42,953 架，比九一年增 27.7%。至於各類商用汽車則佔 31%，銷量達 19,312 架，比上年增 25.8%。

在九二年間，豐田汽車銷量佔市場 26%而居首位（連澳門在內共售出 1.9 萬多輛）；本田佔 11.6% 居次，而萬事得則佔 11.3%，與第二位相差僅 0.3 個百分點。

從港府九二年每月所發表統計，以及由 ADEX 所發表廣告數字，亦可見九二年汽車銷量有大幅增長。業界表示，九二年汽車銷量奇佳主要是因為有多款新車推出市場，刺激消費者購買意欲。中國經濟發展為港商帶來機會，亦使本港經濟增長穩定。同時，九一及九二年有關汽車的稅項都沒有增加，故出現售量增幅為近年少見的情況。

另方面，汽車的銷量保持強勁增長勢頭，也與汽車代理商進行全面的推銷攻勢有關。除了少數個別的之外，差不多所有代理低價以及高價汽車商在九二年不同時間舉行了大傾銷。其做法包括有削減售價、送冷氣、送牌費、送保險費，甚至送一系列附加設備，務求達到增加銷路的目的。這使新車登記發出的英文字母車牌由九二年初至今年底達 10 個，即平均一個月有一個英文字母出牌，與過去的出牌程序需兩個月的情況有明顯不同。

若以出牌的數目作不完全的估計，九二年平均每一個月有 9,000 輛新車在路面行駛，全年就達到 10 萬輛。再以每輛新車平均售價為 20 萬元，則香港的新車主在去年購車就有 200 億元。但香港路面近年出現不乏價值一、二百萬元的高價車，故相信消費者在購新車款項達 300 億元。

消費者願意購車的原因，是通脹率高企所致。在通脹率長期踞高的情況下，汽車代理商競相削價及贈送禮物，遂吸引消費者購買汽車以對抗通脹。尤其是在目前外幣存款等投資風險極大的情況下，更鼓勵人們買耐用品。不過，一般耐用品始終有飽和，因此惠及汽車零售行業。

目前，本港的汽車市場，主要分為高價、中價及二手車三種。其中高價車市場一向被歐洲名廠汽車所雄霸，但近年日本汽車廠也開始進軍高價車市場。至於中下價車市場，目前差不多由日本車所壟斷。

至於輕型貨車的市場，本港幾乎是清一色日本貨天下。以往，由於華南地區經濟發展緩慢，因此在這個市場即使有競爭，也不見得太激烈，反正每年新車銷量畢竟有限。可是，隨着近年本港經濟起飛，及內地開放改革不斷擴大，令廠商對輕型貨車的需求大增，形成每家代理商皆各出奇謀，力求提高其代理汽車在此市場中的佔有率。

至於二手車市場方面，業內人士指出，一般車行均是兼營二手車生意，而甚少會以專門店的方式經營。目前，二手車的資源，主要是來自各新車營業員所提供、或經熟人介紹。而貨源再售出的主要對象，則由熟客人、朋友其他車行營業員介紹。

據稱，二手車市場的貨源多或少，對經營有很大影響，因為貨源多，會使公司出現車位不足，且經營成本上漲，及汽車可能出現滯銷；但如果貨源少，則無法提供更多選擇予客人，以致客人流失，影響公司業務。

至於各人的品味方面，據說九龍及香港區的顧客基本不同。九龍區的顧客數目多，且對高、中、低價的汽車均有一定的需求，車種的級數參差不齊；但香港區的客路主要集中在中、上價車；而一般中價車的價格由 40 萬至 60 萬元不等。

【新動向】　據一些車行的員責人表示，九三年汽車業生意表現仍值得看好，理由是香港的通脹率至現時尚無跡象向下調整，汽車代理商為保持良好業績，會繼續各展奇謀。更重要的是股票、房地產及外幣存款等多方面投資環境並不明朗，使汽車零售業有發展餘地。同時，大陸市場對左舵車需求量大，將可推動本港汽車業發展，部份甚至計劃將歐洲左舵車及日本豪華型汽車推廣到大陸市場。

本港今年首季的汽車總體銷量為 16,661 架，較去年同期的 16,163 架輕微增長 3.1%。但總體銷量增長主要是來自商業貨車，例如重型貨車銷量的增加。重型貨車銷量增加，與運輸業蓬勃有關。

由於日圓升值，日本製造車價格自年初以來不斷調高，個別牌子汽車由年初至今已加價三次。同時，港府在年中將考慮提高首次汽車登記稅，亦將對汽車售價有影響，屆時車價可能會再調高 15%。業內人士估計，九三年全年日本汽車價格約增加兩成，而汽車銷量則減少 5—7%。

目前家庭房車在港的需求甚殷。據業內人士估計，年均每月在港售出的家庭房車總額近億元，而大部份家庭房車為 1,500CC 汽缸容積，售價由港幣 9 萬餘元至 16 萬元左右。

家庭房車需求增加，與年青夫婦增加有着密切關係。據統計數字顯示，去年本港登記註冊結婚人士共有 45,702 對。年青新一代講求生活享受，除了注重衣、食、住三方面，“行”當然不可忽視，加上不少人遷往新市鎮居住，擁有個人座架會較為方便，故汽車亦已成為一個家庭的必需品。

韓國汽車看準機會引入家庭房車，有意與日本汽車分杯羹。由於香港的汽車市場一直被日本汽車佔主導地位。韓國汽車給人的印象是價格較便宜，但質素是否能媲美同類型的日本汽車，則令人懷疑。為此，代理商正致力建立牌子的知名度。在今年內，他們將舉辦多個大型車展，與傳統的車展不同之處是參觀者可自由撫摸及試駕駛展示的汽車，並在新界多個地區舉行小型車展。除增加知名度外，價格將會是現代汽車最大吸引之處。目前，韓國現代汽車在港的獨家代理商——現代汽車有限公司售賣的汽車包括雙門汽車小飛馬、四門汽車威馬（馬力 1,800CC）及小威魚（馬力 1,500CC）價格由 8 萬多元至 12 萬多元，而馬力 1,500CC 的日本車價格則在 15 萬元以上。因此，他們銷售對象範圍是由馬力 1,500CC—1,800CC 的客戶，以及一般未能負擔貴價汽車的白領及小家庭。

布疋絲綢業

【概　述】　成衣出口是本港主要的出口商品之一，作為成衣原料的布疋絲綢業的進口商行有 3,330 家，員工 15,020 人，比上年增 352 家及 1,095 人；批發商行有 1,133 家，員工 4,028 人，減 45 家及 8 人；零售商行 290 家，員工 901 人，分別增 10 家及增 24 人。

布疋可分為胚布與花布兩大類。胚布即各類布疋之原胚，花布是已加工的布疋，供製衣或直接在市場售賣，花布業務較胚布為少。以原料分，布疋分為純棉織品與人造纖維製品兩大類，而一般流行的是混紡布；以織造種類分，可分為梭織布、針織布及鈎織布等。

絲綢一向以國產絲綢為最大宗，雖其質量稍遜於日本和西歐，但貨源充足，價錢平，在香港市場很受歡迎。

【營業情況】　根據香港政府的統計，去年本港進口的布疋絲綢類產品，總值為 1,013 億元，較上年增長了 8.2%；轉口的該類產品為 677.4 億元，增 16.5%；本港留用的布疋絲綢類產品總值 336 億元，減幅為 5.8%。

雖然去年本港進口布疋絲綢類產品的進口和轉口價都有所增加，但整體紡織布業的市道仍是強差人意，因此紡織廠訂單大量減少，在需求趨減的情形下，棉花的價格顯得偏軟。到下半年，市道仍未轉好。儘管去年十月初，棉產國巴基斯坦遭受水災困擾，造成部份棉花受損；以及美國亦調低了棉花產量的預測數字（由原估計的 1,640 萬包，調低至 1,590 萬包），但這對國際棉花市場的供需，以及對本港進口棉花方面，完全起不了刺激作用。這主要是紡織業的市道不景而令需求大幅減少，從而將供需的差距拉大。如歐洲市場的棉花使用量，目前只有實際用量的一半，東歐、獨聯體的紡紗廠亦大部份停產，東南亞市場耗用量亦逐步下降。

至於毛紡市場方面，去年上半年羊毛紡紗的銷路相當好，原因可追溯至九一年底，由於當時羊毛價格沉寂了相當一段長時間，當時便有彈升趨勢，一般情緒轉為樂觀，不少入口商及廠家當時都跟風入了大批貨品。可是踏入今年三、四月份，市場後勁呈現不繼，價格亦調頭回落，究其原因，除紡織品市場基礎薄弱，各入口市場表現失色，令買家作了技術性錯誤估計外，主要是存貨過剩，將市價扯低。從年初至年底，羊毛紗價格已下跌一成半至二成左右。

【新動向】 據本港紡織原料商表示，今年人民幣貶值使中國國際商品出口價格調低，今年以來，兩紗、兩布出口價已分別下跌百分三和百分五，但供港貨量卻明顯減弱，由去年的首位改為第二位，被巴基斯坦及台灣紗布搶去第一市場。這一方面與大陸紗布在質量方面未能與市場用家配合以外，亦由於內地近年與東南亞地區直接貿易有關，中韓建交後，大做紗布生意，還有泰國、菲律賓和星馬多是由大陸直接去銷。估計日後大陸紗布經港轉口將會逐漸縮減，使其在本港紗布市場上居於次要地位。

雖然中國內地出口來港貨量有減弱趨勢，但港澳地區仍是中國兩紗兩布出口的最大市場，佔中國出口總額五成以上，因此中國仍十分重視港澳經銷商的作用。而且兩紗兩布亦列入 16 種特別重要的出口商品，仍將實行計劃配額管理，由國家組織統一聯合經營，經貿部因此要制定新的管理規定，兩紗兩布出口許可證仍將由經貿部統一發放。

工藝品業

【概　述】 工藝品是香港古老行業之一。全港經營工藝品的商號約有 2,000 多家。這些商號大都已經營了兩、三代，新開的商戶不多。

工藝品商號主要集中在港島中區的荷李活道、嚤囉街、九龍的尖沙咀，特別是廣東道一帶及港九各大酒店和百貨公司的商場等。香港工藝品種類繁多，大致可以分以下四大類：一、特種工藝品類，如新舊陶瓷、景泰藍、玉刻、石刻、象牙刻、金木刻、雕漆、顧繡花等；二、雜項工藝品類、如仿古傢俬、仿古玉件、新舊煙壺、木刻等；三、工藝傢俬類，如酸枝、紅木漆器傢具、屏風、草籐竹柳編織品等；四、珠寶首飾類，如金銀鑲首飾品等。貨源主要來自中國大陸的北京、天津、上海、福州、廣州等口岸，部份來自日本、泰國、台灣等地。本港亦有加工繪製各類陶瓷，製造紅木傢俬等，不過比例不大。

香港市場上的抽紗品主要來源於中國內地，抽紗是中國傳統的工藝品，已有超過一百年的歷史，且出口數量頗為大宗。中國出口的抽紗品，手工精細、用料上乘，是名貴的手工藝品，深受世界各地人士的歡迎。抽紗主要分兩大類，包括輕工及重工。品種有枱布、手帕，枕套、床冚、窗簾及大型繡畫等，品種繁多。中國抽紗品主要有汕頭、北京、天津、上海、山東、青島等地，以轉往美國、意大利、澳洲、日本、南美洲、希臘等國家地區為主，香港則為主要轉銷集散地。香港也有刺繡品生產，但數量不多。刺繡廠約有 400 多家。

【營業情況】 由於工藝品種較多，加上很難明確分出是工藝品還是實用品，因此要準確計算工藝品的營業情況並不容易。據統計，一九九二年香港進口的油畫、雕刻、版畫、石刻、雕塑、郵票、郵集、標本、古董等共 7.04 億元，轉口 14,950 千元，出口 4,089 千元。進口和轉口較上年增 72.6% 和 6.2%；出口大幅減少 92.1%。由於這些僅是工藝品中的一小部份，而其他如傢俬、珠寶首飾等有專門介紹，這裏不作具體論述。

一九九二年，本港炒家也注意到藝術書畫、古玩瓷器增值驚人，紛紛趁機入市。人們認為，只要有眼光，一件數千元的瓷器，過幾年，轉一轉手，可索價數萬元或以上，增值率逾幾十倍。至今中國畫及藝術瓷器市場出現一片蓬勃氣象，拍賣與展銷活動此起彼落，名家畫價屢創新高。業內人士稱，十年前，本地古董愛好者只求能買到自己心愛的古玩便心滿意足，但今時今日的玩家除本身愛好之外，十分強調其保值功能。由於本港的高通脹，玩家傾向於投資保值，故此，古玩買賣市場亦不乏初學玩家。越來越多中等收入的白領階層人士及公務員亦愛好這類藝術珍品。業內人士稱，藝術瓷器及字畫也有平、貴，價格由幾千元至過萬元不等。

但是，國產工藝品在本港國貨公司銷量就不及從前了，原因是國內市場開放，港人及外地人士可以親自到國內搜羅工藝品。加上本港從事工藝品人士亦充斥中環、尖沙咀一帶。在供過於求的情況下，工藝品在國產百貨公司內都比較滯銷。

以往，香港愛搜購古物的人士，多往中環嚤囉街瀏覽觀賞，選購自己喜愛的裝飾品或古董，間中或會找到價錢廉宜的遠年珍品。

現在，太古廣場每月第一個星期日，均舉行一個開放式藝墟，名為“周日藝廊”，模仿美國市集擺賣形式，售賣各種文化工藝品，名家收藏品，原裝版地圖、民間新畫，以及其他中西特色擺設品等，為一名正言順售賣高檔貨的“嚤囉街”。

“藝廊”兩旁林立售賣古董文物的店舖，十多個以黃藍相間篷布蓋着的擺賣檔設在走廊通道上，售賣貨品是一些玲瓏精巧、饒富特色，具有保存價值的古物或美術作品。

目前“藝廊”擺賣的貨品基本上沒有限制，但以一些高檔質素的藝術品為主，在舉行“周日藝廊”期間，廣場會聘用藝術人製作及示範傳統藝術如剪紙藝術、龍鬆糖製作、風水命相、彩虹畫等，增加遊人觀賞樂趣，務求營造出一中西文化薈萃的商場特色。

近年來，仿製古玩在本港大行其道，主要因為很多古董已被人收購，造成市場供不應求，另方面，有些市民喜愛古董，卻沒有能力買，便買仿製品。所以仿品市場日漸蓬勃。目前本港約有兩、三間製造仿製陶瓷的工廠，而市面上仿製的中國古董，例如瓷器、字畫和傢俬等，很多是由中國內地、台灣和澳門運來，原因是本地製造的仿製陶瓷成本貴，質素又不及上述三個地方。所以這些古董商便向鄰近訂購，然後再銷往海外。

【新動向】 進入九二年，本港藝術品市場出現不穩定情況。在佳士得春季拍賣會中，兩幅估價最高的中國畫——傅抱石的《屈原》、張大千的《飛霞萬里》因叫價太低而賣不出。這種情況是極少見的。傅抱石和張大千的兩幅作品估價均為120萬至150萬元，結果《屈原》的叫價只達88萬，《飛霞萬里》也只升到48萬元時就停滯不前。油畫方面，則較十九至二十世紀的中國畫穩定，項目較上季減少成半，總成交額和上季差不多。

據書畫鑑定專家稱，以這次拍賣會的情況來看，低價錢的作品較易出手，高價貨則需經過多重“考試”，例如買家的興趣、作品的質量、歷史價值等。總的來說，現在買家的口味是既要質優又要便宜，與前兩年經濟環境較好時不能同日而語。另方面，這次素質較好的作品都能以高價成交。例如，在中國藝術品及鼻煙壺拍賣方面，成交價最高的是一對清乾隆絲九龍紋地氈，以59.2萬元成交。其次是一個御製痕都斯坦式白玉三足鼻煙壺，以52.6萬成交，顯示買家相當成熟，但他們的口味太固定，未能接受創新的作品，例如拍賣會少推出現代水墨畫，高價油畫仍然是富裝飾性的美女題材作品。

鑑定專家認為，新近畫家的作品由於價錢便宜已成為買家收藏的對象之一。現時拍賣市場出現的不穩定，有利於拍賣行業更加注意其本身質素，以滿足買家不斷提高的要求。至於中國油畫拍賣的趨勢，現時一批40歲左右的中年畫家的作品最受歡迎，主要原因是這批畫家大多受過嚴格的基本功訓練，有扎實過硬的技巧，同時在國際上亦有一定知名度。至於高價作品拍賣情況欠佳，顯示買家不願大量投資金錢在繪畫上。這個情況可能與中英近期的爭拗有關。他們預測越近“九七”，除非經濟突然轉好，否則香港拍賣市場會愈來愈差，收藏家將會把藏品套現金錢。而中國畫、古董在外國未必有香港這樣的市場。

至於抽紗品(手繡、手編)原為中國國家類甲種出口商品，並由經貿部核發出口許可證。隨着國內經濟改革的不斷深化，抽紗品將繼續實行出口許可證管理，由各地方經貿委頒證，即：變為一般出口許可證管理商品。這樣一來以後來自各地的抽紗品將會更多，購買者可以有更多選擇。

百貨業

【概　述】　百貨業在商業中可說是數一數二的大行業，特別在有“購物天堂”之稱的香港，百貨公司隨處可見。香港的百貨業，基本上是由港資、中資、日資形成三足鼎立的態勢。大資本的百貨公司在營銷上各具特色，各有各的經營策略。據統計，一九九二年全港共有大小百貨公司 11,640 家，從業人員 36,121 人，較上年增 166 家，1,685 人。

本港規模較大的百貨公司有中國國貨、大華國貨、裕華、中僑、中藝、華豐、先施、永安、瑞興、連卡佛、大丸、松坂屋、三越、崇光、吉之島、八佰伴、伊勢丹、東急、馬莎、免稅品店等。其中先施、永安、瑞興、連卡佛、裕華等為上市公司，有股票在市場買賣。

【營業情況】　一九九二年本港經濟放緩，百貨業受多項因素打擊，包括通脹高企、經營成本上漲、政治問題等，生意額未如理想。幸而春節前夕，吹來了一股寒流，氣溫驟降，本來滯銷的禦寒物品銷量突告上升，使百貨業生意轉旺。

據政府統計處發表的數字顯示，一九九二年百貨業零售價格和零售量較上年升 14.1% 和 4.9%；衣着、鞋類及有關產品的零售價值和零售量分別上升 25.5% 和 14.2%；耐用消費品的零售值和零售量分別上升 29.1% 和 24.2%。

另根據香港旅遊協會的統計數字，一九九二年全年來港的旅客人數為 698.616 萬人，較九一年同期的 603.208 萬人，增 15.8%。其中台灣遊客 164 萬多人。外來旅客人數不斷增加，對百貨業有一定影響。台灣和日本人的消費能力相當強，對百貨業自然有利。

本港的消費產品，與鄰近亞洲區比較，整體售價大致較為便宜，故吸引大量遊客購物。至於港人的消費力，也毫不遜色於遊客。例如走高消費客路的西武百貨公司，其主要客源 90% 為本地人，遊客生意只佔 10% 左右。

目前的香港，並非“平嘢”就多人買，最重要是貨品是否名牌、是否流行。所以，在各家百貨公司內定有名牌攤檔，而這些名牌攤檔往往是最多客人聚集的地方，尤其在減價日子，更會出現人潮搶購的場面。為此，本港的消費產品多集中走高檔路線，為配合港人的消費口味，多家百貨公司亦走高檔名牌路線。

本港百貨業在最近幾年的競爭已趨於白熱化，而且經營亦比以前困難得多。因為舖租大幅調升，若百貨店不自置物業的話，經營百貨的利潤更是微薄。所以一些投資大型百貨商場的商人，都會與地產發展商簽訂較長期的租約，以便在成本計算方面較易掌握。

同時，由於日本資金的百貨公司不斷進軍香港，而且規模比本地公司大得多，將原來的市場逐漸擴大，生意也分薄不少。尤其現時很多年青人較喜愛購買日本貨品。這對日資百貨的經營有很大的推動作用。目前，日本式的百貨公司在本港百貨業中佔了重要的比重。西武百貨、西田百貨、三越百貨、太丸百貨、崇光等通通都是日資的百貨公司。而它們的分佈大都集中在尖沙咀、旺角、銅鑼灣、金鐘、中環等地。日資公司之所以能在香港市場獨佔鰲頭，佔去香港百貨業銷售額過半山河，其因素包括：大搞日資公司的統一戰線；佈置棋陣，廣設分店；性格鮮明，着重包裝等。

為此，在一些購物中心區的百貨公司為爭取理想的消費額，不得不各出奇謀。其中最常見的就是購物滿一定銀碼就可以參加抽獎，由公司送有實用價值的紀念品……。這種辦法確實吸引不少顧客購物，對公司營業額有一定的幫助。個別百貨公司也仿傚日本當地的公司，在百貨店最高頂樓一層，開闢了特價購物場，按時推出一些價格相宜的商品去給顧客選購。由於現時不少港商利用在大陸設廠，所以亦可在本港推出一些價格吸引，但質地頗佳的商品給本地消費者購買。百貨公司方面亦可利用這些特賣場去出售因應廠家生產的大眾化產品，均可達到薄利多銷的目的。

【新動向】 進入一九九三年，百貨業情況未見理想。據香港政府發表的最新統計數字顯示，各零售行業二月份的銷售貨值為124.96億元，較上年同期僅增9.5%；銷貨量更只增5.9%，顯示業內生意欠佳。雖然一月份是春節，人們的消費較多，但頭兩個月的平均升幅亦只有10.2%。在各個零售業中，表現最差的是百貨業和超級市場。百貨業在二月份的銷貨值增幅僅有3.6%，而頭兩個月的平均增幅也只有10.7%。

進入九三年，百貨業競爭越見激烈。首先來自東京的新消費模式在香港出現。位於中環的LOFT是一間專售日常用品的專門店，屬於西武集團轄下的一部份。五年前它以貨倉陳列的零售經營方式在日本率先開設，現時日本共開4間。

該店的貨品大多比較有趣和富創作性。其規模雖可媲美百貨公司，但它不稱自己是百貨店，原因是店內所銷售的貨品並不包括時裝和鞋，因此自稱為專門店。顧客可以在一間店內，購買到日常用品。這個店的顧客主要是年青的行政人員。

另外，一間標榜全部貨品一律以10元港幣售出的“超級拾寶城”亦已在屯門中心開業，成為首間在港的劃一價格連鎖店，實行以平價吸引顧客。

近年世界經濟不景，消費市道未如理想，因此零售商被迫各出奇謀、奇招，力求打破市道淡靜的局面。零售市場中正吹着一股“超值”風以“與眾不同”，或是“奇兵突出”的姿態出現。

廣告及市場策劃界人士認為，傳統的行銷方式已不能趕上時下的市場要求。在未來幾年內“超值行銷”必能再闖高峰。在實行“超值行銷”的過程中，必須為貨品及服務以及整個企業形象等各方面實行增值策略。產品方面，在研究及拓展過程中，必須加強品質管理，目的是盡可能發掘更多、更新的優點和功能，不斷替產品增值。定價方面，無論什麼產品，務求訂下合理價格，令顧客有超值的感覺。推廣及包裝方面，須綜合各方面媒介進行推銷，不論是傳統廣告、直銷廣告、減價促銷、公關活動、產品包裝及企業本身的對外形象等結合，令顧客獲得清楚的產品訊息，另外亦能為產品增值，建立獨特和唯一的產品個性。

業內人士對百貨業的經營不感樂觀。他們認為，當一個零售市場還未成熟時，百貨公司有很大的生存空間，因可各自向顧客提供多種貨品選擇。但現時香港的零售市場發展極成熟，各種專門店紛紛開業，令本地百貨公司只能艱苦經營。另外，新市鎮興起，很多百貨公司以為可提供再發展餘地，但這個希望最終落空。因為近年樓價高企，市民供樓後消費力大減，加上地產市道投機味太重，令很多新屋邨空置率奇高。而且新市鎮的居民除周末、周日外，大部份均出外工作，根本無時間消費，令新市鎮開設的百貨公司大失預算，拖長了還本期。

基於本港百貨業處境艱難，現時多間本地華資及日資百貨店紛紛宣告進軍中國市場。他們看好中國市場的原因，認為中國有 11 億人口，零售市場還處於起步階段，加上經營成本低廉，發展空間實在比香港這個只有 600 萬人口的市場大得多，只要有正確的發展策略，不難在中國大陸設立多個據點。

鐘錶業

【概　述】　隨着近年來的教育及生活水平不斷改善，香港人對於鐘錶的選擇較以往多元化。鐘錶已由單純計時而演變為具有裝飾用途。

【營業情況】　據資料顯示，至一九九二年十二月止，香港鐘錶批發商共有 184 家，僱用員工 771　人，香港鐘錶零售店共有 1,182 家，僱用員工 6,515 人。

鐘錶進口統計數字

項目	進口金額 / 億元	項目	進口金額 / 億元
電池腕錶	96.29	電池時鐘	1.72
機械腕錶	32.05	其他時鐘	0.07
非貴金屬袋錶	0.76	錶殼及其他附件	10.48
已裝嵌電池錶芯	72.78	金屬錶帶	4.94
已裝嵌機械錶芯	9.25	非金屬錶帶	3.92
電池錶芯裝時鐘	2.59	鐘錶機時間掣	1.63
機械錶芯裝時鐘	0.02	計時紀錄儀器	0.9
電池鬧鐘	4.22	未裝嵌鐘芯	1.60

項目	進口金額 / 億元	項目	進口金額 / 億元
機械鬧鐘	0.86	鐘殼及配件	0.2
電池牆鐘	1.15	已裝嵌鐘錶機芯	22.98
機械牆鐘	0.26	鐘錶零件	26.85

據資料顯示，一九九二年香港鐘錶入口的總值為 210.77 億元，比一九九一年增加了 33.7%，在各項入口鐘錶類中，以電池腕錶的入口量最大，數量為 4.10843 億個，價值 96.29 億元，來自五十八個國家地區，其中以中國來貨最多，計有 3.81 億個，貨品價值高達 50.43 億元，日本居次席，來貨計有 969 萬個，貨值高達 12.4 億元，第三位則是瑞士，來貨量 155.9 萬個，貨值為 13.21 億元，瑞士貨值比日本為高，可見鐘錶市場對瑞士錶的評價仍具價值，質素為所有入口貨中最高級。

雖然整體鐘錶本銷業務平均有 6%的增長，但業內人士表示，一九九二年整體鐘錶業務比一九九一年淡靜，消費者購買力有減弱，時裝手錶更少人問津，只有個別產品能有大幅增長，大約有八成的錶行之業務出現下跌。

據業內人士表示，導致這情況的出現，最主要是世界經濟增長放緩。過去本港手錶零售以日本遊客業務較為主要，但最近已為台灣遊客取代。事實上，來港日本遊客現以鄉村地方人士較多，其消費力較弱。因此，有數間以日本遊客為主的錶行發現，雖然來港日本遊客數目並無太大變化，但其業務則下跌近七成。

【新動向】　由於一九九二年的表現平平。為了打開這個悶局，鐘錶代理各司各法，有些引入高價產品，以加強產品形象及提高檔次，有些業者以銷售不同檔次牌子，作為市場發展策略，又有不少公司均集中發展中國市場。

據一位業內人士表示，因為中國國內經濟發展步伐加快，鐘錶產品銷售市道蓬勃，香港零售商多轉移拓銷中國大陸，目前，國內所銷售手錶共分四大類別，包括國營企業所生產的手錶，價錢約 50 至 80 元人民幣；由港商投資的合資企業產品，售價由 100 至 500 元不等；亦有在國內裝嵌的進口手錶，售價約 200 至 300 元；亦有售價在 500 元以上的原裝進口錶，而中國現時以傳統進口牌子手錶較受歡迎，至於以著名時裝牌子作標榜之手錶，則預計在三至五年內有較大增長。

珠石玉器金銀首飾業

【概　述】　香港珠寶、玉器、金銀首飾業的製造和商業經營基本一致，較大的店鋪都自設工場。這個行業主要包括金飾、鑽石、玉器、珍珠、寶石及鑲作（除鑲嵌外，尚包括人造首飾）。

據一九九二年統計，本港此業的商號約有幾千家，分散於港九各地，以港島中區及九龍尖沙咀、旺角等商業區及旅遊區更為集中。整個行業僱用人數有19,535人，其中從事零售的有1,790家，員工9,633人，進出口商1,807家，員工7,164人，批發商635家，2,103人。

由於經營商號衆多，經營品種亦稍有分別，故業內有許多商會組織，如香港珠石玉器金銀首飾業商會、九龍珠石玉器金銀首飾商會以及香港玉石製品廠商會等。一九八九年，由部份本地主要珠寶製造商聯合組成的香港珠寶製造業廠商會成立。其宗旨是促進本地整體的珠寶產品出口貿易及保障珠寶製造業的利益。

【營業情況】 香港珠寶業的製品除出口以外，還供本銷，滿足本地居民及旅遊人士的需求，銷量相當大。

香港珠寶首飾主要集中於中價貨，最流行的款式乃以二十四K或十八K金鑲鑽石或紅、藍、綠寶石。足金首飾銷量亦相當多。

據業內人士估計，在香港本銷市場的珠寶金飾中，約有30%為外國來客所購買。一九九二年，本港珠寶內銷總值達到50億港元，比上年減少6億元，但訪港遊客所佔內銷市場比率卻持續增長，遊客在購買珠寶方面花費估計高達36億元。在衆多珠寶種類當中，以金、銀首飾最受市民歡迎，佔了整體市場的七成以上，其次是名貴鑽石、寶石一類飾物，一九九二年本港黃金鑽石銷路表現良好，主要是由於香港及世界經濟逐漸好轉，訪港旅客增多。

長期以來，香港是亞太區黃金集散地。據世界黃金協會的"黃金消費"調查結果顯示，足金首飾在本港黃金市場佔重要地位，金飾的銷量及價值在整個市場的佔有率最高。有關報告顯示，超過31%被訪者在過去十二個月內曾購買黃金，而逾29%則曾購買足金首飾。足金首飾佔首飾市場最大比率（87%），而女性和男性購買的足金製品分別是91%和82%。最受歡迎的足金首飾包括戒指、項鍊及耳環。58%被訪者曾購買耳環。每個港人於購買每件足金首飾的平均消費為652元，以年齡介於25至34歲的男性消費最高，平均每件首飾消費達973元，同年齡的女性，每件金飾平均消費為877元，而每位曾購買首飾的平均消費為2,380元，消費者平均每人購入1.78件足金首飾。除自用之外，足金首飾亦是送禮的優先選擇，而結婚及生日則為最普遍的送禮場合。

香港的金飾市場銷路興旺，一個很主要的因素是由於中國逐漸開放，回鄉探視的港人或台灣人往往以金飾作禮品。另外，大陸來港公幹或來旅遊人士亦都喜歡購買金飾，據業內人士稱，大陸人士佔60%，有些人甚至選買金鍊達40—50條之多。九二年香港的黃金進口金額為310億港元，較上年增11%。

作為珠寶首飾主要品種之一的玉器，絕大部份原石採購自泰國、緬甸及中國雲南等地，經過本港工匠的設計加工，再轉銷美國、加拿大、日本及台灣等地區。由於玉器製品品種繁多，品質各異，價錢差距頗大，由數十元至數萬元不等。

最近一年，純銀首飾亦正式在本港流行。其款式主要是由批發商創造潮流，以戒指為例，由於近期來貨多為大型的，故本港市面亦以大型戒指居多。

目前，本港銀製首飾品約有六成產品在泰國訂造，亦有部份在美國、德國訂貨。

鑽石市場方面，由於受世界經濟所影響，價錢的升值較為緩慢，尤以二、三卡的鑽石而言，升值更見疲弱，但一卡或一卡以下的鑽石一九九二年零售價約升值兩成。業內人士稱，由於鑽石是稀有的晶體，而且在切割和打磨時，在於要求完美的原則下，一半或以上的鑽坯會“報消”，加上不少鑽石愛好者欣賞其堅硬和折射外來光源的特質，認為具有藝術價值。所以除了一些零碎部份安於一般的首飾上而較便宜外，大部份都超過 2,000 美元。一枚兩卡的晶瑩鑽石，毫無半透明的斑點，色澤如純然清水的，每卡市價為 1.6 萬多美元；有少許斑點，但用一般顯微鏡也難觀察到的兩卡鑽石，市價亦達 2,000 多美元，如一枚 50 卡通透完美的清水的鑽石，以現時市場計，每卡高達 100 萬美元。一九九二年香港鑽石入口為 150 多億港元，較上年增長 18.7%，而實銷額更達 110 多億港元，增加 25%。

近幾年，人造首飾在本地市場銷售暢旺，相信是有較多花色品種可以作為服裝方面配襯之外，還因為與珠寶首飾價錢有很大差別，而在治安方面，配帶人造首飾可以減輕消費，同時，也少了心理上的壓力。

由於人造珠寶首飾並無統一的零售價，故只要貨色較特別，款式設計新穎，品質較上乘，商店均可隨心所欲地釐定售價，如一對售價由 10 多元起至數十元不等的耳環，其利潤可高達五成；由一條數十元至數百元的頸鍊，其利潤卻是入貨價的兩倍。為此近年來售賣人造珠寶首飾的店鋪大增。

【新動向】 進入一九九三年，隨着香港及世界經濟好轉，對香港本地的首飾市場會帶來正面的影響，而中國大陸容許攜帶 6,000 元人民幣出境，對香港的黃金珠寶首飾銷售有刺激作用。特別自內地放寬人民幣出口管制外，本地一些銀行亦設有人民幣兑換牌價，不少珠寶店為了吸引內地遊客，更推出以人民幣購首飾的手法，藉此廣招顧客。

因此，金飾生意預期有平穩的增長。影響金飾業務的另一個主要因素是金價高低，假如金價企在高水平，會令消費者興趣減弱，若金價低企，則會吸引更多人士購買金飾。據業內人士稱，近年來，金價一直企在低水平，外圍金價一直企在每安士 330 美元左右的水平，而港金則企在每兩 3,000—3,100 港元的水平。基於目前國際上政治及經濟環境趨向穩定，沒有特別的大刺激，加上目前投資者對投資金市的興趣不大，故金市交投平淡，金價亦難望有起色，金價低企，對金飾業有幫助。

同時，近年足金首飾的款式設計合乎潮流及多元化，與人造首飾比較，現時已越來越多人購買足金首飾，所以九三年的金飾市場仍然可以看好。

玉器市場方面，由於開採量少，東方人又較為喜好，玉器價格曾一度被炒高，在需求殷切的情況下，價格具有上升潛力。

據業內人士稱，港人現時購買飾金每年遞升，但購買者的目的，已從過去保值的心態改變為以裝飾配戴為主，因此，現在的金飾應注重款式設計，以迎合消費者的口味。

另方面，隨着國內人民生活的改善，購買力不斷提高，對金飾的追求不斷增加，有鑑於本港黃金首飾市場漸有飽和趨勢，加上店鋪租金昂貴，故本港一些首飾店不打算在港着意發展，亦未打算進軍台灣市場，反倒轉向爭取發展中國的黃金市場。一些較大的首飾店準備在國內一些大城市如北京、上海、南京、青島、廣州等開設分店。

樂器行

【概　述】　香港樂器行有數十年的歷史，目前就有不少老字號。

近二、三十年、隨着居民教育水準及生活水準的提高，音樂愛好者的不斷增加，管弦樂團和中樂團的成立以及市政局屬下的樂器統籌處經常舉辦各種中西樂器的訓練班、公開比賽和演奏會等，促進了音樂活動的發展。因此對各種中西樂器要求不斷增加。

香港經營樂器的商號通稱琴行。根據統計處統計，一九九二年全港共有進出口商 41 家、291 人，較上年增加 8 家、68 人。琴行 190 家，從業人員 1,500 人，與上年比增 25 家、112 人。經營西洋樂器為主的琴行中，以亞洲琴行、曾福琴行和通利琴行的規模最大，在港九均設有多間分行。創建於一九一六年的曾福琴行從一九五五年開始，從手工生產十八、十九世紀的傳統式鋼琴轉為代理世界各國名牌鋼琴、樂器、並包括收音機、電視機、電子琴、音箱以至舞台的音響設備等。而經營中國民族樂器的有粵華樂器行。該行亦兼營內地生產西洋樂器。五洲琴行成立十三年，到一九九一年共擁有 14 間分行，比上年增加 35 間，為全港分行最多的琴行。七年前在麗晶花園開設第一間店鋪的柏斯琴行，至今已發展至有 7 間分行。此外，不少規模較大的百貨公司和書局也附設有樂器部門，出售各種唱片、錄音帶等。

香港市場銷售的樂器，大部份靠外地進口，其中以日本、中國內地、南韓來貨為多。中國內地樂器銷港數量近年持續增長。有些商號除經營進口及零售外，亦兼營轉口業務，如粵華樂器行經銷的中國民族樂器轉銷世界各地。

本業商號除經營樂器外，亦兼營各種音樂書籍，有些樂器行更附設訓練班或提供樂器及場地給音樂愛好者練習。此外，有些規模較大的樂器行還舉辦一些樂器展銷會，贊助音樂演唱會等活動，藉以加強宣傳和促進銷售。

香港市場銷售的樂器品種繁多，除各種西洋樂器外，近幾年還有不少電子樂器。這些樂器大致可分為鋼琴、弦樂器、管簧樂器、敲擊樂器及電子琴等。

【營業情況】 據統計，一九九二年香港進口鋼琴等樂器 62.49 億元，較上年增 9.6%；出口 65.86 億元，較上年增 10.2%；轉口 52.2 億元，較上年增 27.98%。

本港學鋼琴的風氣極為普遍，不少中等入息的小家庭往往亦可員擔起購買鋼琴的能力。

鋼琴分為兩類，三角鋼琴及直立鋼琴。在香港由於往宅面積小，以直立鋼琴較為普遍。目前市場上鋼琴價格，以三角琴為最貴。

以往港人購買鋼琴都以日本出品的鋼琴為主，而日本出品的鋼琴則以中下和中上價格為多，但隨着港人消費能力日高，不少鋼琴用家都轉購品質較佳的鋼琴。歐洲製造的鋼琴品質較佳，遂日漸流行，其中以英國鋼琴最受歡迎。近年本港移民人數較多，移民者多喜在港選購鋼琴至移居地，選購的鋼琴亦以歐洲高質鋼琴為主，因此高級鋼琴不愁銷路。相反，中下價鋼琴競爭極為劇烈。

香港市場的鋼琴價格差距很大，由數千元到數十萬元不等。歐洲的鋼琴中，弦線以西德生產的最著名，音色一流，而歐洲琴頗為傳統化，觸鍵感重，宜彈奏古典樂曲，價格較貴，約 3 萬元以上。日本及南韓產品以中檔為主，售價為 1.5—3.5 萬元之間。國產鋼琴屬於低中檔。由於價錢便宜、音色不俗，銷量也較理想。國產鋼琴在香港市場主要競爭對手是日本和南韓貨。但從香港海關統計數字看，日本和南韓近五年來進口香港數量基本是穩定增長，而國產鋼琴輸港數量反覆較大，時減時增。

在鋼琴的競銷中，香港的琴行形成自己獨特的推銷形式。一些琴行為學琴人士提供理想完善的學習課程，更以薄利多銷為宗旨，令消費者得以合理的價錢買到所需的貨品，一些琴行不時舉辦樂器展銷會，期間，除各類樂器特價發售外，更會隨鋼琴附送拍子機、琴書、琴套、高級防潮管、免費調音兩次等。此外，亦會安排琴行的學生在現場演奏各種不同樂器，計有鋼琴、電子琴、小提琴、古箏、結他、兒童合唱等。有的琴行採用分期付款購銷，有的通過低價教授鋼琴、或購買鋼琴免交運費、十年保用、一年免費調音保養，附送防潮管等以吸引顧客。

由於電子琴有不少鋼琴所沒有的優點，例如電子琴不需調音、保養容易、音色多，而最重要的還是電子琴可彈奏出有如大樂隊演奏的音韻。本港最流行的電子琴屬於 FE 的電子琴，音樂廳多採用，故有“餐廳電琴”之號。“餐廳電琴設有三層琴鍵，而且配樂器多樣化，除有弦樂的音色之外，且有多項管樂音色。

本港便攜座枱式電子琴銷量較多而座地式電子琴可能佔用空間較多，攜帶不便，且售價貴，故受歡迎的程度不及便攜座枱式。

受懷舊和“夾 Band”熱潮影響，沉寂一時的結他再度受歡迎，各類結他銷量急升四至五成。

香港的二手鋼琴主要分為兩類：一類是由中國、印尼等地製造的鋼琴，而另一類則是日本製造的鋼琴。本港所出售的二手鋼琴質素強差人意，原因是這些鋼琴本身已十分殘舊，儘管經過翻新及調音，質素仍未能達到水平。而本港用家喜歡買原裝鋼琴，認為原裝鋼琴的質素必定比二手貨高，故二手鋼琴市場發展至今仍未蓬勃。

【新動向】 最近 VIP 鋼琴服務公司在港島兩個地方設店，供應名牌二手鋼琴及為顧客提供專業意見。據說該服務公司出售的二手鋼琴，與一般琴行售賣的舊琴完全不同。該公司的二手鋼琴全部由日本原廠進口，事前經過該廠專業技師翻新及維修，全部檢驗合格才出廠分銷海外、發票列明產地、琴齡，並有保用十年，免費更換零件，且一年內七折收回等保障。

攝影器材及沖印業

【概　述】 自一九〇〇年柯達推出第一部“布朗尼”照相機到市場後，今天攝影已經成為人們日常生活不可缺少的一項活動，而截至一九九二年六月，香港經銷照相機及攝影器材的公司 263 家，共僱用員工 1,932 人；而從事進出口照相機及攝影器材公司 256 家，從業人員 2,253 人；照相館和商業照相館 803 家，員工有 2,679 人；而相片沖印店則有 570 家，就業人口共 2,400 人。

【營業情況】 香港市場上售賣的相機，除了部份使用 120 或以上軟片的雙眼照相機或俗稱的大底照相機外，大部份的市場屬於 135 軟片的照相機市場，而當中又主要分為：傳統式的單鏡反光機；全自動作業的輕便相機（俗稱傻瓜機）；和兼具單鏡反光機及簡易相機特色的橋式機。而在這三種照相機中，單鏡反光機在七十——八十年代可謂盡領風騷，但到了八十年代末期，由於電腦科技的進步，突破了以往電子管、半導體體積龐大的限制，而採用了微型袖珍的集成電路設計，加強了輕便相機的功能實用性，由於具有價格便宜、及操作簡易的特性，因此成了另類的相機市場，直至邁入九十年代，市場上出現了既可自動化操作，又兼具有單鏡反光機可更換鏡頭等特性的橋式相機，一時間這種橋式相機在市場上大行其道，甚至反客為主，搶佔了以往單鏡反光機的市場地位，其中日製的照相機更可謂雄霸市場，佔據了九成以上的照相機市場。

1992 年有關照相機、配件、等產品進口、轉口統計數字：

	進口		轉口	
	數量（部）	數值（萬元）	數量（部）	數值（萬元）
各類型照相機	28,414,631	377,262.7	25,661,763	203,883.2
閃光燈類物品	——	308	——	883
放電燈（電子）閃光器具	2,328,229	14,349.7	4,020,847	15,401.3
三腳架、及照相機零組件	203,835	221,962.3	——	200,754.8
光學閃燈儀器零組件	——	13,171.8	——	11,930.3
幻燈片放映機	55,494	4,840.2	50,594	4,558.2

至於在沖印業方面，現時香港的沖印店數目已超過 500 家，其中主要分為採用柯達或富士所提供的物料及沖印器材，或部份商戶亦會直接成為以上兩個系統的特許經營成員，而另外也有部份沖印店是使用愛克發的沖印物料系統。

以往沖印行業屬於一門極專門的行業，一般沖印店實際上只負責收集客戶需要沖印的軟片，然後再集中送到專業的沖印中心執行軟片沖洗及照片放印工作，而沖印店再從中收取若干的手續服務費作為利潤；但自從快速沖印機器出現後，由於投資金額不大，吸引了不少有興趣創業的人士投身沖印行業，一時間快速沖印店到處林立，在競爭壓力下軟片價格及沖印價錢都大為降低，亦刺激了市民攝影的興趣，在循環刺激因素下，香港的沖印業也蓬勃成長起來。

不過，隨着沖印店家數的增加，部份業內人士認為，現時市場已接近飽和狀態，故此部份沖印器材供應商也開始將重點轉為開拓大陸沖印市場，而香港市場則會集中發展器材更換業務，並且會朝高檔路線，向改善沖印質素方面發展。

1992 年有關軟片、顯影品、攝影用化學製劑等進口、轉口統計數字：

	進口		轉口	
	數量	數值（萬元）	數量	數值（萬元）
非紙或織物造之片狀軟片	——	71,907.7	——	41,148.3
非紙或織物造之卷捲狀軟片	——	168,241.5	——	73,367.1
攝影用相紙、紙板及織物	——	112,302.4	——	78,119.7
已曝光但未顯影之顯影品	——	230.9	——	3.2
已曝光及顯影之顯影品	——	2,521.7	——	836.7
已曝光及顯影之電影軟片（闊度為 35mm 或以上）	16,872（公里）	3,147.8	8,052（公里）	2,286.1
已曝光及顯影之電影軟片（闊度少於 35mm）	2,113（公里）	275.6	351（公里）	39.1
攝影用化學製劑	——	24,466.4	——	41,148.3

【新動向】　現在幾乎每個香港家庭都會擁有一部照相機，其中又以電子化的自動機佔多數，與單鏡反光機的比例約為 6：1，在市場導向之下，一些照相機廠家也開始以生產輕便相機及橋式相機為主，單鏡反光機已變成專業人士或部份業餘者的市

場，而大衆化相機市場則成為電子機市場的天下，而部份業內人士認為，由於橋式相機具有可更換鏡頭、可變焦、及電腦化多功能設定的特點，故此最終將會取代售價較低廉的輕便相機，由原來的三成半市場進而囊括大部份電子照相機的市場；加上攝錄機的日漸流行，所以家庭拍攝錄映帶風氣也開始大受推廣，改變了傳統拍攝平面硬照的概念，形成了攝影器材公司跨域銷售影音類的攝像機情形出現。

由於照相機產品市場的轉變，現時照相機的市場發展已由相機製造商，轉移至主宰電子機心臟的電腦晶片製造商，由於大型集成電路的應用日趨廣泛，電腦晶片的資料容量不斷擴大，故此可以想見未來的電子照相機功能將會不再局限於現時的自動對焦、自動操作拍攝、眼球啟動對焦等功能，而變成更電子化和與其他影音設備結合的趨勢，而一些行內人士更表示，將來的照相機市場，將會由每一個家庭擁有一部的概念，轉變為照相機只是一般的家庭電器用品，當有更新功能型號出現時，消費者便會像更換其他家庭電器一樣，隨時予以更新換代的情形出現。

眼鏡業

【概　述】　香港戴眼鏡的人估計約有 200 餘萬。大部份由於眼疾，如近視、老花或散光而戴眼鏡，但也不乏為美化儀表的人士。還有一些表面看來沒有配戴眼鏡的人士也可能戴上隱形眼鏡。不少香港人均配備一兩副眼鏡。眼鏡幾乎成為人們生活的必需品。加上香港每年有遊客五、六百萬人次。他們當中也有很多需要眼鏡或太陽眼鏡，即使只有 10%會在香港買眼鏡，就增加五、六十萬人次。這造成了眼鏡業的穩步增長。

據統計，一九九二年，香港眼鏡業有批發商 80 家、315 人，進口商 235 家，1,505 人。

眼鏡業與其他零售業有所不同。它提供的驗眼、配鏡服務需要一定的專業水準。不過，港府對眼鏡業的經營未有任何管制，只有足夠的資本就可以開業，形成眼鏡業的服務水準有參差，也使得該業的競爭加劇。但近幾年由於市民的消費力提高；認識到眼鏡對眼睛的重要性，逐漸改變貪圖便宜的心態，改為信賴大集團的高級眼鏡店。因為這些眼鏡店有專業驗眼師，有精密先進儀器。

一間完善的眼鏡店提供的服務內容有：驗眼、配鏡，還包括配玻璃或塑膠鏡片、隱形眼鏡的藥水清洗等，較大規模的眼鏡店還出售放大鏡、望遠鏡。

【營業情況】　眼鏡一般分為普通眼鏡、太陽眼鏡及隱形眼鏡三種。其中以前者的營業額最大，而太陽眼鏡營業額則最小。隱形眼鏡在十多年前曾十分時興，但近幾年的銷量增勢已見放慢。

香港眼鏡業最重要的出口產品為塑膠眼鏡框，包括手製和注塑成型眼鏡框。

六、七十年代時期，香港眼鏡製造科技落後，只能出產一些設計簡單、顏色單調的框架，主要以塑膠為主，數量也不多。然而近十年來廠商積極進口歐洲先進機械，大大改善製品的質料，而機械化大量生產亦容許廠家打開海外市場。本土七成廠家將生產綫內遷大陸，減低生產成本，亦無形地增加了製品在外地市場的競爭力。近年金屬框技術有所改進，金屬鏡架的色彩得以多樣化，能滿足消費者用眼鏡配襯服飾的心理，金屬框的需求量大增。本港製造商亦逐漸傾向多製金屬鏡架。而太陽鏡、閱讀放大鏡及一物多用眼鏡框亦有出口。現時本港的眼鏡製品足可媲美歐洲高價名貨，價錢卻走中高檔路綫。不過高檔次產品仍是意大利的天下。

美國是港製眼鏡架的首要市場，佔港製眼鏡出口總額的70%左右。近兩年，由於美國經濟放緩，吸納港製眼鏡的比率下降五成，而歐洲市場所佔的比率，卻增至45%，令香港廠商對美國市場的依賴程度顯著下降。

港製眼鏡有10—20%供本港市場銷售，鏡片、鏡架大部份從外地進口。據香港政府統計，一九九二年，本港進口的眼鏡共26.32億元，比上年增17.9%；出口26.72億元，較上年增24.2%；轉口17.04億元，較上年增25.8%。

本港進口的眼鏡片以名牌產品為主。因為本地也有一定數目的鏡片製造商可以供應非名牌的鏡片。

本銷鏡片中，玻璃鏡片、膠鏡片各佔五成比率。膠鏡片較輕，而容易磨花、玻璃鏡片較沉重，但擁有較佳折光率。兩種鏡片擁有不同顧客對象。在進口量方面仍維持各佔五成的比率。至於價錢方面沒有一定規律，同一類鏡片價格視乎來源地和店鋪地點不同有區別。入口鏡架約500至1,000元之間。本地貨數十元到三數百元不等。有些鑲嵌昂貴寶石的鏡架價格高達數十萬元。由於美金匯價近期較低，故來自德國及意大利等入口貨價亦有調整零售價平均上升12—20%。

現時香港眼鏡零售店大致可分為三類：高級專業眼鏡連鎖店、集團式眼鏡超級市場及一般小型零售店。他們的經營手法各異，價錢亦有一定距離。

香港的眼鏡零售業近年來趨向連鎖店方式發展，以企業化方式管理，並成為大集團角逐的行業。現時本港三大眼鏡集團是寶光集團的眼鏡88，怡和集轉的高登眼鏡和茂昌眼鏡。

據業內人士估計，現時全港的眼鏡店鋪約1,500間，九一年底至九二年間大約增設了150多間。

本港約有45萬名配戴隱形眼鏡的人士。目前市面上的隱形眼鏡主要分軟性及硬性兩類，但八成以上配戴軟性隱形眼鏡，原因是較為舒適及不易跌落。市面上軟性隱形眼鏡的種類可分三類：其一是需要每天清洗消毒的隱形眼鏡，價錢約由200多元至上千元。第二類是可連續配戴十四天而毋須清洗的，售價約由千多元起，而第三類則為推出不久的用完即棄的免洗隱形眼鏡，使用此類隱形眼鏡每年支出約2,000元左右。

一般隱形眼鏡的價格起碼在500元以上，一些眼鏡集團採取薄利多銷的辦法，推出贈送268元計劃，顧客只需付出232元，即可獲得價格500元的名廠隱形眼鏡一對，若在三個月內有損壞，更可免費更換，另外，對現時流行的、特別受學生歡迎的沙金系列眼鏡，推出夏日快車計劃，以超值的價格推出全新款式的沙金系列眼鏡，由268元減至166元，並加送名廠鏡片。

至於太陽眼鏡方面，出口表現比往年略為遜色，原因是歐美主要是市場經濟復甦前景不明朗。在本港市面出售的太陽眼鏡，除了不少是入口外國產品，大部份都是在本地生產製造。銷售太陽眼鏡有旺淡季之分，一般的銷售季節都很短，主要集中在六至八月這個夏季。九二年上半年天氣十分不穩定，而且下雨天較多，且不少是在假期下大雨，對太陽眼鏡的銷量有所影響，幸而在七月份以後天氣大部份時間放晴，十分適合戶外活動，所以，市民的消費又再度活躍起來，太陽眼鏡的銷路亦見好轉。

【新動向】　本港眼鏡行業的競爭十分激烈，但由於眼鏡是人們生活必需的一部份，不停有人配眼鏡，所以這行業甚有前途，而且眼鏡的利潤十分高，故眼鏡店開得很多，特別是近期有多個新商場投入服務，一些新進集團及其他大小規模的眼鏡店，亦趁勢擴展業務。這種趨勢九三年將會持續，而店鋪增加幅度將與商場及新區的發展步伐配合。

另方面，本港眼鏡製造業者看到現時歐洲經濟普遍不景，預期九三年市道更差，故努力拓展新興市場。業者認為內地最具開發潛質。特別太陽眼鏡，由於國內地大空曠，對太陽眼鏡需求日益殷切。不論在銷售數量，或銷售利潤，均比歐美吸引，預期未來增長非常迅速。業者稱，內地對太陽眼鏡的質量要求較高，但不注重款式花巧，高貴耐用為選購的先決條件。

眼鏡潮流，本銷款式最具時代感。美國以傳統款式最為暢銷。歐洲以金屬配搭塑膠最為流行。

進出口業

【概　述】　進出口貿易是香港經濟的生命線，從開埠起，香港就是一個商業貿易城市，因此，進出口業稱得上是香港歷史最悠久的行業之一。

據香港統計處統計，一九九二年港九經營進出口貿易的商號共有76,260家，比上年增 7,601 家，從業人數共 391,378 人，較上年增 23,606 人。由此可見，該業在近些年來的發展趨勢一直良好，無論商號或人數都大大增加。經營各種不同類別貨品的進出口商號和從業人數的具體情況如下：經營食品的商號有 3,397 家（增 162 家），就業 36,367 人（增 33 人）；經營飲料及煙草的商號有 245 家（增 45 家），就業 2,140 人（增 212 人）；經營燃料的商號 160 家（增 7 家），就業 2,009 人（增 371 人）；經營衣着及鞋類的商號 16,131 家（增 2,005 家），就業 91,003 人（增 3507 人）；經營一般消費品的商號 17,537 家（增 2,296 家），就業 91,544 人（增 8,767 人）；經營機器、配件及零部件的商號 3,003 家（增 212 家），就業 16,956 人（減 46 人）；經營運輸設備的商號 1,191 家（增 197 家），就業 4,839 人（增 955 人）；經營耐用消費品的商號 7,213 家（增 1,151 家），就業 54,822 人（增 7,219 人）；經營製造業原料的商號 12,366 家（增 1,054 家），就業 56,690 人（增 2,255 人）；經營一般商品的商號 15,017 家（增 475 家），就業 55,008 人（增 353 人）。

【營業情況】 一九九二年本港進出口貿易表現相當不錯，以貨值計算，進出口貿易總值為 18,802 億元，比上年增 21.7%，其中進口貨值是 9,553 億元，增 22.6%；出口貨值（包括港產品出口和轉口貨）為 9,249 億元，增 20.8%。

在各貿易線的進口業務都有不同程度的增長，北美線增 19.9%、西歐線增 24.9%、東歐和獨聯體線增 41.7%、中南美線增 13.2%、中東線增 44.7%、亞洲線增 22.5%、非洲線增 11.6%、澳洲線增 22.7%。

港產品出口方面去年除北美線（增 2.5%）和亞洲線（增 10.2%）有增加外，其他各線均呈跌勢，西歐線跌 12.4%、獨聯體、東歐線跌 36.8%、中東線跌 0.03%、中南美線跌 8.6%、澳洲線跌 7.9%。

轉口方面繼續有理想增幅：中南美增 40.8%、北美增 33.8%、澳洲增 30.3%、亞洲增 29.5%、非洲增 27.3%、中東增 27%、西歐增 21.6%、蘇聯增 18.5%。

從上述情形來看，由於本港製造業已逐步遷移至華南地區，因此本港貿易型態中轉口取代港貨出口成為主流的現象將愈見明顯，這意味着香港對貿易的依賴程度將會增加，而近數年內本港經濟結構轉型仍會持續。事實上，目前香港公司進行的貿易活動範圍已遠遠超出傳統的中轉貿易。與貿易活動同時發展的還有多種與生產有關的服務，如品質控制、包裝、運輸、倉儲、產品設計、研究與發展、樣品製作等，為在國內和其他國家及地區經營的香港廠商提供支援，更具有增值的作用。

現時不少在香港報稱為貿易機構的公司，都有在香港境外從事各種形式的工業活動，其中最普遍的是在廣東省進行的加工活動。據統計，目前在廣東省內有 25,000 家企業為港商進行生產，僱用的工人達 300 萬名，其中 19,000 家從事加工活動，僱用工人達 200 萬名，其餘為全資或合資企業。隨着內地企業為港商進行生產的情況日趨普遍，近年來香港的廠商與出口貿易商之間的分界已越來越難區別，不但業務性質難以界定，連活動範圍的地理疆界也日益模糊。因為不少公司均一直有出口在世界各地製造的產品，所涉及的生產地不但包括香港、中國內地及大部份亞洲國家和地區，還廣及歐美各國，這些公司的生產活動也擴展至亞洲地區以及世界其他地區。

由於港商外銷的貨物有不少直接從境外生產基地付運，因此香港的貿易統計並未能完全反映出港商的生意額。

【新動向】 展望今年本港貿易前景，不少出口商預測部份主要出口市場將會有輕微復甦，未來前景可審慎樂觀。本港最大的兩個市場為美國及中國，美國方面雖則今年初有復甦的跡象，但全年經濟表現能否仍保持暢旺則仍難預測。中國方面，目前正面臨經濟過熱，當局現正開始收緊信貸，可能導致當地的國民生產總值放緩。故估計今年本港對內地市場的出口貨值不會有太大的增長。

至於新興市場方面，目前港商對南美市場的興趣漸濃，原因是隨着北美自由貿易協議簽署後，今後當地貨品輸往北美市場時將享有關稅優惠。雖然紡織品仍受產地來源證所限制，但一些諸如玩具業，仍有利可圖，因可節省運輸費用，及繼而開拓當地市場。

貨倉業

【概　述】 香港貨倉業的種類依營業性質來劃分，大致可分為兩類，一類是企業附設的貨倉，只儲存自己的貨物，故稱為私倉，另一類是對外招攬儲貨的，又稱為營業倉或公倉，這類營業倉如以擺放貨物種類劃分，可分為乾貨倉、稅品倉、危險品倉及凍倉四種。

香港的貨倉主要集中在九龍灣、觀塘、長沙灣、荃灣、沙田、西環及筲箕灣。

【營業情況】 據香港差餉物業估價署資料顯示，一九九二年貨倉的樓宇總數量為322.38萬平方米，一九九二年的空置量為39.57萬平方米，空置率為12.3%，一九九二年的供應量為47.44萬平方米，預計一九九三年供應量為10.63萬平方米，供應地區為荃灣供應10.63萬平方米，北區12萬平方米，沙田71.2萬平方米，西貢11.4萬平方米。一九九四年的供應量為221萬平方米，供應地區為荃灣18.47萬平方米，北區1,500平方米，沙田3.48萬平方米。

據香港政府統計資料顯示，一九九二年全年的乾倉、稅品倉、危險品倉及凍倉的經營者共有316家，比上年同期減少6家，比一九九一年減少10家，僱員4,311

人，比一九九一年減少644人。

自中國採取開放政策後，本港經濟結構有顯著變化，可以說絕大部份廠家已將生產線轉移至中國，致使本港對外貿易由工業製品出口為主轉為以轉口為主，從近年本港轉口貿易數值接連大幅增長便可反映，由於轉口貿易不斷激增的關係，對倉位需求自會相應增加。

據業內人士表示，香港貨倉業以往曾因不斷有新倉投入服務，造成競爭激烈，倉租未能追隨通脹的幅度上升，不過，本港的貨運業一九九二年大幅增加，形成對貨倉需求增加，現時，香港的貨倉貯倉率平均為八成左右，而租金方面則要視乎地點而有所分別，特別是優質貨倉，租金因供求關係表現較佳。目前優質貨倉租金堅穩，部份新簽的租約租金已成功向上調整，顯示貨倉租金已反彈。

據業內人士表示，現時各區的倉務表現，仍以荃灣及葵涌區表現最佳，因為以其良佳的交通運輸優勢，可保持其地位。至於近期較注目的粉嶺安樂村方面，由於此地以工業大廈為主，倉庫工廈為數不多，並以業主自用為主，故與葵涌工業區的路線有所不同。

現時本港工業界仍對樓底較高，負重較大的貨倉需求最大，而其中買賣亦以整幢購入形式為主，至於市區貨倉平均租金亦維持每平方呎7—8元的水平，需求亦見平穩。

另外，據貨倉業商估計，現在全港的貨倉倉位中，本地倉（以代客儲放供本地消費的貨物為主）約佔七成；而轉口倉（主要是做內地貨候船轉運的入箱和儲放生意）的倉位佔總數的三成。目前轉口倉的生意甚佳，其所佔的比重有繼續增大的趨勢。

至於凍倉方面，本港凍倉一般儲存民生用品，如蔬菜、凍肉、雞禽及藥材等，凍倉業一九九二年的表現良佳，原因是隨着國內日益開放，經香港運入中國內地之食品有增加，其中肉食數量增兩成。

【新動向】 由於一般預計香港轉口貿易及原料轉運市況將維持良好，相信對貨倉的短期需求仍能維持，而長線則看好。

據業內人士表示，近期貨倉需求仍呈個別性的發展路向，他相信，由於預計未來一、兩季的本港經濟表現仍然良好，相信貨倉需求仍可維持一定的水平，尤其葵涌區內的現代貨櫃中心而言，其出租率亦一貫維持極高水平，長遠而言仍備受看好。

現時屯門及元朗區的貨倉市道較為疲弱，並出現供過於求的現象，雖然區內大中小貨倉均備，但卻礙於區內道路及相關設施不足，縱然其整體價位較低，但需求表現普通而已，而粉嶺工業區方面，由於該區鄰近中國大陸，地利因素不俗，故亦存在一定的倉存需求。不過，粉嶺區現時的工業廠房及貨倉價位已攀至每平方呎900元至1,000元的水平，故用家難免會作出比較，入市亦顯得謹慎。

凍倉方面，供求比較穩定，經營情況一向較乾倉為佳，估計一九九三年全年凍倉業有成半的增長。凍倉的租金取價，並不隨行就市，需由行業商會議決，定期每年檢討一次，並統一調整租金，其他非凍倉會員一般亦會跟進，由於需求穩定，租金調整未對凍倉的存倉率構成影響。故此，整體貨倉業今年表現佳。

廣告業

【概　述】　廣告已經成為香港人生活的一部份，每天我們接觸到的廣告不計其數。廣告不單成為產品介紹的一種手段，而且逐漸趨於藝術化，讓消費者更容易接受。

對於生產商來說，要將產品介紹給消費者，讓消費者認識、購買卻又不利用廣告做宣傳，那是不太可能的事。特別是香港每日都有各種各樣的商品推出，廣告的力量就更不能忽視。

目前香港可供利用的廣告媒體甚多，主要形式有：一，印刷廣告，例如報章雜誌；二，視聽廣告，例如電視、電台和電影廣告；三，運輸廣告，例如火車站、地鐵站及飛機場內的廣告等。此外，還有外牆廣告和直銷廣告等。

據港府統計，截至一九九二年三月止，香港有廣告公司787間，從業員5,793人；公關公司112間，僱員787名；市場調查公司62家，從業員733人；其他廣告公司1,953家，僱員6,418名。

現時本港存在幾個有關廣告行業的組織，其中最具代表性的是：香港廣告商會、香港廣告客戶協會和香港華資廣告商會等。

【營業情況】　根據統計數字，一九九二年香港媒體廣告收入是92.6億港元，比上一年增加22%，若以香港590萬人口計算，每人每年平均承擔約1,569元廣告開支。總收入中，電視媒介佔總額的46.8%，比前年的比率有輕微下跌。其次是報章廣告的收入，佔28.3%，達28.97億港元，比前年增加35.4%，原因是國內樓盤多數在本港的報章上刊登廣告，增加了報章廣告的收入、各類媒介的廣告收益，以電台的增長率最高，達六成以上，共5.66億港元。不過由於一九九一年的廣告收益數字並未包括新城電台的廣告收入，因此一九九二年電台廣告大幅增長，並不能反映實際情況。至於戲院廣告收入減少了8%，明顯是受到當年八月一日開始，戲院禁播香烟廣告的原因影響。

九九二年，國內的外銷樓盤增加，牽起國內的房地產熱潮，同年房地產廣告支出亦激增一倍以上，達到11.03億港元，其中佔了90%以上的廣告支出是刊登於報章上。此外，一九九二年的汽車市場競爭激烈，連一向不大推出廣告的名牌汽車亦支出龐大廣告費，一九九二年汽車廣告的支出增加 34.1%，達 3.59 億港元。一九九二年本港最大廣告開支的消費項目依序為包括旅遊、酒店及娛樂服務的消閒服務廣告開支為 14.5 億港元，房地產 11.03 億港元，零售 8.62 億港元，浴室用品 5.98 億港元，個人用品 5.84 億港元，電器用品 5.52 億港元，食品 5.5 億港元，工業及文儀用品 4.76 億港元，財務投資銀行等 4.1 億港元及服裝 4 億港元，而汽車廣告開支就排第十一位。

至於支付廣告費最多的客戶，依次為聲寶產品 1.114 億港元，花王產品 1.097 億港元，麥當勞 8,990 萬港元，樂聲產品 7,600 萬港元，包括其他非香烟產品的萬寶路廣告 7,300 萬港元，康泰旅行社 6,070 萬港元，和記通訊器材 5,840 萬港元，莊生產品 5,340 萬港元，萬國寶通銀行 5,310 萬港元及新華旅行社 5,110 萬港元。

此外，據香港廣告商會統計數字，該會轄下 20 間廣告公司在一九九二年的營業額總計達 61.87 億港元，比上一年又是增加 5.6%，佔全港廣告費用的 66.8%。不過由於香港廣告商會將中國、公關及廣告以外的設計業務，首次不再納入計算範圍，所以有關增幅不能作為比較標準。一九九二年本港十大廣告公司營業額依次為智威湯遜 6.44 億港元，恆美 6.31 億港元，奧美 5.98 億港元，李奧貝納 5.01 億港元，電揚 4.1 億港元，靈智 4.01 億港元，精英 3.82 億港元，堂煌 3.76 億港元，華美 3.64 億港元及達彼思 3.54 億港元。

一九九二年，市場上增加了數個傳播媒介，如衛星電視、新城電台、《東周刊》、"Recruit"、"Window"等，對本港廣告整體支出亦起到刺激作用。另一方面，出現了不過兩年的流動廣告車終於在年初行政局通過停止續牌，預計到一九九三年年中，所有流動廣告車會被完全取締。

一九九二年九月香港廣告牌製作協會正式立。據資料顯示，本港目前約有800家廣告招牌製作商戶，從業員估計有 1.2 萬人。協會成立後，正致力爭取解除於一九一二年立例禁止閃動霓虹光管廣告的法例，俾使加強廣告牌的視覺效果和吸引外商投資這類廣告牌製作。

【新動向】 一九九三年將有幾本雜誌面世，對廣告的爭奪自然帶來另一次高潮。此外，香港政府亦逐步放寬一些傳媒的廣告細則，好像海外樓盤廣告只要符合規定可以在電視上播放。另一方面，專業人士如律師、醫生等的廣告細則也在審議中；而證監會亦應允放寬基金廣告的宣傳限制。

香港廣告業最近十年的發展已經出現飽和現象，為了尋求發展空間，廣告公司亦紛紛北上，開展國內的廣告市場。目前所有香港廣告商會的 20 家廣告公司，都已經在國內開設辦事處或在香港成立中國廣告業務發展部門，專責開拓中國的廣告業務，然而發展國內的廣告業依然存在一定的困難和限制，特別是國內目前還未制訂出一套完整的廣告法例，並且廣告媒介有限。再加上純外資合資的廣告公司在購買當地廣告媒介時，要付出較高的費用。

雖然國內廣告市場並不完善，但隨着中國經濟起飛，香港作為統籌國內廣告宣傳的基地，其他位將會顯得比前更為重要。

花店業

【概　述】　鮮花是美的象徵。它不僅是一種裝飾，而且表達了人們互相祝賀、彼此關懷、愛慕和親切、悲哀等情感。因此，往往在結婚、新居入伙、店鋪開張、生辰、添丁以及探病、喪禮、掃墓等場合都贈送鮮花。酒店、高級酒樓、夜總會、扒房、餐廳等都以鮮花作點綴。一般寫字樓和住宅亦愛擺設鮮花，尤其逢年過節，擺花、插花就更為普遍了。因此，香港的鮮花市場日趨活躍，銷量不斷上升，花店猶如春筍般的湧現。

香港每年的旺季，首推農曆新年，而情人節、清明節、母親節、端午節及中秋節銷路也不錯。

現時香港市面上出售的鮮花品種很多，而銷量最多的，則是全年都有供應的菊花、劍蘭、玫瑰和康乃馨等。過去本港出產很多蘭花，但因為新界可供耕種土地日益減少，除部份仍種植新春桃花及盆桔外，一些昔日種植劍蘭的花農，近年來已改到大陸鄰近地區，如東莞、深圳等地種植。

目前本港市面上銷售的各種鮮花，來源地包括馬來西亞、台灣、泰國、巴西、澳洲、紐西蘭、荷蘭及南美多個國家，而又以馬來西亞的鮮花品種最多，不下十多種。以前台灣來的最多是菊花，現已被馬來西亞的菊花取代。此外，馬來西亞更有大小丁香、玫瑰、紅掌、百合等多種鮮花供應，而泰國來的大部份均是該國特產菊花。台灣方面，近期來自當地的鮮花數量已減少，但作為插花的花栽及乾花頗多，如龍柳、金正木、茶花枝、羊齒等。至於紐西蘭、荷蘭空運來的康乃馨、紅掌、玫瑰等，均是高價鮮花。

香港鮮花市場近十年來發展很快。現時該行業有兩個團體。其中僑港鮮花總會已成立三十多年，現有會員約600人，以經商為主，另一個港九花卉職工會則是該行業的員工組織，故會員亦較多。

據一九九〇年統計，本港共有零售商1,073家，員工22,755人。進出口商552家，員工22,844人。這些花店，絕大部份均向花墟入貨。花墟集中了30餘家鮮花批發商。他們直接向外地大量入口鮮花，然後以零售方式批發全港花店。

【營業情況】　花店經營一般分為切花和盆花兩種。經營切花的除較大規模的花店之外，還有街邊出售散枝鮮花的花檔。該等花檔除出售鮮花外，主要還接受訂造花籃、花牌和花圈等。這些花店在旺角花墟較集中，但亦有不少分散於港九每一個地方。這一類應屬舊式的。至於新式的則是指目前很流行的新花店。這些花店大都設在港島中區、銅鑼灣、灣仔和九龍尖沙咀等地區的商業中心和酒店內。這些新潮花店出售的鮮花、植物都比較精緻，也同時售賣盆栽、乾花及絲花，而且能為顧客提供藝術插花服務。其次，做結婚花球或替客人佈置結婚禮堂，亦會有不錯的收入。一些大規模的花店還增設國際送花服務，辦法是先本地付款，國外收花。本地花店通過國際送花會，以電報進行交易。花店只收取小量服務費。雖然收費少，但卻使兩地的花店有聯絡機會，對將來生意發展有幫助。

打理這些新潮花店的大多數是女性。她們對插花藝術有一定研究，有的甚至經過學習、獲取文憑，而且要懂得英語。光顧這些花店，當然要付出較高代價，但由於物有所值，所以許多大洋行、寫字樓的小姐都樂於光顧，生意較為穩定，利潤也相當高，所以越開越多。

現時擁有三間或以上分店數目的花店，在本港市場上已是頗具規模。此外，由一人主管或加一個員工便營業的個體花戶，遍佈全港，佔市場的最大部份。然而經營小型規模花店要面對許多困難。其中租金的大幅增加，令不少業者因實力不足而倒閉。

隨着人們日益富裕，消費形態亦不斷改變，他們往往更加重視精神上的感受。因此，近多年來，送花已不再是男朋友向女朋友致意的專利。朋友間以鮮花祝賀已十分普遍的，約佔五成的市場；生日、畢業等是目前最普遍的送花日子，而且更有不斷增加的趨勢。為此，鮮花的銷路很好。

據統計，一九九二年本港花農生產的花卉總值 1.57 億元，比上年增 17.2%，進口花卉總值 1.78 億元，比上年增 13.9%。

經營花店，盈利一般在 30%以上，從荷蘭運來的康乃馨、玫瑰，花墟批發價每打為 20—40 元不等，視乎開放的程度，零售每枝 3—6 元；名貴的惠蘭，一個花蕾約 40 元。不過，花店出售鮮花的價格要看地點和時間而定，比如尖沙咀、銅鑼灣、中環、跑馬地等地區會貴些，而一般地區價錢又略為便宜些；節假日貴些，平日便宜些。節假日中以情人節生意最好，銷量較平日增加逾百倍。各花店要提前兩星期訂貨，每枝花售價提高 3 倍左右。其中以玫瑰最受歡迎。情人節荷蘭玫瑰來貨每枝亦要港幣 30 元左右、零售價超過 100 元。

【新動向】　自中國經濟開放後，國內植物不用經土產進出口公司，而可直接入口本港。由於價錢比本地平，更大大削弱本港花農的競爭能力。尤其近三年的年宵市場，超過 70%的花品來自中國大陸。

目前室內植物的市場趨勢是趨向小規模化，形成了中國大陸較着重入口大形植物，本地花農則在細小植物中競爭。但由於種植材料如盆泥、肥料等價格不斷上升，使平均生意成本增加約兩成，加上國內供應商一般准許賒債，本港花農更難競爭。另方面，因為本港很多農地被改租作其他用途如泊貨櫃等，使土地供應緊張，土地租金年年攀升，每年平均增幅兩成，現時市價租金約1千—1.5千元/畝，種花成本大幅增加。

鑑於花農的田地面積越來越小，由沙田移入粉嶺、上水等較僻的地區，加上人手出現青黃不接的情況，所以種花，特別盆栽這行業已步入老化及式微階段。

本港的花店亦正向企業化經營方式發展，由香港社團服務中心作後盾的社團花藝坊，一九九二年開始，便以企業化的經營方式打進市場，在交易網絡及經營成本方面佔盡優勢。而一些家庭式的小花店在租金昂貴，經營成本太高的情況下會相繼倒閉。

洗染業

【概　述】　本港的洗衣行業早於一九二〇年代已經開始，當時在大坑，採用氣油筒，主要做軍服的洗燙工作，後來才出現家庭式經營的洗衣店，技術上亦由從前用炭燙斗燙衫，到後來的手搖式洗衣機及現在的摩打（Motor）洗衣機，經歷過幾個階段。業內人士稱，本港現時的洗衣市場在技術上仍然停留在七十年代的水平。

據統計，一九九二年本港共有洗衣店1,268家，從業人員6,885人。

目前，港九開設的洗衣店大致分為三類：一是傳統的洗衣店。這種洗衣店多為家族式經營，除老闆外，再聘用4—5名伙計，實行"一腳踢"。但隨着租金急升、勞工短缺、經營成本升高，洗衣物數量受到鋪面及工場狹窄的限制以及舊樓拆卸改建等原因，使這類店鋪的數量不斷減少。第二類是自助洗衣店，近幾年如雨後春筍般設立，特別在新區更盛。此類店鋪面積較大，擁有多台洗衣機及乾衣機。現時的洗衣機和乾衣機與過去的自助洗衣場的洗衣機完全不同。以前的洗衣服務是名符其實的自助，顧客洗衣以重量計算，依指示入錢按鈕，進行濕洗或乾洗程序。但現在，在社會講求效率的觀念促使下，自助形式店鋪漸受淘汰。現時已不用顧客自己動手，而是工作人員代為清洗弄乾。是以現時的洗衣場雖名自助，實際上是代洗、代乾，並將衣物摺好交給顧客。第三類，則是集團式經營的、設備齊全的洗衣場、服務多元化，包括自設工廠，而且擁有多間收發站。顧客對象為飲食業、會所、浴室、酒店等，設有專車、專人上門交收衣物、枱布、毛巾、床單、枕套等，生意頗大。

一九八九年底由美國洗衣樂園集團引入本港的洗衣樂園於一九九一年開始售特

許經營權，九二年五月分店數目已達 12 間，九三年四月更增至 37 間。

【營業情況】 目前，本港以第二類洗衣店為最多，收費則視乎地區而定。開設於高尚住宅區的，洗價當較公共屋邨的為高。現時很多洗衣店已不獨提供乾衣服務，為了加強競爭及滿足大衆的需求，大部份洗衣店均有提供磅洗服務。部份洗衣店每磅 2.5 元，1 至 7 磅約 18 元。

不過，很多小家庭都喜歡將衣服拿到集團式自動洗衣場清洗。這種洗衣場逾千呎的地方，擺放着數十台洗衣機及乾衣機。每台洗衣機可清洗 10 磅衣服，價錢為港幣 8 元，而乾衣機也是自動，2 元有 3 分鐘的乾衣時間。光顧自動洗衣場每 10 磅衣服由清洗至乾衣，約需要 20 多元。另外，為了方便顧客，這些集團式的自動洗衣場，也有提供磅洗服務，只是價錢較貴，每磅衣服由清洗至乾衣，約需 3.5 元，故很多人都寧願自己動手。事實上，這些集團式自動洗衣場的確可方便不少工作忙碌的年輕夫婦。因為這些洗衣場開放時間長，由早上七時開放至晚上十一時。市民可於這段時間內隨意將衣服拿到該處清洗乾衣。部份市民更將清洗後的濕衣服拿到洗衣場乾衣，甚為方便。

乾洗方面，兩件頭西裝一套收費 30 至 50 元以上，西褲一條 15 至 20 元，大衣 50 元。

洗衣業有淡、旺季之分，旺季通常由每年三月開始至五、六月，因為人們換季，需要將冬衣處理妥當才收藏。因此形成乾洗業在旺季時往往求過於供，忙得不可開交，但在夏天淡季來臨時，又閒得無生意可做。

目前，經營洗衣店最大的困難是租金和工資太高，導致成本大幅增加。目前一個鋪位兩萬多元以上。工資亦因人手缺乏及流失率嚴重而不斷提高。時下在洗衣行中，最難求的是熨衫師傅，一般熟手的熨衫師傅月薪由 6,000 至 8,000 元不等。因此，開設一家洗衣店動輒要數十萬元。而特許經營者的投資金額更遠遠超出這個數額。洗衣中心的投資額為 150 萬元至 300 萬元，而收發站由 20 萬至 30 萬元不等。

近幾年來，不少洗衣店都擴展了焗棉胎的業務，將棉胎放入大型乾衣機內，乾衣機除了發熱綫發出熱能，代替太陽的熱能，把棉被內的纖維乾燥外，亦因它有轉動和震盪之力，將棉胎內的塵埃和雜物震盪出來，故經焗過的棉被，就和曬一樣的乾爽和柔軟。這種業務開展之後，頗受歡迎，收費亦不算昂貴，一張廣花棉被收費 40—45 元，毛毯 40 元左右。當然，這個價錢不是劃一的，不同地區亦有不同的收費。

另外，近年來的洗衣店又有新的服務形式，就是提供家庭洗衣電話收送服務，即派人上門收送衣服，而且不加收服務費。有些洗衣店則免費送衣物柔軟劑。

不過，據消費者委員一項調查顯示，逾四分之一顧客對洗衣服務不滿，最多消費者感到不滿的是遲交貨，其餘依次為衣物損壞、衣物褪色、衣物雜色和衣物遺失等。

【新動向】 雖然本港洗衣市場存在不少問題，但仍有很大的市場潛力。首先，香港居住環境狹窄，居民只可用一些小型的洗衣及乾衣機，其質素也較差。同時，香港人生活節奏快，事事追求效率和速度，已騰不出多餘時間打理家務。故此，市場有一定的需求。

另方面，香港人對衣着及其他消費品質素的要求亦大為提高，對於數十元的乾洗費用並不吝嗇。為此，市場對乾洗的需求不斷增加。

最近，一間專營乾洗店的集團快而潔（美國）洗衣有限公司銳意發展上述的服務。該集團於一九九二年十一月開設第一間乾洗店，到九三年一月已增加到 6 家。基於本港市民對乾洗服務需求殷切，估計市場內可容納多達數十間同類乾洗店。故該集團決定以特許經營業方式，全面擴展業務領域。由於該項配套計劃投資不多，投資者只需付出 8 萬元的代價，便可取得六年的特許經營權。另外，再加上十多萬元的付出，新店便可開業。所以估計這項業務能吸引更多的投資者。

理髮業

【概　述】 在二十世紀九十年代的今天，社會風氣不斷開放，人們的生活水準亦逐漸提高，美化容顏已成為都市人不可缺少的一部份。理髮，在講究儀容的香港更廣受重視。

理髮業是一個古老的行業，但隨着時代的進展，過去傳統的髮巷、理髮廳，上海理髮店已逐漸被新型的髮型屋所代替。近幾年，更趨向集團化經營，且向連鎖店發展。

目前，本港最大的髮廊集團包括有麗花、海濤、名髮廊、A&B 和蒙娜麗莎等。

據一九九二年統計，香港的理髮店、髮型屋及美容院共有 5,006 家、在業人員共 24,535 人。

以往，香港的理髮店大都冠上“上海”二字為號召。到七十年代，新潮的髮型屋興起，主要作洗、剪、恤、電四項工作、理髮“師傅”稱作理髮師，舊式的理髮店逐漸減少，且有被淘汰的可能。

理髮業的經營方式，則和以前大體相同，基本上是投資者必須有鋪位、設備，收入是與師傅分帳，辦法視乎地點、租金、生意額而定。座落旺區的髮型屋租金和營業額均較高，故分帳多採三七或二八分帳；地點欠佳的則有四六分帳。師傅所佔為“細分”，因為經營者必須包租金、水電及一切日常費用，甚至有兩餐。至於

"下欄"則多屬師傅個人所得。別的行業僱員有年底雙薪，理髮師因分帳制度，故無年底雙薪之設。他們的雙薪就要靠年尾雙工收費來取得。

如今，香港一級髮型屋已擺脫舊式理髮店的傳統，店內外的設計講求藝術氣質，而服務亦達國際水準。此外，除要求髮型師的技術一流之外，還要求他們待客有禮及能操英語或其他語言，擅於應對，以至能招徠熟客。

髮型師大致分兩大類：一類是擁有外國學位文憑的髮型師；另一類是學徒出身，經過二至三年的學徒時間。每日面對的挑戰包括：鋪面的清理、掃地、拉閘、開鋪、為顧客洗頭等較辛苦的工作，獲得的待遇也相當微薄。完全沒有經驗的小伙子，月薪最低的只有一兩千元，稍有經驗的則在4,000—5,000元之間。由"洗頭仔"到髮型師這個過程，少則半年，多則數年。通常一個有四、五年經驗的髮型師，每月收入在15,000到30,000元。甲級髮型師的待遇頗佳，大約在三、四萬元之間，若連"貼士"、"佣金"計算在內，則每月平均收入最少達5萬多元。但因是分帳的，故視乎每天做多少髮型而定。

【營業情況】 由於理髮是打扮自己最基本的做法之一，因此，一年到頭都有生意可做。但亦有一定的季節性，通常來說，農曆八月以及直到年底都是旺季。因為這段時間結婚的人比較多，被宴請的親朋戚友要裝扮一番，故此帶動了髮型屋的生意。每年三、四月開始和整個夏天游水季節，相對來說是髮型屋的淡季。秋天開始轉旺，年尾更旺。

以往，華人社會對理髮過年的習慣十分重視，然而近幾年，因過年氣氛及心態已轉淡，加上不少人認為毋須付額外開支去理髮，所以在尾禡後專誠去理髮店理髮的人數大為減少。由於理髮行業希望吸引更多客人，以增加營業額，所以，近年在尾禡開始收費雙計的情形已很少執行，即使是洗頭或剪髮都不再強調收費雙計；大部份理髮店及髮型屋都留待農曆廿五之後才開始如價。

髮型屋提供多元化服務，如髮型設計、護髮、焗油、染髮、電髮和修甲等。走高級路綫的多以創新提供服務，例如為客人提供咖啡或茶，招呼周到。此外，還採用日新月異的髮型產品，以招徠顧客。

髮型設計不只限於用剪刀，也用剃刀及電髮剪，故收費參差，幾十元到上千元不等，視乎髮型屋的名氣，及髮型師是否在某些比賽中獲過獎而定。

電髮及洗頭是髮型屋的主要收入來源，而染髮也成為髮型屋一項業務。

目前，理髮收費，男士50—60元不等。女士剪、洗、恤通常65元以上，如果要設計一個髮型最少上千元。至於電髮，用不同藥水也有不同收費，最少要200元以上，普通的250—800元之間，視乎髮型屋的名氣。染髮最少150元。本港一些高級髮型屋是用高級護髮品的，其收費十分昂貴，單是洗頭、剪髮就近200元。有些髮型屋更向顧客推銷一些超級市場商店沒有出售的高級理髮、護髮產品，以賺取更多的收入。

六十年代，本港曾一度風行戴假髮。近年來假髮業又悄悄地開始復甦。戴假髮有三種方式：一是用特製的細小髮夾將假髮夾在原髮上，二是將織好的假髮用一種極細的線綑成邊戴在原髮上；秃頭者則用第三種方式，用雙面膠將假髮固定在頭上。每個假髮約 7,000 元。

本港目前有十多家美髮公司，從事全套服務的不過五、六家。據一家設備較齊全、歷史較悠久的公司表示，一九九二年上半年的業務量比上年同期增 50%。

另外，在外國流行了三十多年的織髮之風，近年間已蔓延至香港，且受到市民歡迎。所謂織髮是利用一條很幼的纖維在真髮間織出一條承托的滾邊，然後因應各人的需要而訂造模型的尺寸，並比照相仿的髮質，務求造出幾乎可與使用者真髮相同的感覺，然後縫在真髮的滾邊上。平均約花費 1 萬元左右。

【新動向】 理髮是一個重要的服務行業，是人們生活中不可缺少的。只要就業狀況保持良好，居民收入不斷提高，業商便有條件設計髮型、推動潮流。因此，髮型屋的經營情況可以看好。

但是最近在新公共屋邨內出現一些“搶錢家庭”。他們利用公屋單位為街坊理髮。這些街庭理髮通常以廳間成埋髮室，並用一塊大玻璃為鏡，而洗頭椅則要放在洗手間外，方便接駁冷熱水。家庭理髮通常是家族式經營，父親充當理髮師，專責剪髮、電髮；母親負責洗頭，甚至修髮，子女則負責清潔地方。由於家庭理髮收費便宜，電髮僅收 130—140 元，小童剪髮收 18 元，成人洗剪恤為 35—40 元不等，還可以預約時間，因此，深受坊衆歡迎。

家庭理髮的興趣，令新屋邨內的一些髮型屋及髮廊的生意大減。隨着髮型屋的理髮價格不斷增加，家庭理髮生意興旺，相信這類的理髮會逐漸增加。

另外，一間標榜專為兒童服務的兒童理髮店最近亦在港島銅鑼灣開業。為了吸引輪候理髮的小朋友。該理髮店設玩具屋，屋内佈滿中古時代的堡壘陳設，並備有各式玩具、兒童電腦，大電視熒幕和果汁以供小朋友享用。玩具屋還有專人負責看顧小朋友，令家長們可以放心在商場内購物。

電影院業

【概　述】 香港電影院業已有九十年的歷史，第一家電影院是在二十世紀初出現的高陞戲院，當時的銀幕只是一幅白布，放映動畫片。其後有比照畫院和香港影畫院相繼開幕，放映影電。到三十年代末期，電影院已增至數十家。六十年代末是香港影院業的全盛時期，當時共有電影院 180 家，每年觀衆近一億人次，平均每人每年看電影 25 次。

七十年代後期，香港地產市道興旺，地價高漲，在旺市地區的多間電影院被拆卸改建為商住大廈，而新建電影院甚少，因此電影院大幅減少至 100 家以下。直到八十年代香港政府修訂公衆娛樂場所條例，不再規定戲院必須有獨立的地盤。准許戲院建於商業大廈或其它用途的多層大廈之內，電影院才逐步增多。同時，小型電影院也應運而生，不少座位過千的大中型電影院改建成二、三間座位僅 200 至 400 的小型電影院（迷你戲院）。從一九八五年起，香港已沒有新的大型電影院落成。

香港地少人多，適合迷你戲院的發展，因此近十年來這類戲院迅速增多。目前列為迷你戲院的約有 80 多間，其中最大的是沙田 UA 和黃埔 UA，各有 6 間迷你戲院組合。

香港電影院大致可分幾類：專門放映華語片的原四大院線是嘉樂線、新寶線、金公主線和德寶線，其中德寶線於前年由新組成的永高線接手，金公主線則改名為金聲線。一九九二年新組成的東方線，使華語片增至五大院線。另外有兩條華語片三級線，即嘉城線和國泰線。泛亞線兼營中西片。海運線走純娛樂和商業性路線。碧麗宮集商業和藝術於一身，側重於中產階級口味。新華及一些迷你戲院放映較高格調的外國藝術片。雙南線主要映中國大院影片，也放映東方線影片。日活線專門放映三級色情片。

【營業情況】　香港電影院近年來不斷增加，從一九八五年突破 100 家之後，一九九一年增加到 166 家，一九九二年再增至 175 家，比一九八一年最低潮時的 82 家增多一倍以上。但是，近年新增加的都是規模較小的電影院，而大型戲院已被淘汰殆盡。據統計，最近數年間共有 14 間大中型戲院被拆卸重建或改建，其中最後一間古老而富有歷史價值的戲院——利舞台，亦已拆卸，正在重建為商業大廈。

根據香港政府年報資料，一九九二年電影觀衆共有 4,700 萬人次，比一九九一年的 5,200 萬人次減少了 9.6%，比一九九〇年的 5,700 萬人次減少 1,000 萬人次，減幅 17.5%；如與一九八八年（近十年內的最高觀衆人數）的 6,000 萬人次相比，則大幅減少了 40.4%。

電影觀衆逐年減少，除了電視機普及爭奪觀衆這個基本因素之外，還反映了兩個情況。一是擁有錄影機和影碟機的家庭日益增多，租借電影帶和影碟又非常方便，租費則因競爭劇烈而日益降低。新影片上映二、三個月之後，便有錄影帶推出市場。錄影帶和影碟拉走相當多的電影觀衆，對電影院業造成較大的打擊。二是本港電影片拍製質量參差，近年來好影片越來越少，而粗製濫造的影片越來越多，充斥市場，導致電影業出現一片頹風。

電影業界人士認為，過去兩、三年是香港電影業表現最差的時期，電影院經營十分困難。另外，兩年來香港經濟放緩，通脹高企，樓價高漲，市民消費能力減弱，對電影院業的收入也有一定的影響。

儘管外國影片仍受歡迎，但觀衆對較好的港產片仍較喜愛。一九九二年本港拍製的影片共有 376 部（其中 11 部與外地合作拍製），比一九九一年的 211 部（其中 4 部與外地合作拍製）急增 78%。喜劇片和動作片仍然大行其道，最賣座的影片是《審死官》（票房收入 4,990 萬元，創香港電影票房收入的新紀錄）；《花田囍事》（4,900 萬元）；《鹿鼎記》（4,090 萬元）及《鹿鼎記Ⅱ神龍教》（3,660 萬元）。

另一方面，外國影片來源仍充足，但市場佔有率較低。美國影片仍居首位，日本影片則多屬三級色情片。

電影三級制實施以來，色情片尺度大為放寬，適逢電影市道陷於低潮，因此片商大量推出三級色情片以吸引部份觀衆，以致市場上色情片充斥。一九九二年片商送交電檢處檢查的影片共 1,186 部（上一年為 1,337 部），其中被列為一級的僅 232 部（上一年為 273 部），被列為二級的有 485 部（上一年為 501 部），而被列為三級的達 469 部（上一年為 563 部）。

【新動向】 過去兩年香港經濟放緩，對電影院業造成一定的負面影響。如果今年香港經濟如預期好轉，電影市道可能因此得益。

迷你戲院將繼續受歡迎，其票房收入仍將較佳，多間迷你戲院比一間戲院收入多成倍。不過，迷你戲院亦存在一些問題，例如非旺市地區的迷你戲院生意不理想；許多新界地區的迷你戲院乏人經營；片源不足等。

電影院的入座觀衆人次估計將繼續下降，為了爭取提高票房收入，三級色情片將繼續增多，本港拍製以女明星作號召的三級色情片亦將不斷推出市場。

房地產•建築

房地產業

【概　述】　二次大戰後四十多年來，香港政治局勢相對穩定、經濟不斷增長，促使房地產業也有較大發展。

七十年代，由於香港居民不斷增加，加上製造業及商業蓬勃，對住宅樓宇、商業樓宇、廠房、貨倉等需求增加，房地產商的經營逐步擴大，房地產業的規模也不斷膨脹。

八十年代以來，香港房地產業有較大的波動，在一九八一、八二年出現了罕見熱潮，地價、樓價迭創高峰，但一九八二年第四季開始出現調整，地產業陷於低潮，不少地產公司停業，至一九八四年九月，中英簽訂聯合聲明，地產業才恢復起色，而八五年起漸入佳境，雖然八七年十月股災及八九年的“六四”風波，對地產業產生一些不良影響，但為時短暫，地產業又再進入高潮。

踏入九十年代，房地產業已成為香港經濟重要支柱之一，一九九一年整體地產市道十分興旺，各類樓宇均有良好的表現，其中以住宅的升幅最大，而近幾年欠佳的工業樓宇亦有反彈。

【營業情況】　回顧一九九二年的地產市道，呈曲線發展，各類物業各有不同的表現，有上有落。

一九九二年共有 30 幅政府土地推出拍賣，總收益為 87.4185 億元，30 幅地皮中，有 12 幅為住宅用途，11 幅為工業或貨倉，7 幅為非工業用地，涉及地皮面積達 297.54 萬平方公呎。

全年而言，信和置業或信和黃氏家族、南豐發展及恆隆集團，在拍賣場中最為活躍，但與去年比較，他們的興趣則已略減，信和置業或信和黃氏家族獨資購入三幅，合資購入二幅，南豐合資購入三幅，恆隆亦是與人合資購入三幅，另外，有些大發展商如恆基兆業集團、新世界發展等均無在拍賣場上購入任何政府地皮，而長江實業則只曾在年初以合作方式連同信和、南豐、大昌購入尖沙咀一幅非工業地，成交價 12.5 億元。

中小型住宅市道，在九二年第一季承接九一年的市勢而持續上升，第二季開始企穩，踏入第三、四季，樓價卻全面向下。原因是由於銀行嚴格執行政府建議的收緊按揭措施，以及市民心態的轉變所致。

九二年，中小型住宅單位的跌幅達5%至10%之多，尤其是一些炒家集中的大型屋邨，跌幅就更加顯著，例如在港島的杏花邨，已由最高時的4,000元一呎跌至3,600元一呎，跌幅達一成；九龍的黃埔花園，亦由4,300元一呎跌至4,000元，跌幅達8%；至於元朗天水圍的嘉湖山莊，更由2,400一呎跌至2,200元一呎，跌幅達8%。

在中小型住宅一片向下的調整聲中，豪華住宅市道在一九九二年全年有不錯的表現，且成交量不俗，例如隆豐國際在山頂的濠景閣及又一邨的又一居，銷售暢順，在二手市場轉手交易活躍。豪宅除售價向好外，租務市場亦見好，租值已上升15%至20%，其中以月租2—4萬元的港島區單位需求最大。另外，豪宅的升幅視乎個別地區，其中山頂的升幅最佳，平均上升20%，因為山頂區較受歡迎且供應有限，半山的升幅則稍遜色，雖然成交多，但供應也多，升幅維持10%，至於南區的升幅平均亦有15%。

豪華住宅市況好轉的原因，除了部份投資者見中小型住宅無利可圖，轉而投資豪宅外，亦有部份是為求改善居住環境，故對豪宅需求提升，再加上西方國家經濟普遍不景，不少外國公司被中國及香港的蓬勃經濟發展所吸引，來港設立發展基地，再加上中港貿易發展日漸興旺，機場及港口發展計劃等引入大量海外僱員，租用及購買高級住宅的需求大量增加。

雖然豪華住宅在頭三季反彈之勢強勁，但進入第四季市場上有不明朗之因素影響，如中英政制之爭，機場的談判呈膠着狀態，市場上的觀望氣氛極為濃厚，交投少了些，價格亦作了調整，不過調整水位很細。而且，一當價位調低後，承受力仍相當強。

自八九年六四事件後，本港地產市道開始步入低潮，其後的東歐演變及海灣戰役，均進一步對樓市造成一定的打擊，其中寫字樓售價在這兩年的跌幅更接近三成，經過整整兩年的調整期後，市場認為寫字樓的租金及售價經已見底，寫字樓市道在九一年中已出現復甦的跡象，踏入九二年，由於中小型住宅市道回落，吸引很多炒家轉炒寫字樓，再加上中國進一步開放，香港的特殊地位得進一步的發揮，在世界經濟普遍不景氣的情況下，香港經濟卻能一枝獨秀。因此，寫字樓的需求亦在不斷增長，除不斷有新公司成立外，不少原有的公司亦趁今年新寫字樓供應多的機會，進行重整與擴充，不少公司都在計劃把過往分散的部門換入同一個人廈裏去，在這種形勢下，寫字樓的售價和租金大幅上升。首三季約10%至15%的升幅。進入第四季，因受中英政制爭拗的影響，市場的活躍程度不及六、七月。尤其是一些乙級寫字樓，由於供應太多投資者的態度已轉趨審慎，成交量漸漸下降退縮。一些搞全幢拆散賣出的投資者，手中仍有貨尾待沽，所以不敢重新造次，而二手市場的交投更有如強弩之末出現壓力之感，幸好只集中在乙級尾及丙級的寫字樓，甲級寫字樓的形勢仍很好，因為無論甲級的寫字樓目前的空置率還是未來的供應量都比較低。本港工業樓宇市道呈兩極化，舊式廠廈仍然乏人問津，但優質工業樓盤反應佳，其中以長沙灣區、北角區及葵涌區的優質工商大廈為最受歡迎，這類工商大廈一推出，很快已買個滿堂紅，售價標升 12% 至 30%，而這類優質工業大廈的二手市場亦十分活躍。不過，租金的升幅卻沒有這麼多，只 7% 左右。

這類新型工業物業表現良好的原因，是因為香港的工業北移，只留下一些接單、服務等部門在香港，這些部門用的地方不多，門面要好，交通要方便，所以交通好，單位面積細的優質單位很受用家歡迎。炒家看見這種優質工業大廈有承接力，而工業樓宇的格價長期以來都處於低水位，仍有一定的上升能力，炒家有較大的活動餘地，故此，大舉入市。

九二年首季，由於商鋪的供應短缺，價格不斷攀升，升幅達 15% 至 20%，但進入第二季，市況倒轉，成交量更顯著減少。當時商鋪的買賣比較淡靜的原因，是受到銀行按揭緊縮，投資商鋪回報率由九厘下降至七厘的影響，入市態度較為審慎，再加上供應量大增，有柏麗廣場、麗新廣場第二期、溫莎廣場、九龍廣場、翡翠明珠商場等，此外，寫字樓市道好轉，很多投資者轉向投資寫字樓，亦對商鋪的買賣市況有輕微的影響。至於租賃方面，商鋪的租賃情況雖然比買賣好，但亦因近期通脹急劇上升，打擊消費欲，影響零售業的生意，致使租賃趨放緩。

面對短線投機商鋪需要承擔較大風險，投資優質商鋪動輒斥資數千萬元，長線投資回報率不如理想的困局，所以部份資金充裕及銀行關係良好之投資者，以優惠條件及相宜價格購入大型商鋪物業後，經拆細翻新後沽售，反應理想，獲得豐厚利潤，成為商鋪市道的新焦點。

【新動向】 對於一九九三年的住宅市況預測，中小型住宅在九三年初仍不會有大改善，但相信會比九二年尾好，原因是買家囤積了大量的購買力，所以市道應比去年活躍，但樓價仍不會因此而上升，只會再次企穩，要樓價再次上升，也要等九三年下半年後，各項利好消息出現，如銀行放寬按揭、政治前景明朗化等，買家才肯放心入市。

估計九三年豪宅的表現較佳，原因是這個政治不明朗的形勢對豪宅的影響，較中小型住宅為小，因為購入豪宅的人，資金較雄厚，週轉也較靈活，此外，九三年本地之豪宅供應將少於 2,000 個單位，反之需求方面，因來港的海外僱員家庭有數萬人之多，已大大超過 2,000 個的供應，這會造成供不應求。另外，豪宅之平均回報率高達 6% 至 7%，亦吸引不少投資者入市。

展望九三年工業樓宇市道將不及九二年興旺，預料仍有增長，且只是以個別樓盤而言。預計九三年工業樓宇發展尚算平穩，不過由於中英關係陷入僵局，而中方對本港未來工業發展影響深遠，若果這場中英爭拗持續下去，本港的工業樓宇市道將出現逆轉的局面。

預計未來一年寫字樓物業的市況會趨兩極化，甲級及乙級頭的寫字樓因供應有限，使其表現奇佳，租售均好，而乙級尾和丙級的則因供應太多，使投資者的態度轉趨謹慎，將會令其交投量有所退縮。

本來由於本港旅遊業仍然好，加上本地的消費意欲亦在復甦，理應可使商鋪的租售需求有所增加，但今次政治風潮，令香港經濟蒙上陰影，致使一九九三年的市況，要視乎香港的經濟及政治有否新的突破，否則商鋪租售價已距離到頂也不太遠了，相信商鋪的租售價在未來半年將進入鞏固期，不容易有太大的升幅。

建築業

【概　述】　香港建築業的盛衰是與房地產業的發展步伐分不開的。由於第二次世界大戰的破壞，戰後人口的增加和工商業的發達，使香港建築業取得巨大的發展，建築業在香港經濟中所佔的地位也日益重要。

其實，無論進行什麼大型的工程項目，對建築業都會有較大的促進。香港七十年代初期，建築業並非太興旺，但自踏入七十年代中後期，隨着地下鐵路的建造及新市鎮的出現，再加上它們所帶起的私人物業發展，令建築業踏入一個興旺發展的階段。

地下鐵路的營造創造了建築業及發展物業的新概念，而這種新概念就是在一九七三年，香港政府決定與國際集團磋商，打算把地鐵工程以固定價格，單一合約形式批出。一九七四年，日本集團簽署了承投工程的意向書，但在同年十二月退出，結果迫使政府投資興建地鐵，而工程亦“拆散”進行，這亦令較多的承建商獲得參與興建地鐵的機會。另外，地鐵沿線的車站上蓋大事興建樓宇，進行物業發展，更加速了建築業的發展。

踏入八十年代，前半期由於受中英談判香港前途問題影響，投資者普遍較缺乏信心，物業價格普遍下跌三成，間接打擊建築業的發展，令投資價明顯降低，可算得上為建築業的低潮。八十年代的下半期，建築業開始再度跨入好景。原因是在一九八五年過後，中英關於香港問題的聯合聲明已經簽定，同時中國實行的改革開放政策初見成效；再加上香港經濟轉趨蓬勃；本地及外國投資者開始恢復信心，各類工程紛紛上馬，其中包括貨櫃碼頭、發電廠、新界環迴公路等，而市民對自置物業的需求又大增，從而帶動起建築業的好景。

港督衛奕信爵士在一九八九年的施政報告中，公佈港府將動用1,270億元，進行多項龐大工程，包括在赤鱲角興建新機場，西部港口的全新規劃，以及為新機場和港口興建各種必須的運輸通道和工商業支援設施。

這個龐大的玫瑰園計劃耗資巨大，且項目跨越一九九七年，因此引起中國方面的憂慮，導致中英爭拗，機場工程拖慢，建築業亦受累。

【營業情況】 據香港統計署資料顯示，截至一九九二年十二月，港九開工的建築地盤有1,139個，比一九九一年同期減少60個，建築工人59,485人，比一九九一年同期增加193人；在開工人數中，男性佔57,158人。又上述開工地盤及建築工人人數中，依批出合約機構區分，計公營部門347個地盤，比一九九一年減少11個，建築工人23,917人，增加2,380人，私人機構792個地盤，減少49個地盤，建築工人35,568人，減少2,187人。如以工程種類來區分，則土木工程313個地盤，增加313個地盤，建築工人14,201人，增加540人；樓宇建造826地盤，減少62個，建築工人45,284人，減少347人。

香港建築商承建工程總值統計（單位：億港元）

年份	主要承建商			主要承建商對樓宇建造工程的建造價值	主要承建商建造價值指數
	一般工程承建商	特別工程承建商	合計		1982年每季平均＝100
1985	228.76	17.94	246.72	191.56	93.6
1986	241.39	18.15	259.91	205.31	98.6
1987	300.51	25.99	326.50	249.04	123.9
1988	375.11	33.75	408.75	314.15	115.1
1989	455.00	44.10	499.10	380.15	181.7
1990	565.08	49.37	614.47	447.40	233.2
1991	596.76	43.53	640.30	477.70	243.5
1992	624.80	52.62	677.40	491.38	257.8

香港批准動工各類樓宇統計（面積單位：萬平方米）

類別	住宅樓宇		商住樓宇		商業樓宇		工業樓宇		其他		合計	
年份	幢數	面積	幢數	面積	幢數	面積	幢數	面積	幢數	面積	幢數	面積
1990	412	70.4	128	46.3	106	100	85	105	212	61	943	382.6
1991	345	94.6	189	56.5	131	69.7	85	101	219	24.7	969	356.7
1992	734	127	139	43.4	80	62.2	52	45	164	19.2	1169	296.7
1月	18	0.9	15	6.0	5	4.1	7	4.6	21	0.6	66	16.2
2月	44	4.2	10	4.5	6	7.2	2	0.6	11	1.4	73	17.9
3月	17	1.9	9	1.6	8	4.9	4	7.5	10	1.1	48	17.1
4月	10	11.1	14	2.5	9	7.2	8	11.5	16	0.7	57	33.0
5月	16	3.8	13	2.1	8	4.9	6	5.2	15	0.5	58	16.5
6月	46	25.3	5	0.8	5	2	4	1.6	6	2.4	66	32
7月	50	15.3	9	2	3	2.3	4	5.3	13	2.2	79	27.1
8月	17	11.9	25	14.4	3	1	2	1.7	15	2	62	31
9月	35	13.9	7	3.3	8	5.1	2	0.3	15	1.9	67	24.6
10月	40	10.6	10	2.7	6	2.8	3	1.2	14	1.9	73	19.2
11月	423	18.9	12	2.2	9	10.5	3	2.6	20	3.2	467	37.4
12月	18	8.9	10	1.5	10	10.1	7	2.8	8	1.5	53	24.8

香港落成入伙各類樓宇統計（面積單位：萬平方米）

類別	住宅樓宇		商住樓宇		商業樓宇		工業樓宇		其他		合計	
年份	幢數	面積	幢數	面積	幢數	面積	幢數	面積	幢數	面積	幢數	面積
1990	457	76.1	130	69.8	50	28.4	60	66	148	38.8	845	27.91
1991	480	90	149	10.47	80	60.9	132	107	216	35.6	1057	39.8
1992	368	55.7	131	46.9	81	66.3	67	83.6	180	57.6	827	30.99
1月	16	1.3	8	1.1	9	7.9	8	9	16	1.2	57	20.7
2月	6	0.1	13	8.1	6	1.9	3	6.1	10	2.1	38	18.2
3月	63	8.8	14	5.1	9	6.7	4	11.8	11	0.8	101	33.2
4月	16	4	7	3.8	8	3.3	4	1.6	12	2.6	47	15.3
5月	46	2.9	17	8.3	8	11.6	6	8.5	11	1.1	88	32.3
6月	14	2.3	7	1.1	4	0.9	6	5.8	8	0.5	39	10.6
7月	71	4.4	12	1.2	7	2.3	3	1.8	14	1.1	107	10.9
8月	13	7.9	11	5.1	4	0.7	8	3.2	11	4.2	47	21.1
9月	10	2.8	9	2.6	8	6	12	10.6	28	4.6	67	26.7
10月	61	16.7	7	0.6	5	4.4	4	6	15	4.7	92	32.5
11月	10	2.8	12	2.9	2	1.7	5	6	30	32.6	59	46
12月	47	1.6	14	6.9	11	18.8	4	13	14	2.1	8.5	34.4

據統計資料顯示，香港建築業經過九〇年的興旺期，至九一年開始出現增長放緩的情況，而一九九二年主要承建商所進行建築工程的總值指數亦出現增長放緩之勢。據業內人士反映，由於建築業在一九九二年受到種種因素的困擾，面臨的壓力越來越大，九二年是建築業一個困難和艱辛的時期。

九二年建築業面臨的巨大壓力是，外資建築力量劇增，造成激烈競爭。據了解，自一九九〇年下半年起，在香港註冊並獲當局審核通過有經營投標權的外資建築公司數量大增，這些外來建築財團湧入香港市場，有以下三個因素：一、近年香港開展多項大型基建工程，期望分享這塊肥肉；二、過去兩年間，香港房地產業持續興旺，銷樓利潤豐厚，不少樓盤急待投標開工，吸引了不少外資建築財團來港經營；三、世界建築業市場不景氣，令外資建築公司難以在歐美工業國發展，前幾年已紛紛把目光瞄準亞太區建築市場，而香港更成為它們的首選目標。

另外香港建築業天地並不像一些人意料中那麼廣闊，新機場計劃自公佈以來，波折重重，一九九一年中英簽訂新機場備忘錄，工程界磨拳擦掌，滿以為可以大展拳腳，結果卻出現連番障礙。目前，中英仍未解決新機場的財務安排，影響承建商的經營及利潤收益。又據業內人士指出，近幾年儘管香港樓市價高勢旺，但並未為建築業帶來很大的好處，而導致地產業繁榮，只是炒家對樓宇投機交易的結果。據統計，從一九九〇年上半年至今，香港平均樓價上升了七成至一倍，而建築工程量的上升僅一成左右。房地產的興旺並未對建築業形成推動力，相反的卻是對建築業的發展帶來了種種不利因素，制約了該業的盈利水平。一九九一年尾，政府實施七成按揭來壓抑炒風，這措施固然能令炒風平淡下來，但同時亦傷害了建築業的發展，原因是地產商推遲了物業工程的發展計劃。

除此之外，大型屋村樓宇的建築量減少，以及建築成本上升，都致令建築業的經營利潤下降。香港建築業歷來是使用招標方法承接工程，在工程量不足、僧多粥少的情況下，發展商推出的招標價位日趨下降，有的地盤的投標價格更低至建築成本之下，令建築商實在難以接受。而一些實力雄厚的建築商儘管仍能在價低者得的嚴峻環境下獲取合約，但在鋼材、水泥、工資等建築費用不斷上升下，也實在難以維持太久。據香港建造商會的資料顯示，現時全港整體建築業的邊際利潤，實際只3%左右。

【新動向】　據業內人士表示，建築業短線前景未許樂觀，碰到的困難較多，不僅經營成本日益昂貴，甚至連工程合約也有所縮小，相信情況不易在短期改善過來，若香港的政治經濟環境回穩，建築業才會有機會逐步好轉。

香港建築業的材料成本及勞工工資持續增長，並沒有緩和的趨勢，使建築業的經營及邊際利潤受到衝擊。

另外，公營部門的建築工程以至公屋計劃的合約，有呈現略為收縮的趨勢，相信這是基於若干持續多年的大型工程陸續完工，及新的工程合約為數不多有關。但建築業的設備投資不弱，在一九九二年第三季，香港進口的留用的建築機器實質增長年率為118%，再結合次季的69%，是可觀的投資增長率，這主要是由於承建商預期新機場及有關工程會陸續動工，帶來更大量的建築工程合約，遂增添較多的機器和設備。不過，中英爭拗使機場工程拖慢，導致建築商進口的大量機器設備暫時無用武之地，另一方面，香港各類型私人物業的建築工程也有持續收縮的傾向，對承建商業務的衝擊會更為嚴重。由此可見，建築業一九九二年業績表現不理想的情況，很可能延長至一九九三年，除非有新機場及西部港口等大型基本建設的刺激，才可以扭轉弱勢。

財政・金融

財政收支

【概　述】　開放型經濟和較少干預的經濟政策決定了香港政府理財哲學及財政體制有如下幾個特點：

（一）　理財哲學審慎。鑑於香港經濟體積細小且易受外界影響而難於控制，當局在編制預算案時大都留有餘地，盡可能保持盈餘。為此，近幾年訂有若干預算原則：1. 公營部門開支的增長率可能高於本地生產總值增長率；2. 公共開支必須反映施政方針的緩急次序；3. 必須達致若干平衡，如直接稅與間接稅，經常收入與經常支出等；4. 財政儲備起碼要維持其價值。

（二）　稅制簡單，稅率較低。香港的稅收在直接稅方面有利得稅、薪俸稅、物業稅和遺產稅，間接稅則只課徵於酒類、煙草、若干碳氫油類、甲醇、不含酒精飲品以及化粧品，其他貨物概不徵稅。其他稅項有差餉、博彩稅、娛樂稅、酒店房間稅、印花稅、飛機旅客離境稅、海底隧道及車輛稅。財政收入也還來自賣地進款及其他收費和費用。香港的直接稅稅率之低和間接稅網之窄是世界上少有的。

（三）　財政開支主要用於社會服務、公共服務、一般的保安服務支出，經濟服務支出甚少。

香港的財政年度自每年的四月一日開始，至翌年的三月三十日為止。在每年三月份的第一個週三，財政司便會在立法局會議上提出下一年度預算案，經過一番辯論，三讀通過，便算完成了立法程序。

港府的收支帳目分為一般收支帳目和基金帳目，把該兩項帳目及其他公營機構，如市政局和區域市政局等收支包括在內的帳目即是綜合帳目。基金帳目的分類及其主要用途是：基本工程儲備金：主要用於為工務計劃徵用土地提供資金；發展貸款基金：主要用途是資助社會及經濟發展，其中特別是為興建公屋提供貸款；居者有其屋計劃基金：用於興建居屋；地下鐵路基金：用於購買地下鐵路權益；學生貸款基金：用於資助認可專上學院學生。

港府編制預算案，近幾年來均是編制五年期之經濟預測，並以此作為預算基礎。港府設有核數署，專門查核所使用公帑的部門、機構及團體的帳目，並檢查受政府資助的機構的財政狀況。

【一九九二／一九九三年度的收支情況】　一九九二至九三年度的收入較上一年度

的預測為高，但開支卻較預測為低。據財政司麥高樂在新一年度的財政預算案中表示，上個財政年度他曾預測有 75 億元的財政盈餘，但現在則將此盈餘修訂為 205億元。因此，該年度終結的儲備結餘預測為 1,196 億元。

這筆額外盈餘中，有 70 億元是由於收入較預期為高致，去年財政司曾預期上個財政年度的收入總額 1,263 億元，而現在他預期收入總額為 1,333 億元，比原預測約高 5%。所增的收入約佔額外盈餘一半，這筆額外收入，反映本港經濟蓬勃，因為大部份收入是來自商業活動的增加，即來自印花稅、利得稅及汽車首次登記稅。

另一半額外盈餘，是因本年度基本工程計劃開支進度較預期為慢而出現的未用盡款項。去年財政司預測開支總額為 1,150 億元，現在他預期開支總額為 1,090 億元，較原來目標約低 5%。

【一九九三／一九九四年度的財政預算】 新一年度的公共開支，即政府開支，加上兩個市政局、香港房屋委員會及政府獎券基金的開支，將達 1,566 億元，佔本地生產總值的 18.5%。在整體部門開支方面，差不多維持在 10% 至 20% 的增減幅度之間，只有少數部門的增減幅度是較高或較低，其中增幅最大的是行政事務申訴專員公署，增 83.36%，環境保護署增 72.1%，退休金增 40.96%。至於開支減少的項目有 9 個，其中工業教育及訓練署減少 43.5%，註冊總署減少 37.46%。

在新年度的開支預算案中，共有 18 個項目開支超逾 10 億元以上，18 項開支合計共 843.74 億元，佔該年度總開支的 6.8%，其中高踞開支榜首的項目計有公共機構補助費的 146.56 億元，絕大部份是用於醫院管理局；其次是教育署，約 135.32 億元；為公務員加薪預留費用的雜項服務達 109.53 億元；此外社會福利署 74.09 億元，警務處 73.25 億元；大學及理工學院資助費為 63.79 億元。較惹人注目的開支是港督府在新年度開支預算為 2,332.3 萬元，較本年度原預算增加 36.73%。據悉其主要原因是支付港督的兩名私人顧問的薪金。

新年度還大幅提升了非經常性的開支，以處理 10 個重大社會及經濟範圍內的長期問題。包括：(1) 援助有困難的人士，如血友病患者、肺塵埃沉着病患者、因公受傷的僱員等；(2) 在北區興建一間設有 600 張病床的醫院；(3) 改善本港社會的健康和醫療護理；(4) 展開"污水優先處理計劃"，以改善本港的污水系統和海港的水質；(5) 協助大約 13,000 個夾心階層的家庭置業；(6) 改善人力技術；(7) 推動運動和演藝活動；(8) 為工商業提供支援；(9) 改善新界西北部的運輸問題；(10) 推廣本港的旅遊業。

收入方面，新年度的收入預測為 1,500.30 億元，減去開支部份，預測會有 34 億元的財政赤字。按目前的開支計劃，到一九九六年至九七年度終結時，本港的儲備總額仍將達 780 億元，這一預測較去年預測高出 68 億元。

新財政年度的稅收建議方面，財政司提出三項寬減薪俸的建議：(1) 把基本免稅額及已婚人士免稅額提高接近22%（分別由46,000元增至56,000元及由92,000元增至112,000元）；（2）把第一名子女、第二名子女及供養父母免稅額劃一增至17,000元；（3）把單親免稅額提高超過17%（由23,000元增至27,000元）。

公司利得稅率則沒有改變，照舊維持在17.5%，而差餉方面也如此，沒有變化，但今年將進行每三年一次的例行差餉重估，並在一九九四年四月一日實施。遺產稅免稅額則提高至500萬元，超過上述水平而在500萬至600萬之間的遺產，稅率是6%；600萬至700萬元的是12%；700萬元以上則是18%。

繼去年撤銷電影票的娛樂稅後，今年又撤銷馬場入場稅，從而把娛樂稅完全從法例取消，以進一步整理及簡化本港的稅制。至於印花稅稅率，繼去年調低後，今年又再進一步由0.4%減至0.3%。

另外，繼去年取消不含酒精飲品稅後，及鑑於旅遊及化粧品業的要求，取消化粧品稅，從而將使今年化粧品的零售價格平均降低10－12%。

新年度還有一個針對弱能人士及老人運輸的寬減計劃：其一是豁免營辦商的每年牌照費及租金，以使公共交通營辦商可以實施老人優惠票價，或改善現行優惠計劃；其二是將已經實施的汽車稅寬減措施擴大，使弱能人士可以使用三輪車及小輪電單車，並可免繳首次登記稅、車輛牌照費及駕駛執照費、以每月100公升為限的燃油稅，以及海底隧道稅；其三，豁免弱能駕車人士繳付政府隧道費。

而增加稅收的項目是是燃油及煙酒，這次增幅只是追隨通脹而將從量稅率提高9.5%而已。

【對新年度收支的評估】 今年的預算案大幅增加了政府的開支，以用於改善市民的福利，因而在中下階層中獲得較好的反映。但另一方面，也令人有所憂慮，主要在於：

一、雖然增加了支出，但欠缺對香港未來的宏觀經濟發展作出規劃的長遠眼光，尤其是在支援工商業、增加資本性投資等方面做得不夠。

二、如何防止和解決可能刺激起來的通脹，並未引起足夠的重視，亦沒有提出治理通脹的具體辦法。

三、港府一改以往所堅持的量入為出、略有盈餘的方針，反而提出了赤字預算，令人對其編制財政預算的背後動機有所疑問；而且本港經濟規模細小，易受外部因素影響，倘沒有充足的盈餘，一日遇到問題恐難於應付。

銀行業

【概　述】　香港憑着地理位置適中、交通電訊設施先進優良、政府干預較少等有利條件，香港銀行業從六十年代開始急劇發展，進而成為香港經濟中的重要一環。進入七十年代，隨着亞太地區經濟快速發展及對銀行服務需求增加，香港更發展成以提供此類服務為主的世界重要銀行中心之一。

香港沒有中央銀行，中央銀行的職責由不同的政府部門和少數商業銀行承擔。

香港的銀行結構，原來基本上只有商業銀行，但自六十年代初期發生銀行風潮後便停止發牌，這導致財務公司自七十年代初期如雨後春筍般湧現。而港府也從一九八一年起實施金融業三級制，即把銀行機構分為持牌銀行、持牌接受存款公司和註冊接受存款公司，並限定各類機構存款業務範圍。一九九〇年港府修訂上述結構，把持牌接受存款公司改稱為“有限制牌照銀行”，改善持牌接受存款公司的地位，使其享用自稱為銀行的有限度自由；這使得信譽良好的海外銀行或同類型財務公司，即使規模不足以按核准條件而獲發牌照，亦可以在港設立分行。持牌銀行可以吸收任何數額和任何期限的存款，唯低於50萬元的不超過一年期的存款利率須受銀行公會利率協議限制，有限制牌照銀行只能吸引不少於50萬元、短於三個月期的存款，接受存款公司只能吸引不少於10萬元，不短於三個月的存款，但兩類機構的利率均自行訂定。除了存款業務外，貸款業務未有限制，但三類機構的業務也各有側重。

一九九二年，香港有銀行機構515家，其中持牌銀行164家、有限制牌照銀行56家、接受存款公司147家、本港代表辦事處148家。

香港銀行業既經營本地業務，也經營離岸業務，而且兩類業務混為一體，成為集成性金融中心。離岸業務為香港賺取勞務收入。一九九一年淨勞務收入41.30億元，其中出口31.08億元，入口10.22億元。

【一九九二年業務情況】　一九九二年是香港銀行業的一個好年頭。估計年內本地銀行的盈利增長可觀，一般增幅在二至三成之間，部份上市銀行盈利更增達四成。銀行業績良好主要得益於幾個方面：首先是銀行存款息差較大；其次是投資氣氛濃厚，信貸需求殷切。

港府統計顯示，截至一九九二年底，香港銀行體系的存款總額為15,031.07億元，比上年同期增加9.3%，增幅比上年同期的9.8%為低。

除了存款繼續保持增長外，年內存款業務還有如下特點：㈠存款繼續向持牌銀行轉移。年底時持牌銀行存款比上年同期增加8.8%，而其他兩類接受存款機構的存款額都大幅減少，其中有限制牌照銀行的存款額減少12.7%，接受存款公司的存款額減少 18.9%。持牌銀行所佔存款業務的市場份額也從上年同期的 93.5%上升到一九九二年底的 94.9%，顯示經多次銀行事件後，居民寧要低息也把存款存放於持牌銀行內，此外，年內接受存款公司數目進一步減少也是存款減少的原因之一。㈡存款向外幣轉移的勢頭出現逆轉。香港銀行體系外幣存款增長大於港元存款增幅，是多年前出現的問題，但這一趨勢年內卻出現扭轉，因為受到外幣匯率偏軟的影響，外幣存款增長大為遜色，一九九二年底只比一年前增加 6.3%，比港元存款的增幅低 6.9 個百分點，影響之下，外幣存款在存款總額中所佔比重也由於一九九一年底的 56%下降到一九九二年底的 54.5%。㈢存款流動性大為增加。年內由於負利率的局面沒有改變，存戶傾向於把資金用於股市等投資用途，因此存款多存放在往來存款及活動存款戶口，令定期存款吸引力下降，年底時定期存款比一年前只增加 7.3%，其在總存款中的比重也從一年前的 70.9%下降至 69.6%。

貸款業務方面，由於本港經濟穩步發展，加上中國加快經濟改革和對外開放步伐，使得銀行的貸款業務也繼續有所增長。一九九二年底的貸款總額為 24,695.58 億元，比上年底增加 10.1%。在各類貸款中用於資助有形貿易的貸款年內增加 8%，增幅較上年同期為低，也與本港對外貿易蓬勃的情況不相稱。業內人士反映，這主要是此類融資流轉速度加快之致。至年底本港使用的貸款較一年前增加 11.4%，略高於總貸款增幅。在本地貸款中，對各行業的貸款表現參差。一九九二年底與一九九一年底比較，對製造業放款增加 16.9%，對建造及物業發展貸款增加 13.1%，對批發零售業放款增加 9.5%，對金融機構及購買住宅樓宇的放款則有比總貸款增幅為大的增長。其中對金融機構的放款增加 10.1%，對購買住宅樓宇貸款增加 10.9%。同時此項貸款佔本地貸款總額的 39.4%。至於對海外的貸款也保持增長，年底此類貸款達 14,206.48 億元，比上年同期增加 8.2%，但卻大大低於上年同期 46.5%的增幅，顯示日資銀行繼續減少利用香港作為離岸貸款記帳中心。貸款業務以幣種劃分，年底以港元計的貸款為 8,120.87 億元，比上年同期增加 12.2%，增幅比港元存款增幅為低。年底時，銀行體系港元貸存比率為 1.19，表明港元存款的和港元貸款之間的差額仍大，並且仍然是困擾香港銀行業的主要難題。

年內銀行存貸款息差仍繼續擴大，全年最優惠利率與儲蓄存款利息的息差基本上維持五厘，而一九九一年有如此之大息差的時間只約為半年。這有利銀行增加收益。不過港元定期存款增長下降和存期縮短，流動性資金增加，卻令銀行長期資金來源則受不利影響，經營難度大增。為爭取存款，年內銀行各出奇謀，推出新投資產品和服務，以吸引市場資金。同時開設更多分支機構，加強競爭能力。

股市成交暢旺和股價上升，都使銀行接做股票按揭放款的生意隨而激增。一九九二年股票成交額超逾 70 億元，新股上市達 54 家，且認購屢創新高，而部份投資者都是利用銀行服務進行投資，這就令銀行對金融機構放款增加。此外，以保薦、包銷新股的商人銀行則獲得大量業務，盈利也急劇上升。

至於樓宇按揭，銀行雖已收緊借貸服務，但由於樓價仍然上升，因此年內銀行的樓宇按揭貸款仍然是本地放貸的主要環節，而且隨着按揭成數下降，風險也受到控制。

【一九九三年銀行業前景】　展望一九九三年香港銀行業前景，預料仍有穩定增長機會。首先是西方國家經濟雖然復甦的步伐緩慢，但已逐漸擺脫衰退陰影，一九九三年的整體表現應比一九九二年有所改善；其次，中國要建立社會主義市場經濟體系，深化改革，中國經濟的發展勢頭在新一年裏仍然良好，經濟增長率可保持在雙位數，而外商投資中國的熱潮也會更為高漲。中國因素是一股力量。正因如此，香港銀行業發展前景是有良好基礎的。正如銀行監理專員簡達恆強調，只要中港貿易續獲擴展，則銀行業務將可保證會再有增長。不過，在發展過程中將遇到政治不明朗的因素困擾。估計新一年銀行業有如下的發展趨勢：

㈠放款保持穩定增長。貿易融資將隨着中港兩地的經濟活動而增加。估計貿易貸款將有不小的增幅。海外貸款則在海外經濟轉好的推動下，可望有較大的增長。樓宇按揭貸款仍然是本地放款的主要推動力。一九九二年銀行收緊樓宇信貸，住宅樓宇市場已經轉靜，樓價略有下調，炒風大為收斂。估計市場調整後，銀行將逐漸恢復如常做按揭業務。事實上新年伊始已有銀行聯同地產發展商對新樓盤提供九成的按揭服務。即使政治因素影響了房地產市場，但因樓市已向下調整，樓價已逐步與市民的承接力拉近距離，因此將刺激樓市的交易，按揭業務也會隨之增加。

㈡一九九二年存款增長相對緩慢，特別是港元存款在利率低下、通脹居高的情況下，存款意欲仍將不振，不過，在經濟可望保持溫和增長和居民入息仍會增加的條件下，存款增幅會與本地生產總值名義增長率相若。估計年內息差可能縮窄，但幅度不會太大，銀行仍可從中得益，此外，銀行積極開拓收費服務，也會對盈利有所貢獻。

㈢年內銀行業務發展將會得益於中國進一步擴大開放。首先是中國開放第三產業，歡迎海外銀行、零售業務到內地開業。過去一段時間，香港已有多家銀行在中國多個經濟特區或開放城市設立分行或辦事處，現申請在內地開設代表辦事處或分行的香港銀行越來越多。因此今後香港銀行除在香港為中國工業、貿易或大型建設融資外，還可直接在中國內地提供銀行服務。此外，中國正積極參予證券業務，九家國營企業在香港股票市場買賣，銀行在這方面也將發揮作用。而為港商和外商提供用於投資中國的貸款，更是銀行今後擴展業務的主要動力。

保險業

【概　述】　保險大致分為一般保險和人壽保險。根據保險業監理處發表的一九九二年報指出，截至一九九二年十二月三十一日止，共有 223 個認可承保人在本港經營，較上一年減少 7 個。其中 106 名在本港註冊成立，至於在海外註冊成立的承保人，32 個於英國註冊、21 個於美國註冊、9 個於百慕達註冊、8 個於日本註冊、7 個在瑞士註冊，而在加拿大、法國、新加坡註冊的承保人各佔 5 個，4 個於中國註冊。就保險類別而言，純人壽保險公司有 40 間，一般保險公司 173 間，二者兼營的分保公司 20 間。在一九九二年，兩個新承保人獲許可在本港經營業務，而 9 個承保人的許可經營權則被撤銷，主要理由是有關的承保人已不再在本港經營保險業務。

據港府統計，截至一九九二年三月底止，在所有保險公司中，從事一般性保險的有 165 間，員工 5,442 人；從事人壽保險的有 26 間，員工 1,175 人；從事保險代理、經紀及其它保險服務業的 4,757 間，共 13,057 名僱員。

一九九二年，保險業監理處先後向 23 間認可承保人行使 52 次干預權。有關毛保費收入方面，財產損毀保險業務佔市場最大分配額，達 29%，牽涉金額 32.75 億港元；其次是汽車保險，達 22%，共 25.23 億港元及一般責任保險（包括僱員賠償保險）達 15%，共 16.77 億港元。

一九九〇年二月，由香港保險業聯會籌備多時的保險索償投訴局正式成立，該局主要處理屬於個人保險合約糾紛的投訴，但牽涉的金額不超過港幣 25 萬元。一九九二年，該局共接獲 69 宗投訴，較上一年減少 19 宗，其中一半的投訴是有關汽車保險的。投訴中 12 宗是有關賠償金額的糾紛，49 宗是因為承保商以個別理由拒絕賠償所引起。

一九九〇年七月，註冊總署轄下的保險業監理處擴大規模，轉為一獨立部門，成為金融科轄下的保險業監理處。

本港保險公司的數目逐漸減少，部份原因是一些外資保險公司鞏固在港的業務，將旗下的公司合併。部份原因是保險業監理處加強對保險公司的監管。

【營業情況】　一九九二年，由於一般保險中的汽車保險、僱員賠償及建築工程風險均有增加，因此保險公司對以上三類險種作出重大賠償，而再保險公司的虧損將持續下去。

保險業監理處發表數字，一九九一年香港一般保險業各類保險中的總體承保損失為 3.09 億港元，其中損失額較高者為一般責任保險，達 2.49 億港元，以及財產損毀保險的 1.22 億港元。

此外，一九九二年本港汽車盜竊案增加，全年報失汽車達到7,000輛，損失達到5.58億港元，比上一年增加154%，創下歷年最高紀錄，以致保費收入不能彌補賠償損失。保險公司亦藉此理由連續兩年調整汽車保險費。意外保險公會更聲言，假如車輛失竊的案件持續下去，許多保險公司可能被迫採取措施自保，如在保單生效期中修改條款，甚至取消保單。

其實今年一月，汽車車主已經不再獲得汽車保費的佣金回扣，車主間接要多付保費。

至於洋面保險方面，受到倫敦保險市場多年來滾存下來的賠償日增影響，以致不少成員因賠款過大而退出，甚至向當地取價也十分困難，因此一九九二年內海上保險費率全面上升，不少保賠協會在年初開出的加幅，為30%至40%，而年中發生多起意外，進一步刺激行情上升，個別船東更被要求提高保費一至兩倍。

香港政府一九六六年成立的出口信用保險局，在一九九二年裏，總承保出口貨物及服務達154.04億港元，比上一年微增2%。全年賠償個案共117家，總賠款額則達4,500萬港元，比上一年激增79%。賠款額劇增原因，主要是美、英等本地主要出口市場經濟衰退，引發商業破產個案增加所致。其中美國市場佔43宗，涉及金額2,300萬港元，佔總賠款額的51%；其次是英國市場佔19宗，牽涉金額820萬港元，佔總賠款額的18%。

一九九二年香港出口信用保險局的最大受保出口市場是美國，佔總承保額的30%，英國市場則佔19%，德國市場就佔10%。

在受保貨物項目中，以紡織及成衣製品涉及的金額最大，佔總承保額的33%，其次是玩具，佔13%，塑膠及皮具產品11%，收音機佔8%。

在涉及賠款的出口貨品項目中，以鐘錶珠寶佔的比重最大，佔總賠款的34%。理由是美國等本港出口市場處於經濟蕭條期，對奢侈品的需求大大削弱，引致進口商倒閉。

一九九二年承保額普遍有下跌趨勢，其中德國經濟放緩使港貨出口減慢，涉及該國的承保額錄得近兩成的跌幅。至於中國市場的受保出口總值為2億元，佔總受保額的1%。

各類保險中，以壽險的增長和市場潛力最為可觀。據保險業監理處年報指出，一九九一年有效的香港長期保險業務的按年毛保費為107.65億港元。以保費計算，個人人壽及年金業務佔最大市場額，達到60%，其次是退休計劃，佔35%，與個人投資聯繫的長期業務則佔3%。

一九九二年有效的個人人壽保單約有150萬份，個人人壽業務按年毛保費為67.47億港元，相等於每個家庭4,264港元。

香港現時購買了人壽保險的約佔人口的20%至25%，可見壽險仍然存在很大的市場空間。一九九二年個人保險在兒童和女性市場方面都有突出表現，而投保人的年齡也有下降趨勢，從過去平均的32歲降至30歲。

為了吸引客戶投保，保險公司亦推出多元化的壽險產品迎合客戶需要。例如最受客戶歡迎的儲蓄保險、醫療保險等。

除了壽險外，退休保險和團體保險計劃也是保險公司的發展重點。在退休計劃方面，有效保險共有5,949份，在一九九一年內的供款達37.35億港元。

至於醫療保險方面，據醫療保險業務協會統計數字顯示，本港承保團體醫療保險的人數，由一九八八年的32.9萬人，增至一九九一年的47.6萬人，而個人醫療保險就由一九八九年的16.2萬人增至一九九一年的22.3萬人。雖然參與醫療保險計劃的人數增幅緩慢，但隨着醫管局的成立，購買醫療保險的人數在未來兩、三年，將有龐大的增幅。

【新動向】 由於保險業務越來越普及，而購買保險的人數也在逐年增長，因此政府對於保險公司的監督也開始重視起來。一九九三年保險業監理處的職能將會擴展，凡本港的職業退休保障計劃都要向保監處註冊，為投保人士提供更大的保障，僱員也可以依期收到僱主所承諾的退休福利。

此外，保監處將要求保險公司的核數師進行內部管制，使保險公司能有適當的儲蓄和帳目，從而保障投保人士的利益。港府亦草擬法例，限制保險公司的投資活動，目前有關法律正在研究及草擬階段。建議中未來保險公司在地產和上市證券方面投資將不超過四成，債券方面投資將不超過50%，另外規定保險公司若撤離本港，應公佈通知投保人。

在保險業務上，中英關係的不明朗，將會對一九九三年的一般保險業務帶來障礙；另一方面，由於海外再保險市場已有數間公司倒閉，故此本港保險公司在分保保險業務時的成本因此而上升。預計今年一般保險業務會有10%的增長。

出口信用保險方面，儘管美國經濟在一九九二年底有復甦跡象，但預計該國的商業破產率，在一九九三年初仍會維持上年同期水平，須待至年中才有改善，至於賠款額的變動，須視乎其他本港出口市場經濟表現而定。

一九九三年一月一日，所有壽險營業員須向中央註冊處登記，這將有助客戶增加對從業員的信心。而壽險在年內將依然保持20%左右的增長。

為了拓展本地以外的保險市場，不少保險公司都覬覦着國內的保險業。一九九二年十月美國友邦保險公司率先在上海開設分行，為後來者帶來曙光，然而至今國內對外資保險公司進入中國市場仍未有明確法規，因此要打入中國保險業市場尚需等待一段時間。

租賃業

【概　述】　租賃業在西方已有頗長的歷史，並已發展至日常用品甚至藝術品的租賃，但在香港的年齡卻不算長。七十年代之前，香港並未出現任何正式的租賃公司，直到一九七一年日資東方利市（香港）有限公司成立，才開始有正式的租賃業務。七十年代可說租賃業的萌牙階段，八十年代，租賃業務則逐步發展起來，到九十年代仍處於發展階段，須更加廣泛推廣租賃的概念與優點。

租賃業的概念是把資產的擁有權和使用權分開。這種業務既帶來商品貿易特點，又具信貸性質，香港租賃的方式大都採用租購形式，這種方式的特點是，設備之物權屬租賃公司所有，直至承租人行使及完成購物權之權利，租約期滿後，承租人以象徵式之費用購回所租用之設備。另一種方式是營業性租賃，這種方式是承租人將不能獲得所租賃之物權，但可在租約期滿後，以象徵式之年租向租賃公司續租該設備或可以租賃公司將設備售予第三者。由於營業性租賃涉及設備的維修保養以及估值等都需要大量的技術工作，而且租賃公司所承擔的風險較大，故此本港很少使用營業性租賃。

租賃是財務機構提供的一種服務。它所提供的租賃設備包括：工業設備，如塑膠模機、紡織機、印刷機；辦公室設備，如電腦、文字處理機；運輸設備，如貨車、汽車及其他重型設備。租賃公司的客戶對象一般以中、小型廠商為主。

這種服務有好處亦有缺點。好處包括：一、保持現金流量。承租人不須支付龐大的現金購買機器，故此可保留一筆現金，作其他投資用途。二、減輕稅務負擔，採用租期形式，出租人可享受設備折扣免稅，承租者支付利息部份可作營業費用，減少利得稅的支出。三、機器設備日新月異，承租人在租約期滿後（通常二至五年），便可更新換舊，尤以電腦及辦公室設備為甚。四、減少通脹的損失，利用租賃以今日之價錢獲得即時所需的設備，而租金一般是固定的，因此，日後的通貨膨脹也不會令租金上升。

當然，利用租金也有缺點，主要是付出的租金比直接購買設備的費用為高。

【營業情況】　據政府統計資料顯示，截至一九九一年十二月。從事租賃業的商號共有136家，比一九九一年減少68家，僱員676名，增加34名。

香港租賃業務的情況，可以藉本港對機器設備需求數據，來粗略反映租賃業的情況。據統計資料顯示，一九九二年機器設備及運輸設備的進口值為3,070億元，比一九九一年增加800億元，增幅達35.2%，一九九二年轉口值為1,916.24億元，比一九九一年增加545億元，增幅39.8%，留銷值為1,153.76億元，較一九九一年增加28.2%。

隨着香港近年經濟發展迅速，使香港租賃業在一九九二年有長足發展。以下就工業設備的租賃、辦公室設備的租賃及運輸設備的租賃情況作簡要介紹。

工業設備租賃業務一九九二年比一九九一年好，究其原因，首先是香港經濟增長持續，因而各行各業的業務擴展機會增加，其次是中國經濟開放，廠商陸續將生產線北移，故此廠商也須增購設備。

據一位業內人士表示，香港的工業租賃業務佳，而中國業務比香港業務更有明顯增長，他又說，中國租賃業在一九九二年比一九九一年有高出一倍的大幅增長。不過，亦因香港廠家在內地設廠已成趨勢，生產工序移入內地，促使其生產器材及機械設備亦北移，影響租賃所及的風險亦相對提高。原因是中港兩地法制不同，若一旦出現問題，廠家倒閉，租賃公司卻未必能取回內地機械，故此租賃公司在批出租賃項目時較以前審慎，在批出之後，對客戶業務檢查亦頻密。

辦公室設備的租賃方面，近年香港的現代化經已為各先進國家所認同，因此很多外國公司到香港辦公或設辦事處，省卻很多麻煩，一切都可以就地取材，向租賃公司租借，不必帶很多先進的機器到來辦公。另外，亦由於近年創業人士激增，而他們為減輕創業成本，租用辦公室設備，這使辦公室設備的出租率有大幅上升。

運輸設備租賃業也有好的發展，本港主要的租車服務公司有四間，分別有AVIS遠東、三聯、夏巴及皇冠。而客戶方面，分長租客和散客兩大類，長租客中，租用車的有一年至四年不等，主要是大公司、領事館、跨國公司以及外資銀行等。散客中，有各種情況，包括自己的車拿去修理、撞車、被偷車、行將移民及移民回流客、或是假日租車出外散心的客人。據業內人士表示，隨着港人對租車服務的認識及接受程度增加，再加上近年有頗多跨國機構在港成立公司作為發展中國市場的據點，租車行業在一九九二年有逾二成之增長。

【新動向】 本港由於受到高通脹及其他經常性開支增加的影響，很多公司或消費者轉向長期租用工業設備、租車或租辦公室設備，代替買工業機械、買車、買辦公室設備，長期看，租賃市場漸受注視。

另方面，香港租賃公司涉足中國的租賃業務將會更多，據業內人士估計，一九九三年中國租賃業務將有較大增幅。中國現時的政策是重點發展交通、能源及通訊三方面。通訊發展規模方面，國家仍會加以控制，並避免外商直接參與中國電訊網絡營運，但交通及能源方面將有大規模擴展。

該業內人士舉例說，在西方航空業不景的情況下，中國目前是全世界最大的飛機買家，一九九二年購買20多架飛機，一九九三年計劃再多購買30多架。目前，全國、北京、上海、廣州等多個機場正在擴建，預計一九九三年將有多個機場新設備的租賃合約承投。

又由於珠江三角洲急速發展，對能源需求愈來愈大，該地區將陸續興建更多中小型發電廠，此外，廣州地鐵的興建，以及第二批城市包括南京、武漢、大連、瀋陽及天津，亦將計劃興建地鐵，這將提供了很多租賃機會。

這位業內人士指出，雖然租賃業在中國的業務有超香港之勢，但仍有風險存在，在中國進入關貿總協定後，產品及市場價格可能會受到衝擊，其中中國汽車業受到衝擊將最大，其餘是一些目前關稅特別高的產品，例如電視機、低檔化纖、電腦及電腦配件等，故此，租賃公司對從事這些行業的企業，在審核有關租賃項目時都表現謹慎。

業內人士又指出，不論香港及中國，近年這個行業的競爭對手愈來愈多，國內主要銀行，如建設、中銀及工商銀行都設立部門專責處理租賃服務，估計單在國內提供租賃服務的機構已超過100家，本港方面更達136家，形成激烈競爭。

黃金市場

【概　述】　香港黃金市場歷史悠久，金銀業貿易場成立於一九一〇年。該貿易場每週五天半進行買賣，交易的黃金純度99%標準，即所謂“九九金”、以司馬両（約等於1.2金衡安士）作報價單位，用港元報價，交易的最低單位為一百両。經過多年的發展，香港已成為世界四大黃金買賣市場之一，在計入匯率波動的影響後，貿易場的黃金價格與倫敦、蘇黎世、紐約等主要的價格相符。金銀業貿易場現有會員193家，其中只有33家具備鑄造標準金條的資格。投資者只能委託貿易場會員買賣黃金，並付一定的手續費及佣金。永亨銀行獲金銀業貿易場認可為黃金貯存保險庫。

除了貿易場，香港黃金批發市場還有本地倫敦金市場的期金買賣。本地倫敦金市場形成於一九七四年香港解除黃金進口管制之後，參與者主要是銀行、各大國際金行和黃金交易公司。買賣採取類似外匯市場的對敲方式，由個別金商或經紀行透過電話或電傳報出買賣盤，直接與客戶進行交易，交易以美元按金衡安士報價，黃金純度為99.95%，在倫敦交收。

香港期貨交易所的黃金期貨，是該交易所目前所經營的商品之一。該黃金期貨交易規定每宗交易為一百盎斯的99.5%的純金，其交易用美元結算，交易月為即月起的連續三個月及其後的雙數月份。其交易由買賣當日起計，最長的交易期限可達25個月，交易所為保障投資者所承擔的風險，亦設有按金和停板制度。由於香港的金銀業貿易場和香港本地倫敦金市場兼具現貨和期貨的性能，故香港期貨交易所推出的期金，表現不甚活躍。

【年內金市表現】　一九九二年的黃金市道在平淡與低沉中度過。雖然在年中市勢彈升曾引起投資者對其或有轉勢有所期望，但此剛萌芽的希望很快又告幻滅。

可以說一九九二年的金市是過去十二年長期淡勢的持續。年初起的新一回合跌勢自一九九一年末就已開始，國際金價先回軟到 350 至 360 美元水平徘徊，到五月底便再跌到 335 美元的低價位，期間世界經濟不景氣以及油市疲弱等為不利的因素。

稍後，知悉獨聯體的黃金儲備僅餘下 180 噸，金市沽售壓力下降，市勢經長達四個月時間的盤整，卒在七月下旬攀升到年內的最高位 362 美元。市勢由淡轉好似有希望。但產金國大力趁高沽售，形勢僅維持一星期便急轉直下，且在八月中旬即跌到 333 美元的新低位。

九月，歐洲貨幣機制出現危機，部份市場資金跑到金市暫作躲避，金價遂在九、十月之交回升到 353 美元水平。但歐洲貨幣危機稍一平伏，產金國又再度趁高沽售，金市終在十一月十四日又跌到自一九八五年末的 328 美元，產金國沽售以及投資者的跟風拋空，使國際金市仍徘徊於接近全年最低價水平上。

簡單而言，產金國以及中東地區的沽盤壓力幾乎主宰着一九九二年全年的金市走向。相反地，黃金的投資需求十分缺乏，而市勢回升經常只屬於曇花一現，便多次阻窒了投資者重返金市的興趣。

一九九二年金市波幅不算很大，高低差價僅為 34 美元或 269 港元，全年跌幅約為 6.6%左右。市場尚有如此表現的主要原因有賴於遠東地區金飾需求回增的支持。

年內，加拿大及澳洲的貨幣價值均告下跌，促進該兩國的金商都急於出售黃金去套取價值較高的美元。另一方面，油市的長期偏弱亦經常誘發中東地區的持金者拋出黃金。

此外，美國、日本、歐洲等國均陷入經濟衰退，特別是美國的通脹率長期保持在偏低水平，也打擊了黃金市道。歐美地區普遍缺乏實金需求。因此去年金市表現相當平淡，波瀾不興。

根據港府統計，一九九二年香港進口金條共 339.65 公噸、值 302.63 億元；至於轉口方面則有 51.52 公噸、值 42.23 億元。現將年內進口及轉口黃金統計如下：

	進口			轉口	
	公噸	億元		公噸	億元
總計	339.65	302.63	總計	5.15	4.22
瑞士	84.90	72.73	中國	1.70	1.21
美國	56.49	51.79	台灣	1.68	1.51
英國	44.91	40.96	南韓	1.32	1.15
南非	4			1.513	9.03
澳大利亞	4			0.083	5.63
加拿大	3			0.192	6.73

【一九九三年金市走勢】 要預測新一年金市走勢，應當先從黃金供求方面入手。資料顯示，世界最大產金國南非於一九九二年末段，黃金產量有所增加，並延續到一九九三年，而澳洲黃金產量在一九九二年約為228噸，較上年的241噸為低，但出口卻增至282噸，因此在新一年裏黃金供應將會繼續增加。

與此同時，黃金的需求也會增升。台灣在放寬黃金出口後，對其黃金入口的增長影響甚大，台灣一九九二年的黃金總入口達180.6噸，比一九九一年的107.5噸增加68%。香港自一九九〇年黃金進口量跌至近年谷底的177噸後也逐年回升。香港金業人士於一九九二年底時去信港府要求免除黃金進口稅，與新加坡看齊，以刺激市道。此外，行內還寄望中國內地黃金市場完全開放，隨着改革開放的深入，國內黃金需求增長不可小看。

事實上，一九九三年上半年黃金價格出現極其反覆走勢。三月十日倫敦金市承接美元強勢和南非貨幣疲軟，金價跌至七年來新低位326.5美元，之後金價又逐步回升，五月十九日倫敦金創出兩年來的新高379.5美元。港金也隨之上升至3,490港元，且出現實金緊缺的現象，原因之一是市面上飾金需求殷切。由於中國海關允許出入境旅客可攜帶六千元人民幣出境，香港不少金飾店都公開張貼告示，以人民幣報價，並可以人民幣購買金飾，吸引內地來港遊客。近幾年來，中國內地黃金消費增長驚人，據世界黃金協會資料，一九九二年中國內地黃金飾物銷量超過250噸，料今後還將持續增長。

此外，預期美國經濟在今年復甦，通脹回升將有利金市回升，但美元復強，而歐、日經濟仍復興無期，則將繼續壓抑金市。最後，油市的發展以及投資者對金市的態度亦將影響未來金市的表現。

不少專家估計，未來十八個月金市將有頗佳的表現，而估計一九九三年盎斯金的平均價格將在345美元水平以上，高於一九九二年。

股票市場

【概　述】 香港股票市場在一九九二年的整體表現穩好，年內十一月十二日恒生指數曾衝破6447.11的歷史高峰，但基於中英就香港政制及機場問題的爭拗不斷升級，故此令到十一月中旬及十二月初出現兩次急挫現象，其後才於聖誕假前恒生指數反覆回升上5500水平報收，恒生指數在一九九二年最後一個交易日以5512.39收市，較一九九一年底上升28.27%。

雖然一九九二年大市升幅不及一九九一年升幅42%為高，但成交額則較上年暢旺，全年總成交額高達 7,055.75 億元，較上年激增 1.11 倍，平均每個交易日的交投額為 28.02 億元。

一九九二年的總市值亦有可觀的增長，以年底股價計算，總市值額高達 13,145 億元，增幅高達 39.38%，大市的平均市盈率則為 14.3 倍，較一九九一年的 12.9 倍略高，而平均周息率則由一九九一年的 4.33%降至 3.63%。

各類分類指數當中，以金融指數表現最好，升幅 57.7%，其次為公用指數升 27.08%，地產及工商類指數則分別上升 17.99%及 17.75%。

【股市上落反覆大】 回顧一九九二年香港股市，大致可分為三個階段。第一個階段是自四月十四日匯豐控股公佈與英國米特蘭銀行合併條款，帶動恆生指數連續八個交易日冒升衝破 5000 點阻力區。

匯豐控股借助同米特蘭銀行的合併，變相地撤返英國祖家本是利淡消息，只是匯豐控股於一九九七年前會撤走一事，早於一九九〇年十二月十七日決定遷冊回英國時，已是既定事實。況且，匯豐控股正式晉身世界前列金融機構位置（包括列入英國《金融時報》指數成份股之一），因而已取得若干海外基金的青睞。

之前，香港股市是承接着一九九一年的升勢，再加上三點主要原因導致股市上升，三點因素分別為：㈠本地銀行利率跟隨美國七次削減利率（本地優惠利率已由年初 8.5%降至 6.5%），導致高通脹和低利率的畸型經濟架構，驅趕資金流入股票市場；㈡一月八日中美就特別 301 方案達成協議，從而消弭了一場貿易糾紛；㈢香港上市公司稍後公佈的一九九一年度業績都符合甚至略優於市場預測。

匯豐控股跟米特蘭銀行合併只是把香港股市正常調整期由第二季順延至第三季。七月九日彭定康接替衛奕信出任港督亦把港股帶入第二個階段——調整鞏固期。

在第二個階段恆生指數從 6200 點水平掉至 5200 點水平，而有一浪低於一浪之勢。當時從外部因素看，投資者擔心中國會否無條件獲取延續最優惠待遇以及怎樣解決普通 301 條款問題；從內部因素看，投資者注意彭定康如何取捨其立法局班底及跟中國打交道。由於這些因素的制約，同時美國總統選舉布殊聲望遠遠落後民主黨代表克林頓，而後者保護主義傾向較強，增加投資者顧慮，而使本地股市受到打擊。

踏入十月，這些不明朗因素陸續揭出，為股市步入第三階段。十月十日，中美就普通 301 條款達成協議和最優惠國待遇獲取延續之後。吸引以美國資金為首的海外投資者來港，推高香港股市重返 6000 點。更於十一月十二日升至 6447.11 高位。

只是海外投資者忽略了十月七日港督彭定康在其首份施政報告裏所提出的政制方案，即事前不與中方磋商，變相增加直選席位，違背了中英協議的大原則，將帶來中英雙方分歧的影響，投資者仍然一廂情願地相信中英雙方會互諒互讓，因此在中方嚴肅指出英方“三違背”的錯誤，爭論不斷升級之際，恆生指數仍有升勢。直至十一月二十七日中方表示不會承認港英政府已批出的葵涌九號貨櫃碼頭合約和十二月十七日新華社不點名抨擊怡和集團之後，才驚悟中英兩國的爭論絕非想像般的簡單，恆生指數連日下挫，應聲降至5000點水平。

【展望一九九三年股市】 一九九三年的香港股市自然要觀察中英雙方就香港政制改革建議爭論是怎樣解決。而實際情況是中英雙方已由四月下旬開始在北京根據中英聯合聲明、與基本法銜接的原則以及中英已達成的協議和諒解就香港九四／九五年選舉安排問題舉行了多輪會談。中英土地委員會又同意在新年度批出127.8公頃土地。中英就新機場的財務安排也在六月上旬復會。這些現象對香港股市都帶來利好消息。

另一項影響一九九三年香港股市表現的重要因素是美國無條件延續中國最惠國地位一年。

上述各項因素對香港股市產生一定影響，股價恆生指數在二月十二日重上6000點水平，之後不斷創出新高，終於在六月十二日衝上7000點水平，最高為7447.24點。

此外，香港仍處於低息期，應可續對大市帶來支持。本港利率雖或會跟隨美國利率回升，特別在下半年為然，若美國要維持經濟復甦，利率回升幅度將不會太大。

在經濟持續增長、中國提供成本優勢及與中國有關的業務續見發展的支持下，上市公司盈利預料仍可達20％的增長率。

一九九三年股市另一惹人注目的是：越來越多中資公司開始利用香港股市，透過直接上市或借購入上市空殼公司等間接方式籌集資金。一九九二年底已有九間國營企業表示準備在港上市。雖然中資機構在港上市仍有若干技術問題有待解決，但此發展將會加強香港股市作為投資中國的資金來源的重要性。鑑於中國的國營企業大部份從事製造業及重工業，它們在港上市將有助於扭轉香港股市目前過份依重地產業的情況，使股市可以逐步轉向較為分化的結構，令股票市場更廣大及均衡，預料有助吸引更多外國資金，進而提升香港股市在國際間的地位。

中央結算自一九九二年十月起運作，預料有助配合香港股市市值及交易量的不斷增加。中央結算系統已為市場提供了日後發展的基礎，這些發展包括推出自動對盤及交易系統，拋空制度及期權市場等。此等新措施可容許投資者為其投資組合進行對沖，以減低股市全面下跌的風險，但另一方面，卻亦可能增加股市的波動幅度。然而實施中央結算制度始終是香港股市向前邁進的一個里程碑。

綜合而言，一九九三年香港股市預料可在公司盈利續有可觀增長的情況下繼續攀升，特別是目前中英就香港政制問題的爭議如得到解決，股價升幅更大。否則，股價仍有大幅下降的可能。

儘管地產市場活動在一九九三年下半年可能略見改善，但仍應普遍受到抑制。因此股市盈利的增長力將逐步轉向非地產類股市，其中應以中國興旺的消費市場為對象的上市公司。這個轉移將會持續超過一九九三年，期間中國國營工業企業在港上市及本地公司日漸變化。這種轉變肯定提高香港股市的涵蓋範圍及深度，並增強對外國投資者的吸引力。因此，香港股市在協助融通其重要性應與日俱增。

期貨業

【概　述】　香港期貨買賣有悠久的歷史。但經港府立例並通過開設期貨交易程序和細則才開始買賣期貨則是一九七六年十二月十七日香港商品交易所成立之後。為了配合推出金融期貨買賣，香港商品交易所於一九八五年改組並易名為香港期貨交易所。

交易所先後推出八種期貨合約，原棉、原糖、大豆、黃金、恆生指數、恆生指數分類指數、利率期貨、恆生指數期權等。但現存的期貨買賣只有黃金期貨，是一九八〇年八月十九日推出；股價指數恆生指數期貨是一九八六年五月六日開張第一個非商品指數期貨。一九九〇年二月十七日推出九十日期港元利率期貨；一九九一年期貨交易所推出四種分類指數期貨合約，這些合約分別於七月十六日推出工商指數期貨，九月二日推出地產指數期貨，十月三十一日推出公開指數與金融指數兩期貨。此外一九九三年三月一日推出恆生指數期權合約。

各項期貨買賣合約都有自己的交易細則和交易方式，因而使得買賣雙方能夠只付出部份按金及少量經紀費用，便可以協定的價格買入或沽出在將來某特定日子交收的期貨，而雙方又可以在合約期滿前買入或沽出等量合約平倉，從中賺取差價。期貨買賣的功能在於對沖套戥，避免價格波動的風險，此外由於付出的按金遠遠低於投資現貨的成本，因而也是投資和投機工具。

香港商品期貨合約買賣並不活躍，經過幾年經營，三種農產品期貨合約終止買賣，恆生指數期貨推出第一年，迅而成為極受歡迎的品種，但第二年十月即一九八七年股災，加上期貨本身的問題，恆指期貨市場爆發了一場嚴重的危機。後經過三年的重整，又不斷推出新品種，以冀求振興市場，但事與願違，港元利率期貨及四項分期指數期貨皆未能引起投資者興趣，現時每日都沒有成交記錄。

故現期貨交易所的買賣都集中在恆生期貨指數身上。恆指期貨合約面值以其點數乘以 50 元。每一指數點相等於 50 元，按金增至 18,750 元。恆指期貨和分類指數各項有四個月份合約包括一個現貨月、翌貨月和兩個季貨月。

一九九三年增加的恆生指數期權合約分為認購及認沽兩種，是以恆生指數的點數為報價單位，每單位為50元。

【交易情況】 一九九二年香港股市表現興旺，連帶刺激起期指市場可有活躍的表現，而一九九二年內期指的未平倉合約數量已接連創出了一九八七年股災以來的高峰水平，不少投資者都擔心這是期指市場亮起危險訊號的先兆，但從期指合約成交數量仍然未及一九八七年的高峰期一半的水平可以反映，期指市場不僅未有存在太高風險，反而還逐漸邁向成熟的階段發展。

一九八七年股災一役，香港期指市場亦爆發了一場大風暴，由於做好倉的投資者遭受嚴重的虧損，故此迫使港府聯同各大金融機構匆忙定出一項注資救亡計劃。經此一役，期指市場的結構已是元氣大傷，而期交所在其後亦作出了配合性的改組計劃，以將期貨市場重新建立。不過投資者對市場仍有戒心，令到這個市場的表現長期沉淪。而期交所只有從改善基礎制度着眼，包括訂立安全的合約按金比率，以及加強各會員的資本基礎等。在改善了市場的風險制度之後，期指市場亦開始緩緩地復甦起來。經過達多年的固本培元階段後，期指市場在一九九二年已明顯踏入復甦期，成交不斷增加，成為了投資者另一熱衷進行買賣的新興工具。

觀察期指市場的發展趨勢，主要應從期指的成交數量與及未平倉合約數量作為重要的衡量指標。

在八七年股市及期指市場進入高峰期間，期指在一天之內的成交量曾高達四萬多手，而未平倉合約數量亦高達七萬張的水平，後者數量龐大，反映投資者完全未意識到持倉的危機，故構成了隨時爆發大風暴的危機。

在發生了期指風暴之後，未平倉合約數量大幅收窄，但這個數量指標則在一九九二年大幅提升，在六月下旬及十月下旬都分別創出了自八七年股災以來的最高峰水平，最高峰為1.5萬多手，但同期的期指合約成交數量則一直只維持在1萬多張的水平，只及八七年高峰期的兩三成左右。由這兩個指標數量可以反映，期指市場的表現已越來越成熟。

未平倉合約數量大增，反映投資者的投資策略趨向長綫。買方持有期指合約，顯然便是對後市充滿信心，而他們以接近10%左右的孖展比率長綫持有期指合約，當然深明有關合約的風險。至於買方，除了是反映看淡外，相信亦有大部份是以沽期指作為套戥安排，以抵銷持有股票風險，由於買賣雙方的策略都以長綫為主，蓋過了投機活動，故此便利到未平倉合約數量依循正常的步伐增長，在一定程度上反映投資者的態度已成熟，其存在風險亦因而得以逐步減低。

年內期交所暫停期糖合約買賣，因期糖自年內七月起沒有成交，報價及未平倉合約。

【新動向】 期貨交易所於一九九三年三月五日推出恆生指數期權，標誌着期交所在過去一年來不斷努力發展這種新金融工具，和教育市場接受新概念。

一九九三年內期交所仍將集中資源及人手發展恆指期，也初步考慮其他新產品，而下一種產品將會是一項金融的衍生產品。

隨了繼續發展新產品外，期交所最近也與中國的南京石油交易所達成協議，為其提供結算技術和服務。實際上，期交所所提供的服務是把南京石油交易所將每日買賣資料通過電腦接駁器傳送至期交所，期交所則登記每位經紀的買賣盤，計算出按金要求，然後再將資料轉送回石油交易所。

而期交所提供的服務，足使其更加有效地執行風險管理措施，並不是直接幫助南京石油交易所管理風險，所有風險管理責任均由南京石油交易所自己負責。

就業·工資·物價

就　業

【概　述】 香港有質素較高的勞動力資源。他們精明能幹，活力充沛，隨着年老而受教育程度較低的勞動力陸續退休和本港教育日趨普及，就業人口的文化程度也不斷提高。一九九二年末未受教育、僅受幼兒園教育及只受小學教育的就業者在總就業人口中所佔比率為28.6%，受中學教育就業者佔56.1%，至於接受大專以上教育的就業人口則佔15.3%。

香港勞動力市場是一個典型的自由市場。勞工處只提議、制定勞工條例，監督有關條例的執行，輔導和協助行業，調解勞資糾紛等。因此香港勞工和僱主均可以自由選擇。這種基本上自由放任的就業制度一方面激勵員工的向上精神，刺激居民為覓得好工作和高入息積極學習就業本領，但同時亦加劇勞動力的流動性並使得就業缺乏保障。

香港就業情況向來良好。較少有嚴重失業問題，自一九八六年起由於香港經濟的結構變化，出現勞工短缺現象。不過到了一九九一年情況又有變化，各行各業仍缺乏勞工，需要向外地輸入，但製造業既有某些行業勞工不足，而另一些行業則工人就業也呈困難。

【一九九二年的就業情況】 一九九二年香港勞動力市場及就業情況有如下幾個特徵：

（一）全港勞動人口下降。統計顯示至一九九二年第四季末，全港勞動人口為282.04萬人，比上年同期減少0.2%，勞動參與率也從上年的63.5%下降至一九九二年底的62.1%。

（二）一九九二年內，失業人口不斷增加，由一九九一年第四季末的4.76萬人增至一九九二年第四季末的5.65萬人，失業率為2%；而其中第一季末的失業人口最多為5.82萬人。

（三）在就業人口中，從事專業管理職位的人數在一九九二年第四季末為38.6萬人，佔就業人口的14%，略高於一九九一年底。

（四）製造業人口繼續減少，一九九二年第四季末為62.47萬人，比上年同期減少11%，在就業人口中所佔比例也由上年同期的25.3%下降至一九九二年第四季末的22.6%。

相反從事零沽批發進出口業務及其服務業的就業人口增加，前者由一九九一年第四季末的 74.38 萬人增至一九九二年同期的 77.30 萬人，後者也由 107.03 萬人增至 109.09 萬人。

（五）一九九二年第四季末，全港就業人口的入息中位數為 6,939 元，比上年同期高 12%。其中入息收入在 6,000 至 6,999 元的佔 15.8%，收入 5,000 至 5,999 元佔 13.4%，收入 10,000 至 14,999 元佔 12.1%。

由於香港經濟結構由製造業本位轉變為服務業主導，對勞動力市場產生很大影響，最明顯的大量的製造業工人遭解僱。然而，這又沒有引起結構性失業的情況。相反，由於製造業汰除出來的工人，大多為服務業所吸納，香港反而面對嚴重的勞工短缺問題。不過製造業今後若如過去多年的情況發展，被淘汰出來的工人會更多。與其他行業比較，製造業工人一般年紀較大，知識水平也較低，超過四分之一的製造業工人年齡超過 45 歲，35.9% 製造業工人只有小學或更高教育程度。基於年齡及教育質素等，製造業工人轉業殊不容易，因此較易受結構性失業的威脅。分析過去一年的失業數字，幾近一半失業者為製造業工人。再者製造業工人的就業不足率亦告上升。因此可以說製造業工人面臨很大的威脅。

另一個顯示結構性失業可能存在的跡象，是年長者的勞動參與率下降，尤以 50 歲以上的更為明顯。面對持久的就業不足情況和渺茫的轉業機會，一些非技術的年老工人只能從勞動隊伍中退下來。

在經濟繼續轉型及人口老化的情況下，有人擔心失業情況會日漸惡化。由於新增的失業者多屬於結構性失業，加上建造業對勞工的需求亦見縮減，以及勞工供應在多年增長不振後，呈現復甦的跡象，就業前景有某些不確定因素。但是製造業和建造業對勞工的需求雖然縮減，而香港的失業情況並不嚴重。事實上，過去十年失業率一直下降，曾一度低見 1%。儘管近兩年失業率的走勢已見逆轉，但仍只是徘徊於 2% 水平而已。

失業率如此低，主要是快速擴展的服務業對勞工需求殷切所致。隨着經濟轉型，多年來許多有關的支援服務，包括行政管理、銀行、保險、運輸、市場營銷等，均擴展迅速。加上服務活動大多是勞工密集的，所以服務業的僱員人數急劇增加，由一九八一年的 88 萬人增至一九九二年的 186 萬人。因此可以說，服務業的僱員人數增長，足以吸納製造業汰除出來及新加入勞動隊伍的人手。勞動力市場緊絀的情況，可以從偏低的職位空缺率及高企的流失率中反映出來。以銀行為例，根據銀行業監理專員報告，一九九二年的流失率為 22.3%，而職位空缺率僅為 2.1%。

【新動向】　隨着中國經濟改革深化，以及中、港間貿易與投資增加，服務業職位將會繼續增加；因此，即使製造業繼續裁減職位，服務業仍足以彌補，使失業率在未來兩年低企於 2% 左右水平。只有服務業的勞工需求增長低於 2% 的情況下，失業率才有可能回升至4%。香港的經濟轉型除了製造大量服務職位外，亦為本港工人創造許多境外就業機會。

隨着生產工序大舉遷入中國，製造業對香港的重要性已今非昔比，但這過程卻使香港廠家在國內建立起龐大的工業基礎。事實上，香港廠家在遷廠後，紛紛擴充經營，使生產力較前提高許多倍。

為了掌握在中國內地的生產設施的直接控制和管理權，香港派員到中國內地工作的人數亦愈來愈多。根據港府調查，香港僱員經常在國內工作者超過4萬人，他們通常每次到國內公幹，逗留不足十天。他們大多受僱於製造業。而隨着中國內地第三產業開放，香港受聘於中國內地第三產業的僱員也將日漸增加。

建造業對勞工需求縮減，主要是過去兩年建築活動放緩。然而，由於多項港口及機場工程動工在即，建築活動行將復熾，預料未來數年建造業對人手的需求會甚為殷切。

從總的情況來看，未來一年香港失業率仍會維持低水平。基於香港就業增加樂觀，整體就業情況應不致顯著惡化，香港仍可望維持全民就業。

工　資

【概　述】　香港工資制度有三個特點：㈠多種工資計算形式同時並存；㈡沒有法定最低工資；㈢除基本工資外，大多有其他報酬。

香港計算工資的主要形式有：㈠職務工資制。這種制度把職務分為多種職級，每個職級又分為多個薪級，職級提升工資大幅度增加，職級不變只能獲常年薪。港府公務員及一些大公司大多採用此制度。㈡計時工資制。即以時間為基礎，按時、按日或按月計算。按時計算的多見於臨時工、家庭工；按日計算在製造業甚普遍；月薪僱員通常是技能熟練者、技術員、管理級人員、文員等。㈢計件工資制。以工作量作為計算的基數，製衣、針織等產品可“數”行業大多採用此制。

由於沒有法定最低工資，一般工資水平主要受勞動力供求關係決定，也受經濟榮衰影響。

港府僱用法例有僱員在休息日、法定假日、有薪年假、分娩假等方面的權益，但其他福利則由僱主決定。僱主通常會根據管理的需要而設立勤工獎、膳食津貼、醫療津貼等辦法，一些機構還有年終雙薪和分紅，而設立公積金的機構也在增加。

香港工資制度不統一，且主要由供求關係決定工資水平，一方面使得僱主能夠根據經營需要確定工資形式，有利於鼓勵投資，提高生產力並促進經濟發展，但另方面卻導致工資水平懸殊，大部份工人就業及長期福利缺乏保障以及工資波動等問題。

【各業工資情況】 一九九二年香港僱員的工資，以名義工資計算和實質工資計算，都有所上升，其中名義工資上升10.2%，但實質工所只上升0.3%。

港府統計顯示，包括製造業，批發、零售、進出口貿易、飲食和酒店業，交通運輸服務，商業服務，個人服務等主要經濟部門的名義工資指數，兩個統計月份逐月上升，即三月為243.3，九月為256.1，分別比上年同期上漲9.5%和10.2%，增幅都比上年為低。至於剔除通貨膨脹的實質工資指數，三月份為113.9，九月份為114.5，與上年同期比較，並沒有明顯上升，三月份只象徵性上漲0.09%，九月份上升0.3%。

導致香港僱員實質工資下降，有幾個因素，其一是香港通貨膨脹出現緩和，但甲類消費物價指數仍達9.5%，因此剔除通貨膨脹的因素後，實質收入大打折扣；其二是加工業北移和輸入外地勞工，紓緩香港本地勞動力市場。其三港府行政干預主要商業機構調整僱員的工資幅度。就連僱主聯會都建議一九九二年的加薪幅度維持在一位數字，他們還與港府公務員事務科磋商，希望港府把公務員來年的加薪幅度限制在一位數字內，以避免私人機構和政府之間在工資增長方面互相追逐。

以具體行業來看，工資增加的情況並不平衡。

以就業人數最多的批發、零售、進出口貿易和飲食酒店業來說，一九九二年九月份的名義工資只比上年同期增長8.9%，而實質工資則沒有增加，甚至比上年同期下降0.8%。該業的管工、技術員、文員和非生產性僱員的平均月薪則為名義工資7,350元，實質工資3,230元。

包括銀行、保險等的商業服務工資增幅也比整體工資增幅為低，一九九二年九月的工資增長為9.8%，實質工資增長為零。商業服務的月薪是整體行業中最高，一九九二年九月屬管工、技術員、文員和非生產性僱員的平均月薪為9,168元，實質工資為4,098元，其中銀行的月薪分別是9,396元，實質工資為4,200元。

至於製造業，交通運輸服務業，個人服務的工資增幅在一九九二年九月卻高過整體工資增長，名義工資增長分別為10.3%、12.1%和12.2%，實質工資增長分別為0.4%、2%和2.2%。在製造業方面屬管工、技術員、文員和非生產性僱員的平均月薪為7,396元，其中珠寶業工資最高為8,869元，漂染、造船拆船業的月薪超8,400元以上，手套業及木傢俬製造業則月薪還停留在6,200元以下。

以名義工資計算的個人服務最低平均每月僅為4,132元，實質工資為1,847元。

【新動向】 一九九三年香港僱員的工資變化趨勢也仍然是上升的，而且也可能是名義工資升幅進一步增大而實質工資只有溫和上升。

名義工資增幅擴大的壓力主要是：㈠過去一年的通貨膨脹仍高企近兩位數邊

緣，不較大幅度提高工資實不足以彌補。㈡勞工市場供求依然緊張，需要輸入外地勞工緩和緊張趨勢，而機場等工程陸續上馬，估計後一段時間勞力更缺乏。

事實上，在年初的加薪中，大多數行業的月薪僱員均獲一成左右的加幅，不過製造業的景況則較差，不少行業不但工資沒有調整而且還面臨失業的威脅。與此相反香港服務行業則人手短缺，因而工資增長較製造業為佳。

按照港府預測，一九九三年的通貨膨脹將為9.5%與一九九二年相若。果如是，則對名義工資影響與去年相同。

大宗商品行市

【概　述】　一九九二年各類大宗商品行情普遍穩中偏軟，波斯灣戰爭結束後，石油價格明顯回落，以致塑料化工產品價格亦隨之向下調整；而巴基斯坦棉紗大量出口，再加上全球棉花產地增加產量，使到棉紗價持續偏軟。另一方面，國內房地產熾熱，刺激轉銷內地的建材急升，帶動價格向上調整；而木漿就要減價托價，才令紙張價格趨升；反而糧油食品銷量一向穩定，價格變化不大。

【紗、布】　一九九二年國際紡織品市場需求仍弱，價格不振，導致紡織原料價格疲軟。另一方面，由於國際棉花供過於求，使到原棉價格陷於低谷，棉紗市道更形惡劣。年內，羊毛紗價格已下跌15%至20%左右，20支毛紗價格就下跌了23%，48支毛紗也有20%的跌幅。

自從一九八九年巴基斯坦棉紗恢復輸港後，本港開始陸續轉用巴紗。一九九二年本港入口的棉紗中，接近一半來自巴基斯坦，反而向來佔香港最大市場的中國棉紗，自一九八七年起，供港數量減少，在香港市場的佔有率上逐步下跌。

面對巴基斯坦的強勁競爭，中國的“兩紗兩布”由一月開始調低價格。20支單股普梭紗由420美元降至375美元一件，32支普梭紗就由475美元減為435美元一件，45支精梭滌綸棉紗，亦由515美元，調整至480美元。

春交會上，麻紗及麻布價格略為提高，而純棉織品價格亦稍為向上調整5%。不過由於中國國產棉紗質量較差，交貨期不準，故此一般廠商大多訂購巴基斯坦棉紗，大陸兩紗兩布價格變動對本港紡織並沒有構成很大影響。年初中國藍鳳32/1A級筒紗，倉交每件3,700港元，但八月份就每件下跌了300港元。

其實本港紗價受外國棉價波動調整，年中曾經兩度提高紗價，每包升40港元，但國產和巴基斯坦來盤依然穩定。

十月，巴基斯坦受水災困擾，損失接近200萬包棉花，但由於當地產量高於上一年，所以抵銷了產量過剩部份，價格未能因此提升。

雖然近年本港棉紗業受到巴基斯坦棉紗傾銷影響，邊際利潤下降，但因為國際棉花價格大幅下跌，港製棉紗與巴紗的競爭力拉近。現時巴基斯坦產品已經壟斷 20 支單紗的世界市場。年初，巴基斯坦鱷魚 10 / 1 紗，倉交為 3,090 港元一件，年終跌至 2,800 港元；而天使 21 / 1 紗，年初倉交件 3,400 港元，年終就 3,300 港元。

至於全棉坯布，就仍以中國為最大供應國，但最近近幾年，受到國際市場和本地市場需求下降影響，再加上其他地區來貨競爭，國產棉坯布輸港數量已經減少。另一方面，由於國產棉坯布產大於銷，因此價格依然疲軟。

T / C 坯布方面，年內台灣大量抛售，對本地市場和進口貨均造成重大衝擊。

在訂單頻密的情況下，年內本港牛仔布生產扭轉過去兩年弱勢，全面轉旺。牛仔布銷往美國的訂單增加，可能與本港移民在當地生產牛仔布成衣有關。港製牛仔布雖然在質素上佔優，但價格就不及國產牛仔布富競爭力，國產牛仔布來價比香港貨便宜兩成，適合製造價廉的成衣；但高質素成衣用料，還是要用港產牛仔布。

【建築材料】 一九九二年，中國房地產熾熱，刺激到內地對建築材料的需求。轉銷到內地的建築用鋼鐵估計有 30%的增長。建築用鋼材多去銷蛇口、珠海及深圳特區，而廣州和上海也有很大的需求。中國鋼鐵由於內銷市場需求甚大，以致鋼筋出口價格急升，削弱出口競爭能力。

年內世界鋼筋市場明顯復甦，價格不斷攀升，香港市場也曾經出現缺貨現象。現時香港市場耗用的鋼筋，進口貨佔七成，港產貨則佔三成。導致鋼筋行情趨緊原因，主要是日本、美國的建築業開始復甦，加上國內房地產熾熱，對建材需求大增。香港市場鋼筋現貨價由年初的每噸 2,200 港元跳升至年底的 3,200 港元一噸。

不過由於本地建築工程放緩，而大型工程基本上在下半年才開始動工，加上新機場仍處於填海階段，所以使用鋼材不多。但下半年開始，私人建築工程迅速增加，在各類鋼材中，以樓宇底層所需的大鐵需求較為明顯。單是七月份，鋼筋量比整個上半年增加一成半，而市價亦由六月底的 2,200 元一公噸，上升至七月份的 2,350 元一公噸，增幅為 6.8%。

綜觀全年，香港市場內 20 至 40 公厘高拉力螺紋綱筋年底每噸 2,400 港元，12 至 16 公厘為 2,450 港元，10 公厘為 2,500 港元。

水泥方面，香港各種水泥價格升跌不一。有固定銷路的牌子水泥價格穩定，而其它牌子水泥就受到工程多寡而影響價格升跌。內地出口的五羊水泥運至工地價格從年初的 510 港元一噸，上升至年終的 530 港元；然而散裝水泥卻從年初 450 港元一噸，下降至 430 港元一噸，至於混凝土的平均格則下降了 100 多港元一噸。本地產的青洲英泥，價格較為穩定，但去年下半年開始價格不繼上升，從最低價的 515 港元一噸，升至 600 元一噸。

另一方面，佔本港市場 25%的台灣水泥，亦因為台灣開始六年基本建設需要，減少對港出口。此外，國內房地產興旺，建築業對水泥用量增加，減少輸港數量，但由於香港建築業需求不大，故未造成太大影響。

【化工產品】 一九九一年，中東戰爭前後，石油價格急升，牽扯到石油副產品的塑膠原料價格曾經一度調高 60%以上，但戰爭結束後，塑膠原料價格開始滑落，至一九九二年年底，已經下跌了 20%。

儘管年內塑料供過於求，價格偏軟。但陶氏化工於五月宣佈將硬塑膠及不碎膠每磅加價一毫，使到市場一片混亂。事實上，由於本港訂單及存貨過剩，塑料出口國家均計劃調低對本港報價，然而陶氏化工的塑膠格不降反升，引起本地廠家不滿。據廠家反映，陶氏化工一向來料穩定，因此不會因為加價而中斷合作關係。

六月，陶氏化工受到外國價格下降的壓力，不得不將硬塑膠及不碎膠售價調低毫半及一毫。據悉，塑料價格下降原因是年初廠商入貨過多，加上美國經濟復甦緩慢。原先口頭落下的訂單遲遲未能作實，以致玩具商對塑料需求沒有大幅增加。另一方面，亞洲主要塑膠供應國的韓國和台灣，為求紓緩囤積壓力，亦紛紛削價拋售。其實韓國近幾年的塑料製造業發展頗快，由從前的入口國家，變為目前大量塑料出口，對國際的塑料價格造成頗大壓力。由於韓國的塑料價格便宜，不少港商轉買韓國塑料。

此外，歐美化工廠清理存貨，個別原料在存貨積壓嚴重下，價格急挫，其中 PP 軟膠由 700 美元一噸，下跌至 560 美元一噸。

受到國際市場影響，香港塑膠市場行情偏淡，加上工廠生產放緩，引致部份塑膠原料售價回落，除陶氏化工廠將 GP 膠調至 2.8 港元一磅，不碎膠降為 3.1 港元一磅外，進口塑膠以 PP 跌幅較大，報 2.1 港元一磅，HDPE 硬性塑膠 2.6 港元一磅，LDPE 為 2.8 港元一磅，GP 膠為 2.5 港元一磅。

一九九二年染料價格穩定，匯率波動亦不大。每年四月染料供應商都會提高染料價格，但年內供應商卻一反常態，沒有調整價格，為爭取僅有的市場；然而也有個別零售商因應通脹而提高零售價。

每年第三季度，都是本港的接單高峰期，因此這個時間的染料價格比上年同期增加 5%至 10%。然而第四季度，由於染紗市場不景，製衣廠用紗量明顯因為歐美出口市場疲弱而減少，導致價格回落。

年中歐洲珠狀哥士的每公斤 4.5 港元，比去初便宜四毫，年底就報 4.3 港元。保險粉價格亦報穩，歐洲產品每噸仍為 8,580 港元。

【糧油食品】 儘管香港每年消耗食米 35 萬公噸，但以 600 萬人口計算，每人每年平均不過食米 58 公斤。港人食米沒有增加，主要原因是副食品太多，減少食米數量，但食米始終是中國人習慣性的主要糧食，因此大致上需求仍較為穩定。

食米價格方面，由於港府有良好的入口制度，避免米商囤積，因此十多年來都非常穩定。目前本港的食米供應量，由政府有關部門釐定，每季視乎米商的存貨及市場銷售情況而決定進口多少食米。一九九二年第一季的入口數字與標準額一樣為 9 萬公噸；第二季就下降 8%，為 8.28 萬公噸；第三季亦下降 3%，為 8.73 萬公噸；而第四季就入口 8.28 萬公噸。全年本港共入口食米 34.29 萬公噸，顯示市民食米需求有輕微減少。

目前港人食米都是來自外地，主要是泰國、澳洲、中國及美國。而泰國米就佔了香港進口食米的七成。此外，越南米從一九八九年起，由原來每年進口白米 60 萬噸，躍升至世界第三位出口國。

業內人士認為，儘管越南米的價錢大致比泰米便宜三成多，但質量不大適合香港市場需求。然而越南米大量在市場拋售，會對國際米價起抑制作用。

由於港人食米保持一定數量，而且供銷情況穩定，因此價格基本企穩。

食油方面，香港食油均依賴進口，不過近年來香港食油卻出現停滯不前的現象。食油耗用量減少，主要有兩個原因，一是社會上減肥風氣盛行；一是市民外出用膳增多。現時本港三種食油中，菜籽油的食用量最多，其次是花生油，粟米油食用量最少。由於競爭激烈，需求減少，所以香港食油售價普遍下跌。

年中，沉寂一年多的國際糖價有回升跡象。世界主要的原糖出口國，如泰國、南非和古巴，出現供應緊張的情況，理由是泰國和南非嚴重乾旱，被迫要從市場上補貨。然而世界原糖市場仍然供過於求，因此糖價不斷下跌。

【紙　張】　過去兩年，木漿價格急升，各國主要生產商增加對木漿的投資，造成供過於求，以致紙漿價格不斷下降，由一九九一年每年每公噸 800 美元的高價，降至年底的 420 美元，跌幅接近 50%。一九九二年初，紙廠為扭轉局面，紛紛減產，以抬高紙漿價格，加上全球耗用紙張逐漸增加，每公噸回升至七月底的 570 美元。紙漿價格回升主要是北美和北歐生產減產，以致庫存量下降，而且紙漿供求趨於平衡，因而擺脫了近兩年來，國際紙漿價格的不斷下調。然而由於南非輸出大量低價紙漿，使到紙價些微回落。

香港進口的紙張中，以書紙價格變動最為明顯，平均升幅為 3% 至 5%，美國紙入口價為 700 至 800 美元一噸，日本貨則為 900 美元一噸，日本廣告用印刷紙為 1,100 到 1,200 美元一噸。

近年本港對優質紙張的需求有迅速增長的趨勢。不過在瓦通紙方面，由於不少本地瓦通紙業者均將廠房搬往大陸，因此在過去五至六年間本地瓦通紙市場估計縮少了一半。

【新動向】　一九九三年香港大宗商品市道表現參差。國際棉紗市場銷售不均，估計棉紗價格不會出現太大波動。由於歐洲及東南亞新廠即將投產，年內塑料供過於求的情況會仍然存在，價格走勢亦因此而持續呆滯。要待一九九四年新機械試機完畢及淘汰部份舊機後，供應量才會逐步減少，達致與需求平衡。不過預計年內塑料價格整體上會比較平穩。

未來一年，估計建材將會出現旺市，原因是過去幾年建材銷售持續疲弱；而大陸市場需求大增刺激到價格上升。另一方面當香港新機場項目正式展開後，對建材的需求將會陸續增加。至於糧油方面，食米基本上產銷固定，估計價格的波動不會太大；而產糖國會有增產可能，因此糖價將會疲弱。

過去幾年，投資國內製造業的外商日衆，對白紙板的需求殷切，因此三月時，包裝使用的白紙板價格增加一成以上。而南美洲產漿國的影響力日強，因此預計國際紙漿價格難以大幅上揚，而紙張價格亦趨平穩。

消費物價指數

【一九九二年通脹率達 9.5%】 一九九二年，香港通貨膨脹有所緩和。衡量通貨膨脹的甲類消費物價指數（一九八九年十月至九〇年九月為基期），一九九二年全年平均為 125.2，比上年同期上漲 9.3%，略低於一九九一年的 12%。

年內通貨膨脹的上漲幅度是持續下降的，甲類消費物價指數與上年同期比較的升幅，由一九九一年第三季的 12.3% 及第四季的 10.9%，放緩到一九九二年第一季的 10.1% 和第二季的 9%，第三季維持在 9% 的水平，第四季略高為 9.3%。不過在通脹率升幅逐步下降的過程中，也有起伏。如甲類消費物價指數的升幅由一月上漲 10.5% 降至五月的 8.8%，但六月略為回升至 9.3%，七、八月再回落，分別較上年同期高出 8.8% 和 8.3%，九、十月又回升至 9.9% 和 9.5%。其中八月份的升幅是全年最低的。

【指數中各項變化】 一九九二年全年平均與一九九一年比較，各類消費物價指數項下所有貨物及服務的價格，均告上升。甲類消費物價指數方面，住屋的開支在年內上升速度最快，升幅為 12.95%，反映一些公共屋邨和私人住宅樓宇租金較高。其次是服務，升幅為 11.81%，主要是學費及醫療收費提高所致。外出用膳，升幅為 10.7%，三項開支都高出總指數漲幅。另一方面，耐用品價格微升 2.29%、燃料及電力升 5.18%、雜項物品升 6.81%、交通升 7.24%、食品（不包括外出用膳，升 8.76%）。不過，由於每個項目在甲類消費物價指數中所佔權重不同，因此，項目升幅對總指數漲幅的影響亦各有不同，從而也看到某些項目對物價上漲起帶頭作用。例如上述漲幅最大的住屋對一九九二年內總指數漲幅的作用達 28.32%，也是最大的比率；其次是外出用膳佔 23.14%；食品（不包括外出用膳）佔 38.39%。

【通脹緩和原因何在】 一九九二年通脹回落的主要原因有如下幾點：第一是一九

九一年通脹凌厲，使得基數較高。例如一九九一年甲類消費物價指數平均上升了17.1點，漲幅為12%；其中四月份指數上升19.4點，漲幅達13.9%，是當年的最高增幅。相對之下，一九九二年的上漲幅度在基數較高之下相對顯得較小，一九九二年四月增幅為8.9%。同樣一九九二年八月通脹為全年上漲幅度最小，就因一九九一年同期增幅較大。第二，留用入口貨價格出現下跌。根據統計留用進口貨品的單位貨價指數來看，一九九一年只上漲1%，但一九九二年首三季平均則下跌1%，三個季度與上年同期比較分別是下跌3%、零增長、上升2%，第四季下跌2%。一九九二年全年下跌1%，不升反降，雖然與消費直接關係較大的糧食和消費品價格仍有上升，但升幅遠比上年同期為小。事實上，年內世界商品價格一直疲弱。根據世界商品價格指數包括若干選定的基本糧食、農業原料及金屬的價格變動，該指數第一季比上年同期上升1.2%，第二季上升1.0%，七月份上升1.3%，八月份則下跌0.1%。第三，年內加稅壓力沒有集中在間接稅上，因而在一定程度上緩和了物價升勢。上年度財政預算案發表時不若往年全面大幅增加間接稅及費用，使消費物價指數不致急劇向上調整。第四，機器設備投資增加促使生產力提高，也有助於緩和通脹。

但是，全年平均的通脹達9.3%，接近雙位數字，仍然是偏高，9.3%與10%沒有很大的分別。而通脹難以進一步下調的原因則是：物業價格急升刺激租金大幅度上漲。甲類消費物價指數顯示，全年住屋項指數上升12.95%。事實上儘管年內住宅樓市過熱的情況受到有效控制，但到年底大型屋邨樓宇售價平均只調整5—8%，每呎仍高企在3,200—3,800港元，與用家的實際承擔能力仍有一段距離。正由於物價格急升，刺激租金大幅度上漲。據統計，一九九二年上半年住宅樓宇租金指數上漲了10%，下半年上漲9.4%，全年平均上漲9.2%，其中面積在700呎至1,000呎的漲幅由8.1%至13.6%，400呎以下或至699呎的住宅樓宇租金指數分別上漲9.3%至12%和5.7%至14%。

年內經濟增長加快引致部份資源供求緊張。例如，在商舖供求及勞工市場相對緊張的情況下，工資及店租上升，亦使涉及大量勞工以及店舖的服務項目的成本增加。例如甲類消費物價指數中外出用膳在一九九二年增長10.6%，高於總指數9.4%增幅，至於食品（不包括外出用膳）項增幅為6.92%，低於總指數增幅。

此外，年內公共開支，特別是政府消費開支增幅過大。根據港府發表的一九九二年經濟回顧報告，一九九二年政府消費用開支增加8.1%。正因為公營部門開支增加，導致通脹高踞不下。

【一九九三年通脹預測】 一九九三年香港的通貨膨脹可能較一九九二年為高，達兩位數字，但估計上升速度不會太急。刺激通脹回升的主要因素有：

(一)大部份香港經濟學家、分析、研究員均認為，如果中英爭拗沒有明顯升級，一九九三年的香港經濟會比一九九二年為好，一般估計全年升幅會有5.5%至

6.5%的增長。經濟增長加快會扯緊資源供求關係。若爭拗持續，經濟即有可能放緩，因此這裏有一個變數。

㈡在公共開支增幅仍將高於經濟增長率的情況下，財政預算新公佈的加稅加費項目不多，但儘管有部份加價項目卻在日常中提高，如水費、汽車牌費等。

㈢物業租金仍有上升的壓力。中小型住宅樓價在一九九〇年大幅上升後，卻未有即時迫使租值相應調升，主要是不少私人樓宇的租約尚未到期，而這些租約陸續在一九九二年底九三年底到期續約，都會向上調整。此外，在樓宇買賣市場不明朗的形勢下，會有更多人轉向租賃市場，推高租金。

至於有助通脹緩和的因素有：㈠西方工業國通脹仍處於不高的水平，據經濟合作與發展組織估計，一九九三年所有經合國成員的通脹仍較低，進口來源通脹受到控制，對壓抑香港通脹有利。㈡國際商品價格近兩三年來反覆偏軟，反映國際商品行市的路透社指數於一九九二年底為1693.8；比一年前只上升5.6%。因此估計來年國際商品行情仍會持續疲弱。㈢香港擴大輸入外地勞工，可擴大經濟生產力，從而紓緩部份資源壓力，亦在一定程度上抑制工資升幅。

旅遊・交通運輸

旅遊業

【概　述】 一九九二年，香港舉辦了幾個大型國際性會議，加上"中國旅遊觀光年"對本港遊客數目的上升有正面影響，因此來港旅客數字明顯增加。根據旅遊協會統計數字，一九九二年的來港旅客達到698.6萬人次，比上一年的603.2萬人次，激增15.8%。

其實，從公佈的記錄看，一九九二年的每一個月，來港旅客的增長率都比上一年增加超過一成；尤其二月至四月的增幅更是超過20%，特別是二月的增幅更達30.4%。這個現象正說明香港旅遊業已經擺脱了過去三年國際政治的不利影響，在政經趨向平穩的環境中逐步呈現好景。

一九九二年本港旅遊業能有突出表現，一方面是東南亞旅客抵港人數大幅上升，成為一支甚有發展潛力的生力軍；另一方面是本港年內舉辦了幾個國際性會議，吸引與會人士來港，例如三月份的食品節及有1,800名旅遊業代表出席的"一九九二亞太旅遊協會會議"。此外，香港有史以來舉行的最大型會議"國際獅子會年會"亦吸引了25,000名要員出席。來港的商務旅客較一般觀光旅客的逗留時間要長，而且比一般旅客的消費高出兩倍。根據旅遊協會轄下的香港會議局統計資料，一九九二年，來港出席會議和參加展覽的商務旅客總數達24萬人次，較上一年增加23.8%。

年內在港舉行的專業團體會議共257項，出席人數逾6.4萬名。最大型會議是在六月舉行的第75屆獅子會年會，登記出席人數17,930名，但實際訪港人數估計逾2.5萬名。除了國際獅子會年會，其他大型會議包括：四月的亞太區旅遊協會年會；五月的第25屆亞洲開發銀行理事會年會；以及七月的國際崇德社會議。這些會議的出席人數場有1,500至2,000人。

此外，出席展覽及交易會的旅客達11.1萬人次；而企業會議的出席人數為1.3萬人。至於以香港作為獎勵旅遊目的地的旅客人數亦有顯著增長，總數高達5.1萬人，增加16.9%；獎勵旅遊團的數目則上升了0.2%，共518團。

一九九二年是中國的旅遊年，中國逐漸恢復國際旅遊市場的地位，對香港十分有利，因為在來香港的旅客中，有25%會同時前往中國內地。一九九二年，台灣仍然是最多旅客來港的地區，共有164萬人次，比上一年同期增加26.3%。僅次於台灣的是日本旅客，共有132.4萬人次，比上一年同期略增5.1%。事實上，來港的日本旅客在一半年都有可觀增長，尤其二、三月間的增幅達到50%，但八月份開始，受到日本經濟不景，特別是股市下跌影響，本港旅客逐漸減少，而以往日本的“大豪客”花費模式已不復見，取而代之的是一些“經濟型”的消費模式。另一方面，過去日本旅客傾向於組團來港旅遊，但受到經濟不景影響，自助形式來港旅遊有增加跡象。反而其它東南亞遊客漸成本港旅客的另一個主流。一九九二年，本港共有123.5萬人次的旅客來自東南亞，比上一年增加21.9%，其中泰國佔31.9萬人次，增加26.1%；新加坡28.3萬人次，增加23.5%；菲律賓22.9萬人次，增加25.1%；而印尼就有16萬人次，增加27.4%。

由於歐美的經濟發展速度預期迅速，所以一度來港稀疏的歐美旅客再度興致勃勃地外遊觀光，甚至洽談生意。一九九二年，共有93.6萬人次從西歐來港，比上一年增加18.6%，其中以英國的31.4萬名旅客佔最多，而增幅最大的是法國旅客，共12.8萬人次，增加33.8%。雖然年內美加經濟疲弱，但來港的旅客也有87.4萬人次，增加11.9%。而澳紐也有30.4萬人次，增加9.6%。

年內港府放寬對持簽證入境旅客的限制，包括留港期間由7天延長至14天，及縮短辦理簽證時間。

一九九二年九月，日本國民不用簽證而可來港逗留時間由原來的一星期，延長至一個月，此外某些東歐國家可獲單程或雙程簽證來港逗留14日。

【旅客消費情況】 旅遊業是香港第三大賺取外匯的行業，一九九二年香港的旅遊業收益為466.98億港元，較上一年增加21.9%，佔香港生產總值的6.3%，平均為本港每名市民賺取了7,912港元。此外全港亦有逾18萬人直接從事旅遊行業。

一向以來，澳紐旅客在港的個人平均消費高於一般遊客，但最近兩年，澳紐經濟沉寂，未有起色，所以影響當地外遊旅客的消費。一九九二年，澳紐旅客在港共花費20.89億港元，比上一年微增1.4%，然而由於來港澳紐旅客增加，故平均每名旅客實際花費6,878港元，比上一年減少7.4%。

值得注意的是台灣旅客消費大幅增長，一九九二年在港花費118.1億港元，比上一年增加67.9%，而平均個人消費為7,215港元，比上一年增加33.2%，成為在港旅遊消費最高的旅客。第二大增幅是東南亞旅客，一九九二年共花費82.2億港元，比上一年增加35.3%，平均每人花費6,656港元，增加11.1%。而日本遊客的總消費為90.34億港元，平均個人消費6,843港元，下跌6.1%。至於美加遊客就花費53.2億港元，平均每名旅客花費6,090港元，下跌4.5%；而西歐旅客就有57.73億港元，增加15%，平均每人6,162港元，減少3%。整體來說，來港旅客的平均消費除了來自台灣和東南亞的遊客外，其他國家旅客的消費都有明顯減少。

一九九二年，旅客仍然以購物的消費最大，佔旅遊總收益的一半，共248億港元，比上一年增加 23.5%。其次是酒店住宿費用，共 129.3 億港元，增加27.8%；反而娛樂消費比上一年減少 2.7%，只有 7.48 億港元，香港實有必要改變過去以風光名勝作為吸引海外遊客策略，多些提供娛樂設施吸引遊客，供遊客賞玩。

在來港旅客人數和消費支出都有顯著增加的情況下，酒店業亦漸入臻境。一九九二年，酒店入住率達到 82%，比較上一年的 75%，多出 7 個百分點。在各級酒店中，以乙級和中級酒店的入住率表現最佳，顯然是一般短程及區域性旅客，都情願選擇入住中檔酒店。另一方面，中國進一步開放經濟市場，來往香港、大陸的商客不斷增加。與此同時，中國逐漸放寬居民出境旅遊、個體戶外出考察的限制，都為香港的中檔酒店提供可觀客源。據統計，一九九二年內，甲級酒店的入住率為 78%，比上一年增加 5 個百分點；而乙級酒店就有 86%，增加 8 個百分點；至於中級酒店就有 82%的入住率，增加 7 個百分點。

經過八十年代中期一窩蜂興建酒店的熱潮逐漸冷卻下來後，目前本港酒店房間數量已經飽和，然而未來三年，本港將新增約 6 間酒店，房間數量增加至 35,874 個，估計難以滿足到未來幾年本港的旅遊業發展需求。

一九九二年本港共有 86 間酒店，提供 33,534 個房間，較上一年增加 7.6%，基於新落成及新增的房間數目為數眾多，故此業內出現越來越強烈的競爭，其中尤以中級酒店為然。年內同業間作出減價招徠的競爭手法，使到酒店的實際盈利增長並沒有跟隨入住率的上升而調高。

雖然本港已有不少學院提供酒店從業員訓練，不少年青人都表示有興趣酒店工作，但實際投入酒店工作的年青人數目有限，造成酒店要聘用較年長的從業員，去出任某些低下層工。另一方面，酒店業利用增加薪酬挽留和招聘有經驗的員工，無疑對酒店業的經營成本造成一個負擔。

【新動向】 一九九三年，本港旅遊業有憂有喜。新機場的財務安排一日不能解決，新機場能否如期竣工實屬疑問，新機場延期落成，將會影響已經接近飽和的香港國際機場，不能為更多旅客提供接送服務，而本港旅遊業亦可能因此進入低增長期，直至新機場啟用為止。

雖然去年港府先後公佈放寬大部份國家遊客的來港簽證，但事實上簽證手續仍然繁複費時，對發展旅遊業造成障礙。況且昂貴的機場離境稅都會影響遊客對香港的印象。

另一方面，過高的工資及鋪租導致經營成本上升，都可能使到香港漸漸失去“購物天堂”的吸引力。而中國和台灣一旦直接通航，來港的台灣旅客將會大幅減少，這對香港的旅遊事業無疑是一個致命打擊。

不過喜的是中國經濟飛躍發展及市場越來越開放，會吸引歐美各地商人透過香港拓展中國業務。而美國經濟基本見底及溫和復甦，加上西歐各國致力活躍經貿，可能使香港增添更多歐美旅客。況且亞洲各地經濟持續旺勢及交往日趨密切，也有利於香港的旅遊事業。

一九九三年國際青年商會世界大會等會議在香港舉行，自然利及本港酒店業和消費市場。

令人鼓舞的是財政司建議在新的財政年度內撥款 3.37 億港元予旅遊協會活動的資助。另外，還建議撥出 2 億至 3 億港元為該協會購置辦事處，都是政府支持本地旅遊事業的具體表現。

海運業

【概　述】　香港是南中國海岸唯一的深水港，而且與美國的三藩市和巴西的里約熱內盧同被稱為世界三個最優良的天然港。同時，香港又是一個自由貿易港，港口設施不斷發展，由最初散貨船運，漸漸發展至集裝箱運輸，目前已達到現代化海運水準，在世界上享有良好聲譽。

在集裝箱運輸發展方面，早在一九六九年，港府就聘請顧問公司，研究用何種方法融資興建葵涌貨櫃碼頭，結果傾向批予私人公司興建。一九七〇年二月，葵涌貨櫃碼頭招標，同年九月，英資的現代貨櫃碼頭和美國海陸聯運分別奪得一號及三號貨櫃碼頭的經營和發展權，他們共同邀請日本小山海運株式會社轄下的九龍貨倉碼頭發展第二號貨櫃碼碩。一九七四年七月，政府批准 CHINA PROVIDENT CO LTD 斥資 3 億元興建第四號貨櫃碼頭，其轄下的碼頭經營公司為國際貨櫃碼頭公司。一九七五年日本小山海運株式會社出現財務困難，拖欠債項約 2,340 億元，該公司遂將第二號貨櫃碼頭公開拍賣，由國際貨櫃碼頭奪得。同年，現代貨櫃碼頭亦奪得五號貨櫃碼頭的經營權。一九七六年港府正式批准黃埔碼頭公司購入二號貨櫃碼頭的發展及經營權。葵涌可供發展碼頭用地出現緊張，政府開始展開貨櫃碼頭發展方向的研究。一九八一年港府發表顧問報告，否決在葵涌以外興建第二個貨櫃碼頭的可行性，但建議在葵涌地段進行填海工程，以增闢土地，並把是項計劃納入港口發展局研究範圍。一九八二年，港府提議在葵涌東面開拓 14 公頃用地，興建兩個可同時停泊五艘貨櫃輪的泊位。同年十月，港府公佈葵涌貨櫃碼頭第二期擴展計劃，決定邀請三間碼頭公司，分別是國際貨櫃碼頭公司、現代貨櫃碼頭公司和美國海陸聯運發展參與。一九八三年十二月，政府以私人協約形式，予國際貨櫃碼頭和美國海陸聯運發展首期填海工程。一九八四年現代貨櫃碼頭加入第二期填海工程，一九八五年，斥資 20 億元收購葵涌六號碼頭。一九八七年港府決定以公開投標形式批出葵涌七號碼頭。一九八八年和黃以近 44 億元奪得七號碼頭經營權。一九九〇年，港府決定於昂船洲興建第八號貨櫃碼頭，並由中遠發展，一九九一年政府決定在青衣島東南部建九號貨櫃碼頭。

優良的天然海港，加上集裝運輸的有效的經營，香港已成為地區性的航運中心。目前，有五十多個國家或地區的船舶進出香港，而總公司設於香港及香港設有分公司或代理處的輪船公司共有 300 多家。其中，以本地華資船公司實力較雄厚，其他如中國、荷蘭、丹麥、挪威、西德、法國、瑞典、希臘等地的船公司，在香港航運業中也佔一定地位。

【貨運情況】 一九九二年，儘管全球航運業持續低迷不振，香港航運業仍能隨着外貿總值的再創新紀錄而續有可觀的增長。據政府統計處資料顯示，一九九三年首季轉口貨值為 1,741.98 億元，較一九九二年同期增加 345.86 億元，增幅達 25%。港產品出口貨值為 487.09 億元，與一九九二年同期相若。九三年首季轉口貿易與港產品出口合計的整體出口總值為 2,229.07 億元，較九二年同期增加 345.89 億元，增幅 18%。同期，進口貨值增加 350.98 億元，增幅 18%。

在香港十大出口市場中，美國及中國分別居首次兩位，而轉口市場方面，中國居首位，美國居次位。業內人士表示，出口及轉口往中國市場的大幅增加，主要得益於中國經濟的蓬勃發展。中國一直是香港的主要糧油副食品的主要供應地，加上改革開放後，大量港商進入中國設廠生產，轉口貿易遂成為香港經濟增長的一個重要動力，又內地市場消費力增長快，港貨在中國市場銷售暢順，故此，中國特別是珠江三角洲已成為港產品的另一出口市場，由於這種種原因，中港的貨運發展越來越蓬勃。另外，美國雖然仍處於經濟衰退中，但本港貨品由於大量在中國內地生產，價格方面是有優勢，因而在出口呈現出輕微增長，而轉口則有大幅增加的情況。

由於香港擁有現代化、先進的貨櫃碼頭，九二年香港在處理貨櫃的數目方面創下新紀錄，再次成為世界第一位，其處理總數達 79,762,235 個，較九一年增加 1,810,323 個，增幅 29.4%，其中以來往香港與珠江三角洲兩地的內河貨運量增幅最為驚人，達到 379.9%，顯示香港與華南地區的貿易於去年有長足的發展。

據業內人士表示，一九九一年本港產品出口增長只 2.3%，但貨櫃吞吐量卻有 29.4%的升幅，這主要是日本、南韓、台灣及香港的廠家將生產線大量遷入中國華南、華北、華中等地區，而華北、華南及華中沿海地區亦擁有優良的深水港口，與香港的交通運輸多以海運為主，貨物出口及原料進口量的增加，結果惠及了香港的海運業。

行走內地、日本、台灣、南韓、東南亞及印尼半島等線的船公司，年內均因貨運量增加及運費較穩定而多賺利潤；其次是香港至北美線的出口貨運，年內也逐漸扭轉了連減二年局面而恢復增長。多家船公司透露，它們的船隻九二年由香港運往北美的貨量，約比九一年增長 15% 至 25%。由於貨運量增加和開往美國西岸港口的船位供應較緊，因而船公會提高運費的決定，亦較能順利實行。估計現時付貨往美的運費，已比九一年提高約15%。相對之下，歐洲經濟不振及船位過剩現象日見嚴重，使去貨增幅大降和運費止升回降，令香港至歐洲線成為船東收入微小的一條航線。特別是英國、德國兩國經濟齊齊走下坡，航商估計去貨量只可微增5%，而過剩的船位則至少高達10%，因而船公司要做到收支平衡也感困難。但是，無論如何，相對於北歐船東在航運業低潮下紛紛倒閉，本港船東的處境已優越得多。

事實上，香港以有利的地理環境以及挾亞洲貿易中心之利，令航運業呈現蓬勃發展，但香港的航運業仍有困難存在，其一，運費升幅未能追上成本增長率；其二，本港貨櫃供應嚴重緊張，影響發展；其三，全球航運界均要共同面對船隻噸位過剩的困擾。據統計，一九九二年第四季各類遠洋船隻的每月平均過剩噸位為雜貨及貨櫃船類：290萬載噸；散裝船類：610萬載噸；油船類：2,300萬載噸。特別是油輪，受歐洲經濟不景和主要工業國對石油的需求減少影響，油輪在國際市場租賃收益大幅回落，例如，船齡15年的巨型油輪，其日租在一年多前為2.6萬美元，但時至現在已跌至5,200美元左右。對新船來說，此等租金甚至不足應付銀行借貸及日常開支。不但如此，全球鋼鐵生產量減少，而礦砂及煤的運量亦因而下降，很多舊乾貨船均陷經營困難之地，甚至有部份須進行拆卸，其中僅以巴拿馬斯型乾貨船表現略佳，但整體運費也下跌15%至20%。令人憂慮的是船噸過多的困難在短期內還看不到有任何解決的希望。

【新動向】　對於一九九三年香港航運業的前景，一般航商均抱審慎樂觀的態度。首先預期一九九三年中國內地的經濟增長仍可接近10%的可觀增長。中國內地為了加快經濟建設，將銳意擴展外貿。其中包括走多元化的路線以發展出口，並陸續開放市場以增加進口。其次是美國經濟已漸呈復甦，現時其出口貿易、零售生意和就業人數均逐漸回增，顯示一九九三年香港貨去銷及轉口貨銷美亦會隨之提高。

據業內人士指出，雖然中港海運增長可觀，而且近期中國大力發展深水碼頭，不過，中國的港口難與香港競爭，原因是華南地區的蛇口和鹽田碼頭，均食水太淺，大輪船無法進入，不會構成對香港的競爭壓力，反而可以和香港的貨櫃碼頭相輔相成，略為紓緩香港港口的超負荷壓力。

展望未來，香港與中國華南地區的經濟持續強勁，對中港的海運業將會提出更大的需求，以及帶來更多的貨運量，到時，決非香港一個港口所能負擔得了，香港與中國的港口將會結合，港口群將會出現，所以目前更加要協調港口與港口之間的功能和關係。

空運

【概　述】　香港空運業戰後以來有很大的發展，七十年代以後更加蓬勃。目前，空運在香港對外客運中佔有重要的地位，香港啟德機場也是東南亞最繁忙的機場之一，而香港空運貨站更是全世界三大空運貨站之一。一九八六年進出啟德機場的旅客（連同過境旅客）首次衝破千萬大關。

此外，香港在世界空運業中，還有幾項紀錄——安全程度首屈一指；理貨失誤率低（一九九二年僅為一萬三千分之一）；航機中83%以上是珍寶機，載客量大，每架航機平均載客超過200人。

目前，香港有38家航空公司提供來往香港及世界各地的空運服務，每周超過1,000班定期客貨機，直接聯繫香港和世界上90多個大城市。本港的航空服務網遠達美國、歐洲、加拿大、中國、南非、印度、日本、中東、澳洲和東南亞各國。此外，還有多間航空公司提供不定期的包機服務。

亞洲運輸公司建於葵涌的航空貨運中心，於一九八七年底完工後，已成為亞洲最大的航空貨運中心。貨運站內有運送、堆置貨櫃直至四層樓高的獨特系統，是世界上第一個此種先進系統。

為應付未來對空運設施的要求，香港已決定興建新機場，預計將耗資高達千億港元以上。

【客貨運情況】　據統計，進出香港的飛機架次在一九七三年就已突破五萬架次。其後數年都很不穩定，最近幾年又恢復上升的趨勢：一九八八年87,000多架次，增18.2%，旅客人數達1,620萬人次，增幅6.1%。一九九〇年啟德機場的乘客量上升至1,868.8萬人次，增15.3%，居全球最大乘客流量第五位。一九九一年則達1,915.8萬人次，晉升為第四位，僅次於倫敦希思路機場、法蘭克福機場和巴黎戴高樂機場。而到一九九二年乘客量更上升至2,208.5萬人次。至於機場的飛機起落架次來看，一九九〇年全球最繁忙的是英國希思路機場，上落架次達27.65萬架次。香港排在全球第十三位，有10.58萬架次。除日本外，香港是亞洲區機場起落最繁忙的機場。

至於空運貨量方面，一九九二年啟德機場在全球排行第三位；處理貨物95.7萬噸，比一九九一年增12.6%。前二名分別是東京成田機場和德國法蘭克福機場。

與一九九一年比較，香港空運貨站空運出口46.9萬噸，增長12.9%；空運入口35.4萬噸，增長15.5%；空運轉口9.4萬噸，下降3.6%。總處貨量達91.8萬噸，以單一空運站計，香港空運站之處貨量是全球首位。業內人士指出，一九九二年本港空運貨量大增的原因，與珠江三角洲生產量上升，以及歐美急單增加，使部份增值較高的貨物，捨海運而取空運出口，以期趕及買家的需要所致。

【新動向】　雖然啟德機場擠塞問題妨礙航空業發展，影響航空公司增加班次。不過，據航空指引的資料數字顯示，一九九三年四月份啟德機場平均每日離境的直航班次達157班，較一九九二年同期每日144班為高。業內人士說，由於香港與中國大陸之間的航空增長迅速，預計一九九三年本港的航機升降班次，仍將較一九九二年增長10%以上。

香港民航處批准航空公司於一九九三年四月一日起，向每位離境旅客收取20元保安服務費，嬰兒、過境及轉機的乘客則獲豁免收費，估計新收費於本年內會為航空公司帶來2億元的收入。是項批准期為一年，民航處將於年底進行檢討。

陸　運

【概　述】　香港陸上進出口客貨運，主要依靠鐵路，也有一部份通過公路。

九廣鐵路全長約34公里，由一九〇六年開始興建，一九一〇年完工，並於當年十月一日通車，沿途穿過六個隧道，最長一個是比干山（又稱煙墩山）大隧道，長達一哩六百六十碼。當時是單軌行車，但在其中數個車站敷設雙軌以便上下行車交匯，當年全部建造費用約2,000萬元，平均每英里約90萬元。一九七五年位於紅磡的現代化九龍車站啟用，取代了位於尖沙咀的舊車站。

港穗直通車於一九七九年正式通車，一九八〇年二月十一日開始增至每日兩班，現已增至四班，而春節、清明節、復活節和廣州交易會期間往往又再加開班次。

耗資三十五億的紅磡至羅湖鐵路的電氣化計劃已全部完成，並於一九八三年七月十六日全綫通車。單程行車停站在內僅需三十六分鐘。由於公共小型巴士和專利巴士的搭客不少轉乘火車，而沙田、大埔及粉嶺新市鎮人口亦迅速增長，火車乘客人數逐年急劇增加，由一九八二年四月每日2萬人次，到一九八九年每日平均載客量已超過50萬人次。港段鐵路全綫電氣化後，港穗直通車的行車時間也由原來三個多小時減至只需二個多小時。

以往九龍至羅湖鐵路由香港政府直接經營，一九八三年起已改由九廣鐵路公司專業化營業。

近幾年來，隨着內地和香港之間的貿易往來不斷發展，兩地陸上貨櫃車和巴士客運也非常活躍。近年來，已有多家專門經營兩地之間公路貨櫃運輸公司成立。一些急需的物資由外國運到香港後，原貨櫃裝上貨櫃車，當天即可運到廣州。

【客貨運情況】 一九九二年九廣鐵路載客 1.98 億人次，比一九九一年增加 5%。同期，地鐵公司載客約 7.51 億人次，較一九九一年增 3.4%。輕便鐵路系統載客 1.06 億人次，增 10%。

貨運方面，一九九二年內地經鐵路運來香港的數量為 150 萬噸，比前年減少 11%。而由港運往內地則有 36.9 萬噸，增 9%。由內地載運來港的鐵路貨卡和貨量已經連續兩年呈下降現象。主因是深圳的倉租比香港低廉，有的貨主寧願把貨存放在深圳貨倉，以後再用拖車拖來港。

一九八三年和八四年九廣鐵路都在虧本經營。到一九八五年始轉虧為盈。其後的數年均有盈利，去年包括從物業發展所得收入在內，為 5.26 億元，比一九九一年高出 17%。不計物業收益則為 4.03 億元，而九一年為 0.67 億元。如毋須延長現有系統，九廣鐵路和地鐵預料在本世紀結束時，可以還清目前所有欠債。

截至一九九二年年底，地鐵公司的貸款及負債共為 184 億元。負債與資產比率為 1：2.3；九廣鐵路的借款額則為 8.94 億元，負債與資產比率約 5.1：1。

【新動向】 由國際管理發展研究所和世界經濟論壇合作發表的“一九八九年世界競爭力”報告一書顯示，香港的鐵路系統在眾多工業國之中與丹麥同時名列第一，而成為世界上最先進的集體運輸鐵路系統之一。日本、新加坡並列第二，瑞士、南韓並列第三。此外，香港的地下鐵路系統，以比例計算已成為全球使用密度最高的系統之一。一九九二年載客高達 7.51 億人次，佔全港公共運輸服務的 23%以上。至於公路方面，香港公路建設在世界上與丹麥並列第三，比利時、新加坡並列第一，德國與馬來西亞則並列第二。

一九九三年年底九廣鐵路將展開耗資 6 億餘元，為時 10 年的減低噪音工程。主要包括興建全面密封及部份密封隔音屏障、車站上蓋及沿路軌屏障等等。以解除或減少沿綫居民受噪音的滋擾。

公用事業

【概　述】 香港的巴士、小型巴士、的士（計程汽車）、電車、纜車、渡輪、電力、煤氣及電話等公用事業都由私商經營。其中除小型巴士、的士外，其他的公用事業港府都給予專利。此外，獅子山隧道、香港仔隧道、城門隧道、將軍澳隧道、機場隧道由港府經營，其中機場隧道毋須收費。至於海底隧道、東區海底隧道及大老山隧道則由私營機構管理。本港共有 5 個鐵路系統，計有使用率非常高的地下／高架集團運輸系統、繁忙的郊區鐵路、現代化的輕便鐵路、傳統的電車，以及山頂纜車。首三個鐵路系統為政府全權擁有的公共公司經營。其餘兩個則為私營機構所擁有。

【營業情況】 地下鐵路公司營辦的地下鐵路系統，由三條行車路綫組成，全長達43公里。年內載客車略有增加；年底時，平均每日載客205萬人次。按長度計算，該系統可算是世界上第三繁忙的地下鐵路。車費按路程遠近計算，成人車費每程由3元至8.5元不等。

一九九二年全年，地鐵公司的純利為4.03億元，一九九一年只有6,700萬元，增幅高達五倍左右。原因是該公司能將經營開支維持在通脹水平內及借貸利率偏低。

地鐵乘客在一九九二年平穩增長至7.51億人次，增幅為3.4%；車費收入則增加11.5%為33.91億元。

地鐵除物業發展外，其他經常性收益有強勁增長。物業管理收入增至3.51億元，增幅達19%；廣告收費、小商店租金及其他收入則增至2.52億元，增幅為16.1%。一九九二年的經常性總收益達39.94億元，增幅是12.4%。經營開支較一九九一年高出15.1%，達16.95億元。該公司在計算利息前的利潤由15.19億元增至17.09億元，增幅達12.5%。

此外，由於利息及財務開支仍維持在低水平，有關支出減至13.1億元。物業發展方面的利潤不大，只有400萬港元。地鐵公司的累積虧損減至30.68億元。

截至一九九二年底，地鐵公司共借款184.02億元，九二年全年共完成47.7億元的新借貸安排。

九廣鐵路於一九一〇年通車；一九八二年二月前屬政府屬下的鐵路局管理；之後鐵路局由新成立的九廣鐵路公司接管。九廣鐵路長34公里，主要為新界東北部的新市鎮提供郊區列車服務。此外，亦有貨運列車來往香港與中國，而上下行車綫每日各有4班直通客車行走九龍與廣州兩地。自一九八二年推出電氣化火車服務以來，乘客人數不斷大幅增加。一九九二年底時，火車平均每日載客量約為56.16萬人次。貨運方面，上下行每日各有約12班火車往來運貨，一九九二年經火車運載入境的貨物共280萬公噸，出境則為120萬公噸，本港五個貨場分設於紅磡、何文田、旺角、沙田及火炭。一九九二年十二月七日鐵路公司推出“大朗貨櫃專列服務”，即在紅磡裝貨後將貨物運往大朗。

一九九二年九廣鐵路載客1.98億人次，比一九九一年增加5%。其中3,500萬人次為來往羅湖的旅客，增幅達15%。九龍至廣州直通火車的載客量增加2.7%，達2,700萬人次。由於入口貨運市場競爭激烈，入口貨運量下降11%，減至280萬噸。不過，出口貨運量則增加14%或120萬噸。九廣鐵路公司在一九九二年的財政狀況依然強健。經營收入達21.5億元，較一九九一年增加16.3%。全年純利，包括從物業發展所得收入在內，為5.26億元，較一九九一年高出17%。該公司在考慮長遠現金流量需求及投資需要後，向港府付給股息 1.5 億元。

由九廣鐵路公司擁有和經營的輕便鐵路是新界西北部的鐵路系統，該系統全長 30.7 公里。鐵路公司並在屯門至元朗之間的輕鐵服務區內，提供接駁巴士服務。年底時，輕鐵列車和接駁巴士平均每日載客 31.41 萬人次。

輕鐵自一九八八年開綫以來，每年的營業都有上升，一九九二年全年收入達 24億元，但直接經營成本高達 20.3 億元，接駁巴士成本 4,100 萬元，再加上公司服務及折舊等，一九九二年仍虧損 1.3 億元。

電車在港島行走。目前，香港電車公司共經營 6 條部份重疊的行車路綫，包括港島北岸堅尼地城與筲箕灣之間 13 多公里長的雙程路軌，以及環繞跑馬地約 3 公里長的單程路軌。整個車隊共有 163 輛電車，其中包括兩架開頂古典電車，供遊客和私人租用。該公司於一九九一年之前將有電車翻新。年內電車載客量有輕微增長，平均每日載客 33.8 萬人次。

纜車山頂纜車有限公司自一九八八年起經營纜車服務，該路綫從中環花園道直達海拔 373 米山頂的域多利亞峽，全長 1.4 公里，所經地點，有些斜度達 1：2。山頂纜車主要供來港觀光遊客使用，同時亦為山頂居民服務，載客量平均每日達 8,925 人次。

陸路客運佔所有公共交通乘客人數約三分之二。使用道路的乘客中，過半數是乘坐專利巴士，其餘則由非專利巴士、綠色專綫小巴、公共小型巴士和的士運載。

香港有 4 家專利巴士公司，共有固定行車綫 434 條，每日共載客 340 萬人次。

九龍汽車（1933）有限公司（簡稱九巴）是規模最大的巴士公司，在九龍和新界經營 266 條巴士路綫，並與中華汽車有限公司（簡稱中巴）聯營 33 條海底隧道巴士綫，以及單獨經營兩條海底隧道巴士綫。年內，九巴開辦了 16 條有空調的巴士路綫，服務質素因而提高。另外，九巴又經營來往機場的“通天巴士”服務，其中包括了 3 條往港島的路綫，在九龍行走的則有一條。

一九九二年年底時，九巴共有 3,121 輛登記車輛，共載客 9.7 億人次，行車達 2.34 億公里。該公司的專利權獲延長至一九九七年八月三十一日。九巴在一九九二年內開辦了 8 條由有空調的巴士行走的新巴士路綫，提供由荃灣、青衣、元朗及大埔開往九龍尖沙咀的特快服務。開設這些路綫，旨在於繁忙時間吸引乘客以紓緩地鐵彌敦道沿綫擠逼的情況。此外，有 5 條由九龍、梨木樹、葵青和馬鞍山往港島的新過海路綫在夏季投入服務。

一九九二年九巴盈利 3.3 億元，較一九九一年的 2.98 億元增加 10.8%。期內九巴的乘客只有輕微增加，但營業額則有 7.8%的增長。是一九九一年三月底調高車費所致，而經營盈利只增加 4.8%，反映經營成本繼續上升，因此，九巴的稅後純利低於管制法規規定的許可利潤水平，需由發展基金撥出 84 萬元補足，而一九九一年撥入 3,060 萬元，可見兩年經營的變化，首年業績理想，翌年即轉差。

從數字看，九巴一九九二年的經營成本較上年增加 1.78 億元或 8%，成本中以職員薪金及工人工資所佔比例約 60%。

港島巴士服務由中華汽車有限公司提供。中巴在港島經營 97 條巴士綫，又與九巴聯營 28 條海底隧道巴士綫。一九九二年年底時，中巴有雙層巴士 1,004 輛和單層巴士 23 輛。中巴車隊全年共載客 2.63 億人次，行車達 5,200 萬公里。該公司的專利權延長至一九九五年八月三十一日，但港府在一九九三年將會收回該公司現行路綫其中 26 條。

中巴截至一九九二年底止的半年，溢利為 4,199 萬元，較上年同期增加 9.5%。期內中巴的巴士業務，表現較差，營業額亦只增加 570 萬元，但經營所得，因通脹及交通情況影響，稅前溢利只有 3,877 萬元，較上年同期減少 20%。稅後溢利更減少 25%。

由於稅後溢利低於准許利潤水平，故由發展基金會撥出 13,040 萬元補充，此亦為發展基金的全數。因管制計劃已於一九九三年三月起取消，此後並無發展基金之設。故撥出該數是否可以補足低於准許利潤之數，不易估計。

新大嶼山巴士（1973）有限公司在大嶼山經營 6 條固定專利巴士綫和一條旅遊專利巴士綫，有單層巴士 61 輛，雙層巴士 15 輛，大部份路綫均與梅窩碼頭連接。一九九一年九月，梅窩新車廠落成，從而改善了經營效率。年內，該公司在周日平均每日載客 8,680 人次，但星期日和公衆假期因旅遊人士特多，平均載客量增至 1.85 萬人。

城巴有限公司是第四間專利巴士公司。該公司自一九七九年起一直營辦非專利巴士服務，但在一九九一年八月獲授經營來往中環（港澳碼頭）與麥當勞道巴士路綫的專利權，以 9 部巴士為市民提供服務，這是首條透過競投獲授專利權的巴士路綫。

當局為促進各運輸服務機構之間的良性競爭，在一九九三年八月三十一日當中巴現有的專利權期滿時，收回該公司旗下 24 條港島及兩條過海路綫，這些路綫總共需要 200 輛巴士。城巴有限公司在一九九二年九月獲授這 26 條路綫為期三年的專利權，於一九九三年九月一日開始提供服務。

小型巴士按牌照規定，本港的小型巴士最多可載客 16 人。一九九二年內，本港共有小型巴士 6,900 輛，其中 4,350 輛為公共小型巴士，2,550 輛為私家小型巴士。公共小型巴士可向乘客個別收費；私家小型巴士則只許集體運載乘客，不得個別收費。

公共小型巴士的經營者須遵守客運牌照的規定。本港有綠色和紅色兩類公共小型巴士。綠色專綫小巴按照正式規定路綫提供服務。一九九二年內，本港有綠色專綫小巴 1,468 輛，行走 214 條獲批准的路綫，每日載客 70.5 萬人次。紅色公共小型巴士毋須按照規定路綫經營，這些小巴並無固定的路綫、時間表和車資。一九九二年內，本港有紅色小巴約2,868輛，每日載客101.6萬人次。

為配合港府鼓勵更多紅色小巴轉為行走固定路綫的政策，當局會訂出更多新的固定路綫。年內，當局為新訂的綠色小巴路綫進行了一次甄選，由各小巴商參加競投。

的士當局在一九九一年年底檢討了市區、新界和大嶼山的士可獲發給的牌照的最高限額。年內，當局並無簽發市區的士新牌照。一九九二年底時，市區的士共有14,949輛、新界的士2,731輛及大嶼山的士40輛，平均每日載客分別為107.71萬、18.85萬、0.11萬人次。

年內，當局對新界的士的營業範圍作出修訂，使新界的士得以經由城門隧道來往新界的東北部和西北部。

一九九二年，交通諮詢委員會成立一個工作小組，檢討港府對的士業的政策。工作小組就改善的士服務一事提出了多項措施，交通諮詢委員會遂於一九九二年十月就這些措施諮詢公衆的意見。而自檢討以來，因為公衆關注各方面的輿論及彈性發牌的建議，的士牌價已由一九九二年中的180萬高峰降至160萬至163萬元左右，而新界的士牌則由105萬降至92萬水平。說明過去的士牌的高峰，只是投機買賣推高的數字，並非反映的士牌的真正價值。

渡輪渡輪為來往香港與九龍之間的主要交通工具，亦為新界西北部新市鎮提供重要的運輸聯繫，且在接載乘客往返離島方面，繼續發揮重要作用。渡輪服務主要由兩家擁有專利權的公司提供，即天星小輪有限公司和香港小輪集團有限公司。

天星小輪的船隊有渡輪12艘，來往港九兩地。年內該公司屬下三條航綫共載客3,580萬人次。

香港小輪擁有持牌渡輪73艘，經營23條渡輪航綫。其中包括來往港九的載客及汽車渡輪綫，來往新界西北部的飛翔船航綫、離島航綫，以及包船航綫。年內，該公司的渡輪平均每日載客11.25萬人次，運載汽車6,600架次。

一九九二年香港小輪盈利8,820萬元，較一九九一年減少4,550萬元或34%。盈利大幅下降受兩項因素所影響，其一是一九九一年上半年天氣反常多雨，令乘客減少，尤以假日更為顯著，而港府對於該渡輪增加票價要求延至七月始能生效，因此只是上半年小輪業務的盈利已減少1,000萬元。另外小輪公司的物業發展亦不理想，工廠大廈的出租率曾一度降至85%，引致上半年租金收入減少。尚幸下半年小輪獲准加價16%，且在八月份物業出租率回升91%，對該公司的盈利情況才有改善。

電力供應本港的電力供應，由香港電燈有限公司和中華電力有限公司兩家商業機構負責。港燈負責供電給香港島及鄰近的鴨脷洲和南丫島，中電則供電給九龍和新界，包括大嶼山和若干離島。

兩家電力公司均由投資者擁有，並無專利權，港府透過雙方同意的管制計劃協議來監管這兩家公司的財務安排。有關協議規定每家公司須就其財政計劃的某些項目，包括預測電費幅度，向政府申請批准。

中電的3間附屬發電公司：半島電力、九龍發電及青山電力於一九九二年四月合併，由青山電力有限公司經營。中電的總發電量為6,432兆瓦。同時，港府已批准中電增設四台600兆瓦的發電機組，首兩台將於九六及九七年裝設，其餘兩台則將於九八年至二〇〇一年分兩段期間投產。全部機組將從中國海南島附近的鶯歌海崖13-1氣田以管道輸入天然氣作燃料。

青衣電力有限公司由埃克森能源有限公司佔60%股權，中電則佔40%股權，但有關輸電及配電系統則由中電全資擁有。現時與中電訂的管制計劃協議於一九九三年九月三十日期滿。港府已與中電、埃克森能源有限公司及其屬下發電公司簽訂新協議，由一九九三年十月一日起生效，為期15年。

在港燈負責供電的地區，電力全由南丫島發電廠供應，一九九二年底，南丫島發電廠的總發電量為2,605兆瓦，有關方面計劃在九十年代中期，在南丫島添置一座350兆瓦發電機組。

中電與港燈的輸電系統，由橫跨海港的電纜連接。現時的輸電量為720兆伏安。

中電的供電系統與廣東省電力公司的供電系統連接，售予廣東省的電力是從現時非用電高峰時間的發電量供給，並受一九九二年三月與政府簽訂的協議規管。根據該協議，中電用戶享有供電的優先權利以及售電利潤的80%。

此外，中電與招商局輪船股份有限公司簽訂合約，由中電為廣東省蛇口工業區及赤灣供應電力，為期10年至一九九六年為止。

中電的全資附屬公司——香港核電投資有限公司與廣東核電投資有限公司簽訂聯營合約，組成廣東核電合營有限公司，在廣東省大亞灣興建及經營核電站。大亞灣核電站將設有兩座985兆瓦壓水式反應堆，分別預定一九九三年及一九九四年投產。核電站約70%電力將由中電購買，用以應付本港較長遠的用電需求。

中電截至一九九三年三月底的中期業績，稅後盈利15.38億元，較上年同期增加20.5%。

中電期內營業額達63.6億元，較上年同期有13.6%，九龍及新界的售電量為83.48億度，微增3.1%，而在中國的售電量為113億度，增加12.6%。

一九九二年港燈稅後盈利為30.09億元，增加33%。期內港燈營業額為53.32億元，比上年增加9.6%，其中電力銷售51.85億元，增加10.9%。

本港住戶及工商界廣泛使用氣體燃料。用戶可使用香港中華煤氣有限公司供應的煤氣。煤氣主要是人工燃氣，但向若干用戶供應的煤氣，亦包括一些合成天然氣，一九九二年煤氣佔氣體燃料總銷量的63%。

煤氣公司位於馬頭角和大埔工業邨的兩間廠房，負責生產煤氣。兩廠均使用石腦油為原料，每天的煤氣產量分別為220萬立方米及840萬立方米。

煤氣是透過一個聯合分配系統供應給為數約91萬名用戶，供作煮食及生熱用途。煤氣的供應遍及港島市區、九龍及新界多個新市鎮。煤氣公司現正在新界敷設一條長達90公里、直徑為600毫米的煤氣輸送管。

煤氣公司特別於屯門設立臨時廠房生產合成天然氣，以應付這個新市鎮居民對氣體燃料的需求。該廠房有需要繼續原地設置，直至連接大埔與屯門的新建煤氣輸送管落成為止。

一九九二年全年煤氣銷售量創新紀錄，達182.7億兆焦耳，比上年增加12.1%。全年純利為9.36億元，比上年增加20.2%。

電訊服務，香港是東南亞電話密度最高的地區之一。截至一九九二年年底，估計共有360萬具電話和280萬條電話綫，即每100人便有電話63具。

香港的基本公共電訊服務，由香港電話有限公司和香港國際電訊有限公司以專利方式提供。根據電話條例，香港電話有限公司擁有供應本地公共話音電話服務的專利權，直至一九九五年六月三十日止。香港國際電訊有限公司則獲發給專利牌照，有效期至二〇〇六年九月三十日止，負責提供多種國際公共電訊服務，包括電話、專用電報、電報、數據和圖文傳真的租用綫路等。

一九九二年六月，港府公佈檢討電訊政策的結果。由一九九三年起，政府將會發牌給其他網絡，以便與香港電話有限公司互相競爭；初期會發牌給提供數據和圖文傳真服務的公司，然後於一九九五年六月後發牌給提供話音電話服務的公司。香港電話有限公司的收費，將受到價格上限制度新管制，整體加幅須較當時的通脹率低4個百分點。

年內，香港電訊業有多項重大發展。目前香港電話機樓已採用最新的現代訊號技術，而97%的電話網絡亦已改用數碼系統，使本港成為世界上擁有最先進的電話網絡的地區之一。

圖文傳真通訊越來越普遍，致令年內的專用電報通訊量減至4,300萬分鐘，圖文傳真綫路在年底時已增至184萬條。香港電話有限公司並設有一種稱為“數據分組網”的分組交換式傳送服務，提供多類先進的數據傳送設備。

年內長途電話的通訊量增至20.25億分鐘，較上一年增加26%。直通國際電話服務遍及全球210個國家及地區，並可直通中國境內超過1,078個城市。

截至一九九三年三月底止，香港電訊的營業額為216.45億元，比上年度增加17.8%，盈利則為64.30億元，比上年增13.3%。

【新動向】 地鐵於一九九二年的業績理想，但一九九三年仍提高票價，由五月一日起地鐵票價平均加幅為9%，成人及小童學生的單程短途收費，一律提高0.5元。此外由七月一日起即本學年結束開始，取消小童學生在早上乘搭繁忙時間車程的特惠車費。地鐵亦試行由五月一日起取消繁忙時間附加費。

地下鐵路公司準備在一九九四年年中拆卸位於九龍灣的總部，代而興建兩幢現代式商業大廈，有關土地用途更改已獲港府批准，估計整個發展計劃可為地鐵帶來逾十億元利潤。

此外地鐵公司在一九九二年完成的 47.7 億元的新借貸安排，估計是為了配合參與新機場鐵路的興建計劃而進行的。但由於中英未能就新機場鐵路的財務安排達成協議，地鐵也按兵不動。港府如要地鐵公司參與新機場鐵路計劃，地鐵公司當然要作好準備。

九廣鐵路和輕便鐵路亦由一九九三年五月一日起加價。九廣在調整票價方面，短程最低票價維持不變，來往新界及九龍的通用儲值票提高 2.5 元，但享有 2.6 元的儲值優惠，而在新界區內的乘車票價則提高 0.1 至 0.3 元，單程票價為 0.5 元的倍數。另外，馬場站票價，小童和老人半價優惠，以及清晨優惠繼續維持。羅湖至九龍的普通等票價提高 2 元，來往羅湖至新界各地區則提高 1 元或 1.5 元。

九廣鐵路公司於一九九三年初分別向城市設計委員會遞交紅磡填海區及九龍塘商業發展項目申請。紅磡五公頃土地填海計劃，現仍在商議補地價及總樓面面積階段，港府未批准，而投資將視樓面面積而定，估計總面積將達 100 萬平方呎。暫時未有任何夥伴合作協議，但希望以地產發展商為合作對象。至於九龍塘車站上蓋地盤，面積超過 20 萬平方呎，可建樓面面積 40 萬方呎，預計作商業發展用途，亦有待委員會批准。至於其他車站，僅旺角站會與新鴻基地產合作發展 150 萬樓面面積上蓋物業，而沙田站仍未有任何發展計劃。

另外。由一九九三年一月八日開始，每日提供兩班直通客車行走九龍與佛山兩地。

輕鐵服務由一九九三年二月開始擴展至天水圍新市鎮。輕鐵也像地鐵和九廣鐵路一樣由五月份起調高票價，平均增幅為 9.7%；成人單程票提高 0.2 元至 0.4 元，而小童的單程票提高 0.1 元至 0.2 元。

港府在九三年六月一日起開放屯門元朗輕鐵專區，估計由於巴士的競爭，輕鐵會損失一成乘客，但因輕鐵每年乘客有新上升，故開放專區對乘客量影響較難估計。

由於地鐵及輕鐵的影響，預期九巴的乘客量不易突破。而九巴受法則管制利潤，許可利潤按固定資產計算，只要資產增加，許可利潤同步增長。因此近年九巴致力增加冷氣巴士，或採取汰舊置新方式，令資產繼續增加，達到業績增長的目的。除此以外，暫無其他改善實質業績方法，節流不易，每年員工例行加薪，開源亦難，道路網正受限制，增闢新綫速度已受抑制，一九九二年擬競投港島 26 條巴士綫專利權，未能成功。據悉擬標投深圳巴士綫路，結果未悉。

因經營利潤低於許可水平，九巴已獲准於四月五日起調高車費，平均增幅為 11.2%，但實行老人半價優惠計劃，而政府亦豁免巴士牌照費及廠租。

展望中巴，不鋭意改善前景黯淡。隨着港島區內交通工具多元化的發展，例如屋邨巴士、紅、綠小巴的不斷增加，加上城巴在港島投入服務，一九九三年九月起接手經營港島區的 26 條路綫，在此消彼長的情況下，中巴在港島的重要角色，無疑將被取代。另外，當中環與半山區的電動扶梯系統在一九九三年內完成時，來往中區及半山區之間的交通需求，更加要減少。

一九九三年四月五日中巴開始調整票價，平均增幅為 12%。中巴加價對其有若干幫助，且無發展基金之設，不必調撥。

由九月起，中巴減少巴士綫路二十六條。據了解該等綫路平均獲利平平，相信對整體經營溢利不會有太大影響，問題是原有二十六條巴士綫所行走的巴士，佔相當資產，該等資產過去可按若干比率獲致准許利潤，由於管制法則終止，已無此種保障，此後中巴們溢利，必需盡力控制成本，始能達到利潤目標。

交通諮詢委員會於一九九二年十月發表的的士政策諮詢文件於一九九三年二月底結果，港府現正整理文件，稍後公佈。

由五個的士團體組成的代表於一九九三年四月下旬約見運輸署官員，要求當局在公眾假期及前後兩天開放落馬洲口岸，並容許新界及市區的士接載乘客過境。據了解，目前深圳皇崗口岸已有足夠交通及民檢設施，開放與否關鍵只在港府。而港府表示，該署較傾向支持集體過關交通工具接載乘客往返邊境禁區。如開放落馬洲禁區予的士行駛，由於涉及警方、入境事務處等部門，彼此需要加以討論和協調，而且亦需與中方磋商，因此，暫時未能作出任何答覆。

由十個新界的士社團組成的聯席會議向運輸署申請調整收費。要求落旗和每跳的加幅為 25%。

香港小輪的主要盈利由物業提供，但小輪業務的變化，亦經常使集團業績波動。因為傳統式的小輪業務，雖有存在的必要，但實在逐漸式微，若在商言商，已不合經營原則，多年來只有以不斷加價維持，但回報率亦低於合理水平，而且持續的加價，亦帶來惡性循環。唯一希望，是將小輪若干碼頭發展，用物業的發展利潤彌補，以減緩未來加價速度。但政務署對此有不同意見，故仍未作出最後決定。

一般估計中電的前景是美好的。由於中國經濟迅速發展，製造業電力供應嚴重不足，中電售電予中國的潛力無窮。根據新的利潤管制計劃，中電可將售予中國的電力的邊際利潤兩成撥歸股東。上年中電供電蛇口總量增 13.5%，輸往廣東電力總公司增 81%。

政府及私人屋邨持續發展，加上市區重建，都為中電帶來增長的機會。

根據慣例，港燈每五年定一大計，九〇年至九四年的計劃是動用 150 億元，過去三年已使用超過 80 億元，預料九三、九四年再動用 70 億元。該計劃是管制法則一部份。港府已同意港燈的利潤計劃協議延長至二〇〇八年，因跨越九七，有待中方同意。

煤氣的銷量一向穩定增長，特別是用於煮食方面，而影響增減的主要因素，相信是沐浴所用煤氣，故氣溫高低，將影響煤氣的銷售。

中華煤氣公司位於大埔廠房的第二期設施，已漸次完成，首兩台煤氣生產機已於一九九二年底投產，其餘兩台亦於一九九三年第二季開始使用。中華煤氣的發展暫時完成，但其煤氣產量已相當於現時的兩倍，足以應付直到二十一世紀。

中華煤氣位於馬頭角的廠房，只能供應煤氣15%，於大埔廠房第二期投產後，已無必要存在。該地盤佔地13萬方呎，地價甚低，現計劃發展，將該地盤重建。

電訊控股公司英國大東電報局一向與中國關係良好，如中國開放電訊市場，對電訊十分有利。雖然電訊未有具體拓展中國市場計劃，但估計電訊參與南華地區電訊業發展的機會最大。

電訊與港府達成協議，以新收費結構取代過去管制法則，在一九九四年三月底前，香港國際電訊的國際電話收費減收8%，以後兩年每年減三分之二；此舉可鼓勵用戶利用國際電話服務。不過，減費雖不會為電訊帶來災難性損失，但毫無疑問將致使該集團盈利增長放緩。另外，立法局力促港府開放電訊市場，亦令電訊業務前景蒙上不明朗因素。

香港電訊準備在新一年度投資40億元，以改善服務質素，其中10億元將用於本地電訊網絡；另5億元用於舖設國際電纜；5億元用作興建新辦公大樓，其餘將作增設電話機樓等。

農副業·漁業

農副業

【概　述】　本港適宜耕種的土地僅佔全港土地總面積約8%，所以本港的農業，是透過精耕細作的方式，生產高品質的新鮮食物。

常見的農作物有蔬菜、花卉及少量水果和其他高收益的農作物。一九九二年用以種植蔬菜花卉的土地面積約有1,810公頃，而農作物的生產總值約為4.42億元。

主要蔬菜作物有白菜、菜心和生菜。這些蔬菜一年四季都可種植，而以較冷的月份產量最多。此外，亦有出產一些外地品種的溫帶蔬菜，包括番茄、甜玉米、芹菜等，又利用工業廢棉為栽培料生產草菇。

常見的花卉中，全年出產的有劍蘭、菊花和薑花。各商營苗圃栽植多種擺設植物。桃花和裝飾用的柑橘，則特別為農曆新年而培植。

香港因缺乏放牧所需的大片草地，故農民主要飼養豬隻和家禽以供食用。本港豬隻多為外來豬的混合種。一九九二年屠宰的本地豬隻，總值1.55億元。至於屠宰的家禽，包括雞、鴨、鴿和鵪鶉，總值則達5.25億元。由於政府實施禽畜廢物管制計劃，畜牧業要適應逐步施行的環境污染管制措施，本產豬隻和家禽的生產量現已日趨下降。

【經營情況】　漁農處就最新的農作物和牲畜生產方法及動植物疾病的防治方法，進行調查和研究。其中較重要的一項研究工作，是擬定無須使用有毒殺蟲劑的蟲害防治計劃。該處亦就新耕作技術，尤其是那些需要較少勞力的、進行評估工作，若發覺這些技術適合在香港應用，便會加以推廣。漁農處更進行多項實驗，藉以改善品質和產量。該處亦生產優質種子和種豬種禽，加以繁殖出售。

為協助農民遵循禽畜廢物管制計劃的規定，漁農處引進一項創新的養豬技術。方法十分簡單，只須在豬舍內鋪上一種由木糠和細菌製劑混合而成的特殊墊料，豬糞便會就地分解。漁農處已就循環使用豬糞木糠作園藝和美化環境用途進行研究。

漁農處鼓勵本地菜農種植高檔蔬菜，包括一些傳統的中國品種、外地品種及透過有機種植及水栽法生產的蔬菜。此外，漁農處亦向有興趣的農民提供技術上的意見及經銷服務。

為使休耕地恢復耕作，漁農處正實施農地復耕計劃。該處着手改善灌溉、排水系統和農場通道等基礎設施，並提供其他援助，包括墊繳租費、改良土壤和提供經銷設施。在元朗長莆和粉嶺鶴藪推行的試驗計劃，結果令人滿意。但整個復耕計劃的進展則未符理想。本來漁農處計劃至一九九五年能復耕 624 公頃土地，而在頭四年內，即至一九九二年能將 120 多公頃土地復耕，不過至九二年底止，在長莆、鶴藪、大江埔和馬尾下各區復耕土地只有 50 多公頃，比預期的目標相差頗遠。發展緩慢的主要原因是：漁農處在技術和基本設施方面，並沒有向農戶提供充足的協助，及缺乏發展資金。

此外，漁農處亦因“毒菜”事件於幾年前開始研究“信譽農場”計劃。所謂“信譽”農場，是指通過本港菜聯社的協助，漁農處先行掌握廣東省及特區內所有蔬菜場的詳細資料，包括：菜場的生產技術、管理制度、產品質素、甚至一般使用的農藥等等。只要該菜場符合要求標準，即可冠以“信譽農場”的稱號。產品質量有了保證，再輸入本港，由蔬菜統營處作統一系統批銷。

一九九二年十一月漁農處及有關人員訪問了廣東有關的農業部門，共同研究“信譽農場”的可行性。中方有關部門表示願意合作，且希望找到部份農場先作合作實驗，然後再作檢討。

一九九二年香港飼養豬隻染上口蹄病，僅半年報，涉及患病豬隻達 11 萬隻。一戶位於流浮山豬農，其飼養的 1.2 萬多頭豬隻中，有 6 千頭染上口蹄病，嚴重致死亡達 1,700 多頭，損失 1 百多萬元。

此外，一九九二年年中，香港亦因豪雨成災，令新界農民損失超過 500 萬元以上。

【新動向】 港府計劃立例規定飼養禽畜的農場要領牌，並擬出具體管制方案。發牌的條件主要針對農場的排污問題，新界農民認為這是政府當局繼九一年實施禽畜廢物管制條例以後，進一步扼殺此行業，今後將難再經營，部份農友發起激烈的反對行動。

當局計劃以農場規模大小釐定分級發牌有效期三年，小型農場每年牌費由 250 元至 500 元不等，大型農場每年牌費由 500 元至 1,000 元不等，如飼養不超過 1 頭豬或 20 隻禽鳥可獲豁免領牌。

港府在立例同時，對願意結業者可申請特惠津貼，對願意繼續經營者可申請基本設施撥款。

漁　業

【概　述】 海魚是本港最主要的原產品之一。一九九二年的海魚捕獲量和養殖魚量，估計約共22.34萬公噸，批發總值約25.1億元。與一九九一年比較，按重量計算，下降3%；按價值計算，則下跌1%。按重量計算，捕獲的海魚佔總產量的98%，其餘則為養殖魚。

香港約有漁船4,500艘，其中機動的佔4,200艘，有2.1萬名漁民在這些漁船上作業，他們在原產業方面扮演重要的角色，漁獲包括150多種具商業價值的食用魚，佔本港海魚消耗量55%以上。按卸魚量計算，最主要的幾種海魚是紅衫、大眼魚、九棍、魷魚、瓜核、門鱔、黃花魚、牙帶、鰃魚和黃肚。

捕魚方法主要有拖網、延繩釣艇、刺網和圍網等。船身長10至34米的漁船約佔60%，主要是拖網漁船、延網釣艇和刺網艇，在東京灣至東海一帶的南海大陸架上作業。其餘的40%是長度不足10米，主要在沿岸較淺水域作業的刺網艇、手釣艇和圍網船。

拖網捕魚佔一九九二年所捕獲的海魚量73%，計達16萬公噸，而供本港食用的游水海鮮總產量達96,000公噸，估計批發總值為10.5億元。

海魚養殖人士在26個劃定的海魚養殖區內作業，大部份分佈在新界東部的海岸。漁農處員責簽發海魚養殖牌照。截至一九九二年年底，共有1,651名海魚養殖人士領有牌照。作業方法是把幼魚放進籠內，懸在浮排下，飼養長大。最普遍的養殖品種有石斑、鮀魚和火點。年內，海魚養殖業所供應的活海魚重量達3,400公噸，價值為2.1億元。

香港亦有養殖淡水魚。新界的魚塘面積共1,350公頃，大部份集中元朗周圍。同一魚塘養殖多種不同品種的鯉魚，而各品種所需的飼料不一，營養物品得以充份利用。由於新界地區日趨都市化，魚塘面積逐漸縮減。年內，塘魚總產量為5,400公噸，佔本港淡水魚消耗量13%。

【經營情況】　為協助本地漁業發展，漁農處進行多項研究工作，包括海洋資源、水產養殖、以及各建設發展計劃對漁業環境的影響。

海洋資源研究的重點，是令已開發的漁業資源得以充份生產，並探索未完全開發資源的潛質。漁農處繼續致力發展南海水源500至1,000米海底的對蝦資源，並指導有興趣的雙拖漁民利用魚類統營處提供的船上冷凍設備，捕捉一種在水深200米海底出現的對蝦。

水產養殖的研究，注重發展更有效的養殖方法和改良飼養技術，以期增加產量及減輕對環境的影響。漁農處正探索外海養殖的可行性，希望海魚養殖業可在沿岸較不隱蔽的水域發展。

在漁業發展方面的工作，包括使漁船設備現代化，採用更完善的捕魚和航海裝置。

不過，在香港漁業發展的同時，港府在香港附近海域進行一連串挖沙及填海工程，污染海水，令近岸作業的漁民漁獲大減。在未有挖沙和填海工程以前，漁民面對最大的問題是人手不足，但仍不及污染造成的打擊那麼嚴重。

據港府的計劃，在果洲群島東龍島附近海域，有一個面積約 3,600 公頃的海沙場，所得海沙可供填海之用，挖沙工程已於一九九〇年展開；但該處同時亦為本港漁民捕魚和養魚區。至九一年，在果洲和東龍島一帶作業的漁民開始發覺漁獲減少，養殖的海魚死亡率上升，於是要求港府停止在該區的挖沙工程及賠償漁民的損失。五、六十年代本港海域水質良好，近岸捕魚漁獲仍豐；但自七十年代工業發展後，工業廢水大量流入海港，以致近海魚產量愈來愈少。果洲和東龍島乃現時僅有的幾個未受污染的捕魚區之一。一些深海魚如老鼠斑，均可以在該處捕獲。經過這次挖沙工程，合適的捕魚場愈見不足。

除近岸作業漁民面對上述問題外，在較遠洋捕魚的漁民亦存在隱憂。現時本港船身長 10 至 34 米的漁船約佔總數六成，其中較大型的拖網漁船會到東京灣東海一帶的南海大陸架上作業。但在國際水域捕魚必須解決捕魚權的問題，否則就會出現漁民被其他國家扣留，罰款及充公漁獲情況。現時漁民冒險到海岸資源豐富的菲律賓一帶水域捕魚，則毫無保障。因為港府在這方面沒有積極為漁民拓展遠洋漁場。其次，漁民根本沒有經濟能力獨力發展遠洋捕魚，現時要安裝一艘深海拖網漁船，動輒過千萬元，但港府的貸款最高不過 200 萬元左右，加上香港漁民缺乏遠洋捕魚的科技及設備，只靠經驗是很難克服遠洋的惡劣情況。

現時在遠洋捕魚的漁獲已有減產跡象，原因是海水污染、氣候反常及中國經濟開放後，出現很多中國漁船捕魚，造成競爭。

養魚業和捕漁業一樣，受本港海域的挖沙工程所影響，魚排內的魚死亡率上升，九二年第三季以來收成率約三成，比前期的五成大為下降。

【新動向】 隨着世界資源續漸減少，本港捕魚業應作出改變。目前捕撈魚類已是不合時宜的方法，漁民應着重發展養魚，把它改變為一企業化及多元化的漁業。而有意發展養魚業的人士，已經開始汲取新知識，改善養魚技術，部份人士已在本港以外地方飼養魚類，當長得較大時，才運回香港，等待時機出售。除養魚外，業者可以發展再加工業或與魚類有關的買賣。九二年年中漁農處曾組織漁民前往日本，與當地一些魚類副產品加工廠廠商接觸，並吸收當地在製造魚漿的經驗與技術。並希望吸引日本廠家來港投資設廠，把當地的技術引進香港外，並確保產品質量和生產量。

香港漁民近年在南中國海捕撈所得的漁獲佔一半是細小的魚和下價魚。一般漁民未能盡量利用這些漁獲滿足市場需求和增值獲得高利潤。因此若能在港發展魚類副產品加工業，香港漁業發展將出現另一番景象。

附錄：

一、一九九二年香港經濟大事記

一月份

1日　踏入九二年，各種加價接踵而來，其中，煤氣加幅7.5%、港燈電費加幅3.9%、屠場各項雜費提高12－20%不等。

2日　今年聯交所首個交易日，港股以紅盤開出及收市，恒指收市報4301.78，升4.45點，再創歷史新高，全日成交額爲10.02億元。

8日　位於茶果嶺的麗港城第34座開售，平均售價爲每方呎3,100元，反映住宅樓宇市場轉趨活躍。

9日　港府宣佈新的輸入勞工計劃，規定最高輸入總額爲2.5萬人，行政局已同意輸入勞工是一項長期政策。

11日　中國司法部最近將委託香港執行公證業務的律師由26位增至48位。

13日　中信泰富以30.06多億元收購主要股東持有的62.15%恒昌股份，從而令中信泰富持有的恒昌股份增至97.12%。

16日　市政局公共衞生委員會主席浦炳榮表示，由今年開始對市區共8,459間食肆及食物製造工場實施新的食肆巡查制度。

20日　香港總商會屬下的香港國際正式成立，鄺明訓任主席，已有86名本港工商業界領袖擔任委員會的"大使"，他們負責向海外商家介紹香港。

20-22日　海峽兩岸、港澳和美國等110名經濟專家在港舉行中華經濟協作系統研討會，研究大陸、港澳台間相互經濟發展的前景。

22日　貿發局助理總裁黎黃靄玲指出，目前台商在港設立的公司約有2,600家，在國內投資的台灣公司一般在港均設有辦事處。

港府在倫敦舉行香港節，港督衞奕信出席活動。香港知名人士張鑑泉、陳坤耀、錢果豐並在名爲香港未來經濟研討會上演講。

25日　房委會通過一項決定，出售公屋時不與市值掛鈎，令出售單位平均價介於20萬至25萬之間。

27日　一九九一年度的粵港邊境聯絡工作年會在布政司署舉行，雙方滿意去年的合作成果。

二月份

1日　英國銀行家雜誌二月號發表以國際化進展狀況爲標準的世界銀行排行榜，滙豐銀行名列榜首，中國銀行排在第八。

金融科統計數字顯示，一九九一年港元全年存款繼續增加，增幅逾16.2%，外幣總存款亦有8.3%的增長。

2日 新華社香港分社社長周南發表新年賀辭指出，中國局勢持續穩定並取得更大成就，為香港的進一步發展提供了新的機會。

6日 自農曆年二十六起至年初三止離港外出渡歲的市民超過128萬人次，較去年同期的114萬人次增逾12%。

7日 港股春節過後開紅盤，恒生指數收市報4711.37，上升39.28點，再創歷史新高，當日成交額爲27.97億元。而業內人士繼續看好後市。

11日 港府公佈香港工業及科技發展局成員名單，財政司麥高樂獲委爲該局主席，經濟司、教育統籌司、規劃環境地政司、工商司及工業署長爲當然委員，而來自工商、金融及學術界的非官方成員有18人。

13日 招商局與12家國際銀行及財務公司簽署一筆1.6億美元爲期10年的貸款協議，款項用於購買7艘新造輪船，這是今年中資機構首項大型融資業務。

15日 香港工業總會發表的一份報告指出，其所屬的1,600家製造業會員，4成多的會員已在珠江三角洲投資設廠，其中的3/4廠商表示會擴充在粵的投資業務。

19日 國商臨時清盤人紀禮遜宣佈，有關出售國商銀行予香港華人銀行的商討已告終止，而國商清盤是最佳選擇。

21日 聯交所發出沽空建議的諮詢文件，將在年中容許20隻藍籌股進行拋空，而沽空交易只可在孖展戶口中進行。

24日 庫務司楊啓彥公佈新財政年度財政開支預算爲1,212億元，較本財政年度預計開支高16%。

26日 港督衞奕信訪問廣東，並與廣東省省長朱森林就兩地的合作交換了意見。

28日 勞工處在截止日共收到7,300多名僱主申請98,018名外地勞工，超出港府公佈的外勞配額近8倍。

三月份

2日 臨時機場管理局正式公佈新機場總綱計劃，並將價值5.36億元的新機場客運大樓等的設計合約批予MOTT英資集團。

高等法院正式下令把香港國際商業信貸銀行清盤，並在半年內成立清盤監察委員會。

3日 聯交所刊物指出，聯交所經紀會員登記人數爲577名，會員之多世界排名第一。而紐約535名、倫敦409名分別位列第二和第三。

4日 財政司麥高樂發表其上任以來首份財政預算案，重點談及本港經濟、通貨膨脹、財政預算策略、開支與收入預算、稅收建議。

6日 期貨交易所停止開辦有十一年多歷史的黃豆期貨市場買賣。近年冒起的金融期貨品種已逐漸取代農產品期貨位置。

8日 香港創業投資協會主席Perrion指出，一九八七年在香港營管的創業基金僅7.8億元，但到九一年已升至234億元。

9日 港府與中電簽署新管制計劃，股東利潤爲固定資產淨值總額的13.5%，另加股東投資購置固定資產資金的1.5%利潤。

11日 港澳辦和新華社香港分社在北京舉行香港事務顧問聘書頒發儀式，共有44名港事顧問接受聘書。楊尚昆出席儀式，李鵬發表講話。

12日 中國南海崖13－1氣田的天然氣銷往香港的原則協議在北京簽署，李鵬總理出席簽字儀式。

16日 證監會同意給予怡和在香港之第二上市地位，並知會聯交所。

消委會公佈3間地產公司及其代理商名稱，指其出售的名仕閣、鯨塱軒、崇明閣的建築面積及實用面積之比率有極大的差距。

17日 滙豐控股發表聲明，滙豐將向英國米特蘭銀行提出推薦建議以進行合併。

20日 中英土地委員會達成協議，在一九九二至九三年度批出159.3公頃土地。同時另再預留5公頃住宅地備用。

25-26日 警務處長李君夏訪問北京，討論加强兩地警方的合作。

27日 滙豐控股宣佈該集團已與本港及證券交易所申請雙重第一上市地位，並和倫敦、香港達成原則上協定，容許其在香港的第一上市地位及確認在倫敦的第一上市地位。

30日 聯交所表示完成一份有關中國企業在港上市的報告。

中國海灣建設總公司奪得7.32億元的東涌發展計劃第一期——地盤開拓工程合約，這是中資公司首次投得新機場核心工程的合約。

四月份

1日 港府一九九一年爲反通脹而實施的凍結各項服務加價的期限屆滿，各項與民生有密切關係的服務均相繼調整費用。

立法局三讀通過一九九二至九三年度財政預算撥款條例草案。

3日 憲報報道，港府已批准在中區海傍進行塡海，範圍由林士街至卜公碼頭，可提供約20公頃土地作爲機場鐵路在港島方面的終站。

7日 招商局以13.5億元購入英資鐵行、英聯邦發展公司所持有的現代貨箱碼頭公司的15%股權，成爲現代貨箱第三大股東。

10日 亞洲發展銀行推出總額爲5億元的港元債券，年期7年，成爲跨越九七的港元債券。

香港中國企業協會舉行週年常務會議並選舉第二屆會董會，會董會會員由15人擴大爲16人，黃滌岩蟬聯會長。

14日 滙豐銀行和恒生銀行分別披露其內部儲備，滙豐內部儲備總值爲253億元，恒生銀行則爲129.676億元。

滙豐控股與英國米特蘭銀行董事局聯合宣佈雙方達成協議，滙豐以1股滙豐控股股份加100便士滙豐控股債券換取1股米特蘭股份，總的收購作價相當於420億元。

19日 爲期4天的中國房產展銷會售出的物業總值達1.9億元，但入場參觀人數却超過4萬人次。

22日 澳門中國企業協會成立，首批入會的會員機構共148個，首任會長爲曹萬通。

24日 英國首相馬卓安委任保守黨主席彭定康接任衞奕信的港督職務。

29日　港府公佈一九九二年輸入1.2萬名外地勞工配額的分配詳情，其中服務行業約佔總額約一半，製造業約佔25%。

五月份

1日　本港七大工商組織代表組成的9人聯合游說團前往北京，4日再飛華盛頓，向中美兩國開展敦促美國給予中國最惠國待遇而進行的一連串游說活動。

5日　行政局通過把建造青馬大橋的合約批給英日財團。該財團的出價爲71.44億元，比出價最低的南韓現代集團多出24.31億元。

6日　財政司麥高樂宣佈撤銷提高差餉半個百分點的建議，但不會再延長25%的最高寬減額。

美國發表該國給予香港在進口高科技產品貿易方面的特惠細則，同時容許本港轉口高科技產品往他國時，享有簡化手續的優惠。

8日　香港貿發局經濟主任區健坤最近表示，貿發局推動中港經貿合作的工作重點已轉爲推動兩地在基礎工業和科技開發方面爲主，而協助港商拓展內地消費零售市場和房地產市場亦是重要一環。

11日　銀行監理專員簡達恒公佈其首份年報指出，去年本港銀行利潤增幅超逾30%，但認可的機構數目由405間下降爲375間。

14日　香港銀行公會表示反對設立存款保險制度，並强調健全銀行體制才能眞正保障存戶。

港府公佈42項改善警隊招聘及挽留初級警務人員的建議，他們同時可獲得平均5.56%的加薪。

15日　聯交所宣佈將交易時間延長半小時。

17日　新華社香港分社社長周南說，今後5年要使香港居民都能了解和熟悉基本法，並促使香港各個領域的發展都能走向同基本法相銜接的軌道。

19日　夾心階層房屋問題工作小組決定將月入1.8－4萬元的家庭界定爲夾心階層，這類家庭本港約有4－4.5萬戶。

21日　港府建議分階段撤銷戰前住宅樓宇及一九八三年訂定的戰後住宅樓宇租約租金管制。

25日　銀行公會將港元存款利率全面調低1厘，儲蓄存款已由3厘降爲2厘。

26日　恒生指數勁升，破六千大關，收市報6052.08點，成交額57.45億元。至此，恒指今年上升1,755多點，升幅接近41%。

29日　港府發表首季經濟報告，首季本地生產總值較去年同期上升4.5%，首季通脹率則爲10.1%。

六月份

2日　行政局批准延續中巴專利權兩年，但把中巴26條巴士線劃出公開競投及取消目前的利潤管制計劃。

3日　港府與香港電訊原則上達成協議，未來三年本地電話服務收費將按照以消費物價指數減4%的公式訂定，而國際電話收費在3年內減低12%。

7日　港督衞奕信前往北京作離任前的訪問。李鵬、魯平分別會見他，並讚賞衞奕信任內爲加强中英合作所作的努力。

8日　外滙基金管理局正式實施流動資金調節機制措施，揭開本地銀行貨幣體制的新里程。

聯交所實行T＋2新交收制度，銀行公會亦配合此安排，將支票入票時間延長2小時。

9日　滙豐股東特別大會通過以新的收購價39億英鎊收購米特蘭銀行及撤銷滙豐1％股權限制的決議案。

行政局通過本年度全港18萬公務員薪酬調整的初步建議，高級公務員加薪幅度爲11.17％，中下級公務員爲11.6％。

10日　港府發表新場計劃《現金流量表》及《業務計劃簡要》，同時公佈新機場10項核心工程總開支到一九九七年完成時爲1,753億元。

16日　勞工顧問委員會僱員補償小組通過把最高工傷賠償由62萬元提高到144萬元，而導致死亡的最高賠償爲162萬元。

17日　天文台宣佈實施暴雨警告系統，並以綠黃紅黑4色作警告訊號。

香港中華廠商聯合會與中華全國工商業聯合會在香港簽訂合作備忘錄，雙方決定經常交換工貿信息及舉辦科技交流及商業聯繫等。

18日　中國銀行行長王德衍在倫敦表示，中國銀行準備一九九四年在香港發行鈔票，並且爲此已與港府作過非正式接觸，港府表示積極支持。

22日　3萬多名來自世界171個國家和地區的獅子會會員及家屬一連5天在香港舉行年會及慶祝總會成立75週年。

23日　期交所舉行週年大會，梁家齊接替退休的麥銳衡當選期交所主席，這是自一九八七年股災以來，恢復以華人出任主席。

香港最高法院宣判被廉署四年前檢控藉獲優先配股非法收受利益一案的前聯交所8名高層要員無罪釋放，而同案的李福兆二十四日亦裁定無罪，但仍需爲另外兩項刑事服刑。

24日　港府與深圳市政府達成協議，自七月一日起延長4個邊境通道開放時間。其中，羅湖口岸新開放時間由上午七時至晚上十一時。

25日　滙豐控股宣佈已成功收購米特蘭銀行，而收購建議已成爲無條件。

27日　香港各界人士百餘人出席“積極邁向一國兩制研討會”，姬鵬飛和魯平發來賀電。

30日　上半年共有15間新公司上市，集資逾15.5億元。

七月份

2日　九龍城寨第三期清遷行動順利完成，整個清拆行動估計耗資33億元，城寨舊地一九九五年將完成改建爲公園。

港府公佈將於一九九三年發出一個全港性的收費電視牌照，爲期3年，它提供的台數由8個至20個。在3年期間禁止播放廣告。

3日　中英兩國在北京就香港新機場財務安排舉行高層會談，雙方的首席代表分別是港澳辦主任陳滋英及英國首相特使高爾斯。雙方未能就機場財務問題達成協議。

6日 銀行公會全面調低港元存款利率0.5厘，儲蓄存款利率由2厘降為1.5厘，這是自一九八八年二月十五日以來的最低水平。

8日 港府與旅遊業議會就一套規管外訪旅遊業的改革方案達成協議，港府將修訂旅行代理商條例以實行這些改革。

9日 第28任港督彭定康抵港履新，他表示未來將有5項主要任務，其中最重要的是加強中英兩國關係。

13日 中國航空公司及香港中旅集團斥資34億元，購入國泰航空10%股權。

15日 財政司麥高樂宣佈本港外滙基金總額至一九九一年底達2,361.21億港元，而基金的累積盈利為986.52億港元，位居世界第12位。

16日 香港電訊主席楊格勳爵表示，電訊在過去四年在本港的網絡基本建設投資逾102億元，並會在未來1年中再投資37億元。

18日 貿發局總經理王林奕蘋表示，自國務院在五月宣佈開放第三產業的合作領域後，港商必須掌握內地市場形勢，組織情報網，尋求發展的突破。

21日 行政局原則上通過全港性的强制退休保障計劃的諮詢文件，並且由八月份起向市民諮詢三個月。

23日 上半年共有41隻單位信託基金尋求認可，較去年同期上升64%，新產品中包括6隻中國基金。

25日 貿發局最近完成的港商設廠華南的調查顯示，約80%廠家，為數2.5萬戶均在華南設有生產基地，在當地僱用逾300萬勞工。

27日 貿發局主辦的第二屆香港書展，5天內逾24萬人次入場參觀，售出各種書籍逾2千萬元。

29日 中英土地委員會第26次會議商定本年度開發土地平均成本為每平方米3,950元，同時調整批地計劃，提供5公頃土地擴建九廣鐵路紅磡貨物集散場。

31日 臨時機場管理局將總值90.41億元的新機場平整工程合約批給包括日、英、美、中、荷、比等國組成的財團，而標書有效期可延至十一月底。

八月份

1日 香港今日起把嚴禁吸煙區擴大至所有電影院、劇場和音樂廳的座位、娛樂遊戲機中心、公共升降機及所有公共交通工具。

3日 聯交所上市委員會委員梁定邦表示，上市科已完成對本港備兑認股證發行情況及對市場影響的檢討，聯交所不對發行機構內部風險管理作硬性規定。

5日 醫管局執行總監楊永强表示，本年度醫管局獲政府撥款102.65億元，其中99億元用於擴展現有服務。

7日 銀行業人士指出，由於港元存款利率低企，銀行定期存款流失，致令金融機構推出新投資產品吸引客戶。

10日 和記黃埔配售3億股和黃新股，集資44.7億元用來應付嘉宏私有化所需的資金。

11日 居者有其屋第十四期乙共推出6個屋苑6,856個單位，單位售價43.03萬至133.37萬元，折扣率為市值的45%。

12日 中國海外發展有限公司上市招股所凍結的認購資金爲758億元，共超額認購99倍。

財政司下令調查市值接近80億元的聯合集團，聯交所亦將聯合集團屬下及有聯繫的共10間上市公司暫時停止買賣至十六日。

14日 運輸署批出城門隧道、將軍澳隧道、獅子山隧道、機場隧道的管理、經營及維修合約予兩個私人機構，港府則保留控制隧道收費的權力，合約爲期3年、

16日 房屋署署長馮通表示，未來10年內，全港220萬個家庭中，會有140萬個家庭住在自置物業內。其中，40萬個爲居屋及出售的公營房屋。

17日 臨時機場管理局公佈更改赤鱲角新機場的整體設計，將客運大樓西移190米至原來的赤鱲角島上，南面跑道西移360米，令赤鱲角東邊2,000米長的自然海岸得到保留。

20日 署理銀監專員卓盛泉表示，銀監處關注參與內地樓宇按揭貸款的本地銀行，並要求銀行塡報有關他們在內地貸款的資料，以掌握更詳盡的情況。

21日 貿易署副署長黎年表示，該署的通告和商業資料的7,100個定戶中，已有六分之一選用圖文傳眞方式接受信息。

24日 衞生福利服務收費及豁免制度研究小組建議港府需設立急症室服務收費，並向首次住院及使用專科診療服務的人士收取行政登記費用。

26日 警務處長李君夏表示，今年截獲的非法入境者較去年同期增長40%，警方考慮給線人費予舉報者，希望能遏止偸渡潮。

28日 港府發表上半年經濟報告指出，上半年本港生產總值估計增長4.7%，上半年甲類消費物價指數平均升幅爲9.6%。

30日 根據關稅暨貿易總協定發表的一九九一年全球貿易排行榜顯示，香港首次躋身全球前10大，居第10名。前9名爲美德日法英意荷加比。

九月份

1日 房委會屬下約21萬戶公屋單位加租，平均加幅爲22%。

中方消息指出，解決新機場財務問題，應該把機場鐵路和地鐵兩筆賬分開來算。而解決機鐵負債，將沿線上蓋物業的賣地收入中，港府所得的一半約212億元投入即可。

4日 港府估計倘若中美觸發一場貿易戰，本港貿易首年會減少350億元，其中經港轉口貨值損失140億元，港商盼望中美雙方可以互諒互讓。

6日 國務院港澳辦一司司長陳佐洱訪問香港三天，聽取本港各界對新機場問題的意見。

7日 馬會宣佈限制六合彩頭獎最高獎金額爲3,800萬元。

8日 統計處宣佈截至六月三十日，本港人口估計爲581.15萬人，比去年同期增加1%。

10日 港府宣佈由於旅遊業議會儲備基金已達1億元，對遭受損失的外訪旅客的賠償額，由團費的70%增至80%。並將外遊印花費由團費的1%減爲0.5%。

16日 繼九日後，中英機場委員會再舉行一輪會議，英方提出將機場沿線鐵路賣地收益

注入機場管理局的建議，中方表示研究後再作回應。

21日 工業署出版的香港製造業顯示，在46,276間工業機構中，86.2%僱用少於20人，而僱用少於50人的則有94.8%。

23日 中英聯合聯絡小組第二十四次會議在倫敦舉行，雙方就科技、國際犯罪、運輸和國際私法方面的13項國際條約適用於特區達成協議。

26日 新機場工程統籌署署長許仕仁表示，已將價值8.21億元的西九龍塡海計劃下的油蔴地避風塘塡海工程予由港荷意合資的財團。

29日 行政局批准城巴專利經營港島26條巴士線，由一九九三年九月開始，爲期三年。

十月份

1日 財政司麥高樂表示，全球資產最大的100家銀行中，有83家在香港經營業務，香港已發展成爲主要國際銀行業中心。

中央電視台向亞洲地區每天15小時開播第四套節目，在港澳地區亦可收看。中央電台亦即日起對港澳地區播音19小時。

3日 據香港單位信託基金公會統計資料，自今年四月份推出首個中國基金以來，該會共推出16個中國基金，其總值約47億港元。

7日 港督彭定康發表首份施政報告，由於其憲制方案對香港政制提出了重大改變，遭到港人和中國的强烈反對。由此導致中英爭論的升級，令香港社會和經濟都受到重大的衝擊。

9日 港府宣佈總督商務委員會的委員名單，18位本港商界人士獲委任，而布政司、財政司和工商司爲該會的官守委員。

12日 中共十四大在北京開幕。香港多位社會人士指出，今後大陸與香港經濟將更爲密切，中港經貿關係不再局限於廣東，亦將擴展到其他省份。

15日 中英機場委員會開會，中方不接受英方九月十六日方案，亦不同意動用土地基金儲備。至於機場鐵路沿線賣地，應納入每年土委會的批地計劃中。

20-23日 港督彭定康訪問北京3天，與魯平、錢其琛等中國官員見面。中方嚴正指出彭定康的施政報告違背中英聯合聲明，違背與基本法銜接的承諾，違背已達成的諒解，損害了香港的繁榮與穩定。

22日 在海外基金以不問價的姿態掃貨下，恒生指數兩日連續上升至6329.12，二十二日成交額高達63.34億元。

23日 港府公佈强制退休保障諮詢文件，建議强制每間公司成立退休保障基金，僱主與僱員共同供款相當於僱員月薪的5%。

26日 華潤研究部的報告指出，中港經濟關係經過多年的累積和發展，現已進入相互趨近及相互整合的新階段，兩地經濟邊界正在消失。

27日 港府認可的8家中資建築企業至十月底共承接新工程合約72項，總額近70億元。

28日 爲使外界了解中英雙方就香港政制發展與基本法銜接達成諒解的情況，中英雙方同時公佈一九九〇年一至二月間就本港政制發展的7份磋商文件。

30日 港府正全面重新檢討本港長遠發展策略，使未來整體發展能配合華南地區的發展。而港府亦優先爲西九龍、九龍東南及葵青荃灣等區制定發展綱領。

十一月份

1日　新華社香港分社副社長張浚生指出，中方年初曾兩度提議中英聯合聯絡小組討論一九九五年選舉問題但皆被英方拒絕。

3日　香港特別行政區政府土地基金受託人公佈土地基金賬目，由一九八六年設立至今年三月底，基金總值爲337.2億元，其中59.03億元爲累積投資盈餘。

4日　本港各工商團體、港府官員及學者分別就克林頓當選美國總統發表意見，擔心美國會出現保護主義情緒，建議應該更多派團往美國游說。

聯所決定凡發行備兌認股證及非抵押認股證的上市公司，其市值最少爲100億元，而公衆持股量總值不少於50億元。

6日　華潤宣佈以1.74億元購入香港華人銀行經擴大股本後的15%股權，而華潤總經理朱友藍獲委任爲華人銀行董事。

8日　據香港人事管理學會薪酬調查委員會的一項調查報告顯示，接受調查的106間公司今年的平均總加薪幅度爲12.4%。

10日　港府把九號貨櫃碼頭的發展權，批予現代貨櫃碼頭、香港國際貨櫃碼頭合組的財團以及青衣貨櫃碼頭集團。

港府宣佈委任外滙基金管理局局長任志剛爲香港金融管理局候任總裁。

11日　大新金融宣佈以10.547億元向恒生及永安集團購入永安銀行97%股權，令大新金融的分行數目將由38間躍升爲54間。

港督彭定康訪問加拿大，及後來訪問日本的過程中均游說支持其政改方案，策動美、加、澳洲等干預香港事務，公然違反國際關係準則。

12日　港股再創高峯，恒生指數收市報6447.14，是今年以來最高收市價。自此以後，由於彭定康的政制報告引起中英爭論升級，股市步步下挫。

15日　本地高級公務員協會7人訪京團訪問北京，並與魯平、陳滋英會面。

16日　港府將總值達16.4億元的汲水門大橋設計及建造合約給一個日本聯營公司。

18日　稅務局發出新的利得稅利潤來源指引，對外發加工產品採用50%的製造利潤源於香港而徵收利得稅。

24日　港府宣佈明年初開始發行新設計的硬幣及紙幣。硬幣正面圖案將以香港市花洋紫荊取代英女王像。

24日　馬會宣佈由於沙田馬房受病毒感染，十一月二十九日之賽馬被迫取消，感染病毒之馬超過400隻。直到十二月二十三日才恢復賽事。

27日　中英聯合聯絡小組中方首席代表郭豐民指出，九號貨櫃碼頭合約跨越一九九七年七月一日，但事先並未提交中英聯合聯絡小組討論，未來特區政府將一概不予承認。

立法局財委會以27：25票通過對機場開拓工程的66.99億元撥款。郭豐民指出港英拋棄中英有關新機場諒解備忘錄，由此產生的一切後果由港英負責。

港府的經濟報告顯示，第三季本港生產總值的增長率估計爲5－5.5%。第三季通脹率爲9%。

30日　國務院港澳辦發言人指出，除土地契約外，港英政府所簽訂或批准的所有合同、契約、協議的有效期只能到一九九七年六月三十日止。凡未經中方認可者，一九九七年七月起一律無效。

十二月份

3日 受中英爭論升級影響，在十一月三十日至十二月三日的四天內，恒生指數由5986.67滑落爲4978.21，一共下跌1008.46點。證券界人士表示大市進入政治市，走勢已難預測。

工業署署長在亞太區科學園會議上透露港府最近完成了香港興建科學園的研究報告。

7日 美國標準普爾公司表示考慮降低港府及地下鐵路公司的信用評級。目前港府及地鐵的外幣債券信貸評級均爲A級。

8日 港府宣佈當金融管理局成立後，金融科將改稱爲金融事務及經濟分析科，而簡德倫將接替林定國出任金融司。

9日 華潤集團董事長沈覺人表示有份參與投資的九號碼頭項目，準備向中方提出申請。

10日 美國大通銀行高級副總裁馮漢輝表示，本年度薪俸稅總額爲200億元，而利用稅務貸款交稅的金額將佔40%，較上年度上升15%。

11日 在近期股市跌市中，除利信達與越秀投資分別獲得68倍及230倍超額認購外，國衞認購率僅71%，南華證券擱置上市計劃。

14日 安達信、德勤、容永道、安永、羅兵咸、畢馬域、關黃陳方7間會計師行分別獲得9間準備來港上市的中國企業委任，爲上市進行前期的會計準備。

15日 港府拍賣2幅工業用地。至此，今年共舉行10次土地拍賣會，拍賣土地共30幅，總金額逾87.4億元。

16日 港府經過7年的纏訟，終於將前裕民財務主席奧士文由英國引渡返港，廉署指控他39項賄賂及詐騙罪行。

房委會推出第14期丙居者有其屋，平均售價在52萬元至141萬元之間，約爲市值的55%，這批居屋分佈在77個屋苑，共7,469個單位。

17日 新華社發表述評，題爲"請看一家英資財團的眞面目"，不指名地批評怡和集團由靠販賣鴉片起家及一九八四年以來的所作所爲。

19日 房屋署助理署長李啟發表示，自一九八七年起，房委會動用330億元興建公屋，在未來八年內更將動用1,070億元進行房屋計劃。

21日 綜合證券市場消息，一九九二年共有60間新上市公司，集資總額逾86.4億元，爲歷年之冠。目前上市公司總數爲477間。

22日 渣打銀行將位於中環的總行大厦以9億元售給恒隆集團屬下的淘大置業，但渣打仍租用該大厦。

23日 入境處發言人宣佈由明年一月一日開始，上海及附近地區來港而持有雙程證人士可由水路來港。

25日 康泰及星晨集團表示，今年聖誕節出外旅遊的港人稍減，旅行社全年生意額雖然增加10%，但經營成本上升使盈利無甚增長。

27日 物業市場人士表示，在政治不明朗因素下，第四季樓市表現持續淡靜，樓價跌幅約5-10%。租務市場則於下半年步入調整期。

30日 財政司麥高樂在年終總結時表示，過去一年，香港經濟表現强而有力，發展相當蓬勃，實質增長率達5%。他認爲未來數年仍可維持此數字。

31日 恒生指數收市報5512.39，較一九九一年收市指數4297.33上升28.3%。年內恒生指數最高點爲6447.11。

二、一九九二年香港財經法規摘要

一九九二年公司(修訂)條例草案

本條例草案旨在修訂《公司條例》，從而——

(a)授權公司註册官——

(i)將未有呈交周年報表的公司的名稱從公司登記册內删除；

(ii)如認爲適當的話，可在接到申請後將一間被除名公司的名稱恢復列入登記册內；及

(iii)放棄歸政府名下作爲無主物的任何財物，但不動產除外；

(b)就下列事宜作出規定——

(i)將一間已解散公司的財物歸於政府名下作爲無主物；及

(ii)一間已解散公司的債權人可向公司註册官提出申請，要求他償付該公司欠下的債項；

(c)界定"不活躍"及"重要會計交易"的定義；

(d)擬定將公司視作不活躍公司所須依循的規定；及

(e)規定被視作不活躍公司毋須遵守該條例的某些規定。

一九九二年公司(修訂)(第2號)條例草案

本條例草案旨在修訂《公司條例》，將公司註册官(註册官)某些關於招股章程的職能移交證券及期貨事務監察委員會(監察委員會)。

2. 草案第2條以"監察委員會"的定義代替"證券及期貨事務監察委員會"的定義。

3. 註册官可以批准豁免遵守某些關於招股章程的條文。草案第3及12條將註册官這項職能移交監察委員會。

4. 草案第4條清楚說明，根據《保障投資者條例》(第335章)第4(2)(g)條獲批准內附招股章程摘錄或節本的廣告是合法的。此外，亦增訂條文，使按照監察委員會規定的格式發表招股章程摘錄或節本屬合法行爲。

5. 草案第5及13條制定新的條例第38D及342C條，代替舊有條文。招股章程仍可在發出前由註册官登記，但在登記前，必須先獲監察委員會批准。監察委員會會確保將予發出的招股章程符合《公司條例》的規定，並會簽發證明書，證明監察委員會已批准爲招股章程登記。註册官在看過批准登記證明書，並確定招股章程已夾附或註明所有必需的文件及同意書而其他關於簽字及招股章程格式的規定已獲遵守後，便會爲招股章程登記。

6. 草案第14條增訂一條文，規定由一間在香港以外地方成立的公司發出的招股章程，如果是在香港或由香港發出、流傳或分發而內有失實陳述者，則須負刑事法律責任。

7. 草案第15條使註册官可對招股章程的印刷本尺寸作出規定。

8. 草案第16條將招股章程內必須提供5年的營業記錄及經審核帳目這規定改爲須提供3年的營業記錄及經審核帳目。

9. 草案第17條釐定註册官爲招股章程登記的費用。監察委員會批准招股章程的費用將由監察委員會制定的規定釐定。

10. 草案第18條是關於過渡性事宜。草案其他條文作出相應的修訂。

一九九二年商業登記(修訂)條例草案

本條例草案修訂《商業登記條例》——

(a)在條例第5條，制定新商業分行登記的申請程序，以代替現時的通知程序(草案第2條)；

(b)在條例第6條，規定如某一商業的名稱顯示該商業是以有限責任性質成立的，但實際並不是，又或商業名稱顯示與政府或任何公共機構有關連，但實際並無此等關連，則稅務局局長毋須爲此等商業登記(草案第3條)；

(c)在條例第7條，授權稅務局局長——

(i)在有效商業登記證期滿前發出續期通知書；及

(ii)發出繳款通知書，要求在過去6年內並無有效商業登記證而經營任何商業的人士，繳付有關費用(草案第4條)；

(d)在條例第8條，規定對於根據該條須通知稅務局局長的事項，如有關人士已在根據《稅務條例》(第112章)塡具的申報表內將該等事項通知稅務局局長，則毋須再向稅務局局長發出通知(草案第5條)；

(e)在條例第15條——

(i)將該條所述罪行的罰款額由$2,000增至$5,000；及

(ii)授權裁判官就若干罪行發出命令，要求遵辦特定事項(草案第7條)；及

(f)在條例第19條，更改由稅務局局長發給經核證副本的若干規定(以配合爲稅務局商業登記署的運作引進縮微膠卷及電腦科技的建議)(草案第8條)。

2. 草案第9條制定過渡性條文，該條文是關於在經已根據主體條例現有條文發出開始營業通知的情況下如何處理商業分行的登記。

3. 草案第10條修訂《稅務條例》(第112章)第4條，准許爲着第1(d)段所述目的，將根據該條例取得的資料轉告他人。

一九九二年銀行業(修訂)條例草案

本條例草案的目的，是要對《銀行業條例》作出多項修訂。當局對銀行業不斷檢討的結果顯示，有需要作出修訂，使銀行業的運作更加良好。

2. 草案第3(b)條修訂條例第52條，以增訂新條文第(2A)款。新條文授權銀行監理專員向認可機構發出少於7日的書面通知，表明他有意行使條例第52(1)(D)條所賦予的權力，向總督會同行政局提交有關該機構的報告。不過，該專員須先得到財政司的同意，及如在當時情況下此舉份屬合理時，才可行使新權力。

3. 草案第4條修訂條例第59條，將現時賦予該專員在認可機構的核數師之外，另外委任核數師處事的權力廢除，另代以新權力。新權力授權該專員，就行使該條例所賦予的職能時有理由需要知道的事情上，要求一名獲該專員提名或核准及由認可機構聘用的核數師提交報告。

4. 草案第5(a)條廢除條例第63(3)條，並代以新條文第63(3)、(3A)、(3B)、(3C)及(3D)條。新條文第63(3)條授權該專員要求認可機構的核數師提交報告，說明該核數師或該等核數師認為有關的機構根據條例第63(1)或(2)條向該專員提交的申報表或資料是否編纂正確。條例新條文第63(3A)條授權該專員就該條(a)及(b)段所指明的所有或任何事情、要求認可機構的核數師提交報告。這些事情包括能使該機構履行該條例第XII、XV、XVII及XVIII部所定職責的管制系統是否適當，以及包括該核數師或該等核數師是否認為，在該報告書所述期間內，有任何事情在實質程度上對該認可機構的財政狀況有不利影響。條例新條文第63(3B)及(3C)條對該專員根據條例新訂的第63(3A)條行使權力方面施加若干限制。

5. 因應草案第4及5條所作出的修訂，草案第2、5(b)、9及10條分別對條例第50(1)、63(5)、120(5)及131(1)條作出修訂。

6. 草案第6條修訂條例第81(6)條，以增訂(l) 段。新條文規定，在條例第81條範疇內，認可機構的財政風險不得包括已在該機構的賬簿內予以註銷，或作出了特別準備的任何財政風險。

7. 草案第7(b)條修訂條例第83條，以增訂新條文第(3A)款。新條文規定，條例第83(3)條所指明的貸款(例如無抵押貸款及無抵押財務保證)，凡在條例第83(1)及(2)條所指明的限制的適用範圍內，不得包括已在有關的認可機構的賬簿內予以註銷，或作出了特別準備的任何貸款。

8. 草案第8(a)條修訂條例第92條，以增訂新條文第(4A)款。新條文近似《1987年銀行法令》(1987c.22U.K.)第32(4)條。根據該條文，一名經營印行或安排印行廣告業務的人士，如曾印行違反條例第92條的廣告，可以提出免責辯護。草案第8(b)條廢除條例第92(5)(b)條，以條例新訂的第92(5)(b)條取代。新條文的效力與現行的條例第92(5)(b)條相同，但用詞較明確。

一九九二年外滙基金(修訂)條例草案

本條例草案的主要目的是——

(a)使財政司除主要將外滙基金用作影響港元滙價的目的外，更可將該基金應用於有關法例內所指定的其他目的；及

(b)規定委任一名金融管理專員，以協助財政司根據該條例執行其職能，以及執行其他指定職能。

2. 條例草案——

(a)第2條列載"金融管理專員"的定義；

(b)第3條列明外滙基金可予以使用的附加目的，並要求財政司將基金用作該附加目的時，須顧及基金的主要目的；

(c)第4條規定委任金融管理專員的事宜、指派職能予該專員、授權財政司委任他人協助金融管理專員，使財政司可將權力及職責轉授予金融管理專員，以及授權金融管理專員再將權力及職責分授。

3. 草案第6至45條列載由於委任金融管理專員而對若干條例所作出的相應修訂。《銀行業條例》(第155章)現予以修訂，將銀行監理專員根據該條例所執行的職務移交金融管理專員。銀行監理專員現根據《證券及期貨事務監察委員會條例》(第24章)、《保障投資者條例》(第335章)及《證券(公開權益)條例》(第396章)所執行的職能會指派予金融管理專員。《稅務條例》(第112章)、《印花稅條例》(第117章)、《銀行業條例》(第155章)、《刑事罪行條例》(第200章)、《金融資料統計條例》(第356章)、《商船(油類污染的法律責任及補償)條例》(第414章)及《1991年販毒(追討得益)(指定國家和地區)令》(1991年第19號法律公告)現予以修訂，從而將金融司根據該等條例所執行的職務移交金融管理專員。

營運基金條例草案

本條例草案提供一項機制，藉設立營運基金而爲某些政府服務提供資本。

2. 草案第3條訂定，立法局可按財政司所作建議，通過決議設立營運基金，向被認爲能夠從其提供的服務所帶來的收益獲得本身所需資本的政府服務，提供資本。立法局在考慮設立每個營運基金時，須考慮政府服務的提供者是否能夠——

(a)進行有效率及有效的運作，使有關服務符合適當水準；及

(b)有能力使擬設立的營運基金的收入，足以應付因提供該項政府服務而招致的債務及其他開支。

3. 草案第4條規定，營運基金的資產及債務在立法局的有關決議通過後，撥歸該基金。在不抵觸該決議的條款及財政司的任何指示的前提下，行政總裁可將資產脫手。

4. 根據草案第5條，營運基金的收益須撥入營運基金而其開支及債務須由基金支付或償還。

5. 根據草案第6條，立法局須在設立營運基金的決議中，訂明藉營運基金提供資本而提供的服務。

6. 草案第6(2)條規定財政司須爲每個營運基金指定一名行政總裁，以控制及管理該基金。行政總裁除非是按照立法局決議行事，否則不得更改藉營運基金提供資本而提供的服務。財政司亦可授權行政總裁以營運基金處理額外的事務，而只要該等事務是由該基金所訂明的服務而附帶引起的。基金的行政總裁須遵從財政司的指示，並須以達致基金收益不少於基金開支的財政目標來管理該基金，但所涉收支可跨年計算。

7. 草案第7條規定，營運基金的財政年度由4月1日起至翌年3月31日止。如營運基金是在任何一年的4月1日之後設立，則其第一個財政年度自其設立日期起至隨後的3月31日止。草案第7條亦規定行政總裁須按庫務署署長的要求，爲營運基金儲存帳目，並須在每個財政年度終結後，將周年帳目呈交核數署署長。

8. 草案第8條列出關於作出報告的規定。行政總裁須在收到核數署署長的報告後的14日內，向財政司呈交周年報告及經審計的周年帳目。財政司則須不遲於每年的10月31日將周年報告、周年帳目及核數署署長的報告提交立法局省覽。

9. 草案第9條是關於資金的投資及借貸事宜。行政總裁可按照財政司批准的方式，將營運基金中超出其即時需要的款項作投資，但他無權從營運基金借出款項，亦無權爲營運基金借入款項，除非所借入的款項是來自資本投資基金、貸款基金或財政司所批准的短期透支。

10. 財政司在考慮藉營運基金提供資本的政府服務在營運上的預計未來需要後，如信納有超過提供該服務所合理需要的資金，則根據草案第10條，他可指示將該等資金轉撥政府一般收入。如任何條例授權收取的費用，其收費架構是要使所收回的款項超出由營運基金所提供資本的政府服務的成本，財政司可指示將所收費用按某一比率從營運基金撥入政府一般收入。

11. 草案第11條規定，《公共財政條例》(第2章)的部分條文適用於營運基金。

12. 草案第12條規定，立法局可按財政司所作建議，通過決議將營運基金結束，而有關決議須列明結束營運基金帳目的各項財務安排。

一九九二年證券及期貨事務監察委員會(修訂)(第2號)條例草案

摘要說明

本條例草案須與《1992年公司(修訂)(第2號)條例草案》一併參閱應用。

2. 該條例草案建議監察委員會必須具有某些《公司條例》(第32章)所規定的有關發行章程的職能。爲使《證券及期貨事務監察委員會條例》能反映此額外職能，該條例內，“有關條例”的定義須予修訂，以包括《公司條例》(第32章)第Ⅱ及ⅩⅡ部內的有關條文(草案第2及6(1)條)。

3. 草案第3及4條修訂證券及期貨事務上訴委員會及聆訊上訴的審裁小組的組織，透過從證券及期貨事務上訴委員會的委員名單中撇除證券及期貨事務監察委員會的非執行理事(草案第3條)，及審裁小組組織的相應修訂(草案第4條)，致使根據主體條例第19條提出的上訴，能夠由一個獨立及公平的審裁小組進行聆訊。

4. 草案第5條將主體條例第28條修訂，首先，規定註册人須呈報關於本身資本充裕程度的報表，其次，對《證券條例》(第333章)中某些條文在詮釋方面的相應改動，作出澄清。

5. 根據《證券及期貨事務監察委員會條例》第47條，證券及期貨事務監察委員會可將其職能移交一間指定交易所。由於認爲能夠在移交令中包括附帶或相應的條文是適切的，遂在草案第6(2)條增設有關條文。

6. 草案第7條是過渡性條文，此條文清楚表明了在本條例草案生效日期前委任的審裁小組，可繼續根據現有規則及程序聆訊有關上訴。

證券(結算所)條例草案

本條例草案旨在——

(a)授權證券及期貨事務監察委員會(“監察委員會”)，若信納對投資大衆的利益或公衆利益來說是適當的，或對妥善規管證券交易的結算及交收服務來說是適當的，可爲本條例草案的目的，宣佈進行證券交易的結算所爲認可結算所；

(b)授權監察委員會批准認可結算所的規則；及

(c)變更破產清盤法，目的是爲認可結算所的運作及程序提供保障。

2. 第Ⅰ部(第1及2條)是導言。第2(1)條界定本條例草案內的詞彙。其中“失責處理規則”、“失責處理程序”、“市場合約”、“市場抵押”、“市場抵押品”及“結算所”等定義尤爲重要。

3. 第Ⅱ部(第3及4條)授權監察委員會可爲本條例草案的目的，宣佈某些結算所爲認可結算所，及批准認可結算所的規則。而一間結算所被宣佈爲認可結算所後的其中一項主要影響是，除某些例外情況外，該認可結算所的規則(參閱第2(1)條中“規則”的定義)，包括對該等規則所作的修訂，必須經監察委員會批准才屬有效。

4. 第4(2)條規定認可結算所須訂有規則，以訂定參與者(參閱第2(1)條中“參與者”的定義)不能履行他與該結算所訂立的市場合約的義務時所採取的行動。該等規則是本條例草案內所指的“失責處理規則”。

5. 第Ⅲ部(第5至14條)載有若干條文，其主要部分是對破產清盤法的正常運作，作出認爲需要的變更，爲認可結算所的運作及程序提供保障。該等條文在某程度上參照英國《1989年公司法令》(1989 c. 40)第Ⅶ部部分條文。該項對認可結算所的運作及程序的保障，尤其關乎市場合約參與者的破產、清盤或沒有履行合約義務等事宜，以及與受市場抵押限制或被提供作市場抵押品的財物有關的權利及補救辦法。

6. 第Ⅳ部(第15至21條)載有雜項條文。第15(1)條訂定倘參與者與認可結算所進行交易時，是以代理人身分作爲交易的一方，則對該結算所而言，該參與者須當作爲以當事人身分作爲交易的一方。但該條並不影響代理人法在該參與者及其當事人之間的運作。第16(1)條訂定對參與者存放於認可結算所的證券有權利、擁有權或權益的人，不得就該權利、擁有權或權益對該結算所採取任何行動。但該條並不阻止該人對存放該等證券的參與者採取行動。此外，第16(3)條訂定第16(1)條的施行並不影響《公司條例》(第32章)第100條的運作。(該條是有關法庭修正公司成員記錄册的權力)。

7. 第17條在很大程度上參照英國《1989年公司法令》第184條。第17(1)條訂定認可結算所(包括其管治機構的高級人員、僱員及成員)對其執行第17(2)條所指的職能時的作爲或不作爲，無須承擔損害賠償。但當有關作爲或不作爲是不眞誠地作出的，則不能豁免承擔損害賠償。第18條條文是爲免產生疑問而作出的。該條文說明本條例草案條文並不局限、限制或以其他方法影響任何人的權利、擁有權、權益、特權、義務或法律責任，除非本條例草案或根據本條例草案另有明文訂定，則屬例外。第19條授權財政司修改附表1及2。附表1指明可以受市場抵押限制或被提供作市場抵押品的財物。附表2列明認可結算所的失責處理規則須載有的事情。第20條以及附表3訂定因本條例草案條文而須對其他成文法則作出的相應及其他修訂。就此，附表3第5項對《印花稅條例》(第117章)提出的修訂，應連同《1992年印花稅(修訂)條例草案》對該條例所提出的修訂一併閱讀。(預期《1992年印花稅(修訂)條例草案》會最先制定)。附表3第7(e)(ii)項對《證券條例》(第333章)第109(3)條作出修訂，把由於該條例第109(1)條所述的失責所引致的損失而可就每名牽涉失責的證券經紀從合併交易賠償基金支付的總額，由$2,000,000增至$8,000,000。附表3第8項從《證券交易所合併條例》(第361章)删去所有關於結算所的條文，因爲該等條文已被本條例草案的條文(特別是第3及4條)所取代。第21條是過渡性條文，是就在本條例草案制定之前根據《證券交易所合併條例》(第361章)第35A(1)條被認可的結算所而訂立的。

一九九二年保險公司(修訂)(第3號)條例草案

本條例草案旨在修訂《保險公司條例》，從而——

(a)規定如根據條例第15條被委任爲承保人的核數師或保險統計師的人士不再出任該等職位，須通知保險業監督；

(b)增訂3個新類別的長期業務，規定承保人須爲其中2類而有分開的資金；及

(c)容許由或向承保人的核數師及保險統計師，或前任核數師及保險統計師透露有關資料。

2. 草案第6條增訂條例第15A及15B條。新訂條例第15A(1)條規定，如果承保人在其按條例第15條被委任的核數師任期屆滿前，建議將他免職或已另找他人取代其職，或如果該核數師因其他理由不再出任該職，承保人須通知保險業監督。新訂條例第15A(2)條規定，根據條例第15條受委任爲承保人核數師的人士如果辭職，決定不要求再受任，或決定對其連附於承保人的帳目及財務報告書的證書加進表示有保留的字眼或不利的補充或解釋，須通知保險業監督。根據新訂條例第15B條，施加於承保人及其保險統計師的要求與新訂條例第15A條施加於承保人及其核數師的要求相似。

3. 草案第7條廢除條例第22(1)、(2)、(3)及(4)條，並由新訂條例第22(1)、(2)及(3)條取代。爲確定其所起作用，新訂條文須與草案第15(b)條所作的修訂一併閱讀。草案第15(b)條修訂第一附表，將新類別G、H及I加入現時詳載於該附表第2部的長期業務類別一覽表內。每個新類別是關乎個別實施及執行合約的方式，以管理退休計劃的投資。新訂條例第22(1)條規定，承保人所經營的長期業務G類、長期業務H類及其他長期業務(包括I類)，須有分開的帳目及資金。新訂條例第22(2)條規定，爲了鑑別各資金項下的資產及負債，承保人應有所需的帳目簿及其他記錄。新訂條例第22(3)條規定，承保人運作每項資金，務須維持資金項下的資產比資金項下的負債最少多2,000,000元。

4. 草案第8、9、11及16條分別對條例第22A、23及45條，以及第三附表作出多項修訂，以反映一事項：承保人經營的長期業務如屬新類別G或H內所指定的性質，則須爲每類這些類別另保持資金，而該等資金是與承保人爲其他長期業務所保持的資金分開的。

5. 草案第12條在條例第51條內增訂第(ea)段。新段規定條例不適用於下列人士：經營的保險業務屬新類別G或H內訂明的性質，而又沒有在或從香港經營其他類保險業務，亦不是可根據條例第6(1)條在或從香港經營保險業務。(這就是說，此間並無意因某些人不是及不可以是條例適用的承保人而禁止他們經營屬新類別G或H的長期業務)。

6. 草案第13(b)條修訂條例第53A(3)條，增訂第(d)、(da)及(db)段。新段其中一項規定就是條例第53A(1)條所載有關透露資料的禁令，並不適用於下列情況：由保險業監督向指定人士透露資料(參看草案第2(b)條內“指定人士”的定義)，目的是使或協助保險業監督執行其職能；或由指定人士在保險業監督同意下，進一步透露有關資料。

7. 草案第14條增訂條例第53D及53E條。新訂條例第53D條規定，指定人士不會由於他出於眞誠地向保險業監督傳達關於該條所提及的事宜的資料或意見而視作有違其可能負責的職責。根據新訂條例第53E條，如果指定人士發覺有任何事宜，會對他所負責的承保人的財政狀況有很大程度的不良影響，或發現有證據證明承保人未能或沒有符合新條文內所訂明的某些條例規定，必須以書面向保險業監督報告。

8. 草案第17條載有過渡性及其他規定，這些規定是因條例作出修訂，以增訂3個新類別的長期業務而需要的。草案第17(2)條是關於承保人在條例草案生效前所經營的新類別G及H長期業務。與草案第17(8)條一併閱讀的草案第17(4)條視某些特准承保人獲授權經營新類別G、H及I的長期業務。然而，草案第17(5)條規定，上述的視作授權會在條例草案生效3個月後失效，除非已有根據條例第7條向保險業監督提出申請，要求就有關新類別的長期業務授予權力。在該情況下，該項視作授權會在保險業監督根據條例第8條對上述申請作出決定時便失效。草案第17(6)及(7)條對某些保險商協會作出規定，而有關規定與草案第17(4)及(5)條對特准承保人所定出的一樣。

一九九二年進出口(修訂)條例草案

本條例草案以全面檢討的形式修訂《進出口條例》。

2. 草案第2條加入"聲請人"的定義，以指明根據條例第Ⅵ部分要求發還沒收物品者，即條例所指的聲請人。草案第5條對條例第13條作相應的修訂。此外，又加入"艙單"經修訂的定義，以禁止將缺乏艙單應有資料的文件當作艙單提交的情況。

3. 草案第3條在條例第Ⅲ部分加入原先載於戰略物品有關規例內涉及違法行爲的條文。有關刑罰現已大大提高。建議的條例第6B條使《進出口(戰略物品)規例》(第60章，附屬法例)得由貿易署署長予以修訂，惟須讓立法局有權於有關修訂生效前，就其進行辯論及予以否決。

4. 提述"緝私"督察之處已不合時宜，草案第4及6條予以刪去。

5. 有關將被捕者帶往海關總監辦事處的規定現予更改，容許執行逮捕的人員將被捕者帶往海關總監的任何辦事處或認可人員的辦事處(草案第7條)。

6. 關於通知物主有關貨物被檢去並可能因而被沒收的規定，草案第8條予以修訂。如有關物品是在物主或其代表人面前被檢去，便毋須另行通知。如某人在香港並無固定地址，便毋須送達通知書。草案第8條又澄淸有關通知及送達通知書的程序，而其中一項規定是聲請人可指定本港一名律師代表其接受送達的通知書及其他法律程序。

7. 草案第9條就草案第8條的修改作出若干相應的修訂。本條例草案又對沒收程序的某些手續上的問題加以澄淸。

8. 草案第10及11條修訂有關法例，以方便在某些情況下發還可能被沒收的物品。

9. 草案第12條取消由行政局對就被沒收物品而提出的道義理由作檢討，並將"道義理由"改爲向總督呈文。

10. 草案第13條更淸楚說明制訂規例的權力，使能以類別來說明要有入口或出口許可證的物品。

11. 草案第14條澄淸關乎以火車載運貨物的一點疑問。貨物裝卸代理人得代替火車主管負責提供某些資料。

12. 草案第15條在條例內增訂兩條條文。第一條是對根據該條例執行職務的總監及人員的一般保障，使他們毋須檢取物品、船隻或車輛，包括貯存期間，所引致的聲請負責。第二條是一項過渡性規定，以便總監得就沒收有關的聲請的某些待決問題，發出一般通知。因爲若干理由，那些問題未了結，而這也是因爲條例內所載的現行程序有不足之處。倘未能按照過渡規定提出及辦妥聲請，有關物品當被沒收。

13. 由於《進出口條例》有關沒收物品的規定有所改動，草案第16條對《儲備商品條例》(第296章)作相應的修訂，以反映之。

14. 草案第17條相應修訂《儲備商品(進出口及存貨管制)規例》(第296章，附屬法例)內"艙單"的定義，以配合《進出口條例》內有關定義的改動。

一九九二年知識產權署(相應修訂)條例草案

本條例草案旨在修訂5條條例，作出若干相應更改。這些都是《知識產權署署長(設立)條例》(第412章)制定後，認爲需要更改的。

2. 草案第2條修訂《陪審團條例》(第3章)，豁免任職於知識產權署的公職人員擔任陪審團的工作。

3. 草案第3條修訂《最高法院條例》(第4章)，使知識產權署內具有法律專業資格的人員有資格被委任爲最高法院法官。

4. 有關商標及專利權的職責由註册總署移交知識產權署後，草案第4條對《核數條例》(第122章)內"公帑"的定義作出所需的相應修訂。

5. 草案第5條將《執業律師條例》(第159章)第3條內"律政人員"的現行定義擴至包括根據《知識產權署署長(設立)條例》(第412章)第3(3)條被視爲《律政人員條例》(第87章)所指律政人員的人士。

6. 草案第6條修訂《執業律師條例》(第159章)第20(5)條，使任職於知識產權署的律師或合資格人士，在關於聘用見習律師的事情上，亦可被視爲執業律師。

7. 草案第7條修訂《地方法院條例》(第336章)，使知識產權署具有法律專業資格的人員有資格被委任爲地方法院法官。

一九九二年印花稅(修訂)條例草案

本條例草案旨在修訂《印花稅條例》，以——

(a)規定香港股票的交易，凡屬利用《證券交易所合併條例》(第361章)認可的結算所的結算及交收設施進行者，享有若干印花稅寬免(草案第2及7條)；

(b)將該條例規定的印花稅一般豁免的適用範圍擴大，以包括將下列任何一種房產售予一名獲豁免人士的轉讓契約——

(i)聯合聯絡小組或土地委員會的中國成員的房產；

(ii)紅十字國際委員會的房產；及

(iii)中國簽證辦公室的房產(草案第5條)；及

(c)延長有關使用印花稅蓋印機的報告期限(草案第8條)。

一九九二年印花稅(修訂)(第2號)條例草案

本條例草案旨在修訂《印花稅條例》，使《稅務條例》(第112章)所指的由國際機構發出的港元債務票據，可免繳印花稅。草案第2條修訂"證券"一詞的定義，從而達到這個目的。

一九九二年印花稅(修訂)(第3號)條例草案

本條例草案旨在修訂《印花稅條例》，使1992年政府收支預算案中的建議得以實施，從而——

(a)將股份的或與股份有關的大部分權利、認購權及利益均納入"股份"一詞定義內，以便對該等權利、認購權及利益的買賣或移轉徵收印花稅；及

(b)將香港股票買賣或移轉應繳印花稅稅率由0.5%調低至0.4%。

一九九二年旅行代理商(修訂)條例草案

本條例草案旨在設立旅遊業賠償基金("基金")，以便向前往外地旅行的人士發給特惠補償金，並成立旅遊業賠償基金管理委員會("委員會")，以管理該基金。

2. 草案第2條加長《旅行代理商條例》的詳題，以包括設立委員會及向旅行代理商徵收款項等字眼。

3. 草案第4條修訂條例第19條，將不繳交徵款加列爲暫時吊銷或撤銷旅行代理商牌照的理由。

4. 草案第5條增訂新條文，該等條文是關於基金和委員會的設立，以及附帶事宜。

(a)新訂條例第32A條列載與新條文有關的各項定義；

(b)新訂條例第32B條就委員會的設立、委員會的主席及成員的委任，以及若干程序上的事宜，作出規定；

(c)新訂條例第32C條就基金的設立及所包括的款項，作出規定；

(d)新訂條例第32D條規定委員會有責任管理基金；

(e)新訂條例第32E條授權委員會從基金中支付特惠補償金給前往外地旅行的人士，並定明委員會可支付的其他款項；

(f)新訂條例第32F條授予委員會執行職能所需的一般權力；

(g)新訂條例第32G條授權委員會制定關於基金及從基金中付出款項的規則；

(h)新訂條例第32H條就旅行代理商以繳交徵款方式爲基金提供款項，以及計算徵款額及繳交徵款的事宜，作出規定；

(i)新訂條例第32I條規定旅行代理商須向旅遊業議會繳交徵款；

(j)新訂條例第32J條規定旅遊業議會須將任何旅行代理商不繳交徵款事通知委員會，並授權委員會將此等事情通知旅行代理商註册主任；

(k)新訂條例第32K條規定旅遊業議會須向財政司呈交議會的收支預算案；

(l)新訂條例第32L條規定，在任何財政年度內，旅遊業議會的儲備基金如超出該議會的實際經常開支的半數，便須從儲備基金內將所超出的數額撥給委員會；

(m)新訂條例第32M條授權財政司，可規定委員會審查旅遊業議會運用資源的效益，及向財政司提交審查結果報告；

(n)新訂條例第32N條規定，旅遊業議會須盡可能確保佔其經常開支一個指定百分比的數額，不會由該議會的徵款收入支付；該百分比由財政司釐定；

(o)新訂條例第32O條授權財政司，可就委員會執行職能或行使權力方面，向委員會發出指示；

(p)新訂條例第32P條規定，委員會須保存妥當帳目；

(q)新訂條例第32Q條規定，委員會須每年向財政司提交報告，內容包括委員會的事務、帳目及核數師對委員會帳目作出的報告；

(r)新訂條例第32R條規定，根據主體條例成立的旅行代理商儲備基金，及由名爲旅遊業議會儲備基金的有限公司保管的基金內的金錢，須移轉至委員會；

(s)關於要求(r)節所述兩個基金撥發特惠補償金的申請事宜，新訂條例第32S條對如何處理仍未有結果的申請，作出規定。

5. 草案第7(3)條增訂關於委員會及其成員的新附表2。

6. 草案第3、6及7(1)及(2)條是相應修訂條文。

7. 草案第8條將委員會列入《防止賄賂條例》(第201章)的附表內，使委員會成爲受該條例規管的公共機構。

一九九二年往香港以外地區就業合約(修訂)條例草案

本條例草案修訂《往香港以外地區就業合約條例》，以澄清於香港以外地區爲外國僱主工作的香港僱員所享有的保障。

2. 草案第2條修訂該條例的詳題以包括一些收入雖低於訂明限額但受僱從事非體力勞動工作的僱員。本條例草案將保障範圍擴及這些僱員。草案第4條擴大該條例的適用範圍，以包括受僱從事非體力勞動工作但收入不高於教育統籌司所訂定的數額的僱員。

3. 草案第3、5、6、7、8、9、10、11及12條將"工人"一詞改爲"僱員"，原因是"僱員"一詞用於其他有關僱傭事宜的法例。草案第15條就此點對《僱傭條例》(第57章)作出相應修訂。

4. 草案第5條就終止僱用給予通知或代通知金，以及疾病事宜，爲僱員增訂了若干有關的利益。

5. 草案第13條修訂有關就業移民的人士的條文。由於這些人士已有足夠的證明文件，所以合約毋須驗證。

6. 起訴該條例項下罪行的時限，由6個月延長至1年(草案第14條)。

一九九二年僱傭(修訂)條例草案

本條例草案對《僱傭條例》第XII部有關職業介紹所的條文實施若干雜項修訂。

2. 修訂項目包括——

(a)取消爲發牌目的而定下在介紹本地與外地職位之間的區別(草案第2及3(b)(iii)條)；

(b)規定申請牌照的公司由一名董事代簽申請書(草案第3(a)條)；

(c)規定在超過一處地點營業的介紹所，須爲每一營業地點領取牌照副本，並在有關樓宇內展示(草案第3(c)條)；

(d)更改介紹所須保存的記錄類型(草案第5條)；

(e)取消限制，以便介紹所可與僱主商議，爲介紹所的服務定出雙方同意的條件(草案第6(a)條)；及

(f)容許介紹所與另一介紹所分享佣金(草案第6(b)條)。

一九九二年僱傭(修訂)(第2號)條例草案

本條例草案旨在修訂《僱傭條例》，從而——

(a)在其他事項中，禁止僱主因僱員曾就某僱員因工作或在僱用期間發生意外，或就違反有關工作中人身安全的法定職責事作供或提供資料而終止僱用該名僱員(草案第3條)；及

(b)訂定違反該項禁令的刑罰(草案第2條)。

一九九二年僱傭(修訂)(第3號)條例草案

本條例草案修訂《僱傭條例》，提高該條例所訂立有關不履行在工資的支付和支付日期方面的責任、提供虛假資料、視察、出示文件及審查的罪行的最高刑罰，並定明可對犯這些罪行的人判處監禁。

2. 本草案亦規定，如一法團或一商號的合夥人犯了第1段所述的罪行，在某些情況下，該法團的董事、經理、秘書等及該商號的其他合夥人亦視作犯了相同的罪行。

一九九二年僱傭(修訂)(第4號)條例草案

本條例草案旨在——

(a)將一項推定條文的範圍擴大，規定如一名僱員在僱傭合約的任何期間內，因放假或在任何正常工作日未獲分配工作而致不獲發給工資或全部工資，爲計算其應得的長期服務金及遣散費，該僱員應視作在該段期間內已按照合約規定次數獲發合約規定的全部工資(草案第2條)；

(b)規定如一名僱員根據僱傭合約受僱年數不少於5年，而根據醫生證明，他不適宜擔任他受僱從事的工作，則該僱員可毋須給予通知或以工資代替通知而終止僱傭合約(草案第3條)；

(c)規定如僱員遭解僱是由於僱主已將或擬將該僱員受僱場所由港島遷往九龍或新界或由九龍或新界遷往港島，則不能再視作因裁員而解僱(草案第4條)；

(d)使無固定每僱場所的僱員，如受僱進行的工作已告或預期會停止或縮減，亦享有

獲發遣散費的權利(草案第4條)；

(e)規定如按照僱員的情況，他有權不給予通知或以工資代替通知而終止僱傭合約，但他在終止該合約時有給予通知，則他亦有權獲發遣散費或長期服務金(草案第5及9條)；

(f)就應支付遣散費或長期服務金及約滿酬金或退休保障計劃款項的情況，作出進一步的規定——

(i)任何酬金或退休保障計劃款項應扣除僱員所領得的遣散費或長期服務金(草案第7、11及12條)；

(ii)在作出上述扣除後，任何不需支付的退休保障計劃款項應由退休保障計劃的受託人交還僱主(草案第7、11及12條)；

(iii)應付予主體條例第31RA(1)條所指法定受益人的長期服務金應扣除該受益人所領得的酬金或退休保障計劃款項(草案第12條)；

(iv)如一名僱員死亡，應獲發給酬金或退休保障計劃款項的受益人(但不屬主體條例第31RA(1)條下的法定受益人)有權領取該等酬金或退休保障計劃款項超逾長期服務金的數額；除了該數額外，任何已支付的退休保障計劃款項應交還退休保障計劃的受託人，而該受託人應把該筆款項付還僱主(草案第12條)；

(g)規定勞資審裁處應發出命令，指定支付遣散費的期限；此外，亦規定在該審裁處並無發出這樣的命令時應如何辦理(草案第8條)。

僱員再培訓條例草案

本條例草案旨在——

(a)設立一個"僱員再培訓委員會"，以監管供有志於掌握新的職業技能或提高其職業技能的本地僱員參加的獲准的再培訓課程，並將該等課程資料公佈；

(b)設立一項"僱員再培訓基金"，該基金歸屬於委員會，而基金並須用作支付提供再培訓課程所需的費用及發放關於受訓僱員參加該等課程的再培訓津貼；

(c)規定僱主如按照輸入僱員計劃僱用外來僱員，即須繳付徵款，以提供款項作爲基金之用；

(d)規定繳付及收集徵款，及將徵款轉交予委員會的手續；

(e)規定受訓僱員申請參加再培訓課程的手續，及受訓僱員領取再培訓津貼的資格；及

(f)就委員會與提供該會所批准的再培訓課程的有關培訓機構之間的聯絡，作出規定。

一九九二年僱員補償(修訂)條例草案

本條例草案修訂《僱員補償條例》，以——

(a)擴大"僱員"及"家屬"的定義(草案第2及3條)；

(b)對有關勞工處處長所簽發的補償證明書及評估委員會所簽發的喪失工作能力評估

證明書的"簽發日期"作出界定(草案第7及10條)；

(c)增加各項罪行的最高罰款額；

(d)對於根據條例應支付的補償，在索償要求未解決或未裁定前，僱主可付予僱員的款項，取消$28,000的上限(草案第5條)；

(e)授權普通評估委員會，就評定有關因傷缺勤期間的補償額而評定該段缺勤期(草案第8條)；

(f)將該條例的適用範圍擴大至在香港以外地方替外國僱主工作期間受傷的僱員(草案第12條)；及

(g)規定根據該條例付與一名獲法律援助的人士的補償，須扣除法律援助署訴訟費，以確保法律援助署署長可收到該名獲法律援助的人士根據《法律援助條例》(第91章)應付與該署長的分擔費(草案第15條)。

一九九二年僱員補償(修訂)(第2號)條例草案

本條例草案旨在修訂《僱員補償條例》，以——

(a)規定在若干暫時喪失工作能力的情況中，以協議方式的新程序釐定補償而毋須訴諸勞工處處長或法庭；

(b)延長僱主須就意外事件發出通知的期限，以方便達成該種協議；

(c)規定須就有關喪失工作能力的期間，及僱主與僱員達成該種協議的條款，向勞工處處長申報，以及規定在若干情況下覆核及撤銷這些協議。

一九九二年田土註册(修訂)條例草案

本條例草案修訂《田土註册條例》，從而——

(a)將遺囑豁除在該條例的適用範圍外；

(b)修訂有關待決訴訟的條文，以切合時宜；

(c)對將屬於、作存案用途而送交予或存放於田土註册處的文件加以毀滅(等等)的有關法律作出修訂；

(d)將制訂規定的權力賦予田土註册處處長(而非總督會同行政局)。

2. 草案第2、14、15、17(a)、18及19條修訂該條例及附屬法例，將所有關於遺囑的字句廢除。草案第16條是過渡性條文，規定田土註册處處長將所有存放於田土註册處的遺囑，移交最高法院司法常務官保管。

3. 草案第3條增訂一項關於"懸案"(待決訴訟)的定義。草案第5至9條修訂關於待決訴訟的條文，以切合時宜。

一九九二年房屋(修訂)條例草案

本條例草案旨在對主體條例作以下修訂——

(a)房屋委員會現時是有權借出金錢的，現再授權該委員會爲提供住屋事宜，提供經

濟協助(草案第2(a)條);

(b)容許該委員會就屋邨內的住屋管理，與其他人士訂定協定(草案第2(b)條);

(c)對於條例第20條項下的上訴，規定要由從一個小組委派出來的審裁團聆訊(草案第3、4及8條);

(d)授權該委員會於租出屋邨土地時，就承租人分租或發出許可證事宜，作出規定(草案第5條);

(e)對於屋邨內道路和車輛的管理，容許該委員會將某些權力轉授(草案第10條);

(f)就申請貸款或經濟協助而作虛假聲明，制訂一新罪項(草案第11(c)條);

(g)就交通附例項下罪項所應繳的定額罰款授權該委員會制訂附例，以作規定(草案第15條),

此外，還作出一些雜項修訂。

2. 對於一些已採取之行動，而那些行動是依據本義上是行使第1(b)及(e)段所述的權力的，草案第17條予以確認爲有效。

一九九二年建築物(修訂)條例草案

本條例草案旨在對《建築物條例》作出雜項修訂。

2. 草案第2條修訂條例第8條，規定一名註册承建商在其名字列入承建商登記册後，須在每年1月1日或之前繳交年費。承建商如未有繳交這項費用，其名字會從登記册內删除。

3. 草案第3條修訂條例第28條，授權建築事務監督——

(a)向污水渠欠妥善或不足的樓宇的業主送達命令，規定業主進行補救工程;或

(b)進行或使他人進行補救工程，並向樓宇的業主追討有關費用。

如已向有關業主送達上述命令，但該業主未有遵照命令辦理，建築事務監督有權進行或使他人進行該命令所指定的工程，並向業主追討有關費用。

4. 草案第4條修訂條例第31條，使禁制範圍包括伸出街道的建築物或其他搭建物。如有關業主未有遵從向他送達的命令，建築事務監督有權更改或移去或使他人更改或移去伸出街道的建築物突出部分，並向業主追討有關費用。

5. 草案第5條增訂條例第32B條，規定如建築事務監督根據該條例的任何條文獲授權進行或使他人進行若干工程，他有權就無結果的到訪追討有關費用。草案第6條修訂條例第33(1)條，使建築事務監督可核證無結果的到訪所涉及的費用及應付這些費用的人士的名字。

6. 由於引進了一個縮微膠卷制度，草案第7條修訂條例第36條，而草案第8條則增訂條例第36A及36B條，從而——

(a)規定在所有訴訟中，獲建築事務監督證明爲眞確副本的縮微膠卷記錄副本得接納爲證據;

(b)規定一份圖則或文件的縮微膠卷記錄爲着所有目的應視爲圖則或文件的正本;及

(c)使建築事務監督可酌情毁滅或處理已攝製成縮微膠卷的文件。

7. 草案第9條修訂條例第41(3A)條，規定在受管制地區第3號地區進行地下渠務工

程前，必須先獲建築事務監督批准。

8. 草案第10條修訂條例第55條，以便確認——

(a)在本條例生效前根據條例第28(3)條由建築事務監督或代表建築事務監督作出的所有行爲；及

(b)在將渠務署列入條例第四附表及獲屋宇地政署署長正式授權之前由渠務署人員代表建築事務監督作出的所有行爲。

一九九二年建築物(修訂)(第2號)條例草案

本條例草案的主要目的，是使業主在替欠妥善的樓宇進行補救工程的事情上，負起更大的責任。

2. 草案第2條增訂條例第26A條，授權建築事務監督着令有關方面對被發現欠妥善的樓宇進行調查，並提交補救該等欠妥善之處而要進行的工作的建議。新訂條文亦規定，如根據該條而就上述工作定出的要求沒有被遵辦，建築事務監督有權進行所需的工作。

3. 草案第3條保留建築事務監督着令替排水渠或污水渠欠妥善的樓宇進行渠務工程的權力。該條亦修訂條例第28條，使建築事務監督可着令有關方面對上述樓宇進行調查，並提交要進行的渠務工程的建議。

4. 草案第3條規定，遇有緊急情況，或是根據條例第28條所送達的命令的任何部分未獲遵辦，建築事務監督有權進行所需的工作。

5. 草案第4條的規定，是關於沒有遵守依據建議的新訂條例第26A條及條例第28條修訂條文所定出的要求而可構成的罪項。

一九九二年業主與租客(綜合)(修訂)條例草案

本條例草案的主要目的，是修訂主體條例，以——

(a)放寬第Ⅰ部樓宇(戰前建築物的住宅租約)的租金管制，及就第Ⅰ部於1994年底失效作出規定；

(b)在第Ⅱ部於1994年底失效前，使第Ⅱ部租約(戰後建築物的某些住宅租約)逐漸接近市值租金；及

(c)在業主擬重建樓宇而要租客遷出時，對根據第Ⅱ部及Ⅳ部(適用於不受第Ⅰ或Ⅱ部管制的住宅租約)應付的補償額計算方式作出修訂。

修訂第Ⅰ部

2. 草案第2及3條所載的修訂，是因應下述第Ⅰ部的修訂而定出的。

3. 草案第4條廢除條例第9條。該條對可收的戰前建築物住宅租約的租金限於"標準租金"(即基本上等於可在1941年12月25日收的租金)。

4. 草案第5條廢除及取代條例第9A條。現行條文規定，第Ⅰ部樓宇的核准租金不得

多過市值租金加上業主應付的差餉。建議的新條文規定，如雙方就較高租金達成協議，即屬例外情況。

5. 草案第6條增訂新條文第9B條，訂明協議增加第Ⅰ部樓宇的租金前，須要依循的程序。新條文第9B(7)條說明在何種情況下可進一步增加協議租金。

6. 草案第7條修訂條例第10條；該條就非以協議方式增加租金的情況作出規定。現行條文准許租金增至相當於樓宇標準租金(即該樓宇於1941年12月25日不連傢具租出時可收的租金)的48倍。建議的新條文第10(1)條使租金可以增至下述數額——

(a)1993年7月1日前，可增至相等於標準租金的55倍或市值租金的60%，兩者以較大的數額爲準；

(b)1993年6月30日後及1994年7月1日前，可增至相等於標準租金的65倍或市值租金的75%，兩者以較大的數額爲標準；及

(c)1994年6月30日後，可增至標準租金的75倍或市值租金的92.5%，兩者以較大的數額爲準。

7. 新條文第10(1A)條規定，業主如想加租，可——

(a)向租客發出通知，將租金增至相等於標準租金的有關倍數；或

(b)向差餉物業估價署署長申請發給證明書，用以說明可根據新條文第10D條加租的數額(如有的話)。

8. 草案第8條修訂條例第10A條，使三房客與租客一樣，在收到其直接業主的加租通知書後，可申請發給市值租金證明書。

9. 草案第9條增訂下述新條文，就有關向署長申請發給證明書，用以說明可以加租的數額(如有的話)——

(a)第10D條，訂明申請的程序；

(b)第10E條，就簽發證明書作出規定，並訂明如證明書不批准將租金作任何增加，則在其後的6個月內不得再就同一樓宇再申請發給證明書；

(c)第10F條，規定業主或租客可向署長申請覆核其證明書，及可就該項覆核進一步向土地審裁處上訴；

(d)第10G條，規定說明書訂明的加租之生效必須依據已送達有關租客且有說明加租生效日期的通知書；

(e)第10H條，禁止在最近一次加租的一年內將租金作第二次增加(協議增加者除外)，不論最近一次加租是否經由協議達致。

10. 草案第10條廢除條例第12條。該條就並無專用浴室、厠所及廚房的住宅樓宇("非獨立樓宇")，定出釐定最高租金的特別計算方式。這些樓宇現時與其他第Ⅰ部樓宇受到同樣的租金管制。

11. 草案第11條修訂條例第15條，廢除有關爲授與、放棄、終止、續訂、延續或移轉任何租約而索取或收取任何代價的罪行，並規定，因索取或收取超過核准租金的租金而被檢控的人士，可以提出的辯護。

12. 草案第12至15條是相應的修訂。

13. 草案第16條修訂條例第32條，規定向土地審裁處提出的上訴申請，必須在申請人收到有關決定的通知後一個月內提出。

14. 草案第17條修訂條例第44條，將執行送達文件的方式簡化。

15. 草案第18條增訂新條文第48條，從而規定，作爲一般性的原則，第Ⅰ部於1994年12月31日午夜失效。該條亦規定——

(a)立法局可以決議方式更改有關的失效日期(第(2)款)；

(b)如在第Ⅰ部失效前一年內增加或行將增加任何樓宇的租金，在加租之日起一年內，第Ⅰ部得繼續適用於這些樓宇(第(3)款)；

(c)某些申請或協議，如在第Ⅰ部不再對任何樓宇適用前一年內提出或達成，則縱使第Ⅰ部失效，這些申請仍可繼續、協議仍然有效(第(4)、(5)及(6)款)；

(d)作爲一般性的原則，當第Ⅰ部不再適用於某一樓宇時，第Ⅳ部即對該樓宇適用，使租住權仍以另一形式受保障，但業主可收市值租金(第(7)款)。

修訂第Ⅱ部

16. 第Ⅱ部適用於某些類型的戰後住宅租約。

17. 草案第19及20條載述一些輕微修訂。

18. 草案第21條修訂條例第53A條，該條規定業主以擬重建樓宇爲理由而將樓宇收回時，須向租客付給的補償。現行條文第(4)(a)款規定，補償額應爲有關樓宇於1983年6月的應課差餉租值的兩倍，加上租客的搬遷費及在地氈、窗簾及裝置方面的損失。該款的建議新條文規定，補償額應等於該樓宇現時的應課差餉租值的1.3倍。

19. 草案第22條對條例第55條作出相應的輕微修訂。

20. 草案第23條修訂條例第58條，該條是就釐定第Ⅱ部租約的加租額作出規定。現行條文規定，在所有情況下，租金最少可增至市值租金的70%。建議作出的修訂，將該百分率按下述形式增加——

(a)1993年7月1日前，增至77.5%；

(b)1993年6月30日後，及1994年7月1日前，增至85%；

(c)1994年6月30日後，增至92.5%。

21. 草案第24條定出一項輕微的修訂。

22. 草案第25條修訂條例第74B條，該條規定第Ⅱ部於1994年12月31日午夜失效。有關的修訂規定——

(a)如在第Ⅱ部失效前的兩年內，根據任何租約應付的租金有所增加，行將增加，或土地審裁處就 宗上訴頒發命令，則在加租之日起兩年內，第Ⅱ部仍對該租約適用(新條文第(4)款)；

(b)縱使第Ⅱ部失效，有關收回樓宇的申請仍可繼續(新條文第(5)款)；及

(c)作爲一般性原則，當第Ⅱ部不再對某一租約適用時，第Ⅳ部即對該租約適用(新條文第(6)款)。

修訂第Ⅳ部

23. 大體而言，第Ⅳ部適用於住宅樓宇新租約。

24. 草案第26及27條修訂"住宅租約"的定義，廢除對照援引第Ⅱ部條文的字句，而在新條文第115A條內將原對照援引的條文的要旨列出。

25. 草案第28條修訂條例第116條——

(a)規定第Ⅳ部適用於第Ⅰ部或第Ⅱ部不再適用的住宅租約(及其他情況)；及

(b)用有關的條文內文取代對照援引第Ⅱ部的條文的字句。

26. 草案第29條修訂條例第119F條，就業主以擬重建樓宇爲理由成功反對給予新租約時，應付與租客的補償。有關的修訂，與上文第18段所闡述的相同。

27. 對於對照援引第Ⅱ部的條文的地方，草案第30及31條代之以有關條文的內文。

28. 草案第32條爲一項相應修訂。

一九九二年多層建築物(業主法團)(修訂)條例草案

本條例草案旨在修訂《多層建築物(業主法團)條例》——

(a)以助成立業主法團；

(b)加强管制業主法團的管理委員會；

(c)引進有關管理受公共契約(公契)制約的建築物的措施；及

(d)對該條例作出雜項修訂和其他修改。

成立業主法團

2. 草案第4條廢除條例第2A條。該條文現時規定，對於已有人向政府承諾，或與政府協議管理，或負責管理的建築物，該條例並不適用。廢除該條文後，有關條例便可應用於這類建築物，業主法團亦可成立。

3. 目前，根據該條例，有兩種方法委任管理委員會，以便建築物的業主可以註册爲法團。草案第5條在新條例第3A條增訂第三種方法：經建築物業權份數不少於30%的業主申請，政務司(監督)可以着令召開業主會議，以便委任管理委員會。在會議上，出席的業主或業主代表人可以大多數贊成票表決，委任管理委員會。然而，倘監督接得建築物業權份數不少於10%的業主的反對通知，監督所作任何關於召開會議的命令就會無效；在這情況下，監督可勸告申請人循條例第4條進行。

4. 現行委任管理委員會方法之一，是依循條例第4條，向地方法院提出申請。草案第6條修訂該條文，使監督或獲授權人員(而非律政司)可以提出是項申請。

5. 草案第7至9條因應第3及4段所述修改，修訂條例第5、7及8條。

6. 草案第27條增訂條例第ⅥA部。在新訂部分，新條例第34J條規定，公契或其他協議的條文都不能運用來阻礙建築物的業主根據該條例註册爲業主法團。

管制管理委員會

7. 草案第17條修訂條例第20條，清楚說明，每一法團必須設立的經常費用基金是用來(除其他事項外)支付保養或修葺工程費用的。該條文的另一項修訂，是規定法團須以法團名義，在一持牌銀行開設戶口。

8. 草案第18條增訂新條例第20A，規定——

(a)法團在獲取供應、物品和服務事宜上，須遵守由監督發出的守則辦理；及

(b)任何供應、物品和服務如超出指定的數額，須以招標承投的方式取得，而招標程序應遵守一份有關守則。

9. 草案第19條修訂條例第21條。該條規定，關於根據條例第20條設立的基金，由管理委員會決定業主必須繳付的款額。修訂事項——

(a)法團註冊之後第一次釐定的款額，適用時期以不超過15個月爲限，而非12個月；

(b)規定由此釐定的款額，在下一次決定款額時不能增加超過50%，除非增加已經法團決議批准；及

(c)規定收支預算案的製備以及其他有關事宜由第五附表加以規範。

10. 草案第21條修訂條例第27條——

(a)規定管理委員會製備的收入及支出帳目和資產負債表必須妥當審核；及

(b)規定有關由管理委員會設置適當帳簿和其他記錄事，由新的第六附表管限。

11. 草案第22條修訂條例第28條，規定經指定人士要求，法團必須提供爲建築物或公用部分投購保險的單據副本以及最近期的保險費收據副本。

關於公契的規定

12. 草案第27條增訂條例第ⅥA部，其中包括下文第13至21段所述的各項新條文。

13. 條例第34C條規定，新訂的部分，除另有明文規定外，只適用於受公契制約的建築物，無論公契是在本修訂法例實施之前或之後生效的。本條又規定，新訂部分的條文凌駕於與其有抵觸的任何公契或其他協議。

14. 條例第34D條是釋義條文，並作出諸如“業主委員會”等詞的新定義。

15. 條例第34E條規定，新的第七附表的規定應已隱含於所有現有或日後訂立的公契之內，並且凌駕於與其有抵觸的公契規定。然而，這項條文並不影響在本修訂法例實施之前以任何公契爲根據的作爲或不作爲。下文第40段會對第七附表加以闡釋。

16. 條例第34F規定，新訂第8附表的規定，倘與現有或日後訂立的公契相符，則應已隱含於所有現有或日後訂立的公契內。然而，這些規定可由業主決議修訂或刪除。這項條文只會影響日後的作爲或不作爲。下文第41段會對第八附表加以闡釋。

17. 條例第34G條規定，建築物任何未出售業權份數的業主有責任繳付有關的管理費用，就像他已在符合公契的規定下，購買該等業權份數。

18. 條例第34H條規定，如果某人擁有一座建築物的任何部分，享有一座建築物任何部分的獨佔權，或有專屬權利使用或居於該部分、或從該部分受益，但公契並無規定該人有責任保養該部分，則該人須負責保養。

19. 草案第34I條禁止任何人——

(a)將建築物的任何公用部分改作自己私人用途，除非已獲業主委員會批准；

(b)在使用公用部分時，對其他人造成滋擾。

20. 正如上文第6段所述，條例第34J條規定，公契或任何其他協議的條款不能阻礙

業主註册爲法團。

21. 條例第34K條規定，管理委員會一經根據本條例委出，就須接管公契所載業主委員會的職能、權力和職責。本條並且規定，管理委員會須按照本條例第二附表的規定運作。

雜項修訂

22. 草案第2條修訂條例第1條，將本條例的簡稱改爲"建築物管理條例"。

23. 草案第3條增加並修改條例第2條內的定義，例如"監督"的定義。

24. 草案第10條修訂條例第10(1)條，闡明在指定情況下更改業主法團名稱的程序。

25. 草案第11條就必須展示某些指定文件(例如註册證明書)的地方，修訂條例第11條。

26. 草案第12條修訂條例第12(2)條，將"副主席"和"司庫"，以及有關的清盤申請和清盤令加列在內。

27. 草案第13條修訂條例第13條，說明有關的註册證明書和經修訂的註册證明書。

28. 草案第14條修訂條例第14(2)條，使法團不能解除管理委員會一名成員的職位，如果該人是住戶的代表。根據草案第15條，開除這樣的一名成員的權力是屬於建築物單位住戶的"認可協會"(已下定義)的成員所有的。

29. 草案第16條修訂條例第18條，使法團有權付給在管理委員會任職的人士有限度的津貼。津貼額在新的第四附表指定。

30. 草案第23至25條，以及第28條列載對條例第31、32、34及35條的輕微修訂。

31. 草案第26條增訂新條例第34A和34B條，規定有關法團清盤事，須將清盤申請書及清盤令的副本存放田土註册處，並須將有關詳情註明在登記册上。

32. 草案第29條修訂條例第38條，將監督及一名獲授權人員加列在可以查閱業主及註册承押人登記册人士名單上。

33. 草案第30條闡明條例第39條。

34. 草案第31條增訂新條例第40A條，就建築物管理事，將各項檢查權力授予獲授權人員。

35. 草案第32條廢除並取代條例第42條，授權——

(a)總督會同行政局，在憲報刊登命令，修訂第七附表；及

(b)總督在憲報刊登命令，修訂任何其他附表。

36. 草案第33條增訂新條例第44條，授權監督爲上文第8段所述目的，製備及發出守則。

37. 草案第34、35和36條對第一附表作出各項修訂("公用部分"的定義)，並大幅修訂第二附表(管理委員會的組織和程序)以及第三附表(法團會議和程序)。

38. 草案第37條增訂——

(a)第四附表(見上文第29段)；

(b)第五附表(見上文第9段)；

(c)第六附表(見上文第10段)；

(d)第七附表(見上文第15段及下文第40段)；及

(e)第八附表(見上文第16段及下文第41段)。

39. 草案第38至48條以及附表列載其他雜項及因應修訂和廢除。

新第七附表

40. 第七附表開列應隱含於每一公契的條文，這些條文凌駕於與其有抵觸的條文。有關條文為——

第1段規定每一財政年度應繳付的管理費用總額應如何釐定。管理人須用收支預算草案諮詢業主，然後製備收支預算案。如果業主法團決定不接納收支預算案，則在收支預算修訂案製備及不被同樣拒絕接納之前，管理費用總額應與上一財政年度相同，另加可由管理人決定增加的不超過10%的數額。

第2段規定管理人存備帳目的事宜，並賦予業主查閱帳目的權利。

第3段規定管理人須將所收到與建築物管理有關的款項悉數存入獨立及生息的銀行帳戶，帳戶名稱須說明與建築物管理有關。

第4段規定管理人須在一個生息的銀行帳戶內設立特別基金，以作非常開支之用。業主法團得決定存入基金的款額，及除於緊急情況外，決定款項的用途。

第5段規定，凡涉及大額開支項目，除非符合指定的招標程序，否則管理人不得簽訂任何合約。

第6段規定，管理人如要辭職，必須給予3個月通知。

第7段規定，經建築物業權份數不少於50%的業主決議，業主法團可以給予管理人不少於3個月的通知，終止他的委任。不過，這項規定實施後一年內，不得以此方法終止管理人的委任。並且，監督可以根據新條例第34E(4)條，豁免將本段的規定應用於任何指定的建築物。第7段賦予業主委員會權利，去否決一名管理人的委任，以代替另一名根據該段被終止委任的管理人；並賦予業主法團權力，以便在若干情況下，自行委任接替的管理人。

第8段關乎管理人在委任終止後對帳目和帳目審核事宜的責任。

新第八附表

41. 第八附表開列各項應隱含於每一公契的條文，但只包括本來就和公契的規定相符的條文。這些條文是關於業主委員會會議和業主會議所須遵循的程序的。

玩具及兒童產品安全條例草案

本條例草案旨在訂定玩具及兒童產品的安全規定。

2. 本條例草案將使經由國際玩具工業委員會訂立的國際玩具自律安全標準，適用於所有在香港供應的玩具(第3條)。

3. 本條例草案亦將使列於本條例草案附表內的英國標準協會所訂立的某些兒童產品

標準，適用於在香港供應的這些產品(第5條)。

4. 本條例草案對在其適用範圍內的玩具及兒童產品，訂立一般安全規定(第8條)。

8. 本條例草案就採用認可化驗所對玩具及兒童產品進行自願測試一事，作出規定(第9條)。

6. 本條例草案訂定海關總監可以通知形式行使額外權力，要求供應商就指明的玩具及兒童產品發出警告，或停止供應這些玩具及產品，或予以收回(第10至12條)。

7. 本條例草案設立上訴委員會小組，並就因總監根據本條例草案第Ⅵ部作出的決定或行動而感受委屈的人向上訴委員會提出上訴事宜，作出規定(第14至18條)。

8. 本條例草案訂立獲受權人員的執行權力(第19至24條)。

9. 本條例草案訂定有關訂立規例的權力，以便進一步將任何產品指定爲兒童產品，及進一步訂立適用於玩具及兒童產品的安全標準，禁止供應指明的玩具或兒童產品，並訂定條文，規定如玩具及兒童產品的安全標準已由規例訂立，可指明本條例草案的一些條文對該等玩具及兒童產品適用(第35條)。

三、一九九二年經濟概況

第一章　全面概況

本地生產總值〔註1〕

1.1　一九九二年本港經濟的增長動力進一步加强。轉口貨物表現强勁及本地內部需求殷切，繼續是整體經濟增長的主要推動力。美國續予中國最惠國地位一年，以及中美就美國貿易法第三〇一條款的市場開放談判獲得圓滿解決，增加了商界的信心。然而，中港在機場核心計劃財政安排方面的商談曠日持久，以及關於憲制發展建議的政治分歧，在接近年底時可能影響投資情緒。

1.2　根據一九九二年本地生產總值開支的初步估計，本港經濟在下半年的增長速度，比上半年稍快。一九九二年整年計算，本地生產總值的實質增長率爲5.0%〔註2〕，一九九零年爲3.2%，一九九一年則爲4.2%。

1.3　對外貿易方面，轉口貨物在一九九二年大幅上升約28%，部份反映出本港總出口組合結構的持續轉變(見2.21段)。然而，本地產品出口仍然幾乎毫無變動(見2.10段)。由於轉口貨物大幅上升，以及留給本地使用的入口貨物顯著增加，入口貨物在一九九二年亦有强勁的增長，增幅約爲22%(見2.30段)。無形貿易方面，服務入口及出口在一九九二年繼續顯著上升，與有形貿易迅速增長及旅遊業强勁復甦的情況一致(見2.38及2.39段)。

1.4　本地內部方面，雖然樓宇及建築產量疲弱，但全年的私人消費開支及機器和設備投資，卻見旺盛。政府消費開支(以國民會計定義計算)增幅較大，主要是由於醫院管理局有較大開支(見1.8至1.13段)所致。

1.5　一九九二年內，勞工市場普遍維持緊張。雖然年內初期暫見緩和，但由於經濟活動持續穩定增長，以致勞工市場情況在隨後的月份再度緊張。經季節性調整的失業率及就業不足率在下半年處於2%左右(見4.5段)。

1.6　一九九二年內，本港通脹仍然高企。一九九二年的甲類消費物價指數，較一九九一年平均上升9.4%(見6.1段)。强大的通脹壓力，持續由本地因素所引致。對比之下，進口通脹壓力溫和(見6.6及6.7段)。不過，消費物價上漲率比去年顯著放緩，這可從各類消費物價指數反映出來(見6.1及6.4段)。以本地生產總值平減物價指數〔註3〕計算，整體通脹有類似的放緩趨勢(見6.5段)。

1.7　一九九二年的本地生產總值開支初步估計爲7,425.82億元，以貨幣計算，較一九九一年的6,411.36億元修訂估計高出16%。以一九八零年固定價格計算，一九九二年本地生產總值開支初步估計爲2,873.99億元，一九九一年的修訂估計，則爲2,736.86億元。

本地內部需求

1.8 本地內部需求(大部份爲私營機構需求)在一九九二年整年維持强勁。由於本地勞動人口繼續因幾乎全面就業的情況而受惠，消費開支因收入增加而獲得支持。年內，本地股票價格大幅上升，這亦可能產生刺激作用。私人消費開支在一九九二年進一步顯著增加，增幅達9%，一九九一年則上升8%。耐用及非耐用品消費品的開支有强勁增長，這與零售量的顯著增長相符〔註4〕。留用入口消費品在一九九二年亦激增約23%，一九九一年的升幅則爲9%。

1.9 政府消費開支方面，以國民會計定義計算，一九九二年的增長率爲8%。而一九九一年則爲7%〔註5〕。雖然政府的開支繼續維持在預算內，一九九二年有較快的增長，主要是由於醫院管理局的較大開支所致。該局不是政府部門，但爲了估計本地生產總值，須包括在政府消費開支內。

1.10 一九九二年，以本地固定資本形成總額計算的本地投資增加11%，一九九一年的升幅則爲10%。總投資額的增長，主要是由於機器和設備投資急劇增加所致。

1.11 建造業的整體開支仍然疲弱，主要是由於一九九一年後期有一些大型私營機構工程竣工，而一九九二年有較少新工程動工所致。不過，公營部門的活動，在一九九二年內逐步增加。一九九二年私營機構的樓宇及建設開支減少2%，一九九一年則增加2%，反映出上述情況。另一方面，公營部門(包括地下鐵路公司、九廣鐵路公司及臨時機場管理局)的樓宇及建設開支，在一九九一年下降5%後，到一九九二年有所回升，增幅爲8%。合計起來，一九九二年樓宇及建設的整體開支僅增加約1%，一九九一年則差不多是零增長。由於年內公營部門活動增多，所以公營部門在整體開支所佔比率，由一九九一年的30%上升至一九九二年的33%(見5.18及5.19段)。

1.12 機器及設備開支在一九九一年上升17%後，到一九九二年進一步大幅增長，升幅達23%。和私營機構在機器及設備方面的開支，在一九九一年上升17%後，到一九九二年上升24%，其中供製造業使用的機器的開支，繼續大幅增長。另一方面，公營部門在機器及設備方面的開支，在一九九一年上升32%後，到一九九二年下跌12%。不過，這方面的開支，在一九九二年機器及設備的整體開支中，僅佔2%。

1.13 地產發展商的毛利〔註6〕，在一九九一年上升5%後，到一九九二年下跌1%，這與私營機構建造活動減少的情況一致。另一方面，土地及樓宇的轉讓費用〔註7〕，在一九九一年大幅上升38%後，在一九九二年再顯著增加21%。不過，轉讓費用的升幅在年內顯著減慢，主要由於住宅物業市場進入鞏固階段所致。

1.14 由於整體經濟活動穩定增長，一九九二年很可能積累頗多的存貨。

對外貿易

1.15 由於轉口貨物持續有增長較快的轉型，加上許多主要市場的本地內部需求疲弱，一九九二年的本地產品出口繼續幾乎毫無增長，但轉口貨物則持續大幅增加。因此，總出口持續有強勁的增長。

1.16 在各主要市場中，美國仍是本地產品出口的最大市場，佔一九九二年出口總值的28%，較一九九一年的27%略高。輸往這個市場的本地產品在一九九二年上半年回升後，在下半年卻見放緩。自一九八八年以來，輸往這個市場的產品表現呆滯，主要的原因是轉口貨物有增長較快的轉型，以及美國的消費需求疲弱。輸往中國的本地產品持續強勁增長，原因是中國對入口貨物的需求增加，以及本港在內地進行的加工活動有所擴展。輸往亞太區許多其他市場的本地產品，亦有顯著的增長。另一方面，輸往德國、英國及日本的本地產品，卻告減少(見2.11至2.18段)。

1.17 轉口貨物續有大幅增長，一九九二年的升幅約為28%，一九九一年則為26%。輸往及來自中國的轉口貨物急升(原因是本港在內地進行的加工活動不斷擴展，以及中國自用入口貨物的需求增加)，是本港轉口貨物大幅增長的主要推動力。中國仍是本港轉口貨物的最大市場及來源地，合共佔一九九二年轉口貨物總值約86%(見2.21至2.25段)。

1.18 在蓬勃的轉口貿易及留用入口貨物大幅增長的支持下，一九九二年的入口貨物，亦有急速增長，升幅約為22%，一九九一年則為19%。一九九二年留用入口貨物的增幅約為14%，一九九一年則為12%(見2.6段)。

1.19 服務出口的增長率，由一九九一年的4%顯著上升至一九九二年的10%，與年內有形貿易迅速增長，以及旅遊業強勁復甦的情況一致。另一方面，一九九二年服務入口的增長率為7%，較一九九一年的8%稍慢，主要是由於香港居民出外旅遊時的平均開支下降所致(見2.38段)。

1.20 由於入口貨物總值的增長速度較出口貨物總值為快，一九九二年的有形貿易赤字擴大至300億元，相等於入口貨物總值的3.2%。若將工商業進口黃金的估計總值計算在內，則赤字約為340億元，相等於入口貨物總值的3.5%(見2.7段)。無形貿易方面，一九九二年的盈餘約為460億元。將有形及無形貿易合計，一九九二年仍有130億元的整體盈餘，相等於貨物及服務入口總值的1.2%(見2.38段)。

根據本地生產總值初步估計對經濟作出的分析

1.21 勞工生產力，按所有行業每名受僱工人的產量計算(或按受僱勞動人口計算)，在一九九二年增加5%左右，比一九九一年的3%為快。本地製造業的勞工生產力持續顯著提高，主要是由於近數季機器及設備方面的持續投資所致。此外，廠商提高本地的製造及有關操作水準，同時把勞工密集程度較高的生產工序轉移到內地進行，亦是另一重要原因(見5.7段)。服務行業勞工生產力的增長，一般比製造業爲慢。不過，由於以服務爲主要活動的勞工生產力水平，一般較製造業活動的勞工生產力爲高，因此，本港經濟持續轉向倚重服務行業的情況，相信有助提高整體的勞工生產力。

1.22 一九九二年的人口增長率爲1.0%，按人口平均計算的本地生產總值實質增幅約爲4%。按當時市價計算，一九九二年本地生產總值按人口平均計算的初步估計爲127,800元(16,500美元)，以貨幣計算，比一九九一年修訂估計高出15%。以這個水平來說，香港按人口平均計算的本地生產總值，在東南亞非產油國家/地區中，僅低於日本。

1.23 最後需求總額(不包括轉口貿易)在一九九二年增加7%(如包括轉口貿易，則增加15%)。由於產品供應(按本地生產總值計算)增加5%，一九九二年的總體需求仍然超過總體供應。由於本港經濟的生產力有所限制，最後需求中，有更大部分是由入口貨物而非本地供應貨物應付。

1.24 本地內部需求方面，一九九二年的私營機構需求增長率爲10%，公營部門需求的增長率則較慢，增幅爲7%。不過，由於公營部門開支平減物價指數比私營機構開支平減物價指數上升較快，因此，根據國民會計定義〔註8〕按當時價格計算，公營部門在本地生產總值所佔的比率輕微上升，由一九九一年的11.2%升至一九九二年的11.6%。

勞工市場

1.25 一九九二年的勞工市場，普遍維持緊張。經季節性調整的失業率及就業不足率在年內初期暫允上升，到年內後期逐步下降，處於2%左右(見4.5段)。雖然市場對勞工的需求因經濟活動穩定增長而持續，但勞工的供應幾乎毫無變動(見4.7段)。

1.26 隨着本港經濟轉向倚重服務行業，服務行業的勞工市場情況，普遍較製造業的勞工市場情況緊張。製造業的就業人數持續下降(見4.10段)，而服務行業的就業人數，則進一步上升(見4.13段)。所有主要服務行業的職位空缺數目，較去年增多，但製造業及樓宇及建築地盤的職位空缺數目，卻大幅減少(見4.16段)。

1.27 勞工市場普遍的緊張情況，推高了勞工收入。一九九一年九月至一九九二年九月期間，各主要行業從業員的平均入息，以貨幣計算，有大幅增長。扣除通貨膨脹的影響後，各主要行業從業員的實質入息均告增加，但酒樓及酒店業從業員的實質入息，卻見輕微減少。製造業從業員的平均入息增長最快，其次是金融、保險、地產及商業服務行業，批發、零售及出入口業，以及交通、倉庫及通訊業。由於建造活動依然淡靜，建築工資以實價計算，輕微下降(見4.17至4.21段)。

物業市場

1.28 一九九二年內，物業市場各類物業的市道表現不一。經過一九九一年物業交投活躍，價格大幅急升後，一九九二年的住宅物業市道處於鞏固期。政府在一九九一年年底實施抑制投機活動的措施，以及銀行維持較緊的按揭貸款政策，繼續起着壓抑作用。雖然利率在五月及七月三次調低共達兩厘，住宅物業市場的活動在年內後期繼續放緩。此外，中港就機場核心計劃財務安排的商討曠日持久，加上有關憲制發展建議的政治分歧，可能產生一些不明朗情況。住宅樓宇價格自上半年進一步上升後，下半年略爲回落，反映市道處於鞏固階段。不過，新出租樓宇的租金大致保持穩定，位於較理想地區的樓宇，租金則有所上升(見5.8段)。

1.29 舖位市道方面，由於本地消費者的消費回升及旅遊業復甦，以致需求得到支持，價格和租金進一步上升。寫字樓的需求在年內回升，大部分地區的寫字樓租金亦有溫和升幅，但供應仍然充裕。同時，由於買家的興趣繼續由住宅物業轉向寫字樓，分層寫字樓的銷售市道活躍。廠房市道繼續普遍淡靜。不過，位置較佳可作製造及附屬辦公室用途的現代化工業樓宇，則較受歡迎(見5.13至5.15段)。

1.30 一九九二年，新建住宅及工業樓宇的供應量分別減少21%及30%，一九九一年則分別增加14%及51%。商業樓宇的供應量增加10%，而一九九一年則增加51%(見5.11至5.15段)。

1.31 計劃發展的私人樓宇，按已獲准動工的建築圖則所示的樓面面積計算，進一步減少，一九九二年減少17%，而一九九一年則減少7%。雖然已獲准動工的住宅樓宇有13%的增長，但工業、商業及"其他"類別樓宇，則分別減少56%，12%及42%(見5.16段)。發展商在一九九二年對拍賣住宅用地的反應普遍仍然良好。不過，他們在購置工業用地方面，態度依然審慎(見5.24段)。

通貨膨脹

1.32 消費層面的通貨膨脹在一九九二年仍然高企，但較去年顯著放緩。與上年同期比較，甲類消費物價指數的增幅，由一九九一年第二季的13.1%高峯(一九九一年四月爲13.9%)，放緩至一九九二年第一季的10.1%，第二及第三季進一步放緩至9.0%，然後在第四季微升至9.4%。全年計算，甲類消費物價指數的升幅平均爲9.4%，一九九一年的平均升幅則爲12%(見6.1至6.4段)。

1.33 本地生產總值平減物價指數，是衡量本港經濟整體通脹的概括指標，這個指數在一九九二年上升10.3%，一九九一年則上升10.2%。本年初期的升幅較快，但主要是貿易價格比率改善所致。本港經濟逐漸受到入口價格較低的影響，令本地生產總值平減物價指數的升幅在第二及第三季逐步減慢，到第四季才稍爲回升。本地內部需求平減物價指數〔註9〕在一九九二年上升6.8%，一九九一年則上升7.9%(見6.5段)。

金融

1.34 港元兌美元的市場滙率在一九九二年全年維持穩定，處於聯繫滙率偏強方面，偏離聯繫滙率不足一個百分點。跟隨美元兌其他主要貨幣的走勢，港元的整體滙價，以有效滙率指數計算，由一九九一年年底的109.2上升至四月二十一日的113.2，但在九月初回落至接近108.3，再於十二月二十九日上升至114.5新高。一九九二年結束時，指數爲114.2(見3.4段)。

1.35 在聯繫滙率制度下，港元利率普遍追隨美元利率的走勢。一九九二年首四個月，三個月期的香港銀行同業拆出息率，普遍高於相對的歐洲美元存款利率。隨着外滙基金兩度注入流動資金，香港銀行同業拆出息率在四月底顯著偏軟。在數次大規模發行股票的影響下，香港銀行同業拆出息率在八月初稍爲回升，但隨着外滙基金再度注入流動資金，三個月期的香港銀行同業拆出息率再次低於相對的歐洲美元利率。在九月中至十月期間，三個月的香港銀行同業拆出息率緊隨相對的歐洲美元利率走勢變動，然後在十二月初高於歐洲美元利率。一九九二年年底，利率差距爲$\frac{13}{16}$個百分率，港元利率較高(見3.5段)。

1.36 一九九二年內，銀行的存款及貸款增長率放緩。年內港元存款增加13.2%，一九九一年的增幅則爲16.2%(見3.11段)。一九九二年在本港使用的貸款增加10.9%，一九九一年則增加18.4%。特別的是，用以購買住宅物業的貸款，在年內的增長顯著放緩，原因是銀行維持較緊的按揭貸款政策，以及住宅物業市場處於鞏固階段(見3.17及3.18段)。貨幣供應方面，較廣義的本地貨幣供應的增長率，大致上與名義本地生產總值的增長率一致(見3.15段)。

1.37 金融管理方面，流動資金調節機制於六月八日實施，把現行收市後隔夜流動資金援助的安排正式化。流動資金調節機制令外滙基金更有能力影響短期銀行同業利率，藉以維持滙率穩定。外滙基金的數額在七月十五日公佈。直至一九九一年年底，外滙基金數額達2,360億港元，所持有的外幣總額爲2,250億港元，即290億美元。十月，當局宣佈會把外滙基金管理局及銀行業監理處合併，成爲香港金融管理局，目的是要更能達到維持滙率及貨幣穩定的整體金融政策目標(見3.8至3.10段)。

1.38 在本地資本市場方面，世界銀行的成員機構，國際金融公司，在八月首次推出爲期五年的港元債券，以籌集5億港元。亞洲開發銀行則於十月推出爲期五年的龍債券，以籌集3億美元。上述發行的兩種債券，均深受市場歡迎(見3.25段)。

1.39 股票市場方面，一九九二年大部份時間內，股票價格積累强勁的升勢。十一月十二日，恆生指數升至6447點新高，其後因政治的不明朗因素而略爲鞏固調整，年底時收報5512點。儘管如此，一九九二年本地市場股票價格的升幅，仍遠較海外其他主要股票市場爲高(見3.29段)。於六月及十月分兩階段推出的中央結算及交收系統，有助提高市場運作效率及減低市場的交收風險(見3.30段)。

第一章　註釋

〔註1〕　本地生產總值是指經濟體系於指定期間內(例如一曆年或一季)末扣除固定資本消耗的淨產量總值。從開支方面計算其估計數字，本地生產總值是指私人消費開支、政府消費開支、本地固定資本形成總額、存貨增減，以及貨物及服務出口價值的總和減去貨物及服務入口價值。

〔註2〕　本章內引述的增長率，除另有說明外，全部均爲與上年同期比較的實質數字。

〔註3〕　本地生產總值平減物價指數，是衡量整體通脹情況的一個概括指標。這個指數是由本地生產總值個別組成部份的平減物價指數組成。

〔註4〕零售量的增長率如下：

	與上年同期比較的增幅(%)
一九九一年	10
一九九二年一月至十一月	12
一九九二年第一季	14
第二季	13
第三季	11
十月	10
十一月	9

註：政府統計處進行的零售業銷貨額統計調查，對象以零售店舖而非住戶爲主，因此，不能分別出售予本地消費者及遊客的貨額。

〔註5〕　以國民會計定義計算的政府消費開支，是指政府部門在貨物及服務方面的經常開支，亦包括貿易發展局、香港生產力促進局、香港旅遊協會、消費者委員會及醫院管理局等半政府非牟利機構的開支。不過，政府消費開支並不包括主要向市民出售貨物及服務等政府部門，例如房屋署及郵政署的開支，此外亦不包括政府對提供社區及福利服務的各類機構所給予的津貼，因爲這些開支是屬於轉撥款項，並不是直接資源消費。

〔註6〕　地產發展商的毛利，是衡量地產發展商透過買地、爲進行工程計劃而統籌建築師、建造商及工程師等的工作、爲工程計劃籌措資金及推廣樓宇單位市場所提供的服務。發展商的毛利不等於發展商的利潤，後者不單包括提供服務的報酬，亦包括從其發展計劃得到的土地增值在內。

〔註7〕　土地與樓宇的轉讓費用，是指由於土地和樓宇的所有權轉讓而須支付的開支，包括印花稅、法律費用，以及代理商的佣金。

〔註8〕　這數字是根據國民會計定義計算出來，與預算案的"公營部門開支在本地生產總值中所佔比率"不同。後者的定義爲公營部門的綜合開支與按當時價格計算的本地生產總值所成的比例。

〔註9〕　本地內部需求平減物價指數，是根據本地生產總值平減物價指數扣除對外貿易的價格升幅後而計算出來。

第二章　對外貿易

引言

2.1　一九九二年出口貨物總額(本地產品出口加轉口)持續大幅上升，實質增幅約爲19%，一九九一年則增加17%。華南地區提供外地加工設施令轉口貨物比本港出口貨物更爲迅速增長的結構性轉移得以維持，以及經香港的中國出口貨物迅速增長，都是出口貨物總額增長的主要推動力。此外，華南地區的生產成本相對較低，亦有助香港出口貨物在世界市場維持價格競爭能力。

2.2 本地產品出口的整體表現仍然疲弱，以實質計算，一九九二年幾乎毫無變動，與一九九一年的表現相若。不過，本地產品出口在各主要市場表現不一。輸往中國的本地產品，繼續顯著上升。這些本地產品中，大部分與香港公司在中國進行的外地加工安排有關，但以滿足中國本身需求的本地產品，比例亦逐漸上升。輸往亞太區許多其他市場的本地產品，亦有大幅增長。輸往美國的本地產品在上半年回升，但下半年則告放緩。一九九二年全年計算，並無實質增長。不過，美國仍是本地產品出口的最大市場，一九九二年輸往美國的本地產品佔總值的28%，稍高於一九九一年的27%。輸往德國和英國的本地產品仍然處於下降趨勢，雖然一九九二年下半年的下降趨勢放緩。不過，輸往日本的本地產品，進一步減少。

2.3 轉口貿易的表現持續强勁，部分反映出轉口貨物繼續比本地產品出口更爲迅速增長的結構性轉移。轉口貨物在一九九二年進一步大幅上升，實質升幅約爲28%，而一九九零年及一九九一年的升幅，分別爲16%及26%。由於轉口貨物的增長，持續較本地產品出口爲快，因此，轉口貨物在所有出口貨物總值中所佔的比率進一步上升，由一九九一年的70%增至一九九二年的75%。

2.4 本港在內地進行的加工活動持續擴展，以及中國經濟增長强勁，使來自及輸往中國的轉口貨物迅速增長，是一九九二年本港轉口貿易大幅增長的主要原因。年內，香港轉口貨物的其他主要市場，包括美國、日本及英國，均有良好的表現。

2.5 一九九二年，本地產品出口價格只有溫和上升，顯著低於本地通脹率(見6.1至6.5段)。留用入口原料及半製成品的價格普遍穩定(見6.12段)，本地製造業的勞工生產力顯著改善(見5.7段)，以及本港在外地進行加工安排而節省成本(見6.16段)，均有助減低本地的生產成本。此外，轉口貨物價格，在一九九二年的變動不大。因此對香港本地產品出口及轉口貨物的價格競爭力產生有利的影響。

2.6 一九九二年的入口貨物亦顯著增加，實質增幅約爲22%，而一九九零年及一九九一年的增幅分別爲11%及19%。入口貨物增加，主要是由於轉口貿易不斷激增，而大量入口貨物留供本地使用，亦是次要的原因。一九九二年，留用入口貨物的實質增幅約爲14%，而一九九零年及一九九一年的增幅均爲12%。留用入口消費品及資本貨物的增長，尤爲强勁。

2.7 一九九二年的出口貨物總值(本地產品出口加轉口)增長21%，較入口貨物總值的23%增長率上升得慢。因此，一九九二年的有形貿易赤字增至300億元，相等於入口貨物價值的3.2%，而一九九一年的赤字爲130億元，相等於入口貨物價值的1.7%。如果將工商業用入口黃金的估計總值計算在內，一九九二年的有形貿易赤字應爲340億元左右，相等於入口貨物總值的3.5%。一九九一年的相對赤字爲160億元，相等於入口貨物總值的2.1%。

2.8 總出口價格的上升速度，較總入口價格略爲迅速，一九九二年的增長率分別約爲1.0%及0.4%。因此，貿易價格比率稍見好轉〔註1〕。

2.9　與有形貿易的迅速增長及旅遊業的強勁復甦一致，服務出口及服務入口均顯著增長。作爲一項粗略的初步估計，以價值計算的增長率分別爲17%及12%，令一九九二年的無形貿易盈餘很可能超過460億元，一九九一年的盈餘則爲350億元。

本地產品出口

2.10　一九九二年的本地產品出口價值爲2,340億元，較一九九一年高出1%。計及價格估計上升1%的影響後〔註2〕，本地產品出口的實質計算，幾乎毫無變動。一九九一年，以價值計算，有2%的升幅，以實質計算，則並無增長。與上年同期比較，本地產品出口在第一季內，以實質計算，變動不大，但在第二及第三季的表現略佳。不過，第四季的表現則再度放緩。港元在第二季及第三季隨美元貶值〔註3〕，只能部分抵銷主要海外市場本地內部需求疲弱的不良影響。

輸往各主要市場的本地產品

2.11　一九九二年輸往美國的本地產品仍然毫無變動。一九九二年輸往這個市場的本地產品價值達650億元，較一九九一年上升3%，佔年內本地產品出口總額的28%。計及價格估計上升3%的影響後，以實質計算，一九九二年與一年前比較，差不多毫無變動。相較之下，一九九一年下降7%。輸往這個市場的本地產品在上半年回升，與上年同期比較的增長率，以實質計算，第一季爲4%，第二季爲8%。不過，第三季出現零增長，而第四季以實質計算，下降10%左右。美國本地內部疲弱的情況在總統選舉時仍然持續，阻礙了本地產品出口在下半年的表現。不過，輸往這個市場的轉口貨物，持續有極强勁的增長〔註4〕。

2.12　按主要產品類別分析，輸往美國市場的港產電子零件增長最快，實質增幅約爲20%，其次是布料及成衣，實質增幅分別約爲3%及2%。不過，輸美的港產家庭電器用品、紡織縫製品、收音機及鞋類，則顯著下降，以實質計算，分別下降50%、33%、31%及27%左右。輸美港產鐘錶以及旅行用品與手袋亦輕微下降，實質跌幅分別爲3%及2%左右。一九九二年，本港輸往美國的各類產品中，成衣佔最大部分，比率達57%，其次是電子零件及鐘錶，比率分別爲8%及7%。一九九二年輸往美國的紡織品及成衣配額運用率爲97%，一九九一年則爲96%。

2.13　一九九二年內，輸往中國的本地產品，繼續大幅增長，價值爲620億元，佔全年本地產品出口總值26%，較一九九一年高出14%。扣除價格估計上升1%的影響後，實質增長率約爲13%。輸往中國的本地產品大幅增長，是由於與中國進行的外地加工貿易持續擴展所致。此外，中國經濟迅速增長，加上入口管制的放寬，令中國入口自用的貨物需求較大(見2.28段)。與上年同期比較，一九九二年四季的實質增長率，分別爲16%，17%，12%及約11%。按主要產品類別分析，輸往中國的港產收音機、金屬鑛物和廢料以及電子零件，在一九九二年有特別大幅的增長，實質升幅分別爲295%、147%及78%左右。輸往中國的港產紡織縫製品、旅行用品和手袋，成衣、金屬製品及鐘錶，亦有可觀的增長，實質升幅，分別爲36%、33%、28%、14%及13%左右。不過，輸往中國的港產家庭電器用品及紡織紗線則告減少，實質跌幅分別爲13%及6%左右。一九九二年輸往中國的本地產品中，有50%爲原料及半製成品，大部分反映出外地加工活動的重要。

2.14 關於輸往德國的本地產品，由一九九一年下半年開始的下降趨勢持續至一九九二年。一九九二年內，輸往這個市場的本地產品價值爲160億元，較一九九一年下跌17%，扣除價格估計上升3%的影響後，實質跌幅約爲20%。下降趨勢主要是由於德國經濟在統一初期蓬勃增長後顯著放緩所致。不過，港元在一九九二年兌德國馬克貶值，應有一些促進作用。反映這個情況，輸往德國市場的本地產品，與上年同期比較的實質跌幅顯著放緩，由第一季的32%減至第二季的29%、第三季的14%及第四季的5%左右。主要基於相同的原因，輸往這個市場的轉口貨物，在一九九二年後期亦顯著回升〔註5〕。按主要產品類別分析，輸往德國的港產收音機，在一九九二年有大約22%的實質增幅。另一方面，輸往德國的港產家庭電器用品，鞋類、布料、旅行用品和手袋、金屬製品、鐘錶及成衣則顯著下跌，實質跌幅分別爲69%、59%、47%、30%、28%、23%及15%。由於輸往德國的港產紡織品及成衣減少，一九九二年的紡織品及成衣配額運用率僅爲74%，而一九九一年則爲80%。

2.15 輸往英國的本地產品價值，在一九九二年爲130億元，較一九九一年下降8%，由於價格下跌約1%，實質跌幅亦大約爲8%。與上年同期比較，一九九二年上半年輸往這個市場的本地產品，以實質計算，下跌13%，但下半年的跌幅則顯著放緩至3%左右。儘管英國的本地內部需求平淡，但港元在第二季及第三季兌英鎊貶值，很可能是一九九二年後期跌幅減少的原因。在此期間，輸往這個市場的轉口貨物繼續暢旺〔註6〕。按主要產品類別分析，輸往英國的港產電子零件與旅行用品和手袋在一九九二年顯著增加，實質增幅分別約爲36%及18%。另一方面，輸往英國的港產家庭電器用品、布料、鞋類及金屬製品則大幅下跌，實質跌幅分別約爲62%、46%、35%及28%。輸往英國的港產鐘錶、收音機及成衣亦溫和下降，實質跌幅分別爲9%、9%及5%左右。一九九二年輸往英國的紡織品及成衣配額運用率僅爲70%，而一九九一年則爲78%。

2.16 輸往整個歐洲經濟共同體的本地產品價值，在一九九二年達420億元，較一九九一年下跌12%。這些出口產品在一九九二年的本地產品出口總值所佔比率爲18%，一九九二年則爲21%。剔除對德國及英國的出口部分後，在一九九二年所佔比率爲6%，在一九九一年所佔比率則爲7%。一九九二年輸往大部分歐洲市場的本地產品有所減少，但輸往這些市場的轉口貨物在同期有顯著的增長〔註7〕。按主要產品類別分析，輸往整個歐洲經濟共同體的港產光學儀器及設備、辦公室機器、電動機器及成衣，在一九九二年均告減少，以價值計算，分別下跌20%、17%、8%及6%。一九九二年內，輸往整個歐洲經濟共同體的紡織品及成衣配額運用率爲66%，較一九九一年的73%運用率略低。

2.17 一九九二年輸往日本的本地產品價值爲110億元，較一九九一年下跌6%。扣除價格估計下降1%的影響後，實質跌幅約爲5%。與上年同期比較，第一季輸往這個市場的本地產品實質上升3%，但在其餘三季則分別有6%、4%及11%的實質跌幅。日本經濟持續放緩，減低了該國對本港產品出口的需求。不過，輸往日本的轉口貨物，則表現强勁〔註8〕。按主要產品類別分析，港產收音機、電子零件及布料在一九九二年顯著上升，實質增幅分別約爲62%、41%及17%。另一方面，港產金屬礦物及廢料、家庭電器用品、鞋類、成衣及鐘錶則有所減少，實質跌幅分別約爲37%、35%、26%、15%及5%。

2.18 亞太區各市場合共佔一九九二年本地產品出口總值的46%，一九九一年則爲42%。剔除對中國及日本的出口部分後，在一九九二年所佔的相對比例爲15%，一九九一年則爲14%。輸往亞太區各個經濟體系的本地產品在一九九二年進一步顯著增加，但輸往韓國及澳洲的本地產品，則屬例外。在這期間，輸往亞太區大部分經濟體系的轉口貨物亦大幅上升〔註9〕。按主要產品類別分析，輸往亞太區各個經濟體系的港產辦公室機器，在一九九二年增幅最大，以價值計算，上升40%，其次是電動機器及成衣，以價值計算，增幅分別爲10%及9%。

2.19 由此可見，一九九二年輸往本港八個最大市場的本地產品(佔整體本地產品出口的80%)有不同的表現〔註10〕。一九九二年輸往世界其他地區的本地產品，以價值計算，下跌6%。

按主要產品類別劃分的本地產品出口

2.20 一九九二年各主要產品類別劃分的本地產品出口表現，有顯著的差別〔註11〕。港產電子零件的出口進一步大幅增長，實質增幅約爲31%。金屬製品的出口，以實質計算爲零增長。另一方面，港產家庭電器用品、鐘錶、旅行用品和手袋、紡織品及成衣的出口則告下降，實質跌幅分別約爲38%、9%、4%、3%及2%。

轉口貨物

2.21 一九九二年轉口貨物〔註12〕進一步大幅上升。一九九二年轉口貨物價值達6,910億元，比一九九一年高出29%。扣除價格估計上升1%的影響後，實質增幅約爲28%。一九九一年的相對增幅，分別爲29%及26%。由於轉口貨物的增長速度，持續較本地產品出口爲快，因此，轉口貨物在出口貨物總值中所佔的比率，由一九九一年的70%，進一步增至一九九二年的75%。

2.22 一九九二年內，中國在本港轉口貨物貿易中，以數量及增長率計，仍佔極重要地位。與此同時，與中國無關的轉口貨物，亦有顯著增長〔註13〕。

2.23 一九九二年內，中國仍爲本港轉口貨物的最大市場，佔本港所有轉口貨物價值的31%，而一九九一年所佔比例爲29%。承接一九九一年的38%升幅，一九九二年輸往中國的轉口貨物價值，有類似的顯著升幅，這主要是由於中國的本地內部需求强勁，以及本港在內地的加工活動繼續擴展所致(見2.28段)。輸往中國的轉口貨物，主要包括紡織紗、布料及縫製品、電動機器、工業用機器、塑料及汽車。

2.24 本港轉口貨物的其他主要市場爲美國(佔一九九二年轉口貨物總值21%)、日本(5%)、德國(5%)、台灣(4%)及英國(3%)〔註14〕。在這些市場中，輸往英國的轉口貨物在一九九二年內增長最快，以價值計算，增幅達40%。輸往美國、日本及台灣的轉口貨物，亦有可觀的增長，以價值計算，分別增加34%、27%及6%。不過，輸往德國的轉口貨物，以價值計算，只上升3%。一九九二年內，輸往歐洲經濟共同體各市場(德國及英國除外)及亞太區大部分市場(中國及日本除外)的轉口貨物，均有大幅增長〔註15〕。

2.25 中國亦是本港轉口貨物的最重要來源地。一九九二年，來自中國的轉口貨物，以價值計算，激增28%，而一九九一年的增幅爲31%。這些轉口貨物中，大部分是香港公司委託在中國進行的外地加工活動產品(見2.28段)。由於增長迅速，一九九二年中國貨物在本港轉口貨物總值中所佔的比率爲58%，一九九一年則爲59%。來自中國的轉口貨物，主要有成衣、電訊及錄音器材、鞋類，以及紡織紗及布料。

2.26 本港轉口貨物的其他主要來源地爲日本、台灣、美國及南韓。一九九二年內，這些國家的貨物在本港轉口貨物總值中分別佔12%、8%、5%及3%〔註16〕。來自這些國家的轉口貨物，在一九九二年均有可觀的增長，以價值計算，分別上升49%、31%、21%及29%。

2.27 按用途劃分的轉口貨物分析，本港轉口貨物大部分爲消費品以及原料和半製成品。這兩類分別佔一九九二年轉口貨物總值的55%及27%。轉口消費品持續迅速增長，一九九二年的實質增幅約爲27%，一九九一年則爲28%。轉口原料與半製成品以及資本貨物，亦顯著上升，一九九二年的實質增幅，分別約爲23%及48%。一九九一年的相對升幅，分別爲23%及30%。

外地加工貿易〔註17〕

2.28 外地加工活動繼續是中港貿易增長的主要原因。一九九二年首三季，輸往中國的本地產品及轉口貨物中，分別約有75%及48%是進行外地加工的。至於從中國輸入本港的貨物中，與外地加工有關的比率約爲71%。源自中國而經香港輸往海外市場的轉口貨物中，約有79%是香港製造商委託進行外地加工安排的產品。與一九九一年同期比較，一九九二年首三季輸往中國進行加工的本港出口及轉口貨物進一步顯著增加，以價值計算，增幅分別爲11%及33%〔註18〕。本港輸往中國但非進行加工的本地出口及轉口貨物，上升更爲急劇，以價值計算，升幅分別爲26%及41%〔註19〕，這與中國大量需求入口貨物以供自用的情況一致。至於由中國輸入本港的貨物，與外地加工有關的，以價值計算，上升32%，但與外地加工無關的，只略升5%〔註20〕。源自中國而經本港輸往海外市場的轉口貨物，與外地加工有關的，以價值計算，上升42%，但與外地加工無關的，僅上升3%〔註21〕。

2.29　中港貿易中，有大量及多種產品是與外地加工安排有關的。一九九二年首三季，輸往中國的本地產品中，以鐘錶、錄音及重播器材、成衣、玩具、運動及體育用品、以及紡織紗及布料進行加工的比例最大。一九九二年首三季，輸往中國的轉口貨物中，進行加工比例最大的爲鐘錶、紡織紗及布料、玩具、運動及體育用品和成衣。一九九二年首三季由中國輸入本港的貨物，則以玩具、運動及體育用品、鐘錶、錄音及重播器材和塑膠產品進行加工的比例最大。源自中國而經本港輸往海外市場的轉口貨物中，以成衣、玩具、運動及體育用品、以及錄音及重播器材有最大的比例與外地加工有關。

入口貨物

2.30　一九九二年入口貨物價值爲9,550億元，較一九九一年高出23%。由於入口價格維持穩定，入口貨物以實質計算，增加約22%。一九九一年的相對增幅，分別爲21%及19%。入口貨物大幅增長，主要是由於本港的轉口貿易持續迅速擴展，其次是留作本地使用的入口貨物大幅增加所致。

來自各主要供應地的入口貨物〔註22〕

2.31　中國仍是本港入口貨物最重要的來源地，佔一九九二年入口貨物總值的37%。一九九二年來自這個來源地的入口貨物，價值爲3,540億元，以價值計算，較一九九一年上升21%。扣除價格估計上升1%的影響後，實質增長率約爲19%。來自中國的入口貨物大幅增長，主要是由於中國的加工活動繼續蓬勃，令源自中國的轉口貨物(即加工活動的產品)迅速增加。

2.32　日本是本港入口貨物的第二大來源地，佔一九九二年入口貨物總值的17%。一九九二年來自這個來源地的入口貨物，價值爲1,660億元，以價值計算，較一九九一年上升30%。扣除價格估計上升1%的影響後，實質增長率約爲29%。入口貨物的其他主要來源地，依次爲台灣(佔一九九二年入口貨物總值的9%)、美國(7%)、南韓(5%)及新加坡(4%)。一九九二年來自這四個來源地的入口貨物，以價值計算，較一九九一年分別增加17%、20%、26%及24%。

留用入口貨物

2.33 留用入口貨物在一九九二年的實質增幅約爲14%，一九九一年的升幅則爲12%。與上年同期比較，留用入口貨物在一九九二年上半年實質增加13%，下半年的升幅則約爲15%。留用入口貨物顯著增加，主要是本地消費及商業投資有所上升。日本仍爲本港留用入口貨物的主要來源地(佔一九九二年留用入口貨物總值的28%)，其次是美國(12%)、台灣(11%)、南韓(8%)、新加坡(6%)及德國(4%)。

按用途劃分的留用入口貨物

2.34 一九九二年按用途劃分的留用入口貨物的增長率，差別頗大〔註23〕。留用入口消費品繼一九九一年上升9%後，在一九九二年進一步大幅增加，實質升幅約爲23%，與消費上升的情況一致。這强勁的增長與年內零售業的暢旺表現相符(見1.8段)。此外，留用入口糧食繼一九九一年實質上升9%後，在一九九二年錄得相約的升幅。

2.35 留用入口原料及半製成品繼一九九一年上升12%後，在一九九二年實質增加約7%。很可能因爲近年本地製造業產品的入口成分較高，這類留用入口貨物一直比本地出口貨物增長得較快。主要貨品項目之中，以留用入口的電子零件在一九九二年的增長速度最快，以價値計算，上升28%。留用入口的非貴重金屬及紙張亦大幅上升，以價値計算，分別增加13%及10%。

2.36 由於受到裝船日期的影響，留用入口燃料的數字，季與季間出現大幅波動。與上年同期比較，留用入口燃料在第一季實質下跌18%，第二季大幅上升73%，第三季只上升3%，第四季則銳升約53%。以一九九二年整年計算，這類留用入口貨物實質增加約18%，一九九一年則增加2%。

2.37 留用入口資本貨物繼一九九一年有20%的强勁增長後，在一九九二年進一步顯著上升，實質增幅約爲19%。在這類別中，供製造業使用的留用入口機器在一九九二年的實質增幅約爲11%，一九九一年則上升26%〔註24〕。在本地勞動力差不多毫無變動的情況下，機器及設備的持續投資，有助擴大生產力及提高勞工生產力。

無形貿易

2.38 本地生產總值初步估計數字顯示，與一年前比較，服務出口在一九九二年繼續顯著增長，實質增長率爲10%，一九九一年的升幅則爲4%。服務入口亦顯著上升，繼一九九一年增加8%後，一九九二年的實質增長率爲7%。香港作爲亞太區的貿易、金融及商業服務中心，地位日益重要，服務行業的迅速增長，正與這情況一致。旅遊業的需求强勁，這可從訪港旅客人數大幅增加反映出來(見5.30至5.33段)。

2.39 由於服務出口持續大於服務入口，一九九二年的無形貿易盈餘可能超逾460

億元。因此，將340億元有形貿易赤字(就工商業用進口黃金估計價值作出調整後)計算在內，一九九二年的有形和無形貿易綜合盈餘可能約爲130億元，約相等於貨物及服務入口總值的1.2%〔註25〕。

第二章　註釋

〔註1〕　貿易價格比率指數的定義，爲總出口(本地產品出口加轉口貨物)單位價值指數與入口價格指數之間的比率。

單位價值指數
(一九八一年＝100)

	總出口	入口	貿易價格比率指數(一九八一年=100)	與上年同期比較貿易價格比率指數的增減率(%)
一九九一年	162.0	157.5	102.9	0.8
一九九二年*	163.6	158.2	103.5	0.6
一九九一年第一季	160.9	158.4	101.6	−0.8
第二季	161.0	156.5	102.9	0.1
第三季	162.9	157.2	103.7	1.3
第四季	162.9	158.2	103.0	2.0
一九九二年第一季	163.3	158.0	103.4	1.8
第二季	162.3	157.2	103.2	0.3
第三季	164.5	158.7	103.5	−0.2
第四季*	164.1	158.1	103.8	0.8

註：(*)根據計至一九九二年十一月的貿易指數估計。

〔註2〕　價格變動是根據單位價值的變動而估計的，一般並不計算貨物的組合成分或質素的改變，但若干編有特定價格指數的選定商品則除外。以實質計算的改變，則是根據貿易價值變動，扣除價格變動的影響而得出。

〔註3〕　季內港元兌其他主要貨幣的滙率的變動(%)：

	一九九一年	一九九二年			
	第四季	第一季	第二季	第三季	第四季
馬克	−9.5	+9.0	−7.2	−7.3	+13.8
英鎊	−6.9	+8.2	−8.5	+6.1*	+17.5
日圓	−6.2	+6.7	−5.4	−4.6	+3.7

註：(+)表示港元兌所列貨幣升值，(−)表示貶值。

(*) 第三季大部分時間內，港元兌英鎊貶值，但接近九月底，英鎊在歐洲貨幣混亂中顯著疲弱。

〔註4〕　一九九二年內，本港輸往美國的轉口貨物，以價值計算，上升34%。這些轉口貨物中，很多是本港公司在中國進行加工後的產品(請同時參閱本章註17)。把本地出口及轉口貨物合計，一九九二年輸往這個市場的貨物總值，較一九九一年高出23%。

〔註5〕　本港輸往德國的轉口貨物價值，在一九九二年上半年下跌5%後，下半年回升11%。一九九二年全年計算，有3%的升幅。把本地出口及轉口貨物合計，一九九二年輸往這個市場的貨物總值下降5%。

〔註6〕　本港輸往英國的轉口貨物在一九九二年大幅增長，以價值計算，增幅爲40%。把本地出口及轉口貨物合計，一九九二年輸往這個市場的貨物總值上升17%。

〔註7〕　輸往歐洲經濟共同體各個市場的本地出口及轉口貨物：

	本地產品出口		轉口貨物	
	一九九二年（十億元）	以價值計算的增長率（%）	一九九二年（十億元）	以價值計算的增長率（%）
整個歐洲經濟共同體	42.4	−12	103.8	22
歐洲經濟共同體（德國及英國除外）	13.9	−10	50.1	31
荷蘭	4.9	−7	9.8	35
法國	3.2	−15	11.0	22
意大利	2.3	−2	10.7	33
西班牙	1.1	−14	6.2	53
丹麥	0.9	−10	2.9	14
比利時/盧森堡	0.7	−25	6.6	25
愛爾蘭共和國	0.5	16	0.4	21
希臘	0.2	−12	1.4	31
葡萄牙	0.1	−15	1.1	38

把本地出口及轉口貨物合計，一九九二年全年輸往整個歐洲經濟共同體的貨物總值，較一九九一年增加9%。除德國及英國外，相對的增長率爲19%。

〔註8〕　一九九二年本港輸往日本的轉口貨物，以價值計算，增加27%。把本地出口及轉口貨物合計，一九九二年輸往這個市場的貨物總值上升18%。

〔註9〕　輸往亞太區各個市場的本地出口及轉口貨物：

	本地產品出口		轉口貨物	
	一九九二年（十億元）	以價值計算的增長率（%）	一九九二年（十億元）	以價值計算的增長率（%）
整個亞太區	107.1	9	359.4	30
亞太區（中國及日本除外）	34.1	7	109.8	16
新加坡	10.4	18	13.9	15
台灣	6.5	7	26.2	6
澳洲	2.7	−12	10.1	32
菲律賓	2.4	10	6.2	25
馬來西亞	2.5	10	3.9	21
泰國	2.2	6	6.0	−4
南韓	1.4	−20	13.6	−7
澳門	1.3	14	8.7	38
印尼	1.1	4	4.6	4
其他	3.7	5	16.6	63

把本地出口及轉口貨物合計，一九九二年本港輸往亞太區各個市場的貨物總值，較一九九一年高出24%。除中國及日本外，相對的增長率爲14%。

〔註10〕　按市場劃分的本地產品出口：

	一九九一年（十億元）	佔一九九一年總值的百分率（%）	一九九二年（十億元）	佔一九九二年總值的百分率（%）	一九九二年以價值計算的增長率（%）
所有市場	231.0	100	234.1	100	1
美國	62.9	27	64.6	28	3
中國	54.4	24	62.0	26	14
德國	19.3	8	16.0	7	−17
英國	13.7	6	12.5	5	−8
日本	11.7	5	11.0	5	−6
新加坡	8.8	4	10.4	4	18

台灣	6.1	3	6.5	3	7
加拿大	5.0	2	5.0	2	0
世界其他地區	49.2	21	46.2	20	−6

註：輸往上述一些市場的本地產品實質增長率，目前仍未有估計數字。

〔註11〕 按主要類別劃分的本地產品出口的實質增長率(％)：

與上年同期比較	成衣	紡織品	旅行用品與手袋	鐘錶	電子零件	家庭電器用品	金屬製品
1991/1990	2	1	−10	−12	23	−7	8
1992/1991*	−2	−3	−4	−9	31	−38	0
1991/1990第一季	4	−6	−23	3	42	2	−3
第二季	−1	4	4	−1	16	0	12
第三季	1	5	−7	−21	28	−10	15
第四季	2	2	−12	−23	12	−14	8
1992/1991第一季	0	−10	26	−12	13	−28	11
第二季	0	10	−12	−11	41	−38	0
第三季	0	−6	−13	−4	25	−41	0
第四季*	−6	−6	−10	−9	45	−43	−6

註：(*)根據計至一九九二年十一月的貿易指數估計。

〔註12〕 轉口貨物是指先輸入本港然後再出口的貨物，而這些貨物並沒有在本港經過任何製造過程，以永久改變其形式、性質、樣式或用途。

〔註13〕 本港轉口貨物(包括與中國有關及無關者)以價值計算的增長率：

	一九九一年(十億元)	一九九二年(十億元)	一九九二年的增長率(％)
(a)所有轉口貨物	534.8	690.8	29
(b)輸往中國的轉口貨物	153.3	212.1	38
(c)來自中國的轉口貨物	315.7	403.8	28
(d)與中國無關的轉口貨物	82.2	95.1	16

註：(b)、(c)及(d)項的總和較(a)項略高，因為來自中國而再轉口輸往中國的貨物被再次計算在(b)及(c)項內。

〔註14〕 輸往下列市場的轉口貨物：

	一九九一年(十億元)	佔一九九一年總值的百分率(％)	一九九二年(十億元)	佔一九九二年總值的百分率(％)	一九九二年以價值計算的增長率(％)
所有市場	534.8	100	690.8	100	29
中國	153.3	29	212.1	31	38
美國	110.8	21	148.5	21	34
日本	29.6	6	37.5	5	27
德國	32.1	6	33.1	5	3
台灣	24.8	5	26.2	4	6
英國	14.7	3	20.6	3	40
世界其他地區	169.6	32	212.9	31	26

〔註15〕 請參閱本章註(7)及(9)。

〔註16〕 來自下列主要來源地的轉口貨物：

	一九九一年(十億元)	佔一九九一年總值的百分率(％)	一九九二年(十億元)	佔一九九二年總值的百分率(％)	一九九二年以價值計算的增長率(％)
所有來源地	534.8	100	690.8	100	29
中國	315.7	59	403.8	58	28
日本	57.2	11	85.0	12	49
台灣	41.7	8	54.4	8	31
美國	26.6	5	32.1	5	21

南韓	15.0	3	19.4	3	29
世界其他地區	78.6	15	96.1	14	22

〔註17〕 本港公司與中國製造業機構訂立外地加工安排，根據此等安排，本港公司可將其產品的全部或部分生產程序分判予中國機構進行。詳情請參閱《一九九零年半年經濟報告》第24頁註⑽。

一般來說，外地加工活動不受任何限制。不過，標明以香港爲產地來源的外地加工貨物，則受本港的產地來源規則嚴格規限。貿易署實行一項有效的行政安排，在完全符合本港產地來源規則的情況下，對本港製造但在中國完成部分工序的貨物，可給予本港產地來源的地位。

〔註18〕 輸往中國進行外地加工的本地出口貨物、轉口貨物及所有出口貨物，以價值計算的增長率(%)：

與上年同期比較	輸往中國進行外地加工的本地出口貨物	輸往中國進行外地加工的轉口貨物	輸往中國進行外地加工的所有出口貨物
1991/1990	10.8	32.6	24.0
1991/1990第一季	13.3	28.3	22.4
第二季	10.5	44.8	30.7
第三季	12.5	38.5	28.2
第四季	8.0	20.1	15.5
1992/1991第一季	4.5	34.0	23.2
第二季	16.4	39.3	31.4
第三季	9.6	26.2	20.4
第一至第三季	10.7	33.0	25.1

〔註19〕 輸往中國非進行外地加工的本地出口貨物、轉口貨物及所有出口貨物，以價值計算的增長率(%)：

與上年同期比較	輸往中國非進行外地加工的本地出口貨物	輸往中國非進行外地加工的轉口貨物	輸往中國非進行外地加工的所有出口貨物
1991/1990	27.8	44.1	41.7
1991/1990第一季	0.5	28.4	24.3
第二季	42.3	34.5	35.6
第三季	18.3	57.1	50.4
第四季	46.7	53.4	52.5
1992/1991第一季	55.0	50.0	50.6
第二季	19.4	40.2	37.1
第三季	15.3	35.5	32.7
第一至第三季	26.4	41.1	39.1

〔註20〕 來自中國的入口貨物(以外地加工有關和與非外地加工無關的活動來分類)以價值計算的增長率(%)：

與上年同期比較	來自中國與外地加工有關的入口貨物	來自中國與外地加工無關的入口貨物
1991/1990	36.0	5.4
1991/1990第一季	45.4	−3.6
第二季	22.5	31.2
第三季	37.9	6.1
第四季	40.2	−8.6
1992/1991第一季	35.7	7.1
第二季	37.0	0.8
第三季	25.2	8.9
第一至第三季	32.0	5.4

〔註21〕 來自中國而再轉口輸往海外市場的貨物(以外地加工有關和與外地加工無關的活動來分類)以價值計算的增長率(%)：

與上年同期比較	來自中國與外地加工有關的轉口貨物	來自中國與外地加工無關的轉口貨物
1992年第一季	47.3	6.1
第二季	43.2	2.9
第三季	37.2	0.2
第一至第三季	41.8	2.9

註：未有一九九二年前的增長率數字，原因是在一九九一年才開始收集與外地加工有關的轉口貨物的分項數字。

〔註22〕 按主要來源地劃分的入口貨物：

	一九九一年(十億元)	佔一九九一年總值的百分率(%)	一九九二年(十億元)	佔一九九二年總值的百分率(%)	一九九二年以價值計算的增長率(%)
所有來源地	779.0	100	955.3	100	23
中國	293.4	38	354.3	37	21
日本	127.4	16	166.2	17	30
台灣	74.6	10	87.0	9	17
美國	58.8	8	70.6	7	20
南韓	34.9	4	44.2	5	26
新加坡	31.5	4	39.1	4	24
其他來源地	158.3	20	193.9	20	22

〔註23〕 按用途劃分的留用入口貨物實質增長率#(%)：

與上年同期比較	糧食	消費品	燃料	原料及半製成品	資本貨物
1991/1990	9	9	2	12	20
1992/1991*	9	23	18	7	19
1991/1990第一季	8	9	41	21	8
第二季	10	13	−6	18	20
第三季	16	5	35	10	23
第四季	3	9	−38	1	27
1992/1991第一季	3	28	−18	5	12
第二季	23	8	73	11	24
第三季	−1	22	3	6	22
第四季*	10	33	53	7	20

註：(*)根據計至一九九二年十一月的貿易指數估計。

(#)根據按用途劃分的轉口貨物毛利調查資料而計算出來的留用入口貨物數字，請參閱本章表2.4的註釋。

〔註24〕 供製造業使用的留用入口工業機器實質增長率：

與上年同期比較	增長率(%)
1991/1990	26
1992/1991*	11
1991/1990第一季	32
第二季	15
第三季	40
第四季	19
1992/1991第一季	4
第二季	24
第三季	17
第四季*	−3

註：(*)根據計至一九九二年十一月的貿易指數估計。

〔註25〕 有形及無形貿易差額(十億元)：

	一九九一年	一九九二年
本地產品出口	231.0	234.1
轉口貨物	534.8	690.8
出口貨物總額	765.9	925.0
未經調整的入口貨物	779.0	955.3
經調整的入口貨物†	782.0	958.5
未經調整的有形貿易差額	−13.1	−30.3
	(−1.7)	(−3.2)
經調整的有形貿易差額†	−16.2	−34.0
	(−2.1)	(−3.5)
無形貿易差額	35.3@	46.3#
未經調整的有形及無形貿易差額	22.2	15.9
	[2.6]	[1.5]
經調整的有形及無形貿易差額†	19.1@	12.8#
	[2.2]	[1.2]

註：(†)此數字曾加以調整，以包括工商業用的進口黃金的估計數字在內。

(@)修訂估計。

(#)初步估計。

(　)佔未經調整/經調整入口貨物總值的百分率。

【　】佔未經調整/經調整貨物及服務入口總值的百分率。

第三章　金融

引言

3.1　一九九二年，香港金融界有下列各項發展。第一，在聯繫滙率制度下，港元兌美元的市場滙率全年維持穩定，偏離聯繫滙率不足一個百分點(見3.3及3.4段)。第二，本港利率依然低企，在首三季向下調整，到接近年底時稍爲回升，與美元利率的走勢一致(見3.5及3.6段)。第三，以存款及貸款計算，整個銀行界在年內持續大幅增長。不過，放予購買住宅物業的貸款，增長率顯著減慢，原因是銀行維持較緊的按揭貸款政策，以及住宅物業市場處於鞏固階段(見3.17及3.18段)。第四，股票市場方面，一九九二年大部分時間內，股票價格積累强勁的升勢。十一月十二日，恆生指數升至6447點新高，到十二月因政治的緊張局面而調整。十二月三十一日，恆生指數爲5512點，全年上升28%，升幅遠較海外其他主要股票市場爲高(見3.28段)。

3.2　金融管理方面，年內有數項重大發展，包括在六月實施流動資金調節機制；

在七月公佈外滙基金數額，以及在十月宣佈設立香港金融管理局。股票市場運作方面，中央結算及交收系統在六月及十月分兩階段實施，改善了市場運作效率，並減低市場的交收風險。

港元滙率

3.3　一九九二年內，港元兑美元的市場滙率，在聯繫滙率偏强方面大約一個百分點的窄幅上落。四月，港元滙率升至7.73港元左右，大概是由於流入本地股票市場的海外資金增加所致。由於外滙基金兩度注入流動資金，以及香港銀行公會釐訂的存款利率調低半個百分點，港元滙率在接近四月底回軟至7.76港元左右，然後在六月至十一月處於7.73至7.74港元之間。十二月初，部分受到政治緊張局面的影響，港元滙率短暫回軟至7.757港元。年終時，滙率爲7.741港元兑1美元。

3.4　在聯繫滙率制度〔註1〕下，港元的整體滙價，主要受美元兑其他主要貨幣的走勢影響。一九九二年第一季，美元兑其他主要貨幣回升，這與一九九一年下半年的趨勢相反。四月中以後，美元出現大幅貶值，原因是美國經濟表現呆滯、圍繞美國總統選舉的政治不明朗因素，以及美元與歐洲貨幣的利率差距甚大。七月底，由於各中央銀行聯手干預，美元短暫增强。九月中，歐洲滙率機制貨幣外滙市場出現混亂，美元兑這些貨幣均告大幅回升。隨着美國總統選舉在十一月結束後，由於美國的經濟指標有所改善，加上歐洲外滙市場不穩定，致令美元進一步增强。港元的有效滙率指數〔註2〕，亦反映出這些發展，由一九九一年年底的109.2上升至四月二十一日的113.2，但在九月初回落至接近108.3，再於十二月二十九日上升至114.5高位。一九九二年結束時指數爲114.2。

利率

3.5　一九九二年首四個月，三個月期的香港銀行同業拆出息率普遍高於相對的歐洲美元存款利率。隨着外滙基金在四月二十八及二十九日兩度向銀行系統注入流動資金1.5億港元及1.38億港元，香港銀行同業拆出息率在四月底顯著偏軟。隔夜香港銀行同業拆出息率由四月二十八日的5.750％降至四月二十九日的4.125％，三個月期的拆出息率則由4.625％降至4.250％。三個月期的香港銀行同業拆出息率與相對的歐洲美元利率的差距在五月中完全消失。此後，前者利率低於後者的水平。八月，在數次大規模發行股票的影響下，三個月期的香港銀行同業拆出息率回升，比相對的歐洲美元利率平均高出大約0.15個百分點。隨着外滙基金在八月六日向銀行系統注入流動資金5.12億港元，三個月期的香港銀行同業拆出息率再度低於歐洲美元利率。其後在九月中至十月期間，三個月期的香港銀行同業拆出息率緊隨相對的歐洲美元利率走勢變動，至十二月初上升，高於後者大約1個百分點。十二月底，利率差距約爲$\frac{13}{16}$個百分點，港元利率較高〔註3〕。

3.6　配合本地金融市場利率的變動，香港銀行公會釐定的存款利率在一九九二年內三次全面向下調整：五月四日下降半個百分點，五月二十五日下降1個百分點，七月六日再下降半個百分點。年底時，儲蓄存款利率及三個月定期存款利率分別爲$1\frac{1}{2}$厘及$2\frac{3}{4}$厘，最優惠利率則爲$6\frac{1}{2}$厘。一九九一年底時，同類利率分別爲$3\frac{1}{2}$厘、$4\frac{3}{4}$厘及$8\frac{1}{2}$厘〔註4〕。

金融管理

3.7　聯繫滙率制度的主要金融政策目的，是將港元兌美元的滙率維持在一個穩定的水平，即處於接近7.80的聯繫滙率水平。一九九二年整年內，港元兌美元的市場滙率維持穩定。一九九二年年初，爲紓緩農曆新年臨近時銀行同業拆放市場的暫時緊張情況，外滙基金於一月二十四日向銀行同業拆放市場注入1億港元。年內，外滙基金四次再度注入港元，主要是避免港元與美元的利率差距進一步擴大，以及支持聯繫滙率。因此，香港上海滙豐銀行根據會計安排存於外滙基金的結餘，由一九九一年年底的5億港元，大幅增加至一九九二年年底的15億港元〔註5〕。

3.8　流動資金調節機制〔註6〕於六月八日實施，使現行收市後隔夜流動資金援助的安排正式化〔註7〕。流動資金調節機制令外滙基金更有能力影響短期銀行同業利率，藉以維持滙率穩定。一九九二年內，在實施流動資金調節機制之前，外滙基金曾提供收市後隔夜流動資金援助34次；在流動資金調節機制實施後，當局曾提供隔夜放款90次，接受隔夜存款52次。

3.9　外滙基金數額於七月十五日公佈〔註8〕。截至一九九一年年底，外滙基金總額達2,360億港元〔註9〕。外滙基金持有的外幣總額爲2,250億港元，即290億美元，在全球佔第十二位。按人口平均計算的外幣儲備額爲5,000美元，顯著超過經濟合作及發展組織成員國家平均740美元的數目。

3.10　十月，當局宣佈會把外滙基金管理局及銀行業監理處合併，在香港政府內部成立香港金融管理局，目的是確保可以達到金融政策的目標，並維持所需的專業水平和連貫性，以贏取港人及國際金融界的信心。十二月十日，1992年外滙基金(修訂)條例獲得通過，規定成立香港金融管理局。這修訂條例可望於一九九三年初期生效。

存款及貨幣供應

3.11　受到一些認購股票資金在海外臨時記帳的影響，港元存款(經調整以包括掉期存款)在第一季輕微下降。這些存款其後在第二及第三季大幅上升，主要是受到數次大規模發行股票的影響所致，而流入本地股票市場的海外資金增加，亦很可能是原因之一。第四季的增長率略爲放緩。十二月底，港元存款總額達6,840億元。一九九二年全年計算，這些存款上升13.2%，一九九一年的相對增長率爲16.2%。

3.12 活期存款繼第一季溫和增加後，在第二及第三季顯著上升，這主要是由於存入認購股票資金所致。不過，這些認購股票資金全被提取後，活期存款在第四季有所下降。年內，儲蓄存款的走勢大致相若。此外，定期存款的每季增長率，在年內有所回升〔註10〕，部分原因是香港銀行公會釐定的存款利率與相對的本地貨幣市場利率的差距擴大。年內，一些儲蓄存款可能已轉爲掉期存款，令外幣掉期存款有所增加〔註11〕。

3.13 一九九二年，經調整後不包括掉期存款的外幣存款增加6.3%，至十二月底總額達8,190億元，而一九九一年的相對增幅爲8.3%。一九九二年的增長率減慢，很可能是由於美國和日本貨幣擴張速度放緩，使在本港記帳的海外存款增長率下降。此外，由於部分非美元外幣(特別是歐洲貨幣)兌港幣貶値而產生的負値效果，亦導致增幅減少。按貨幣單位分析，美元存款在一九九二年增加24.6%，而非美元外幣存款在同年則減少6.1%；兩者在一九九一年的相對增幅，分別爲5.6%及10.3%〔註12〕。

3.14 一九九二年年底，認可機構的所有貨幣存款總額爲15,030億元。年內的升幅爲9.3%〔註13〕，一九九一年則增加11.6%。港元存款(經調整以包括掉期存款在內)佔總存款額的比率，由一九九一年年底的44.0%，上升至一九九二年年底的45.5%。

3.15 與港元存款的走勢相若，較廣義的貨幣供應〔註14〕，即經調整以包括掉期存款的港元M2及港元M3，在第一季增長溫和，但在第二及第三季則增長較快，第四季再度放緩，年內，港元M1的走勢大致相若。一九九二年全年計算，港元M1上升24.8%，港元M2上升14.3%，港元M3則上升13.7%，至十二月底，港元M1、港元M2及港元M3數額，分別爲1,390億元，7,270億元及7,500億元；一九九一年的相對升幅分別爲21.7%、17.9%及15.6%〔註15〕。一九九二年內，較廣義的本地貨幣供應的增長率，與名義本地生產總值的增長率大致上相符。年內，所有貨幣供應的走勢，與港元貨幣供應的走勢大致相若。一九九二年全年計算，M1總額、M2總額及M3總額分別增加21.1%、10.8%及9.5%〔註16〕。

貸款及墊款

3.16 未償還貸款及墊款總額在一九九一年增加25.4%後，在一九九二年再上升10.1%，增長率較慢，至十二月底總額達24,700億元。按貨幣單位分析，一九九二年港元貸款增加12.2%，年底的總額達8,120億元，升幅比港元存款的13.2%爲低。因此，港元貸款與存款比率由一九九一年年底的119.8%，微降至一九九二年底的118.7%〔註17〕。一九九一年內，港元貸款額上升19.2%。除顧客存款外，本港銀行亦有其他資金來源，其中一個日益重要的來源，是對海外銀行的墊款負債淨額的增加。計至年底的外幣貸款額達16,570億元。這些貸款在一九九二年增加

9.0%，遠較一九九一年的28.6%增幅溫和，主要是由於在本港以外地方使用的貸款增長較慢所致。

3.17 在貸款及墊款總額中，一九九二年內在本港使用的貸款(包括貿易融資)增加10.9%，十二月底的款額達10,110億元，而一九九一年的增幅則爲18.4%。在本港以外地方使用的貸款，增長率由一九九一年的46.5%顯著減慢至一九九二年的9.8%，十二月底的總額爲14,210億元，這主要反映出在香港記帳的歐洲日圓貸款增長較慢。

3.18 在各主要類別的本地貸款中，用以購買住宅物業的貸款〔註18〕在一九九二年增加13.6%，年底的貸款額達2,240億元，較一九九一年的35.4%增幅顯著放緩，主要是由於銀行維持較緊的按揭貸款政策及住宅物業市場進入鞏固期所致。一九九二年內借予建造、物業發展及投資業(包括住宅物業發展)的款項亦告放緩，款額達1,420億元，增幅爲13.1%，一九九一年的相對增幅則爲16.3%。年內，貿易融資的貸款增長較慢，增幅爲8.0%，款額達890億元；上一年則增加了16.2%。對比之下，一九九二年內，貸予製造業的款項增長較快，款額達640億元，升幅爲16.9%，一九九一年則爲10.6%。一九九二年內，貸予批發及零售業的款項增幅，由一九九一年的7.8%上升至一九九二年的9.5%，總額達880億元。一九九二年內，貸予金融企業的款額達1,250億元，增幅爲10.1%，一九九一年則增加8.6%。不過，貸予股票經紀的款項只有些微增長，一九九二年增加0.7%，款額達40億元。至於其他類別，一九九二年的貸款增加8.3%，年底的貸款額達2,740億元。

銀行及其他接受存款公司

3.19 一九九二年年底，持牌銀行、有限制牌照銀行及接受存款公司的數目，分別爲164間、56間及147間。年內，有6間外資銀行獲發銀行牌照，當局亦發出4個有限制銀行牌照，其中2個是發給升格爲有限制銀行的接受存款公司。此外，沒有新的接受存款公司獲得註册。另一方面，5個銀行牌照在其持有人的要求下取銷。另有1個有限制銀行牌照在其持有人的要求下取銷，以及有12間接受存款公司自動申請撤銷其註册。

3.20 27個國家的銀行在本港設有分行。截至一九九二年十二月底，所有認可機構的資產總額爲57,300億元，較一年前高出2.0%。

3.21 一九九二年二月十九日，香港國際商業信貸銀行有限公司(簡稱香港國商)臨時清盤人及香港華人銀行公佈一項相互協議，終止商討有關轉讓香港國商資產及有紀錄負債的臨時協議。終止協議，是由於世界其他地方國商集團清盤人提出龐大的索償數目，以及對無紀錄負債沒有足夠的保證。在這情況下，臨時清盤人爲保全該銀行的資產，認爲有需要尋求一項命令，將該銀行清盤。其後，最高法院原訟庭於三月二日命令該銀行正式清盤。

3.22 七月，清盤人公佈一項安排計劃，使索償10萬港元或以下的無擔保債權人，可優先獲發全部索償額；若其索償額超逾10萬元，則繼續不分先後獲派發償款。該計劃於九月一日獲有關債權人會議通過，並於九月十四日獲最高法院原訟庭正式批准，無人提出異議。根據該計劃的還款，由九月二十一日開始發給3萬多名索償10萬元或以下的債權人。至於索償超逾10萬元的其他債權人，則由同日起獲派發41%的首期債款。進一步的還款，將於清盤過程中收回另外的資產時發給他們。值得注意的是，85%債權人在清盤令發出後僅6個月，便獲得全部還款。能夠這樣做，是由於香港國商有相當高的流動資金和資產質素，這些流動資金和資產因有效的監管措施而不受其餘的國商集團影響。

3.23 香港國商停業後，社會人士再次要求在香港推行存款保障計劃，主要是在銀行倒閉時保障小額存戶的利益。爲評估公衆對此事的意見，當局於一九九二年二月發出諮詢文件，邀請公衆在五月底前提交意見書。當局收到大約50份來自各機構及個別人士的意見書，所表達的意見紛紜。與此同時，當局亦研究關於存款保障計劃的其他建議，包括銀行清盤時給予小額存戶優先索償的建議。十月底，當局徵詢公司法例改革常務委員會對這建議的意見，得到該委員會的支持〔註19〕。

資本市場

3.24 繼世界銀行自一九八九年起四次成功推出以港元爲單位的債券後，該銀行的成員機構，國際金融公司，在一九九二年八月首次推出爲期五年的港元債券，發行額爲5億港元。這種債券亦深受市場歡迎。亞洲開發銀行繼一九九一年十一月發行龍債券後，於一九九二年十月在香港再推出另一批爲期五年的龍債券，籌集3億美元。這些債券在香港、新加坡和台北的證券交易所上市。

3.25 外滙基金票據(包括91日期、182日期及364日期票據)及爲期兩年的政府債券，持續得到市場十分良好的反應。一九九二年新發行的票據和債券，在投標時平均都有3倍的超額認購。二級市場買賣活躍，一九九二年內，票據及債券每日成交額平均共約爲79億元。在一九九二年底時，未兌現的票據和債券總值分別爲203億元及30億元。

3.26 由於資金可透過蓬勃的股票市場籌集，其他債務票據的新發行情況，在一九九二年依然較爲溫和。一九九二年內，發行新的可轉讓存款證共99次；其中以港元爲單位發行的有87次，其中66次以定息發行。截至十二月底止，未兌現的可轉讓存款證總值達347億元，其中以港元爲單位的佔269億元。一九九二年底時，在港元可轉讓存款證的總值中，有52.3%由非本港銀行體系持有，較一九九一年底的57.5%稍低〔註20〕。可轉讓存款證在二級市場的交投溫和〔註21〕。

3.27 一九九二年內，向證券及期貨事務監察委員會呈報發行的新商業票據有6次，其中5次是以港元爲單位。

股票及期貨市場

3.28 本地股市方面，股價在一九九二年大部份時間內累積强勁的上升勢頭〔註22〕。承接頭兩季因商業前景良好及公司業績理想而形成的上升趨勢，加上部份受到七月十五日公佈的龐大外滙基金數額的刺激，恆生指數在七月十六日上升至6136點的高位。不過，隨着東京股價在七月底下跌，股市經歷一段鞏固期，然後在九月初回升。中美關於美國貿易法第三〇一條款的問題獲得圓滿解決後，恆生指數在十一月十二日升至6447點新高。十二月初，政治的緊張局面令恆生指數下挫至4978點的低位，但在年底稍微回升，收報5512點，較一九九一年年底的水平高出28.3%。雖然如此，年內恆生指數的升幅，仍遠較海外主要的股票市場的升幅爲高〔註23〕。本地股市的平均每日成交額亦有顯著增長，由一九九一年的13億元增至一九九二年的28億元。

3.29 認購新股的次數大幅增加。一九九二年內，有54間公司發行新股，籌集資金共90億元，一九九一年則有48次新股發行，共籌得54億元。此外，一九九二年內，有260億元由82間公司藉私人配售方式籌得，另有110億元由28間公司藉發行股權股籌得。

3.30 爲提高運作效率及減低交收風險，中央結算及交收系統在一九九二年六月二十四日以有限度的"逐項交收"方式開始運作。該系統已由十月七日開始，以持續淨額交收方式運作。

3.31 一九九二年內，恆生指數期貨買賣十分活躍，平均每日交投量爲4,276張，遠超於一九九一年的2,006張。交投量增加，是由於股市蓬勃、恆生指數波動較大，以及香港期貨交易所對促進交投量所作的努力所致。另一方面，恆生分類指數期貨的交投平淡，香港銀行同業拆出息率期貨的交投則仍然非常淡靜〔註24〕。商品期貨方面，大豆和糖合約分別於三月及十月停止買賣，黃金合約則普遍交投平淡〔註25〕。香港期貨交易所現正考慮推出一項以現金交收的恆生指數期權。

黃金市場

3.32 一九九二年內，本地倫敦金價在每金衡盎司331美元至360美元的窄幅徘徊。部份受到九月中歐洲貨幣市場混亂情況的影響，本地倫敦金價由八月中的336美元升至九月中的352美元。年底金價收報333美元。金銀貿易場的黃金價格走勢亦大致相同，一九九二年年底時每兩爲3,078港元。一九九二年金銀貿易場的成交量共達2,400萬两，與一九九一年的水平相若。

單位信託及互惠基金

3.33 未清付的單位信託及互惠基金數目，由一九九一年年底的854個增至一九九二年年底的897個。獲證劵及期貨事務監察委員會認可的112種新基金中，有9種是中國基金。在各類基金中，香港資本基金以一九九二年的投資回報計算，表現極佳。

第三章 註釋

〔註1〕 流通的港元紙幣是由兩間發鈔銀行，即香港上海滙豐銀行及渣打銀行，按所持有由外滙基金發出的負債證明書而發行。在一九八三年十月十七日之前，發出及贖回負債證明書均以港元付款。根據目前的聯繫滙率制度，則須以美元支付，滙率固定爲1美元兌7.80港元。發鈔銀行與本港其他銀行進行紙幣交易時，亦採取這個固定滙率。在外滙市場內，港元滙率繼續由市場的供求力量決定，但藉着負債證明書的固定滙率，此等力量可使外滙市場的滙率維持在接近7.80港元兌1美元的聯繫滙率水平。

〔註2〕 有效滙率指數是一個指標，顯示港元相對一批固定的其他貨幣的整體滙價。指數包括15個國家和地區的貨幣。挑選這些地區，是由於它們在香港及世界貿易佔有重要席位，而指數中的權數則反映出這15個國家和地區在本港有形貿易的相對重要程度。

季末計算	有效滙率指數 (一九八三年十月二十四日至二十八日=100)
一九九一年第一季	112.2
第二季	114.1
第三季	111.9
第四季	109.2
一九九二年第一季	112.5
第二季	110.2
第三季	109.6
第四季	114.2

〔註3〕 三個月期港元銀行同業拆出息率與相對的歐洲美元存款利率的平均差距如下(百分點)：

一九九一年第一季	0.38
第二季	1.01
第三季	0.37
第四季	0.37
一九九二年第一季	0.35
第二季	0.32
第三季	0.23
第四季	0.37

〔註4〕 香港銀行公會會員所付的存款利率，以及發鈔銀行收取的最優惠貸款利率(厘)：

生效日期	儲蓄	一個月	三個月	一年	最優惠貸款利率
一九九一年一月二十八日	5.0	5.75	6.25	7.25	9.5
一九九一年五月二十七日	6.0	6.75	7.25	8.25	10.5
一九九一年七月一日	5.0	5.75	6.25	7.25	9.5
一九九一年八月十二日	4.5	5.25	5.75	6.75	9.5
一九九一年九月十六日	4.0	4.75	5.25	6.25	9.0
一九九一年十一月四日	3.5	4.25	4.75	5.75	8.5
一九九二年五月四日	3.0	3.75	4.25	5.25	8.0
一九九二年五月二十五日	2.0	2.75	3.25	4.25	7.0
一九九二年七月六日	1.5	2.25	2.75	3.75	6.5

〔註5〕 按香港上海滙豐銀行根據會計安排存於外滙基金戶口的結餘計算，銀行同業流動資金水平的變動情況：

起計日期	香港上海滙豐銀行在外滙基金戶口的結餘（單位爲百萬港元）
一九九零年七月四日	480
一九九一年五月二十四日	380
一九九一年六月二十八日	480
一九九一年七月十七日	540
一九九一年七月三十日	600
一九九一年十一月一日	500
一九九二年一月二十四日	600
一九九二年三月十六日	700
一九九二年四月二十八日	850
一九九二年四月二十九日	988
一九九二年八月六日	1,500

註：在實施流動資金調節機制前後，因在收市後提供的隔夜流動資金援助而引致的變動，並不包括在內。

有關外滙基金與香港上海滙豐銀行之間的會計安排詳情，見《一九八八年經濟概況》第三章第3.8段。

〔註6〕 流動資金調節機制的主要目的，是協助持牌銀行對其流動資金情況，即是指銀行在其交收銀行結算帳戶的結餘，進行收市後的調整。外滙基金通常透過銀行所持有外滙基金票據及政府債券的重購協議，提供隔夜資金。外滙基金亦可酌情在無抵押品的情況下批出貸款，但所收取的利率，將高於重購協議所定的拆出利率。根據流動資金調節機制，外滙基金亦準備接受銀行願以拆入利率提供的隔夜盈餘款項。拆入及拆出利率的差距，初期定爲兩個百分點。

〔註7〕 事實上，這是外滙基金在銀行同業拆放市場收市後，貸與有需要付訖結算帳目的持牌銀行的隔夜貸款。這項安排在流動資金調節機制實施後被正式化。

〔註8〕 決定公佈外滙基金數額的主要考慮因素如下：(a)公僕在公共政策的重要事項方面，應有責任對社會人士採取坦誠開放的態度；(b)香港的金融體系已大爲鞏固，因此滙率不會輕易受投機活動引起的壓力而蒙受影響；(c)公佈外滙基金數額，可明確顯示香港的驕人財政實力；(d)這項公佈，可爲信貸評估機構及可能參與香港各項基建工程的貸款者提供重要資料，以便對本港信貸能力作出實際的評估；以及(e)公佈外幣儲備，是其他市場經濟體系的一貫做法，亦是國際貨幣基金組織的建議。

〔註9〕 截至一九九一年年底的外滙基金簡明資產負債表，載於統計附件內。

〔註10〕 認可機構港元存款每季增長率：

	活期存款	儲蓄存款	定期存款*#	存款總額*
一九九一年第一季	0.6	2.0	0.0	0.7
第二季	1.2	3.1	4.0	3.4
第三季	23.9	23.1	−4.2	7.1
第四季	1.3	11.0	0.1	4.1
一九九二年第一季	3.1	−0.4	2.2	−0.1
第二季	20.7	12.4	1.6	7.8
第三季	17.0	1.2	3.5	4.4
第四季	−13.2	−2.2	7.1	0.7
計至一九九二年底的總額（十億港元）	87.3	244.8	352.0	684.1
與一年前比較的增幅（%）	26.2	6.8	15.1	13.2

註：（*）已就包括外幣掉期存款作出調整。

（#）持牌銀行的定期存款＋有限制牌照銀行及接受存款公司的存款。

〔註11〕 外幣掉期存款是指顧客在現貨市場購買外幣，然後存入認可機構，但同時立下合約，預定將該筆外幣（本金加利息）在存款到期時售與認可機構。以大多數分析工作來說，這類掉期存款應視爲港元存款。貨幣市場利率與香港銀行公會所訂存款利率之間如果出現巨大差距，以掉期形式存款的吸引力便會更大。各銀行的外幣掉期存款：

季末計算	十億港元	季內增減率%
一九九一年第一季	62.0	−8.4
第二季	61.1	−1.4
第三季	45.0	−26.4
第四季	40.2	−10.6
一九九二年第一季	44.3	10.0
第二季	45.2	2.0
第三季	51.3	13.6
第四季	58.7	14.4

〔註12〕 外幣存款的統計數字，未能將本地資金及流入本港的海外資金劃分。按美元及其他貨幣單位劃分的外幣存款如下：

季末計算	美元存款*		非美元存款*	
	十億港元	季內增減率%	十億港元	季內增減率%
一九九一年第一季	296.6	0.6	436.0	4.7
第二季	291.8	−1.6	436.1	0.0
第三季	297.7	2.0	432.5	−0.8
第四季	311.4	4.6	459.0	6.1
一九九二年第一季	314.2	0.9	460.1	0.2
第二季	333.7	6.2	459.7	−0.1
第三季	367.3	10.1	443.3	−3.6
第四季	387.9	5.6	431.2	−2.7

註：(*)已就撇除外幣掉期存款作出調整。

〔註13〕 在存款總額中，持牌銀行的存款在一九九二年內增加10.5%至14,490億元，而有限制牌照銀行及接受存款公司的存款在年內則分別降至350億元及190億元，跌幅爲12.7%及18.9%。

〔註14〕 貨幣供應的各種定義如下：

M1： 公衆人士手上的紙幣及硬幣，加上持牌銀行客戶的活期存款。

M2： M1加上持牌銀行客戶的儲蓄及定期存款，再加上持牌銀行所發出而由非金融機構持有的可轉讓存款證。

M3： M2加上有限制牌照銀行及接受存款公司客戶的存款，再加上這類機構所發出而由非金融機構持有的可轉讓存款證。

〔註15〕 港元M1的較迅速增長，在某種程度上反映公衆人士希望持有更多流動資金。港元M1並無利息，固此利率普遍偏低，減少了持有港元M1的成本。港元M3方面，其相對於港元M2的較慢增長速度，是由於數目較少的接受存款公司所持的存款額減少所致。

〔註16〕 貨幣供應總額每季增長率：

	M1總額 (%)	M2總額 (%)	M3總額 (%)
一九九一年第一季	0.3	2.5	2.1
第二季	0.6	1.6	1.0
第三季	16.0	3.3	3.2
第四季	2.2	5.4	4.9
一九九二年第一季	1.0	0.6	0.2
第二季	13.9	4.9	4.8
第三季	11.9	3.7	3.2
第四季	−6.0	1.2	1.1
計至一九九二年年底的總額 (十億港元)	156	1,519	1,574
與一年前比較的增幅%	21.1	10.8	9.5

〔註17〕 港元貸款與存款的比率：

期末計算	(%)
一九九一年第一季	122.0
第二季	122.7
第三季	119.1
第四季	119.8
一九九二年第一季	124.4
第二季	120.1
第三季	119.1
第四季	118.7

〔註18〕 不包括用於購買"居者有其屋計劃"及"私人機構參建居屋計劃"樓宇的貸款，一九九二年年底尚未償還的按揭貸款爲1,780億元，比一年前高出13.6%。

〔註19〕 一九九三年一月十二日，政府公佈不會推行存款保障計劃，但會尋求修訂法例，以便實施給予小額存戶優先索償的建議。

〔註20〕 由本港認可機構發行的可轉讓存款證(十億港元)：

季末計算	已發行及仍未兌現者		由本港認可機構持有者		由非本港銀行體系持有者	
	總額	其中港元佔	總額	其中港元佔	總額	其中港元佔
一九九一年第一季	34.3	26.8	15.5	13.7	18.8	13.0
第二季	35.1	26.3	14.3	12.7	20.8	13.6
第三季	33.2	25.9	13.5	11.9	19.7	13.9
第四季	31.3	23.2	11.2	9.9	20.1	13.3
一九九二年第一季	30.0	23.8	12.1	10.5	17.9	13.3
第二季	31.2	24.2	12.3	10.7	18.8	13.5
第三季	31.8	24.9	13.4	11.0	18.3	13.9
第四季	34.7	26.9	15.7	12.8	19.0	14.0

〔註21〕 認可機構在本港二級市場買賣的可轉讓存款證(十億港元)：

在下列各季內	買入可轉讓存款證		賣出可轉讓存款證	
	總額	其中港元佔	總額	其中港元佔
一九九一年第一季	2.2	1.5	2.2	1.5
第二季	1.7	0.9	1.8	1.2
第三季	2.7	1.9	2.9	2.2
第四季	2.9	2.4	2.7	2.2
一九九二年第一季	2.7	2.0	1.7	1.5
第二季	3.2	2.4	2.6	2.2
第三季	3.5	1.7	2.6	2.1
第四季	5.6	3.2	2.0	1.5

〔註22〕 本港股票市場的股票價格指數及平均每日成交額：

	恒生指數 (一九六四年七月三十一日=100) (季末計算)	綜合普通股指數 (一九八六年四月二日=100) (季末計算)	香港聯合交易所 平均每日成交額 (十億港元)
一九九一年第一季	3746	2110	1.23
第二季	3669	2053	1.25
第三季	3957	2187	1.56
第四季	4297	2334	1.33
一九九二年第一季	4938	2672	2.27
第二季	6104	3322	3.55
第三季	5505	2934	2.52
第四季	5512	2951	2.88
一九九二年的升幅(%)	28.3	26.4	

〔註23〕 恆生指數及若干主要海外市場股價指數的走勢：

最後交易日計算	恆生指數	紐約杜瓊斯工業平均指數	日經平均指數	倫敦金融時報指數	雪梨綜合普通股指數	新加坡海峽時報指數
一九九零年	3025	2634	23849	1674	1280	1154
一九九一年第一季	3746	2914	26292	1953	1444	1491
第二季	3669	2907	23586	1878	1506	1490
第三季	3957	3017	23916	2022	1562	1361
第四季	4297	3169	22984	1891	1651	1491
一九九二年第一季	4938	3235	19346	1906	1583	1414
第二季	6104	3319	15952	1942	1645	1481
第三季	5505	3272	17399	1859	1485	1351
第四季	5512	3301	16925	2185	1550	1524
一九九二年的升/跌幅(%)	28.3	4.2	−26.4	15.5	−6.1	2.2

〔註24〕 香港期貨交易所的金融期貨成交額(合約數目)：

在下列各季內	恆生指數期貨	恆生分類指數期貨				三個月港元銀行同業拆出息率期貨
		工商分類指數*	地產分類指數#	公用事業分類指數†	金融分類指數†	
一九九一年第一季	105375					1024
第二季	147252					110
第三季	132186	615	1221			64
第四季	114433	129	528	43	85	63
一九九二年第一季	128116	61	61	61	61	61
第二季	217820	61	61	61	61	61
第三季	285445	64	64	64	64	64
第四季	457654	19	19	19	19	19

註：(*)於一九九一年九月二日推出。

(#)於一九九一年七月十六日推出。

(†)於一九九一年十月三十一日推出。

〔註25〕 香港期貨交易所的商品期貨成交額(合約數目)：

在下列各季內	大豆*(每手30000公斤)	糖#(每手11200磅)	黃金(每手100金衡盎司)
一九九一年第一季	16520	13004	240
第二季	7478	7542	244
第三季	750	8274	256
第四季	6452	5417	252
一九九二年第一季	4688	7048	244
第二季	—	1540	244
第三季	—	10	256
第四季	—	—	256

註：(*)一九九二年三月一日停止買賣。

(#)一九九二年十月一日停止買賣。

第四章　勞工

引言

4.1　一九九二年內，勞工市場普遍維持緊張。經季節性調整的失業率〔註1〕及就業不足率〔註2〕在今年初期暫見上升後，到今年後期回落(見4.5段)。

4.2　由於經濟活動穩定增長，因此對勞工的需求仍然持續。不過，勞工的整體供應幾乎毫無變動(見4.7段)。服務行業的勞工市場情況，普遍較製造業的勞工市場情況緊張，這與本港經濟結構轉向服務行業的情況一致。因此，製造業的就業人數持續下降(見4.10段)，而服務行業的就業人數則進一步上升(見4.13段)。與行業組成部份有所轉移的同時，本地勞動人口的職業組成部份亦見有轉變〔註3〕。

4.3　一九九二年，各主要服務行業(公務員除外)的空缺數目，較一九九一年增多，但製造業，樓宇及建築地盤的空缺數目，則顯著下降(見4.16段)。同時，一九九二年第二及第三季需長時間工作的就業人口比率，一般較第一季爲高，雖仍較一九九一年同期爲低〔註4〕。

4.4　勞工市場的情況普遍緊張，推高了勞工的收入。一九九一年九月至一九九二年九月期間，各主要行業從業員的平均入息，以貨幣計算，有顯著的增加。扣除通脹的影響後，各主要行業從業員的入息，以實質計算，均告上升，但酒樓及酒店業從業員的入息，卻略有下降。由於樓宇及建造活動依然淡靜，建造業從業員的工資，以實質計算，輕微下跌。

失業率及就業不足率

4.5　經季節性調整的失業率在一九九二年上半年上升至2.4%左右，下半年則回落至2.0%左右〔註5〕。就業不足率的變動趨勢大致相同，上半年升至2.2%，下半年則回落至1.9%。

4.6　各服務行業的失業率，普遍較整個勞動人口的平均失業率爲低，而製造業及建造業的失業率則較高。就業不足率的行業分佈情況亦大致相同〔註6〕。在各主要職業類別中，從事專業、管理、文職、銷售和服務工作的人士，其失業率和就業不足率均低於生產工人、運輸工人及一般非技術工人〔註7〕。

勞工供應情況

4.7　一九九二年的整體勞工供應，差不多沒有變動。一九九二年的勞動人口總數〔註8〕，平均爲279萬人，較一年前減少0.2%，一九九一年，則有1.8%的升幅。就業人口亦變化不大。一九九二年的就業人口總數，平均爲274萬人，較一年前減少0.4%。一九九一年的增長率爲1.4%。

4.8 雖然適齡工作人口(年齡在15歲或以上的人士)上升1.7%，但整體勞動人口參與率〔註9〕由一九九一年的63.4%下降至一九九二年的62.3%，抵銷了適齡工作人口的增加。因此，勞動人口總數並無增長。15至19歲這個年齡組別的勞動人口參與率有長期下降的趨勢，這是由於接受更高教育的期望不斷提高，而60歲及以上這個年齡組別的勞動人口參與率亦有上述趨勢，原因是這些人士提早退休〔註10〕。

4.9 一九九二年一月，政府公佈會繼續推行輸入勞工的一般計劃，主要是針對明顯出現人力短缺的行業。獲准來港的外地勞工總人數，整體限額仍維持在2.5萬名。實際上，這表示除已獲准在港工作的外地勞工外，外地勞工的增加淨額約爲1.2萬名，新配額的分配詳情，已於四月公佈。當局在充分考慮各行業的職位空缺情況、失業率和就業不足率，以及工資變動情況後，將輸入勞工的配額主要分配予批發、零售及出入口業、酒樓及酒店業、製衣業及機器廠。十一月，由於以前訂立的僱傭合約將在短期內屆滿，因此有大約1.3萬個配額可供重新分配。當局在十二月期間審核所接獲的申請書。

各行業的就業情況

4.10 製造業的就業人數進一步下跌，一九九二年九月，就業人數爲571,200人，較一年前下跌13%。製造業的就業人數持續下降，主要是因爲在工業機器方面的投資大幅增長，顯示機械化有所提高(見2.37段)、服務行業對勞工的競爭劇烈(見4.13及4.14段)，以及勞工密集程度較高的生產工序逐漸轉往中國進行(見2.28段)。不過，由於中國提供外地加工設施，令香港製造業的工作人口得以專注於較爲技術密集及有更高的增值的活動。工作質素的提高，加上機械化有所提高，令過去數年製造業的勞工生產力持續有顯著改善(見5.7段)。

4.11 在各種製造行業中，一九九二年九月的就業人數，與一九九一年九月比較，跌幅較明顯的是造鞋業(－25%)、電器業(－23%)、辦公室設備及電腦器材業(－22%)，以及皮革及皮具業(－19%)。另一方面，就業人數增加的製造業，有基本金屬業(7%)、食品業(5%)及煙草業(2%)。

4.12 一九九二年九月，樓宇及建築地盤的就業人數爲63,400人，較一九九一年九月下跌1%。雖然私營機構地盤的就業人數下降3%，但公營部門地盤的就業人數上升4%，與近期公營部門建造活動增加的情況一致。按工程類別分析，樓宇建築地盤的就業人數下跌1%，而土木工程地盤的就業人數，幾乎毫無變動。此外，由於非地盤工人及其他專業及技術人員增加，一九九二年第三季整個建造業的就業人數達233,300人，較一年前上升2%〔註11〕。

4.13 一九九一年九月至一九九二年九月期間，整個服務行業〔註12〕的就業人數上升4%，達1,621,800人。在各種服務行業中，金融、保險、地產及商業服務的就業人數上升6%，達307,500人；酒樓及酒店業的就業人數上升4%，達233,400人；批發、零售及出入口業僱用的人數，則上升3%，達673,500人。

4.14 各運輸服務行業的就業人數進一步上升，與對外貿易激增的情況一致。計至一九九二年九月的十二個月內，水上運輸、航空運輸及與運輸有關服務的就業人數上升8%，達88,300人。與對外貿易有直接關係的多項專門運輸服務〔註13〕的就業人數則上升9%，達60,900人。

4.15 由於政府繼續壓抑公務員增長，一九九二年九月的公務員人數(包括房屋署、市政總署及區域市政總署)爲183,400人，與一年前比較，變動不大〔註14〕。

各行業的職位空缺情況

4.16 一九九二年內，所有主要服務行業內私營機構的職位空缺均告上升，但製造業及樓宇及建築地盤的職位空缺，則顯著下降。一九九一年九月至一九九二年九月期間，批發、零售及出入口業的職位空缺增至24,000個，升幅爲17%；金融、保險、地產及商業服務行業的職位空缺增至9,100個，升幅爲7%；酒樓及酒店業的職位空缺升至8,100個，升幅爲6%，而水上運輸、航空運輸及與運輸有關的服務行業的職位空缺，則增至2,400個，升幅爲13%。同期內，製造業的職位空缺跌至19,100個，跌幅爲18%，而樓宇及建築地盤的職位空缺，則跌至500個，跌幅爲28%。公務員的職位空缺急劇下降，一九九二年九月下跌至5,600個，較一年前下跌35%，主要是由於取消一些未塡補的職位所致。

入息及工資〔註15〕

4.17 在計至一九九二年九月的十二個月內，所有主要行業從業員的平均入息，以貨幣計算，進一步大幅上升。除酒樓及酒店業外，各主要行業從業員以實質計算的入息，均告上升。名義工資亦全面大幅增加。

4.18 一九九一年九月至一九九二年九月期間，製造業工人的平均入息，以貨幣計算，上升15%。扣除通脹後，實質增幅爲4%〔註16〕。同期內的製造業工資，以貨幣計算，上升10%，但以實質計算，則幾乎毫無變動。

4.19 一九九一年九月至一九九二年九月期間，整個服務行業從業員的平均入息，以貨幣計算，上升14%；以實質計算，則上升4%。在各服務行業中，批發、零售及出入口業，金融、保險、地產及商界服務行業，以及運輸、倉庫及通訊業從業員的入息，以貨幣計算，均上升約12%。扣除通脹的影響後，這三類行業從業員的實際入息，分別增加2%、2%及1%。酒樓及酒店業從業員的入息，以貨幣計算，僅上升9%；以實質計算，相等於下跌1%。所有主要服務行業的工資，以貨幣計算，持續大幅增加。

4.20 一九九二年九月，由公帑支付的薪金，以貨幣計算，平均較一年前上升約11%；以實質計算，則上升約1%。

4.21 由於樓宇及建築活動依然平靜，一九九二年的建築工資增長率放緩。一九九二年九月，建築工資以貨幣計算，較一年前上升9%。計及通貨膨脹的影響後，實質下降1%〔註17〕。

第四章　註釋

〔註1〕 界定一個人爲失業人士的主要準則如下：

(a) 在統計週內並無工作及並無爲賺取薪酬或利潤而工作的人士；

(b) 在統計週內隨時可以上班工作的人士；及

(c) 在統計前30天內正在找尋工作的人士。

詳情請參閱《一九八六年第一季經濟報告》第27頁註(1)。

〔註2〕 就業不足人口包括在統計週內非自願地工作少於35小時，及正在找尋更多工作，或並無找尋更多工作但可以擔任更多工作的就業人士。因經濟原因，如工作量不足、原料短缺、機械故障或不能找到全職工作，以致須縮短工作時數的人士，可視爲非自願地將工作時數縮短。詳細資料請參閱《一九八六年第一季經濟報告》第27頁註(1)。

〔註3〕 一九八二年至一九九二年期間，從事專業、管理、文書、銷售及服務工作的人數，上升49%。另一方面，生產工人、運輸工人及一般非技術工人的數目，則下跌21%。

〔註4〕 每週工作50小時或以上的就業人口比率：

	佔總就業人口比率(%)		
	50至59小時	60及以上	50及以上
一九九一年第一季	10.3	12.4	22.7
第二季	10.8	13.4	24.2
第三季	10.7	14.0	24.7
第四季	10.9	14.5	25.4
一九九二年第一季	8.9	10.9	19.8
第二季	11.3	12.5	23.8
第三季	11.0	11.4	22.4

資料來源：政府統計處綜合住戶統計。

〔註5〕 即使在全面就業時，亦必定會有短暫性失業情況存在，這種情況在工人爲求獲得較佳待遇而轉業時便會出現。可確定爲純粹短暫性失業的水平，在不同的地區中互有差異，視乎勞工市場的結構和特點而定。

〔註6〕 一九九二年第四季按主要行業列出的失業率及就業不足率：

	失業率(%)	就業不足率(%)
製造業	2.3	3.2
建造業	2.4	11.9
批發、零售及出入口業，酒樓及酒店業	1.8	0.2
運輸、倉庫及通訊業	1.8	1.8
金融、保險、地產及商業服務行業	1.0	0.0

〔註7〕 一九九二年第四季主要職業類別列出的失業率及就業不足率：

	失業率(%)	就業不足率(%)
專業及管理階層人員	0.8	0.2
文職、銷售及服務人員	1.4	0.2
生產工人、運輸工人及一般非技術工人	2.4	5.7

〔註8〕 勞動人口或從事經濟活動人口，是指所有年齡爲十五歲及以上，在統計日期前七日內從事生產工作，或本可從事生產工作但失業的人士。受僱人口是指除失業人士外的勞動人口。

〔註9〕 勞動人口參與率是指從事經濟活動的人口(即在職或失業的人口)在十五歲及以上人口中所佔的比

例。

〔註10〕 按年齡組別列出的勞動人口參與率(%)：

年齡組別	一九八六年第三季	一九八八年第三季	一九九零年第三季	一九九一年第三季	一九九二年第三季
15-19	36.1	32.6	28.2	27.5	25.6
20-29	86.1	87.0	86.5	85.8	85.6
30-39	77.4	77.7	77.0	77.5	76.7
40-49	78.8	78.8	77.7	77.4	76.5
50-59	63.3	63.2	62.3	63.6	60.8
60及以上	23.7	22.6	20.8	21.1	18.9

〔註11〕 這數字乃取自政府統計處進行的綜合住戶統計。除地盤工人外，亦包括建造業的專業及行政人員，例如工程師、建築師、測量師、承建合約經理以及一般文職人員。此外，這數字亦包括在現有樓宇內進行輕微改建及加建工程，以及從事修葺、維修及室內裝修工作的人士。

〔註12〕 這包括批發、零售及出入口業；酒樓及酒店業；運輸、倉庫及通訊業；金融、保險、地產與商業服務行業；以及社區、社會及個人服務行業。

〔註13〕 這包括貨櫃運輸服務、貨物空運代理商及旅遊業代理商、船運服務、裝箱、驗貨、貨辦處理及磅貨和貨倉行業。

〔註14〕 醫院管理局於一九九一年十二月一日成立，屬於獨立的法定機構，負責接管所有公立醫院的管理及監察事宜。部分前醫院事務署的在職員工已選擇加入醫院管理局。因此，該等人員不包括在公務員人數內。爲了方便比較，一九九一年九月份的公務員人數已就這方面作出相應調整。

〔註15〕 除工資(這包括所有經常支付的款項，例如基本薪金、規定紅利及津貼)外，入息也包括逾時工作薪酬及其他非保證必可得或非經常支付的紅利與津貼。鑑於這項差別，工資率與平均入息(每名從業員的薪金是衡量平均入息的尺度)兩者的變動，不一定是完全一致的。詳情請參閱《一九九零年半年經濟報告》第四章註(17)。

〔註16〕 用甲類消費物價指數平減以貨幣計算的入息和工資增幅，可以得出入息和工資的實質增幅。一九九一年九月至一九九二年九月期間，甲類消費物價指數上升9.9%。

〔註17〕 建築工資與上年同期比較的增減率：

	以貨幣計算(%)	以實質計算(%)
一九九一年三月	11	−1
六月	12	0
九月	11	−1
十二月	11	1
一九九二年三月	11	2
六月	10	1
九月	9	−1

第五章　選出的行業的業務情況

漁農及礦產

5.1　以其對就業及本地生產總值方面的貢獻來說，第一級生產行業(漁農及礦產)在本港仍只是一個規模細小的行業〔註1〕。不過，本港對蔬菜、家禽和鹹水魚等若干新鮮食物的需求，以及建造業對沙石的需求，很大部份由本港生產供應。

5.2　在一九九二年，本地生產的豬隻、家禽、蔬菜及鹹水魚繼續減少，與一九九一年比較，分別下降42%、17%、10%及2%。至於沙石方面，本地產量在一九九二年上升14%，佔建造業總用量約54%。

製造業

5.3　一九九二年的製造業產量只有些微的增長，與本地產品出口的表現大致相符。作爲本地製造業產量主要指標的工業生產指數〔註2〕在本年第一季幾乎沒有增長，但在第二及第三季則見上升，與一年前比較，升幅均爲3%。一九九二年首三季合計，有2%的增長。這個指標在一九九零年下降1%，一九九一年則上升1%。

5.4　與一九九一年同期比較，一九九二年首三季各主要工業當中，以機器及設備業的產量升幅最大，達12%，其次是紡織業的產量，升幅爲7%。另一方面，電器及電子消費產品、加工金屬產品、塑膠製品及成衣業的產量，則告下跌，跌幅分別爲5%、4%、4%及1%。近年來，各種工業的本地生產，受到生產工序轉移到中國進行的因素影響。

5.5　鑑於本地產品出口在第四季的表現(見2.10段)，本地製造業產量在這一季相信會稍爲下降。不過，獲挑選參與調查的大廠商手上未完成的訂單數量，近月來持續令人滿意〔註3〕。

5.6　從最近的業務按季統計調查結果〔註4〕以及從本地廠商得到的意見，可略知製造業短期的發展情況。第一，鑑於美國經濟有令人鼓舞的復甦跡象，大部份廠商預期美國市場會有較佳的業務前景。不過，他們對歐洲市場的前景，則普遍沒有那麼樂觀。第二，價格競爭和勞工成本高企，仍是許多廠商所注視的問題。第三，中美貿易關係，特別是美國下次會否續予中國最惠國地位，仍是備受關注的問題。

5.7　在一九九二年，製造業每名僱員的產量〔註5〕進一步大幅增加。一九九二年首三季的工業生產指數與製造業就業指數的比率，較一九九一年同期增加18%，一九九一年全年的增幅爲12%。勞工生產力的提高，部份是由於年內機器和設備方面的投資顯著增加(見2.37段)。此外，廠商逐漸把勞工密集程度較高的生產工序轉移到內地進行，令本港廠商及其工人能夠集中從事技術密集程度較高的生產，因而有助提高製造業的生產力。主要由於這個緣故，近年製造業在本地生產總值所佔比率的跌幅，較其在總勞動人口所佔比率的跌幅爲低〔註6〕。

物業

5.8　經過一九九一年物業買賣活躍，價格大幅急升後，一九九二年的住宅物業市道(特別是中小型樓宇方面)處於鞏固期。政府在一九九一年年底實施抑制投機活動的措施，以及銀行維持較緊的按揭貸款政策，繼續起着壓抑作用。雖然利率在五月及七月三次調低共達兩厘〔註7〕，下半年的市場活動繼續放緩。此外，當局與中國就機場核心計劃的財務安排商討曠日持久，加上關於憲制發展建議的政治分歧，可能產生一些不明朗情況。住宅樓宇價格自上半年進一步上升後，下半年交投呆滯，樓價略為放緩反映市道處於鞏固階段。不過，新出租住宅樓宇的租金保持穩定，位於較理想地區的樓宇，租金則有所上升。

5.9　由於本地消費者及遊客的消費回升，舖位的需求仍然殷切。舖位的價格和租金進一步上升。寫字樓的需求在年內回升，大部份地區的租金有溫和升幅，但供應仍然充裕。同時，分層寫字樓的銷售市場活躍，吸引買家興趣。工業樓宇方面，市場對可作附屬辦公室用途的現代化工業樓宇有明顯需求，較舊式工廠大廈的需求，則仍然呆滯。

5.10　在田土註册處登記的物業買賣合約，一九九二年的數目較一九九一年大幅減少，跌幅達23%，反映出住宅物業市場交投減少，但以物業買賣合約總值計算，仍有21%的增長〔註8〕。同樣地，物業轉讓合約的數目減少14%，但價值則上升30%。按揭貸款的數目和價值，分別減少21%及4%〔註9〕。

5.11　一九九二年，新建私人住宅樓宇〔註10〕的供應量爲26,222個單位，與一九九一年比較，下跌21%。由於年底時大量新建成單位仍有待當局發出入伙紙，相信實際建成單位的數目顯然較大。

5.12　一九九一年住宅物業市道蓬勃，但在一九九二年處於鞏固期，成交數目顯著下降，下跌情況主要集中在下半年。樓價在上半年持續上升，但隨後放緩。與大型樓宇比較，中小型樓宇的價格受到較大的向下調整壓力。年內，住宅樓宇的價格仍有不同程度的增幅，視乎樓宇的地點、樓齡，以及質素而定。新出租樓宇的租金普遍保持穩定，在較佳地點的樓宇，租金有些增加。

5.13　一九九二年，新建寫字樓的供應量達564,000平方米，較一九九一年增加23%。寫字樓供應充裕，最後用家的需求已見復甦。寫字樓租金溫和上升，而中區及金鐘地區的租金有較大的升幅。分層寫字樓的銷售市場活躍，樓價增幅較快。

5.14　其他商業樓宇(主要是舖位)〔註11〕的供應量，一九九二年爲165,000平方米，較一九九一年減少19%。由於本地消費者及遊客的消費回升，令舖位的需求增加，租金在年內進一步上升。位於旺盛地區的舖位，租金增幅較大。銷售市場活躍，尤以大型購物商場的單位爲然。

5.15　一九九二年的新建分層工廠大廈供應量爲545,000平方米，較一九九一年增加5%。由於生產工序持續遷往中國，較舊式工廠大廈的需求依然呆滯，因此，價格及租金仍然持續疲軟。不過，位置較佳，可作附屬辦公室用途的現代化工業樓宇，則有較大的承接力。一九九二年，作貯物用途的樓宇，供應量爲485,000平方米，較一九九一年減少10%。雖然對外貿易的持續增長令這類樓宇的需求較大，但這類樓宇的市道仍然處於供應過剩的情況。

5.16　計劃發展的私人樓宇，按已獲准動工的建築圖則所示的總實用樓面面積計算，在一九九二年減少17%，而一九九一年則減少7%，雖然已獲准動工的住宅樓宇有13%的增長，但工業、商業及"其他"類別樓宇，分別減少56%、12%及42%。

樓宇及建築

5.17 一九九二年，建築活動依然普遍放緩，放緩情況主要集中在私營機構。一九九二年的建築開支總額，以實質計算，增加1%，一九九一年則差不多沒有增長〔註12〕。

5.18 一九九二年私營機構的樓宇及建築開支，以實質計算，下降2%，一九九一年則上升2%。一些私營機構工程仍在積極進行，這包括時代廣場、海怡半島及嘉湖山莊的建築工程，以及葵涌第八號貨櫃碼頭、青衣美孚油庫及南丫島發電廠的土木工程。

5.19 另一方面，公營部門的樓宇及建築開支在一九九一年下降5%，一九九二年以實質計算，則上升8%。年內，公營部門的建造活動逐漸回升，因爲數項新機場及有關工程，包括西九龍塡海工程第1期、青衣至大嶼山幹線及北大嶼山快速公路，均已展開。其他正在進行的大型工程，包括天水圍及馬鞍山公共房屋發展計劃，以及元朗——屯門東走廊和青衣島化學廢物處理廠的土木工程。

5.20 按工程類別分析，一九九二年的樓宇建築工程開支，以實質計算，下跌2%，土木工程及其他建設工程，則上升13%。

5.21 雖然年內的建造活動普遍呆滯，但承建商在建築機器方面的投資有所增加，很可能是預期機場核心計劃會加速進行。一九九二年的留用入口建築機器，以實質計算，較一九九一年上升約100%〔註13〕，反映出這種情況。

5.22 一九九二年內，建築業工資的增長率持續放緩，建築材料價格的增長率則一般保持溫和。一九九二年首三季，由建築署編製的勞工及材料成本指數，與一九九一年同期比較，僅上升7%，其中勞工成本指數上升10%，而材料成本指數則上升3%〔註14〕。一九九一年與一九九零年比較，上述三類指數的相對增幅，分別爲8%、12%及2%。

5.23 由於在樓宇及建築活動緩和期內，承建商之間的競爭較大，加上單位建築成本增長放緩，一九九二年首三季由房屋署編製的公共房屋計劃投標價格指數，較一年前下降4%。由建築署編製的公營部門建築工程投標價格指數，與去年同期比較，更下跌10%〔註15〕。

土地

5.24 一九九二年內，政府以拍賣和投標方式(包括甲種及乙種換地權益書的投標)共售出24.8公頃土地，其中4.7公頃作工業用途，另外20.1公頃作非工業用途〔註16〕。發展商在一九九二年對拍賣住宅用地的反應普遍仍然良好。不過，發展商對購置工業用地，態度較爲審愼。

5.25 一九九二年內，大埔及元朗工業邨分別批出2.0及4.4公頃土地。截至一九九二年底，大埔工業邨差不多全部土地已經批出，而元朗工業邨則有63%的土地已經批出〔註17〕。

電力及煤氣

5.26 一九九二年本港的用電量爲262億度，與一九九一年比較，增加3%。雖然商業用電量及住宅用電量分別增加6%及5%。但工業用電量則減少3%。一九九二年輸往中國的電力達50億度，較一九九一年增加62%。輸往中國的電力，相等於本港全年總產電量的16%。

5.27 一九九二年的煤氣用量爲18,200太焦耳，較去年上升12%。住宅及商業用戶的用量則分別上升13%及11%。

選出的服務行業的業務情況

5.28 使用公共交通工具的人次總數，在一九九二年持續上升。按主要交通工具分析，一九九二年輕便鐵路系統的乘客人次顯著增加至9,200萬，與一九九一年比較，增幅達12%。一九九二年九廣鐵路及地下鐵路的乘客人次分別爲2.00億及7.51億，上升5%及3%。專利巴士的乘客人次差不多沒有變動，一九九二年的乘客人次爲12.33億；渡海小輪的乘客人次，則下降至8,000萬，跌幅達8%。

5.29 私人交通工具方面，一九九二年新登記私家車數目爲41,878輛，比一九九一年增加35%。一九九二年底，獲發牌照的私家車共有237,035輛，較一年前高出12%〔註18〕。

5.30 空運方面，由於旅遊業復甦，飛機旅客人數在一九九二年激增14%，一九九一年的升幅僅爲1%。在這期間內，航機班次(包括客運及貨運)增加10%，而一九九一年的相對增幅爲4%〔註19〕。

5.31 一九九二年首十一個月，由遠洋輪船裝運出口及進口的貨物，與一年前比較，分別增加2,330萬噸及5,280萬噸，增幅分別爲8%及9%〔註20〕。一九九一年全年的相對增長率則爲19%及14%。一九九二年空運出口貨物達534,000噸，增幅爲12%，一九九一年則增加6%。空運進口貨物方面，繼一九九一年的5%增幅後，一九九二年增加14%，達423,000噸〔註21〕。一九九二年內，經過處理的離港貨櫃爲390萬個，到港貨櫃則爲370萬個，與一九九一年比較，分別增加26%及23%。因此，貨櫃的總處理量爲760萬個，整體增幅爲25%〔註22〕。

5.32 本港旅遊業在一九九一年放緩，但在一九九二年已顯著復甦，訪港旅客人數爲719萬人，上升16%。一九九二年內，經香港到中國的訪客人數達170萬人，較一九九一年增加28%。台灣成爲香港的最大旅客來源地區，佔一九九二年訪港旅客總數的23%，其次是日本(18%)、美國(10%)及英國(4%)。與上一年比較，來自這四個旅客來源地區的訪港旅客人數均告上升，升幅分別爲26%、5%、12%及14%。一九九二年每名旅客在港的平均花費爲6,700元，較一九九一年增加5%。

5.33 截至一九九二年底，本港共有酒店房間33,534間，較一年前增加8%。雖然有這個增幅，但一九九二年的酒店平均租住率爲82%，較一九九一年增加7個百分點。

第五章　註釋

〔註1〕　一九九二年內，只有大約19,200人從事第一級生產行業(包括漁農及礦產)的工作，佔總勞動人口0.7%。第一級生產行業在本地生產總值中所佔的比例更小，一九九一年所佔比例約爲0.3%。

〔註2〕　政府統計處按季編訂的工業生產指數，主要是反映各製造行業以實質計算的淨產量的最新趨勢。

工業生產指數與上年同期比較的增減率(%)

	一九九零年	一九九一年	一九九一年				一九九二年		
			第一季	第二季	第三季	第四季	第一季	第二季	第三季
成衣	−3	−3	5	−1	−7	−6	6	−2	4
紡織	−2	4	−1	2	7	10	4	11	6
塑膠製品	−14	−8	−21	−12	−2	−1	6	−7	−8
機器及設備	−1	9	12	8	7	8	4	12	18
電器及電子消費產品	2	−1	4	2	−2	−4	−14	4	−7
加工金屬產品	−11	−2	−3	−5	8	−5	1	−3	−10
整個製造業	−1	1	1	1	0	1	0	3	3

〔註3〕　由政府統計處進行的就業人數、薪金總額及手頭訂單按月統計調查，對象包括根據一九八六年九月的僱員人數挑選出來的200間大規模製造業公司，以及建造業及選出的服務行業內50間最大的公司。統計的其中一個主要目的，在於提供概括指標，按月顯示本地製造業的訂單情況。由於這項以抽樣方式進行的統計只包括大型公司，得出的結果未必能完全反映有關行業的情況。雖然如此，所得結果應可反映出短期內變動的大概趨向。

	本地製造行業的手頭訂單	
	按月計數	與一年前比較的增幅(%)
一九九一年三月	4.41	1.4
六月	4.42	1.8
九月	4.36	2.8
十二月	4.37	3.8
一九九二年三月	4.50	2.0
六月	4.48	1.4
九月	4.42	1.4
十二月	4.50	3.0

〔註4〕　由政府統計處進行的業務按季統計調查，主要是向調查對象查詢他們在統計的一季內有關營業狀況的觀感，以及對未來一季營業前景的意見。統計所調查的，包括不同行業的商號約1,000間。調查的對象，包括每行業內所有的大型商號，另加隨機抽選的中型商號。

〔註5〕　減除與生產率改變無關的因素所導致的短期波動後，每名僱員的產量，可視爲平均生產率的概括指標。除工人本身效率提高外，這亦包括工業機器及設備方面的投資所帶來的產量增長，而每名工人的資本密集度亦會因這方面的投資而增加。由勞工密集提升至技術密集，亦可以提高每名工人的平均生產力。

〔註6〕 主要行業在本地生產總值及就業人數中所佔百分率：

	在本地生產總值中所佔百分率（按當時價格計算）（%）				在總就業人數中所佔百分率（%）			
	一九八八年	一九八九年	一九九零年	一九九一年*	一九八八年	一九八九年	一九九零年	一九九一年
製造業	20.1	18.9	17.2	15.5	32.0	29.7	27.7	26.0
批發、零售、出入口貿易、酒樓及酒店業	23.8	24.0	24.3	25.4	24.3	24.9	25.9	26.6
運輸、倉庫及通訊業	9.2	8.9	9.4	9.7	9.0	9.6	9.9	9.9
金融、保險、地產及商業服務業	19.2	19.8	20.8	23.0	6.8	7.4	7.7	8.3

註：（*）臨時估計數字

〔註7〕 按揭利率與每月分期供款的關係：

生效日期	香港各主要銀行所報的按揭利率†（厘）	每十萬元按揭貸款按下列年期償還的每月供款額*（元）		
		七年	十年	二十年
一九九一年一月二十八日	10.75	1,699	1,363	1,015
一九九一年五月二十七日	11.75	1,752	1,420	1,084
一九九一年七月一日	10.75	1,699	1,363	1,015
一九九一年九月十六日	10.25#	1,673	1,335	982
一九九一年十一月四日	9.75	1,647	1,308	949
一九九二年五月四日	9.25	1,622	1,280	916
一九九二年五月二十五日	8.25	1,571	1,227	852
一九九二年七月六日	7.75	1,546	1,200	821

註：（†）由於銀行同業間的競爭，以及按揭物業種類不同，各銀行所定的按揭利率未必完全劃一。

（*）這些數字是根據相同的每月還款額計算出來。

（#）不過，各主要銀行在一九九一年九月十六日之後敍造的按揭貸款利率維持不變，仍爲10.75%。此後，新造與現行按揭貸款的利率仍維持半個百分點的差距。

〔註8〕 物業買賣合約：

	數目		價值（十億元）	
一九九一年	180,964	(39)	318.5	(100)
一九九二年	139,927	(−23)	385.4	(21)
一九九一年第一季	34,117	(12)	49.7	(46)
第二季	50,714	(69)	80.4	(135)
第三季	47,937	(44)	88.5	(123)
第四季	48,196	(33)	100.0	(94)
一九九二年第一季	28,341	(−17)	67.9	(37)
第二季	48,786	(−4)	127.2	(58)
第三季	38,328	(−20)	113.2	(28)
第四季	24,472	(−49)	77.2	(−23)
十月	8,582	(−59)	29.0	(−29)
十一月	7,522	(−49)	22.9	(−29)
十二月	8,368	(−33)	25.3	(−5)

註：雖然無法得悉確實的百分率，不過，這些合約有頗大部份與住宅樓宇的買賣有關。

（ ）括號內數字顯示與上年同期比較的增減百分率。

〔註9〕 物業轉讓合約及按揭貸款安排：

	物業轉讓合約數目				按揭(建築按揭除外)*			
	數目		價值(十億元)		數目		價值(十億元)	
一九九一年	182,997	(10)	227.0	(43)	213,081	(15)	92.1	(18)
一九九二年	157,920	(−14)	296.1	(30)	168,478	(−21)	88.5	(−4)
一九九一年第一季	40,517	(−12)	40.7	(0)	49,379	(2)	21.3	(41)
第二季	42,087	(10)	49.0	(28)	51,793	(10)	22.2	(−9)
第三季	50,152	(22)	62.6	(70)	54757	(25)	21.8	(40)
第四季	50,241	(24)	74.8	(71)	57,152	(23)	26.8	(18)
一九九二年第一季	35,723	(−12)	56.7	(40)	40,695	(−18)	24.6	(15)
第二季	38,375	(−9)	74.1	(51)	41,045	(−21)	24.3	(10)
第三季	52,094	(4)	100.4	(60)	52,801	(−4)	21.2	(−3)
第四季	31,728	(−37)	64.8	(−13)	33,937	(−41)	18.4	(−31)
十月	12,719	(−34)	26.7	(−7)	12,637	(−38)	5.9	(−44)
十一月	8,659	(−49)	18.6	(−27)	9,797	(−44)	5.1	(−26)
十二月	10,350	(−27)	19.6	(5)	11503	(−40)	7.4	(−21)

註：(*)大多數的按揭均與購買住宅或其他樓宇有關。另一方面，建築按揭則與正在進行的建築工程的資金籌措有關。

( )括號內數字顯示與上年同期比較的增減百分率。

〔註10〕 這些數字包括所有新近落成並已獲發臨時或正式人伙紙的住宅樓宇，以及已獲發滿意紙的鄉村式屋宇。居者有其屋計劃及私人機構參建居屋計劃的單位，並沒有包括在內。若此等單位亦計算在內，則一九九二年新建住宅樓宇的整體供應量爲31,962個單位，較一年前減少36%。

〔註11〕 這些數字包括住宅及商業發展計劃的購物商場，亦包括那些指定或改作商業而非寫字樓用途的單位。此等單位是指多層商/住大厦基座層內非住宅用途的單位。泊車位並不包括在內。

〔註12〕 爲改善有關建造業實質產量的編製方法，樓宇及建築開支中多數類別的平減物價指數，已由勞工及材料成本指數(即投入資源成本的平減物價指數)，改爲個別的產出價格平減物價指數。一九九一年以後的數字，是根據新方法作出修訂。詳情請參閱《本地生產總值估計，一九六六年至一九九二年》3.46段。

〔註13〕 留用入口建築機器：

	與上年同期比較的實質增長率(%)
一九九一年	−44
一九九二年*	100
一九九一年第一季	−64
第二季	−53
第三季	−41
第四季	11
一九九二年第一季	−10
第二季	72
第三季	119
第四季*	152

註：(*)根據計至一九九二年十一月的貿易指數估計。

請同時參閱第二章表2.4。

〔註14〕 建造業勞工及材料成本指數：

勞工及材料成本指數*

(一九七零年二月=100)

	勞工成本指數		材料成本指數		綜合指數	
一九九一年第一季	1,655	(13)	601	(1)	974	(8)
第二季	1,080	(13)	604	(2)	987	(8)
第三季	1,733	(12)	609	(2)	1,007	(8)

第四季	1,792	(12)	614	(2)	1,031	(8)
一九九二年第一季	1,825	(10)	618	(3)	1,045	(7)
第二季	1,848	(10)	619	(2)	1,054	(7)
第三季	1,894	(9)	635	(4)	1081	(7)

註：( )括號內數字顯示與一年前比較的增幅。

(＊)由建築署編製。

〔註15〕 公營部門工程計劃的投標價格指數：

	公營部門建築工程投標價格指數＊(一九七零年第一季＝100)		公共房屋計劃投標價格指數♯(一九七零年一月＝100)	
一九九一年第一季	608	(5.9)	475	(6.5)
第二季	592	(5.5)	440	(0.5)
第三季	573	(−1.5)	438	(−7.4)
第四季	515	(−13.6)	431	(−10.4)
一九九二年第一季	531	(−12.7)	445	(−6.3)
第二季	548	(−7.4)	431	(−2.0)
第三季	519	(−9.4)	425	(−3.0)

註：( )括號內數字顯示與一年前比較的增減百分率。

(＊)由建築署編製。

(♯)由房屋署編製。

〔註16〕 政府透過拍賣或招標方式出售的土地(以公頃為單位)：

用途	一九九一年	一九九二年
住宅	20.9	18.2
商業/住宅	5.6	0.3
商業	0.8	0.9
工業	4.3	4.7
其他	0.6	0.6
總數	32.2	24.8

註：由於進位關係，數字加起來可能不等於總數。

〔註17〕 這些數字是根據香港工業邨公司已批准及申請者已繳納按金的申請計算出來。

〔註18〕 在登記數目方面，計至一九九二年年底的登記私家車總數達265,755輛，較一年前增加12%。

〔註19〕 飛機旅客人次及航機班次：

	飛機旅客人次(百萬)	與一年比較的增減幅度(%)	航機班次	與一年比較的增幅(%)
一九九一年第一季	3.43	−2	26,085	3
第二季	3.62	0	26,993	3
第三季	3.94	1	28,204	3
第四季	4.00	5	28,436	6
一九九一年第一季	3.94	15	28,562	9
第二季	4.08	13	29,210	8
第三季	4.53	15	31,142	10
第四季	4.51	13	32,086	13

〔註20〕 由遠洋輪船裝運的商業貨物(千公噸)：

	進口		出口		總額	
一九九一年	52,899	(14)	23,546	(19)	76,445	(16)
一九九二年一月十一月	52,826	(9)	23,262	(8)	76,088	(9)
一九九一年第一季	10,813	(4)	4,934	(13)	15,747	(7)
第二季	13,492	(18)	6,049	(19)	19,541	(18)
第三季	14,952	(18)	6,424	(22)	21,376	(19)

第四季	13,641	(16)	6,139	(22)	19,780	(18)
一九九二年第一季	13,040	(21)	5,569	(13)	18,609	(18)
第二季	14,625	(8)	6,096	(1)	20,721	(6)
第三季	15,148	(1)	6,815	(6)	21,946	(3)
十月及十一月	10,012	(11)	4,782	(15)	14,795	(13)

註：( )括號內數字顯示與一年前比較的增減幅度。

這些數字由政府統計處編製。嚴格來說，不可與以往經濟報告引用海事處編製的數字作比較。

〔註21〕 空運商業貨物(千公噸)：

	進口		出口		總額	
一九九一年	372	(5)	478	(6)	850	(6)
一九九二年	423	(14)	534	(12)	957	(13)
一九九一年第一季	79	(3)	99	(8)	179	(6)
第二季	102	(2)	104	(8)	206	(5)
第三季	94	(10)	131	(6)	225	(8)
第四季	97	(7)	144	(5)	240	(6)
一九九二年第一季	90	(13)	108	(8)	197	(10)
第二季	118	(16)	116	(12)	235	(14)
第三季	100	(6)	149	(14)	249	(11)
第四季	115	(19)	161	(12)	276	(15)

註：( )括號內數字顯示與一年前比較的增幅。

〔註22〕 由遠洋輪船裝運的貨櫃(千個貨櫃單位)：

	進口		出口		總額	
一九九一年	3,022	(21)	3,065	(21)	6,088	(21)
一九九二年	3,730	(23)	3,852	(26)	7,582	(25)
一九九一年第一季	635	(22)	637	(20)	1,272	(21)
第二季	757	(22)	757	(20)	1,514	(21)
第三季	842	(23)	858	(21)	1,701	(22)
第四季	789	(18)	813	(21)	1,601	(20)
一九九二年第一季	782	(23)	795	(25)	1,577	(24)
第二季	901	(19)	928	(22)	1,829	(21)
第三季	1,027	(22)	1,097	(28)	2,125	(25)
第四季	1,019	(29)	1,032	(27)	2,051	(28)

註：( )括號內數字顯示與一年前比較的增幅。

第六章　物價

引言

6.1 消費層面的通貨膨脹在一九九二年內仍然高企。不過，年內有明顯的放緩跡象。與上年同期比較，甲類消費物價指數〔註1〕的增幅，由一九九一年第二季13.1%的高峯(一九九一年四月爲13.9%)，放緩至一九九二年第一季的10.1%，第二及第三季進一步放緩至9.0%後，在第四季微升至9.4%。一九九二年全年計算，甲類消費物價指數增幅平均爲9.4%，遠較一九九一年的12.0%升幅爲低。乙類消費物價指數，恆生消費物價指數及綜合消費物價指數大致上均顯示類似的趨勢，一九九二年的平均升幅分別爲9.6%、9.8%及9.6%，一九九一年則爲11.6%、11.1%及11.6%。

6.2 消費物價指數上漲率在六月及九月短暫回升，主要是由於新鮮蔬菜價格大幅上揚所致。不過，當這些價格在接着的數個月回落後，消費物價上漲率便恢復放緩的趨勢。與上年同期比較，十二月的甲類消費物價指數、乙類消費物價指數、恆生消費物價指數及綜合消費物價指數的升幅分別爲9.4%、9.7%、9.7%及9.6%。

6.3 雖然年內持續經濟增長繼續刺激對本地資源的需求，不過，機器及設備投資的强勁增長、廠商進一步將生產工序轉移到華南地區進行，以及根據一九九二年輸入勞工計劃來港的外地工人，均有助紓緩生產力的限制因素，以及抑制本港的通貨膨脹。世界商品價格穩定，加上港元在第一季較强，亦有助抑制來自進口的通脹，這情況尤以上半年爲然。此外，一九九二至九三年度政府收支預算案中有關間接稅的措施，對通貨膨脹的最終影響輕微。

6.4 甲類消費物價指數經季節性調整的平均每月升幅顯著放緩，由第一季的1.1%降至第二季的0.6%，第三及第四季則大致上穩定在這個水平，顯示一九九二年內消費物價上漲率放緩。乙類消費物價指數、恆生消費物價指數及綜合消費物價指數亦顯示類似的趨勢〔註2〕。

6.5 本地生產總值平減物價指數與上年同期比較的增幅，是衡量本港整體通脹的概括指標。這個指數的升幅由上半年的10.9%放緩至下半年的9.8%。一九九二年全年計算，本地生產總值平減物價指數上升10.3%，與一九九一年的10.2%升幅大致相同。至於本地內部需求平減物價指數的升幅，則由一九九一年的7.9%下降至一九九二年的6.8%。

通脹根由

6.6 一九九二年的通脹壓力，繼續主要由本地因素所引致。在房屋市場方面，與契約重訂有關的租金調整，令房屋開支急升，這情況在各種消費物價指數中反映出來〔註3〕(見5.12段)。在勞工市場普遍緊張的情況下，入息及工資持續大幅上升(見4.17至4.21段)。由於本港經濟迅速轉型，以致在爭取勞工資源方面，競爭激烈，亦對某些行業，特別是服務行業，造成强大的通脹壓力。本地勞工成本高，以及不能即時由入口貨物代替的消費項目，例如出外用膳及各類消費服務，價格的升幅均較大部份其他項目爲大(見6.8及6.9段)，反映出上述的情況。

6.7 對比之下，進口通脹輕微。一九九二年全年計算，所有留用入口貨物的價格與一年前比較，變化不大，而留用入口糧食及消費品的價格，合共僅上升約2%。原因是世界商品市場〔註4〕價格持續穩定。一九九二年內，入口價格比較穩定，應有助使各類消費物價指數，本地內部需求平減物價指數及本地生產總值平減物價指數的增長放緩(見6.10至6.12段)。

消費物價

6.8　按組成部份及以甲類消費物價指數計算來分析，房屋的開支在一九九二年上升速度最快，較一九九一年上升13%，其次是服務價格(12%)、煙酒價格(10%)、糧食價格(9%)及衣履價格(9%)〔註5〕。另一方面，耐用品、燃料和電力，以及交通的價格分別上升2%、5%及7%，升幅比較溫和。

6.9　房屋一項價格上漲，主要是私人及公共住宅樓宇租金較高所致。服務一項價格上漲，主要是由於學費及娛樂費用提高。煙酒一項價格上漲，主要反映供應商調整價格後，啤酒及香煙零售價有所增加。糧食一項價格上漲，主要是與出外用膳費用增加有關。另一方面，糧食的入口價格大致穩定，對糧食的零售價起了緩和作用。衣履一項價格上漲，原因是外衣價格普遍上升。這五個項目，共佔甲類消費物價指數整體升幅87%，而在乙類消費物價指數、恆生消費物價指數及綜合消費物價指數整體升幅所佔的比率，則分別爲88%、87%及88%〔註6〕。

入口貨物價格

6.10　由於世界商品價格普遍穩定，入口貨物價格仍然偏軟。一九九二年入口貨物的單位價格指數，與一九九一年比較，幾乎毫無改變。在各主要供應國/地區中，一九九二年從英國、日本及中國輸入本港的貨物價格，與一九九一年比較，分別上升約2%、2%及1%。台灣及美國輸入本港的貨物價格，均告下跌約1%〔註7〕。

6.11　各類按用途劃分的入口貨物中，消費品及資本貨物的入口價格，升幅較其他入口貨物爲快，一九九二年的升幅分別爲3%及2%。糧食的入口價格，上升約1%。另一方面，燃料及原料和半製成品的入口價格，分別下跌約9%及2%〔註8〕。

6.12　由於留用入口貨物的價格並不把轉口貨物價格變動計算在內，因此較入口貨物價格更能顯示對本地物價的影響。根據留用入口貨物單位價格指數顯示，一九九二年留用入口貨物價格，與一九九一年比較，變化不大〔註9〕。一九九二年內，各類按用途劃分的留用入口貨物中，以消費品及資本貨物的價格上漲速度最快，均較一九九一年上升約3%。留用入口糧食的價格，僅上漲1%左右。另一方面，留用入口燃料及原料和半製成品的價格，則分別下跌約4%及2%。

生產要素的價格

6.13　勞工價格的走勢，可從入息及工資的變動顯示出來。一九九二年製造業及大部份服務行業的入息及工資均繼續顯著上升，反映出勞工需求普遍仍然殷切。另一方面，由於建造活動依然淡靜(見4.17至4.21段)，建造業的工資升勢，進一步減慢。

6.14　一九九二年的固定資本價格，根據留用入口資本貨物的單位價格指數顯示，較一九九一年上升約3%（見6.12段）。升幅主要集中在下半年。由於日本是本港資本設備的最大供應地，在一九九二年大部份時間港元兌日圓貶值，對此有一定影響。

6.15　物業價格方面，寫字樓的價格穩步回升，而租金由於需求改善，亦稍爲上升。由於本地製造業生產表現平平，廠房租金仍然大致上偏軟。不過，位置較佳，可作附屬辦公室用途的現代化工業樓宇的價格和租金，則溫和上升，並有較大的承接力（見5.13及5.15段）。

生產價格

6.16　雖然單位勞工成本繼續上升（見4.17至4.21段），但根據本地產品出口單位價格指數顯示，一九九二年本地製造業產品價格，較一九九一年僅上升約1%。原料及半製成品入口價格下降、機器及設備的持續投資，以及在內地進行加工安排而節省費用等因素，均有助減低生產成本。輸往美國及德國的本地產品價格升幅較快，兩者均上升約3%。輸往中國的本地產品價格無大變動，而輸往英國及日本的本地產品價格則同告下跌約1%〔註10〕。

第六章　註釋

〔註1〕　甲類消費物價指數、乙類消費物價指數及恆生消費物價指數，是參照住戶開支統計調查所得的不同市區住戶類別平均開支模式編訂出來。此外，把所有市區住戶開支模式綜合計算，可以得出綜合消費物價指數。一九九一年的數字，是參照一九八四至八五年度爲基期的舊系列消費物價指數而作出的。至於一九九二年的數字，則參照一九八九至九零年度爲基期的新系列消費物價指數編訂出來。這一轉變令到與上年同期比較的各類指數增減率僅有極小差距。

以一九八九至九零年度爲基期的消費物價指數的住戶開支分類如下：

	所包括的市區住戶約佔的比率（%）	每月開支幅度（元）
甲類消費物價指數	50	2,500－9,999
乙類消費物價指數	30	10,000－17,499
恆生消費物價指數	10	17,500－37,499

〔註2〕　各類消費物價指數經季節性調整的每月升幅（%）：

	甲類消費物價指數	乙類消費物價指數	恆生消費物價指數	綜合消費物價指數
一九九一年第一季	1.6	1.3	1.0	1.3
第二季	0.6	0.7	0.8	0.7
第三季	0.6	0.7	0.6	0.6
第四季	0.6	0.6	0.9	0.7
一九九二年第一季	1.1	1.0	1.0	1.0
第二季	0.6	0.7	0.8	0.7
第三季	0.7	0.7	0.7	0.7
第四季	0.6	0.6	0.7	0.6

〔註3〕 差餉物業估價署編製的數字顯示，一九九二年私營機構新出租住宅單位的租金淨額，僅有溫和上升。不過，根據各消費物價指數內房屋一項的組成部份，包括新出租及現已出租(包括續期租約)住宅單位而租金包括差餉及管理費在內，一九九二年新出租及現已出租單位的租金，較新出租單位的租金上升較快。

〔註4〕 世界商品價格指數包括若干選定的基本糧食、農業原料及金屬的價格變動。近期的數字如下：

	指數 (一九八五年＝100)	與上年同期比較的 升跌幅度(%)
一九九一年第一季	112.9	−4.6
第二季	111.5	−7.1
第三季	111.6	−6.8
第四季	113.2	−1.0
一九九二年第一季	114.4	1.3
第二季	112.3	0.7
第三季	111.9	0.3
十月	109.7	−2.7
十一月	109.2	−3.7

資料來源：《國際金融統計數字》，一九九三年一月。

〔註5〕 與一九九一年比較，一九九二年各類消費物價指數內各組成部份的升幅：

開支項目	甲類消費 物價指數 (%)	乙類消費 物價指數 (%)	恒生消費 物價指數 (%)	綜合消費 物價指數 (%)
食品	8.8	9.0	9.3	9.0
出外用膳	10.6	10.6	10.7	10.6
其他糧食	6.9	6.8	7.0	6.8
房屋	13.0	13.6	12.0	12.9
燃料及電力	5.2	5.0	4.5	5.0
煙酒	9.7	10.0	10.2	9.9
衣履	8.5	8.3	13.1	10.0
耐用品	2.3	2.3	4.6	3.0
雜用品	6.9	6.4	5.7	6.4
交通	7.2	7.3	7.1	7.2
服務	11.8	11.0	9.6	10.8
全部項目	9.4	9.6	9.8	9.6

〔註6〕 一九九一年至一九九二年期間，在各類消費物價指數升幅中，下列各項所佔的比率：

開支項目	甲類消費 物價指數 (%)	乙類消費 物價指數 (%)	恒生消費 物價指數 (%)	綜合消費 物價指數 (%)
食品	38	33	25	33
出外用膳	24	23	18	22
其他糧食	15	10	7	11
房屋	29	34	37	33
燃料及電力	2	1	1	1
煙酒	3	2	1	2
衣履	4	6	11	7
耐用品	1	1	3	1
雜用品	4	4	3	4
交通	6	6	6	6
服務	13	13	13	13
全部項目	100	100	100	100

有關各組成部份在各類消費物價指數中所佔的比重，請參閱本報告統計附錄表二十六至表二十八。

〔註7〕 與上年同期比較，按主要供應國/地區劃分的入口貨物單位價格指數的升/跌幅(%)：

	中國	日本	台灣	美國	英國	所有入口貨物
一九九一年	1	2	2	3	2	2
一九九二年*	1	1	−1	−1	2	0
一九九一年第一季	2	1	3	4	5	4
第二季	0	2	3	4	4	2
第三季	2	2	3	3	1	2
第四季	2	1	1	2	0	1
一九九二年第一季	1	1	0	−1	0	0
第二季	2	1	−1	−2	2	0
第三季	1	2	−1	0	3	1
第四季*	0	0	−2	0	2	0

註：(*)根據計至一九九二年十一月的貿易指數估計。

〔註8〕 與上年同期比較，按用途劃分的入口貨物單位價格指數升/跌幅(%)：

	糧食	消費品	燃料	原料及半製成品	資本貨物	所有入口貨物
一九九一年	3	3	−1	1	2	2
一九九二年*	1	3	−9	−2	2	0
一九九一年第一季	4	3	35	2	5	4
第二季	2	2	5	2	3	2
第三季	2	3	−5	1	1	2
第四季	4	2	−23	0	0	1
一九九二年第一季	1	2	−27	−1	0	0
第二季	1	3	1	−2	2	0
第三季	1	3	1	−2	4	1
第四季*	−1	2	0	−3	2	0

註：(*)根據計至一九九二年十一月的貿易指數估計。

〔註9〕 與上年同期比較，按用途劃分的留用入口貨物單位價格指數升/跌幅(%)：

	糧食	消費品	燃料	原料及半製成品	資本貨物	所有留用入口貨物
一九九一年	2	3	−3	1	2	1
一九九二年*	1	3	−4	−2	3	0
一九九一年第一季	4	5	35	2	8	5
第二季	1	4	2	3	3	3
第三季	1	2	−9	1	0	1
第四季	3	0	−26	0	−4	−2
一九九二年第一季	0	0	−29	−1	−1	−3
第二季	1	2	2	−3	3	0
第三季	2	7	1	−2	6	1
第四季*	−1	3	7	−4	3	−1

註：(*)根據計至一九九二年十一月的貿易指數估計。

請同時參閱第二章表2.4的註釋。

〔註10〕 與上年同期比較，按主要市場劃分的本地產品出口單位價格指數升/跌幅(%)：

	美國	中國	德國	英國	日本	所有市場
一九九一年	2	1	3	2	3	2
一九九二年*	3	0	3	−1	−1	1
一九九一年第一季	1	2	2	2	2	2
第二季	2	1	3	2	4	2
第三季	2	1	3	2	3	2
第四季	2	1	4	2	4	1
一九九二年第一季	2	1	2	0	1	1
第二季	2	1	2	−1	−2	0
第三季	4	0	5	0	−1	1
第四季*	5	0	4	−3	−2	2

註：(*)根據計至一九九二年十一月的貿易指數估計。

資料來源：香港布政司署經濟科

四、一九九三年經濟展望

第一章：一九九三年經濟預測引言

1.1　由於一九九二年經濟持續增長、實際上充分就業及實際收入普遍上升，因此，儘管香港主要海外市場的經濟情況普遍呆滯，但整體而言，香港經濟表現良好。轉口貿易增長强勁，以及本地內部需求殷切，表示本港經濟基礎穩固。

1.2　展望未來，本港的對外貿易環境仍有一些不明朗因素。美國是否續予中國最惠國地位的問題，以及中美貿易關係狀況，將會繼續影響源自中國而經香港輸往美國的轉口貿易。此外，多邊貿易烏拉圭回合談判曠日持久，亦會妨礙世界貿易的擴展，因而減慢本港貿易的發展。保護主義仍然構成威脅。本地方面，有關憲制發展建議的政治分歧，以及與中國進行機場核心計劃財務安排的會談陷入僵局，可能繼續影響工商界的情緒。

1.3　雖然有這些不明朗因素，但一些利好因素相信有助本港經濟在一九九三年進一步有令人滿意的增長。第一，作爲本港產品出口最大市場及轉口貨物第二大市場的美國，近期已有明顯復甦跡象。由此產生的刺激作用，不但會惠及香港的貿易，而且會使屬於香港主要出口市場的國家/地區受惠。同時，我們預測亞太區會維持增長動力。亞太區內貿易持續激增，相信可使香港進一步開拓新市場，而這個過程將有助紓緩歐洲及日本市場預計在一九九三年放緩的影響。

1.4　第二，中國經濟蓬勃、中共在第十四屆全國人民代表大會上重申中國的經濟改革及開放政策、中美兩國去年十月就美國貿易法第三〇一條款的談判取得圓滿結果，以及中國爲爭取加入關貿總協定而採取的貿易開放措施，都有助提高本港涉及中國的貿易在一九九三年持續强勁增長的可能性。由於中國經濟繼續蓬勃，中國的入口需求預計會持續强勁。對香港來說，這個市場具有龐大的發展潛力。與此同時，香港公司在中國進行的加工活動，將會繼續促進本港涉及中國的轉口貿易，不論是輸往中國抑或源自中國的轉口貿易。

1.5　第三，對外貿易持續迅速增長，將使本港對與貿易有關的服務需求更大。因此，一九九三年服務出口及入口很可能再有大幅增長。

1.6　第四，本地經濟方面，由於充分就業及實際收入上升，本地消費需求相信會繼續增加。在勞工市場普遍緊絀及展望商業進一步擴展的情況下，預期機器及設備的投資仍然龐大。隨着現正展開的大型基建工程逐漸加速進行，預期年內公營部門的建築開支會進一步上升，但私營機構的建築開支，會因獲准動工的工程減少而很可能持續放緩。

1.7　供應能力方面，一九九二年的勞動人口幾乎毫無變動。雖然一九九三年的適齡工作人口可能會有輕微增長，但整體勞動人口參與率，可能進一步下降，主要是由於年青人有更多機會接受高等教育，令這方面的勞動人口參與率較低所致。因上述情況導致本地勞動人口的持續緩慢增長，將對整體經濟增長產生抑制作用，但由於勞工生產力在同時間提高，因此將會紓緩這情況。

1.8　考慮供求的因素後，一九九三年本地生產總值的增長預測爲5.5%，較一九九二年估計的5.0%增幅，進一步上升〔註1〕。

1.9　由於展望本港經濟增長較快以及勞工情況普遍緊絀，一九九三年的通脹率相信仍然高企。本港繼續由較着重製造業轉爲較着重服務行業的經濟轉型，將繼續對若干行業產生資源壓力。另一方面，進口通脹預期會維持在較低水平。一九九三年中類消費物價指數的平均升幅預測爲9.5%，與一九九二年的9.4%升幅相若。作爲整體通脹一個概括指標的本地生產總值平減物價指數，預測在一九九三年亦會上升9.5%，較一九九二年的10.3%升幅爲低。

1.10　一九九二年本港經濟表現概況載於本報告書第二章，更爲詳盡的分析則載於《一九九二年經濟概況》內。將這些資料與計量經濟模式運算〔註2〕和業務展望調查〔註3〕的結果結合起來，加上一定程度的判斷，便可得出一九九三年本港經濟表現的預測。是項經濟預測的正文載於第三章，而根據這些預測對本港經濟作出的分析，則在第四章討論。本報告書的統計附件載有詳細的預測數字，而且一併列出過去十年的各個經濟指標。本報告書所載的本地生產總值及其組成部分的統計數字，連同資料來源和編製方法的概述，列於《本地生產總值估計——一九六六年至一九九二年》內。

第一章註釋

(1)除與價格變動有關者外，本報告書所引用的增減百分率，均以實質計算。此外，如果沒有註明，本報告書所作出的比較均爲與上年同期的比較。

(2)一套綜合計量經濟模式是用以預測本地生產總值及其主要組成部分，其中包括貿易總體數字及主要價格指標。該模式有25項結構方程式及3項恒等方程式。

(3)這項調查由政府統計處於一九九二年十二月至一九九三年一月期間進行，對象爲若干行業的大型及中型公司，目的是搜集它們對一九九三年業務前景各方面的意見。

第二章：一九九二年的經濟發展情況

(略：請參閱附錄三)

第三章：一九九三年本港經濟表現的預測

對外貿易

貨物出口

3.1　香港出口貨物的增長幅度，取決於各個市場的經濟情況、有關產品的相對競爭力和進入市場的機會，以及相對的供應能力。特別是轉口方面，中國所提供的外地加工設施，有效地擴大本港的供應能力。

香港的主要貿易伙伴：一九九三年的經濟前景

3.2　美國是本港出口貨物的主要市場，在一九九二年後期有明顯的經濟復甦跡象。較早時利率調低以及商業前景比較樂觀，對投資起刺激作用，而消費者的信心亦見增强。整體經濟的增長勢頭，預期在一九九三年繼續下去。不過，失業情況及因私營機構和公營部門的龐大債務而引起的結構性問題，仍是限制因素。雖然克林頓總統的經濟計劃藉着較多的即時開支而預期起一些刺激作用，但該計劃對增强整體需求的影響，很可能受到加税及大幅削減財政赤字而減弱。整體而言，美國經濟預期會逐步復甦，一九九三年的增長率約爲2.5-3%，而一九九二年的增長率則爲2%左右〔註1〕。

3.3　亞太區在一九九二年繼續有强勁增長。一九九二年整個亞太區的經濟增長估計爲5.5%〔註2〕，與全球經濟只有0.4%的升幅比較，增長非常迅速。

3.4　中國經濟發展蓬勃，特別值得重視。受到中國致力進一步推行經濟改革及開放的刺激，一九九二年國民生產總值有13%左右的强勁增長。增長的特點，是資本形成迅速發展、消費開支顯著增加，以及入口和出口貨物激增。由於消費及投資持續上升，預期一九九三年中國經濟將會有進一步的强勁增長。經濟過熱的趨勢，引起一些關注，但可能採取的抑制措施，也許不會太急進。

3.5　不過，日本的經濟在一九九二年明顯倒退，特別以商界的情況爲甚，由於信貸危機及較早時股票和物業價格急跌的影響，資本開支有所減少。商界信心低落及銀行的緊縮貸款政策，將繼續令一九九三年在日本的投資減少；而收入停滯及資產價值遞減對財富產生的負面將會繼續對消費起抑制作用。不過，去年八月宣佈的追加預算案，其中包括額外政府開支、政府一項買地計劃及用以鼓勵私人投資的貸款，應可起一些刺激作用，所產生的影響，預期可在一九九三年後期遍及經濟體系。總的來説，日本在一九九二年經濟增長放緩至1.8%，預期在一九九三年可取得2%或略高於這個水平的溫和經濟增長。

3.6　亞太區其他國家/地區方面，在亞太區內貿易進一步激增的情況下，預計一九九三年繼續有強勁的增長和強大的本地內部需求。

3.7　歐洲主要市場方面，德國經濟在一九九二年放緩。本地內部需求近月來進一步疲弱。經濟倒退，加上高銷售稅，令消費開支下降。商界信心退減，加上利率持續高企，令工業投資卻步。出口表現亦見呆滯，部分是受到德國主要出口市場的疲弱需求影響，部分是由於一九九二年大部分時間內德國馬克大幅升值所致。

3.8　經濟倒退的趨勢，預計將延續至一九九三年。由於有較高通脹的問題備受關注，因此大幅降低利率的機會相信不大。高利率將仍然對私人投資起抑制作用。在失業率較高、實際收入升幅較少，以及銷售稅進一步增加(儘管增幅只屬輕微)的情況下，消費開支不大可能大幅回升。由公帑轉撥款額支援東德，將令其他政府開支的預算更形緊絀。不過，德國馬克轉弱，相信在短期內有助改善出口表現。整體來說，預料一九九三年德國經濟能達到的增長率，極其量只約為1%，而一九九二年的增長率則略高於1%。

3.9　英國經濟依然呆滯。失業率在近月上升至10%以上，失業情況和樓價驟降，削弱了消費開支。營商意欲亦低落。經濟衰退很可能持續至一九九三年初期，但一九九三年後期經濟表現有機會好轉。利好的因素，包括對外的競爭力因近期英鎊大幅貶值而增強，以及利率較低，對本地內部需求起刺激作用。此外，根據去年十一月公佈的一九九三至九四年度財政預算案的公共開支計劃，政府將實施特別稅項寬減，以刺激投資及重建信心。一九九三年全年來說，英國經濟預期會輕微復甦，本地生產總值將會增長1-2%，一九九二年則下降約1%。

3.10　綜合來說，一九九三年全球經濟狀況，預期較一九九二年好轉，雖然個別地區或經濟體系的表現，很可能各有差異。根據經濟合作及發展組織的預測，所有成員國的經濟增長率合計，預料將由一九九二年的1.5%上升至一九九三年的1.9%，上半年按年折算的增幅為2%，下半年則為2.5%。

3.11　經濟合作及發展組織所有成員國的入口貨物總額合計，預料在一九九三年有穩定的增長，增幅約為4%，與一九九二年的4.3%估計增幅相若。下半年入口需求的增幅，很可能會比上半年為快〔註3〕。美國的入口需求，預期有進一步增長，一九九三年的增幅為6%，而一九九二年的估計增幅為10%。英國入口貨量預期在一九九三年上升4%，一九九二年的估計升幅則為3.7%。日本的入口需求預期有輕微改善，由一九九二年僅0.7%的增幅，上升至一九九三年的3%左右。德國的入口需求亦會稍為回升，由一九九二年的1.3%增幅，上升至一九九三年的略低於3%。上述經濟體系在入口製成品方面的增長趨勢，預計與入口總額的增長模式大致相同〔註4〕。

香港出口貨物的價格競爭力

3.12　價格競爭力，是本港出口整體表現的重要根本因素，而價格競爭力則受港元兌主要海外市場和主要出口競爭者的貨幣滙率變動，以及有關的生產成本所影響。在聯繫滙率制度下，港元滙價基本上跟隨美元滙價的走勢。雖然美元在一九九二年大部分時間內普遍疲弱，但這種趨勢在較近期已有改變。繼歐洲滙率機制在九月出現混亂及美國總統選舉在十一月結束後，美元在去年第四季轉强〔註5〕，而且預料在一九九三年仍然强勁，特別是相對歐洲貨幣(大概並非相對於日圓)而言。這種情況最終會對香港出口貨物以一些主要海外市場貨幣計算的價格競爭力產生負面影響。另一方面，本地生產力的提高、本港廠商從外地加工安排節省成本，以及原料及半製成品的入口價格比較穩定，應繼續緩和本地成本壓力對製造及出口活動所造成的影響。因此，儘管通脹高企，一九九三年香港出口貨物的價格，以港元計算，可能只有輕微增加。

市場開放

3.13　美國及中國是香港的主要貿易伙伴，兩國的關係對香港的貿易表現將有重大的影響，特別的是，假如中國在美國的最惠國地位不獲得延續，輸往美國市場的中國製貨品將會被徵收較高的關稅，而這些貨品在香港輸往海外市場的轉口貨物中，佔相當大的比例。香港與中國的經濟關係，特別是生產及出口活動方面，將會受到打擊，結果令香港的就業情況及本地生產總值的增長率蒙受不利影響。

3.14　在更廣闊的貿易層面上，香港一些主要海外市場的保護主義高漲，令人關注。另一方面，關貿總協定多邊貿易烏拉圭回合談判如取得圓滿結果，將加强多邊貿易制度，會受到歡迎。這會促進世界貿易進一步開放和擴展，香港將可從中獲取重大的長遠利益。

供應能力

3.15　部分由於本地生產力的限制，生產模式在近年經歷重大的轉變，原因是本地廠商利用中國土地和勞工較廉宜的優點，繼續將勞工密集程度較高的工業程序轉往內地進行。香港廠商的生產力因而得以倍增。由於外地加工安排的緣故，越來越多香港出口貨物是以來自中國的轉口貨物而非香港本地產品出口的形式運往外地〔註6〕。這種發展的普遍趨勢，在一九九三年將會持續，而華南地區的外地加工活動，預期會進一步擴展。因此，本地產品出口的表現，很可能仍然放緩，但轉口貿易則很可能持續銳增。

本地產品出口

3.16　去年，輸往美國的本地產品(佔一九九二年本地產品出口總值的28%)是零增長。由於預期一九九三年美國經濟復甦，因此，美國在今年對入口製成品的需求，應有增加。美國市場的消費意欲自去年十一月開始，顯著加强。根據經濟合作及發展組織的預測，一九九三年美國入口製成品預期進一步上升6.2%。接受業務展望調查〔註7〕的製造商，亦預料一九九三年香港輸往美國的產品會有增加。不過，鑑於本港轉口貿易的比重越來越大，預料一九九三年輸美的本地產品，只會稍微增長1%。

3.17 去年，輸往中國的本地產品(佔一九九二年本地產品出口總值的26%)進一步增加約13%。這强勁的增長，是由於與中國進行的加工貿易持續擴展所致。此外，中國經濟急劇增長，加上放寬入口管制，令中國對自用入口貨物的需求大增。這些普遍趨勢，預料在一九九三年仍會持續。一九九三年輸往中國進行加工的本地產品，應持續有顯著增長，因爲香港廠商在本地工資不斷上升及需要在世界市場維持價格競爭力的情況下，要致力降低生產成本。由於中國經濟持續蓬勃發展，輸往中國自用的本地產品，預料亦會大幅增加。考慮這些因素後，預測在一九九三年輸往中國的本地產品，將上升12%〔註8〕。

3.18 一九九二年輸往德國的本地產品(佔一九九二年本地產品出口總值的7%)持續大幅下降，跌幅約達20%。回跌的主要原因，是德國統一初期經濟轉强後放緩。鑑於德國經濟短期內前景黯淡，一九九三年的消費需求預料仍會下降。德國馬克疲弱，將進一步抑制入口製成品的需求。同時，輸往德國的轉口貨物，其比重將持續大於輸往這個市場的本地出口產品。鑑於上述因素，輸往德國的本地產品預測將於一九九三年進一步下跌12%。

3.19 輸往英國的本地產品(佔一九九二年本地產品出口總值的5%)減縮，一九九二年大約下跌8%，主要原因是內部需求呆滯。由於失業率依然高企，加上物業市況淡靜，英國的消費意欲很可能仍會退減一段時間。英鎊自去年九月退出歐洲滙率機制後大幅貶值，亦會令入口需求下挫。考慮到本地產品出口比重持續低於轉口貿易的因素，預料一九九三年輸往英國的本地產品，將下跌7%。

3.20 一九九二年輸往日本的本地產品(佔一九九二年本地產品出口總值的5%)下降約5%。日本經濟急劇放緩，是輸往日本的本地產品出口表現呆滯的主要原因。由於日本經濟將需要一段時間調整物業及股票市場所存在的問題，日本的內部需求在一九九三年不大可能迅速復元。由於轉口貨物的比重持續高於本地產品出口，預測一九九三年輸往日本的本地產品，會下跌8%。

3.21 一九九二年輸往世界其他地區的本地產品，佔本地產品出口總值約29%。輸往亞太區的本地產品方面(不包括中國及日本在內，佔本地產品出口總值約15%)，亞太區經濟蓬勃增長以及亞太區內貿易上升，應繼續提供推動力。不過，由於歐洲經濟現況呆滯、港元相對較强，加上本港轉口貿易的比重越來越大，輸往歐洲經濟共同體的本地產品(不包括德國及英國在內，佔本地產品出口總值6%)，相信會進一步下降。綜合上述因素，輸往世界其他地區的本地產品，在一九九二年下跌約1%後，預計在一九九三年會下跌2.5%。

3.22 總括而言，本地產品出口繼一九九二年幾乎沒有增長後，預料整體增長率到一九九三年會達到1%。

轉口貨物

3.23 轉口貨物繼一九九一年增加26%後，一九九二年的增幅約爲28%，預期一九九三年再有强勁增長。中國在去年十月舉行的第十四屆全國人民代表大會上，重申會致力推行經濟改革及開放政策。持續的迅速增長，加上中國爲爭取成爲關貿總協定成員而實行貿易開放措施，將大大刺激中國的貿易。中美兩國就美國貿易法第三〇一條款的談判，在去年年底取得圓滿結果，亦會促進涉及中國的貿易。這些發展，將會使香港的轉口貿易直接得益。特別是與在中國進行加工活動有關的轉口貨物，應會繼續增長，儘管美國是否續予中國最惠國地位的問題，仍是一個不明朗因素。同時，輸往中國以滿足其本地需求的轉口貨物，預期再有顯著增長。綜合計算，預測輸往中國的轉口貨物總額，在今年會增加28%。至於其他轉口市場，因外地加工活動不斷增加而令本港轉口貨物的比重越來越大、亞太區內貿易擴展，以及預期美國入口需求將會回升，都會使轉口貿易再有强勁的增長。因此，預測今年輸往中國以外的其他市場的轉口貨物，將會上升24%。總括而言，預測一九九三年轉口貨物的增長率爲25%。

3.24 綜合計算本地產品出口及轉口，一九九三年的貨物出口總額預測會有大約18%的增長，而一九九二年的增幅則約爲19%。

貨物入口

3.25 考慮到本地產品出口的預計增長(見3.22段)及本地內部需求的預計增長(見3.27至3.33段)後，留用入口貨物繼一九九二年上升約14%後，預計在一九九三年增加12%。計及轉口貨物，貨物入口總額的增長率繼一九九二年增加約22%後，一九九三年的增長率預測爲19%。

服務出口及入口

3.26 香港與整個亞太區的强勁經濟聯繫，特別是與中國的聯繫，應繼續鞏固香港作爲亞太區主要的貿易、金融及商業服務中心的地位。一九九三年的服務出口及入口，預期會進一步大幅增加。商品貿易在一九九三年預料會激增，應繼續令對與貿易有關的服務有殷切的需求。此外，隨着來港旅客持續增加，從旅遊業所得的收入亦預料會進一步上升。一九九三年的服務出口預測會增加9%，一九九二年的升幅爲10%。考慮到本地內部需求的預期增長，一九九三年的服務入口預測會增加

8%，一九九二年則上升7%。

本地內部需求

私人消費開支

3.27 私人消費開支繼一九九一年上升8%後，到一九九二年持續急速增長，增幅爲9%。在充分就業及收入增加(包括來自香港以外業務活動的收入)的情況下，今年的消費需求預料會進一步大幅增長。不過，住宅樓宇價格近月下跌，可能稍微減低消費意欲。考慮上述因素後，一九九三年的私人消費開支，預測增長7.5%。

政府消費開支

3.28 將政府的一九九二至九三年度修訂預算開支及一九九三至九四年度開支預算草案的有關資料轉化後，以國民會計方式計算的政府消費開支，預測在一九九三年增長5%，一九九二年的相對增幅估計爲8%。

本地固定資本形成總額

3.29 機器及設備方面的投資，繼一九九一年上升17%後，到一九九二年進一步大幅增長，增幅達23%。經濟前景良好，加上勞工市場緊張引致有提高勞工生產力的要求，應普遍刺激機器及設備方面的進一步投資。出口前景利好，供製造業使用的工業機器投資，應繼續有穩定的增長。年內，當各項大型基建工程陸續動工的時候，相信建築設備的投資會大幅上升。其他行業方面，投資意欲相信亦會維持強勁。留用入口資本貨物的最新趨勢，與這概括現象大致相同。私營機構的機器及設備開支，繼去年增長24%後，預料在一九九三年亦會再度大幅上升15%。公營部門的機器及設備開支在一九九二年下跌12%後，預料會在今年回升10%。一九九三年機器及設備的整體開支預測上升約15%。

3.30 樓宇及建設方面，私營機構獲准動工的建築工程，於一九九一年初開始減少，並延續至一九九二年。繼一九九一年下降7%後，去年再有17%的龐大跌幅〔註9〕。新建成樓宇供應過剩，加上住宅物業市道處於鞏固期，將令私營機構建築活動繼續減少。此外，多項較顯著的私營機構工程，預期會在一九九三年陸續竣工。這些工程包括太古城中心、時代廣場及滙城中心的寫字樓及商業樓宇發展計劃，以及南丫島發電站、青衣美孚油庫碼頭及葵涌第三號貨櫃碼頭擴建工程等大型基建發展計劃。因此，預料私營機構的建築開支會在一九九三年進一步下跌2%，與一九九二年的跌幅相若。公營部門的建造活動，自一九九二年第二季多項土要土木工程計劃逐步動工後，即告復甦。一九九二年全年計算，公營部門的建築開支上升8%。今年內，除持續進行的公共房屋計劃外，還有多項主要的公營部門工程在進行，這包括青衣至大嶼山幹線、北大嶼山快速公路、西九龍塡海計劃及赤鱲角和東涌工地平整工程。因此，預測一九九三年公營部門的建築開支會進一步大幅增長，增幅達8%。私營機構及公營部門合計，一九九三年的建築總開支預測會上升約1%，與一九九二年的增長相若。

3.31 由於一九九三年的私營機構建築活動預料持續放緩，地產發展商的毛利〔註10〕繼去年下跌1%後，預料在一九九三年會下跌2%。此外，土地及樓宇的轉讓費用〔註11〕繼去年上升21%後，預測在一九九三年無大變化。

3.32 把個別組成部分綜合起來，本地固定資本形成總額預測在一九九三年會上升約7%，而一九九二年的升幅爲11%。

存貨增減

3.33 隨着經濟增長加快，預計一九九三年的存貨會頗爲大幅增加。

按固定價格計算的本地生產總值

3.34 把所有開支組成部分合計起來，預測一九九三年本地生產總值會增加5.5%，較一九九二年的5.0%增長率爲高。鑑於一九九三年的人口增長率估計爲0.6%，按人口平均計算的本地生產總值增長率預測爲4.8%，一九九二年的增長率則爲4.0%。

通貨膨脹及價格平減物價指數

3.35 鑑於經濟不斷增長而勞工供應只有有限升幅，以整體而言，將持續對本地資源造成壓力。此外，本港由較着重製造業轉爲較着重服務行業的急劇經濟轉型，將會繼續對服務行業的資源造成較大壓力。因此而對本港經濟所帶來的通脹壓力，在一九九三年很可能依然强大。另一方面，機器及設備投資大幅增長，加上本地工作人口獲得更多訓練，應有助提高生產力，從而稍爲紓緩勞工緊絀的情況。

3.36 數項其他因素亦有關聯。第一，預期一九九三年全球通脹情況仍會溫和。例如，經濟合作及發展組織成員國的整體通脹率(按國民生產總值平減物價指數計算)，預測會由一九九一年的4.3%及一九九二年的3.5%，進一步下跌至一九九三年的3.2%。第二，預測世界市場主要商品的價格升幅普遍溫和〔註12〕。第三，日本是本港留用入口貨物的最大供應國，日本出口貨物的價格，預計仍然疲軟。儘管近期日圓升值，但輸往本港的日本貨物價格，相信不會大幅上升。第四，雖然中國的通脹率有所上升，但人民幣在外滙掉期市場的滙率，於近月來大幅貶值。總的來說，來自中國的入口貨物價格，在一九九三年不大可能急劇上升。

3.37 在計及所有這些因素後，一九九三年按甲類消費物價指數計算的消費物價，預測平均上漲率爲9.5%，與一九九二年的9.4%平均上漲率相若。在消費物價指數的各項組成部分中，服務、出外用膳及房屋開支三項，預期上漲速度會較其他各項爲快。一九九三年私人消費開支平減物價指數預測會上升8%，而一九九二年的升幅爲7%。

3.38 本地生產總值平減物價指數的變動，是受到本地生產總值個別組成部分的價格平減物價指數的變動所影響。以港元計算的入口貨物價格，預測在一九九三年上升約2%，一九九二年則幾乎毫無增長。預測一九九三年的出口貨物總值平減物價指數將上升約3%，而一九九二年則上升約1%。由於整體建築活動在一九九三年仍會放緩，建造業產量的平減物價指數，預料在一九九三年只會上升約3%，與一九九二年的升幅相若〔註13〕。機器及設備投資平減物價指數的升幅預測爲3%，而政府消費開支平減物價指數則預料會上升10%。基於上述組成部分的預測，一九九三年本地生產總值平減物價指數的增幅，預測爲9.5%，比對之下，一九九二年的增長則較快，達10.3%。本地內部需求平減物價指數預測上升約7%，與去年的升幅相若。

按當時價格計算的本地生產總值

3.39 把本地生產總值與本地生產總值平減物價指數的預測綜合起來，可得出一九九三年名義本地生產總值的預測增長率爲15.5%，與一九九二年估計的15.8%增幅大致相同。按當時價格計算，一九九三年的本地生產總值預測約爲8,580億元。按人口平均計算的本地生產總值預測約爲146,700元，即18,800美元。一九九三年以貨幣及按人口平均計算的本地生產總值增長率預測約爲15%，與一九九二年相若。

預測撮要

3.40 這些預測的較詳細資料載於統計附件表(九)內，現概括如下：

本地生產總值及其開支組成部分的增長率
以及主要價格指標的增幅

實質增長率：	一九九二年的初步估計 (%)	一九九三年的預測 (%)
私人消費開支	8.6	7.5
政府消費開支	8.1	5
本地固定資本形成總額	11.3	7.1
土地及樓宇的轉讓費用	21.3	0
樓宇及建設	1.3	1.3
私營機構	−1.7	2
公營部門	7.7	8
地產發展商的毛利	−1.2	−2
機器及設備	23.1	14.9
私營機構	24.1	15
公營部門	−12.4	10

貨物出口總額	19.1	18.5
本地產品出口	0.2	1
轉口	28.1	25
貨物入口	22.2	18.8
服務出口	10.1	9
服務入口	6.5	8
本地生產總值	5.0	5.5
按人口平均計算的本地生產總值	4.0	4.8
以貨幣計算的增長率：		
本地生產總值	15.8	15.5
按人口平均計算的本地生產總值	14.7	14.8
下列項目的上漲率：		
本地生產總值平減物價指數	10.3	9.5
本地內部需求平減物價指數	6.8	7.0
甲類消費物價指數	9.4	9.5

第三章註釋

(1)本報告書引用《經濟合作及發展組織經濟展望》所提供的預測數字，主要是作爲例證。其他組織(例如國際貨幣基金組織、世界銀行、亞洲開發銀行、有關經濟體系的中央銀行和政府部門，以及一些私營預測機構)編製的預測數字與之可能稍有出入，但在編製香港出口的預測數字時，亦將這些數字加以考慮。如果有英國國立經濟及社會研究所的預測數字，亦會與經濟合作及發展組織的預測數字一併列示。

本地生產總值的增長率(%)

經濟合作及發展組織	所有經濟合作及發展組織成員國	抽選的主要市場			
		美國	德國	英國	日本
一九九一年	0.8	−1.2	3.7	−2.2	4.4
一九九二年♯	1.5	1.8	1.4	−1.0	1.8
上半年	1.7	2.0	2.9	−1.9	1.9
下半年♯	1.2	2.2	−0.9	−0.1	1.5
一九九三年預測	1.9	2.4	1.2	1.3	2.3
上半年	2.0	2.3	1.6	1.5	2.5
下半年	2.5	2.7	2.5	2.1	2.9
國立經濟及社會研究所					
一九九一年	不詳	−1.2	3.6*	−2.5	4.4*
一九九二年♯	不詳	2.0	1.1*	−0.7	2.0*
一九九三年預測	不詳	3.2	0.7*	2.0	2.3*

註：每半年增長率是指對上半年的增減，並已作出季節性調整及把增減換算成按年度計算。

(♯)經濟合作及發展組織/國立經濟及社會研究所的初步估計。

(*)國民生產總值而非本地生產總值的增長率。

資料來源：《經濟合作及發展組織經濟展望》，一九九二年十二月。

《英國國立經濟及社會研究所經濟回顧》，一九九二年十一月。

(2)

本地生產總值/國民生產總值的增長率(%)

	亞太區（本地生產總值/國民生產總值）	亞洲經濟蓬勃的國家/地區#（本地生產總值/國民生產總值）	抽選的國家/地區		
			南韓（國民生產總值）	台灣（國民生產總值）	新加坡（本地生產總值）
經濟合作及發展組織					
一九九一年	不詳	7.5	8.4	7.3	6.7
一九九二年	不詳	6.5	6.5	6.5	5.5
一九九三年預測	不詳	6.8	6.8	7.0	5.8
國立經濟及社會研究所					
一九九二年	5.5	不詳	不詳	不詳	不詳
一九九三年預測	6.0	不詳	不詳	不詳	不詳

註：(#)經濟合作及發展組織所列舉的地區，包括香港、台灣、新加坡、南韓、泰國及馬來西亞。

資料來源：《經濟合作及發展組織經濟展望》，一九九二年十二月。

聯合國亞洲太平洋經濟社會委員會一九九二年十二月新聞公佈。

(3)

入口量的增長率(%)

	所有經濟合作及發展組織成員國	抽選的主要市場			
		美國	德國	英國	日本
經濟合作及發展組織					
一九九一年	2.6	0.7	9.3	−2.8	2.8
一九九二年#	4.3	9.9	1.3	3.7	0.7
上半年	3.9	8.2	2.6	3.6	−1.3
下半年#	3.3	8.1	0.4	3.5	1.6
一九九三年預測	3.9	6.0	2.8	4.0	3.1
上半年	3.8	4.6	3.5	4.0	2.9
下半年	4.9	6.6	3.9	4.5	4.8
國立經濟及社會研究所					
一九九一年	不詳	0.7	14.0	−2.8	2.8
一九九二年#	不詳	10.0	0.5	6.0	0.9
一九九三年預測	不詳	8.7	1.8	6.4	6.7

註：每半年增長率是指對上半年的增減，並已作出季節性調整及把增減換算成按年度計算。

(#)經濟合作及發展組織/國立經濟及社會研究所的初步估計。

資料來源：《經濟合作及發展組織經濟展望》，一九九二年十二月。

《英國國立經濟及社會研究所經濟回顧》，一九九二年十一月。

(4)

製成品入口量的增長率(%)

	所有經濟合作及發展組織成員國	抽選的主要市場			
		美國	德國	英國	日本
一九九一年	2.9	2.0	12.3	−4.4	3.2
一九九二年#	4.7	10.8	−0.3	7.1	−1.6
一九九三年預測	4.0	6.2	2.5	4.0	3.2

註：(#)經濟合作及發展組織的初步估計。

資料來源：《經濟合作及發展組織經濟展望》，一九九二年十二月。

(5)請同時參閱《一九九二年經濟概況》第三章3.4段。

(6)請參閱第二章註(3)有關本地產品出口及轉口貨物佔出口總額比率的增減率。

(7)請參閱第一章註(3)。

(8)鑑於中國作爲本港出口產品及轉口貨物市場的重要性日益增加，布政司署經濟科於一九九二年十二月至一九九三年一月期間，向多間從事中國貿易的大公司和機構進行諮詢。是次諮詢工作就以下兩點徵詢意見：(a)中港貿易的一般發展情況，以及(b)有關一九九三年本地出口產品及轉口貨物輸往中國的前景。

(9) **私營機構獲准動工興建的新樓宇圖則的樓面面積：物業實用樓面面積(千平方米)**

	住宅樓宇	商業樓宇	工業樓宇	其他	總面積
一九九一年	1,432	805	1,012	318	3,568
	(30.8)	(−24.9)	(−3.6)	(−47.8)	(−6.7)
一九九二年	1,624	710	450	183	2,967
	(13.4)	(−11.8)	(−55.6)	(−42.3)	(−16.8)
一九九一年上半年	685	410	443	180	1,719
	(112.4)	(−12.7)	(−17.8)	(−55.2)	(−0.8)
下半年	747	396	568	138	1,849
	(−3.3)	(−34.4)	(11.5)	(−33.6)	(−11.6)
一九九二年上半年	588	364	311	63	1,327
	(−14.2)	(−11.1)	(−29.8)	(−64.8)	(−22.8)
下半年	1,036	346	139	120	1,640
	(38.6)	(−12.6)	(−75.6)	(−12.9)	(−11.3)

註：(　)括號內數字是與去年同期比較的增長率。

資料來源：建築物條例執行處

(10)地產發展商的毛利，是指地產發展商透過買地、為進行工程計劃而統籌建築師、建造商及工程師等的工作、為工程計劃籌措資金及推廣樓宇單位市場所提供的服務，有別於發展商的利潤。發展商的利潤不但包括提供服務的報酬，亦包括發展計劃中土地的升值。

(11)土地與樓宇的轉讓費用，是指由於土地和樓宇的所有權轉讓而須支付的開支，包括印花稅、法律費用，以及代理商的佣金。

(12)英國國立經濟及社會研究所預測一九九三年商品價格走勢：

	一九九三年與一九九二年比較的上漲率
發展中國家糧食產品	0.7
已發展國家糧食產品	3.6
農產(非糧食)項目	5.7
石油	4.4

(13)由於定期發表的本地生產總值估計數字中，用以編製建造業產量估計的方法已作出技術性改善，建造業產量價格平減物價指數，已取代建造業成本指數，用來平減建造業產量的價值。這個平減物價指數是一項隱性的價格平減物價指數，並且根據一組按類計算產量的平減物價指數計算出來。因此，一九九三年建造業產量價格的預測增幅及一九九二年的估計增幅，都是指建造業產量價格平減物價指數而不是勞工及材料成本指數。詳情請參閱《本地生產總值估計——一九六六至一九九二年》第3.64段

第四章：根據預測對經濟作出的分析

4.1　總的來說，一九九三年本港生產總值的增長率預測為5.5%，一九九一年及一九九二年的增長率則分別為4.2%及5.0%。由於經濟增長加速，本地勞動人口相信會繼續享有充分就業機會及漸高的實際收入。按人口平均計算的本地生產總值，

預測會有進一步的實質增長，一九九三年的增長率預測爲4.8%，一九九一及一九九二年的增長率則分別爲3.3%及4.0%。

4.2　由於本地勞動人口很可能只有輕微增長，本年的產量增長，將主要有賴於勞工生產力的進一步提高。在機器及設備方面的投資，可提高機械化，以節約珍貴的勞工資源，勞動力不斷轉往以服務爲主而平均勞工生產力較高的行業，以及製造業的工作質素進一步提高，應可改進整體的生產力。

4.3　較詳盡的預測，經分析後顯示數種情況。第一，一九九三年最後總需求的預測增長率爲13.9%，較本地生產總值的5.5%預測增長率高出極多〔註1〕。這兩個增長率的差距，大部分是由於轉口貿易預期續有强勁的表現。不計算轉口貿易在內，一九九三年的最後總需求預計上升5.5%，與本地生產總值的預測增長率一致。預測留用入口貨物的增長更快，增長率爲12%，顯示來年將會由入口貨物而非本地貨物滿足更大部分的最後需求。

4.4　第二，在最後總需求中，本地內部需求的預測增長率爲6.9%，仍然遠較出口總額的18.5%預測增長率爲低〔註2〕。因此，一九九三年將仍由出口帶動經濟增長。由於本地產品出口升幅持續低於轉口貨物，本港經濟增長的主要推動力，將繼續來自今年預計的强勁轉口貿易表現。

4.5　第三，在本地內部需求中，消費及投資兩方面的需求預料有顯著的增長，增幅分別爲7.3%及6.2%〔註3〕。機器及設備開支預測有强勁增長，將繼續支持一九九三年的投資需求。

4.6　第四，私營機構需求的7%預測增長率，較公營部門需求的5.9%預測增長率爲高〔註4〕。雖然公營部門需求的增長率預料比本地生產總值的增長率稍高，但公營部門需求平減物價指數的升幅，很可能比本地生產總值平減物價指數的升幅稍低。結果是，按當時價格計算，以國民會計方式計算的公營部門需求〔註5〕在本地生產總值中所佔比率，預料在一九九三年仍然企穩在11.6%的水平。

4.7　第五，儘管公營部門的建築開支(包括地下鐵路公司、九廣鐵路公司及臨時機場管理局開支)預料會有8%的可觀增長，但私營機構的相對開支預料仍然疲軟，在一九九三年將進一步下降2%。結果是，公營部門在整體建築開支所佔比率，預測將由一九九二年的32.5%，升至一九九三年的34.9%〔註6〕。

4.8　第六，雖然入口貨物總額的增長速度，以實質計算，預料與出口貨物總額的增長速度大致相同〔註7〕，但一九九三年入口貨物價格的上漲率，預料較出口貨物價格的上漲率稍低(見3.38段)。綜合上述情況，有形貿易赤字〔註8〕預測在一九九三年約達343億元(佔貨物入口預測總值的3.0%)，只稍高於一九九二年的335億元(佔貨物入口總值的3.5%)。

4.9　第七，今年的服務貿易預料會大幅增長，無形貿易盈餘達568億元。將一九九三年預期的有形貿易赤字計算在內，合計的有形及無形貿易仍有盈餘約225億元，相等於一九九三年貨物及服務入口預測總值的1.8%。

4.10 第八，預測一九九三年的貿易價格比率會進一步改善，升幅約爲1%，與一九九二年的升幅相若。因此，今年的實際收入〔註9〕預計將上升7%左右。這個增長率，較一九九三年本地生產總值的預測增長率及一九九二年實際收入的6%估計增幅爲高。

4.11 最後，由於預測今年本港經濟增長較快，通脹壓力很可能仍然强大，但預期通脹率不會急劇上升。預測一九九三年甲類消費物價指數及本地生產總值平減物價指數都會上升9.5%，與一九九二年的升幅大致相同。本地通貨膨脹的其他兩個主要指標，預測在一九九三年上升約7-8%，亦與一九九二年的升幅大致相同〔註10〕。

第四章註釋

(1)最後總需求是由本地內部需求和外部需求所組成。這相等於私人消費開支、政府消費開支、本地固定資本形成總額、存貨增減，以及貨物和服務出口的總和。換言之，這是本地生產總值的總和(即指經濟整體產量)和貨物入口的總和，因爲它們是滿足最後需求的兩個基本供應來源。

	一九九二年初步估計數字	一九九三年預測數字
下列項目的增長率(%)：		
最後總需求	15.1	13.9
最後總需求(不包括轉口貿易)	7.0	5.5
本地生產總值	5.0	5.5
貨物入口	22.2	18.8
留用入口貨物#	14.3	12.0

註：(#)請參閱第二章註(4)。

(2)本地內部需求的定義爲私人消費開支、政府消費開支、本地固定資本形成總額及存貨增減的總和。

	一九九二年初步估計數字	一九九三年預測數字
下列項目的增長率(%)：		
本地內部需求	9.8	6.9
出口總額	19.1	18.5
其中：		
本地產品出口	0.2	1.0
轉口貨物	28.1	25.0

(3)消費需求的定義爲私人消費開支加政府消費開支，而投資需求的定義則爲本地固定資本形成總額加存貨增減。

	一九九二年初步估計數字	一九九三年預測數字
下列項目的增長率(%)：		
消費需求	8.6	7.3
投資需求	12.9	6.2

(4)	一九九二年初步估計數字	一九九三年預測數字
下列項目的增長率(%)：		
私營機構內部需求	10.1	7.0
公營部門需求	7.3	5.9
公營部門需求佔本地生產總值的比率(%)*	11.6	11.6

註：(*)以當時市價計算。

(5)從本地生產總值的估計及預測方面而言，公營部門的範圍是以國民會計方式(而非以綜合帳目)釐定。本着這個概念，公營部門的定義，是包括政府及法定機構，如房屋委員會、市政局、區域市政局、地下鐵路公司、九廣鐵路公司、臨時機場管理局、醫院管理局、消費者委員會、香港旅遊協會、貿易發展局、香港生產力促進局以及職業訓練局等。

(6)	一九九二年初步估計數字	一九九三年預測數字
下列項目的增長率(%)：		
私營機構建築開支	−1.7	−2.0
公營部門建築開支	7.7	8.0
公營部門在總額中所佔比例(%)*	32.5	34.9

註：(*)以當時市價計算。

(7)	一九九二年初步估計數字	一九九三年預測數字
下列項目的增長率(%)：		
貨物出口總額	19.1	18.5
貨物入口總額	22.2	18.8

(8)這數字已就供工商業使用的入口黃金估計數字作出調整。

(9)實際收入是指按貿易價格比率的影響予以調整的本地生產總值。貿易價格比率衡量入口與出口貨物價格的相對變動，這些變動會導致一定數量的出口貨物可交換不同數量的入口貨物。

(10)	一九九二年初步估計數字	一九九三年預測數字
下列項目的增長率(%)：		
本地生產總值平減物價指數	10.3	9.5
本地內部需求平減物價指數	6.8	7.0
私人消費開支平減物價指數	7.3	8.0
甲類消費物價指數	9.4#	9.5

註：(#)最後數字。

資料來源：香港布政司署經濟科

國產機械、電器

大同機械國際有限公司
九龍元洲街310-310C號地下
電話：3608111
傳真：7854023
經銷：中國機床、馬達、電掣、漆包線

大眾動力機械有限公司
香港大道中92號僑商大廈1001-2室
電話：5242733-4
傳真：8100789
經銷：柴油機、水泵等動力機械

大華軸承公司
九龍新填地街408號
電話：7800111
傳真：7806410
經銷：國產鋼球、軸承、軸承配件等設備

永固(中國)有限公司
香港歷山大廈2902室
電話：5265441
傳真：8100509
經銷：中國鏈車

西林貿易有限公司
九龍紅磡鶴園東街No.4恒藝珠寶大廈601-2室
電話：7644893-6
傳真：7645835
經銷：中國上海、江蘇、浙江、湖北工具

兆光行有限公司
香港跑馬地昌明街一號地下
分行：九龍黑布街17號
電話：5722277-8,3859335
傳真：8343082
經銷：各國蓄電池、電極板

東信針織機械有限公司
九龍長沙灣長裕街5號中國宏興大廈 二樓
電話：7434410
傳真：7859453
經銷：針織機械、織針

威力公司
九龍彌敦道88號安樂大厦十一樓D座
電話：3684056
傳真：3670990
經銷：橡膠機械、化工原料

美高貿易有限公司
九龍元洲街265-271號昌發工廠大廈三樓C座
電話：3867881
傳真：3861802
經銷：研磨工具、測定工具、卡夾具、管道
配件、緊固件

桂林貿易有限公司
香港皇后大道中208-220號勝基中心20樓
電話：5454572
傳真：5438028
經銷：抽氣扇

海安機械有限公司
香港鴨脷洲大街25-31號年豐大厦地下2號
電話：5522522
傳真：5551470
經銷：國產船用柴油機、齒輪波箱及零配件

國華行汽車材料
九龍沙田火炭黃竹洋街5-7號富昌中心3字樓
電話：6980262,6980410
傳真：6954338
經銷：汽車零件、小型汽車、手搖油泵、油
壓千斤頂及修車工具

捷順電子有限公司
九龍沙田大圍成運路17-19號七字樓H座
電話：6051638
傳真：6957875
經銷：各類型磁性材料

華益貿易公司
九龍深水埗汝洲街53號地下
電話：3932293-5
傳真：7899155
經銷：調壓器、固定變壓器、自動穩壓器

儀器業經銷商

寧企業有限公司
龍深水埗順寧道348號閣樓
話：7419532,7412864
眞：7862124
銷：三角皮帶輪、吊運器、水塔泵

合科學儀器有限公司
龍沙田大圍積富街81-85號地下
話：6022511
眞：6022782
銷：玻璃儀器、理化儀器

威貿易有限公司
港干諾道西21/24號海景商業大廈1801室
話：5486012
眞：5596837
銷：國產印刷機械、器材及機製紙張

茂發展有限公司
彌敦道582-592號信和中心906室
話：3322709
眞：3850075
銷：鑽探器材及機械

大機械設備有限公司
新界靑衣島靑衣路29-33號大同工業大廈
話：4312111
眞：4330130
銷：塑料機械及設備製造與銷售

華儀器公司
葵涌葵昌路78號富都工業大廈八樓
話：4898616
眞：4940194
銷：工業儀器、文教科學儀器

電器有限公司
觀塘開源道56號大衆工業大厦一字樓
：3414235-8,3410139
：7978411
：原子粒收音機零件、無線電器材、電子儀表

歐亞機器工程有限公司
香港告士打道64-66號華夏大廈901室
電話：5200810
傳眞：8662200
經銷：升降機、電動手扶梯及冷凍設備工程

香港新華發展有限公司
香港皇后大道中110-116號永恒商業大厦六字樓
電話：8150068
傳眞：8150996
經銷：工農具船舶機械等

三曉有限公司
香港德輔道中317-321號啟德商業大廈6樓605A室
電話：8151286,8151379
傳眞：8517196
經銷：電子零件、塑膠工模、各類電子產品、CKD配套

輝寶發展有限公司
香港干諾道中145號多寧大廈8字樓
電話：8544331
傳眞：8157608
經銷：機械設備及五金產品進出口業務

第三篇

香港對外經濟關係

電話理財
優悠自在
本行的24小時電話銀行服務
助您投資理財，簡便快捷。
服務範圍：
• 查詢貴金屬買賣價、外幣兌換價及各種存款利率
• 查詢賬戶結餘
• 辦理港幣轉賬
• 買賣股票
• 申請支票簿或支票戶口結單
• 處理定期服務
• 買賣外幣、黃金、白銀
（詳情請向本行各分支行垂詢）
中國銀行 香港分行
BANK OF CHINA HONG KONG BRANCH

第三篇　香港對外經濟關係

香港對外經濟關係

香港對外貿易展望

香港貿易發展局

香港今年第一季度總出口整體來說跟香港貿易發展局對一九九三年全年的預測十分接近，較去年同期上升18.4%，其中轉口增加24.8%，本產出口則保持平穩。同時，本港出口在世界各地市場均見相當增長。

首先，香港對北美洲出口第一季上升11%，單是美國市場則上升12%，增幅略遜於去年底。主要原因是今年初美國經濟復甦的步伐呈現減慢，且可能在去年第四季入口的高增長下，不少買家已囤積相當存貨，致使今年首季港貨的入口需求放緩。

在西歐方面，基於該地區經濟衰退仍然持續，香港對該市場的出口第一季表現平淡，主要市場如英國、德國、法國、荷蘭、意大利及瑞士的增長幅度分別在2%至14%之間。較值得注意的是，雖然德國經濟正步入衰退，香港輸德貨品今年仍見增加，主要因爲香港對德國出口繼去年上半年出現下跌後，德國買家自去年底開始補充存貨，推動入口上升。

英國市場方面，英鎊滙價去年底開始大幅下跌，理論上對貨品入口應構成重大壓力，但有關數據卻未見反映香港對英國出口受到重大打擊。滙率波動對貿易額的影響一般都並非即時可見，而英鎊滙價近期已趨穩定，且經濟亦始見復甦，一定程度上幫助提高本港對英國的出口。同時，本港輸英貨品以日常用品爲主，競爭力甚高，加上出口商靈活調節價格，使香港對英國的出口保持相當良好的表現。

亞洲市場方面的出口表現，在中國大陸不斷上升的入口需求推動下，今年可謂一枝獨秀。本港對大陸出口今年首季上升36%，遠高於整個亞洲地區26%的平均增幅。中國大陸在消費品、生產材料、機械設備、零件及原料各方面的需求均甚爲強勁。這幾類貨品經香港轉口往大陸的數量也不少，使香港對內地的出口保持優秀表現。

亞洲區其他各國市場首季的表現則各自發展，增長幅度由新加坡的27%至南韓的5%之間不等，區內一些新興市場如柬埔寨的增長更爲凌厲。

展望今年未來數月，香港的總出口在强勁的轉口帶動下，應可保持約兩成增長，跟首季表現相差不遠。幾個主要市場方面，美國由於國內消費意欲暫時未算强烈，今年經濟復甦預料將屬溫和。而美國已決定在今年無條件延續中國的貿易最惠國地位，但明年設附加條件，這問題仍然是影響香港對美出口的重要因素。

至於西歐市場，預料今年將繼續有穩定及溫和的增長。

而亞洲出口市場在中國帶動下的迅速增長將會繼續。雖然大陸已開始採取措施，企圖控制經濟過熱的情況，但至今仍未見有急劇“刹車”的跡象。近日宣佈加息約一厘，顯示政府對經濟過熱感到關注，相信經濟增長不會因而嚴重減慢。故此，預計本港對內地出口的高增長應維持至今年底。

另一個值得關注的問題是全球反傾銷措施的擴散現象。以往採用反傾銷措施的國家只限於美國及歐洲共市，但近年一些其他國家如墨西哥亦開始加强反傾銷活動，對部份中國製造貨品的入口增加稅項。這種情況部份基於某些地區有保護主義抬頭的趨勢，可幸的是暫時未對本港出口造成嚴重威脅。

1993年首季香港對世界主要地區出口表現

北美洲	升11%
拉丁美洲	升22%
西歐	升10%
獨聯體及東歐	升49%
亞洲	升26%
澳洲	升 7%

美國對香港的貿易與投資

美國新聞處

一九九三年一月二十日，民主黨的克林頓先生正式接任美國總統，在未來四年，他將會把美國帶入一個新紀元。入主白宮不久，克林頓總統提出一連串的經濟改革方案，志在改善民生，亦顯出他對刺激經濟增長的決心。

在這種重視經濟的大前題下，和美國有密切商業關係的香港，亦會因爲美國的興盛而得益。美國的開國元勳富蘭克林曾經說過："沒有一個民族是毀於貿易之手。"套用在今日的香港，可以引伸爲："香港的繁榮安定，繫於貿易的蓬勃發展。"

香港與美國的貿易額，一貫以來都是維持在高水平。一九九二年，兩地的貿易總額接近190億美元。美國駐香港總領事館去年發給香港居民的商務簽證，接近十萬個。在太平洋兩岸的繁忙經濟活動，可見一斑。

去年十二月，在任的商業部長芭巴拉·富蘭克林女士，訪問了香港，帶來了鼓勵及支持美國商人繼續在香港投資的信息。在盛讚香港活力之餘，她稱："商人們在香港邁向一九九七途中，會因爲不明朗因素而面對强大的挑戰，但我懇請你們留下，並拓展在這裏及中國的事業。"

美國海外商務署是美國商務部的駐外機構，專責推廣海外貿易。在香港的海外商務署，過去一年亦不遺餘力地介紹美國合適的產品及服務給香港市民。

一九九二年十一月，海外商務署組織了一個時裝採購團，安排香港的時裝商人前往紐約，與當地的同業會晤，吸收最新的潮流概念。一九九三年四月，四十位香港商人在海外商務署專人陪同下，考察了美國的特許經營行業，有些商人即時對其中一些特許商號表示興趣，預備購入專營權，相信很快可以見到這些店舖在香港生根。

除了考察團之外，海外商務署亦主辦研討會、講座等活動，令香港的商人掌握更多彼邦的經濟資料。而多個美國州政府及港務局駐香港的代表，亦與海外商務署有緊密聯繫，務求香港與美國的經濟活動更爲頻密。

和海外商務署同樣積極推廣香港與美國貿易的另一個美國政府駐香港機構，是美國農業貿易處。這個辦事處主辦多個大型展覽及推廣活動，引入各式各樣的農產品。香港美食天堂的良好聲譽，亦因爲美國食物的大量輸入而錦上添花。

根據美國統計局的數字，一九九二年美國輸香港農產品總値是8.60億美元，比一九九一年增加了12%，是一項創新紀錄。以全球計算，香港是美國第八大出口農產品市場，如果單從亞洲來看，香港排名第四，僅次於日本、南韓及台灣。每個香港人去年平均用了143美元購買美國農產品，以人均計算，香港是全亞洲消費美國農產品最高的地方。

香港進口的美國農產品，主要是家禽肉類、橙、洋參以及煙草。一九九二年，單是新鮮水菓及蔬菜的輸港總値已達到1.48億美元，美國並且是香港水菓的第一大供應商。以鮮橙爲例，一九九二年香港輸入了10.07萬公噸美國鮮橙。自從一九八七年起，美國水菓及蔬菜輸進香港的升幅每年平均達45%。據農業貿易處的看法，美國農產品在港銷售量的上升趨勢將會持續，香港人的收入有相當部份是用於食物方面，而高品質的美國農產品正受到重視。

美國人在香港的商業參與亦越來越多。美國商業部的計算指出，美國在香港的直接投資金額在一九九一年底已經達到64億美元。除了日本、澳洲及新西蘭，香港是亞太區美資最多的地方。

在直接投資項目方面，美資在香港的金融業及貿易業都表現出色，但在製造業及石油業方面，和其他地區的美國投資比較未見特別出色。一九九一年底的數字顯示，四分之三的美國直接投資是在批發貿易、銀行、金融/保險業。現時美國在香港的公司約有九百家，而以香港作爲地區總部的美國公司有近四百家，美國在香港的僑民有25,000人。

中國的經濟正在迅速增長，而華南地區更是其中的活躍地帶。珠江三角洲的經濟發展情況，很多美國商人都已知道，所以他們用香港作爲商務指揮中心的角色，是明智之舉。

美國駐香港總領事館的一份報告指出：香港提供甚多的商業機會給美國商界，美國的進口貨品並沒有受政府設置障礙或關稅所困擾。當華南繼續繁榮時，香港的經濟亦會保持高度活躍，對於投資建設及消費物品的需求很大。

剛剛退任回國的前美國駐香港總領事威廉思先生亦在一次講演中盛讚香港的自由貿易：“香港對於結交好朋友及商業夥伴的重要性知道得很清楚，香港的開放使它能與外界息息相關，並能夠在轉變中使貿易、投資及服務業得以受惠。因此，香港能成爲一個典範，並且成爲發展中的經濟體系及其它地方的老師。”

香港是進入中國市場的跳板

英國駐香港商務專員公署　奧斯本(C.W.Osborne)

香港及其鄰近地區，毫無疑問是當前世界上具有最積極和最令人鼓舞的商業氣候的地方。英國商人對這個地區發生極大的興趣反映了這一點。一九九二年英國對香港的出口增長了16.35%，達到16億英鎊。香港在英國出口市場中的地位從一九九一年的第十五位上升到現在的第十三位。

英國人在香港的生意做得很好，並不是因爲英國公司從香港政府獲得任何特殊優惠，而是因爲我們能以公平的價格提供適合的貨物。這個地區的一些國家，特別是中國，看到英國公司在香港的經營如此成功，也在很多方面想要仿效，特別是在發電和鐵路方面。

過去英國人在香港很少經營零售業部門。近年來這種情況已經改變，一些英國最著名的百貨商店在香港的重要購物地點開業經營。英國零售商不斷在香港發展，並且日益利用香港作爲進入中國、特別是上海的跳板。馬莎(香港)在截至一九九三年三月三十一日爲止的一年間稅前盈利獲得25%的增長，其營業收益大幅增長70%。

香港演變成爲一個金融中心，而且跨越邊界對中國造成影響，這種情況還在繼續發展，並爲商界提供更多的機會。英國無形貿易代表團於一九九二年秋季訪問了中國和香港，這個由倫敦城具有代表性的金融機構組成的代表團發現，隨着這個地區面向市場的經濟發展不斷加速前進，香港的發展潛力是巨大的。香港擁有英國金融機構的財力、法律制度和其它專業機構，擁有涉及中國的豐富經驗和專門知識，正是進入中國市場的理想跳板，而我們相信，中國將是下一個世紀世界最大的市場。

最近種種跡象表明，英國經濟衰退已經過去，工業投資正在上升，失業率開始下降，消費開支正在增加，工業生產水平越來越強勁。通貨膨脹率已經被壓低到25年來的最低水平，而目前利率是全歐洲最低的。英鎊兌美元的滙率處於較低水平，有助於促進英國的出口，一九九二年英國的全球出口總值增長3.5%，其中製造業產品佔同年英國有形貿易出口總值的82%。

香港與德國經濟關係發展良好

德意志聯邦共和國駐香港總領事館副總領事兼商務專員

沙弗耳(Thomas Schafer)

德國是香港最重要的歐洲貿易伙伴，多年來，雙方擁有牢固而穩定的伙伴關係。

德國與香港的雙邊貿易在一九九二年繼續增長，達到710億港元。香港對德國的出口總額在一九九〇年和一九九一年曾出現非常健康的發展，年增長率在40%以上，而在一九九二年却下降了5%，其原因是世界經濟衰退最終也打擊了德國經濟，以及德國統一所引起的需求增長已漸消失。受影響特別大的是香港本地對德國的出口，下降達17%，而香港對德國的轉口則輕微上升3%。在一九九二年，香港從德國進口增長32%，因而使香港對德國傳統的貿易盈餘有所縮減，從350億港元縮減爲270億港元——實際上盈餘仍然很大。德國是香港出口貨物的第三大買家，是香港進口的第七大供應國，是香港對外貿易總額中的第五大貿易伙伴。

香港對德國的出口主要是消費品，例如紡織品和電子技術產品。香港從德國進口的貨物包括機器、汽車、電子技術產品、化學產品等等。

德國是香港的理想貿易伙伴。德國工業一直在全世界享有盛名。高質量的科技產品需要高度熟練的勞動力，需要廣泛的科學技術知識和製造過程的組織知識，這些都是德國工業產品的品質保證。經過深入研究的技術密集產品大約佔德國出口產品的一半。世界上幾乎沒有任何國家比德國付出國內生產總值中更大比重的資金用於研究與發展工作。

但是，德國公司不僅因爲製造高技術產品而備受尊重，而且還因爲公司的服務，它們的可靠性，以及隨時準備好提供緊急和有效的供應而聲譽卓著。所有這些，使得德國公司成爲最適合於香港的貿易伙伴，因爲香港正在致力於爭取達到持續的、高生產效率的增長，儘管香港的勞工成本日益上升，以及它現在正從工場式的製造業轉向高附加產值生產和服務行業發展。

近幾年來，德國工業向亞太地區的輸出大幅增長，現在有超過450家德國公司在香港設有代表處。德國對於投資亞太地區的興趣大有增加。

另一方面，德國也爲香港公司提供特別好的機會，香港公司可以通過在歐洲開展業務而使經營活動多元化，並打入歐洲和東歐市場。

目前德國經濟雖然處於衰退，但是它將仍然是歐洲的經濟發電站，它有非常強健的製造工業基礎，先進的服務業部門，以及高度熟練和活力十足的勞工。德國的統一創造了特別好的投資機會。重建東德經濟的任務現在證實是比任何人的預料更爲艱難。然而，東德在九十年代後半期毫無疑問將會出現迅速的經濟增長。目前正在爲此奠定基礎，包括對前國有企業實行私有化，建立一個穩定和有效的法律制度，在交通運輸、能源和電訊方面建設穩固的基礎設施。由於東德各州在地理位置上與前蘇聯、東歐國家接近，並擁有千絲萬縷的商業關係，因此這些州也是打入東歐市場的一個理想基地。

現在無論什麼人來到德國，都有機會利用這個地方的巨大潛力。事實上，從一九八九年下半年到一九九一年底，空前規模的外國資金流入德國，其數量多達410億馬克。願意在這個可以大有作爲的地方投資的公司，可享受全面的優惠待遇。

意大利與香港的貿易關係

意大利商務專員　穆世拉(Aniello Musella)

意大利與香港貿易概況

香港與意大利的總貿易額在一九九二年錄得25.6%的强勁增長，其中香港進口增長26.4%，香港對意大利的轉口增長32.5%。意大利是香港進口來源的第九大供應國，是香港總出口的第十二大市場。

香港從意大利的進口額在一九九二年增長26%，達19.01億美元，其中大約有20%轉口輸往中華人民共和國(3.94億美元，比一九九一年增長54%)。

與一九九一年相比，香港從意大利進口的主要產品有較大的增長：衣服飾物增長20%，紡紗25%，珠寶首飾38%，皮革29%，建築材料26%，醫藥產品66%，各種工業機器87%。

由於香港工業生產普遍遷廠到中國大陸，一九九二年香港本地產品對意大利的出口值，經一九九一年大幅增長17%之後，輕微下降2%。在香港輸往意大利的主要產品中，下列產品錄得大幅的出口增長：錄音機、錄影機增長221%，總額600萬美元；紡織品及紡紗54%，1,500萬美元；成衣和飾物53%，3,500萬美元。

一九九二年香港對意大利的轉口總額達到13.67億美元，比一九九一年增長37%，其中有94%(12.84億美元)是由中國經香港轉口的。下列轉口產品有大幅的增長：玩具、遊戲器材及體育用品增長26%，總額2.53億美元；旅行用品和手袋43%，1.11億美元；鐘錶12%，7,400萬美元；收音機86%，6,500萬美元；雜項製造業產品12%，7,600萬美元。另外一些轉口貨品雖然數額不是很大，但是增長最迅速：毛衣織物增長114%，總額5,900萬美元；電視機186%，1,600萬美元；鞋類89%，1,300萬美元；家庭電器82%，2,500萬美元。

意大利經香港對中國的貿易

一九九二年，意大利經香港對中國的貿易額大幅度增長，從意大利經香港轉口輸往中國的貿易額達3.95億美元，而來自中國經香港轉口輸往意大利的貿易額高達12.84億美元，分別比一九九一年增長54%和36%。這進一步肯定了香港作爲中國與意大利之間貿易轉口港的重要角色。

按商品分類，製造業原料和工業用機器是一九九二年意大利經香港轉口輸往中國的主要項目。在原料方面，由於中國迅速轉向出口加工業生產，下列原料的轉口貿易表現强勁增長：紡紗和紡織品(增長65%)、皮革(47%)、醫療藥物產品

(28%)、塑膠(各類塑膠板、片、薄膜、薄片，55%)、紙和紙板(22%)、建築原料(103%)。

中國的目標是要改進其各類製造工業的技術水平，因此對各種進口工業機器均有迫切的需求。自從中國開放市場以來，意大利一直是這類產品的主要供應者。在一九九二年，除紡織機器之外，大部份製造業機器轉口輸往中國的貿易額均獲得大幅度的增長，例如造紙廠和紙漿廠機器(增長496%)、印刷和書籍裝訂機器(416%)、機床(491%)、金屬製造機器(230%)、辦公室機器(207%)、發電廠(104%)、加熱和製冷設備(144%)、食品加工機器(86%)、機械操作設備(84%)、皮革加工機器(70%)、製鞋機器(28%)。

除了原料和機器輸往中國之外，意大利的消費產品，包括服裝和衣着飾物、鞋類、化粧品和美容物品，也將在中國普受歡迎，因爲中國在一九九二年初開始開放它的零售業市場。特別是那些在亞洲和香港經營已久的名牌產品，將擁有打進中國市場的最大潛力。

另一方面，一九九二年經香港轉口輸往意大利的產品，93%以上來自中國，其中主要項目均有明顯的增長，包括嬰兒手推車、玩具、遊戲機和體育用品的轉口價值2.53億美元(增長26%)、成衣和飾物2.03億美元(56%)、旅行用品1.11億美元(43%)、紡線及紡織品5,400萬美元(19%)、鐘錶2,500萬美元(86%)。

香港與意大利的貿易前景

鑑於香港與中國的關係日益密切，在中國出現的商業機會也會被看作是香港擁有的潛在市場。意大利與中國之間經由香港轉口的貿易額，在未來一年預期將會繼續迅速增長。

就具體項目來說，在未來兩年內，中國經濟加速增長將引發市場對建築材料的迫切需求，一九九三年中國和香港預期將出現對此項需求的大幅增長。因此，意大利建築材料和設備輸往中國的前景將繼續看好。

而且，由於香港企業轉向出口加工生產，以及中國國有企業的技術改進，市場對製造業機器的强勁需求也將繼續。

至於消費品方面，預期中國對一些消費品有巨大的市場潛力，這將帶旺意大利與香港之間的進口和轉口貿易。這些消費品包括：服裝、錄影機、冷氣機、廚房設備、洗手間器具、嬰兒車和玩具、化粧品和保健產品、黃金首飾以及各種家用電器等。

最後，隨着香港政府自一九九三年三月起取消美容產品的30%進口關稅，此類產品的零售價格降低10-12%，而明年的銷售量預期將增加30%。由於意大利里拉的滙率自一九九二年以來一直表現疲弱，意大利化粧品和美容產品的出口將會因爲關稅減免而得益。

加拿大與香港的經濟關係

加拿大駐香港商務專員公署

香港是加拿大商品出口日增的市場

香港是堅定實行開放市場政策的地方，此項政策既適用於在香港工業投資，也適用於商品貿易、金融和其它服務業。

香港實行自由貿易，對進口貨物不徵收任何關稅，只是爲了政府收入的目的，對本地生產的和進口的香煙和煙葉、酒、甲醇、某些種類的汽油、非酒精飲料和化粧品徵課稅收。

一九九二年香港從加拿大進口價值6.07億加元的商品，比上一年增加18%。所有這些商品都免徵進口關稅，雖然少數商品如煙葉及酒精飲料須繳納稅收以增加政府收入。

加拿大是香港最大的金幣供應者，一九九二年香港從加拿大輸入4.5億加元的黃金和金幣。

香港繼續是加拿大一些產品的重要出口市場，例如塑膠原料、貴金屬、紙張、紙板及紙漿製品。一九七九至一九九二年期間，加拿大輸往香港的產品價值每年大約增加17.5%。同時，加拿大也是香港政府所需物品的供應者，但一九九二年香港政府購買價值250萬加元的加拿大物品，比上一年的購買量減少21%。

一九八六年香港海事處與加拿大商業公司簽署了一份價值將近2,400萬加元的合約，在香港港口建立一個輪船交通管理系統。根據此項合約的規定，加拿大商業公司在包攬承建的基礎上已建成了一套完整的輪船交通管理系統，包括所需的全部服務及設備。

如今香港正在興建一個規模龐大的新機場，訂於一九九七年投入運作，並將建成一個新港口，訂於二〇〇六年竣工。中英諒解備忘錄的簽署，爲這個價值200億加元(按一九八九年價值折算)的香港機場和港口發展計劃工程開亮了綠燈，機場十項核心工程項目已經取得了很大的進展。儘管國際競爭仍然劇烈，加拿大公司仍然有獲取厚利的機會。

香港是加拿大商界的一個重要據點

對於太平洋沿岸國家和中國來說，香港處於理想的位置。

加拿大有五個省份，即卑詩、阿爾伯特、馬尼托巴、魁北克、愛德華王子島在香港設有代表辦事處。大約有100家加拿大公司在香港設有分公司或附屬機構。另有400家公司在這裏有分銷商、代理商和合作投資伙伴。

香港是世界主要金融中心之一，銀行業和保險業在其中起着重要作用，加拿大有六家主要銀行在香港經營，另有六家加拿大保險公司獲准在香港開業。加拿大許多公司也積極參與證券和商品期貨交易，從事投資顧問服務。這些公司包括Richardson Greenshields, CIBC, Richpac, RBC Dominion Securities (Asia) Ltd., Royal Bank of Canada Trust Co(Asia) Ltd., Royal Trust Asset Management等等。

在一九九一年，加拿大在香港製造業的投資達2,420萬加元，這些投資不僅引入資金，而且促進香港工業基礎的技術升級和多元化發展。在香港有9家工廠是由加拿大商界人士全資或合資擁有的，僱用的工人有1,257人。

加拿大是香港產品的重要市場

一九九二年加拿大名列香港出口產品的第八大市場，香港對加拿大出口7.84億加元，佔香港本地出口總值的2.2%。

大多數香港本地產品出口到加拿大均須繳納進口關稅，雖然某些產品可按普遍優惠關稅制獲得減低稅率待遇(一九八七年爲27%)。

香港對加拿大的出口以衣服飾物佔主要地位。衣服飾物和紡織品共佔香港對加拿大出口的半數。但是這類產品的出口增長幅度受到雙邊協議的限制。加拿大向香港購買的其它主要產品包括辦公室機器、自動資料處理設備、電動機械儀器和用具以及鐘錶等。

加拿大和香港之間的密切聯繫

在香港居住的加拿大公民約有40,000人，他們現在是在香港居住人數最多的外國居民之一。

在加拿大求學的香港學生約有15,000人，而在加拿大大學畢業後返回香港的人數，據估計約有70,000人。

加拿大也是香港移民最多的地方之一。一九九二年加拿大駐香港領事館共簽發了大約30,000份移民簽證。同時，香港是在加拿大投資的重要資金來源地。

香港尊重國際貿易原則

香港在一九八六年四月成爲關貿總協定的獨立成員。香港堅定地支持關貿總協定，忠於關貿總協定的自由貿易、反對歧視以及最惠國待遇等原則。這些均表現於香港的開放市場政策。

在烏拉圭回合談判中，香港贊同加拿大所提出的目標，即達成一個大膽和廣泛的協議，在實行緊急保護措施、反傾銷和原產地規定等方面加强關貿總協定的法規和紀律；達成有關知識產權和服務業的協議。

香港不以任何方式補貼其出口產品。香港有健全的知識產權法，並獲有效執行。

香港的勞工享有國際公認的勞工權利，受到全面的勞工立法的保護，反映了國際勞工公約在香港已獲得實施。

香港與澳大利亞的經濟關係

澳大利亞駐香港副總領事　漢特(G. L. Hunt)

商品貿易往來

澳大利亞與香港擁有牢固的經濟關係。香港是澳大利亞對外貿易的第十大貿易伙伴，是澳大利亞的第七大出口市場和第十七大進口來源地。一九九二年香港與澳大利亞之間的貿易總額達31.5億澳元，爲澳大利亞提供15.5億澳元的貿易盈餘。黃金是澳大利亞對香港的最大出口項目，出口值6.47億澳元，以下依次是煤(1.79億澳元)、海產食品、珠寶、羊毛等等。一九九二年澳大利亞對香港的商品出口總額達23.5億澳元，比上一年增長23%。

澳大利亞從香港的進口在一九九二年增長6%，總額8.3億澳元，主要進口項目包括印刷品、資料處理儀器和辦公室設備、塑膠、紡織品和成衣、電子產品、通訊設備以及珠寶首飾。

服務業貿易往來

一九九〇/九一年度，香港是澳大利亞第五大服務業市場，總額7.4億澳元，比上一年增長62%。教育和旅遊仍然是主要服務業的收入來源。香港是澳大利亞全自費海外學生的最大來源地，一九九二年共有2,921名香港學生前往澳大利亞升學。香港遊客前往澳大利亞旅遊在一九九二年多達7.4萬多人，這是繼上一年增長了17%之後再增加18.9%。與此同時，澳大利亞遊客到香港旅遊在一九九二年超過26.1萬人，但與一九九一年相比減少了11%。澳大利亞是香港旅遊業的第六大遊客來源地，而來自澳大利亞的遊客也是在香港停留時間最長和花錢最多的一部份遊客。

工業投資活動

香港是澳大利亞對外投資的第五大投資目的地，在一九九一/九二年的投資總額爲38.5億澳元。澳大利亞資金在香港製造業部門的外來投資中居第四位，投資額爲21.04億港元。在香港的大約300家澳大利亞公司僱用超過7萬人。

香港也是澳大利亞外來投資的第四大來源地。在一九九一/九二年度，香港在澳大利亞的投資總額達92.04澳元，比上一年度增加25%。

香港移民

過去幾年從香港移民到澳大利亞的人數大幅增加，但是一九九一/九二年却有減少，因爲申請比率下降和澳大利亞減少其全球移民配額。在一九九一/九二年，發給香港居民的澳大利亞移民簽證共有13,329份，比一九九〇/九一年下降25%，但是香港仍然是澳大利亞的第二大移民來源地，僅次於英國。移居澳大利亞的香港移民大約有74%屬於經濟類移民。

（單位：百萬港元）

香港自澳大利亞進口貨物	1991	1990
總額	7,373.7	5,980.4
肉類和肉類製品	189.0	188.2
乳製品及蛋類	295.4	203.8
魚類、貝介類、軟體類和有關製品	462.2	454.0
蔬菜和水果	472.1	275.4
煤、焦炭及煤球	1,031.8	605.6
紡紗、布料、製成品和有關製品	194.1	136.6
非金屬礦物製品	618.3	501.9
辦公室機器和自動資料處理儀器	283.0	213.9
攝影儀器設備和供應品、光學器材、鐘錶	242.8	242.9
雜類製品	296.9	223.8
黃金和金幣	3,784.9	1,733.3
香港對澳大利亞全部出口貨物	**1991**	**1990**
總額	10,771.0	9,648.0
紡紗、布料、製成品和有關製品	776.3	776.2
電訊、錄音及音響設備和儀器	715.9	578.9
電動機械、儀器和用具，包括零件	1,065.4	895.0
旅行用品、手袋和同類製品	615.2	542.0
衣物和衣飾	2,089.9	1,798.2
攝影儀器、設備和供應品、光學器材、鐘錶	412.2	418.7
雜類製品	2,065.5	1,943.4

韓國與香港的貿易動向

大韓貿易振興公社

一九九二年韓國與香港之間雙邊貿易總額爲591.57億港元，比一九九一年增長了15.2%，保持了較高的升幅。

近年來，韓國與香港的貿易總額曾在一九八八年達到過比前一年上升46%的高速度增長，經過一九八九年和一九九〇年出現萎縮局面，一九九一年再度反彈，並回復了19%的增長速度。

從此種趨勢來看，一九九二年韓國與香港貿易增長是值得歡迎的良好現象。

但是，從貿易結構上分析，一九九二年韓國與香港之間的雙邊貿易顯示了令人矚目的變化。據香港政府統計處統計，一九九二年輸往韓國的香港本地出口額及轉口出口額分別爲14.14億港元及135.88億港元，分別比一九九一年減少了20%及7%。不過，從韓國輸入香港的進口額爲441.55億港元，比一九九一年增長了26.4%，足夠彌補輸往韓國的出口額的負增長，並導致雙邊貿易總額的頗佳的表現。

此種情況，據推測是一九九二年八月韓國與中國之間正式建立外交關係以及香港製造業生產線北移到中國大陸有關的結果。

隨着韓國與中國建交，韓國跟中國之間直接貿易得以蓬勃開展。據韓國關稅廳統計，一九九二年韓國對中國的直接出口額爲26.54億美元，比前一年有了165%的驚人的增長。另外，一九九二年韓國從中國的直接進口也錄得23.2%的增長。

在韓國與中國之間直接貿易快速發展的條件下，韓國與中國經過香港的間接貿易出現有所減慢的迹象。據香港政府統計處統計，一九九二年中國產品經過香港輸往韓國的轉口出口額，比一九九一年減少了24%，爲8.41億美元。同期韓國產品經過香港輸往中國的轉口出口額則增長了34.4%，爲18.39億美元。一九九二年韓國產品經過香港輸往中國的轉口出口取得大量的增加，主要有賴於中國華南地區的經濟活躍而達成的。

由此可見，香港與中國華南地區之間的產業生產結合，對香港與韓國之間雙邊貿易發展也起着正面的作用。在未來幾年，預料韓國與香港雙邊貿易結構將繼續轉向以轉口出口爲主的轉口型貿易。不管轉變的速度如何，此轉型勢在必行，不可避免。然而，這樣的轉型，從目前的趨勢來看，將對韓國與香港雙邊貿易帶來新的發展推動力，並予以更多的交易機遇。香港跟中國華南地區之間經濟整合越緊密越產生貿易需求，有助於華南經濟圈的飛速發展。

香港能積極扮演華南經濟圈的樞紐的角色，韓國與香港的雙邊貿易將得以進一步擴大發展，並日益旺盛。

韓國與香港之間雙邊貿易額

（單位：百萬港元/％）

	1990	1991	1992	92/91增長率
輸往韓國的香港本地出口	1,847	1,768	1,414	−20.0
輸往韓國的轉口出口	13,011	14,631	13,588	−7.1
從韓國進口	28,155	34.944	44.155	26.4
貿易總額	43,013	51,343	59,157	15.2

統計來源：香港政府統計處

印度尼西亞重視吸引香港投資

印度尼西亞駐香港總領事館

印度尼西亞與香港之間近幾年來的經濟和貿易關係極爲密切，雙方根據互利和相互支持的精神，在貿易、投資、工業和金融等方面的合作不斷發展。

印度尼西亞駐香港總領事館和印度尼西亞商會每年都在香港聯合組織至少四至五次投資研討會和商務會議，以便向香港工商業界全面介紹印度尼西亞最新的經濟、貿易、投資的政策和機會。與此同時，印度尼西亞每年也接待至少六至七個香港投資和商務代表團。

旅居香港的印度尼西亞僑民人數很多，其中大部份從事商業活動。在香港有大約400家印度尼西亞商業企業，從事木材產品、農業產品、電子、紡織品、成衣、化學品、金融、銀行、食品、船運、零售、進出口貿易、傢具、旅遊、保險、石油、珠寶、工程等行業以及其它工作。

印度尼西亞和香港之間的貿易和投資關係近年來大有進展。據香港政府統計處的數字，印度尼西亞對香港的出口總值(包括對中國的轉口貿易)，一九九一年已達54億港元，比一九九〇年的出口總值45億港元增長21%。印度尼西亞輸往香港的主要出口產品包括木料、木板、膠合板、浮石、魚翅、燕窩、薄紗和其它紡織品、傢具、金屬、皮革產品、化學品、電子等等。

與此同時，印度尼西亞從香港輸入的貨品(包括從中國經香港輸入的貨品)，其進口總額從一九九〇年的59億港元下降到一九九一年的55億港元，減少6.8%。印度尼西亞從香港進口的主要產品是合金鋼金屬廢料和碎料、牛仔褲和牛仔裝、紡織品、電動機械及其零件、照相及光學產品、衣服飾物、雜項製品等。

在投資方面，印度尼西亞已日益成爲對香港投資者最有吸引力的地方之一。過去四年的投資批准數字便是强有力的證據。

印度尼西亞在一九八七年批准來自香港的投資項目(包括新投資和擴大投資)共23個，投資總額達12,410萬美元。緊接着在一九八八和一九八九年批准香港的投資項目分別增加到24個和29個項目，投資總額分別達到25,790萬美元和40,680萬美元。一九九〇年批准的香港投資項目加到36個，投資總額達99,330萬美元，比一九八九年增長144.2%。截至一九九一年底爲止，香港在印度尼西亞的積累投資總額達到42億美元。香港仍然是印度尼西亞第二大投資來源，僅次於日本。

印度尼西亞對香港的出口

（單位：百萬港元）

	印度尼西亞對香港的出口	印度尼西亞的進口			差額
		香港本地出口	香港轉口	總額	
1987	2,594	619	2,542	3,160	−566
1988	3,806	819	2,933	3,752	+54
1989	3,565	991	3,434	4,425	−860
1990	4,509	1,281	4,595	5,876	−1,367
1991	5,440	1,017	4,461	5,478	−38

印度尼西亞吸引香港投資者的行業十分廣泛，其中最主要的行業是紡織品和成衣業，其次是橡膠鞋和運動鞋業，以及傢具、蝦類、金屬、皮革製品、化學品、電子產品和酒店。奇怪的是，香港在印度尼西亞的新投資項目，絕大部份也是面向出口爲主的。

印度尼西亞外國投資來源

		1991年批准額(百萬美元)	
名次	投資來源	投資總額	比重(%)
1	日本	11,405.0	23.6
2	香港	4,213.2	8.7
3	台灣	3,375.2	7.0
4	美國	2,496.1	5.2
5	南韓	2,228.9	4.6
6	荷蘭	2,131.5	4.4
7	德國	1,822.0	3.8
8	新加坡	1,578.8	3.3
9	英國	1,414.7	2.9
10	澳大利亞	962.0	2.0
11	其它	16,724.0	34.5
	總額	48,351.4	100.0

可以預料，印度尼西亞與香港之間的合作範圍將會進一步擴大。香港可以更好地利用印度尼西亞的土地和勞力供應，使工業多樣化和擴大生產基地，以期保持它在國際市場的競爭力。

另一方面，印度尼西亞可以繼續從香港獲得現代管理技術，並利用香港的國際貿易和金融中心地位，以及香港作爲進入中國和太平洋周邊國家大門的戰略位置，加强國際經濟貿易資訊的交換，以期滿足各個不同市場的需要。

荷蘭與香港的雙邊貿易

荷蘭駐香港總領事館領事　瑞格(K.W.Ruijg)

荷蘭與香港有着悠久的歷史關係，早在十九世紀中葉荷蘭就委派了駐香港的第一任領事，可見關係之深遠。由於荷蘭商人認爲香港是一個“出色的”貿易地點，這種關係得到良好的發展。

時至今日，荷蘭商人仍然持有這種看法。在香港設立的荷蘭公司數目不斷增加，在香港居住的荷蘭公民人數也在不斷增加。這種情況突出地表明荷蘭人對香港的前途充滿信心。另一個顯示荷蘭商業界在香港的經營日益擴大的現象是荷蘭商會在兩年前成立，組織了一些研討會、工作午餐以及到中國作商務旅行。

荷蘭與香港的雙邊貿易連續多年以强勁的步伐迅速增長，一九九二年的雙邊貿易比一九九一年增長32%，今年這個增長趨勢仍然繼續。荷蘭是香港出口產品的第十大市場，又是香港進口貨物的第十五大供應國。

爲了向香港人介紹荷蘭的情況，一個大型的盛會計劃於一九九三年十一月在九龍公園舉行。這個“荷蘭鄉村”將會充滿鮮花、食物和民間風味，估計將有50多萬香港市民希望前往參觀。在此盛會舉行期間，將會舉辦研討會，以便向香港商界人士介紹荷蘭在歐洲的眞正地位。

荷蘭在香港活動增多的另外一些顯著現象是荷蘭的挖泥船在香港的塡海工程中工作，日夜不停地運作。

越來越多的香港公司正在歐洲和荷蘭不斷擴展業務，而荷蘭作爲歐洲共同體創始成員國之一，正是建立歐洲基地的理想地點。

奧地利與香港的貿易關係

奧地利駐香港商務專員　科恩(Friedrich Kuen)

一九九二年是香港與奧地利之間發展貿易關係的另一個成功年份，雙方的貿易總額達到創紀錄的水平52億奧地利元，大約36.5億港元。奧地利對香港出口增長16.7%，達23億奧地利元，約值16.5億港元；而奧地利自香港進口則下降9.5%，爲28.5億奧地利元，約值20億港元。因此奧地利對香港傳統的貿易赤字進一步縮減。

對奧地利出口商來說，香港是他們在遠東的第三大出口市場，僅次於日本和中國。奧地利出口的大宗貨物是機器(主要是機械操作裝置和電訊設備)、玻璃器皿(主要來自斯瓦洛夫斯基)、紙和紙板、紡紗和布料、醫藥產品、照明裝置和光學產品。奧地利自香港進口的貨物主要是成衣、手錶、收音機、電視機、資料處理設備和電子管，約佔全部進口的80%。

與此有關，我願意說明一點，根據奧地利經濟研究所一項最近的研究，自一九九〇年以來奧地利已名列經濟合作與發展組織的十個世界最富裕的工業國家。以固定購買力計算的實質人均收入爲準，世界上只有六個歐洲國家——盧森堡、德國、瑞典、瑞士、法國和丹麥，以及三個歐洲以外的國家——美國、加拿大和日本排名高於奧地利。

奧地利的經濟發展是與基本結構的改變同時前進的。國內的投資不斷上升，企業的資本構成不斷提高，公司的技術設備不斷更新。奧地利與其它西方工業化國家的關係出現日益密切的經濟一體化。就增長速度、高就業率、維持價格平穩和經常賬收支順差而言，奧地利是走在歐洲前列的國家之一。據最新的信貸評級統計，奧地利在170個國家名單上名列第七。

由於香港的良好商業環境，奧地利對香港的貿易額將會在一九九三年進一步增長。迄今已有42家奧地利公司在香港建立了分公司或代表處，並在奧地利與香港的關係進一步發展中扮演着決定性的角色。組織貿易訪問代表團，參與重要的貿易展覽，以及支持本地的奧地利的公司的商業創業活動，將是在一九九三年奧地利駐香港商務專員公署的首要任務。

奥地利對香港貿易發展

（單位：千奧地利元）

	出口	增長(%)	進口	增長(%)
1992	2,230.7	16.7	2,790.0	−11.4
1991	1,997.4	4.2	3,147.0	10.8
1990	1,916.3	22.6	2,842.8	0.6
1989	1,562.9	24.0	2,826.5	9.0
1988	1,260.5	30.8	2,593.5	17.9
1987	963.5	−4.6	2,199.4	13.6
1986	1,009.5	4.7	1,936.5	2.0
1985	963.8	28.5	1,899.4	−6.3
1984	750.1	48.0	2,027.8	20.0
1983	508.4	12.5	1,689.8	4.4
1982	452.1	5.4	1,618.1	−3.6
1981	429.1	53.0	1,679.1	4.7
1980	280.1	1.0	1,604.2	19.6

第四篇

香港經濟統計

電話理財服務
PHONE-BANKING SERVICES
有電話嘅地方
就有交通嘅服務…
Bank of Communications
優悠生活，由電話理財開始… 熱線電話：877 9000
交通銀行
Bank of Communications
中銀集團
香港分行 Hong Kong Branch 中環畢打街20號 電話：841 9611 20 Pedder Street, C., H.K. Tel: 841

第四篇　香港經濟統計

香港經濟統計

1　香港生產總值

1.1 1991—92 年香港主要經濟指標

	1991 年	1992 年
香港本地生產總值		
（億元）	6,411.36▲	7,425.82†
對外貿易		
進口總值（億元）	7,789.82	9,552.95
出口總值（億元）	7,658.86	9,249.53
本地產品輸出	2,310.45	2,341.23
轉口輸出	5,348.41	6,908.29
工礦業生產		
電力（萬億焦耳）	102,159.21	112,017.09
煤氣（萬億焦耳）	16,237.87	18,206.78
棉紗（萬公噸）	17.67	17.93
棉布（億平方米）	7.53	8.02
混紡織物（億平方米）	0.10	0.11
水泥生產（萬公噸）	167.73	164.27
工業及就業*		
工廠登記家數	44,388	42,411
僱員人數	629,170	565,137
商業		
新增公司家數		
本地公司	43,975	58,111
外地公司	402	550
公司結束家數		
本地公司	4,891	4,521
外地公司	209	185
公司登記總數*		
本地公司	304,538	358,129
外地公司	2,828	3,193
市場		
零售總值（億元）	1,353.89	1,594.98
零售值指數（1989年10月至1990年9月＝100）	120.1	141.5
零售量指數（1989年10月至1990年9月＝100）	110.9	124.3
酒樓餐廳收入總值（億元）	385.34	385.39
交通運輸		
船隻進出口、貨儎		
進口海洋輪		
艘次	21,178	26,052
噸位（萬噸）	11,911.1	1,346.82
貨儎（萬公噸）	5,289.89	5,842.35
出口海洋輪		
艘次	21,217	25,939
噸位（萬噸）	11,930.2	1,345.29
貨儎（萬公噸）	2,354.63	2,579.89
進口內河船艘次	103,601	120,337
噸位（萬噸）	2.10	2.46
出口內河船艘次	103,196	120,042
噸位（萬噸）	2.09	2.43
鐵路貨運		
（紅磡至羅湖段）		
上行貨儎（萬公噸）	33.87	36.90
下行貨儎（萬公噸）	174.27	154.26
飛機往來、貨儎		
進口飛機架次	54,863	60,488
貨儎（公噸）	372,126	422,620
出口飛機架次	54,855	60,490
貨儎（公噸）	477,659	534,288
公路運輸（萬噸）		
進口	650.34	641.77

	1991 年	1992 年
出口	549.21	573.63
車輛登記總數*	433,769	471,221
旅客來往		
進口：(萬人次)	3,456.35	3,852.50
出口：(萬人次)	3,457.41	3,850.03
外地來港遊客(萬人次)	618.09	719.30
旅遊收益(億元)	383.01	466.99
旅店房間租用率(%)	75	82
香港居民外出旅遊(萬人次)	2,631.86	2,894.52
新建樓宇		
幢數合計	1,057	827
建築面積合計(萬方米)	398.0	309.9
其中：		
工業樓宇(幢數)	132	67
建築面積(萬方米)	107.0	83.6
商業樓宇(幢數)	80	81
建築面積(萬方米)	60.9	66.3
住宅樓宇(幢數)	480	368
建築面積(萬方米)	90.0	55.7
商住樓宇(幢數)	149	131
建築面積(萬方米)	104.7	46.9
其他樓宇(幢數)	216	180
建築面積(萬方米)	35.4	57.6
物業契據登記		
宗數合計	823,842	685,136
金額合計(億元)	7,304.08	4,940.50

	1991 年	1992 年
其中：		
地段買賣宗數	6,704	10,249
金額(億元)	410.72	582.25
分層樓宇買賣宗數	182,997	157,920
金額(億元)	2,270.15	2,960.64
其他契據登記宗數	180,964	139,927
金額(億元)	3,185.38	3,853.84
財政金融物價		
甲類消費物價指數(1989年10月至1990年9月＝100)	114.5	125.2
貨幣發行(億元)*	497.77	611.57
港幣滙率指數*(1983年10月24-28日＝100)	109.2	114.2
票據交換(萬億元)*	24.94	33.26
存款總額(億元)*	13,746.06	15,031.07
港元	5,639.27	6,253.65
外幣	8,106.79	8,777.42
放款總額(億元)*	22,437.73	24,695.58
港元	7,238.32	8,120.87
外幣	15,199.40	16,574.71
貸款優惠利率(每年%)	8.5－10.5	6.5－8.5
銀行同業拆息* 隔夜(每年%)	5.12	4.12
股票成交(億元)	3,341.04	7,005.78
恒生股價指數*(1964年7月31日＝100)	3,471.54	5,545.97
香港指數(1986年4月2日＝100)	2,506.60	3,118.10

註：　* 期末數字。　▲臨時估計。　†初步估計。

1.2 1980—92 年本地生產總值統計

按開支計算（當年價格）

年份	本地生產總值（億元）	比上年增%	以人口平均的本地生產總值（元）	比上年增%
1980	1,367.75	27.18	27,014	23.83
1981	1,647.62	20.46	31,786	17.66
1982	1,857.28	12.73	35,279	10.99
1983	2,062.17	11.03	38,581	9.36
1984	2,479.33	20.23	45,931	19.05
1985	2,610.70	5.30	47,848	4.17
1986	2,985.15	14.34	54,034	12.93
1987	3,676.03	23.14	65,873	21.91
1988	4,336.57	17.97	77,059	16.98
1989	4,991.57	15.10	87,784	13.92
1990	5,588.59	11.96	97,968	11.60
1991*	6,411.36	14.72	111,409	13.72
1992†	7,425.82	15.82	127,778	14.69

按開支計算（1980年價格）

年份	本地生產總值（億元）	比上年增%	以人口平均的本地生產總值（元）	比上年增%
1980	1,367.75	10.37	27,014	7.46
1981	1,495.85	9.37	28,858	6.82
1982	1,535.60	2.66	29,169	1.08
1983	1,632.60	6.32	30,544	4.71
1984	1,792.38	9.79	33,205	8.71
1985	1,795.80	0.19	32,913	−0.88
1986	1,449.98	11.09	36,111	9.72
1987	2,284.83	14.53	40,943	13.38
1988	2,474.15	8.29	43,965	7.38
1989	2,544.34	2.84	44,746	1.78
1990	2,626.88	3.24	46,049	2.91
1991*	2,736.86	4.19	47,558	3.28
1992†	2,873.99	5.01	49,453	3.98

註：*臨時估計。
　†初步估計。

1.3 1989—93 年按組成部份劃分的本地生產總值開支(當年價格)

（單位：億元）

組成部份	1989 年	1990 年	1991 年 修訂估計	1992 年 初步估計	1993 年 預測
私人消費開支	2,845.81	3,291.92	3,908.59	4,522.52	5,250.65
政府消費開支	363.26	435.17	514.60	639.55	738.68
本地固定資本形成總額	1,348.21	1,530.46	1,754.65	2,061.56	2,289.16
土地及樓宇的轉讓費用	76.42	82.96	129.58	179.41	190.17
樓宇及建設	486.64	572.13	609.97	637.88	667.50
私人	327.99	391.72	425.54	430.28	434.32
公共	158.65	180.41	184.43	207.60	233.18
地產發展商的利潤	244.38	283.55	309.59	356.73	381.06
機器及設備	540.77	591.82	705.51	887.54	1,050.43
私人	525.40	577.92	686.86	870.83	1,031.50
公共	15.37	13.90	18.65	16.71	18.93
存貨增減	34.63	57.28	42.24	74.45	72.16
出口貨物總額	5,705.09	6,398.74	7,658.86	9,249.52	11,231.84
港產品出口	2,241.04	2,258.75	2,310.45	2,341.24	2,423.77
轉口	3,464.05	4,139.99	5,348.41	6,908.29	8,808.07
入口貨物	5,652.19	6,452.00	7,820.42	9,584.62	11,575.19
出口勞務	980.40	1,085.56	1,214.96	1,427.54	1,672.72
入口勞務	633.64	758.54	862.12	964.70	1,104.39
本地生產總值	4,991.57	5,588.59	6,411.36	7,425.82	8,575.63
按人口平均計算的本地生產總值（港元）	87,784	97,968	111,409	127,778	146,654
最後總需求	11,277.40	12,799.13	15,093.90	17,975.14	21,255.21
本地內部需求	4,591.91	5,314.83	6,220.08	7,298.08	8,350.65
私人	4,054.63	4,685.35	5,502.40	6,434.22	7,359.86
公共	537.28	629.48	717.68	863.86	990.79
本地生產總值平減物價指數（1980 年＝100）	196.2	212.7	234.3	258.4	282.9
本地內部需求平減物價指數（1980 年＝100）	194.1	210.0	226.5	242.0	258.9
甲類消費物價指數（1989 年 10 月至 1990 年9 月＝100）	93.1	102.2	114.5	125.2	137.1

1.4 1989—93 年按組成部份劃分的本地生產總值開支（1980年價格）

（單位：億元）

組成部份	1989 年	1990 年	1991 年 修訂估計	1992 年 初步估計	1993 年 預測
私人消費開支	1,541.31	1,637.86	1,776.97	1,919.98	2,063.98
政府消費開支	154.91	164.18	175.32	199.61	209.59
本地固定資本形成總額	645.59	697.12	764.77	851.53	912.04
土地及樓宇的轉讓費用	29.73	31.76	43.95	53.30	53.30
樓宇及建設	211.88	227.58	227.01	229.91	233.00
私人	139.78	152.11	155.66	153.04	149.98
公共	72.10	75.47	71.35	76.87	83.02
地產發展商的利潤	137.57	155.45	163.39	161.48	158.25
機器及設備	266.41	282.33	330.42	406.84	467.49
私人	258.88	275.72	321.68	399.18	459.06
公共	7.53	6.61	8.74	7.66	8.43
存貨增減	23.75	31.25	29.52	45.19	40.00
出口貨物總額	3,441.50	3,758.42	4,381.39	5,217.39	6,180.01
港產品出口	1,421.74	1,415.23	1,420.88	1,423.88	1,438.12
轉口	2,019.76	2,343.19	2,960.51	3,793.51	4,741.89
入口貨物	3,371.34	3,757.00	4,469.52	5,463.85	6,493.75
出口勞務	520.00	550.58	570.37	628.20	684.74
入口勞務	411.38	455.53	491.96	524.06	565.98
本地生產總值	2,544.34	2,626.88	2,736.86	2,873.99	3,030.63
按人口平均計算的本地生產總值（元）	44,746	46,049	47,558	49,453	518.25
實際收入	2,508.54	2,597.46	2,733.68	2,896.16	—
按人口平均計算的實際收入（元）	44,116	45,534	47,503	49,835	—
最後總需求	6,327.06	6,839.41	7,698.34	8,861.90	10,090.36
本地內部需求	2,365.56	2,530.41	2,746.58	3,016.31	3,225.61
私人	2,131.02	2,284.15	2,491.17	2,732.17	2,924.57
公共	234.54	246.26	255.41	284.14	301.04

1.5 1987—91年私人消費開支組合(當年價格)

(單位：億元)

	1987年	1988年	1989年	1990年	1991年*
本地市場內貨物與服務的消費開支	2,268.76	2,649.55	2,976.50	3,397.33	3,964.18
食品及不含酒精飲品	376.18	414.01	456.20	513.26	578.14
含酒精飲品	25.18	29.10	25.75	28.92	32.92
煙草	15.97	19.74	24.86	27.26	29.84
衣履及其他個人用品	444.67	543.02	600.54	687.54	776.81
租金、差餉、水費及屋宇維修費用	282.77	331.26	383.50	440.95	514.33
燃料及電力	37.18	39.50	45.11	51.77	57.81
傢具及家居設備	237.11	285.66	299.96	314.80	407.04
家庭管理開銷	33.50	39.00	44.72	50.74	56.11
個人護理	41.33	45.75	53.19	61.47	74.89
醫療及保健	86.25	94.56	99.02	119.73	142.19
交通及通訊	165.58	205.53	227.23	270.63	346.10
娛樂及消遣	173.02	202.69	226.68	245.14	264.49
教育	23.49	26.57	31.10	36.53	42.53
其他服務	326.53	373.16	458.64	548.59	640.98
本地居民在外地開支	170.79	212.59	250.11	299.73	356.00
減除非本地居民在本地市場的開支	262.44	344.11	380.80	405.14	411.59
私人消費開支	2,177.11	2,518.03	2,845.81	3,291.92	3,908.59

註：*估計數字。

1.6 公營部門/私營機構分析的本地固定資本形成總額(當年價格)

（單位：億元）

		1987年	1988年	1989年	1990年	1991年*
土地及樓宇的轉讓費用	公共	—	—	—	—	—
	私人	42.83	50.52	76.42	82.96	129.58
	合計	42.83	50.52	76.42	82.96	129.58
房屋及建設	公共	100.67	120.97	158.65	180.41	184.43
	私人	201.95	264.05	327.99	391.72	425.54
	合計	302.62	385.02	486.64	572.13	609.97
住宅樓宅，包括住宅及非住宅綜合樓宇	公共	31.49	42.67	52.26	51.00	48.97
	私人	97.19	131.23	146.85	183.75	187.94
	合計	128.68	173.90	199.11	234.76	236.91
非住宅樓宇	公共	17.89	19.06	33.96	41.14	41.28
	私人	81.33	101.30	130.16	161.58	189.99
	合計	99.22	120.36	164.12	202.72	231.27
其他建設工程	公共	51.29	59.24	72.43	88.27	94.18
	私人	23.43	31.52	50.98	46.39	47.61
	合計	74.72	90.76	123.41	134.66	141.79
地產發展商利潤	公共	—	—	—	—	—
	私人	148.93	208.01	244.38	283.55	309.59
	合計	148.93	208.01	244.38	283.55	309.59
機器及設備	公共	8.28	12.86	15.37	13.90	18.65
	私人	413.79	501.01	525.40	577.92	686.86
	合計	422.07	513.87	540.77	591.82	705.51
運輸設備	公共	3.54	5.42	7.34	1.91	3.30
	私人	70.52	57.17	70.00	79.79	100.41
	合計	74.06	62.59	77.34	81.70	103.71
機器及其他設備	公共	4.74	7.44	8.03	11.99	15.35
	私人	343.27	443.84	455.40	498.13	586.45
	合計	348.01	451.28	463.43	510.12	601.80
固定資本形成總額	公共	108.95	133.83	174.02	194.31	203.08
	私人	807.50	1,023.59	1,174.19	1,336.15	1,551.57
	合計	916.45	1,157.42	1,348.21	1,530.46	1,754.65

註：＊估計數字。

1.7 商品及勞務進出口組合(當年價格)

（單位：億元）

	1987年	1988年	1989年	1990年	1991年*
商品					
出口總值	3,780.34	4,930.69	5,705.09	6,398.74	7,658.86
港產品出口	1,952.54	2,176.64	2,241.04	2,258.75	2,310.45
轉口	1,827.80	2,754.05	3,464.05	4,139.99	5,348.41
進口總值	3,799.89	5,011.74	5,652.19	6,452.00	7,820.42
貿易差額	−19.55	−81.05	52.90	−53.26	−161.56
服務					
出口勞務					
運輸	321.44	376.08	432.06	498.47	578.93
航務	158.96	181.15	204.09	227.31	273.54
空運	119.54	148.24	170.71	192.61	218.82
外國航空公司和船務公司在港支出	29.66	29.55	37.97	54.91	54.63
貨運	13.28	17.14	19.29	23.64	31.94
旅遊	257.90	339.30	375.63	399.60	405.51
遊客在港開支	251.90	330.98	365.01	386.86	392.45
軍人旅客在港開支	0.69	1.29	1.79	1.33	1.46
過境旅客在港開支	2.65	3.34	4.39	6.04	5.92
外國機員及船員在港開支	2.66	3.69	4.44	5.37	5.68
保險	11.72	10.32	11.04	13.19	14.78
對海外直接提供的保險	1.71	1.02	2.16	2.36	2.84
從海外承受的分保	6.85	5.47	3.38	3.95	3.81
代理佣金	3.16	3.83	5.50	6.88	8.13
電影、節目的製作及發行	6.63	7.75	6.89	9.04	10.85
酒店管理	2.24	2.57	3.22	3.34	3.59
廣告及市場調查	3.87	4.06	4.33	5.82	7.52
新聞傳播	6.68	10.16	10.78	11.02	13.16
金融資產買賣及經紀業	25.00	25.33	31.77	27.28	42.39
進口貨運調整	13.06	13.54	11.35	16.64	19.16
銀行服務	24.09	26.08	31.63	30.94	31.08
享有治外法權機構的僱員及其家屬在港開支	4.54	4.81	5.17	5.54	6.06
郵務	0.58	0.50	0.47	0.42	0.38
其他服務	30.57	34.40	56.06	64.25	81.55
勞務出口總額	708.32	854.90	980.40	1,085.56	1,214.96
商品及勞務出口總額	4,488.66	5,785.59	6,685.49	7,484.30	8,873.82

	1987年	1988年	1989年	1990年	1991年*
進口勞務					
運輸	169.99	197.82	223.60	257.83	280.02
航運：租用船舶	16.82	21.30	31.92	33.10	37.67
航運及空運	114.54	126.34	134.42	156.49	161.17
客運費用	38.63	50.18	57.26	68.24	81.18
旅遊	192.73	241.95	280.29	349.34	409.75
香港居民在海外開支	174.41	219.36	248.43	310.10	362.89
香港留學生在海外開支	18.32	22.59	31.86	39.24	46.86
保險	15.80	16.06	18.13	24.18	26.69
從海外直接購入保險	5.93	7.47	6.99	12.77	12.98
讓予海外的分保	7.75	5.94	9.07	9.89	12.17
香港保險公司在海外開支	2.12	2.65	2.07	1.52	1.54
電影、節目的製作及發行	2.98	1.98	2.25	2.85	3.18
酒店管理	2.11	2.48	3.00	3.10	2.67
廣告及市場調查	1.68	2.51	2.55	3.64	3.97
新聞傳播	2.98	5.72	5.89	6.50	6.90
金融資產買賣及經紀業	13.64	13.50	16.12	13.93	17.89
銀行服務	8.61	9.96	10.31	9.03	10.22
香港政府在外地開支	16.85	16.34	16.39	18.70	19.76
郵費	4.38	4.93	5.23	5.99	6.24
其他未列名服務	29.80	40.88	49.88	63.45	74.83
勞務進口總額	461.55	554.13	633.64	633.64	862.12
商品及勞務進口總額	4,261.44	5,565.87	6,285.83	7,210.54	8,682.54
勞務出口減進口額	246.77	300.77	346.76	327.02	352.84
商品及勞務出口減進口額	227.22	219.74	399.66	273.76	191.28

註：*估計數字。

1.8 1986—91年按經濟活動分析的本地生產總值(當年價格)

(單位:億元)

	1986年	(佔%)	1987年	(佔%)	1988年	(佔%)	1989年	(佔%)	1990年	(佔%)	1991年	(佔%)*
漁農業	13.32	0.5	13.58	0.4	14.37	0.3	14.15	0.3	14.32	0.3	14.41	0.2
礦業及採石業	3.46	0.1	2.57	0.1	2.29	0.1	2.24	#	2.10	#	2.22	#
製造業	627.79	22.3	757.61	21.7	831.82	20.1	896.45	18.9	922.41	17.2	944.91	15.5
電力、煤氣及食米	83.85	3.0	96.91	2.8	102.00	2.5	108.60	2.3	126.12	2.3	134.63	2.2
建造業	135.56	4.8	164.00	4.7	199.00	4.8	249.37	5.3	298.36	5.6	321.06	5.3
批發、零售業及出入口業、酒樓及酒店業	598.90	21.3	807.20	23.2	985.18	23.8	1,139.98	24.0	1,305.42	24.3	1,544.23	25.4
運輸、倉庫及通訊業	228.95	8.1	303.09	8.7	380.53	9.2	422.14	8.9	505.26	9.4	589.70	9.7
金融、保險、地產及商業服務	485.88	17.3	633.65	18.2	794.36	19.2	940.30	19.8	1,118.25	20.8	1,400.72	23.0
社區服務、社會服務及個人服務	467.78	16.6	522.98	15.0	601.95	14.6	692.24	14.6	803.34	15.0	936.01	15.4
樓宇業權所產生的服務	300.53	10.7	359.01	10.3	435.25	10.5	517.32	10.9	581.41	10.8	649.60	10.7
減除設算銀行服務費	130.79	4.7	177.43	5.1	213.13	5.1	238.00	5.0	308.29	5.7	451.89	7.4
按要素成本計算的本地生產總值(生產估計)	2,815.23		3,483.17		4,133.62		4,744.79		5,368.70		6,085.60	
已減除津貼的間接稅	147.50		186.49		214.51		253.90		296.14		363.23	
按市價計算的本地生產總值(生產估計)	2,962.73		3,669.66		4,348.13		4,998.69		5,664.84		6,448.83	
按市價計算的本地生產總值(開支估計)	2,985.15		3,676.03		4,336.57		4,991.57		5,588.59		6,411.36	
統計差額(%)	−0.8		−0.2		0.3		0.1		1.4		0.6	

*估計數字。

#少於0.05%。

2 人 口

2.1 1976－92 年香港人口

年份		人口 估計	增長率 %	出生率 （每千人）	死亡率 （每千人）	自然增長率 （每千人）
1976 年	年中	4,518,000	1.3	17.4	5.0	12.4
	年底	4,551,300				
1977 年	年中	4,583,700	1.5	17.5	5.1	12.4
	年底	4,631,500				
1978 年	年中	4,667,500	1.8	17.3	5.1	12.2
	年底	4,769,900				
1979 年	年中	4,929,700	5.6	16.8	5.2	11.7
	年底	5,024,700				
1980 年	年中	5,063,100	2.7	17.0	5.0	12.0
	年底	5,145,100				
1981 年	年中	5,183,400	2.4	16.8	4.8	12.0
	年底	5,238,500				
1982 年	年中	5,264,500	1.6	16.4	4.8	11.6
	年底	5,319,500				
1983 年	年中	5,345,100	1.5	15.6	5.0	10.6
	年底	5,337,400				
1984 年	年中	5,397,900	1.0	14.4	4.7	9.6
	年底	5,430,900				
1985 年	年中	5,456,200	1.1	14.0	4.6	9.3
	年底	5,500,400				
1986 年	年中	5,524,600	1.3	13.0	4.7	8.3
	年底	5,565,700				
1987 年	年中	5,580,500	1.0	12.6	4.8	7.7
	年底	5,615,300				
1988 年	年中	5,627,600	0.8	13.4	4.9	8.5
	年底	5,671,600				
1989 年	年中	5,686,200	1.0	12.3	5.1	7.2
	年底	5,726,500				
1990 年	年中	5,704,500	0.3	12.0	5.2	6.8
	年底	5,752,000				
1991 年	年中	5,754,800	0.9	12.0	4.9	7.1
	年底	5,822,500				
1992 年	年中	5,811,500	1.0	12.3	5.3	7.1
	年底	5,902,100				

2.2 香港人口按年齡分佈(1981年、1986年、1991年)

年齡	1981年			1986年			1991年		
	人數	佔總數%	性別比率*(女=1,000)	人數	佔總數%	性別比率*(女=1,000)	人數	佔總數%	性別比率*(女=1,000)
15歲以下	1,237,507	24.8	1,079	1,246,947	23.1	1,088	1,151,916	20.9	1,084
15－24歲	1,147,757	23.0	1,096	1,012,859	18.8	1,055	839,841	15.2	1,084
25－34歲	882,195	17.7	1,183	1,097,828	20.3	1,065	1,178,288	21.4	991
35－44歲	483,387	9.7	1,299	647,402	12.0	1,163	891,032	16.1	1,078
45－54歲	516,666	10.3	1,161	525,234	9.7	1,172	487,658	8.8	1,205
55－64歲	392,239	7.9	1,043	457,185	8.5	1,042	491,506	8.9	1,087
65歲以上	326,809	6.6	683	408,542	7.6	726	482,040	8.7	784
合計	**4,986,560**	**100.0**	**1,093**	**5,395,997**	**100.0**	**1,057**	**5,522,281**	**100.0**	**1,038**
年齡中位數	26.0			28.6			31.5		

*註：性別比率指總人口或各年齡組人口中男性與女性人數之比，以每1,000名女性人口相對應的男性人口數表示。

2.3 香港家庭結構（1981年、1986年、1991年）

結構	1981年		1986年		1991年	
	人數	佔總數%	人數	佔總數%	人數	佔總數%
1人	189,087	15.2	214,921	14.8	225,930	14.3
2人	191,841	15.4	237,177	16.3	290,585	18.4
3人	191,995	15.4	251,507	17.3	307,558	19.4
4－5人	391,526	31.5	516,888	35.6	585,837	37.0
6人以上	280,289	22.5	232,083	16.0	172,305	10.9
合計	**1,244,738**	**100.0**	**1,452,576**	**100.0**	**1,582,215**	**100.0**
平均家庭規模	3.9		3.7		3.4	

3 勞工

3.1 從事經濟活動人口年齡及參與率分析

年齡組別	1991年第四季末		1992年第四季末	
	萬人	參與率(%)	萬人	參與率(%)
勞動人口總計				
15－19	11.58	28.0	11.19	27.5
20－29	85.20	86.4	81.38	85.4
30－39	85.61	77.3	87.05	76.6
40－49	53.42	78.0	56.92	76.8
50－59	31.30	63.2	29.62	60.3
60歲以上	15.48	20.3	15.88	19.6
合計	**282.59**	**63.5**	**282.04**	**62.1**
男性				
15－19	6.44	31.3	6.68	30.9
20－29	43.99	91.8	41.65	90.9
30－39	54.71	98.9	56.09	98.9
40－49	36.29	97.8	39.36	97.8
50－59	23.28	87.1	22.72	86.0
60歲以上	11.60	32.7	12.30	31.7
合計	**176.33**	**79.0**	**178.80**	**77.8**
女性				
15－19	5.13	24.7	4.51	23.6
20－29	41.21	81.2	39.73	80.2
30－39	30.90	55.7	30.96	54.4
40－49	17.13	54.6	17.56	51.9
50－59	8.02	35.2	6.90	30.4
60歲以上	3.87	9.5	3.58	8.5
合計	**106.27**	**47.9**	**103.24**	**46.0**

3.2 從事經濟活動人口的結構

	1991 年第四季末		1992 年第四季末	
	萬人	佔就業人口%	萬人	佔就業人口%
僱主	15.94	5.7	16.01	5.8
外勤工作人員	0.90	0.3	0.53	0.2
小販	1.87	0.7	1.59	0.6
自營者	12.78	4.6	12.07	4.4
僱員	243.37	87.6	243.75	88.1
沒有報酬的家庭式僱員	2.87	1.1	2.43	0.9
合計	**277.84**	**100.0**	**276.38**	**100.0**

3.3 從事經濟活動人口的就業分類

	1991 年第四季末		1992 年第四季末	
	萬人	佔就業人口%	萬人	佔就業人口%
專業、行政及管理人員	38.66	13.9	38.60	14.0
文員	56.14	20.2	55.63	20.1
店員	36.00	13.0	35.59	12.9
服務員	51.03	18.4	53.45	19.3
產業人員、運輸通訊員及一般勞工	94.04	33.8	90.48	32.7
其他	1.97	0.7	2.64	1.0
合計	**277.84**	**100.0**	**276.38**	**100.0**

3.4 從事經濟活動人口的行業分佈

	1991年第四季末		1992年第四季末	
	萬人	佔就業人口%	萬人	佔就業人口%
製造業	70.21	25.3	62.47	22.6
紡織及製衣業	28.62	10.3	24.55	8.9
電力機業和電子產品	9.52	3.4	8.36	3.0
其他製造業	32.07	11.6	29.56	10.7
建築業	22.82	8.2	23.15	8.4
批發、零售、飲食、酒店業	74.38	26.8	77.30	28.0
服務行業	107.03	38.5	109.09	39.5
交通、倉儲、通訊	27.84	10.0	29.83	10.8
金融、保險、地產、商業服務	23.37	8.4	23.79	8.6
其他服務	55.83	20.1	55.46	20.1
其他	3.39	1.2	4.38	1.5
合計	**277.84**	**100.0**	**276.38**	**100.0**

3.5 各行業家數及僱員人數

種類	家數		僱員人數	
	1991年底	1992年底	1991年底	1992年底
採礦業	7	9	444	557
製造業	44,388	42,411	629,170	565,137
水、電、煤	23	30	11,799	11,764
建築業動工地盤	1,199	1,139	59,292	59,485
批發、零售、進出口貿易、飲食和酒店	149,567	159,041	871,850	914,831
交通、貨倉、通訊	6,445	7,175	134,088	145,661
金融、保險、房地產及商業服務	34,242	37,048	295,866	314,532
社團、社會福利及個人服務	23,788	24,049	267,291	268,140

3.6 製造業家數及僱員人數

工業類別	家數		僱員人數	
	1991年底	1992年底	1991年底	1992年底
製造業	**44,388**	**42,411**	**629,170**	**565,137**
食品製造	816	825	19,599	19,131
飲品業	23	18	3,671	3,807
煙草製造	6	6	1,350	1,297
衣着(鞋類除外)	6,914	6,346	181,174	155,579
外衣、童裝(紗綫、針織和皮衣除外)	5,775	5,307	159,881	137,452
內衣、睡衣	357	322	10,622	9,112
皮裘	127	104	2,165	1,472
皮衣	107	103	1,792	1,521
手套	156	151	1,845	1,793
皮革及皮革類製品	545	464	5,031	3,871
皮製品(衣着及鞋除外)	148	131	1,338	1,057
手袋(藤、草、塑膠購物袋除外)	338	282	2,987	2,292
鞋類製造(橡膠、塑膠、木製鞋除外)	254	215	2,937	2,077
紡織	4,786	4,429	94,073	81,914
棉織	160	155	8,049	6,503
針織	1,275	1,217	32,832	30,102
漂染業	423	372	18,145	15,913
木及軟木製品(傢俬除外)	612	552	2,765	2,452
鋸木廠	116	99	957	873
傢俬製造及裝置	881	735	4,484	3,339
木製傢俬及裝置	610	519	3,207	2,407
紙、紙製品	1,388	1,320	13,361	12,063
紙盒和紙板盒	989	947	8,883	7,871
印刷出版業	4,388	4,829	38,791	40,988
零件印刷	3,357	3,673	25,345	26,339
化工及化工產品	729	747	7,880	8,118
合成橡膠、塑膠及人造纖維(玻璃除外)	224	204	1,719	1,600
石油及煤製品	4	4	246	232
橡膠製品	165	143	1,230	951
塑膠製品	4,209	3,792	39,793	32,005
塑膠玩具	1,053	940	13,833	11,281
非金屬礦產製品(石油、煤除外)	388	363	3,595	3,514
基金屬工業	211	191	2,743	2,680
金屬製造(機械設備除外)	5,799	5,388	43,607	38,715
金屬玩具	238	203	1,296	970
金屬傢俬	132	137	1,221	1,229
電筒製造(電珠除外)	66	44	1,526	1,066
金屬錶帶	263	205	2,432	2,334

工業類別	家數		僱員人數	
	1991年底	1992年底	1991年底	1992年底
其他未列名金屬製品(機械及設備除外)	2,616	2,389	14,928	12,479
辦公室、會計和電算機器	211	203	15,566	15,758
收音機、電視通訊設備和	282	219	9,383	7,819
電子零件和配件	428	476	24,261	23,401
電器及家庭用品和電子玩具	299	263	9,041	6,879
電器和家庭用品	246	208	7,475	5,060
電子玩具	52	55	1,566	1,819
機械、設備、儀器、零件和配件	5,847	5,777	39,286	37,933
特別工業機械和設備(五金及木工機械除外)	1,592	1,517	9,353	9,649
工業機械和發電設備	145	186	2,884	2,635
乾電池	18	13	2,809	2,444
電筒電珠	46	33	732	523
非電動機械和設備(電動除外)	3,477	3,508	15,946	15,750
電器產品	171	164	2,639	2,385
電子製品	125	116	2,798	2,437
交通工具	571	577	12,957	13,922
船塢	87	108	5,005	5,068
小型船舶修理廠	317	278	1,910	1,824
專業、科學量度和控制儀器,以及攝影和光學器材	1,510	1,477	27,370	23,291
電子鐘錶	473	480	11,198	9,771
鐘錶殼和零件	824	826	7,694	6,460
其他未列名製造業	3,043	3,052	24,977	23,458
珠寶和有關製品	1,054		12,949	

3.7 建築業動工地盤和僱用人數

	動工地盤		僱員人數	
	1991年12月底	1992年12月底	1991年12月底	1992年12月底
政府地盤				
建築物	151	147	12,411	12,950
土木工程	207	200	9,126	10,967
私人地盤				
建築物	737	679	33,220	32,334
土木工程	104	113	4,535	3,234
合計	**1,199**	**1,139**	**59,292**	**59,485**

3.8 各業商行家數及僱員人數

	家數		僱員人數	
	1991年底	1992年底	1991年底	1992年底
批發、零售、進出口貿易，飲食和酒店	**149,567**	**159,041**	**871,850**	**914,831**
批發	16,402	17,071	75,336	78,881
零售	53,011	54,391	198,261	205,482
進出口	69,985	76,929	376,469	395,444
酒樓茶室、咖啡室、酒吧	8,672	9,406	184,354	194,244
酒店、賓館	1,497	1,244	37,430	40,780

3.9 交通、倉庫、通訊業家數和僱用人數

	家數		僱員人數	
	1991年底	1992年底	1991年底	1992年底
交通、貨倉、通訊	**6,445**	**7,175**	**134,088**	**145,661**
陸上運輸	8	9	22,936	23,772
巴士	3	4	13,939	14,183
有軌電車	5	5	8,997	9,589
陸上交通運輸輔助服務	136	127	2,386	2,802
遠洋運輸	419	442	9,994	11,009
港內交通服務	2	2	1,690	1,673
渡海小輪	2	2	1,690	1,673
水上交通運輸輔助服務	1,505	2,001	13,049	13,689
貨櫃碼頭、運輸	1,505	2,001	13,049	13,689
航空運輸	134	104	15,128	17,931
有關交通運輸服務	3,417	3,573	37,944	38,990
旅行社代理	1,908	1,958	18,136	19,459
航空貨運服務	436	449	7,493	7,740
海運服務	890	969	8,848	10,131
貨倉	326	343	4,955	5,422
一般貨倉服務	302	316	3,863	4,311
通訊	499	574	26,006	30,374
電話、電報服務	2	2	13,321	13,880

3.10 金融、保險、地產及其他商業家數和僱員人數

	家數		僱員人數	
	1991年底	1992年底	1991年底	1992年底
金融、保險、地產及商業服務	**34,242**	**37,048**	**295,866**	**314,532**
銀行業	1,767	1,741	69,778	70,379
銀行	1,664	1,633	68,574	69,920
金融投資公司	2,121	2,794	21,380	24,484
投資控股公司	1,679	2,353	16,167	19,553
股票、期貨、黃金經紀公司、交易所	1,017	994	10,816	11,646
未分類金融公司	979	1,271	11,810	11,360
保險公司	4,688	4,595	19,136	19,779
地產公司	10,132	10,374	56,258	58,505
地產發展公司	234	353	2,201	2,806
機械、儀器租賃服務	124	123	642	497
其他商業服務	13,413	15,156	106,046	117,884
社團、社會及個人服務	**23,788**	**24,049**	**267,291**	**268,140**
清潔服務	899	929	31,285	26,888
教育服務	2,135	2,067	83,949	85,246
市場調查服務	18	18	123	129
藥物、牙醫和其他保健服務	3,972	4,074	37,569	43,861
社會福利機構	1,462	1,402	20,618	18,041
商業團體	331	317	2,998	3,024
其他有關社團服務	640	568	6,435	6,466
電影及其他娛樂服務	2,578	2,600	18,802	17,774
圖書館	36	35	396	374
娛樂及運動場所	247	247	9,372	9,932
修理服務	4,198	4,241	19,583	19,914
洗衣店	1,160	1,268	6,597	7,463
其他個人服務	6,111	6,283	29,564	29,026

3.11 就業、失業人口分析

（單位：萬人）

年份	勞動人口	就業人口	失業人口	經季節性調整失業率（%）	勞動人口參與率(%)
1985年第一季	259.44(2.1)	251.68(3.2)	7.76	3.1	64.7
第二季	263.22(0.4)	255.78(1.2)	7.45	2.9	64.9
第三季	263.71(−0.2)	254.20(0.0)	9.51	3.3	65.0
第四季	264.41(1.0)	255.67(1.7)	8.73	3.1	64.7
1986年第一季	265.60(2.4)	257.27(2.2)	8.32	3.2	64.6
第二季	270.49(2.8)	262.40(2.6)	8.09	3.0	65.4
第三季	272.18(3.2)	264.04(3.9)	8.13	2.8	65.3
第四季	272.35(3.0)	266.46(4.2)	5.90	2.2	65.0
1987年第一季	266.64(0.4)	261.57(1.7)	5.07	2.1	64.1
第二季	272.46(0.7)	268.33(2.3)	4.13	1.8	64.4
第三季	276.02(1.4)	271.01(2.6)	5.01	1.8	65.1
第四季	279.29(2.5)	274.50(3.0)	4.78	1.9	65.4
1988年第一季	275.39(3.3)	271.68(3.9)	3.71	1.6	64.3
第二季	275.93(1.3)	271.63(1.2)	4.30	1.8	64.1
第三季	279.29(1.2)	275.20(1.5)	4.09	1.6	64.8
第四季	280.84(0.6)	277.77(1.2)	3.08	1.3	64.8
1989年第一季	279.60(1.5)	276.87(1.9)	2.74	1.3	64.0
第二季	275.78(−0.1)	272.67(0.4)	3.11	1.4	63.1
第三季	276.48(−0.1)	273.20(−0.7)	3.28	1.4	63.5
第四季	279.55(−0.5)	276.69(−0.4)	2.87	1.3	63.6
1990年第一季	274.35(−0.6)	270.56(−1.1)	3.79	1.7	63.4
第二季	273.77(0.1)	270.18(−0.1)	3.60	1.6	63.0
第三季	273.64(−0.2)	269.53(−0.5)	4.11	1.7	63.1
第四季	277.47(0.1)	274.35(0.0)	3.12	1.4	63.4
1991年第一季	278.25(1.4)	274.14(1.3)	4.11	1.8	63.5
第二季	279.06(1.9)	273.23(1.1)	5.83	2.4	63.3
第三季	279.61(2.2)	274.18(1.7)	5.43	2.1	63.4
第四季	282.59(1.8)	277.84(1.3)	4.76	1.8	63.5
1992年第一季	277.98(−0.1)	272.16(−0.7)	5.82	2.4	62.40
第二季	280.36(0.5)	274.61(0.5)	5.75	2.3	62.7
第三季	276.82(−1.0)	272.17(−0.7)	4.65	1.9	61.9
第四季	282.04(−0.2)	276.38(−0.5)	5.65	2.1	62.1

註：括號內的數字是與一年前比較的增減率（%）。

3.12 1992年香港各業僱員工資指數

（1982年3月＝100）

	所有僱員			技術工人9月份平均每日工資(港元)	管工、技術員、文員、非產業僱員9月份薪金(港元)
	1991年	1992年			
	9月	3月	9月		
名義工資總指數	232.5	243.3	256.1	235	7,196
製造業	215.3	223.1	236.1	224	7,396
麵包西餅	289.6	304.3	318.6	278	6,602
成衣	186.6	189.9	201.1	206	6,634
手套	224.8	226.3	230.5	137	6,157
手袋	221.4	237.7	252.3	218	6,816
鞋	137.9	141.4	154.6	190	6,328
棉紡、棉織	238.3	256.5	260.6	210	6,788
針織	197.6	205.8	216.5	205	7,382
漂染	242.6	254.3	272.9	291	8,611
木傢俬	223.7	225.7	237.6	249	6,243
紙箱	245.8	259.3	276.9	293	7,742
印刷	298.9	313.6	338.8	308	8,194
塑膠產品	218.7	224.6	241.9	209	7,723
金屬產品	233.1	242.0	258.3	230	7,631
錶帶	220.8	229.2	235.5	208	7,358
電器用具	276.4	283.9	299.3	188	7,891
電子	278.9	296.7	317.3	213	8,025
船塢	270.4	293.2	318.1	276	8,407
光學儀器	282.5	309.1	310.9	205	7,508
鐘錶	259.5	270.6	286.9	205	7,394
珠寶製造	200.6	209.5	220.7	363	8,869
批發、零售、進出口、飲食、酒店	221.7	234.7	241.5	—	7,350
批發	251.6	266.6	287.8	—	6,707
零售	323.8	351.1	367.4	—	7,192
進出口	325.9	348.5	367.1	—	9,681
中式酒樓茶室	183.8	192.2	197.1	—	7,343
非中式酒樓茶室	227.0	240.1	243.2	—	7,356
酒店	266.8	295.1	296.3	—	6,746
交通服務	288.2	297.1	323.0	—	8,193
空運、海運、旅行社代理	285.4	308.5	317.7	—	6,393
商業服務	280.2	302.5	307.7	—	9,168
銀行	278.7	302.1	303.7	—	9,396
保險	293.4	316.6	331.2	—	8,355
技術諮詢	269.3	285.0	299.1	—	9,331

	所有僱員			技術工人9月份平均每日工資(港元)	管工、技術員、文員、非產業僱員9月份薪金(港元)
	1991年	1992年			
	9月	3月	9月		
個人服務	255.4	275.5	286.6	389	4,132
清潔服務公司	242.8	264.5	273.3	—	3,678
汽車修理服務	294.2	308.1	327.0	389	8,207
實際工資總指數	114.2	113.9	114.5	105	3,217

4 生 產

4.1 工業生產指數

（1986年＝100）

主要工業組別	1989年	1990年	1991年	1992年	1992年			
					第一季	第二季	第三季	第四季
所有製造業	**124**	**123**	**124**	**126**	**106**	**126**	**136**	**136**
食品、飲品及煙草	127	142	147	155	135	152	161	173
衣着（針織品及鞋類除外）	116	113	110	111	95	105	120	122
紡織	117	115	120	125	88	130	148	134
紙類製品及印刷	167	182	201	235	189	232	267	253
化學製品、橡膠製品、塑膠製品及非金屬礦產製品	95	90	85	81	72	81	87	82
其中：塑膠製品	88	76	70	65	57	63	73	65
基本金屬、金屬裝配品及非電機器械	126	113	111	106	101	105	110	106
其中：金屬裝配器(機械及設備除外)	125	111	109	104	101	103	107	103
電器及電子用具專業及光學儀器	147	149	153	156	133	162	157	172
其中：電器及電子用具	131	133	132	127	105	141	124	137
電機及電子零件、附件及機械	166	164	178	206	167	202	214	238
雜項製造工業	105	104	99	97	92	96	100	99

4.2 製造業手頭訂單

（單位爲相當於月產量）

年份	成衣	紡織品	塑膠製品	金屬製品	電機及電子產品	其他	合計
1987年12月	4.89	2.82	2.60	4.23	4.97	4.21	4.33
1988年12月	4.72	2.34	2.42	4.65	5.16	4.23	4.34
1989年12月	4.64	2.37	3.09	4.33	5.07	4.10	4.26
1990年12月	4.60	2.07	2.31	4.12	5.22	4.09	4.21
1991年12月	4.77	2.35	2.70	4.25	5.40	3.95	4.37
1992年 1月	4.74	2.35	2.86	4.21	5.40	3.94	4.37
2月	4.78	2.55	3.42	4.39	5.44	3.88	4.44
3月	4.86	2.38	3.96	4.43	5.50	3.93	4.50
4月	4.87	2.45	3.97	4.39	5.52	3.95	4.51
5月	4.86	2.39	3.95	4.43	5.56	3.95	4.51
6月	4.81	2.25	3.57	4.55	5.61	3.99	4.48
7月	4.78	2.17	3.03	4.57	5.67	3.97	4.44
8月	4.77	2.11	2.56	4.52	5.66	3.94	4.40
9月	4.75	2.13	2.55	4.52	5.66	3.95	4.42
10月	4.64	2.04	2.46	4.57	5.76	3.95	4.42
11月	4.69	2.17	2.62	4.66	5.78	3.95	4.47
12月	4.74	2.19	2.84	4.67	5.77	3.94	4.50

註：根據香港 200 家最大製造業機構手頭擁有訂單統計。

4.3 1992年紡織品生產及存倉數

		第一季		第二季		第三季		第四季	
原料消耗及存倉		消耗量	季末存倉量	消耗量	季末存倉量	消耗量	季末存倉量	消耗量	季末存倉量
原棉	公噸	46,264	36,979	54,565	54,346	49,222	51,282	47,878	39,863
人造短纖維	公噸	815	793	905	762	789	1,079	915	1,020
原色棉紗	公噸	61,297	12,430	71,326	15,083	66,053	15,027	66,408	14,974
混紡棉紗	公噸	349	114	290	82	159	116	—	—
人造長纖維紗	公噸	924	652	1,075	647	777	720	755	614
彈性紗	公噸	1,487	68	2,129	91	1,563	61	1,223	50
生產量及存倉量		生產量	季末存倉量	生產量	季末存倉量	生產量	季末存倉量	生產量	季末存倉量
原色棉紗	公噸	42,410	3,769	49,842	3,867	44,432	4,064	4,259	398
混紡棉紗	公噸	290	98	—	—	—	—	—	—
人造短纖維紗	公噸	536	695	676	358	—	—	—	—
棉布	萬平方米	18,681	4,222	21,901	4,136	20,244	4,263	19,410	3,818
混紡棉布	萬平方米	302	102	337	92	261	64	154	36
絲織布	萬平方米	46	7	55	7	59	14	60	5
商標	萬個	132,372	7,563	141,836	6,424	132,199	5,841	134,730	5,652
徽章	萬個	73	3	86	6	85	4	73	8

4.4 水泥和石礦生產

（單位：萬公噸）

	水泥	石礦
1987年	222.62	1,009.02
1988年	218.92	1,068.77
1989年	214.10	1,099.91
1990年	180.82	934.96
1991年	167.73	990.87
1992年	164.27	1,061.58
1月	15.57	104.50
2月	9.88	50.48
3月	15.34	98.85
4月	12.28	95.28
5月	15.51	87.86
6月	12.43	72.26
7月	12.25	80.75
8月	15.26	91.14
9月	11.02	89.92
10月	11.78	94.41
11月	16.21	96.12
12月	16.75	100.02

5 對外貿易

5.1 進出口貿易值

（單位：億元）

年份	進口總值	港產品出口	轉口	出口總值	貿易差額
1987 年	3,779.48	1,952.54	1,827.80	3,780.34	+0.87
1988 年	4,987.98	2,176.64	2,754.05	4,930.69	−57.29
1989 年	5,627.81	2,241.04	3,464.05	5,705.09	+77.28
1990 年	6,425.30	2,258.75	4,139.99	6,398.74	−26.56
1991 年	7,789.82	2,310.45	5,348.41	7,658.86	−130.96
1992 年	9,552.95	2,341.23	6,908.29	9,249.53	−303.42
1 月	559.09	141.65	390.08	531.74	−27.35
2 月	681.75	174.90	493.81	668.71	−13.04
3 月	738.73	170.52	512.22	682.74	−55.99
4 月	785.51	177.18	533.30	710.48	−75.03
5 月	815.18	194.06	571.76	765.82	−49.36
6 月	846.21	211.11	591.14	802.25	−43.96
7 月	849.66	213.80	607.82	821.62	−28.04
8 月	793.71	208.33	609.43	817.77	+24.06
9 月	829.52	211.29	643.60	854.89	+25.37
10 月	900.21	218.54	679.23	897.77	−2.44
11 月	851.07	203.27	633.05	836.32	−14.76
12 月	902.32	216.58	642.84	859.42	−42.90

5.2 對外貿易地區

（單位：萬元）

國家或地區	進口值		出口值	
	1991 年	1992 年	1991 年	1992 年
北美洲	6,211,812	7,447,917	18,718,370	22,921,932
美國	5,883,663	7,059,419	17,367,192	21,310,010
加拿大	328,149	388,499	1,351,178	1,611,922
西歐	8,738,031	10,912,596	15,503,557	16,953,658
芬蘭	99,735	116,235	143,822	159,543
瑞典	162,632	217,758	476,384	553,767
挪威	40,379	40,012	206,671	244,377
丹麥	122,691	154,491	356,173	380,967
瑞士	1,078,050	1,234,347	682,206	702,841
葡萄牙	13,236	14,595	94,085	120,924
奧地利	126,951	142,515	433,730	456,724
德國	1,664,088	2,191,126	5,139,128	4,905,912
荷蘭	594,656	971,239	1,246,980	1,465,829
比利時、盧森堡	864,661	1,028,185	620,437	728,715
法國	893,422	1,113,790	1,274,812	1,420,246
意大利	1,172,934	1,482,549	1,041,158	1,297,427
西班牙	169,252	207,650	532,710	731,098
南斯拉夫	5,531	8,383	47,748	15,734
希臘	10,571	13,386	135,165	166,074
土耳其	24,630	19,446	135,314	173,580
冰島	196	291	5,561	6,579
愛爾蘭	30,474	29,824	75,425	89,112
直布羅陀	4,301	4,238	6,074	7,189
馬耳他	5,146	446	13,136	13,819
英國	1,654,456	1,922,088	2,836,847	3,313,201
東歐及前蘇聯	93,665	132,766	358,165	390,252
前蘇聯	42,420	53,800	153,615	189,630
阿爾巴尼亞	——	——	61	137
保加利亞	2,315	1,934	4,678	9,342
捷克	11,428	22,027	12,289	34,205
匈牙利	9,688	6,832	42,014	39,902
波蘭	26,880	43,061	140,958	106,853
羅馬尼亞	934	5,111	4,551	10,183
中南美洲	574,098	650,000	1,794,670	2,365,024
阿根廷	71,080	76,576	105,843	242,165

國家或地區	進口值		出口值	
	1991年	1992年	1991年	1992年
玻利維亞	——	44	701	553
巴西	277,596	290,053	92,932	72,733
智利	48,317	82,903	166,029	191,065
哥倫比亞	6,003	13,568	7,539	22,285
哥斯達黎加	1,300	1,791	25,199	30,806
古巴	161	763	223	273
多米尼加	200	413	28,317	42,553
厄瓜多爾	1,227	2,719	10,483	14,734
薩爾瓦多	196	289	5,061	13,024
法屬及荷屬西印度羣島	184	——	10,033	——
危地馬拉	595	254	19,443	28,711
海地	——	16	6,660	1,906
洪都拉斯	157	466	11,224	17,595
墨西哥	73,374	73,788	281,744	453,992
尼加拉瓜	260	23	1,163	1,732
巴拿馬	7,689	11,172	673,039	810,507
巴拉圭	747	1,980	132,410	94,516
秘魯	27,171	33,110	6,763	10,509
烏拉圭	31,416	37,139	13,047	22,214
委內瑞拉	19,472	12,286	77,786	127,960
蘇里南	1,166	1,433	4,430	4,500
庫拉素	94	206	35,832	43,119
阿魯巴	91	1,590	2,181	3,810
波多黎各	3,552	5,395	26,286	36,038
巴哈馬	62	266	2,774	4,950
巴巴多斯	19	……	1,751	2,195
圭亞那	47	154	1,140	1,340
伯利玆	664	382	2,411	3,486
牙買加	937	533	23,800	36,343
西印度羣島	6	——	5,596	1,810
特立尼達和多巴哥	261	610	9,120	8,504
加勒比海及大西洋未列名英聯邦國家	238	77	15,544	19,099
中東	558,944	808,680	1,145,882	1,400,528
巴林	1,092	14,485	16,098	21,783
伊拉克	——	17	——	99
以色列	393,328	477,813	158,457	198,225
約旦	77	655	27,897	25,895
科威特	154	6,532	12,062	43,682
黎巴嫩	114	421	69,735	74,243
阿曼	17,245	60,558	17,975	21,763
卡塔爾	643	1,700	6,467	8,673

國家或地區	進口值		出口值	
	1991年	1992年	1991年	1992年
沙特阿拉伯	83,269	103,443	363,334	399,673
叙利亞	44	598	11,860	21,022
阿拉伯聯合酋長國	51,909	136,366	430,631	545,348
也門共和國	451	424	6,349	5,317
塞浦路斯	10,668	5,669	25,018	34,805
亞洲	60,374,320	73,982,859	36,172,593	45,024,778
柬埔寨	157	442	4,143	17,427
印尼	544,014	660,379	547,814	568,379
老撾	94	456	2,558	2,867
澳門	208,609	185,282	741,811	999,320
菲律賓	297,474	345,752	711,959	857,836
南韓	3,494,397	4,415,502	1,639,875	1,500,214
泰國	1,028,228	1,181,083	834,006	819,387
日本	12,740,154	16,619,093	4,123,984	4,846,165
緬甸	28,808	37,975	10,360	11,655
中國	29,335,627	35,434,763	20,772,197	27,406,409
台灣	7,459,102	8,701,940	3,083,118	3,265,584
北朝鮮	31,017	37,439	96,989	82,382
越南	134,198	115,024	296,271	727,724
阿富汗	9	24	13,552	17,437
尼泊爾	1,209	631	20,306	23,891
巴基斯坦	330,753	423,819	54,287	56,512
伊朗	6,440	4,345	8,992	13,785
不丹	——	——	247	367
馬爾代夫	449	418	4,476	3,157
蒙古人民共和國	184	23	1,262	2,361
亞洲其他地區	——	——	3	20
汶萊	5,342	599	16,659	25,421
斯里蘭卡	17,674	15,445	172,209	216,361
印度	552,290	583,174	187,187	255,163
馬來西亞	985,936	1,282,506	552,278	644,290
新加坡	3,152,507	3,908,735	2,088,732	2,422,621
孟加拉	19,648	28,012	187,317	238,045
非洲	436,852	487,353	1,420,460	1,731,330
阿爾及利亞	……	——	3,268	3,560
摩洛哥	1,961	568	19,663	24,491
突尼斯	71	57	9,156	16,800
利比亞	206	99	13,684	12,830
埃及	3,830	5,442	108,894	170,268
蘇丹	533	1,679	2,287	2,703
埃塞俄比亞	1	——	1,191	2,062
吉布提共和國	——	1,245	4,657	4,323

國家或地區	進口值		出口值	
	1991年	1992年	1991年	1992年
索馬里	17	1	29	56
莫桑比克	70,417	1,222	8,637	6,498
馬達加斯加	1,280	2,008	10,482	12,820
馬里	2	80	10,110	20,151
毛里塔尼亞	4	12	2,988	8,063
塞內加爾	2,962	4,944	19,804	20,477
幾內亞比紹	——	16	799	1,281
幾內亞	656	1,822	27,920	44,722
利比里亞	……	18	1,551	3,339
象牙海岸	271	1,055	18,409	22,319
上沃爾特	3	230	8,472	10,930
多哥	1,175	632	50,973	65,618
貝寧	632	149	12,291	18,459
尼日爾	……	——	4,369	7,527
乍得	——	——	78	44
中非共和國	18	3	378	353
喀麥隆	501	1,481	10,642	10,348
赤道幾內亞	——	——	148	122
加蓬	654	151	11,657	12,161
剛果人民共和國	191	487	35,191	44,626
扎伊爾	103	550	20,218	26,768
安哥拉	9	2	4,324	18,746
南非	311,931	425,209	383,323	430,476
盧旺達	2	——	2,598	3,058
西屬西非	8,326	——	145,752	——
布隆迪	——	48	2,281	2,509
馬拉維	473	2	12,351	13,447
贊比亞	3,640	8,611	6,230	13,501
岡比亞	3,077	4,252	19,953	43,395
博茨瓦納	——	10	1,236	780
萊索托	168	169	6,039	72,501
塞內加爾	142	261	883	2,117
非洲其他地區	8,326	765	146,301	118,395
加納	558	458	26,186	37,249
肯尼亞	3,768	5,602	21,743	37,501
毛里求斯	4,220	4,255	78,012	75,667
尼日利亞	662	1,271	251,273	307,820
津巴布韋	5,179	1,983	8,666	7,641
塞拉利昂	13	35	3,236	2,956
坦桑尼亞	8,285	8,938	17,846	22,956
烏干達	827	1,491	7,311	9,782
斯威士蘭	……	40	2,671	2,161

國家或地區	進口值		出口值	
	1991年	1992年	1991年	1992年
澳大利亞、大洋洲	886,356	1,087,462	1,370,209	1,619,727
美屬大洋洲	3,469	7,839	99,943	92,408
大洋洲其他地區	3,588	3,188	15,500	23,157
基里巴斯	28	25	620	532
圖瓦盧	——	——	68	59
皮特開恩島	——	——	——	——
紐埃島	——	——	8	——
東加	6	——	634	738
西薩摩亞	545	798	1,552	1,528
瑙魯	……	——	148	351
澳大利亞	737,371	877,058	1,077,106	1,283,377
所羅門羣島	2,544	2,761	2,857	3,480
庫克羣島	1,461	——	987	——
斐濟	3,083	4,054	18,658	17,469
新西蘭	131,581	189,002	127,223	168,935
瓦奴阿圖	8	——	2,193	1,904
巴布亞新畿內亞	4,134	2,737	23,708	25,791
郵寄包裹	24,067	19,864	102,908	88,044
貨物總計	**77,898,195**	**95,529,497**	**76,588,613**	**92,495,272**
黃金及硬幣	**2,869,172**	**3,077,448**	**84,492**	**6,345**
總計	**80,767,367**	**98,606,945**	**76,673,105**	**92,558,724**

註："——"無統計。
"……"數值在10,000元以下。

5.3 對外貿易貨別

（單位：萬元）

貨　品	進口值		出口值	
	1991年	1992年	1991年	1992年
食品及牲畜、家禽	3,949,643	434,690	1,505,860	1,629,557
供食用的牲口	292,439	344,097	4,755	5,555
肉類及肉製品	505,457	539,424	99,982	105,980
乳製品及蛋類	227,528	246,606	54,387	69,534
魚類、甲殼類、軟體類和有關製品	939,842	1,072,785	438,789	429,628
穀類及其製品	254,390	308,331	70,406	99,245
水果及蔬菜	1,017,493	1,103,963	432,122	466,531
糖及糖製品、蜂蜜	132,884	146,855	53,917	70,237
咖啡、茶葉、可可、香料及製品	175,245	193,856	105,939	126,177
牲畜飼料(不包括未磨穀類)	103,075	87,028	69,737	58,025
其他食品	301,290	303,964	175,826	198,646
飲料及烟草	1,615,181	1,920,258	1,372,306	1,601,495
飲料	505,001	581,409	287,080	340,589
烟草及其製品	1,110,180	1,338,849	1,085,226	1,260,906
非食用原料(燃料除外)	532,914	547,246	1,511,885	1,571,074
皮張、毛皮(未硝製)	165,944	192,013	66,956	81,083
油籽、堅果及油仁	44,874	32,864	39,947	25,909
生膠(包括人造膠)	99,593	102,231	74,306	80,249
木材、水松及軟木	139,629	138,151	75,799	82,648
紙張及廢紙	22,118	17,515	56,103	45,597
紡織纖維及廢纖維	773,483	689,767	477,275	472,331
原田料及原礦產(煤、石油及寶石除外)	85,622	98,661	43,255	52,722
金屬礦產及廢金屬	107,643	226,593	205,400	264,845
未列名非食用動植物原料	532,914	547,246	272,845	265,692
礦產燃料、滑機油及有關原料	1,633,147	1,893,040	565,434	753,225
煤、焦炭及煤球	295,738	313,799	69	115
石油及石油製品	1,296,576	1,531,202	424,862	526,087
天然氣及製成氣體	40,833	48,039	12,759	17,979
電力	——	——	127,745	209,044
動植物油脂	122,751	113,293	56,487	64,129
動物油脂	3,734	4,503	5,774	6,323
不揮發的植物油和脂肪	113,017	102,562	47,132	53,304
加工動植物油脂及蠟	6,000	6,228	3,581	4,502
化學品	6,080,624	6,762,664	4,550,726	5,154,659
有機化合物	811,844	715,763	578,161	509,404
無機化合物	357,474	367,305	163,679	169,831
染料及着色料	690,716	784,352	506,344	591,145

貨　品	進口值		出口值	
	1991年	1992年	1991年	1992年
醫藥品	623,116	757,738	515,028	613,082
香水、化粧品及清潔劑	450,642	510,582	308,384	329,879
製成肥田料	4,637	13,917	1,460	4,545
初級塑料產品	1,862,852	2,111,896	1,491,995	1,758,470
非初級塑料產品	684,180	816,137	477,021	583,674
其他化學原料及製品	595,163	684,974	508,655	594,630
製成品(按原料分)	18,244,320	20,777,812	13,335,798	15,743,839
皮革、皮製品(未列名)及硝製	784,767	1,002,807	569,645	744,508
未列名橡膠製品	193,132	235,750	87,099	120,323
木及軟木製品(傢俬除外)	377,332	406,256	273,272	320,053
紙、紙板及其製品	1,411,828	1,617,987	781,328	955,983
紡紗、布料、製成品和有關製品	9,367,806	10,132,181	7,575,443	8,496,995
未列名非金屬礦產品	2,456,055	2,933,501	1,411,625	1,539,521
鋼鐵	1,422,562	1,543,862	625,110	876,190
非鐵金屬	1,070,846	1,476,002	557,860	942,060
未列名金屬製品	1,159,992	1,429,473	1,454,420	1,748,210
機械和交通工具	22,743,997	30,700,222	19,680,449	25,306,141
動力機械和設備	898,036	958,881	641,069	77,544
特種工業使用的機械	1,338,441	2,083,747	1,215,741	1,967,425
金屬加工機械	230,791	329,362	220,602	320,721
一般工業機械和設備	1,882,454	2,813,359	1,242,616	1,913,795
辦公室文儀和自動資料處理設備	2,373,938	3,392,069	3,387,995	4,252,366
電訊、錄音及錄影設備和儀器	6,009,383	7,562,920	6,024,707	6,874,619
電動機械、儀器和用具以及零件	7,779,068	9,543,450	6,031,566	7,388,360
車輛(包括有氣墊推進裝置者)	1,699,969	3,365,319	850,948	1,720,335
其他交通設備	531,917	651,116	65,204	92,577
其他製成品	21,246,807	26,559,943	33,521,213	39,995,327
衞生、水管、生熱和照明設備	342,184	463,077	442,461	604,818
傢俬	438,405	513,922	264,268	330,051
旅行用品、手提袋和同類製品	1,531,597	1,888,346	2,097,943	2,485,179
衣着和衣飾配襯物品	6,650,718	8,007,798	13,910,143	15,525,167
鞋類	2,233,801	3,168,941	2,567,202	3,587,432
專業、科學、控制儀器和設備	557,382	739,536	487,386	662,848
攝影儀器、設備和供應品、光學製品、鐘錶	3,923,348	4,585,965	4,202,126	4,852,988
未列名製成品	5,569,372	7,192,358	9,549,385	11,946,844
無分產品類型的貨物及黃金、金幣	289,905	410,310	188,455	675,828
貨物合計	**77,898,195**	**95,529,497**	**76,588,613**	**92,495,272**
黃金及硬幣	**2,869,172**	**3,077,448**	**84,492**	**63,452**
總計	**80,767,367**	**98,606,945**	**76,673,105**	**92,558,724**

註："——"無統計。

5.4 香港產品輸出及轉口貨輸出地區

（單位：萬元）

國家或地區	港產品輸出		轉口輸出	
	1991年	1992年	1991年	1992年
北美洲	6,788,388	6,961,768	11,929,982	15,960,164
美國	6,286,964	6,459,961	11,080,228	14,850,049
加拿大	501,424	501,807	849,754	1,110,115
西歐	5,603,126	4,910,423	9,900,432	12,043,235
芬蘭	60,040	57,761	83,781	101,782
瑞典	182,589	148,605	293,795	405,162
挪威	83,810	79,251	122,861	165,127
丹麥	102,712	92,127	253,461	288,840
瑞士	246,049	229,298	436,156	473,542
葡萄牙	17,327	14,705	76,759	106,220
奧地利	140,766	120,555	292,964	336,169
德國	1,931,811	1,595,594	3,207,311	3,310,317
荷蘭	523,809	487,769	723,170	978,061
比利時、盧森堡	95,693	71,409	524,744	657,306
法國	371,029	316,379	903,783	1,103,868
意大利	236,444	231,123	804,714	1,066,304
西班牙	125,472	107,862	407,238	623,236
南斯拉夫	6,990	2,644	40,758	13,090
希臘	25,485	22,430	109,679	143,644
土耳其	36,022	27,439	99,292	146,141
冰島	1,848	1,275	3,714	5,304
愛爾蘭	40,068	46,386	35,357	42,726
直布羅陀	326	138	5,747	7,052
馬耳他	4,271	3,538	8,865	10,281
英國	1,370,565	1,254,136	1,466,282	2,059,065
東歐及前蘇聯	61,701	39,050	296,464	351,202
前蘇聯	20,217	15,461	133,398	174,169
阿爾巴尼亞	14	……	46	136
保加利亞	1,039	1,720	3,638	7,622
捷克	2,679	4,717	9,610	29,488
匈牙利	7,791	5,301	34,223	34,601
波蘭	28,954	10,530	112,004	96,323
羅馬尼亞	1,007	1,320	3,544	8,863
中南美洲	333,769	305,014	1,462,700	2,060,010
阿根廷	21,314	23,803	84,528	218,363

國家或地區	港產品輸出		轉口輸出	
	1991 年	1992 年	1991 年	1992 年
玻利維亞	119	93	582	460
巴西	29,114	20,533	63,818	52,200
智利	24,042	22,059	141,988	169,006
哥倫比亞	3,877	9,747	3,662	12,538
哥斯達黎加	9,372	9,740	15,827	21,066
古巴	107	28	115	245
多米尼加	6,579	3,527	21,738	39,026
厄瓜多爾	3,004	1,559	7,478	13,175
薩爾瓦多	1,925	2,949	3,136	10,076
法屬及荷屬西印度羣島	2,472	——	7,561	——
危地馬拉	6,807	7,312	12,636	21,399
海地	1,634	796	5,025	1,110
洪都拉斯	4,835	4,976	6,389	12,619
墨西哥	58,533	61,739	223,211	392,253
尼加拉瓜	42	245	1,121	1,487
巴拿馬	68,605	56,931	604,434	753,576
巴拉圭	40,292	20,165	92,118	74,351
秘魯	1,589	2,759	5,174	7,750
烏拉圭	1,901	1,667	11,146	20,548
委內瑞拉	12,389	14,256	65,397	113,705
蘇里南	583	418	3,847	4,082
庫拉索	3,029	2,590	32,803	40,529
阿魯巴	576	734	1,604	3,076
波多黎各	9,419	7,607	16,867	28,431
巴哈馬	1,401	2,902	1,373	2,048
巴巴多斯	465	302	1,286	1,893
圭亞那	257	163	883	1,177
伯利玆	172	379	2,239	3,106
牙買加	11,898	17,355	11,902	18,986
西印度羣島	2,492	3,405	3,104	1,470
特立尼達和多巴哥	2,341	1,995	6,779	6,509
加勒比海及大西洋未列各英聯邦國家	5,052	5,348	10,492	13,751
中東	203,265	202,668	942,616	1,197,860
巴林	6,101	7,321	9,997	14,462
伊拉克	——	45	——	54
以色列	34,914	33,175	123,543	165,050
約旦	3,215	2,621	24,682	23,274
科威特	2,645	7,700	9,417	35,982
黎巴嫩	12,024	8,691	57,711	65,553
阿曼	8,437	7,540	9,538	14,222
卡塔爾	2,649	3,152	3,818	5,521

國家或地區	港產品輸出		轉口輸出	
	1991 年	1992 年	1991 年	1992 年
沙特阿拉伯	45,863	43,106	317,471	35,657
叙利亞	1,493	2,392	10,367	18,630
阿拉伯聯合酋長國	77,798	79,900	352,833	465,448
也門共和國	1,610	348	4,739	4,969
塞浦路斯	6,516	6,679	18,502	28,126
亞洲	9,388,145	10,342,486	26,784,448	34,682,292
柬埔寨	12	884	4,131	16,543
印尼	101,731	106,038	446,083	462,341
老撾	727	254	1,830	2,613
澳門	111,666	127,195	630,145	872,125
菲律賓	215,859	237,821	496,099	620,014
南韓	176,766	141,397	1,463,110	1,358,817
泰國	209,927	222,798	624,080	596,589
日本	1,166,571	1,099,658	2,957,413	3,746,507
緬甸	2,440	2,504	7,920	9,151
中國	5,440,386	6,195,874	15,331,811	21,210,535
台灣	606,605	650,002	2,476,513	2,615,582
北朝鮮	9,605	7,746	87,385	74,635
越南	19,837	30,009	276,434	697,714
阿富汗	546	118	13,006	17,320
尼泊爾	4,695	4,429	15,611	19,462
巴基斯坦	19,501	19,125	34,787	37,388
伊朗	1,378	2,636	7,614	11,149
不丹	……	……	247	367
馬爾代夫	1,318	1,152	3,158	2,005
蒙古人民共和國	108	475	1,153	1,886
亞洲其他地區	——	10	3	9
汶萊	8,467	15,956	8,192	9,465
斯里蘭卡	74,160	84,696	98,049	131,665
印度	33,852	28,326	153,334	226,837
馬來西亞	227,134	250,000	325,144	394,289
新加坡	879,351	1,036,011	1,209,381	1,386,610
孟加拉	75,505	77,371	111,812	160,674
非洲	216,521	198,281	1,203,939	1,533,049
阿爾及利亞	377	352	2,891	3,197
摩洛哥	7,907	7,824	11,757	16,666
突尼斯	1,623	3,502	7,533	13,300
利比亞	1,477	372	12,207	12,458
埃及	16,830	18,094	92,063	152,174
蘇丹	753	154	1,533	2,549
埃塞俄比亞	218	567	974	1,493
吉布提共和國	110	101	4,547	4,222

國家或地區	港產品輸出		轉口輸出	
	1991 年	1992 年	1991 年	1992 年
索馬里	1	——	28	56
莫桑比克	937	947	7,699	5,551
馬達加斯加	2,416	1,682	8,065	11,138
馬里	308	284	9,803	19,867
毛里塔尼亞	134	101	2,854	7,963
塞內加爾	424	360	19,380	20,117
幾內亞比紹	20	14	779	1,267
幾內亞	200	442	27,719	44,280
利比里亞	83	45	1,468	3,295
象牙海岸	2,276	2,229	16,133	20,090
上沃爾特	40	3	8,432	10,926
多哥	1,270	361	49,703	65,257
貝寧	1,107	328	11,184	18,131
尼日爾	16	6	4,353	7,521
乍得	59	31	19	14
中非共和國	……	1	378	352
喀麥隆	1,004	454	9,638	9,894
赤道幾內亞	50	9	97	113
加蓬	529	187	11,128	11,974
剛果人民共和國	994	245	34,197	44,381
扎伊爾	887	262	19,331	26,507
安哥拉	1,044	747	3,280	17,998
南非	80,086	67,534	303,236	362,942
盧旺達	113	165	2,485	2,893
西屬西非	11,402	——	134,350	——
布隆迪	104	6	2,177	2,503
納米比亞	9	14	44	202
馬拉維	793	579	11,559	12,868
贊比亞	354	1,043	5,876	12,458
岡比亞	163	184	19,791	43,212
博茨瓦納	221	92	1,014	689
萊索托	2,139	3,646	3,899	3,605
塞內加爾	281	556	602	1,561
非洲其他地區	11,851	7,090	134,450	111,304
加納	1,474	2,179	24,712	35,070
肯尼亞	4,541	4,313	17,202	33,189
毛里求斯	32,859	29,163	45,152	46,504
尼日利亞	28,479	31,166	222,793	276,654
津巴布韋	1,881	1,742	6,784	5,899
塞拉利昂	234	146	3,002	2,809
坦桑尼亞	5,752	6,956	12,094	16,001
烏干達	230	377	7,081	9,405

國家或地區	港產品輸出		轉口輸出	
	1991 年	1992 年	1991 年	1992 年
斯威士蘭	1,860	1,626	810	535
澳大利亞、大洋洲	406,706	364,596	963,504	1,255,131
美屬大洋洲	40,120	34,223	59,824	58,185
大洋洲其他地區	5,069	9,231	10,431	13,926
基里巴斯	170	64	449	468
圖瓦盧	12	17	56	42
皮特開恩島	——	——	——	——
紐埃島	——	——	8	——
東加	210	132	423	607
西薩摩亞	251	269	1,301	1,258
瑙魯	23	27	125	324
澳大利亞	310,998	273,330	766,109	1,010,047
所羅門羣島	793	815	2,064	2,665
庫克羣島	87	——	900	——
斐濟	6,108	5,433	12,549	12,036
新西蘭	36,909	35,597	90,314	133,338
瓦奴阿圖	786	409	1,408	1,495
巴布亞新畿內亞	5,257	5,051	18,451	20,740
郵寄包裹	102,908	88,044	——	——
貨物總計	**23,104,528**	**23,412,330**	**53,484,085**	**69,082,942**
黃金及硬幣	——	——	**84,492**	**63,452**
總計	**23,104,528**	**23,412,330**	**53,568,577**	**69,146,395**

註：“——”無統計

“……”數值在10,000元以下。

5.5 香港產品輸出及轉口貨輸出貨別

（單位：萬元）

貨　　品	港產品輸出		轉口輸出	
	1991 年	1992 年	1991 年	1992 年
食品及牲畜、家禽	252,958	263,990	1,252,901	1,365,567
供食用的牲口	212	228	4,543	5,327
肉類及肉製品	5,635	2,217	94,347	103,762
乳製品及蛋類	3,950	5,563	50,438	63,971
魚類、甲殼類、軟體類和有關製品	77,335	73,083	361,454	356,545
穀類及其製品	26,714	34,173	43,692	65,072
水果及蔬菜	28,154	25,379	403,968	441,152
糖及糖製品、蜂蜜	12,901	15,740	41,016	54,497
咖啡、茶葉、可可、香料及製品	2,558	3,765	103,382	122,412
牲畜飼料(不包括未磨穀類)	8,362	6,315	61,376	51,710
其他食品	87,139	97,528	88,687	101,118
飲料及烟草	299,001	301,561	1,073,305	1,299,934
飲料	37,747	40,546	249,334	300,044
烟草及其製品	261,255	261,015	823,971	999,890
非食用原料(燃料除外)	195,838	191,876	1,316,048	1,379,198
皮張、毛皮(未硝製)	1,067	1,842	65,889	79,241
油籽、堅果及油仁	——	35	39,947	25,874
生膠(包括人造膠)	2	——	74,303	80,249
木材、水松及軟木	1,514	1,318	74,286	81,330
紙張及廢紙	44,208	37,184	11,895	8,413
紡織纖維及廢纖維	11,858	10,531	465,417	461,801
原田料及原礦產(煤、石油及寶石除外)	672	75	42,583	52,647
金屬礦產及廢金屬	129,459	134,081	75,940	130,763
未列名非食用動植物原料	7,058	6,811	465,787	458,881
礦產燃料、滑機油及有關原料	127,745	209,054	437,690	544,171
煤、焦炭及煤球	——	——	69	115
石油及石油製品	——	11	424,862	526,077
天然氣及製成氣體	——	——	12,759	17,979
電力	127,745	209,044	——	——
動植物油脂	7,598	11,256	48,889	52,873
動物油脂	4,151	4,725	1,623	1,598
不揮發的植物油和脂肪	3,397	6,458	43,735	46,846
加工動植物油脂及蠟	51	73	3,531	4,429
化學品	748,155	768,630	3,802,571	4,386,029
有機化合物	2,049	2,512	576,111	506,892
無機化合物	3,719	6,137	159,960	163,693
染料及着色料	68,781	94,193	437,563	496,952

貨　品	港產品輸出		轉口輸出	
	1991 年	1992 年	1991 年	1992 年
醫藥品	32,635	41,992	482,393	571,090
香水、化粧品及清潔劑	75,021	88,196	233,363	241,683
製成肥田料	——	——	1,460	4,545
初級塑料產品	357,562	336,666	1,134,433	1,421,803
非初級塑料產品	135,247	129,237	341,773	454,437
其他化學原料及製品	73,141	69,696	435,514	524,934
製成品(按原料分)	2,785,885	2,831,569	10,549,914	12,912,270
皮革、皮製品(未列名)及硝製毛皮	66,153	79,886	503,492	664,622
未列名橡膠製品	5,786	5,889	81,313	114,435
木及軟木製品(傢俬除外)	11,840	9,691	261,432	310,362
紙、紙板及其製品	236,891	284,088	544,437	671,895
紡紗、布料、製成品和有關製品	1,759,500	1,722,623	5,815,943	6,774,372
未列名非金屬礦產製品	94,096	95,549	1,317,530	1,443,971
鋼鐵	17,838	31,357	607,270	844,833
非鐵金屬	103,549	123,700	454,312	818,360
未列名金屬製品	490,233	478,786	964,184	1,269,421
機械和交通工具	5,954,973	6,143,726	13,725,475	19,162,414
動力機械和設備	127,177	135,425	513,892	640,519
特種工業使用的機械	248,547	322,483	967,195	1,644,942
金屬加工機械	53,813	58,491	166,789	262,229
一般工業機械和設備	235,714	248,255	1,006,903	1,665,540
辦公室文儀和自動資料處理設備	1,829,212	2,052,984	1,558,784	2,199,382
電訊、錄音及錄影設備和儀器	1,516,813	1,298,340	4,507,894	5,576,279
電動機械、儀器和用具以及零件	1,925,087	2,013,796	4,106,479	5,374,563
車輛(包括有氣墊推進裝置者)	4,148	1,726	846,800	1,718,609
其他交通設備	14,464	12,226	50,740	80,352
其他製成品	12,388,333	12,252,597	21,132,881	27,742,730
衞生、水管、生熱和照明設備	96,460	86,051	346,001	518,767
傢俬	46,145	43,016	218,122	287,035
旅行用品、手提袋和同類製品	104,519	102,044	1,993,424	2,383,135
衣着和衣飾配襯物品	7,552,490	7,715,639	6,357,653	7,809,529
鞋類	72,064	54,762	2,495,138	3,532,670
專業、科學、控制儀器和設備	133,173	147,995	354,212	514,854
攝影儀器、設備和供應品、光學製品、鐘錶	2,025,922	1,887,882	2,176,505	2,965,107
未列名製成品	2,357,560	2,215,209	7,191,825	9,731,635
無分產品類型的貨物及黃金、金幣	344,042	438,071	144,413	2,377,568
貨物合計	23,104,528	23,412,330	53,484,085	690,829,422
黃金及硬幣	——	——	84,492	634,524
總計	23,104,528	23,412,330	53,568,578	69,146,395

註："——"無統計。

5.6 輸入貿易的主要來源

（1992年輸入總值為9,522.95億元）

	佔1992年輸入總值%		佔1992年輸入總值%
中　國	37.1	北美洲	7.8
日　本	17.4	西　歐	11.4
台　灣	9.1	蘇聯、東歐	0.1
美　國	7.4	中南美洲	0.7
南　韓	4.6	中　東	0.8
新加坡	4.1	亞　洲	77.4
德　國	2.3	非　洲	0.5
英　國	2.0	澳大利亞及大洋洲	1.1
意大利	1.6		
馬來西亞	1.3		
瑞　士	1.3		
泰　國	1.2		

5.7 香港產品輸出的主要市場

（1992年輸出總值為2,341.23億元）

	佔1992年港產品輸出總值%		佔1992年港產品輸出總值%
美　國	27.6	北美洲	29.7
中　國	26.5	西歐	21.0
德　國	6.8	蘇聯、東歐	0.2
英　國	5.4	中南美洲	1.3
日　本	4.7	中東	0.9
新加坡	4.4	亞洲	44.2
台　灣	2.8	非洲	0.8
加拿大	2.1	澳大利亞及大洋洲	1.6
荷　蘭	2.1		
法　國	1.4		
澳大利亞	1.2		
馬來西亞	1.1		

5.8 轉口貿易的主要市場

（1992 年轉口總值爲 6,908.29 億元）

	佔 1992 年轉口總值 %		佔 1992 年轉口總值 %
中　國	30.7	北美洲	23.1
美　國	21.5	西　歐	17.4
日　本	5.4	蘇聯、東歐	0.5
德　國	4.8	中南美洲	3.0
台　灣	3.8	中　東	1.7
英　國	3.0	亞　洲	50.2
新加坡	2.0	非　洲	2.2
南　韓	2.0	澳大利亞及大洋洲	1.8
加拿大	1.6		
法　國	1.6		
意大利	1.5		
澳大利亞	1.5		

5.9 進出口貿易運輸形式

（單位：億元）

運輸形式	出口總值		港產品出口		轉口		進口	
	1991年	1992年	1991年	1992年	1991年	1992年	1991年	1992年
空運	1,432.86	1,619.69	691.71	701.73	741.15	917.95	1,432.86	1,619.69
海運	4,314.45	5,207.78	1,074.34	1,029.13	3,240.11	4,178.65	4,314.45	5,207.78
陸運	1,529.73	1,937.69	469.19	527.41	1,060.54	1,410.28	1,529.73	1,937.69
其他	381.83	484.38	75.22	82.7	306.61	401.42	381.83	484.38
合計	**7,658.86**	**9,249.52**	**2,310.45**	**2,341.23**	**5,348.41**	**6,908.29**	**7,658.86**	**9,249.53**

5.10 香港主要產品出口值

（單位、億元）

主要產品	1991年	1992年
衣着和衣飾配襯物品	755.25	771.56
未列名非針織衣着	236.73	250.72
各類型非針織女裝、女童裝衣着	192.97	195.70
各類型非針織男裝、男童裝衣着	154.02	150.00
各類型針織女裝、女童裝衣着	85.14	97.17
各類型針織男裝、男童裝衣着	24.81	34.78
其他衣着和衣飾配襯物，各類材料頭飾、帽	32.22	26.11
非針織衣飾襯物	19.36	17.09
未列名雜項製成品	235.76	221.52
珠寶金銀首飾及其他寶石、半寶石	56.68	50.47
印刷品	39.37	44.14
嬰兒車、玩具、遊戲、體育用品	49.77	41.59
未列名塑膠物品	42.84	40.64
未列名雜項製成品	24.46	28.15
樂器及其零配件、唱片及其他相類似物品	18.96	13.66
未列名辦公室文具	2.54	1.47
辦公室設備、自動資料處理設備	182.92	205.30
附件(只適用於各類型自動資料處理設備)	123.72	152.39
各類型自動資料處理設備	38.21	33.70
辦公室設備	21.00	19.20
工業機械、儀器和用具以及零件	192.51	201.38
非電力機械用的零件配件	58.90	76.69
泵、空氣壓縮機、離心機及零件配件	34.65	36.26
冷熱設備及零件配件	29.70	33.22
其他非電力機械、機械工具	31.77	29.76
傳動軸及曲柄，裝滾珠的軸承座，齒輪	30.78	19.13
攝影儀器設備、光學製品、鐘錶	202.59	188.79
鐘錶	170.37	154.76
攝影機	23.09	23.14
光學製品	1.06	9.69
紡紗、布料製品和有關製品	175.95	172.26
棉布	73.39	45.54
針織布	42.24	12.42
紡織用紗綫	13.54	11.05
人造纖維	9.61	9.31
薄紗、花邊、刺繡、絲帶及其他裝飾品	10.00	8.20
其他紡織品	7.64	7.71

主要產品	1991年	1992年
特種紡織品和有關製品	5.21	4.63
電訊、錄音及錄影設備和儀器	151.68	129.83
未列名電訊設備及有關零配件	115.19	109.91
各類型收音機	10.02	7.22
錄音、錄像設備及有關製品	7.48	7.16
電視接收設備(包括錄像接收及錄像放映機)	18.99	5.54
未列名金屬製品	49.02	47.88
未列名基本金屬製品	18.97	19.74
未列名金屬製造的家用設備	14.39	13.00
刀具	5.38	5.31
貨倉或運輸用途的金屬貨櫃	3.79	3.45
手工具	2.73	2.48
未分類的特別商品交易	24.11	35.00
初級塑膠原料	35.76	36.67
原本形狀的苯乙烯聚合物	22.56	20.02
原本形狀的氯乙烯或其他聚氯乙烯	7.62	7.18
塑膠廢料	5.43	6.03
特種工業機械	24.86	32.25
特殊工業用的其他機械和設備	15.45	20.44
紡織及皮革機械	7.06	9.40
印刷、裝釘機及設備	1.41	1.66
紙張及紙板、紙漿、紙張或紙板製品	23.69	28.41
捲煙紙	17.51	17.58
紙及紙板	6.18	10.83
煙草及煙草製品	26.13	26.10
工業機械和設備	23.57	24.83
非電力機械和配件	12.48	13.27
電力	20.90	12.77
專業、科學、控制儀器和設備	13.31	14.80
光學儀器和設備	5.24	6.60
度量、控制測量儀器	5.11	5.14
電力機械及設備	12.72	13.54
礦沙及廢金屬	12.95	13.41
非金屬廢料	7.77	8.44
金屬廢料	5.18	4.94
非初級塑膠原料	13.53	12.92
塑膠板、片、薄膜、箔及帶	11.79	11.27
非鐵金屬	10.36	12.37
銅	5.20	7.10
鋁	4.84	4.71
總計	**2,310.45**	**2,341.23**

5.11 香港主要產品出口地區

（單位：億元）

	1991年	1992年
衣着和衣飾配襯物品	755.29	771.56
美國	346.76	371.43
德國	116.66	102.47
英國	80.23	78.72
中國	25.30	33.29
加拿大	26.36	30.87
日本	35.19	30.27
荷蘭	18.55	19.83
法國	13.19	13.20
瑞士	14.12	12.61
瑞典	13.15	10.66
台灣	3.41	8.79
奧地利	8.61	7.85
意大利	7.58	7.83
丹麥	7.73	6.90
挪威	6.09	5.76
紡織品	175.95	172.26
中國	75.23	75.29
美國	16.71	16.35
菲律賓	9.31	9.33
新加坡	7.04	6.14
斯里蘭卡	5.25	5.81
馬來西亞	4.87	5.03
孟加拉	4.83	4.66
泰國	4.91	4.55
加拿大	3.72	3.68
印尼	3.61	3.55
澳大利亞	3.34	2.82
澳門	3.01	2.81
英國	4.50	2.52
美屬大洋洲	2.44	2.10
毛里求斯	1.99	1.87
鐘、錶	170.37	154.76
美國	45.44	43.55
中國	30.71	34.28
日本	12.00	11.33
德國	12.20	9.60

	1991年	1992年
瑞士	6.06	5.62
英國	5.89	4.63
法國	4.35	4.01
西班牙	4.52	2.96
巴拿馬	3.82	2.81
新加坡	2.91	2.71
泰國	2.03	2.52
意大利	3.47	2.27
台灣	2.08	2.22
阿拉伯聯合酋長國	2.85	2.09
南韓	2.25	1.82
電訊設備	115.19	109.91
中國	79.46	83.76
美國	11.78	11.12
英國	4.54	2.27
德國	1.72	1.45
新加坡	1.00	0.95
印尼	0.74	0.91
馬來西亞	1.13	0.85
泰國	1.64	0.77
法國	1.57	0.74
台灣	1.38	0.74
日本	1.53	0.67
墨西哥	0.44	0.63
加拿大	0.44	0.53
菲律賓	0.43	0.41
阿根廷	0.08	0.31
電子管及零部件	58.90	76.69
新加坡	16.76	24.54
美國	10.80	16.76
台灣	7.95	8.92
荷蘭	6.57	6.69
中國	2.98	4.82
馬來西亞	2.31	3.07
南韓	3.22	3.06
英國	1.65	2.54
菲律賓	2.45	2.16
德國	0.52	0.76
日本	1.31	0.73
泰國	0.40	0.50
加拿大	0.51	0.44
法國	0.28	0.40

	1991年	1992年
澳大利亞	0.20	0.34
珠寶金銀首飾及其他寶石、半寶石	56.68	50.47
美國	18.78	17.00
日本	15.28	12.89
德國	4.14	3.27
新加坡	1.26	2.02
瑞士	1.29	1.91
中國	2.10	1.78
法國	1.94	1.67
英國	2.49	1.60
阿拉伯聯合酋長國	0.66	1.01
澳大利亞	0.70	0.76
金屬製品	49.02	47.88
中國	16.77	18.02
美國	8.01	7.83
日本	3.76	3.71
英國	2.95	2.05
新加坡	1.45	1.75
澳大利亞	1.07	1.04
德國	1.53	1.01
加拿大	1.81	1.00
馬來西亞	0.87	0.99
台灣	0.72	0.80
初級塑膠產品	49.28	46.59
中國	43.77	41.45
日本	1.26	1.02
泰國	0.45	0.87
新加坡	0.90	0.81
馬來西亞	0.47	0.49
台灣	0.52	0.36
澳門	0.37	0.28
南韓	0.27	0.23
美國	0.15	0.19
印尼	0.17	0.15
印刷品	39.37	44.14
美國	11.06	12.44
中國	6.80	7.66
英國	5.08	5.36
台灣	2.82	3.61
澳大利亞	2.58	2.57
新加坡	1.14	1.28
馬來西亞	0.46	1.09

	1991年	1992年
日本	0.89	0.96
加拿大	0.81	0.90
德國	0.62	0.85
嬰兒車、玩具、遊戲及體育用品	49.77	41.59
中國	15.55	17.08
美國	13.80	10.25
德國	2.66	1.58
英國	1.79	1.22
台灣	0.97	1.01
法國	1.50	0.98
日本	0.96	0.88
加拿大	1.13	0.78
意大利	0.84	0.68
新加坡	0.71	0.60
自動資料處理設備和零配件	38.21	33.70
美國	13.10	12.35
英國	4.21	3.97
德國	7.30	3.92
荷蘭	5.56	2.99
澳大利亞	1.32	1.80
愛爾蘭	0.58	1.15
中國	0.85	1.09
新加坡	0.51	1.03
加拿大	0.89	0.71
日本	0.43	0.69
家用電器及非電力裝備	30.77	19.13
中國	10.94	9.24
美國	6.79	3.50
德國	3.54	1.15
荷蘭	0.76	0.68
英國	1.68	0.61
加拿大	0.70	0.56
法國	0.42	0.42
澳大利亞	0.74	0.42
日本	0.84	0.35
台灣	0.48	0.26
總出口	**2,310.45**	**2,341.23**

5.12 香港產品按產業種類分析

（單位：億元）

按產業分類	港產品出口值		
	1991年	1992年	1992年比 1991年±%
製造業			
食品	20.53	22.78	+10.9
飲料	4.15	4.37	+ 5.4
烟草	26.13	26.10	− 0.1
紡織品（包括針織）	495.90	517.77	+ 4.4
成衣（鞋、針織成衣除外）	438.05	428.31	− 2.2
皮革和皮製造品	15.37	17.18	+11.8
鞋履製品（橡膠、塑膠及木質鞋履除外）	5.72	4.02	−29.6
木、軟木製品、傢俬	5.50	4.88	−11.4
紙、紙製品、印刷、出版	67.98	76.73	+12.9
化學品和化學產品	62.46	65.52	+ 4.9
石油產品、石油、煤	0.12	0.14	+18.7
橡膠製品	1.14	1.20	+ 5.2
塑膠製品	82.49	68.60	−16.8
非金屬礦產品	4.84	4.65	− 4.1
基金屬製品及金屬產品	95.64	95.13	− 0.5
機械設備、儀器及零件	224.73	258.73	+15.1
電器及電子製品	398.11	382.24	− 4.0
運輸工具	2.70	2.04	−24.6
專業及光學儀器	201.09	185.46	− 7.8
其他工業製成品	138.16	148.23	+ 7.8
合計	**2,290.80**	**2,314.06**	**+1.00**

註：由於歸整數的關係，個別項目之和與合計數，可能並不相同。

5.13 進口貨最後使用分析

（單位：億元）

	1991年			1992年		
	進口	轉口	留用	進口	轉口	留用
消費品	3,064.32	2,907.26	157.06	3,945.43	3,768.44	176.99
成衣	665.07	635.76	29.31	800.78	780.95	19.83
收音機，電視機，電唱機，錄音機	374.01	300.11	73.90	476.62	366.61	110.01
鞋	223.38	249.51	−26.13	316.89	353.27	−36.37
錶	124.36	97.45	26.91	156.40	136.32	20.08
家用電器及設備	111.90	115.72	−3.82	136.91	150.30	−13.39
煙草製品	101.08	81.98	19.10	123.73	99.05	24.68
相機、閃光燈及其他攝影器材	73.47	37.69	35.78	89.44	57.69	31.75
汽車	59.08	18.50	40.58	164.95	57.96	106.99
其他有關紡織原料的製成品	37.38	36.39	0.99	44.94	42.98	1.96
含酒精飲料	33.41	20.41	12.99	39.12	24.45	14.67
原料、半製成品	2,930.57	1,552.66	1,377.91	3,299,50	1,873.03	1,426.47
電子管及零部件	351.22	142.97	208.25	436.02	167.52	268.50
人造纖維布	282.04	167.34	114.70	306.09	193.95	112.15
塑膠原料	254.63	147.58	107.06	292.62	187.54	105.08
鐘錶零件	137.42	39.81	97.61	144.18	46.29	97.89
鋼鐵	142.97	60.93	82.04	155.23	84.80	70.43
棉布	135.99	85.37	50.63	151.31	105.90	45.41
紙及紙製品	107.73	36.44	71.28	124.80	47.26	77.54
化學元素化合物	117.08	73.73	43.35	109.44	67.99	41.46
人造纖維紗	81.79	51.97	29.81	83.66	61.55	22.11
基金屬	100.01	43.32	56.70	141.83	80.04	61.78
皮革皮裘皮服裝原料	77.87	49.83	28.04	99.60	65.88	33.72
工業用的特別紡織品	67.42	46.73	20.68	76.86	56.06	20.80
染料顏料	69.07	43.76	25.32	78.44	49.70	28.74
絲綢	46.42	33.97	12.45	34.54	33.26	1.28
棉紗、棉線	58.78	23.92	34.86	54.96	22.78	32.18
木材、軟木	42.39	23.04	19.35	42.51	24.60	17.91
動植物原料	36.62	39.75	−3.13	37.64	38.34	−0.70
羊毛及混紡羊毛織品	35.37	20.05	15.32	44.97	25.77	19.19
原棉	25.12	3.78	21.33	20.36	3.02	17.34
非金屬建築材料（玻璃除外）	30.12	4.31	25.80	33.61	7.51	26.10

	1991年			1992年		
	進口	轉口	留用	進口	轉口	留用
毛織品和混合毛織品	12.52	4.51	8.01	15.51	5.84	9.67
人造纖維	25.30	18.70	6.60	16.51	14.06	2.46
羊毛及其他動物毛	12.83	12.31	0.53	19.01	17.96	1.05
資本物	1,227.45	741.41	486-04	1,677.98	1,080.51	597.47
工業機械	276.44	174.58	101.87	362.20	260.39	101.81
電力機械	176.00	97.09	78.91	219.28	136.52	82.76
紡織機械	46.45	41.58	4.87	62.79	61.29	1.50
其他工業機械	53.99	35.91	18.09	80.13	62.59	17.55
運輸設備	129.09	36.13	92.92	175.14	70.97	104.18
建築機械	12.40	7.11	52.90	30.18	19.61	10.57
辦公室設備	111.26	81.62	29.46	166.12	104.18	61.93
科技醫療、光學、測量、控制儀器和設備	48.08	33.12	14.96	67.09	50.83	16.26
食品	414.46	132.23	282.23	453.51	143.57	309.94
魚及魚製品	93.98	36.15	57.84	107.28	35.66	71.62
水果	57.03	14.85	42.18	66.04	19.21	46.82
肉及肉製品	50.57	9.44	41.14	53.98	10.38	43.60
蔬菜	45.17	25.60	19.56	44.85	25.00	19.85
牛奶、牛油、芝士和蛋	21.99	5.03	16.95	23.95	6.37	17.59
生豬	18.37	——	18.37	22.20	——	22.20
穀及穀類製品	14.70	3.80	10.91	17.08	4.83	12.25
大米	12.46	1.67	10.80	13.10	1.90	11.20
活家禽	6.63	0.21	6.42	7.31	0.26	7.06
茶、咖啡	6.93	5.19	1.74	8.13	6.36	1.77
小麥、麵粉	4.42	1.19	3.24	4.95	0.88	4.07
糖	5.11	0.71	4.40	4.28	0.55	3.73
豆油、花生油、菜油、豬油	9.82	2.60	7.22	8.42	2.49	5.93
活牛	2.36	——	2.36	2.97	——	2.97
燃料	153.02	34.84	118.18	176.53	42.74	133.79
液體燃料	123.07	34.61	88.47	144.77	42.57	102.20
固體燃料	29.95	0.24	29.71	31.77	0.17	31.60
總計	**7,789.82**	**5,348.41**	**2,441.41**	**9,552.95**	**6,908.29**	**2,644.66**

5.14 按供應地區劃分的各大類進口商品

（單位：億元）

	1991年	1992年
消費品	3,064.32	3,945.43
中國	1,860.92	2,370.71
日本	328.07	462.00
美國	129.22	172.45
台灣	109.65	130.17
新加坡	66.44	84.46
瑞士	66.58	81.98
比利時、盧森堡	61.67	76.20
意大利	56.39	70.07
英國	52.61	69.01
德國	47.66	69.01
法國	55.82	68.91
以色列	36.60	44.05
其他	192.69	246.42
原料、半製成品	2,930.57	3,299.50
中國	652.08	665.52
日本	528.84	623.92
台灣	512.67	561.12
南韓	268.43	339.03
美國	227.79	250.05
新加坡	84.01	101.51
馬來西亞	68.61	82.67
德國	67.49	72.62
英國	54.35	61.64
荷蘭	31.98	54.87
意大利	42.33	52.71
泰國	41.76	44.18
其他	350.24	389.68
資本物	1,227.45	1,677.98
日本	385.45	537.13
中國	257.53	343.99
美國	167.65	204.97
台灣	112.73	167.31
新加坡	64.50	96.26
德國	45.63	72.78
英國	52.79	54.91
南韓	27.00	36.49

	1991年	1992年
馬來西亞	13.73	25.61
意大利	16.62	22.58
泰國	12.32	15.72
法國	9.53	14.49
其他	61.98	85.75
食品	414.46	453.51
中國	141.94	146.36
美國	59.76	73.33
日本	27.30	29.76
泰國	25.66	29.19
澳大利亞	20.66	23.04
荷蘭	10.45	13.17
新加	11.91	12.51
台灣	10.73	10.71
南韓	10.70	9.72
巴西	7.52	9.22
印尼	7.59	8.85
越南	10.73	8.15
其他	69.51	79.50
燃料	153.02	176.53
新加坡	88.39	96.13
中國	21.10	16.90
南韓	6.10	14.29
澳大利亞	10.78	11.49
日本	4.35	9.10
南非	8.88	8.42
印尼	3.88	6.09
美國	3.95	5.15
菲律賓	3.12	3.66
沙特阿拉伯	0.45	1.98
前蘇聯	0.63	1.29
台灣	0.13	0.89
其他	1.27	1.14

5.15 各地商品輸港及經港轉口值

（單位：億元）

國家或地區	1991年			1992年		
	進口	轉口	進口留用	進口	轉口	進口留用
日本	1,333.60	572.15	761.45	1,774.85	849.66	925.18
美國	627.04	265.91	361.14	734.73	321.13	413.59
台灣	749.19	416.93	332.26	873.71	544.42	329.29
南韓	351.06	150.19	200.88	447.53	193.91	253.63
新加坡	238.54	62.02	176.52	287.79	82.69	205.09
德國	173.47	68.05	105.42	226.32	91.34	134.98
英國	162.02	58.13	103.89	183.56	74.04	109.53
意大利	120.09	33.57	86.51	152.07	47.28	104.79
馬來西亞	102.87	39.55	63.33	138.16	50.96	87.20
泰國	100.82	24.33	76.49	115.19	30.77	84.42
瑞士	111.04	55.23	55.81	131.95	54.78	77.17
澳大利亞	72.22	20.13	52.09	86.46	27.01	59.46
法國	99.32	53.07	46.26	123.06	64.48	58.59
比利時、盧森堡	54.10	16.09	38.02	64.09	18.45	45.64
荷蘭	42.40	10.65	31.75	61.49	15.87	45.62
印尼	57.21	21.78	35.43	68.93	27.54	41.39
以色列	40.16	8.04	32.13	47.29	8.41	38.88
巴基斯坦	33.34	5.99	27.34	42.51	7.94	34.57
南非	35.13	5.48	29.64	42.57	8.55	34.02
印度	64.06	45.90	18.14	73.01	42.52	30.49
菲律賓	28.90	6.80	22.10	33.62	8.19	25.43
加拿大	34.08	11.55	22.53	35.66	12.36	23.29
巴西	28.15	9.25	18.89	31.50	12.27	19.22
瑞典	16.88	4.93	11.95	22.94	7.38	15.56
西班牙	17.50	7.45	10.05	22.36	8.26	14.10
新西蘭	13.61	3.57	10.04	19.65	6.30	13.36
丹麥	13.88	4.60	9.29	19.32	7.53	11.79
奧地利	13.15	4.72	8.42	17.12	5.79	11.33
芬蘭	10.43	2.93	7.51	13.36	4.11	9.25
越南	13.68	5.98	7.70	11.01	4.55	6.46
沙特阿拉伯	8.79	2.10	6.69	9.24	3.17	6.07
墨西哥	8.94	2.94	5.99	9.56	3.49	6.06
阿根廷	8.94	3.08	5.86	9.54	4.14	5.41
前蘇聯	10.81	5.63	5.18	21.36	16.14	5.22
澳門	12.62	6.64	5.97	11.73	6.60	5.13
中國	2852.81	3,156.89	−304.08	3,420.47	4037.82	−617.35

5.16 主要商品轉口市場與轉口值

（單位：億元）

	1990年	1991年	1992年
轉口總值	**4,139.99**	**5,348.41**	**6,908.29**
衣着和衣飾配襯物品	477.43	635.77	780.95
美國	152.33	167.47	215.68
日本	61.81	72.81	105.98
德國	63.59	98.11	79.09
英國	15.24	23.38	33.51
巴拿馬	14.29	22.65	31.52
瑞士	11.94	18.64	21.03
中國	10.90	15.21	20.06
澳大利亞	12.10	15.65	19.35
瑞典	6.70	10.22	17.80
加拿大	9.97	12.19	17.33
意大利	5.00	10.22	15.94
丹麥	7.56	15.41	15.31
荷蘭	12.24	13.02	14.91
法國	5.68	9.31	12.96
沙特阿拉伯	7.85	10.62	12.37
紗布、製成品和有關製品	469.23	581.59	677.44
中國	282.00	356.20	427.92
南韓	33.03	38.44	31.58
美國	9.71	10.99	14.71
菲律賓	10.64	13.67	14.44
孟加拉	5.86	8.47	12.22
台灣	8.40	13.43	10.98
日本	10.07	11.18	10.49
泰國	9.51	10.33	9.57
新加坡	7.07	8.33	8.52
斯里蘭卡	5.73	6.60	8.30
澳門	6.46	7.09	7.81
巴拿馬	3.50	4.89	7.27
印尼	7.19	6.22	6.28
澳大利亞	4.17	4.38	5.64
馬來西亞	3.64	4.96	4.99
嬰兒車、玩具、遊戲及體育用品	330.14	417.91	578.90
美國	173.47	204.73	286.44
英國	25.82	27.90	41.23
德國	23.64	33.34	37.47

	1990年	1991年	1992年
日本	8.48	13.65	23.43
意大利	11.77	15.81	20.15
法國	10.13	14.36	18.82
加拿大	10.90	12.21	17.86
荷蘭	6.47	9.79	13.52
中國	6.51	8.20	10.43
澳大利亞	6.48	7.10	10.23
西班牙	2.76	4.88	9.63
比利時、盧森堡	5.11	7.27	8.81
阿根廷	0.38	2.69	4.92
墨西哥	2.21	3.08	4.57
新加坡	1.81	2.75	4.28
通訊設備、零配件	131.97	174.66	222.22
中國	51.74	60.10	77.19
美國	28.27	42.51	51.21
德國	4.92	6.79	9.58
英國	5.12	6.75	9.11
西班牙	3.56	5.21	7.51
新加坡	4.17	5.41	6.65
台灣	3.79	4.23	5.12
菲律賓	4.80	4.37	4.97
法國	1.96	2.39	4.48
泰國	1.67	1.96	3.30
意大利	1.60	2.59	2.93
南韓	0.68	1.96	2.92
比利時、盧森堡	1.31	2.48	2.70
荷蘭	0.96	1.70	2.43
土耳其	1.30	1.37	2.21
鐘錶	110.07	157.64	210.77
美國	17.56	29.28	43.84
中國	24.52	30.55	39.21
日本	14.23	16.62	17.58
德國	5.44	9.63	13.13
新加坡	8.15	9.01	8.62
意大利	2.12	4.41	7.70
英國	2.18	4.10	6.99
巴拿馬	1.36	5.10	6.85
阿拉伯聯合酋長國	2.58	3.51	6.78
法國	2.50	3.55	5.61
瑞士	3.35	4.36	5.49
台灣	2.29	3.03	5.23
西班牙	1.26	2.92	4.18

	1990年	1991年	1992年
南韓	2.40	3.29	3.63
荷蘭	1.64	2.64	3.47
初級塑膠產品及非初級產品	91.41	147.62	187.62
中國	77.61	131.65	172.41
越南	0.57	3.13	3.30
台灣	2.61	2.66	2.63
澳門	1.68	1.77	1.80
印尼	0.92	1.12	0.95
南韓	1.02	1.14	0.95
泰國	1.26	0.74	0.92
新加坡	0.72	0.74	0.63
菲律賓	0.92	0.70	0.59
美國	0.43	0.53	0.56
熱電子、冷陰極和光陰極、晶體管、集成電路	156.77	142.97	167.52
中國	31.05	43.16	49.11
台灣	51.13	39.64	45.15
南韓	22.78	26.23	28.78
美國	6.40	7.24	9.78
新加坡	23.37	6.89	6.79
日本	2.48	2.69	3.69
澳大利亞	2.16	1.98	3.04
菲律賓	2.59	2.06	2.91
泰國	1.33	1.16	2.47
印度	1.43	1.35	2.12
金屬製品	72.36	96.42	126.94
美國	15.75	21.11	27.25
中國	12.07	15.87	24.09
德國	4.35	7.30	8.81
日本	5.82	6.97	6.79
英國	3.01	3.95	5.78
印尼	4.02	3.75	5.34
尼日利亞	2.43	2.67	3.47
加拿大	1.44	2.21	3.09
意大利	1.21	1.86	2.73
法國	1.07	1.95	2.50
家用電器及非電力設備	62.92	89.49	118.46
美國	35.67	43.70	55.75
德國	4.68	8.51	9.95
英國	3.06	5.29	7.05
中國	3.32	4.79	6.94
加拿大	2.60	3.99	4.95

	1990年	1991年	1992年
澳大利亞	1.88	2.91	3.76
法國	1.47	3.49	3.52
荷蘭	1.47	2.18	3.07
日本	1.06	1.73	2.23
意大利	0.69	1.11	2.01
自動資料處理設備及零部件	37.06	49.00	63.79
中國	11.32	13.16	21.84
美國	2.88	5.99	12.17
德國	2.41	7.47	3.86
新加坡	3.16	3.31	3.63
荷蘭	2.84	1.77	3.18
英國	0.83	2.42	2.47
台灣	2.57	0.94	2.32
澳大利亞	1.52	1.88	2.21
日本	0.85	1.62	1.80
南韓	0.82	0.68	0.89
珠寶、金銀首飾及其他寶石及半寶石製品	17.42	24.36	31.57
美國	5.18	8.45	10.31
日本	1.85	2.00	2.77
德國	0.82	1.24	2.73
瑞士	1.72	2.02	1.91
法國	1.09	1.22	1.78
英國	0.71	1.08	1.26
意大利	0.55	0.91	1.05
新加坡	0.60	0.48	0.98
中國	0.68	0.55	0.89
西班牙	0.10	0.50	0.74
印刷品	4.76	6.65	9.81
美國	1.26	1.73	2.69
中國	1.56	1.72	2.16
英國	0.30	0.51	0.77
台灣	0.15	0.21	0.50
澳大利亞	0.21	0.36	0.50
德國	0.10	0.26	0.44
比利時、盧森堡	0.06	0.07	0.27
荷蘭	0.07	0.13	0.25
日本	0.09	0.14	0.23
加拿大	0.05	0.11	0.21

5.17 經港轉口主要商品貨值

（單位：億元）

	1990年	1991年	1992年
轉口總值			
各類製成品	567.82	719.18	973.16
嬰兒車、玩具、遊戲及體育用品	330.14	417.91	578.90
其他製成品	108.05	132.37	162.23
塑膠製品	57.06	81.48	115.94
樂器及零配件，錄音磁帶和相似物	35.76	40.79	52.20
珠寶、金銀首飾寶石或半寶石製品	17.42	24.36	31.57
辦公室文具	8.75	11.30	17.05
衣着和衣飾	477.43	635.77	780.95
非針織衣物及衣服配件	133.78	201.61	258.96
女裝、女童裝非針織衣物	139.14	171.69	197.89
男裝、男童裝非針織衣物	98.44	122.85	147.73
除紡織衣着和衣飾，任何原料製成頭飾	45.76	56.52	73.74
女裝、女童裝針織衣物	24.69	37.46	49.28
男裝、男童裝針織衣物	19.66	27.08	30.35
紡紗、布料、製成品和有關製品	469.23	581.59	677.44
人造纖維布	130.63	167.29	193.68
紗	105.56	119.50	133.03
棉布	67.73	85.37	105.90
針織布	42.30	57.47	72.03
特別編織布	36.44	48.11	58.12
其他梭織布	42.23	49.92	51.49
以紡織原料製成的有關製品	29.74	36.39	42.98
通訊	363.66	450.79	557.63
通訊設備	131.97	174.66	222.22
收音機	151.16	182.91	194.76
電視機	33.35	41.30	78.71
錄音機	47.17	51.92	61.94
電力機械、配件及零件	350.67	410.65	537.46
熱離子、冷陰極或光電陰極管	156.77	142.97	167.52
家用電器及非電力設備	62.92	89.49	118.46
電力機械和配件	46.33	67.67	103.16
電力機械	33.29	43.54	56.54
開關或保護電路的電器器具	28.51	37.29	49.30
鞋	147.00	249.51	353.27
攝影設備零件、光學元件、鐘錶	153.53	217.65	296.51
鐘錶	110.07	157.64	210.77
攝影設備零件	16.89	29.31	48.00

	1990年	1991年	1992年
攝影機、放映機	153.9	16.96	20.47
光學元件	10.81	13.54	17.04
旅行用品、手袋及相似皮包	152.94	199.34	238.31
辦公室機械和自動資料處理設備	111.52	155.88	219.94
適用於打字機、及其他辦公室機器的零件及配料	48.49	74.26	115.76
自動資料處理機及其部件	37.06	49.00	63.79
辦公室機械	25.97	32.61	40.40
車輛	47.88	84.68	171.86
機動脚踏車	24.17	44.09	64.55
機動汽車	9.49	18.50	57.99
車輛用附件	6.34	9.91	26.16
貨車	4.92	7.87	16.30
一般工業機械	77.25	100.69	166.55
冷和熱設備配件	14.78	27.43	59.37
泵、空氣壓縮機	31.39	36.67	55.23
其他非電力機械	6.36	8.24	12.63
特種工業使用的機械	7.76	9.65	11.03
紡織和皮革機械	75.72	96.72	164.49
其他機械和設備	19.45	26.07	43.36
非金屬礦產製品	130.48	131.75	144.40
珍珠、寶石及半寶石	92.28	85.76	77.49
陶瓷	20.18	26.81	37.21
玻璃	7.01	7.52	9.59
初級塑料產品	67.05	113.44	142.18
苯乙烯聚合物	21.63	42.04	47.04
乙烯聚合物	9.65	16.49	29.89
其他初級塑膠產品	15.31	25.21	25.93
金屬製品	72.36	96.42	126.94
基金屬製品	22.04	3080	43.45
家用金屬製品	18.46	26.56	36.89
刀具	15.08	18.74	21.13
機械用手工具	9.83	12.69	16.17
煙草	66.21	82.40	99.99
煙製品	65.61	81.98	99.05
鋼鐵	41.69	60.73	84.48
合金鋼壓延產品	11.13	22.17	39.47
鐵或非合金鋼壓延產品	9.43	12.22	15.47
經包、塗或鍍的鐵或非合金鋼壓延產品	7.38	10.05	10.28
非鐵金屬	36.24	45.43	81.84
銅	10.11	17.53	29.38
鋁	9.38	9.83	16.39
鎳	2.12	3.60	12.48

	1990年	1991年	1992年
紙張及紙板；紙漿、紙張或紙板製品	40.36	54.44	67.19
紙張及紙板	24.97	36.44	47.26
皮革、皮製品、經處理毛皮	39.63	50.35	66.46
皮革	30.90	41.28	55.63
經處理毛皮	8.09	8.55	10.25

5.18 香港轉口貨主要市場

（單位：億元）

輸往地區/主要來源地	1991年	1992年
中國	1,533.18	2,121.05
日本	360.03	555.65
台灣	364.04	490.45
中國	164.14	202.05
美國	133.02	181.83
南韓	106.74	143.46
新加坡	47.15	62.42
德國	40.62	61.28
英國	23.97	33.21
意大利	19.94	30.80
法國	18.35	24.88
美國	1,108.02	1485.01
中國	1,039.55	1,399.77
日本	15.58	26.27
美國	17.73	18.65
印度	6.76	7.96
台灣	3.99	5.42
日本	295.74	374.65
中國	208.14	285.02
日本	14.34	15.08
美國	13.92	13.57
瑞士	10.24	9.14
印度	7.77	8.12
德國	320.73	331.03
中國	298.96	307.27
日本	6.87	9.26
馬來西亞	0.63	1.69
南韓	1.84	1.69
北朝鮮	1.24	1.61
台灣	247.65	261.55
中國	87.82	87.28
美國	44.99	40.51
日本	30.61	34.79
英國	17.69	19.31
台灣	8.06	12.45
英國	146.63	205.91
中國	132.21	191.07
日本	3.69	5.35

輸往地區/主要來源地	1991年	1992年
美國	0.85	2.35
英國	2.52	1.66
南韓	1.97	0.99
新加坡	120.94	138.66
中國	50.28	64.63
日本	29.25	29.48
美國	11.63	13.96
法國	4.82	4.91
南韓	4.16	4.21
南韓	146.31	135.88
中國	75.86	65.58
日本	14.13	18.86
美國	11.08	9.50
馬來西亞	7.91	8.59
瑞士	9.76	6.12
加拿大	84.98	111.01
中國	79.10	105.01
日本	1.74	1.92
南韓	0.39	0.62
台灣	0.60	0.49
美國	0.42	0.48
法國	90.38	110.39
中國	83.76	101.97
日本	2.16	2.96
法國	1.16	1.54
馬來西亞	0.40	0.78
台灣	1.04	0.76
意大利	80.47	106.63
中國	73.87	101.19
日本	3.06	3.00
台灣	1.24	0.76
意大利	0.52	0.68
南韓	0.27	0.41
澳大利亞	76.61	101.01
中國	64.60	84.47
日本	2.76	3.60
美國	2.02	2.34
台灣	1.53	1.83
南韓	0.56	1.36
荷蘭	72.32	97.81
中國	67.31	91.52
日本	1.85	2.21
台灣	0.80	0.84
美國	0.34	0.62
荷蘭	0.20	0.35

5.19 香港轉口貨主要來源地

（單位：億元）

來源/輸往地區	1991年	1992年
中國	3,156.89	4,037.82
美國	1,039.55	1,399.77
德國	298.96	307.27
日本	208.14	285.02
中國	164.14	202.05
英國	132.21	191.07
加拿大	79.10	105.02
法國	83.76	101.97
意大利	73.87	100.19
荷蘭	67.31	91.52
台灣	87.82	87.28
澳大利亞	64.60	84.47
巴拿馬	56.04	70.45
南韓	75.86	65.58
新加坡	50.28	64.63
西班牙	36.88	57.79
日本	572.15	849.66
中國	360.03	555.65
越南	7.44	36.30
台灣	30.61	34.79
澳門	20.10	30.55
新加坡	29.25	29.48
美國	15.58	26.27
南韓	14.13	18.86
日本	14.34	15.08
菲律賓	10.62	11.41
德國	6.87	9.26
台灣	416.93	544.42
中國	364.04	490.46
台灣	8.06	12.45
美國	3.99	5.42
澳門	3.55	4.36
越南	4.18	2.51
新加坡	2.66	2.31
澳大利亞	1.53	1.83
北朝鮮	2.45	1.72
菲律賓	1.75	1.71

來源/輸往地區	1991年	1992年
德國	3.71	1.56
美國	265.91	321.13
中國	133.02	181.83
台灣	44.99	40.51
美國	17.73	18.65
新加坡	11.63	13.96
日本	13.92	13.57
南韓	11.08	9.50
澳門	6.14	7.56
菲律賓	5.34	6.58
泰國	4.73	4.98
越南	1.96	4.20
南韓	150.19	193.91
中國	106.74	143.46
美國	3.41	5.17
台灣	3.66	5.00
日本	4.83	4.96
澳門	3.30	4.49
西德	68.05	91.34
中國	40.62	61.28
台灣	6.40	7.77
南韓	6.47	5.81
澳門	2.20	2.47
新加坡	1.72	2.11
新加坡	62.02	82.69
中國	47.15	62.42
澳門	4.51	6.02
台灣	4.10	5.21
新加坡	1.99	2.19
越南	0.29	1.00
英國	58.13	74.04
中國	23.97	33.21
台灣	17.69	19.31
日本	2.21	5.91
南韓	3.00	2.89
澳門	1.63	2.12
法國	53.07	64.48
中國	18.35	24.89
日本	8.75	7.82
台灣	6.88	7.57
南韓	4.05	5.09
新加坡	4.82	4.91

來源/輸往地區	1991年	1992年
瑞士	55.23	54.78
中國	14.71	15.08
日本	10.24	9.14
台灣	6.58	7.23
南韓	9.76	6.12
瑞士	3.95	3.61

5.20 香港對中國內地貿易貨別

（單位：萬元）

	輸入		港產品輸出		轉口輸出	
	1991年	1992年	1991年	1992年	1991年	1992年
食品及牲畜、家禽	1,370,674	1,428,056	41,087	45,205	354,094	432,900
供食用的牲口	279,026	327,971	171	224	1,936	2,690
肉類及肉製品	145,266	123,012	809	937	66,862	74,263
乳製品及蛋類	38,808	38,242	2,737	3,379	37,377	42,369
魚類、甲殼類、軟體類和有關製品	238,817	226,151	1,550	2,072	65,399	99,936
穀類及其製品	31,644	54,767	11,218	14,788	24,826	29,570
水果及蔬菜	423,373	452,091	2,314	2,460	38,682	53,804
糖及糖製品、蜂蜜	25,142	30,547	5,208	6,023	25,885	35,354
咖啡、茶葉、可可、香料及製品	65,940	76,590	243	620	17,634	12,278
牲畜飼料(不包括未磨穀類)	36,275	30,414	5,612	2,839	46,538	41,844
其他食品	86,383	68,270	11,225	11,865	28,955	40,791
飲料及煙草	223,427	285,093	60,007	67,893	200,896	269,319
飲料	146,103	150,276	11,234	8,354	90,608	135,278
煙草及其製品	77,324	134,817	48,773	59,539	110,289	134,041
非食用原料(燃料除外)	571,484	550,066	62,412	97,889	513,247	612,506
皮張、毛皮(未硝製)	25,340	16,052	1,067	1,799	27,204	49,867
油籽、堅果及油仁	34,112	23,788	——	22	3,676	2,749
生膠(包括人造膠)	2,798	4,627	2	——	57,659	73,354
木材、水松及軟木	13,713	12,489	1,498	1,302	50,367	56,566
紙張及廢紙	2,548	2,899	27,337	28,390	10,472	7,383
紡織纖維及廢纖維	157,200	148,685	4,178	4,843	241,643	246,551
原田料及原礦產(煤、石油及寶石除外)	53,168	52,312	78	36	7,735	13,397
金屬礦產及廢金屬	53,258	69,016	27,471	60,277	30,838	86,658
未列名非食用動植物原料	229,347	220,197	781	1,210	83,652	75,982
礦產燃料、滑機油及有關原料	234,077	195,545	127,745	209,054	367,684	461,132
煤、焦炭及煤球	48,667	50,475	——	——	——	33
石油及石油品	183,937	143,688	——	11	358,467	447,799
天然氣及製成氣體	1,473	1,382	——	——	9,217	13,299
電力	——	——	127,745	209,044	——	——

	輸入		港產品輸出		轉口輸出	
	1991年	1992年	1991年	1992年	1991年	1992年
動植物油脂	35,083	33,391	4,690	6,422	32,192	32,695
動物油脂	217	60	3,331	4,620	1,351	1,495
不揮發的植物油和脂肪	34,509	32,718	1,334	1,795	27,944	27,450
加工動植物油脂及蠟	357	613	25	7	2,897	3,750
化學品	907,272	939,871	584,549	587,005	2,320,560	2,889,729
有機化合物	172,635	161,519	261	212	309,855	284,958
無機化合物	104,541	91,010	1,182	820	53,768	66,054
染料及着色料	120,180	127,031	55,612	71,507	161,367	243,529
醫藥品	134,796	158,556	14,247	21,104	229,811	258,715
香水、化粧品及清潔劑	90,437	96,608	16,384	20,119	57,446	65,183
製成肥田料	1,187	1,756	——	——	524	3,878
初級塑料產品	73,400	72,425	319,644	302,775	1,005,887	1,309,382
非初級塑料產品	61,406	60,948	118,059	111,758	310,572	414,765
其他化學原料及製品	148,691	170,019	59,161	58,710	191,330	243,264
製成品(按原料分)	5,420,663	5,782,405	1,265,524	1,359,345	5,625,859	7,292,782
皮革、皮製品(未列名)及硝製毛皮	101,019	111,256	59,282	70,961	416,726	568,331
未列名橡膠製品	29,238	40,229	3,113	3,495	43,082	63,034
木及軟木製品(傢俬除外)	97,512	128,076	3,942	4,315	152,341	159,605
紙、紙板及其製品	164,080	193,824	173,412	209,596	399,824	497,493
紡紗上布料、製成品和有關製品	3,592,398	3,715,166	752,317	752,941	3,561,993	4,279,226
未列名非金屬礦產製品	401,495	491,811	24,898	24,393	83,990	147,042
鋼鐵	277,232	146,354	11,860	25,000	492,775	775,874
非鐵金屬	227,374	279,576	69,039	88,414	316,459	581,240
未列名金屬製品	530,316	676,114	167,661	180,231	158,670	240,936
機械和交通工具	5,958,572	7,447,996	1,805,757	2,103,721	4,422,037	7,188,202
動力機械和設備	258,319	288,123	64,083	68,453	248,828	331,511
特種工業使用的機械	115,637	141,413	178,948	249,796	689,410	1,340,491
金屬加工機械	34,775	39,139	27,286	35,323	119,403	220,706
一般工業機械和設備	405,239	496,318	151,454	169,783	442,243	857,409
辦公室文儀和自動資料處理設備	459,082	798,667	146,521	260,210	449,716	662,038
電訊、錄音及錄影設備和儀器	2,759,014	3,155,421	797,213	843,509	761,791	997,558
電動機械、儀器和用具以及零件	1,660,009	2,128,668	433,423	475,517	1,132,074	1,513,841
車輛(包括有氣墊推進裝置者)	252,934	355,965	2,769	1,079	563,544	1,240,418
其他交通設備	13,563	44,282	4,059	50	15,029	24,230

	輸入		港產品輸出		轉口輸出	
	1991年	1992年	1991年	1992年	1991年	1992年
其他製成品	14,461,112	18,550,805	1,321,949	1,479,192	1,422,274	1,915,155
衞生、水管、生熱和照明設備	226,965	318,211	38,842	41,624	35,605	54,642
傢俬	254,004	305,584	17,021	16,510	17,822	26,176
旅行用品、手提袋和同類製品	1,296,658	1,585,548	5,537	7,370	17,665	26,240
衣着和衣飾配襯物品	5,992,859	7,220,058	252,949	332,884	152,054	200,554
鞋類	1,878,574	2,749,121	11,813	8,064	99,792	113,388
專業、科學、控制儀器和設備	123,671	149,115	27,099	33,191	148,284	240,487
攝影儀器、設備和供應品、光學製品、鐘錶	1,086,448	1,347,453	374,592	399,998	516,496	699,899
未列名製成品	3,601,933	4,875,717	594,106	639,551	434,556	553,768
未按國際分類的貨品交易	177,116	236,944	166,667	240,148	85,805	130,116
黃金、金幣	23,852	15,409	——	——	12,837	13,999
貨物合計	29,359,479	35,450,172	5,440,386	6,195,874	15,344,649	21,224,535

註："—"無統計。

5.21 香港對台灣省貿易貨別

（單位：萬元）

	輸入		港產品輸出		轉口輸出	
	1991年	1992年	1991年	1992年	1991年	1992年
食品及牲畜、家禽	120,776	118,892	13,040	10,211	95,122	111,607
供食用的牲口	272	153	——	——	——	26
肉類及肉製品	420	441	26	——	2,631	1,909
乳製品及蛋類	538	1,539	——	——	148	484
魚類、甲殼類、軟體類和有關製品	56,521	52,060	3,579	2,222	45,626	56,070
穀類及其製品	2,440	3,424	2,849	2,596	682	1,029
水果及蔬菜	32,699	29,884	1,931	1,079	36,974	38,401
糖及糖製品、蜂蜜	3,838	3,965	329	610	746	746
咖啡、茶葉、可可、香料及製品	1,092	1,388	240	163	4,489	8,476
牲畜飼料(不包括未磨穀類)	15,210	14,054	485	655	2,078	2,080
其他食品	7,746	11,984	3,601	2,987	1,748	2,385
飲料及煙草	10,894	24,769	119,640	109,748	568,803	562,226
飲料	7,750	13,869	462	782	47,380	47,135
煙草及其製品	3,144	10,900	119,178	108,967	521,423	515,090
非食用原料(燃料除外)	109,053	137,364	35,275	26,013	198,646	199,284
皮張、毛皮(未硝製)	551	1,007	——	——	890	94
油籽、堅果及油仁	197	306	——	——	2,054	2,959
生膠(包括人造膠)	18,591	26,789	——	——	659	387
木材、水松及軟木	6,691	5,683	——	——	13,301	15,606
紙張及廢紙	10	——	6,815	2,072	41	——
紡織纖維及廢纖維	69,171	79,318	985	603	6,175	5,397
原田料及原礦產(煤、石油及寶石除外)	1,318	2,599	582	——	24,810	29,475
金屬礦產及廢金屬	3,014	9,924	24,736	21,153	9,699	11,336
未列名非食用動植物原料	9,512	11,738	2,157	2,186	141,016	134,032
礦產燃料、滑機油及有關原料	3,957	11,613	——	——	16,794	19,875
煤、焦炭及煤球	——	——	——	——	16	30
石油及石油製品	25	138	——	——	16,778	19,845
天然氣及製成氣體	3,932	8,751	——	——	——	——
電力	——	2,724	——	——	——	——
動植物油脂	1,190	1,828	722	153	3,948	6,488
動物油脂	429	940	722	90	77	——
不揮發的植物油和脂肪	327	350	——	64	3,871	6,477
加工動植物油脂及蠟	433	538	——	——	——	10

	輸入		港產品輸出		轉口輸出	
	1991年	1992年	1991年	1992年	1991年	1992年
化學品	982,149	1,118,419	14,387	14,687	244,361	239,795
有機化合物	70,772	54,104	70	84	46,007	35,717
無機化合物	13,141	15,239	61	73	26,181	23,349
染料及着色料	63,720	78,756	1,381	2,486	75,212	72,506
醫藥品	6,883	12,968	857	1,229	31,837	38,755
香水、化粧品及清潔劑	19,303	19,418	5,831	6,058	18,158	15,288
製成肥田料	371	211	——	——	86	103
初級塑料產品	431,050	485,310	5,034	3,095	22,872	22,828
非初級塑料產品	316,485	374,808	172	452	3,733	3,459
其他化學原料及製品	60,424	77,606	982	1,212	20,275	27,792
製成品(按原料分)	3,177,146	3,354,676	30,546	35,619	277,355	254,477
皮革、皮製品(未列名)及硝製毛皮	124,247	126,235	1,041	718	14,132	11,256
未列名橡膠製品	23,386	29,127	152	21	1,637	1,738
木及軟木製品(傢俬除外)	50,062	39,188	437	249	6,272	6,033
紙、紙板及其製品	171,180	182,035	3,479	5,844	6,441	5,521
紡紗、布料、製成品和有關製品	2,403,332	2,445,288	11,790	14,630	134,295	109,770
未列名非金屬礦產製品	67,409	88,195	3,073	3,233	30,357	43,234
鋼鐵	63,230	89,748	261	132	24,616	8,687
非鐵金屬	144,043	177,021	3,147	2,779	41,107	47,135
未列名金屬製品	130,256	177,840	7,166	8,015	18,499	21,104
機械和交通工具	2,121,878	2,848,622	249,538	240,680	741,937	870,874
動力機械和設備	64,978	74,933	5,995	4,612	13,745	11,097
特種工業使用的機械	247,388	384,214	1,824	1,433	22,763	29,643
金屬加工機械	67,416	105,451	4,978	3,594	5,592	6,048
一般工業機械和設備	146,733	231,163	4,335	3,386	22,325	24,671
辦公室文儀和自動資料處理設備	182,246	262,685	76,258	77,317	51,854	90,977
電訊、錄音及錄影設備和儀器	349,870	401,423	17,667	9,788	70,948	84,311
電動機械、儀器和用具以及零件	914,361	1,175,560	137,988	140,528	547,732	614,338
車輛(包括有氣墊推進裝置者)	141,330	203,437	464	23	6,279	8,173
其他交通設備	7,557	9,756	29	——	698	1,616
其他製成品	915,421	1,058,734	140,296	208,302	325,879	345,419
衞生、水管、生熱和照明設備	30,899	36,375	1,193	841	3,794	4,166
傢俬	33,784	36,345	2,495	3,513	8,470	9,276

	輸入		港產品輸出		轉口輸出	
	1991年	1992年	1991年	1992年	1991年	1992年
旅行用品、手提袋和同類製品	20,601	24,824	7,485	9,693	19,528	28,159
衣着和衣飾配襯物品	73,656	65,690	34,052	87,884	108,325	49,137
鞋類	132,569	135,863	1,341	2,539	16,108	42,916
專業、科學、控制儀器和設備	38,217	61,800	2,260	2,465	15,182	24,640
攝影儀器、設備和供應品、光學製品、鐘錶	181,062	217,289	31,484	32,463	74,737	88,839
未列名製成品	404,634	480,548	59,987	68,904	79,735	98,287
未按國際分類的貨品交易	16,698	28,948	3,161	4,588	29,304	20,849
黃金、金幣	59	1,926	—	—	25,634	15,312
貨物合計	**7,459,161**	**8,703,866**	**606,605**	**650,002**	**2,502,147**	**2,630,893**

註："—"無統計。

5.22 香港對歐洲共同市場貿易貨別

（單位：萬元）

	輸入		港產品輸出		轉口輸出	
	1991年	1992年	1991年	1992年	1991年	1992年
食品及牲畜、家禽	278,228	314,798	18,937	22,592	85,971	85,848
供食用的牲口	4,123	4,458	——	——	949	1,012
肉類及肉製品	60,046	57,966	70	——	479	352
乳製品及蛋類	89,777	100,833	5	3	143	141
魚類、甲殼類、軟體類和有關製品	13,475	18,074	2,095	2,398	18,752	14,104
穀類及其製品	23,010	29,750	1,786	2,843	973	3,113
水果及蔬菜	17,472	18,621	1,872	1,879	52,469	49,099
糖及糖製品、蜂蜜	13,148	16,114	964	947	869	2,067
咖啡、茶葉、可可、香料及製品	35,139	43,646	52	79	6,427	11,314
牲畜飼料(不包括未磨穀類)	3,516	3,805	6	215	210	129
其他食品	18,523	21,530	11,989	14,229	4,708	4,519
飲料及煙草	710,905	906,587	452	697	4,298	9,396
飲料	242,766	309,531	375	495	3,555	5,867
煙草及其製品	468,140	597,056	76	202	742	3,529
非食用原料(燃料除外)	145,163	197,186	4,424	5,842	54,912	59,013
皮張、毛皮(未硝製)	78,062	98,984	——	——	960	432
油籽、堅果及油仁	7	——	——	——	3,543	1,538
生膠(包括人造膠)	8,864	8,660	——	——	33	313
木材、水松及軟木	2,651	2,006	——	——	1,462	593
紙張及廢紙	48	57	——	——	——	——
紡織纖維及廢纖維	32,995	16,056	3,416	3,037	29,016	38,739
原田料及原礦產(煤、石油及寶石除外)	4,561	9,072	8	23	307	585
金屬礦產及廢金屬	4,148	47,389	31	2,226	1,872	1,212
未列名非食用動植物原料	13,828	14,962	969	555	17,720	15,601
礦產燃料、滑機油及有關原料	11,939	21,196	——		121	87
煤、焦炭及煤球	84	151	——	——	——	——
石油及石油製品	11,855	21,046	——	——	121	87
天然氣及製成氣體	——	——	——	——	——	——
電力	——	——	——	——	——	——
動植物油脂	33,317	37,384	808	1,263	516	908
動物油脂	646	820	——	——	——	——
不揮發的植物油和脂肪	31,899	36,137	808	1,263	259	623
加工動植物油脂及蠟	772	427	——	——	257	285

	輸入		港產品輸出		轉口輸出	
	1991年	1992年	1991年	1992年	1991年	1992年
化學品	1,185,549	1,340,810	8,429	10,051	174,361	166,403
有機化合物	155,571	141,552	204	1,117	38,683	25,840
無機化合物	106,759	110,036	110	——	12,931	10,067
染料及着色料	227,692	249,798	291	3,626	6,514	6,086
醫藥品	206,584	260,720	248	333	38,855	38,123
香水、化粧品及清潔劑	130,507	143,080	2,634	2,925	16,058	18,132
製成肥田料	1,528	1,061	——	——	——	——
初級塑料產品	163,316	202,366	110	16	9,088	5,004
非初級塑料產品	53,838	68,999	782	625	1,517	1,659
其他化學原料及製品	139,754	163,198	4,051	1,409	50,715	61,492
製成品(按原料分)	1,631,759	2,113,751	184,545	144,200	684,744	878,519
皮革、皮製品(未列名)及硝製毛皮	162,285	197,721	1,472	3,196	19,092	25,386
未列名橡膠製品	15,748	19,263	392	432	1,923	3,478
木及軟木製品(傢俬除外)	7,382	6,147	2,507	1,131	29,465	37,599
紙、紙板及其製品	132,679	176,009	5,706	6,372	33,301	43,648
紡紗上布料、製成品和有關製品	345,795	417,543	88,449	63,770	158,094	188,908
未列名非金屬礦產製品	504,049	643,736	10,658	9,563	230,318	255,215
鋼鐵	185,596	184,323	6	——	1,612	1,293
非鐵金屬	158,711	322,638	5,993	6,066	8,863	54,674
未列名金屬製品	119,515	146,371	69,363	53,669	202,077	268,319
機械和交通工具	1,866,001	2,515,137	1,163,086	898,883	2,164,133	2,667,648
動力機械和設備	163,515	120,006	17,262	16,088	42,056	46,246
特種工業使用的機械	288,431	487,386	7,813	7,355	16,122	17,212
金屬加工機械	22,789	36,728	1,573	773	4,948	4,658
一般工業機械和設備	263,262	357,141	10,084	7,628	97,053	114,347
辦公室文儀和自動資料處理設備	116,009	162,835	459,739	383,622	344,556	378,009
電訊、錄音及錄影設備和儀器	111,991	144,900	295,327	141,479	1,066,173	1,338,731
電動機械、儀器和用具以及零件	564,314	643,269	369,705	339,867	508,119	694,892
車輛(包括有氣墊推進裝置者)	268,393	482,757	58	91	77,657	54,882
其他交通設備	67,298	80,114	1,527	1,980	7,449	18,673
其他製成品	1,307,051	1,649,244	3,449,724	3,141,301	5,332,629	6,491,802
衞生、水管、生熱和照明設備	44,098	49,601	16,994	14,909	87,574	126,186
傢俬	62,581	67,006	4,038	3,156	39,441	44,401

	輸入		港產品輸出		轉口輸出	
	1991年	1992年	1991年	1992年	1991年	1992年
旅行用品、手提袋和同類製品	162,348	204,485	18,483	17,629	658,221	761,114
衣着和衣飾配襯物品	305,705	397,076	2,509,859	2,362,927	1,826,842	1,927,714
鞋類	92,382	108,834	16,311	9,618	308,225	452,021
專業、科學、控制儀器和設備	87,479	111,699	44,236	46,964	49,330	65,901
攝影儀器、設備和供應品、光學製品、鐘錶	248,971	308,032	448,323	359,650	376,962	561,225
未列名製成品	303,488	402,511	391,481	326,449	1,986,035	2,553,239
未按國際分類的貨品交易	269,601	449,439	10,011	15,089	14,241	21,396
黃金、金幣	249,033	416,608	——	——	3,435	1,435
貨物合計	7,439,512	9,545,531	4,840,415	4,239,919	8,515,932	10,381,020

註："—"無統計。

5.23 香港對英國貿易貨別

（單位：萬元）

	輸入		港產品輸出		轉口輸出	
	1991年	1992年	1991年	1992年	1991年	1992年
食品及牲畜、家禽	60,169	69,505	10,322	12,300	13,503	12,911
供食用的牲口	3,753	3,441	——	——	62	51
肉類及肉製品	8,343	9,720	42	——	10	15
乳製品及蛋類	15,729	21,206	——	——	2	5
魚類、甲穀類、軟體類和有關製品	2,984	4,173	942	1,382	4,040	2,671
穀類及其製品	6,541	7,420	1,173	1,900	195	775
水果及蔬菜	3,451	3,708	490	506	6,278	6,307
糖及糖製品、蜂蜜	4,225	5,528	409	407	272	608
咖啡、茶葉、可可、香料及製品	8,014	5,989	10	5	927	755
牲畜飼料(不包括未磨穀類)	132	230	3	——	——	9
其他食品	——	——	7,253	8,100	1,718	1,716
飲料及煙草	187,981	299,738	281	420	282	999
飲料	26,249	30,363	267	410	271	961
煙草及其製品	161,732	269,375	14	10	12	38
非食用原料(燃料除外)	14,300	27,980	983	1,020	7,898	7,043
皮張、毛皮(未硝製)	7,260	6,843	——	——	488	91
油籽、堅果及油仁	——	——	——	——	754	359
生膠(包括人造膠)	321	628	——	——	——	——
木材、水松及軟木	149	108	——	——	1,056	353
紙張及廢紙	23	——	——	——	——	——
紡織纖維及廢纖維	2,659	1,687	892	630	2,639	4,125
原田料及原礦產(煤、石油及寶石除外)	1,085	1,847	——	——	58	90
金屬礦產及廢金屬	2,086	15,377	31	344	1,705	707
未列名非食用動植物原料	718	1,490	59	46	1,198	1,317
礦產燃料、滑機油及有關原料	2,333	2,714	——	——	12	9
煤、焦炭及煤球	——	——	——	——	——	——
石油及石油製品	2	——	——	——	12	9
天然氣及製成氣體	2,333	2,333	——	——	——	——
電力	——	——	——	——	——	——
動植物油脂	558	264	430	664	103	174
動物油脂	10	121	——	——	——	——
不揮發的植物油和脂肪	515	107	430	664	103	174

	輸入		港產品輸出		轉口輸出	
	1991年	1992年	1991年	1992年	1991年	1992年
加工動植物油脂及蠟	34	35	——	——	——	——
化學品	231,977	241,205	1,461	2,170	22,660	23,342
有機化合物	15,864	16,632	102	112	3,327	3,516
無機化合物	40,897	26,456	——	——	3,719	3,347
染料及着色料	56,855	61,465	11	1,366	3,233	2,879
醫藥品	35,076	39,501	92	55	3,333	2,340
香水、化粧品及清潔劑	20,312	21,509	275	269	5,042	5,824
製成肥田料	18	26	——	——	——	——
初級塑料產品	13,177	16,964	67	——	286	256
非初級塑料產品	9,370	9,034	510	293	210	250
其他化學原料及製品	40,410	49,619	405	75	3,512	4,930
製成品(按原料分)	282,675	312,670	80,326	51,034	102,568	130,655
皮革、皮製品(未列名)及硝製毛皮	20,144	21,933	185	217	2,063	2,325
未列名橡膠製品	5,547	5,670	45	102	689	866
木及軟木製品(傢俬除外)	1,233	1,669	1,105	388	4,528	6,523
紙、紙板及其製品	31,168	39,246	2,038	2,520	8,081	10,509
紡紗上布料、製成品和有關製品	55,150	65,060	45,024	25,156	23,834	28,431
未列名非金屬礦產製品	36,526	36,781	1,430	961	21,953	22,348
鋼鐵	68,339	57,547	6	——	393	94
非鐵金屬	33,576	48,844	962	1,151	1,525	1,748
未列名金屬製品	30,993	35,921	29,532	20,539	39,503	57,811
機械和交通工具	652,714	692,153	240,402	202,487	413,861	579,397
動力機械和設備	119,366	61,430	651	135	16,027	15,770
特種工業使用的機械	43,245	55,529	742	826	5,517	2,349
金屬加工機械	3,592	5,560	90	70	499	711
一般工業機械和設備	73,816	66,218	2,028	1,385	21,173	20,363
辦公室文儀和自動資料處理設備	31,493	52,077	73,416	74,280	40,975	58,165
電訊、錄音及錄影設備和儀器	64,889	91,436	72,533	40,299	189,510	281,329
電動機械、儀器和用具以及零件	186,176	217,099	90,912	85,475	124,684	173,784
車輛(包括有氣墊推進裝置者)	98,855	98,544	20	20	11,159	13,993
其他交通設備	31,282	44,260	10	——	4,316	12,932
其他製成品	215,439	265,436	1,033,590	980,034	902,641	1,299,494
衞生、水管、生熱和照明設備	14,323	14,675	1,973	1,236	14,629	27,777
傢俬	12,445	8,062	1,554	1,219	8,589	11,925

	輸 入		港產品輸出		轉口輸出	
	1991年	1992年	1991年	1992年	1991年	1992年
旅行用品、手提袋和同類製品	2,568	3,842	4,517	5,233	129,048	156,403
衣着和衣飾配襯物品	35,427	47,022	802,312	787,237	233,826	335,132
鞋類	11,701	16,126	10,261	6,334	22,399	49,410
專業、科學、控制儀器和設備	33,543	37,649	8,776	10,037	8,564	8,942
攝影儀器、設備和供應品、光學製品、鐘錶	35,531	51,174	74,182	60,605	56,781	97,412
未列名製成品	69,901	86,886	130,016	108,132	428,805	612,493
未按國際分類的貨品交易	193,397	420,344	2,771	4,007	56,122	59,979
黃金、金幣	187,086	409,921	—	—	2,857	955
貨物合計	**1,841,542**	**2,332,009**	**1,370,565**	**1,254,136**	**1,469,139**	**2,060,021**

註：“—”無統計。

5.24 香港對德國貿易貨別

（單位：萬元）

	輸入		港產品輸出		轉口輸出	
	1991年	1992年	1991年	1992年	1991年	1992年
食品及牲畜、家禽	40,437	36,053	1,976	1,829	29,498	22,525
供食用的牲口	——	——	——	——	106	179
肉類及肉製品	15,906	8,873	——	——	1	——
乳製品及蛋類	4,592	7,545	——	——	3	——
魚類、甲殼類、軟體類和有關製品	1,948	1,171	409	201	4,596	4,038
穀類及其製品	3,458	6,000	59	184	325	558
水果及蔬菜	2,638	1,207	474	335	23,320	16,135
糖及糖製品、蜂蜜	4,638	3,484	62	9	19	20
咖啡、茶葉、可可、香料及製品	3,455	3,536	5	8	397	848
牲畜飼料(不包括未磨穀類)	1,095	1,492	3	25	85	115
其他食品	2,708	2,745	965	1,066	646	633
飲料及煙草	3,824	8,819	11	34	1,556	548
飲料	1,236	1,421	——	……	1,147	334
煙草及其製品	2,589	7,398	11	34	409	214
非食用原料(燃料除外)	37,546	30,717	716	1,034	18,440	16,209
皮張、毛皮(未硝製)	7,221	14,397	——	——	113	28
油籽、堅果及油仁	——	——	——	——	1,243	146
生膠(包括人造膠)	4,179	893	——	——	2	90
木材、水松及軟木	368	82	——	——	60	38
紙張及廢紙	——	44	——	——	——	——
紡織纖維及廢纖維	20,013	2,993	416	240	9,100	9,444
原田料及原礦產(煤、石油及寶石除外)	1,093	1,690	8	23	7	96
金屬礦產及廢金屬	526	7,379	——	495	14	16
未列名非食用動植物原料	4,145	3,239	293	277	7,901	6,352
礦產燃料、滑機油及有關原料	2,082	3,797	——	——	6	11
煤、焦炭及煤球	——	——	——	——	——	——
石油及石油製品	4	78	——	——	6	11
天然氣及製成氣體	2,078	3,720		——	——	——
電力	——	——	——	——	——	——
動植物油脂	16,707	11,900	47	65	173	136
動物油脂	6	48	——	——	——	——
不揮發的植物油和脂肪	16,419	11,786	47	65	35	61

	輸入		港產品輸出		轉口輸出	
	1991年	1992年	1991年	1992年	1991年	1992年
加工動植物油脂及蠟	282	66	——	——	137	85
化學品	359,426	374,617	1,908	2,293	79,216	61,998
有機化合物	39,752	42,431	1	808	20,150	9,715
無機化合物	41,728	44,633	52	——	1,157	953
染料及着色料	91,860	91,434	57	——	887	832
醫藥品	43,513	42,404	5	176	24,465	21,337
香水、化粧品及清潔劑	13,824	19,775	451	903	2,816	3,259
製成肥田料	1,300	981	——	——	——	——
初級塑料產品	64,044	61,500	43	16	4,310	1,341
非初級塑料產品	13,501	16,372	63	23	540	411
其他化學原料及製品	49,905	55,088	1,236	367	24,892	24,151
製成品(按原料分)	308,650	367,832	37,884	29,602	165,225	208,599
皮革、皮製品(未列名)及硝製毛皮	14,043	14,172	350	652	1,912	11,610
未列名橡膠製品	3,190	4,094	71	66	413	1,204
木及軟木製品(傢俬除外)	2,282	1,306	529	78	8,518	10,322
紙、紙板及其製品	42,939	70,727	1,608	876	10,697	11,508
紡紗、布料、製成品和有關製品	98,020	111,197	15,366	11,867	39,481	48,470
未列名非金屬礦產製品	38,796	39,411	4,348	4,336	29,450	34,949
鋼鐵	36,671	42,286	——	——	391	291
非鐵金屬	33,120	38,760	315	1,676	1,374	2,100
未列名金屬製品	39,589	46,181	15,298	10,049	72,990	88,147
機械和交通工具	635,315	1,040,580	392,667	260,052	788,274	893,516
動力機械和設備	18,920	34,160	8,492	9,941	11,893	10,418
特種工業使用的機械	151,460	266,396	1,653	1,253	2,533	3,245
金屬加工機械	6,467	12,956	89	222	1,755	1,432
一般工業機械和設備	92,716	149,430	4,391	2,652	19,768	26,578
辦公室文儀和自動資料處理設備	29,610	46,769	163,761	111,993	176,695	155,292
電訊、錄音及錄影設備和儀器	18,419	20,924	101,749	42,368	380,891	454,191
電動機械、儀器和用具以及零件	167,160	184,890	112,515	91,583	177,555	225,043
車輛(包括有氣墊推進裝置者)	139,194	315,129	18	40	15,876	14,237
其他交通設備	11,371	9,926	——	——	1,247	3,080
其他製成品	254,129	308,154	1,493,369	1,295,667	2,121,885	2,101,678
衞生、水管、生熱和照明設備	8,619	10,567	6,706	7,109	26,880	37,269
傢俬	7,948	8,438	1,094	716	11,418	8,263

	輸 入		港產品輸出		轉口輸出	
	1991年	1992年	1991年	1992年	1991年	1992年
旅行用品、手提袋和同類製品	9,486	11,506	4,314	3,049	234,005	227,948
衣着和衣飾配襯物品	31,283	41,972	1,166,635	102,468	981,063	790,923
鞋類	2,322	5,725	2,330	938	143,840	191,498
專業、科學、控制儀器和設備	27,203	42,762	19,779	18,634	27,139	34,093
攝影儀器、設備和供應品、光學製品、鐘錶	106,152	106,083	189,965	159,315	114,919	161,860
未列名製成品	61,144	81,102	102,547	81,226	582,622	649,825
未按國際分類的貨品交易	18,638	15,155	3,231	5,017	3,044	5,490
黃金、金幣	12,666	6,498	—	—	6	394
貨物合計	**1,676,754**	**2,197,624**	**1,931,811**	**1,595,594**	**3,207,311**	**3,310,711**

註："—"無統計。
"…"少於10,000元。

5.25 香港對美國貿易貨別

（單位：萬元）

	輸入		港產品輸出		轉口輸出	
	1991年	1992年	1991年	1992年	1991年	1992年
食品及牲畜、家禽	539,707	654,282	64,017	68,082	146,598	153,260
供食用的牲口	1,557	3,358	5	2	158	96
肉類及肉製品	134,809	179,362	60	20	253	798
乳製品及蛋類	26,678	26,887	——	——	181	293
魚類、甲殼類、軟體類和有關製品	38,096	47,027	8,674	8,131	68,447	61,190
穀類及其製品	21,656	28,469	4,156	4,974	1,730	9,315
水果及蔬菜	236,853	287,501	18,791	16,018	51,005	54,299
糖及糖製品、蜂蜜	4,901	4,646	3,052	4,833	2,817	4,305
咖啡、茶葉、可可、香料及製品	10,514	14,814	463	182	7,254	11,928
牲畜飼料(不包括未磨穀類)	12,006	11,487	18	8	275	50
其他食品	49,649	50,731	28,797	33,913	14,480	10,987
飲料及煙草	404,907	426,505	5,040	4,250	4,029	8,056
飲料	22,534	15,575	4,902	4,011	1,107	1,503
煙草及其製品	382,373	410,930	138	240	2,922	6,552
非食用原料(燃料除外)	272,070	277,926	1,631	3,028	39,208	47,152
皮張、毛皮(未硝製)	19,208	23,087	——	——	345	158
油籽、堅果及油仁	810	906	——	——	782	1,029
生膠(包括人造膠)	5,818	6,194	——	——	45	79
木材、水松及軟木	8,078	10,403	3	——	256	532
紙張及廢紙	18,513	13,752	——	——	——	——
紡織纖維及廢纖維	112,963	87,605	312	177	1,479	1,873
原田料及原礦產(煤、石油及寶石除外)	3,815	11,867	——	——	978	652
金屬礦產及廢金屬	28,229	34,022	——	1,834	2,999	1,462
未列名非食用動植物原料	74,638	90,090	1,307	1,016	32,324	41,367
礦產燃料、滑機油及有關原料	49,193	66,954	——	——	27	14
煤、焦炭及煤球	16,251	11,979	——	——	——	——
石油及石油製品	34,941	54,976	——	——	——	——
天然氣及製成氣體	——	——	——	——	——	——
電力	——	——	——	——	——	——
動植物油脂	6,141	12,779	309	747	1,225	1,198
動物油脂	110	205	——	——	——	——
不揮發的植物油和脂肪	5,546	12,236	309	747	1,225	1,023

	輸入		港產品輸出		轉口輸出	
	1991年	1992年	1991年	1992年	1991年	1992年
加工動植物油脂及蠟	485	338	——	——	——	174
化學品	798,037	767,036	5,531	6,572	130,173	150,160
有機化合物	86,247	39,867	55	19	16,335	21,597
無機化合物	25,721	22,384	——	——	8,763	9,121
染料及着色料	29,777	40,328	207	250	4,507	8,347
醫藥品	51,584	49,968	1,505	1,770	16,238	17,025
香水、化粧品及清潔劑	72,785	85,198	1,440	2,118	26,498	31,312
製成肥田料	59	6,901	——	——	2	44
初級塑料產品	422,452	397,888	101	117	2,450	3,037
非初級塑料產品	38,016	46,959	1,359	1,803	2,880	2,456
其他化學原料及製品	71,395	77,544	865	494	52,500	57,130
製成品(按原料分)	845,007	981,319	283,904	280,139	730,284	947,643
皮革、皮製品(未列名)及硝製毛皮	58,295	80,553	678	605	5,216	6,172
未列名橡膠製品	9,351	13,008	631	806	4,334	8,854
木及軟木製品(傢俬除外)	11,697	14,224	1,926	1,596	35,651	65,081
紙、紙板及其製品	185,439	226,056	9,801	11,389	42,345	52,826
紡紗、布料、製成品和有關製品	149,592	160,527	167,089	163,493	109,852	147,116
未列名非金屬礦產製品	249,515	291,116	20,025	20,681	302,413	371,617
鋼鐵	31,075	37,233	157	——	2,469	1,503
非鐵金屬	74,631	66,439	3,538	3,316	16,888	21,940
未列名金屬製品	75,412	92,163	80,059	78,253	211,117	272,535
機械和交通工具	2,397,300	3,170,071	1,224,254	1,214,441	2,404,720	3,260,563
動力機械和設備	103,004	90,438	25,447	30,827	52,755	64,276
特種工業使用的機械	77,940	106,790	4,005	4,846	7,281	9,446
金屬加工機械	31,508	36,124	2,801	1,536	2,762	4,202
一般工業機械和設備	158,725	220,719	21,805	20,789	144,856	181,567
辦公室文儀和自動資料處理設備	409,708	523,562	525,118	524,845	219,425	425,307
電訊、錄音及錄影設備和儀器	205,040	256,215	194,471	161,866	1,166,958	1,399,444
電動機械、儀器和用具以及零件	942,377	1,160,825	448,276	468,830	762,004	1,092,047
車輛(包括有氣墊推進裝置者)	48,509	310,243	247	153	42,357	75,143
其他交通設備	420,490	465,155	2,084	751	6,321	9,111
其他製成品	549,783	667,960	4,681,333	4,853,952	7,610,856	10,259,779
衞生、水管、生熱和照明設備	9,944	13,916	15,951	11,834	107,778	166,032
傢俬	16,306	20,954	8,656	5,379	85,607	120,650

	輸	入	港產品輸出		轉口輸出	
	1991年	1992年	1991年	1992年	1991年	1992年
旅行用品、手提袋和 同類製品	8,581	10,085	28,417	26,541	704,020	803,721
衣着和衣飾配襯物品	25,208	36,404	3,467,588	3,714,312	1,674,705	2,156,751
鞋類	15,610	19,285	27,741	21,388	1,544,673	2,098,165
專業、科學、控制儀器和 設備	105,183	146,255	36,489	37,172	62,721	90,165
攝影儀器、設備和供應品、 光學製品、鐘錶	105,690	112,555	514,488	528,047	400,649	579,348
未列名製成品	263,261	308,506	582,003	509,278	3,030,703	4,244,948
未按國際另行分類的貨品 交易	820,674	554,309	20,946	28,752	15,370	22,941
黃金、金幣	799,166	519,722	——	——	2,262	716
貨物合計	**6,682,829**	**7,579,141**	**6,286,964**	**6,459,961**	**11,082,490**	**14,850,765**

註："—"無統計。

5.26 香港對日本貿易貨別

（單位：萬元）

	輸入		港產品輸出		轉口輸出	
	1991年	1992年	1991年	1992年	1991年	1992年
食品及牲畜、家禽	268,838	292,196	68,418	62,987	196,855	170,887
供食用的牲口	9	6	9	3	385	529
肉類及肉製品	14,761	14,802	4,184	653	602	680
乳製品及蛋類	3,113	3,496	3	——	25	4
魚類、甲殼類、軟體類和有關製品	123,106	142,549	56,054	51,674	103,163	70,389
穀類及其製品	31,926	36,853	63	135	373	510
水果及蔬菜	47,225	43,727	346	282	68,193	72,387
糖及糖製品、蜂蜜	13,687	18,280	69	84	209	197
咖啡、茶葉、可可、香料及製品	3,008	2,127	984	2,060	20,204	22,885
牲畜飼料(不包括未磨穀類)	10,577	6,390	1,417	2,059	1,238	845
其他食品	21,426	23,967	5,289	6,039	2,465	2,463
飲料及煙草	69,146	86,009	19,646	37,446	140,753	196,059
飲料	6,261	8,290	2,729	3,481	73,323	50,997
煙草及其製品	62,884	77,719	16,918	33,965	67,430	145,062
非食用原料(燃料除外)	105,388	112,014	61,060	38,041	106,866	98,338
皮張、毛皮(未硝製)	1,345	1,171	——	——	170	18
油籽、堅果及油仁	21	85	——	——	8,011	4,518
生膠(包括人造膠)	14,737	17,843	——	——	206	42
木材、水松及軟木	286	331	——	8	3,245	1,884
紙張及廢紙	54	——	107	——	——	——
紡織纖維及廢纖維	56,367	45,833	688	478	16,247	10,544
原田料及原礦產(煤、石油及寶石除外)	10,056	11,841	——	——	829	561
金屬礦產及廢金屬	3,520	12,980	59,900	36,801	5,537	3,669
未列名非食用動植物原料	19,022	21,930	364	754	72,621	77,102
礦產燃料、滑機油及有關原料	50,692	97,273	——	——	156	271
煤、焦炭及煤球	48	64	——	——	12	——
石油及石油製品	50,246	97,210	——	——	144	271
天然氣及製成氣體	398	——	——	——	——	——
電力	——	——	——	——	——	——
動植物油脂	2,980	2,762	18	——	1,003	2,255
動物油脂	1,430	1,518	14	——	——	——
不揮發的植物油和脂肪	1,420	1,073	5	——	1,003	2,255

	輸　入		港產品輸出		轉口輸出	
	1991年	1992年	1991年	1992年	1991年	1992年
加工動植物油脂及蠟	130	171	——	——	——	——
化學品	811,272	984,723	21,094	20,379	56,055	49,095
有機化合物	129,603	144,729	——	35	8,536	10,782
無機化合物	29,085	32,019	——	17	8,651	5,495
染料及着色料	88,140	106,319	433	1,833	1,869	3,469
醫藥品	45,859	52,942	18	3	6,164	6,238
香水、化粧品及清潔劑	35,969	44,401	6,782	6,867	17,961	13,033
製成肥田料	467	300	——	——	10	——
初級塑料產品	320,333	412,958	5,257	2,457	2,212	1,790
非初級塑料產品	85,846	101,011	7,307	7,700	981	469
其他化學原料及製品	75,969	90,044	1,297	1,467	9,672	7,819
製成品(按原料分)	2,431,397	2,778,655	78,006	79,223	412,858	391,119
皮革、皮製品(未列名)及硝製毛皮	39,445	48,007	777	1,074	3,440	4,202
未列名橡膠製品	67,557	70,986	28	58	2,914	1,685
木及軟木製品(傢俬除外)	3,703	3,483	591	425	6,581	7,295
紙、紙板及其製品	346,327	378,974	2,907	4,730	5,188	5,385
紡紗、布料、製成品和有關製品	990,818	1,024,883	14,236	14,042	111,818	104,875
未列名非金屬礦產製品	234,214	263,777	17,517	18,616	185,833	180,385
鋼鐵	452,181	598,155	1,756	1,596	11,980	4,921
非鐵金屬	141,628	202,924	2,567	1,542	15,450	14,495
未列名金屬製品	155,525	187,468	37,627	37,141	69,554	67,876
機械和交通工具	6,802,489	9,749,790	193,897	214,728	440,660	537,465
動力機械和設備	226,403	277,292	9,791	9,710	48,091	55,466
特種工業使用的機械	495,158	805,561	1,161	967	7,869	7,988
金屬加工機械	53,371	85,390	2,587	1,343	1,587	1,546
一般工業機械和設備	576,718	992,960	2,997	4,033	12,293	13,320
辦公室文儀和自動資料處理設備	737,646	931,448	112,594	159,905	62,980	75,330
電訊、錄音及錄影設備和儀器	1,963,294	2,647,876	19,053	10,276	119,838	164,986
電動機械、儀器和用具以及零件	1,861,874	2,309,632	45,507	28,393	155,728	190,172
車輛(包括有氣墊推進裝置者)	882,992	1,671,358	73	27	28,505	27,106
其他交通設備	5,034	28,273	135	75	3,771	1,552
其他製成品	2,176,481	2,485,589	721,267	642,024	1,598,697	2,295,252
衞生、水管、生熱和照明設備	11,013	15,055	2,861	1,266	6,413	9,873
傢俬	22,213	25,630	4,860	4,550	20,537	27,442

	輸入		港產品輸出		轉口輸出	
	1991年	1992年	1991年	1992年	1991年	1992年
旅行用品、手提袋和同類製品	7,750	11,804	15,859	16,202	158,504	217,013
衣着和衣飾配襯物品	89,825	96,541	351,860	302,677	728,060	1,059,757
鞋類	16,315	27,185	643	500	134,450	236,507
專業、科學、控制儀器和設備	144,796	183,268	3,657	5,306	19,247	19,019
攝影儀器、設備和供應品、光學製品、鐘錶	1,322,746	1,477,527	142,461	138,355	193,623	216,695
未列名製成品	561,824	648,580	199,067	173,168	337,865	508,947
未按國際分類的貿易貨品						
交易	28,492	40,595	3,165	4,830	3,724	5,914
黃金、金幣	7,019	10,513	——	——	213	147
貨物合計	**12,747,174**	**16,629,606**	**1,166,571**	**1,099,658**	**2,957,626**	**3,746,654**

註："—"無統計。

5.27 香港對新加坡貿易貨別

（單位：萬元）

	輸入		港產品輸出		轉口輸出	
	1991年	1992年	1991年	1992年	1991年	1992年
食品及牲畜、家禽	110,208	122,632	5,993	6,308	96,627	92,799
供食用的牲口	26	9	——	——	13	8
肉類及肉製品	6,126	1,100	5	——	3,453	1,953
乳製品及蛋類	7,186	11,406	——	——	426	381
魚類、甲殼類、軟體類和有關製品	39,436	53,056	1,247	1,486	13,752	13,921
穀類及其製品	2,039	3,313	466	1,162	487	1,018
水果及蔬菜	11,118	12,474	244	318	54,989	56,655
糖及糖製品、蜂蜜	3,032	2,585	178	259	228	358
咖啡、茶葉、可可、香料及製品	10,485	10,532	67	123	14,146	13,613
牲畜飼料(不包括未磨穀類)	1,108	708	8	——	6,414	2,747
其他食品	29,651	27,451	3,778	2,960	2,720	2,146
飲料及煙草	112,132	116,804	42,615	19,219	62,730	78,509
飲料	48,316	50,038	6,327	7,974	6,935	3,278
煙草及其製品	63,817	66,766	36,288	11,246	55,796	75,232
非食用原料(燃料除外)	66,959	46,543	917	753	27,577	21,536
皮張、毛皮(未硝製)	535	416	——	——	4	8
油籽、堅果及油仁	486	79	——	——	1,079	105
生膠(包括人造膠)	16,603	7,579	——	——	219	288
木材、水松及軟木	13,692	11,277	——	——	136	290
紙張及廢紙	17	265	——	——	——	12
紡織纖維及廢纖維	2,052	572	2	2	1,494	717
原田料及原礦產(煤、石油及寶石除外)	242	184	——	——	98	79
金屬礦產及廢金屬	2,613	7,630	712	712	1,102	386
未列名非食用動植物原料	30,718	18,542	204	40	23,446	19,652
礦產燃料、滑機油及有關原料	912,616	1,004,303	——	——	3,194	3,788
煤、焦炭及煤球	——	——	——	——	——	——
石油及石油製品	907,096	996,990	——	——	3,194	3,194
天然氣及製成氣體	5,519	7,308	——	——	——	——
電力	——	——	——	——	——	——
動植物油脂	7,513	4,106	51	182	1,592	258
動物油脂	59	40	——	——	4	——
不揮發的植物油和脂肪	6,454	2,846	26	129	1,580	248

	輸入		港產品輸出		轉口輸出	
	1991年	1992年	1991年	1992年	1991年	1992年
加工動植物油脂及蠟	1,000	1,221	26	53	8	10
化學品	208,672	225,671	20,916	22,018	58,930	50,711
有機化合物	29,013	28,813	577	533	5,342	4,855
無機化合物	1,887	3,389	1,424	3,138	5,455	3,876
染料及着色料	23,507	28,705	806	1,855	5,529	5,000
醫藥品	16,776	19,126	3,133	2,644	10,010	12,386
香水、化粧品及清潔劑	28,372	36,187	4,460	4,743	15,236	9,646
製成肥田料	146	135	——	——	14	——
初級塑料產品	60,031	61,968	8,303	7,397	5,226	3,559
非初級塑料產品	5,972	7,262	715	700	2,185	2,788
其他化學原料及製品	42,969	40,086	1,498	1,010	9,933	8,603
製成品(按原料分)	177,982	220,455	98,324	92,745	127,434	138,805
皮革、皮製品(未列名)及硝製毛皮	3,704	7,527	127	223	1,157	776
未列名橡膠製品	4,941	8,106	182	95	2,577	4,581
木及軟木製品(傢俬除外)	25,896	22,180	262	173	428	512
紙、紙板及其製品	37,354	41,228	6,011	4,772	3,683	3,627
紡紗、布料、製成品和有關製品	21,134	22,354	70,432	61,352	83,320	85,206
未列名非金屬礦產製品	25,454	29,751	2,793	3,690	13,016	14,048
鋼鐵	10,548	20,460	541	982	4,849	2,394
非鐵金屬	17,151	32,595	3,453	4,003	4,428	9,872
未列名金屬製品	31,800	36,255	14,524	17,456	13,977	17,791
機械和交通工具	1,295,983	1,871,383	559,541	746,706	504,581	606,679
動力機械和設備	53,486	60,143	242	1,111	21,794	22,128
特種工業使用的機械	25,634	38,449	5,110	3,061	19,512	20,925
金屬加工機械	6,529	8,890	2,198	4,458	4,194	2,938
一般工業機械和設備	88,976	151,217	7,980	7,769	23,092	24,514
辦公室文儀和自動資料處理設備	286,859	421,927	307,956	417,008	146,449	174,890
電訊、錄音及錄影設備和儀器	362,935	581,530	11,649	12,578	141,779	183,617
電動機械、儀器和用具以及零件	444,887	563,749	221,474	300,552	137,998	156,130
車輛(包括有氣墊推進裝置者)	24,147	50,399	85	62	6,883	10,867
其他交通設備	2,530	5,078	2,846	108	2,880	10,670
其他製成品	255,064	289,216	147,764	143,148	323,171	388,139
衞生、水管、生熱和照明設備	2,393	3,554	2,324	2,113	4,461	4,166
傢俬	10,408	10,980	1,822	1,714	4,163	4,474

	輸入		港產品輸出		轉口輸出	
	1991年	1992年	1991年	1992年	1991年	1992年
旅行用品、手提袋和同類製品	2,979	3,703	9,531	9,647	42,686	56,875
衣着和衣飾配襯物品	11,106	9,435	35,445	27,997	59,152	68,738
鞋類	4,523	6,683	1,772	1,467	11,782	14,919
專業、科學、控制儀器和設備	13,792	22,727	1,225	2,582	4,431	6,448
攝影儀器、設備和供應品、光學製品、鐘錶	120,704	155,543	43,930	36,434	120,762	128,464
未列名製成品	89,161	76,592	51,715	61,193	75,734	104,056
未按國際分類的貿易貨品	8,737	10,583	3,229	4,932	6,406	6,510
黃金、金幣	3,359	2,961	—	—	2,861	1,124
貨物合計	**3,155,865**	**3,911,695**	**879,351**	**1,036,011**	**1,201,242**	**1,387,734**

註："—"無統計。

5.28 香港進出口貿易貨值、貨量指數

（1981年＝100）

年、月	進口指數			轉口指數			出口總指數			港產品出口指數			貿易總值指數
	貨值	單位價格	貨量	貨值	單位價格	貨量	貨值	單位價格	貨量	貨值	單位價格	貨量	
1987年	273	140	195	438	145	303	309	142	218	243	139	174	101
1988年	360	146	247	660	150	441	404	146	276	271	143	190	101
1989年	407	151	269	830	159	523	467	154	304	279	147	190	102
1990年	464	155	300	992	164	607	524	158	332	281	149	189	102
1991年	563	158	357	1281	167	767	627	162	387	287	151	190	103
1992年	690	158	438	1655	168	983	757	163	463	291	153	191	104
1月	485	159	305	1122	170	660	522	165	317	211	153	138	104
2月	591	158	374	1420	169	842	657	163	403	216	151	173	103
3月	641	157	408	1473	168	877	671	163	412	254	152	168	104
4月	681	157	434	1533	167	917	698	162	431	264	151	175	103
5月	707	157	450	1644	168	981	752	162	463	290	152	191	103
6月	734	158	466	1700	167	1016	788	162	485	315	152	207	103
7月	737	159	464	1748	169	1037	807	164	493	319	154	207	103
8月	688	159	434	1752	169	1034	803	165	488	311	154	202	104
9月	719	159	453	1850	169	1092	840	165	510	315	155	204	104
10月	781	159	492	1953	169	1153	882	165	536	326	155	211	104
11月	738	157	469	1820	168	1082	822	163	503	303	154	198	104
12月	783	156	501	1848	168	1102	844	163	519	323	152	212	104

5.29 按來源分類的香港進口貿易指數

（1981 年＝100）

	1991年	1992年	1991年				1992年			
			第一季	第二季	第三季	第四季	第一季	第二季	第三季	第四季
中國貨值指數	994	1201	775	977	1080	1145	980	1208	1298	1318
單位價格指數	134	136	134	132	135	135	136	135	137	135
貨量指數	742	886	578	740	801	848	722	893	951	971
美國貨值指數	407	489	362	419	423	427	387	505	486	578
單位價格指數	185	184	185	185	184	185	184	182	183	185
貨量指數	221	267	196	227	230	231	211	278	265	312
日本貨值指數	397	517	338	400	404	444	430	511	535	593
單位價格指數	148	149	148	147	147	149	149	148	149	149
貨量指數	269	348	229	272	275	298	289	345	359	398
英國貨值指數	263	306	256	264	258	275	278	315	301	330
單位價格指數	165	168	167	164	164	166	167	167	169	168
貨量指數	159	183	153	161	157	166	167	189	178	197
台灣貨值指數	693	809	546	728	728	771	665	853	830	886
單位價格指數	153	151	152	152	153	153	152	150	151	150
貨量指數	455	537	359	479	476	504	438	568	550	591
全部貨品貨值指數	563	690	470	568	586	627	572	707	715	767
單位價位指數	158	158	158	157	157	158	158	157	159	157
貨量指數	357	438	297	363	373	396	362	450	450	487

5.30 按市場分類的港產品出口貿易指數

（1981年＝100）

	1991年	1992年	1991年				1992年			
			第一季	第二季	第三季	第四季	第一季	第二季	第三季	第四季
中國貨值指數	1861	2119	1402	1923	2000	2117	1628	2271	2238	2339
單位價格指數	154	154	154	154	153	154	155	155	154	152
貨量指數	1210	1377	908	1252	1304	1377	1049	1463	1458	1536
美國貨值指數	215	221	160	196	242	264	169	215	252	249
單位價格指數	164	170	163	164	165	165	165	166	173	174
貨量指數	131	130	98	120	146	159	103	129	146	143
日本貨值指數	397	374	359	388	425	416	372	359	402	364
單位價格指數	158	157	156	158	159	159	157	156	157	156
貨量指數	251	239	231	245	267	261	236	231	255	233
英國貨值指數	178	163	160	177	191	184	138	154	187	173
單位價格指數	146	144	145	146	147	146	145	144	147	141
貨量指數	122	113	111	121	130	126	95	107	127	123
德國貨值指數	273	226	277	270	283	263	194	196	253	260
單位價格指數	146	150	143	145	147	148	146	148	154	152
貨量指數	187	150	194	186	192	178	132	133	164	171
全部貨品貨值指數	**287**	**291**	**241**	**281**	**309**	**319**	**242**	**290**	**315**	**318**
單位價位指數	**151**	**153**	**151**	**151**	**152**	**151**	**152**	**152**	**154**	**153**
貨量指數	**190**	**191**	**160**	**186**	**203**	**211**	**160**	**204**	**204**	**207**

5.31 香港產品出口貿易貨值、貨量指數

（1981 年＝100）

		1991年				1992年			
		第一季	第二季	第三季	第四季	第一季	第二季	第三季	第四季
衣着	貨值指數	212	236	311	313	216	242	326	311
	單位價格指數	174	177	182	179	179	181	190	189
	貨量指數	122	133	171	175	121	134	172	165
紡織品	貨值指數	314	394	388	424	287	449	369	398
	單位價格指數	142	144	145	144	145	146	145	143
	貨量指數	221	274	267	295	198	308	255	379
紡織紗及線	貨值指數	185	295	262	237	173	292	222	212
	單位價格指數	133	133	132	130	130	130	128	127
	貨量指數	140	221	198	183	133	225	173	168
紡織製成品和有關製品	貨值指數	102	119	131	107	83	110	82	114
	單位價格指數	201	203	205	205	213	217	218	214
	貨量指數	50	59	64	52	39	51	38	53
各類收音機	貨值指數	25	28	27	25	15	17	22	21
	單位價格指數	108	106	107	110	106	105	103	100
	貨量指數	23	26	25	23	14	17	21	21
電子零件	貨值指數	458	441	517	514	497	587	621	705
	單位價格指數	107	107	105	106	103	101	101	100
	貨量指數	427	414	492	485	483	583	617	704
鞋類	貨值指數	84	76	76	62	62	50	65	49
	單位價格指數	139	142	145	143	143	146	151	151
	貨量指數	60	53	52	43	43	34	43	33
金屬製品	貨值指數	218	279	286	302	253	290	295	286
	單位價格指數	179	180	180	182	187	188	185	183
	貨量指數	122	155	159	166	136	154	159	157
礦砂及廢料	貨值指數	220	228	165	192	173	212	230	218
	單位價格指數	88	89	83	81	84	84	82	79
	貨量指數	249	255	199	238	206	251	279	277
鐘錶	貨值指數	208	241	215	249	181	210	209	229
	單位價格指數	95	93	93	93	94	92	94	94
	貨量指數	220	258	233	267	194	229	223	245
旅行物品、手袋及同類製品	貨值指數	50	68	64	66	65	61	56	61
	單位價格指數	189	192	195	192	194	195	196	195
	貨量指數	27	35	33	34	33	31	29	31
家用電器	貨值指數	93	112	110	114	70	69	65	65
	單位價格指數	116	118	118	116	120	117	118	117
	貨量指數	80	94	93	98	58	59	55	56

		1991年				1992年			
		第一季	第二季	第三季	第四季	第一季	第二季	第三季	第四季
其他港產品	貨值指數	321	390	395	408	329	399	394	397
	單位價格指數	160	160	159	159	161	160	159	159
	貨量指數	201	244	249	257	205	250	247	250
港產品出口總計	**貨值指數**	**241**	**281**	**309**	**319**	**242**	**290**	**315**	**318**
	單位價格指數	**151**	**151**	**152**	**151**	**152**	**152**	**154**	**153**
	貨量指數	**160**	**186**	**203**	**211**	**160**	**191**	**204**	**207**

5.32 香港進口貿易貨值、貨量指數

（1981 年－100）

		1991年				1992年			
		第一季	第二季	第三季	第四季	第一季	第二季	第三季	第四季
食品	貨值指數	255	275	280	316	268	330	285	350
	單位價格指數	142	141	142	145	144	143	143	143
	貨量指數	179	196	198	217	187	231	199	244
消費品	貨值指數	666	799	857	949	894	1005	1117	1195
	單位價格指數	173	173	175	176	177	177	181	178
	貨量指數	384	463	489	539	505	568	618	670
原料和半製成品	貨值指數	429	552	541	554	487	645	587	619
	單位價格指數	149	148	147	148	147	145	144	143
	貨量指數	289	372	367	376	332	445	407	434
燃料	貨值指數	186	122	152	117	127	192	155	193
	單位價格指數	113	84	85	88	82	85	86	87
	貨量指數	164	145	179	133	155	226	180	221
資本貨品	貨值指數	537	640	671	743	681	890	955	1017
	單位價格指數	192	189	189	193	193	193	196	196
	貨量指數	279	339	355	386	353	462	487	519
全部貨品	**貨值指數**	**470**	**568**	**586**	**627**	**572**	**707**	**715**	**767**
	單位價格指數	**158**	**157**	**157**	**158**	**158**	**157**	**159**	**157**
	貨量指數	**297**	**363**	**373**	**396**	**362**	**450**	**450**	**487**

5.33 香港轉口貿易貨值、貨量指數

（1981 年＝100）

		1991年				1992年			
		第一季	第二季	第三季	第四季	第一季	第二季	第三季	第四季
食品	貨值指數	473	506	488	584	512	542	504	669
	單位價格指數	165	165	169	170	170	168	166	166
	貨量指數	287	306	290	344	302	323	304	404
消費品	貨值指數	1,272	1,529	1,847	1,948	1,743	2,019	2,404	2,384
	單位價格指數	162	161	165	166	167	166	169	168
	貨量指數	786	948	1,117	1,176	1,043	1,217	1,424	1,422
原料和半製成品	貨值指數	742	971	1,009	1,052	929	1,223	1,140	1,261
	單位價格指數	161	161	162	160	159	157	157	156
	貨量指數	462	603	625	656	584	777	724	806
燃料	貨值指數	993	1,261	1,512	1,358	1,367	1,221	1,432	2,264
	單位價格指數	165	119	120	122	118	117	126	124
	貨量指數	602	1,056	1,265	1,115	1,160	1,041	1,140	1,823
資本貨品	貨值指數	1,197	1,473	1,602	1,887	1,735	2,213	2,474	2,803
	單位價格指數	188	189	189	191	192	191	191	195
	貨量指數	636	778	848	989	905	1,162	1,292	1,442
全部貨品	**貨值指數**	**1,000**	**1,234**	**1,398**	**1,494**	**1,338**	**1,626**	**1,783**	**1,874**
	單位價格指數	**166**	**166**	**168**	**168**	**169**	**167**	**169**	**168**
	貨量指數	**602**	**745**	**831**	**888**	**793**	**971**	**1,054**	**1,113**

5.34 1991年世界進出口貿易排名表

國家或地區	出口			進口			總貿易		
	億美元	比上年±%	地位	億美元	比上年±%	地位	億美元	比上年±%	地位
全世界	35,300	＋ 1.5		36,600	＋ 1.5				
美國	4,220	＋ 7.5	1	5,090	－ 1.5	1	9,310	＋ 2.4	1
德國	4,030	－ 4.5	2	3,900	＋ 9.5	2	7,930	＋ 2.1	2
日本	3,150	＋ 9.5	3	2,360	＋ 0.5	3	5,510	＋ 6.0	3
法國	2,17.	*	4	2,320	－ 1.0	4	4,490	－ 0.2	4
英國	1,850	*	5	2,100	－ 6.0	5	3,950	－ 3.4	5
意大利	1,690	－ 1.0	6	1,830	＋ 0.5	6	3,520	*	6
荷蘭	1,330	＋ 1.0	7	1,240	－ 0.5	7	2,570	－ 1.5	7
加拿大	1290	＋ 2.0	8	1,240	＋ 2.0	8	2,530	＋ 1.2	8
比利時、盧森堡	1,170	－ 0.5	9	1,200	*	9	2,370	－ 0.4	9
香港	980	＋19.5	10	1,000	＋21.0	10	1,980	＋20.7	10
東歐及前蘇聯	780	－25.0	11	700	－42.0	13	1,480	－33.9	13
台灣	760	＋13.5	12	630	＋14.5	17	1,390	＋13.9	14
中國	720	＋16.0	13	640	＋19.5	16	1360	＋17.2	15
南韓	720	＋10.5	14	820	＋17.0	12	1540	＋14.1	11
瑞士	620	－ 3.5	15	660	－ 4.5	14	1,280	－ 4.5	16
西班牙	600	＋ 8.0	16	930	＋ 6.0	11	1,530	＋ 6.3	12
新加坡	590	＋12.0	17	660	＋ 8.5	15	1,250	＋ 9.6	17
瑞典	550	－ 4.0	18	500	－ 9.0	20	1,050	－ 6.3	18
沙特阿拉伯	490	＋11.0	19	300	＋24.5	25	790	＋16.3	22
墨西哥	420	＋ 1.0	20	500	＋23.5	19	920	＋10.8	19

註：*無意義。

5.35 香港24類輕工業產品在世界出口地位

（按出口總值排列）

出口國家或地區	出口總值(億元) 括號內爲出口數量(萬個/萬台)			
	1988 年	1989 年	1990 年	1991 年
成衣				
• 香港	920.05	1,091.55	1,199.87	1,395.34
其中：本地產品出口	673.09	718.74	721.65	758.34
意大利	839.83	737.98	924.44	917.56
中國	379.98	478.16	534.05	701.86
南韓	690.72	709.35	625.58	587.93
德國	258.75	441.46	550.61	581.27
法國	258.75	284.99	367.13	374.52
皮革成衣				
• 香港	25.46	25.63	23.13	21.30
其中：本地產品出口	23.35	22.67	20.00	17.03
希臘	21.59	22.66	17.10	19.00
中國	——	6.92	11.27	11.41
德國	13.07	11.39	9.92	9.43
南韓	17.34	13.64	10.41	7.26
玩具及遊戲用品				
• 香港	259.67	310.05	367.74	439.53
其中：本地產品出口	100.47	69.75	53.06	46.41
日本	138.81	96.23	90.88	122.02
台灣	53.23	58.58	89.98	97.57
美國	37.46	53.35	72.21	82.29
中國	30.68	——	58.53	81.70
德國	46.68	49.82	65.57	70.02
南韓	81.13	75.21	60.44	52.13
手錶				
瑞士	220.29	242.28	326.94	319.10
	(2,798.7)	(2,986.9)	(3,007.4)	(3,201.5)
• 香港	164.16	176.71	198.52	210.08
	(49,457.5)	(51,076.6)	(61,728.4)	(60,587.1)
其中：本地產品出口	123.74	120.84	135.40	112.62
	(32,910.1)	(28,833.9)	(33,885.1)	(25,685.9)
日本	83.35	72.81	76.42	82.56
	(5,956.6)	(5,478.9)	(5,724.3)	(5,221.1)
德國	19.15	20.67	23.22	22.62
	(741.0)	(1,016.5)	(785.3)	(864.3)

出口國家或地區	出口總值(億元) 括號內爲出口數量(萬個/萬台)			
	1988 年	1989 年	1990 年	1991 年
法國	12.97	14.50	16.63	15.10
	(446.8)	(607.9)	(——)	(——)
新加坡	——	9.33	12.45	14.94
	(——)	(391.6)	(622.9)	(71.51)
鐘				
• 香港	14.19	14.35	14.67	17.36
	(7,946.0)	(7,495.2)	(7,239.5)	(8,150.2)
其中：本地產品出口	8.12	4.74	4.05	3.16
	(4,446.9)	(2,209.2)	(1,854.3)	(1,322.8)
台灣	11.65	12.79	13.24	16.24
	(3,263.0)	(3,566.3)	(3,917.2)	(5,240.0)
德國	14.36	15.14	17.21	15.35
	(1,843.2)	(2,184.5)	(2,063.4)	(1,995.8)
日本	11.37	10.05	9.91	10.02
	(1,458.4)	(1,342.3)	(1,352.1)	(1,313.1)
中國	2.54	2.99	3.16	5.53
	(1,243.7)	(1,349.0)	(1,616.5)	(3,052.3)
收音機				
日本	173.13	170.37	193.60	243.19
	(2,305.5)	(2,162.8)	(2,310.5)	(2,618.0)
• 香港	98.73	127.10	165.03	195.67
	(11,600.2)	(12,680.6)	(15,565.1)	(17,734.0)
其中：本地產品出口	28.61	16.77	12.50	10.38
	(3,031.7)	(1,572.1)	(1,119.4)	(736.3)
新加坡	100.08	113.76	122.63	133.13
	(3.097.3)	(3,033.7)	(3,384.6)	(3,308.0)
其中：本地產品出口	77.70	81.66	83.49	87.67
	(2,134.2)	(1,793.7)	(1,907.4)	(1,794.5)
馬來西亞	46.71	72.60	86.12	(114.38)
	(——)	(——)	(——)	(——)
南韓	111.18	103.02	107.43	95.96
	(4,212.9)	(3,497.2)	(3,050.0)	(7,420.5)
中國	——	——	45.27	50.58
	(——)	(——)	(3,257.6)	(3,758.8)
德國	33.09	32.61	38.96	36.06
	(618.3)	(648.2)	(695.3)	(656.4)
計算機				
日本	33.15	33.02	27.72	25.01
• 香港	18.42	18.50	19.67	21.75
其中：本地產品出口	9.18	5.18	2.90	1.92

出口國家或地區	出口總值(億元) 括號內爲出口數量(萬個/萬台)			
	1988年	1989年	1990年	1991年
台灣	26.66	28.88	20.01	15.35
泰國	——	1.58	3.21	9.07
中國	——	4.32	6.02	6.67
新加坡	6.38	4.39	5.72	6.60
意大利	4.63	4.68	5.47	5.84
晶體管				
日本	42.07	44.08	48.01	55.73
美國	13.14	28.58	31.24	31.71
• 香港	24.12	25.15	24.51	21.85
其中：本地產品出口	8.38	10.72	11.66	13.35
南韓	16.91	16.16	16.82	17.11
德國	11.21	11.46	13.40	14.99
法國	7.56	7.64	10.56	12.29
理髮用電器				
• 香港	30.23	31.89	33.09	31.46
其中：本地產品出口	12.11	8.37	6.97	4.58
愛爾蘭	3.73	3.75	5.80	6.26
德國	3.98	4.10	5.23	6.01
意大利	2.71	2.76	4.64	3.64
中國	——	——	1.50	2.06
風扇、家用電器				
台灣	37.37	34.57	37.98	34.16
	(3,112.5)	(2,792.2)	(2,939.5)	(2,675.0)
• 香港	15.61	20.64	23.79	25.84
	(1,392.0)	(2,104.6)	(2,500.8)	(2,929.1)
其中：本地產品出口	11.23	2.85	1.33	1.29
	(950.4)	(407.5)	(211.0)	(152.1)
中國	3.71	7.74	9.72	18.92
	(415.0)	(826.3)	(1,071.2)	(1,804.2)
泰國	0.39	2.30	3.26	4.44
	(23.6)	(142.0)	(180.3)	(264.0)
意大利	——	1.42	2.72	3.49
	(——)	(——)	(——)	(——)
德國	3.49	2.61	2.65	2.70
	(57.1)	(191.6)	(170.9)	(179.9)
手提電池及電磁燈				
• 香港	11.08	12.15	14.83	17.60
	(12,960.4)	(14,537.1)	(16,901.9)	(18,669.0)
其中：本地產品出口	7.20	5.61	4.66	3.13
	(6,393.8)	(4,540.5)	(3,555.5)	(2,080.4)

出口國家或地區	出口總值(億元) 括號內為出口數量(萬個/萬台)			
	1988 年	1989 年	1990 年	1991 年
美國	1.77	2.78	3.13	3.71
	(　)	(——)	(——)	(——)
中國	2.34	2.27	2.48	2.59
德國	1.51	1.81	2.24	2.29
台灣	2.76	2.15	1.66	1.83
日本	1.36	1.16	1.31	1.23
貴金屬珠寶首飾				
意大利	226.79	248.59	265.95	273.85
瑞士	62.48	79.88	95.41	94.39
• 香港	46.45	52.66	55.67	54.38
其中：本地產品出口	41.03	46.26	48.16	45.11
英國	37.29	45.39	48.94	43.81
德國	35.42	39.62	45.67	40.25
泰國	30.43	36.90	39.61	38.32
法國	25.80	32.81	41.21	36.01
仿珠寶首飾				
• 香港	25.09	25.66	29.91	35.48
其中：本地產品出口	20.74	19.00	20.09	19.84
南韓	17.01	18.53	21.18	22.86
台灣	14.86	13.98	13.56	17.44
意大利	7.91	10.17	12.22	10.87
美國	8.31	7.27	9.50	10.69
法國	6.32	8.85	11.06	9.95
德國	9.97	9.69	10.93	9.26
金屬錶帶				
• 香港	8.06	8.04	9.22	10.55
	(22,896.4)	(19,868.3)	(17,979.3)	(16,910.4)
其中：本地產品出口	7.58	7.31	8.14	8.72
	(21,379.6)	(18,126.5)	(16,143.0)	(14,354.0)
意大利	2.30	2.61	4.00	3.88
法國	1.14	2.09	3.46	3.40
瑞士	1.82	1.57	2.66	2.75
中國	——	——	1.42	2.48
人造花				
• 香港	29.92	43.53	45.06	55.78
其中：本地產品出口	6.17	2.85	2.08	1.83
中國	——	6.73	8.24	8.91
泰國	4.62	8.83	7.40	6.97
南韓	2.62	4.41	4.24	3.81
比利時盧森堡	1.70	2.01	2.52	2.81

出口國家或地區	出口總值(億元) 括號內爲出口數量(萬個/萬台)			
	1988 年	1989 年	1990 年	1991 年
荷蘭	——	0.80	1.64	2.54
德國	——	1.75	2.16	2.33
防水布、帳篷、帳幕製品				
南韓	10.59	9.84	9.56	10.80
德國	4.52	4.57	5.44	6.57
中國	——	——	3.12	5.32
• 香港	4.11	3.45	3.03	3.91
其中：本地產品出口	3.37	2.65	1.68	0.50
台灣	3.00	2.80	2.35	3.06
法國	1.93	2.05	2.46	2.75
丹麥	2.09	2.17	2.61	2.50
蠟燭(公噸)				
德國	3.26	3.15	3.55	4.22
	(18,771)	(20,089)	(1,969)	(2,535.1)
• 香港	3.39	3.00	3.29	4.00
	(26,504)	(23,050)	(26,314)	(3,142.0)
其中：本地產品出口	1.91	0.98	1.03	0.95
	(15,360)	(6,944)	(8,987)	(792.8)
荷蘭	2.60	2.60	3.05	3.24
	(17,692)	(18,636)	(19,904)	(2,084.3)
中國	——	——	1.61	2.13
	(——)	(——)	(26, 180)	(3,474.8)
法國	0.77	0.79	0.98	1.03
	(3,977)	(4,325)	(3,736)	(382.7)
葡萄牙	1.04	1.06	1.12	1.01
	(7,138)	(7,171)	(6,587)	(602.1)
鞋類				
意大利	——	441.81	538.54	518.38
南韓	——	279.82	335.95	299.20
台灣	——	279.34	259.18	277.82
• 香港	——	98.89	157.97	256.72
其中本地產品	——	13.30	10.97	7.21
中國	——	85.50	125.37	180.97
雨傘、太陽傘				
• 香港	8.52	13.90	20.35	28.98
其中：本地產品出口	1.03	0.79	0.69	0.50
台灣	23.01	20.41	12.67	9.19
中國	3.39	4.52	5.72	7.32
意大利	4.13	3.93	5.62	6.06
德國	1.80	1.99	2.54	2.86

出口國家或地區	出口總值(億元) 括號內爲出口數量(萬個/萬台)			
	1988 年	1989 年	1990 年	1991 年
法國	1.17	1.29	1.58	1.54
拉鏈				
台灣	9.15	10.07	11.43	13.12
• 香港	7.33	9.05	11.36	12.68
其中：本地產品出口	4.65	6.06	7.14	8.12
日本	10.28	11.77	12.23	11.17
德國	3.56	4.02	4.81	5.33
南韓	0.91	1.42	2.44	3.08
鈕扣、袖口扣、領扣				
德國	10.47	11.58	15.73	15.71
意大利	6.57	7.66	10.38	10.33
日本	6.82	7.82	7.81	9.59
• 香港	5.02	7.20	8.74	9.56
其中：本地產品出口	4.12	6.01	7.24	7.84
台灣省	3.21	4.31	6.34	9.53
旅行用用品、手袋				
• 香港	——	130.94	162.81	208.49
其中：本地產品出口	——	12.71	10.79	10.13
南韓	——	87.74	85.52	80.76
意大利	——	76.44	88.98	74.26
台灣	——	71.17	60.68	58.53
法國	——	48.26	57.96	55.86
中國	——	31.30	30.04	38.40
紙、紙盒標簽				
德國	10.94	11.69	14.75	15.48
美國	4.19	5.52	6.74	8.53
• 香港	3.75	5.01	5.93	7.34
其中：本地產品出口	3.28	4.24	6.01	6.05
比利時、盧森堡	3.99	4.18	4.83	6.20
照相機				
日本	130.92	134.74	132.95	135.93
	(1,362.5)	(1,928.5)	(2,141.1)	(2,532.4)
台灣	22.82	23.60	21.79	28.64
	(2,627.2)	(2,155.0)	(1,884.7)	(1,853.2)
• 香港	18.41	22.79	21.60	27.02
	(1,685.6)	(1,589.8)	(1,746.3)	(2,373.0)
其中：本地產品出口	11.51	14.05	13.20	13.91
	(712.9)	(581.0)	(530.2)	(489.5)

出口國家或地區	出口總值(億元) 括號內爲出口數量(萬個/萬台)			
	1988年	1989年	1990年	1991年
英國	8.80	11.34	9.90	16.02
	(197.5)	(309.1)	(250.9)	(483.8)
德國	17.65	20.02	18.24	14.84
	(136.1)	(187.9)	(163.1)	(204.8)
美國	8.53	7.80	10.64	13.11
	(215.2)	(410.6)	(——)	(——)

5.36 香港對中國貿易的外發加工價值

（單位：億元）

	中國貨進口香港	輸往中國總值	港產品輸往中國	轉口往中國
1991年				
香港對中國貿易	2,918.29	2,053.28	527.51	1,522.76
估計外發加工值	1,973.84	1,139.31	403.70	735.62
佔該類貿易%	67.6	55.5	76.5	48.3
第一季	380.71	215.05	78.81	136.24
佔該類貿易%	67.0	55.7	79.4	47.5
第二季	450.60	299.67	103.80	195.87
佔該類貿易%	62.9	57.5	76.00	50.9
第三季	540.70	311.81	109.30	202.51
佔該類貿易%	68.2	56.5	77.0	49.4
第四季	601.83	312.78	111.79	201.00
佔該類貿易%	71.6	52.7	74.6	45.3
1992年				
香港對中國貿易	3,521.36	2,705.03	595.57	2,109.46
估計外發加工值	2,540.14	1,416.38	442.72	973.68
佔該類貿易%	72.1	52.4	74.3	46.2
第一季	516.81	264.92	82.38	182.55
佔該類貿易%	72.0	50.7	72.2	44.7
第二季	617.11	393.69	120.85	272.84
佔該類貿易%	69.7	56.4	75.6	50.7
第三季	677.18	375.36	119.81	255.56
佔該類貿易%	71.1	54.1	76.1	47.6
第四季	729.04	382.41	119.68	262.73
佔該類貿易%	75.5	48.4	72.9	41.9

6 港府財政收支

6.1 財政支出

	實	際	支	出					修訂		預算	
	1988—89年度		1989—90年度		1990—91年度		1991—92年度		1992—93年度		1993—94年度	
	億元	%	億元	%	億元	%	億元	%	億元	%	億元	%
經常開支	412.60	84	490.76	71	603.78	73	707.73	76	820.32	17	869.86	70
薪俸	158.28	32	188.55	27	234.43	28	252.86	27	257.42	25	260.30	21
與職員有關的支出	32.22	7	37.52	5	49.37	6	65.84	7	78.90	8	87.74	7
部門支出	36.67	7	38.50	6	45.52	6	47.82	5	46.61	4	50.77	4
其他費用	66.32	14	84.01	12	97.12	12	109.39	12	119.15	11	129.25	10
補助費	119.11	24	142.18	21	177.34	21	231.82	25	318.24	31	341.80	28
額外承擔撥款	—	—	—	—	—	—	—	—	—	—	73.00	6
非經常開支	13.83	3	28.85	4	22.49	1	20.78	2	48.84	5	15.68	1
廠房設備與工程	4.06	1	5.43	1	7.76	1	7.58	1	7.27	1	6.10	1
補助費	2.02	—	2.13	—	3.82	1	4.16	—	9.35	1	5.80	—
其他	7.75	2	21.29	3	10.91	1	9.01	1	32.22	3	3.78	—
經常＋非經常開支	426.43	87	519.61	75	626.27	76	728.51	78	869.16	84	993.04	80
撥入基金	63.10	13	177.00	25	202.10	24	205.50	22	159.90	16	244.50	20
開支總額	**489.53**	**100**	**696.61**	**100**	**828.37**	**100**	**934.01**	**100**	**1,029.06**	**100**	**1,237.54**	**100**

6.2 財政收入

	實際收入								修訂		預算	
	1988—89年度		1989—90年度		1990—91年度		1991—92年度		1992—93年度		1993—94年度	
	億元	%	億元	%	億元	%	億元	%	億元	%	億元	%
經常收入	643.02	98	734.30	99	814.01	98	999.73	98	1,198.36	99	1,295.07	97
直接稅												
入息稅及利得稅	296.62	45	335.49	45	363.41	44	448.70	44	558.46	46	631.40	47
間接稅												
本地內部稅收	186.33	28	203.30	27	247.81	30	330.67	33	405.71	33	398.00	30
博彩及彩票稅	40.76	6	48.29	7	58.84	7	71.10	7	80.73	7	103.72	8
娛樂稅	1.33	—	1.29	—	1.36	—	1.41	—	0.15	—	—	—
酒店房租稅	2.41	1	2.71	1	2.69	1	2.66	—	3.10	—	3.35	—
印花稅	50.95	8	54.64	7	59.39	7	95.69	10	131.00	11	96.70	8
飛機旅客離境稅	6.83	1	6.69	1	7.18	1	11.20	1	12.69	1	13.84	1
海底隧道通過稅	1.95	—	1.96	—	1.97	—	2.00	—	2.00	—	2.00	—
應課稅品稅項	41.73	6	46.28	6	57.29	7	68.44	7	71.83	6	77.39	6
一般差餉	15.17	2	16.63	2	30.39	4	34.94	3	43.60	4	44.95	3
車輛稅	19.22	3	17.35	3	20.54	2	34.37	3	49.56	4	42.22	3
專利稅和特權稅	5.98	1	7.46	1	8.16	1	8.86	1	11.05	1	13.83	1
其他稅收	160.07	25	195.51	26	202.79	24	220.36	22	234.34	19	265.67	20
非經常性收入	14.79	2	9.35	1	12.73	2	14.83	2	14.31	1	44.99	3
直接稅												
本地內部稅收												
遺產稅	4.47	1	4.90	1	6.56	1	6.83	1	10.00	1	8.00	1
間接稅												
的士牌費	0.69	—	2.08	—	1.36	—	3.02	—	—	—	3.56	—
其他稅收	9.63	1	2.37	—	4.81	1	4.98	1	4.31	—	33.43	2
收入總額	**657.81**	**100**	**743.65**	**100**	**826.74**	**100**	**101.56**	**100**	**1,212.67**	**100**	**1,340.06**	**100**

6.3 財政收入分析

年　度	直接稅佔直接＋間接稅收入(%)	直接稅佔總收入(%)	經常收入佔總收入(%)	非常收入佔總收入(%)
1983—84	60	39	90	10
1984—85	62	38	84	16
1985—86	60	41	88	12
1986—87	60	44	96	4
1987—88	60	45	96	4
1988—89	62	46	98	2
1989—90	62	46	99	1
1990—91	60	45	99	1
1991—92	58	45	98	2
1992—93修訂	58	47	99	1
1993—94預算	61	48	97	3

6.4 各項收入一覽表

（單位：萬元）

收入項目	1991/92年度	1992/93年度	1993/94年度預算
關稅	684,398.4	721,571.6	773,923.8
一般差餉	349,362.6	442,351.6	449,500.0
本港內部稅收	6,395,888.0	7,909,846.1	8,590,146.4
車輛稅	343,712.8	493,997.4	422,213.3
各類罰款與沒收款項	88,553.2	89,160.8	94,192.0
專利稅及特權稅	118,834.6	113,572.1	173,894.1
物業及投資	455,414.0	358,788.3	768,612.7
土地交易	41,218.3	26,692.2	23,600.0
貸款、償款、供款及其他收入	286,307.1	403,232.0	407,703.2
公用事業	664,973.4	717,389.3	789,199.9
各項收費	716,975.4	801,475.6	907,681.4
總　額	**10,045,637.8**	**12,078,077.0**	**13,400,666.8**

6.5 各部門財政支出一覽表

（單位：萬港元）

支出項目	1991/92年度	1992/93年度	1993/94年度預算
港督府	1,649.1	1,947.8	2,332.3
漁農處	30,064.6	34,093.0	36,515.2
建築署	107,238.4	117,186.5	126,876.7
核數署	6,360.2	7,374.1	7,360.1
醫療輔助隊	3,560.5	4,066.3	4,094.6
屋宇地政署	80,842.7	89,372.8	92,117.4
統計處	26,062.6	24,211.6	23,772.0
民衆安全服務處	4,636.0	5,044.4	5,607.5
民航處	38,099.7	35,137.9	39,598.3
土木工程署	36,191.0	41,951.7	42,217.0
懲教署	135,007.0	151,783.8	155,225.0
香港海關	68,155.7	77,275.8	79,81.3.9
衞生署	140,529.0	157,337.9	167,609.7
渠務署	39,103.8	47,971.8	53,659.8
教育署	1,152,146.1	1,288,464.5	1,353,172.0
機電工程署	94,549.5	93,301.7	80,757.3
環境保護署	40,533.2	55,507.9	93,340.7
消防處	126,685.6	142,487.6	151,216.2
公務員一般開支	287,564.9	300,666.9	355,254.5
政府飛行服務隊	29,562.7	15,892.0	11,889.7
化驗所	9,027.6	10,786.4	10,585.4
車輛管理處	6,490.1	10,538.7	12,381.3
產業署	135,373.6	109,361.2	115,324.5
布政司署	64,057.2	76,611.2	74,741.6
布政司署：政務總署	48,519.4	53,621.0	54,067.1
布政司署：公務員訓練中心	4,842.6	5,038.4	6,209.4
布政司署：駐海外辦事處	15,876.4	16,032.7	17,767.5
布政司署：規劃環境地政科及工務科	10,298.9	16,254.6	17,537.7
布政司署：文康廣播科	7,975.9	9,790.0	8,321.6
物料供應處	10,084.8	11,180.9	11,648.7
路政署	88,942.1	100,779.8	107,255.0
醫院事務署	12,671.4	12,662.4	10,340.5
房屋署	37,227.3	36,659.9	38,708.8
入境事務處	101,903.7	112,230.8	112,712.6
廉政公署	34,730.9	37,955.8	38,600.3
工業署	9,790.5	10,695.2	9,978.9
新聞處	13,474.8	15,515.7	15,701.0
資訊科技署	17,703.2	21,363.7	25,663.8
稅務局	60,989.5	68,944.7	69,015.9

支出項目	1991/92年度	1992/93年度	1993/94年度預算
知識產權署	1,991.2	3,056.0	3,291.0
內部保安：雜項措施	174,369.2	178,506.6	171,541.6
司法部	36,809.5	42,042.4	42,895.5
勞工處	25,830.8	29,089.7	29,355.5
法律援助處	22,249.1	25,549.8	25,950.2
律政署	43,014.6	45,962.1	46,614.5
海事處	45,234.9	50,906.4	55,000.4
雜項服務	60,018.2	287,277.4	1095,312.9
行政立法兩局議員辦事處	4,316.9	5,143.2	5,013.6
行政事務申訴專員公署	842.3	862.0	1,374.5
破產管理署	—	4,614.9	5,702.6
退休金	340,148.7	471,205.1	492,343.0
規劃署	16,414.1	18,675.3	20,370.1
投訴警方事宜監察委員會	598.0	674.4	629.7
警察：香港警務署	626,976.5	730,033.0	732,507.0
郵政署	159,404.9	183,188.7	187,344.8
印務局	14,335.2	12,324.6	14,935.1
公務員叙用委員會	845.4	1,020.5	1,165.9
香港電台	27,966.1	29,110.5	30,332.8
差餉物業估價署	13,692.8	15,105.1	14,777.6
註册總署	22,729.3	18,897.3	14,580.0
職工會登記局	596.4	590.1	647.4
香港軍團	3,301.8	3,535.5	3,699.1
天文台	8,769.2	9,716.3	10,768.2
社會福利署	603,613.2	707,651.0	740,901.1
公務員薪俸及服務條件常務委員會	1,001.4	878.9	949.3
紀律人員薪俸及服務條件常務委員會	616.8	594.8	606.1
學生資助辦事處	28,627.3	37,395.2	48,452.3
補助：雜項	11,361.8	18,562.2	21,177.2
補助費：非部門公共機構	537,123.3	1,373,546.2	1,465,624.1
工業教育及訓練署	44,105.6	208.8	59.1
影視及娛樂事務管理處	2,184.7	2,470.5	2,828.3
拓展署	13,766.0	16,307.8	14,300.1
貿易署	14,529.7	15,988.1	16,294.0
運輸署	35,824.1	39,067.9	39,854.9
庫務署	22,410.8	26,332.3	26,890.8
大學及理工學院	439,407.9	564,353.8	637,879.3
水務署	239,675.4	251,137.5	269,412.9
總支出	7,285,104.8	8,648,671.0	9,930,373.0
撥入基金	2,055,000.0	1,553,781.2	2,445,000.0
總　額	**9,340,104.8**	**10,202,452.2**	**12,375,373.0**

7 貨幣・銀行・金融

7.1 貨幣供應量

（單位：億元）

	1991年底			1992年底		
	港元	外幣	合計	港元	外幣	合計
流通的法定硬幣和紙幣						
商業銀行發行的貨幣(甲)	465.06	—	465.06	582.26	—	582.26
香港上海滙豐銀行	401.94	—	401.94	506.44	—	506.44
渣打銀行	63.12	——	63.12	75.82	—	75.82
港府發行的貨幣(乙)	26.71	—	26.71	29.31		29.31
面額1,000元金幣	3.72	—	3.72	3.72	—	3.72
面額 5元硬幣	7.90	—	7.90	8.66	—	8.66
面額 2元硬幣	5.89	—	5.89	6.95	—	6.95
面額 1元硬幣	4.95	—	4.95	5.43	—	5.43
輔幣	4.24	—	4.24	4.54	—	4.54
持牌銀行及接受存款公司持有的法定硬幣和紙幣(丙)	65.69	—	65.69	89.85	—	89.85
市民持有的法定硬幣和紙幣(甲＋乙－丙)＝(丁)	426.08	—	426.08	521.72	—	521.72
存於持牌銀行的活期存款(戊)	691.61	167.28	858.89	873.07	160.78	1,033.85
存於持牌銀行的定期存款(己)	2,819.79	6,295.12	9,114.91	3,293.63	6,627.63	9,921.26
銀行發出可轉讓存款證(銀行及接受存款公司持有者除外)(庚)	130.06	39.44	169.50	133.57	38.59	172.16
存於持牌銀行的儲蓄存款(辛)	2,292.87	847.64	3,140.52	2,447.92	1,090.85	3,538.78
存於接受存款公司的存款(壬)	237.34	394.40	631.74	225.92	311.25	537.18
接受存款公司發出的可轉讓存款證(銀行及接受存款公司持有者除外)(癸)	3.41	28.37	31.78	6.92	10.78	17.70
貨幣供應						
定義1(丁＋戊)	1,117.69	167.28	1,284.97	1,394.79	160.78	1,555.57
定義2(丁＋戊＋己＋庚＋辛)	6,360.42	7,349.48	13,709.90	7,269.92	7,917.85	15,187.77
定義3(丁＋戊＋己＋庚＋辛＋壬＋癸)	6,601.17	7,772.25	14,373.42	7,502.76	8,239.89	15,742.65

7.2 認可金融機構及代表辦事處

年份	持牌銀行	有限制牌照銀行①	接受存款公司	本港代表辦事處②
1981	123	——	350	——
1982	131	18	343	117
1983	136	30	319	117
1984	140	33	311	122
1985	143	36	277	134
1986	151	38	254	144
1987	155	35	232	143
1988	160	35	216	152
1989	165	36	202	160
1990	168	46	191	155
1991	163	53	159	152
1992	164	56	147	148

註①有限制牌照銀行(前稱爲持牌接受存款公司)的類別於1981年設立，第一個牌照於1982年發出。

②管制設立本港代表辦事處的措施於1982年4月實施。

7.3 按註册地區及母公司類別列出的認可金融機構

	1988年	1989年	1990年	1991年	1992年
持牌銀行	160	165	168	163	164
在香港註册	32	31	30	30	30
在海外註册	125	134	138	133	134
非有限公司的持牌銀行	3	—	—	—	—
有限制牌照銀行	35	36	46	53	56
持牌銀行的附屬機構	14	15	17	15	16
本港	3	3	3	3	3
海外	11	12	14	12	13
海外銀行的附屬機構或分行	8	7	16	25	27
與銀行有關連的	11	11	10	10	10
其他	2	3	3	3	3
接受存款公司	216	202	191	159	147
持牌銀行的附屬機構	109	106	101	81	79
本港	33	30	28	25	24
海外	76	76	73	56	55
並非在本港獲發牌的海外銀行的附屬機構	49	46	46	44	37
與銀行有關連的	21	22	18	14	12
其他	37	28	26	20	19

7.4 按實益擁有國家或地區列出的認可金融機構

國家、地區/年份	持牌銀行			有限制牌照銀行			接受存款公司		
	1990	1991	1992	1990	1991	1992	1990	1991	1992
亞洲及太平洋	88	89	93	25	28	30	127	119	112
香港	15	15	15	3	3	3	20	19	18
澳大利亞	5	4	4	4	2	2	2	1	1
中國	15	15	15	1	1	1	16	16	16
印度	4	4	4	—	—	—	4	4	4
印尼	3	3	3	1	1	1	16	15	14
日本	31	33	37	11	12	12	31	36	35
馬來西亞	2	2	2	2	2	2	5	2	2
新西蘭	1	1	1	—	—	—	1	1	—
巴基斯坦	1	1	1	—	—	—	1	1	1
菲律賓	2	2	2	1	1	1	5	5	6
新加坡	5	5	5	—	—	1	8	5	5
南韓	3	3	3	1	2	3	9	8	8
泰國	1	1	1	1	4	4	8	4	1
其他	—	—	—	—	—	—	1	1	1
歐洲	52	48	48	11	11	13	26	16	15
奧地利	2	2	2	—	—	—	—	—	—
比利時/盧森堡	3	3	3	—	—	—	4	4	2
丹麥	1	2	2	—	—	—	—	—	—
法國	8	8	8	1	1	2	9	7	6
德國	9	9	8	—	—	—	2	1	1
意大利	7	7	7	—	—	—	—	—	—
荷蘭	4	3	3	2	2	3	2	1	1
挪威	1	—	—	—	—	—	1	—	—
愛爾蘭共和國	1	1	—	—	—	—	—	—	—
西班牙	3	3	3	—	—	—	—	—	—
瑞典	3	3	3	—	—	—	1	—	—
瑞士	3	3	3	1	1	1	1	—	—
英國	7	5	5	7	7	7	5	4	4
其他	—	—	—	—	—	—	2	1	1
中東	2	2	2	—	2	1	5	3	2
巴林	1	1	1	—	—	—	2	1	1
伊朗	1	1	1	—	—	—	—		—
其他	—	—	—	—	2	1	3	2	1
北美洲	26	24	21	9	10	10	29	18	16
加拿大	6	6	6	2	2	2	3	1	1
美國	20	18	15	7	8	8	26	17	15
其他			—	1	2	2	4	3	2
總計	**168**	**163**	**164**	**46**	**53**	**56**	**191**	**159**	**147**

7.5 認可金融機構的本港與海外分行、海外代表辦事處

認可機構 / 年份	本港分行			海外分行[①]			海外代表辦事處[①]		
	1990	1991	1992	1990	1991	1992	1990	1991	1992
持牌銀行	1,399	1,409	1,409	169	175	183	19	21	27
在香港註册	953	959	944	169	175	183	19	21	27
在海外註册	446	450	465	—	—	—	—	—	—
有限制牌照銀行	11	11	11	3	3	3	8	8	7
接受存款公司	63	65	65	5	5	5	4	3	3

註①僅指在本港註册的認可機構。

7.6 按規模列出的認可金融機構分佈情況

	1990年	1991年	1992年
持牌銀行			
資產總值(元)	168	163	164
100億及以上	78	83	85
50－100億	28	27	31
20－50億	37	30	25
20億以下	25	23	23
存款(元)			
70億及以上	44	47	42
30－70億	24	24	33
10－30億	26	28	26
10億以下	74	64	63
有限制牌照銀行			
資產總值(元)	46	53	57
60億及以上	7	9	9
30－60億	10	8	8
10－30億	18	20	22
10億以下	11	16	17
存款(元)			
10億及以上	12	11	11
5－10億	7	6	6
1－5億	9	17	9
1億以下	18	19	23
接受存款公司			
資產總值(元)	191	159	147
100億及以上	0	0	0
10－100億	54	48	44
4－10億	42	40	37
1－4億	51	42	35
1億以下	44	29	31
存款(元)			
10億及以上	6	5	4
1－10億	51	46	37
3,000萬－1億	32	29	30
300萬－3,000萬	42	31	31
300萬以下	60	48	45

7.7 認可金融機構的資產負債表

（單位：億元）

	所有認可機構			所有持牌銀行			所有有限制牌照銀行			所有接受存款公司		
	1990	1991	1992	1990	1991	1992	1990	1991	1992	1990	1991	1992
資產總額	52,340	56,200	57,300	48,580	52,500	53,540	1,850	1,950	2,170	1,910	1,750	1,600
客戶貸款	17,890	22,440	24,700	16,800	21,170	23,310	470	620	740	620	650	640
本港①	7,600	8,990	9,990	—	—	—	—	—	—	—	—	—
海外	8,830	12,930	14,210	—	—	—	—	—	—	—	—	—
其他	1,450	510	500	—	—	—	—	—	—	—	—	—
銀行同業貸款	30,330	29,140	27,710	28,670	27,730	26,420	840	770	750	820	640	540
本港	5,510	5,780	5,610	4,730	5,160	5,070	400	340	310	380	290	230
海外	24,830	23,360	22,100	23,940	22,570	21,350	450	430	450	440	360	310
可轉讓存款證	290	220	270	190	140	180	60	50	70	40	40	30
銀行承兌滙票及銀行票據	210	360	490	210	320	450	—	10	20	—	20	30
浮息票據及商業票據	940	940	830	550	550	490	200	210	180	190	180	150
證劵及投資	1,220	1,890	2,110	1,000	1,520	1,600	80	230	360	130	150	150
其他資產	1,460	1,200	1,190	1,170	1,070	1,080	190	60	40	100	70	60
負債總額	52,340	56,200	57,300	48,580	52,500	53,540	1850	1,950	2,170	1,910	1750	1,600
客戶存款②	12,310	13,750	15,030	11,550	13,110	14,490	440	400	350	320	240	190
銀行同業借款	36,900	38,990	38,630	34,910	36,910	36,380	1,060	1,170	1,360	930	910	890
本港	5,510	5,800	5,600	4,390	4,530	4,260	500	600	670	620	670	670
海外	31,390	33,190	33,030	30,520	32,380	32,120	560	570	690	300	240	230
可轉讓存款證	360	310	350	330	260	300	10	20	30	20	40	20
其他負債	2,770	3,150	3,290	1,790	2,220	2,370	340	360	430	630	570	490

註：①包括資助貿易的貸款，但不包括資助與香港無關的貿易貸款。

②經掉期交易調整。

7.8 按實益擁有的國家或地區列出的本港銀行同業貸款

（單位：億港元）

年份/地區	存放同業			同業存款			貸款/(借款)淨額		
	港元	外幣	總額	港元	外幣	總額	港元	外幣	總額
1988年									
中國	420	300	720	250	120	370	170	180	350
日本	230	1,230	1,460	620	1,640	2,260	(390)	(420)	(810)
美國	130	130	260	160	90	260	(30)	40	—
歐洲	420	550	980	410	450	860	20	100	120
其他	700	510	1,210	460	400	860	230	110	350
總額	1,900	2,730	4,620	1,900	2,710	4,610	—	20	20
1989年									
中國	640	340	980	180	170	350	460	170	630
日本	360	1,220	1,580	1,020	1,690	2,710	(660)	(470)	(1,130)
美國	130	160	290	240	90	330	(110)	70	(40)
歐洲	460	610	1,080	460	460	920	—	150	160
其他	740	560	1,310	450	470	920	300	90	390
總額	2,330	2,900	5,230	2,350	2,880	5,220	(10)	20	10
1990年									
中國	700	420	1,120	150	120	270	560	300	860
日本	360	1,180	1,540	1,130	1,740	2,870	(770)	(560)	(1,330)
美國	120	130	240	200	90	290	(90)	40	(50)
歐洲	450	590	1,040	510	500	1,010	(60)	90	30
其他	820	740	1,570	450	630	1,080	370	120	490
總額	2,450	3,060	5,510	2,440	3,070	5,510	10	(10)	(10)
1991年									
中國	930	410	1,340	190	110	300	740	290	1,040
日本	400	1,260	1,660	1,240	1,720	2,960	(840)	(460)	(1,300)
美國	110	130	230	230	110	340	(130)	20	(110)
歐洲	460	420	890	570	420	990	(110)	—	(110)
其他	1,010	650	1,670	690	510	1,200	320	140	460
總額	2,920	2,870	5,780	2,920	2,880	5,790	—	(20)	(20)
1992年									
中國	730	410	1,140	180	130	310	560	280	830
日本	360	1,020	1,380	1,100	1,460	2,560	(740)	(440)	(1,180)
美國	90	160	240	190	100	300	(110)	60	(50)
歐洲	380	450	840	450	470	920	(70)	(10)	(80)
其他	1,290	720	2,010	900	620	1,520	380	100	480
總額	2,850	2,760	5,610	2,820	2,780	5,600	30	(20)	10

7.9 按實益擁有的國家或地區列出的本港以外銀行同業貸款

（單位：億港元）

年份/地區	存放同業			同業存款			貸款/(借款)淨額		
	港元	外幣	總額	港元	外幣	總額	港元	外幣	總額
1988年									
中國	190	790	970	250	250	500	(60)	540	470
日本	30	13,260	1,329	60	16,680	16,740	(30)	(3,420)	(3,450)
美國	—	990	1,000	30	860	890	(30)	130	100
歐洲	50	2,110	2,160	130	2,110	2,240	(80)	—	(90)
其他	50	1,810	1,850	60	890	950	(1)	920	910
總額	320	18,950	19,270	520	20,800	21,320	(210)	(1,840)	(2,040)
1989年									
中國	90	860	950	460	230	690	(370)	630	260
日本	30	14,050	14,080	80	18,870	18,960	(50)	(4,820)	(4,870)
美國	10	1,150	1,160	30	980	1,010	(20)	170	150
歐洲	50	2,290	2,330	200	2,430	2,630	(150)	(150)	(30)
其他	60	2,190	2,250	70	930	1,000	(10)	1,270	1,260
總額	230	20,550	20,780	840	23,440	24,280	(610)	(2,890)	(3,500)
1990年									
中國	210	1,170	1,370	540	320	860	(3,300)	850	520
日本	40	16,460	16,500	130	2,502	25,150	(90)	(8,560)	(8,650)
美國	10	1,500	1,500	40	1,200	1,240	(30)	300	270
歐洲	60	2,620	2,680	220	2,640	2,860	(160)	(20)	(180)
其他	70	2,700	2,770	90	1,190	1,280	(20)	1,500	1,480
總額	380	24,440	24,830	1,020	30,370	31,390	630	5,930	6,560
1991年									
中國	270	1,220	1,490	790	320	1,110	(520)	910	390
日本	40	14,820	14,860	140	26,560	26,700	(100)	(11,740)	(11,840)
美國	—	1,280	1,290	60	1,060	1,120	(50)	220	170
歐洲	50	2,540	2,600	200	2,700	2,900	(140)	(1,160)	(310)
其他	70	3,050	3,120	70	1,290	1,360	—	1,760	1,760
總額	440	22,920	23,360	1,260	31,930	33,190	(820)	(9,010)	(9,830)
1992年									
中國	430	1,370	1,800	720	360	1,080	(290)	1,010	720
日本	30	13,010	13,040	160	25,760	25,920	(130)	(12,760)	(12,880)
美國	10	1,370	1,380	50	1,230	1,280	(40)	140	100
歐洲	70	2,860	2,930	230	3,050	3,290	(160)	(190)	(350)
其他	90	2,860	2,950	110	1,350	1,460	(20)	1,510	1,490
總額	630	21,470	22,100	1,270	3,176	33,030	(640)	(10,290)	(10,930)

7.10 按實益擁有的國家或地區列出的資產與存款額

（單位：億港元）

		中國	日本	美國	歐洲	其他	總額
資產	1988年						
	港元	1,500	960	580	1,290	2,730	7,060
	外幣	1,490	19,840	1,590	3,770	3,230	29,920
	總額	2,990	20,800	2,160	5,060	5,960	36,980
	1989年						
	港元	1,690	1,470	730	1,570	3,250	8,710
	外幣	1,600	22,370	1,830	4,160	3,800	33,760
	總額	3,290	23,840	2,560	5,730	7,050	42,470
	1990年						
	港元	2,020	1,720	810	1,650	3,800	10,000
	外幣	1,950	28,770	2,130	4,680	4,810	42,340
	總額	3,970	30,500	2,940	6,330	8,610	52,340
	1991年						
	港元	2,610	1,820	860	1,850	4,600	11,740
	外幣	2,080	30,560	1,940	4,610	5,270	44,460
	總額	4,690	32,380	2,800	6,460	9,870	56,200
	1992年						
	港元	2,890	1,888	930	1,900	5,350	12,950
	外幣	2,410	29,630	2,100	4,890	5,330	44,350
	總額	5,300	31,500	3,030	6,790	10,680	57,300
	1988年						
	港元	880	150	230	550	2,100	3,910
	外幣	900	650	590	970	1,440	4,550
	總額	1,780	800	820	1,520	3,540	8,460
	1989年						
	港元	960	190	280	590	2,490	4,510
	外幣	1,000	820	720	1,090	1,940	5,570
	總額	1,960	1,010	1,000	1,680	4,430	10,080
	1990年						
	港元	1,150	250	330	630	2,830	5,200
	外幣	1,390	1,000	860	1,330	2,540	7,110
	總額	2,540	1,250	1,190	1,960	5,370	12,310
	1991年						
	港元	1,390	260	310	690	3,390	6,040
	外幣	1,520	1,100	790	1,350	2,940	7,700
	總額	2,910	1,360	1,100	2,040	6,330	13,750
客戶存款	1992年						
	港元	1,720	290	380	720	3,730	6,840
	外幣	1,690	1,500	800	1,290	2,900	8,190
	總額	3,410	1,790	1,180	2,020	6,630	15,030

7.11 按實益擁有國家或地區列出的貸款

（單位：億港元）

	中國		日本		美國		歐洲		其他		總額	
	貸款總額	在香港使用	貸款總額	在香港使用	貸款總額	在香港使用	貸款總額	在香港使用	貸款總額	在香港使用	貸款總額	在香港使用
1988年												
港元	790	750	610	560	390	380	650	610	1,610	1,570	4,050	3,870
外幣	240	80	3,900	620	260	60	680	310	500	190	5,580	1,270
總額	1,030	840	4,510	1,180	650	440	1,330	920	2,110	1,750	9,620	5,140
1989年												
港元	830	800	980	920	530	520	870	830	2,040	2,000	5,250	5,070
外幣	250	80	5,630	700	270	90	780	330	530	210	7,470	1,410
總額	1,090	880	6,610	1,630	800	610	1,650	1,160	2,570	2,210	12,720	6,480
1990年												
港元	960	930	1,180	1,100	630	630	950	900	2,350	2,310	6,070	5,860
外幣	270	90	9,690	880	280	110	910	400	670	260	11,820	1,740
總額	1,230	1,020	10,870	1,970	910	740	1,860	1,300	3,020	2,570	17,890	7,600
1991年												
港元	1,260	1,220	1,260	1,230	670	660	1,100	1,040	2,950	2,910	7,240	7,070
外幣	330	140	12,820	890	260	150	970	410	810	330	15,200	1,920
總額	1,590	1,360	14,090	2,130	930	810	2,070	1,450	3,760	3,240	22,440	8,990
1992年												
港元	1,510	1,470	1,350	1,310	700	700	1,230	1,180	3,320	3,290	8,120	7,950
外幣	440	200	13,950	830	300	190	970	410	910	410	16,570	2,050
總額	1,950	1,670	15,310	2,140	1,010	890	2,200	1,590	4,240	3,690	24,700	9,990

7.12 按認可機構類別列出的貸款及存款

（單位：億港元）

	貸款				客戶存款＊			
	港元	外幣	總額	百分率	港元	外幣	總額	百分率
1988年								
持牌銀行	3,590	5,080	8,660	90	3,580	4,210	7,790	92
有限制牌照銀行	210	160	370	4	100	210	310	4
接受存款公司	250	340	580	6	230	130	360	4
總額	4,050	5,580	9,620	100	3,910	4,550	8,460	100
1989年								
持牌銀行	4,740	6,990	11,730	92	4,210	5,160	9,380	93
有限制牌照銀行	240	170	410	3	90	280	370	4
接受存款公司	270	310	580	5	210	120	330	3
總額	5,250	7,470	12,720	100	4,510	5,570	10,080	100
1990年								
持牌銀行	5,430	11,370	16,800	94	4,890	6,660	11,550	94
有限制牌照銀行	320	160	470	4	110	330	440	3
接受存款公司	330	290	620	3	100	130	320	3
總額	6,070	11,820	17,890	100	5,200	7,110	12,310	100
1991年								
持牌銀行	6,440	14,730	21,170	94	5,800	7,310	13,110	95
有限制牌照銀行	430	190	620	3	100	290	400	3
接受存款公司	370	280	650	3	140	100	240	2
總額	7,240	15,200	22,440	100	6,040	7,700	13,750	100
1992年								
持牌銀行	7,200	16,120	23,310	94	6,610	7,880	14,490	96
有限制牌照銀行	520	220	740	3	120	230	350	2
接受存款公司	400	240	640	3	110	80	190	1
總額	8,120	16,570	24,700	100	6,840	8,190	15,030	100

註*經掉期交易調整。

7.13 按存款類別列出的存款

（單位：億港元）

	持牌銀行			有限制	接受	總額
	活期	儲蓄	定期	牌照銀行	存款公司	
港元（包括掉期存款）						
1987年	490	1,390	1,120	80	230	3,310
1988年	490	1,190	1,890	100	230	3,900
1989年	510	1,350	2,350	90	210	4,510
1990年	540	1,590	2,760	110	200	5,200
1991年	690	2,290	2,820	100	140	6,040
1992年	870	2,450	3,290	120	230	3,900
外幣（不包括掉期存款）						
1987年	80	420	2,910	200	100	3,730
1988年	100	570	3,550	210	130	4,550
1989年	100	580	4,490	290	120	5,570
1990年	160	720	5,780	330	130	7,110
1991年	170	850	6,300	290	100	7,700
1986年	40	280	2,180	160	110	2,770
1992年	160	1,090	6,630	230	80	8,190
總額						
1987年	570	1,810	4,030	280	340	7,040
1988年	590	1,760	5,450	310	360	8,460
1989年	610	1,930	6,840	370	330	10,080
1990年	700	2,320	8,540	440	320	12,310
1991年	860	3,140	9,110	400	240	13,750
1992年	1,030	3,540	9,920	350	190	15,030

7.14 按行業類別列出的在本港使用的貸款總額

（單位：億元）

行業類別	1988年		1989年		1990年		1991年		1992年	
	貸款	%	貸款	%	貸款	%	貸款	%	貸款	%
放款總額	**5,140**	**100**	**6,480**	**100**	**7,600**	**100**	**8,990**	**100**	**9,990**	**100**
本港的有形貿易	570	11	630	10	710	9	830	9	890	9
製造業	390	8	460	7	490	6	550	6	640	6
運輸及運輸設備	230	4	370	6	410	5	510	6	580	6
建造及物業發展與投資	590	11	960	15	1,080	14	1,260	14	1,420	14
批發及零售業	600	12	630	10	750	10	810	9	880	9
財務公司（認可機構除外）	530	10	850	13	1,050	14	1,140	13	1,250	13
個別人士										
購買"居者有其屋"及"私人機構參與計劃"單位	90	2	110	2	140	2	190	2	220	2
購買其他住宅樓宇	770	15	990	15	1,320	17	1,780	20	2,030	20
其他用途	480	9	550	8	600	8	750	8	880	9
其他	880	17	920	14	1,050	14	1,190	13	1,200	12

7.15 認可金融機構的資金流動

（單位：億元）

增（減）	1991			1992		
	港元	外幣	總額	港元	外幣	總額
客戶貸款	1,170	3,380	4,550	880	1,380	2,260
本港①	1,210	180	1,390	870	120	1,000
海外	—	4,110	4110	10	1,270	1,270
其他	(40)	(910)	(940)	—	(10)	(10)
銀行同業貸款	520	(1,710)	(1,190)	130	(1,560)	(1,430)
本港	460	(190)	270	(70)	(110)	(170)
海外	60	(1,520)	(1,470)	200	(1,450)	(1,260)
其他資產	50	450	500	200	80	270
資產總額	1,740	2,120	3,860	1,210	(110)	1,100
客戶存款②	840	590	1,430	800	490	1,290
銀行同業借款	710	1,380	2,090	(80)	(280)	(360)
本港	470	(180)	290	(90)	(110)	(200)
海外	240	1,560	1,800	20	(170)	(160)
其他負債	240	90	330	330	(150)	170
負債總額	1,790	2,060	3,860	1,050	50	1,100
銀行同業借款淨額	200	3,090	3,280	(210)	1,280	1,070
客戶貸款淨額	330	2,790	3,120	80	890	970

註①包括資助貿易的貸款，但不包括資助與香港無關的貿易的貸款

②經掉期交易調整。

7.16 認可金融機構的對外債權(負債)淨額

地區	對本港以外銀行的債權/(負債)淨額	對本港以外銀行顧客的債權/(負債)淨額	淨債權(負債)總額
1991年年底			
亞洲及太平洋	(7,470)	11,790	4,310
北美洲	170	380	550
加勒比海	370	120	490
非洲	20	150	160
拉丁美洲	10	10	20
東歐	40	—	40
西歐	(1,950)	60	(1,880)
中東	(170)	—	(170)
其他	—	(190)	(190)
總額	(8980)	12,320	3330
1992年年底			
亞洲及太平洋	(8,750)	13,170	4,420
北美洲	280	360	640
加勒比海	610	(30)	580
非洲	20	140	160
拉丁美洲	20	20	40
東歐	20	—	20
西歐	(2,070)	(80)	(2,150)
中東	(90)	10	(80)
其他	—	(280)	(280)
總額	(9,970)	13,310	3,350

註：①以所有貨幣計算。
②按債權地區列出。

7.17 本港註册認可金融機構的對有償債困難國家的跨國債權[①]

（單位：億元）

地區	對銀行的債權	對公營部門的債權	對其他機構/人士的債權	債權總額[②]	債權淨額[③]
1991年					
亞洲及太平洋區	6	17	23	46	46
拉丁美洲	6	10	57	73	69
非洲	4	3	43	5	16
東歐[③]	1	1	2	4	2
中東	46	9	29	84	57
加勒比海	3	3	21	27	8
總額	66	43	175	284	198
1992年					
亞洲及太平洋區	5	6	7	18	19
拉丁美洲	4	38	18	60	60
非洲	4	1	55	61	36
東歐	—	1	—	2	2
中東	12	1	11	24	18
加勒比海	—	2	50	52	20
總額	25	50	142	217	155

註①銀監處在一九九一年採用了新報表，以收集跨國債權資料。國家風險是按集團綜合方式記錄。

②本表所列債權是按有跨國風險的海外國家作記錄。海外機構以當地貨幣貸出的款項，不包括在內。

③"債權淨額"是按從"表內國家"以外地區所獲得的保險或以無優先權貸款作保障而債權而作出調整的"債權總額"。

7.18 銀行存放款利率變化

（年息%）

實施日期	七天期	三個月	六個月	一年期	儲蓄存款	優惠貸款
1987/ 1/15	1¼	2½	2½	3¼	1¼	5
1987/ 3/ 2	1¾	3	3	3¾	1¾	6
1987/ 4/ 7	2¼	3¼	3¼	4	2	6½
1987/ 6/ 2	2¾	3¾	3¾	4½	2½	7
1987/ 6/22	3	4¼	4¼	5	2¾	7½
1987/10/12	3¾	5¼	5¼	6	3½	8½
1987/10/26	3	4¼	4¼	5	2¾	7½
1986/10/28	2	3¼	3¼	4	1¾	6½
1987/11/30	1¾	3	3	3¾	1½	6
1987/12/ 7	½	2	2	2¾	1½	5½
1988/ 1/11	½	1¾	2	2¾	1¼	5¼
1988/ 2/15	1½	2½	2¾	3½	1½	6
1988/ 4/11	2	3	3¼	4	2	6½
1988/ 5/ 9	2¾	4	4¼	5	3¾	7½
1988/ 6/14	3¼	4½	4¾	5½	3¼	8
1988/ 6/27	3¾	5	5¼	6	3¾	8½
1988/ 7/25	4¼	5½	5¾	6½	4¼	9
1988/ 8/15	4¾	6	6¼	7	4¾	9½
1988/12/ 5	5¼	6½	6¾	7½	5¼	10
1989/ 2/13	5¾	7	7¼	8	5¾	10½
1989/ 3/ 6	6¼	7½	7¾	8½	6¼	11
1989/ 3/20	6¾	8	8¼	9	6¾	11½
1989/ 6/20	6¼	7½	7¾	8½	6¼	11
1989/ 7/10	5¾	7	7¼	8	5¾	10½
1989/ 8/ 7	5¼	6½	6¾	7½	5¼	10
1990/ 3/ 5	5½	6¾	7	7¾	5½	10
1990/ 4/ 2	6¼	7¾	8	8¾	6½	11
1990/ 8/13	6	7¼	7½	8¼	6	10½
1990/10/22	5½	6¾	7	7¾	5½	10
1991/ 1/28	5	6¼	6½	7¼	5	9½
1991/ 5/27	6	7¼	7½	8¼	6	10½
1991/ 7/ 1	5	6¼	6½	7¼	5	9½
1991/ 8/12	4½	5¾	6	6¾	4½	9½
1991/ 9/16	4	5¼	5½	6¼	4	9
1991/11/ 4	3½	4¾	5	5¾	3½	8½
1992/ 5/ 4	3.00	4.25	4.50	5.25	3.00	8.00
1992/ 5/25	2.00	3.25	3.50	4.25	2.00	7.00
1992/ 7/ 6	1.50	2.75	3.00	3.75	1.50	6.50

7.19 銀行同業拆息變化

（年息%）

期末	隔夜	一星期	一個月	三個月	六個月
1987年	0.25	0.25	0.25	1.75	3.12
1988年	8.75	9.25	9.12	9.25	9.43
1989年	9.75	8.87	8.68	8.62	8.43
1990年	14.00	8.37	8.25	8.00	7.93
1991年	5.12	4.12	4.00	4.06	4.25
1992年	4.12	3.87	4.18	4.31	4.56
1月	4.25	4.50	4.56	4.56	4.56
2月	4.37	4.25	4.43	4.68	4.81
3月	5.62	4.87	4.87	4.93	5.18
4月	4.25	4.37	4.37	4.43	4.68
5月	3.75	3.75	3.62	3.81	4.12
6月	4.25	3.75	3.75	3.87	4.18
7月	3.87	3.62	3.37	3.37	3.50
8月	2.75	2.50	3.06	3.31	3.62
9月	2.50	2.87	3.00	3.12	3.37
10月	5.00	5.00	4.00	3.93	4.00
11月	3.37	4.87	4.87	4.87	4.87
12月	4.12	3.87	4.18	4.31	4.56

7.20 銀行票據交換額

期末	宗數(萬)	金額(億元)
1987年	11,081.9	155,333.42
1988年	11,731.1	187,027.48
1989年	12,507.9	197,983.31
1990年	13,413.2	212,141.18
1991年	144,876	24,939,732
1992年	162,734	332,559.77
1月	15,005	27,161.95
2月	10,341	18,489.18
3月	13,514	23,939.43
4月	12,559	24,216.30
5月	14,222	27,045.91
6月	13,536	27,698.66
7月	14,258	32,653.75
8月	12,687	29,811.45
9月	14,207	29,004.34
10月	14,421	30,082.85
11月	13,837	30,795.23
12月	14,145	31,660.73

7.21 戰後港幣滙兌值變化

(甲)港元對其他貨幣的滙率固定不變時:

	港元對純黃金比價(克)	1英鎊=港元	1美元=港元	1單位特別提款權=港元
1946年12月18日國際貨幣基金會訂立各種貨幣的比價:港元與英鎊直接聯繫	0.223834	16.00	3.970	
1949年9月18日港元跟隨英鎊貶值30.5%	0.155517	16.00	5.714	
1967年11月20日港元跟隨英鎊貶值14.3%	0.133300	16.00	6.667	
1967年11月23日港元對英鎊升值10%,但以新滙率與英鎊掛鈎	0.146631	14.55	6.061	
1971年12月18日全面重整滙率後,港元與英鎊對美元升值8.57%。由於美國在一九七一年八月,終止美元可兌換黃金的制度,黃金比價的實際意義消失。國際貨幣基金會遂採用特別提款權作其會計單位		14.55	5.582	6.061
1972年7月6日繼英鎊自由浮動後,港元對美元掛鈎			5.650	6.134
1973年2月14日美元貶值,港元繼續以新滙率與美元掛鈎			5.085	6.134
1974年11月26日港元獲准自由浮動。港府不再保證將港元對其他貨幣的滙率保持在固定水平				
1983年10月17日港府實施有關發行紙幣的新措施,將港元以美元聯繫,以7.80港元兌1美元爲固定滙率				

(乙)港幣自由浮動後(每單位兌港元):

年底時	英鎊	美元	德國馬克	日圓	特別提款權	實際滙率*(1983年10月24—28日=100)
1974	11.53	4.910	2.03	0.0164	6.012	150.7
1983	11.32	7.780	2.86	0.0337	8.145	101.1
1984	9.11	7.823	2.49	0.0312	7.668	115.4
1985	11.27	7.811	3.18	0.0390	8.580	112.7
1986	11.48	7.795	4.01	0.0488	9.534	110.3
1987	14.52	7.760	4.91	0.0637	11.009	100.5
1988	14.17	7.808	4.42	0.0626	10.507	100.6
1989	12.60	7.807	4.63	0.0544	10.261	109.3
1990	14.95	7.801	5.20	0.0576	11.098	109.3
1991	14.53	7.781	5.13	0.0622	11.130	109.2
1992	11.77	7.741	4.80	0.0623	10.644	114.2

註:*實際滙率指數是根據港元對15個主要通商地區貨幣的名義滙率之加權平均數計算所得。

7.22 港幣滙率變化表

（每單位兌港元）

期末	1美元	1英鎊	人民幣1元	港幣滙率指數（1973年10月24日＝100）
1987年	7.760	14.52	2.0879	100.5
1988年	7.808	14.17	2.1007	100.6
1989年	7.807	12.60	1.6535	109.3
1990年	7.801	14.95	1.4927	109.3
1991年	7.781	14.53	1.4404	109.2
1992年	7.741	11.77	1.3458	114.2
1月	7.762	13.85	1.4267	110.6
2月	7.757	13.65	1.4180	111.6
3月	7.739	13.43	1.4180	112.5
4月	7.757	13.73	1.4010	112.8
5月	7.744	14.13	1.4085	111.4
6月	7.732	14.68	1.4141	110.2
7月	7.735	14.88	1.4224	109.8
8月	7.730	15.31	1.4297	108.6
9月	7.723	13.83	1.4030	109.6
10月	7.730	12.09	1.3953	122.1
11月	7.739	11.69	1.3517	114.0
12月	7.741	11.77	1.3458	114.2

7.23 股市概況

	1989年	1990年	1991年	1992年
上市證券(年底數字)				
上市公司數目	298	299	357	413
上市股份數目	479	520	597	749
新上市公司數目	12	17	60	64
遷册公司數目	37	24	13	16
總發行股本(億元)	1,034.04	1,088.08	1,175.47	1,361.11
市價總值(億元)	6,050.10	6,504.10	9,491.72	13,321.84
集資總額(億元)	220.35	244.72	451.73	1,173.22
交投情況				
總交易日數	246	248	248	250
成交總額(億元)				
全年	2,991.47	2,887.15	3,341.03	7,005.77
每日平均	12.16	11.64	13.47	28.02
股價指數				
所有普通股指數(1986年4月2日＝100)				
最高	1,967.74	2,141.20	2,343.08	3,409.79
最低	1,228.56	1,592.01	1,677.69	2,331.75
年底	1,652.05	1,715.55	2,334.11	2,951.06
恆生指數(1964年7月31日＝100)				
最高	3,309.64	3,559.89	4,297.33	6,447.11
最低	2,093.61	2,736.55	2,984.01	4,301.78
年底	2,836.57	3,024.55	4,297.33	5,512.39
市場比率(年底數字)				
平均週息率(%)	6.05	5.29	4.19	4.14
平均市盈率(倍)	10.76	9.95	13.01	13.15
交易新會員(年底數字)				
個人會員	574	574	499	423
公司會員	137	146	172	197

7.24 股票股價指數變化及成交金額

年份(期末)	恒生指數①	恒生分類指數				香港指數②	成交合計 (億元)
		金融	公用	地產	工商		
1985年	1,567.56	1,290.40	1,902.98	1,952.31	1,376.60	—	—
1986年	1,960.06	1,379.74	2,659.87	2,435.92	1,759.33	1,293.76*	1,219.75
1987年	2,884.88	1,933.37	3,594.42	4,257.11	2,536.89	1,875.34	1,738.06
1988年	2,556.72	1,625.69	3,486.63	3,847.90	2,317.96	1,684.70	1,502.24
1989年	2,781.04	1,808.10	3,198.71	4,535.15	2,686.98	1,834.45	2,991.47
1990年	3,027.47	1,906.92	3,840.58	4,874.47	2,797.00	1,987.88	2,887.15
1991年	3,471.54	2,304.06	4,448.91	5,843.30	2,981.10	2,506.60	3,341.04
1992年	5,545.97	4,643.61	6,689.14	9,215.66	4,379.31	3,118.10	7,005.78
1月	4,601.78	3,351.83	5,757.31	7,922.48	3,772.21	3,004.02	419.07
2月	4,929.06	3,659.50	6,204.33	8,394.46	4,013.70	3,219.25	402.75
3月	4,938.30	3,701.79	6,356.00	8,230.48	4,001.83	3,227.31	562.89
4月	5,369.57	4,081.50	6,887.17	9,072.56	4,271.78	2,905.13	515.39
5月	6,080.15	4,617.44	7,270.46	10,439.63	5,044.34	3,302.71	918.62
6月	6,103.92	4,899.15	6,964.03	10,717.88	4,956.61	3,322.14	730.14
7月	5,881.13	5,199.97	6,746.38	9,775.00	4,622.28	3,167.06	750.02
8月	5,628.60	5,089.52	6,649.69	9,194.24	4,303.28	3,003.31	479.42
9月	5,505.44	4,991.85	6,252.21	9,055.86	4,300.09	2,933.73	385.54
10月	6,190.69	5,640.76	7,128.44	10,176.61	4,766.83	3,275.86	649.65
11月	5,810.63	5,356.92	7,014.64	9,225.88	4,401.08	3,105.59	649.04
12月	5,512.39	5,133.06	7,038.98	8,384.89	4,097.63	2,951.06	543.23

註：①以1964年7月31日＝100。
②以1986年4月2日＝1000。
＊由4月至12月的平均數。

7.25 香港商品交易所期貨交投量

	恒生指數		原 糖		黃 豆		黃 金	
	成交合約（宗數）	成交額（億港元）	成交合約（宗數）	成交額（億美元）	成交合約（宗數）	成交額（億港元）	成交合約（宗數）	成交額（億美元）
1986年	825,279*	897.84*	273,800	22.25	330,524	176.37	6,366	2.42
1987年	3,611,329	5,832.80	282,240	24.46	635,975	389.36	5,698	2.60
1988年	140,155	178.64	201,461	23.62	356,642	313.23	1,984	0.89
1989年	235,979	332.80	143,989	19.80	154,696	123.67	1,172	0.38
1990年	236,003	356.95	109,145	15.73	105,993	82.92	992	0.39
1991年	494,406	947,46	32,862	3.46	31,200	23.29	984	0.37
1992年	1,089,035	3,052.90	8,598	0.821	3,816	1.86	1,000	0.35
1月	43,947	98.67	1,823	0.17	1,447	1.69	88	0.03
2月	35,901	85.68	2,948	0.28	2,369	0.17	68	0.02
3月	48,268	120.60	2,277	0.22	—	—	88	0.03
4月	50,635	129.32	758	0.07	—	—	80	0.03
5月	79,911	233.72	633	0.07	—	—	84	0.03
6月	87,274	261.52	149	0.01	—	—	80	0.03
7月	106,564	317.32	10	0.001	—	—	88	0.03
8月	89,849	252.80	—	—	—	—	80	0.03
9月	89,032	249.91	—	—	—	—	88	0.03
10月	134,846	399.02	—	—	—	—	84	0.03
11月	141,190	428.07	—	—	—	—	84	0.03
12月	181,618	476.27	—	—	—	—	88	0.03

註：恒生指數，每一指數點乘以港幣50元。
原糖每份合約爲112,000磅。
黃豆每份合約爲30,000公斤。
黃金每份合約爲100盎司。
＊由5至12月數字。

7.26 香港市場黃金價格變化表

（99%成色，每司兩/元）

	開市價	收市價	最高價	最低價
1987年	3,738.00	4,502.00	4,606.00	3,644.00
1988年	4,504.00	3,842.00	4,525.00	3,690.00
1989年	3,838.00	3,735.00	3,916.00	3,324.00
1990年	3,743.00	3,624.00	3,915.00	3,228.00
1991年	3,630.00	3289.00	3802.00	3,176.00
1992年	3,296.00	3,078.00	3,322.00	3,050.00
1月	3,296.00	3,280.00	3,322.00	3,232.00
2月	3,282.00	3,269.00	3,311.00	3,235.00
3月	3,266.00	3,156.00	3,271.00	3,120.00
4月	3,173.00	3,114.00	3,179.00	3,102.00
5月	3,123.00	3,114.00	3,136.00	3,093.00
6月	3,110.00	3,170.00	3,175.00	3,109.00
7月	3,167.00	3,299.00	3,319.00	3,121.00
8月	3,300.00	3,144.00	3,304.00	3,078.00
9月	3,160.00	3,215.00	3,253.00	3,124.00
10月	3,209.00	3,133.00	3,238.00	3,113.00
11月	3,130.00	3,084.00	3,141.00	3,050.00
12月	3,091.00	3,078.00	3,124.00	3,065.00

7.27 香港市場白銀價格變化表

（10司両/元）

	開市價	收市價	最高價	最低價
1987年	420.00	514.00	748.00	418.00
1988年	518.00	470.00	624.00	468.00
1989年	470.00	407.00	481.00	393.00
1990年	407.00	325.00	417.00	309.00
1991年	325.00	301.00	353.00	275.00
1992年	301.00	285.00	336.00	283.00
1月	301.00	321.00	336.00	301.00
2月	320.00	319.00	326.00	319.00
3月	319.00	319.00	322.00	313.00
4月	319.00	307.00	319.00	306.00
5月	310.00	311.00	317.00	309.00
6月	311.00	311.00	317.00	307.00
7月	311.00	304.00	313.00	300.00
8月	304.00	287.00	307.00	283.00
9月	289.00	289.00	300.00	286.00
10月	289.00	290.00	293.00	286.00
11月	290.00	290.00	303.00	284.00
12月	290.00	285.00	292.00	283.00

8 物價・零售

8.1 甲類消費物價指數表

（1989年10月至1990年9月＝100）

	總指數	食品	外出用膳	食品(不包括外出用膳)	住屋	燃料及電力	煙酒	衣履	耐用物品	雜項物品	交通	服務
加權數	100.00	41.20	(20.52)	(20.68)	20.56	3.18	2.45	4.56	4.92	5.88	7.20	10.05
1990年												
10-12月平均	106.6	105.3	108.2	102.5	108.3	111.0	106.7	105.3	102.5	105.7	107.7	109.0
1991年平均	114.5	114.1	117.0	111.2	116.6	110.0	145.5	108.4	104.6	108.6	116.1	116.0
1992年平均	125.2	124.1	129.4	118.9	131.7	115.7	159.6	117.6	107.0	116.0	124.5	129.7
1月	119.7	119.7	122.8	116.6	123.3	113.2	145.7	110.0	105.4	112.4	119.8	123.3
2月	121.8	123.8	126.1	121.5	123.9	113.2	146.2	109.3	105.9	113.2	122.0	125.0
3月	122.5	123.0	126.9	119.1	126.4	114.4	157.1	110.5	108.5	114.7	121.8	124.3
4月	124.0	124.4	127.9	120.9	128.0	115.6	160.8	118.8	107.3	114.4	122.1	125.4
5月	124.0	122.7	128.5	117.0	129.1	115.7	161.2	120.5	107.2	114.9	124.9	127.0
6月	125.3	124.7	129.2	120.3	130.6	116.0	161.5	120.2	107.4	115.3	125.1	127.7
7月	125.5	124.5	130.2	118.8	131.7	116.4	161.7	118.2	106.9	115.2	125.5	129.5
8月	125.6	124.1	131.0	117.3	132.7	116.4	161.8	117.8	106.4	115.8	125.9	129.8
9月	128.3	127.2	131.8	122.6	136.3	116.4	161.8	118.1	107.1	116.2	126.4	135.6
10月	128.4	125.6	132.3	118.9	138.1	116.1	164.2	118.9	107.3	120.0	126.7	136.1
11月	128.5	124.5	132.6	116.6	139.2	116.6	166.6	123.9	107.4	120.1	126.8	136.1
12月	129.3	124.9	133.0	116.8	141.3	118.1	166.6	125.1	107.7	120.0	126.9	136.6

8.2 乙類消費物價指數表

（1989年10月至1990年9月＝100）

	總指數	食品	外出用膳	食品(不包括外出用膳)	住屋	燃料及電力	煙酒	衣履	耐用物品	雜項物品	交通	服務
加權數	100.00	35.34	(20.51)	(14.83)	23.77	2.36	1.64	7.23	5.12	5.89	7.57	11.08
1990年												
10-12月平均	106.7	105.9	108.2	102.7	108.0	110.3	107.2	105.8	102.4	104.9	103.4	108.2
1991年平均	114.1	114.7	117.0	111.6	116.2	109.6	138.0	109.4	104.2	107.7	116.1	114.8
1992年平均	125.1	125.1	129.3	119.2	132.0	115.0	151.8	118.5	106.6	114.6	124.5	127.4
1月	119.3	120.3	122.8	117.0	123.8	112.6	139.4	110.5	104.6	110.7	119.5	121.7
2月	121.3	124.2	125.9	121.8	124.3	112.6	140.1	109.5	105.1	111.7	122.1	123.5
3月	121.9	123.6	126.7	119.4	126.1	113.8	148.9	110.7	108.4	113.5	122.0	122.6
4月	123.4	124.8	127.8	120.7	127.4	115.0	152.8	120.0	106.8	113.3	122.2	123.9
5月	123.8	123.8	128.4	117.5	128.6	115.1	153.3	121.5	106.9	113.8	124.6	125.2
6月	125.1	125.5	129.1	120.6	130.8	115.4	153.6	121.2	107.1	114.3	124.9	125.8
7月	125.4	125.5	130.1	119.1	132.3	115.8	154.0	119.0	106.0	114.3	125.4	127.4
8月	125.9	125.4	131.0	117.7	133.9	115.9	154.2	118.8	105.5	114.7	125.9	127.8
9月	127.9	127.8	131.8	122.3	136.4	115.8	154.2	119.3	106.7	115.1	126.4	132.1
10月	128.4	126.9	132.3	119.3	138.6	115.4	156.0	120.0	107.1	117.8	126.7	132.6
11月	129.0	126.3	132.7	117.4	139.9	115.8	157.9	125.0	107.2	117.9	126.9	132.6
12月	129.8	126.7	133.1	117.8	141.8	117.3	157.7	126.3	107.4	117.9	127.1	133.3

8.3 恒生消費物價指數表

（1989年10月至1990年9月＝100）

	總指數	食品	外出用膳	食品(不包括外出用膳)	住屋	燃料及電力	煙酒	衣履	耐用物品	雜項物品	交通	服務
加權數	100.00	25.95	(16.37)	(9.58)	29.48	1.76	0.88	8.81	5.86	5.64	7.89	13.78
1990年												
10-12月平均	107.5	105.5	107.0	103.2	110.1	109.7	107.5	108.9	102.6	104.8	109.4	106.9
1991年平均	114.0	113.3	113.8	112.5	118.1	110.0	134.6	110.5	105.1	107.7	117.3	112.2
1992年平均	125.1	123.9	126.0	120.4	132.3	115.0	148.3	125.0	109.9	113.8	125.5	123.0
1月	119.4	119.4	120.4	117.9	125.1	113.2	136.2	114.8	106.7	109.9	120.7	118.2
2月	121.0	122.0	121.6	122.7	125.9	113.1	137.3	116.5	107.3	110.9	123.3	120.1
3月	121.8	121.8	122.6	120.4	127.3	114.0	145.0	119.2	110.9	113.0	123.1	119.1
4月	122.9	122.8	123.7	121.3	128.5	114.8	149.0	121.9	109.3	112.8	123.5	120.4
5月	124.2	122.6	124.8	118.8	129.9	114.9	149.7	129.1	109.4	113.3	125.0	121.5
6月	125.2	124.2	125.8	121.5	131.3	115.3	150.0	129.5	110.2	113.7	125.7	122.0
7月	125.4	124.3	126.7	120.3	132.9	115.6	150.5	124.0	109.2	113.6	126.3	123.2
8月	125.8	124.5	127.6	119.1	134.7	115.7	150.8	120.8	109.4	113.9	127.1	123.5
9月	127.5	126.3	128.0	123.3	135.5	115.6	150.9	125.5	110.6	114.4	127.7	126.5
10月	128.6	126.2	129.5	120.7	137.0	115.2	152.6	129.5	111.5	116.5	127.9	127.0
11月	129.9	126.4	130.7	119.1	138.4	115.2	153.9	138.7	112.2	117.0	127.9	127.0
12月	130.0	126.7	130.8	119.6	140.5	117.2	153.5	130.5	112.6	116.7	128.4	127.6

8.4 零售總值、零售價值指數與零售量指數[①]

（1989年10月至1990年9月每月平均指數＝100）

項目	零售指數	1991年		1992年				
		第四季	全年[②]	第一季	第二季	第三季	第四季	全年[②]
零售總值(億元)		368.88	1,353.89	375.92	374.77	419.95	424.56	1,595.20
(甲)所有零售行業								
零售價值指數		130.9	120.1	133.5	133.0	149.0	150.1	141.5
零售量指數		118.3	110.9	119.7	116.4	131.0	130.2	124.3
(乙)以主要行業類別計								
食品和煙酒類								
零售價值指數		124.8	114.7	115.0	115.6	119.6	125.9	119.0
零售量指數		110.2	102.3	95.6	96.2	99.4	106.9	99.5
燃料								
零售價值指數		128.4	123.3	122.8	130.9	145.9	152.2	137.9
零售量指數		103.9	101.5	96.2	101.6	111.7	115.7	106.3
衣着、鞋類及有關產品								
零售價值指數		141.5	124.6	142.4	143.1	159.6	180.5	156.4
零售量指數		122.7	113.8	127.2	116.9	133.0	143.0	130.0
耐用消費品								
零售價值指數		136.6	125.7	147.1	162.9	177.1	162.0	162.2
零售量指數		125.5	117.4	133.2	146.5	159.1	144.0	145.7
其他消費品								
零售價值指數		138.4	125.0	139.8	128.1	161.2	167.2	149.1
零售量指數		124.9	116.8	124.4	111.0	138.9	141.8	129.1
(丙)以選定行業計[③]								
超級市場								
零售價值指數		117.8	116.3	125.2	125.8	133.0	127.4	127.9
零售量指數		101.4	103.0	105.6	103.3	107.8	102.1	104.7
汽車及汽車零件								
零售價值指數		157.1	128.2	184.5	184.1	208.8	189.9	191.8
零售量指數		137.8	114.8	159.2	155.7	175.9	157.5	162.1
除汽車及汽車零件外的耐用消費品								
零售價值指數		121.7	125.9	120.1	147.6	154.1	141.9	140.8
零售量指數		116.6	119.2	114.4	139.8	147.0	134.4	133.8
百貨商店								
零售價值指數		133.0	115.6	129.9	116.8	135.8	144.6	131.8
零售量指數		116.8	106.4	116.1	97.7	115.5	117.4	111.7

註：①以 1,200 間零售商號作爲抽樣統計對象。零售價值資料從抽樣統計對象商號蒐集。統計處使用特別構成的價值指數，把價值指數減低，以造成零售量指數。

②除零售總值爲累積數字外，其他指數爲全年平均數字。

③爲了分析主要行業類別內一些行業的零售情況，因而編訂選定行業的指數：(a)食品和煙酒一項包括超級市場。(b)耐用消費品一項包括汽車及汽車零件。(c)耐用消費品一項包括除汽車及汽車零件外的耐用消費品。(d)其他消費品一項包括百貨商店。

8.5 酒樓餐廳行業總收入價值及數量指數

（1989年10月至1990年9月按季平均指數＝100）

		1991年				1992年			
		第一季	第二季	第三季	第四季	第一季	第二季	第三季	第四季
酒樓餐廳收入總計（億元）		**92.82**	**91.26**	**98.81**	**102.45**	**109.25**	**110.54**	**119.52**	**115.46**
酒樓餐廳購貨總額（億元）		**36.34**	**34.33**	**37.30**	**39.69**	**41.42**	**41.72**	**42.86**	**42.12**
酒樓餐廳類別	總收入指數								
中式酒樓	價值	109	102	108	114.0	124.2	121.8	129.7	126.9
	數量	97	89	91	94.0	99.2	94.8	98.5	94.8
餐廳	價值	104	106	119	113.7	118.1	125.4	140.2	128.5
	數量	93	92	101	95.2	95.0	98.2	108.0	98.0
快餐店	價值	110	132	153	159.6	159.7	175.7	191.2	185.6
	數量	100	116	133	137.0	131.9	142.4	153.7	147.3
酒吧	價值	102	106	136	154.9	157.7	164.1	203.3	202.5
	數量	94	92	114	129.6	125.1	125.0	153.9	151.4
其他飲食場所	價值	113	133	141	154.0	152.7	154.6	149.0	162.6
	數量	105	117	123	133.0	127.5	125.6	120.0	129.8
合計	**價值**	**108**	**106**	**115**	**119.2**	**127.1**	**128.6**	**139.1**	**134.3**
	數量	**96**	**92**	**98**	**99.2**	**102.1**	**100.7**	**106.8**	**101.6**

9 運輸·通訊·旅遊

9.1 進出香港的飛機和船隻

	飛機			遠洋輪			內河船		
	抵港	離港	合計	抵港	離港	合計	抵港	離港	合計
1991年	54,863	54,855	109,718	21,178	21,217	42,395	103,601	10,3196	206,797
第一季	13,040	13,045	26,085	4,642	4,684	9,326	24,745	24,819	49,564
第二季	13,498	13,495	26,993	5,421	5,396	10,817	25,547	25,345	50,892
第三季	14,107	14,097	28,204	5,519	5,531	11,050	26,432	26,327	53,759
第四季	14,218	14,218	28,436	5,596	5,606	11,202	26,877	26705	53582
1992年	60,488	60490	12,0978	26,052	25,939	51,991	120,337	120,042	240,379
第一季	14,283	14,278	28,561	5,708	5,698	11,406	27,855	27,604	56,459
第二季	14,602	14,608	29,209	6,268	6,226	12,494	29,008	29,124	58,132
第三季	15,570	15,572	31,141	6,868	6,844	13,712	31,382	31,301	62,683
第四季	16,033	16,032	32,065	7,208	7,171	14,379	32,092	32,013	64,105

9.2 進出香港的旅客

（單位：萬人次）

	1990年	1991年	1992年
抵港	3,183.5	3, 456.3	3,852.5
航空	731.6	741.2	845.1
水路	850.1	898.4	962.1
陸路	1601.8	1,816.7	2,045.3
離港	31,832	35,474	3,850.0
航空	751.7	760.2	863.6
水路	871.8	923.5	990.4
陸路	1,559.7	1,773.7	1,996.0

註：上述數字不包括過境旅客，不准進入本港的旅客及進出本港的軍人。

9.3 海、陸、空貨運

（單位：萬公噸）

	1991年					1992年				
	第一季	第二季	第三季	第四季	全年	第一季	第二季	第三季	第四季	全年
遠洋貨運										
卸貨	1,081.35	1,349.19	1,495.22	1,364.14	5,289.89	1,304.02	1,462.51	1,514.83	1,560.98	5842.35
裝載貨物	493.40	604.94	642.41	613.88	2,354.63	556.88	609.61	681.52	731.88	2,579.89
合計	1,574.74	1954.13	2,137.63	1,978.02	7,644.52	1,860.90	2,072.12	2196.36	2,292.86	8422.24
內河船貨運										
卸貨	127.73	164.72	174.61	205.17	672.23	188.94	—	—	—	—
裝載貨物	84.71	96.30	125.74	135.75	442.50	141.82	—	—	—	—
合計	212.44	261.03	30.03	340.92	1,114.73	330.76	—	—	—	—
航空貨運										
卸貨	7.94	10.18	9.40	9.69	37.21	8.96	11.81	9.98	11.51	42.26
裝載貨物	9.94	10.41	13.06	14.36	47.77	10.76	11.65	14.91	16.11	53.43
合計	17.88	20.59	22.46	24.05	84.98	19.73	23.46	24.88	27.62	95.69
鐵路貨運										
卸貨	38.28	45.79	47.21	42.99	174.27	35.75	41.56	39.34	37.60	154.25
裝載貨物	7.12	8.16	9.76	8.84	33.88	8.40	10.11	8.51	9.88	36.90
合計	45.40	53.95	56.97	51.83	208.15	44.15	51.67	47.85	47.48	191.15
公路貨運										
卸貨	111.93	131.82	152.14	154.44	550.34	131.26	158.11	175.82	176.58	641.77
裝載貨物	114.39	134.92	149.68	150.21	549.21	132.99	153.28	147.04	140.31	573.63
合計	226.33	266.75	301.82	304.65	1099.55	264.25	311.39	322.87	316.89	1,215.40

9.4 海運貨櫃量

年份	葵涌碼頭										其他碼頭			
	入口(卸貨)					出口(載貨)					入口(卸貨)		出口(載貨)	
	滿櫃(萬個)		空櫃(萬個)		載貨量	滿櫃(萬個)		空櫃(萬個)		載貨量	滿櫃	空櫃	滿櫃	空櫃
	本地	過港	本地	過港	(萬公噸)	本地	過港	本地	過港	(萬公噸)				
1987年	62.40	31.57	32.56	2.42	885.81	91.41	30.82	7.86	2.30	833.99	35.06	6.55	28.26	8.13
1988年	77.01	35.54	31.82	2.10	1,076.08	108.28	35.04	8.44	1.99	1,001.55	44.59	7.62	35.42	7.34
1989年	79.61	32.30	46.09	1.60	1,075.82	130.44	32.39	7.24	1.54	1,084.76	49.01	8.47	41.35	7.90
1990年	93.77	35.22	50.85	3.16	1,225.05	151.31	34.64	11.18	3.00	1,236.80	54.35	11.98	46.36	7.16
1991年	113.50	41.48	57.13	4.00	1,528.26	180.65	41.75	11.07	1.85	1,489.47	76.31	9.80	61.40	9.81
1992年	136.58	38.65	62.93	4.66	1,697.49	212.29	40.48	10.36	1.91	1,666.97	117.53	12.63	101.72	18.45
1月	9.19	3.81	4.98	0.38	127.87	17.08	3.96	0.68	0.16	141.10	8.25	0.99	6.36	1.35
2月	8.28	2.95	3.61	0.26	108.59	9.74	3.12	0.71	0.10	89.87	7.00	0.90	6.25	0.99
3月	10.99	3.29	3.07	0.24	138.39	15.56	3.45	0.96	0.13	129.05	9.13	0.91	7.53	1.32
4月	11.95	3.02	3.24	0.20	145.20	15.84	3.03	0.84	0.10	124.64	9.11	0.87	7.32	1.42
5月	12.08	3.12	4.22	0.43	147.91	17.56	3.34	0.99	0.15	138.40	9.77	1.17	7.68	1.73
6月	11.35	3.02	4.88	0.50	139.52	17.59	3.18	0.97	0.15	135.37	10.10	1.10	8.88	1.99
7月	12.20	3.04	6.41	0.29	146.56	20.27	3.25	0.74	0.15	151.24	10.83	1.25	8.89	1.96
8月	11.60	3.19	7.35	0.43	142.97	22.48	3.47	0.82	0.24	165.25	10.54	1.36	9.01	1.73
9月	11.17	3.21	7.59	0.42	138.16	20.38	3.54	0.56	0.15	153.24	10.71	1.12	9.65	1.52
10月	12.20	3.29	6.93	0.44	150.07	20.02	3.35	0.79	0.17	153.06	10.40	1.05	9.80	1.32
11月	12.33	2.97	5.26	0.49	148.22	16.88	3.02	1.08	0.20	135.07	10.39	1.09	9.85	1.50
12月	13.24	3.73	5.38	0.58	164.04	18.90	3.77	1.20	0.18	150.71	11.28	0.80	9.61	1.60

註：以20呎×8呎×8呎貨櫃計算，“滿櫃”即部份或全部裝貨，“空櫃”即沒有貨載。“本地”以香港爲出發點或目的地。

9.5 登記和領有牌照車輛數目

	1991年期末		1992年期末	
	登記	領牌	登記	領牌
公共車輛				
公共巴士				
中華巴士公司	1,015	948	1.011	999
九龍巴士公司	3,038	3,022	3,109	3,092
新大嶼山巴士公司	70	65	76	64
其他	3,780	3,582	4,011	3,743
公共小型巴士	4,350	4,336	4,349	4,336
計程汽車	17,529	17,308	17,720	17,537
私家車輛				
電單車	22,961	17,762	24,871	18,667
三輪電單車	25	15	19	11
私家車	236,747	212,017	265,755	237,035
私家巴士	201	197	240	231
私家小型巴士	2,561	2,384	2,525	2,348
貨車	134,285	118,061	140,755	119,790
政府車輛(不包括軍部車輛)				
電單車	1,259	1,259	1,198	1,198
其他車輛	5,920	5,920	5,582	5,582
合計	433,769	386,904	471,221	414,638
電車				
香港電車公司				
電車	163	163	163	163
纜車	2	2	2	2
合計	165	165	82	82

9.6 公共交通工具乘客人次

（單位：萬人次）

	1990年	1991年	1992年
乘客總計	**358,740**	**360,238**	**364,437**
九龍巴士公司	96,586	96,808	96,969
中華巴士公司	28,088	26,715	26,192
地下鐵路公司	71,911	72,597	74,907
香港電車公司	12,764	12,325	12,406
香港油蔴地小輪船公司	5,520	5,096	4,448
天星小輪公司	3,791	3,660	3,577
綠色小型巴士	24,900	25,063	25,686
九廣鐵路公司	18,108	19,067	19,996
九廣鐵路巴士	2,797	3,398	3,390
輕便鐵路	7,315	8,206	9,172
小型渡海輪	682	752	828
新大嶼山巴士公司	423	429	401
山頂纜車公司	321	313	328
公共小型巴士	38,723	37,875	37,135
計程車(的士)	45,167	45,583	46,380
住宅豪華巴士服務	1,643	2,334	2,527
城巴有限公司*	—	18	96

*由一九九一年九月十二日起開辦。

9.7 郵遞服務

	1990年	1991年	1992年
信件（以萬件計）			
寄往海外	13,610	14,210	14,280
寄往本地	63,960	71,120	74,350
海外寄來本港	8,830	8,750	9,100
轉遞	390	380	320
包裹（以萬件計）			
寄往海外	13,300	13,470	12,590
寄往本地	740	510	480
海外寄來本港	5,540	5,080	5,060
轉遞	380	370	400

9.8 通訊服務

年份	專用電報客戶數(期末)	國際專用電報機電訊(萬分鐘)			本地專用電報電訊(萬分鐘)	國際租用線路(期末)	發出國際電話通訊(萬分鐘)	公共電報通訊(萬次)		本地電報
		發出	收到	轉遞				發出	收到	
1987年	29,700	4,466.2	5,057.1	1,908.9	3,857.7	1,856	25,315.6	80.1	84.3	7,013
1988年	27,645	3,841.1	4,412.1	1,886.0	3,362.0	1,907	35,077.6	74.1	77.9	7,113
1989年	23,835	3,118.6	3,624.5	2,540.1	2,993.0	1,908	45,840.2	57.7	58.0	5,848
1990年	21,672	2,668.2	3,130.0	2,576.5	2,719.6	180.5	58,294.8	39.3	40.7	827.1
1991年	20,348	2,395.9	2,712.0	1,954.9	2,417.4	1,637	73,164.3	29.2	30.3	682.9
1992年	18,317	2,029.3	2,247.0	2,002.7	2,196.5	1,610	91,937.7	22.7	23.1	680.7
1月	20,189	191.4	211.7	171.3	203.5	1,623	6,867.2	2.3	2.2	42.5
2月	20,052	153.4	178.2	164.9	166.2	1,633	5,553.1	1.8	1.9	40.5
3月	19,859	186.3	206.5	183.3	201.2	1,635	7,427.1	2.0	2.0	45.2
4月	19,627	167.8	191.4	171.9	172.9	1,620	7,266.0	2.0	2.1	54.6
5月	19,438	173.7	190.7	164.0	187.1	1,609	7,795.6	2.0	2.0	50.4
6月	19,293	171.4	189.5	165.9	183.3	1,601	7,585.8	1.9	1.9	60.5
7月	19,166	171.1	194.7	178.5	193.1	1,605	8,058.0	1.9	2.0	63.6
8月	19,021	151.9	175.6	155.0	169.8	1,626	7,819.4	1.7	1.8	58.8
9月	18,841	169.8	183.0	165.5	180.9	1,641	8,242.2	1.8	1.8	57.1
10月	18,689	170.2	182.6	176.3	190.0	1,629	8,403.5	1.8	1.8	57.9
11月	18,503	163.8	172.2	151.0	172.2	1,630	8,342.3	1.6	1.7	78.0
12月	18,317	158.5	170.9	154.9	176.4	1,610	8,577.6	1.8	1.8	71.6

9.9 電 話 服 務

年份(期末)	設備能力(萬條)	服務綫路(萬條)					
		圖文傳眞	內外電話	電子交換機	其他	住宅電話	合計
1987年	221.3	3.2	18.4	5.0	30.8	141.5	198.9
1988年	244.1	6.0	21.4	6.0	33.4	148.6	215.4
1989年	254.4	8.3	24.2	7.0	35.5	155.4	230.5
1990年	268.8	10.7	26.2	7.7	37.6	162.6	244.7
1991年	282.3	13.7	28.6	8.6	39.2	169.6	259.6
1992年	299.7	18.3	31.1	9.6	42.7	176.0	277.8
1月	282.9	14.0	28.8	8.6	39.5	170.5	261.5
2月	284.3	14.2	29.0	8.7	39.6	170.8	262.4
3月	284.1	14.6	29.2	8.8	40.1	171.5	264.2
4月	285.8	15.0	29.5	8.8	40.4	171.9	265.6
5月	287.5	15.4	29.8	8.9	40.7	172.6	267.4
6月	290.0	15.8	30.1	9.0	40.9	173.2	269.0
7月	291.9	16.2	30.3	9.1	41.0	173.4	270.1
8月	294.2	16.6	30.5	9.2	41.3	174.0	271.6
9月	294.8	17.1	30.7	9.3	41.6	174.6	273.2
10月	296.9	17.5	30.8	9.4	41.9	175.0	274.7
11月	298.4	17.9	31.0	9.5	42.3	175.5	276.3
12月	299.7	18.3	31.1	9.6	42.7	176.0	277.8

9.10 各地來港遊客統計（單位：人次）

來自地區	1991 年	1992 年	佔1992 年總數%	1992 年比1991 年±%
亞洲	4,041,350	4,713,571	67.5	+16.6
印度	76,463	80,022	1.1	+ 4.7
日本	1,259,837	1,324,399	19.0	+ 5.1
巴基斯坦	19,820	21,856	0.3	+10.3
東南亞	1,014,008	1,235,994	17.7	+21.9
印尼	126,328	160,896	2.3	+27.4
馬來西亞	211,569	232,910	3.3	+10.1
菲律賓	183,523	229,567	3.3	+25.1
新加坡	2,293,394	283,229	4.1	+23.5
泰國	253,502	319,663	4.6	+26.1
其他	9,692	9,729	0.1	+ 0.4
南韓	184,592	196,282	2.8	+ 6.3
斯里蘭卡	6,033	7,695	0.1	+27.5
台灣省	1,298,039	1,640,032	23.5	+26.3
其他	182,558	207,291	3.0	+13.5
澳洲及太平洋	284,938	3.9,302	4.4	+8.6
澳大利亞	235,064	261,182	3.7	+11.1
新西蘭	42,355	42,872	0.6	+ 1.2
巴布亞新畿內亞	2,846	2,716	*	− 4.6
其他	4,673	2,531	*	−45.8
美洲	822,394	924,223	13.2	+12.4
美國	619,685	694,290	9.9	+12.0
加拿大	161,784	180,231	2.6	+11.4
中南美洲	40,925	49,702	0.7	+21.4
阿根廷	2,555	4,323	0.1	+69.2
巴西	8,640	8,443	0.1	− 2.3
墨西哥	6,754	7,944	0.1	+17.6
委內瑞拉	2,616	3,424	*	+30.9
其他	20,360	25,568	0.4	+25.6
歐洲	794,810	944,038	13.5	+18.8
英國	275,626	314,231	4.5	+14.0
奧地利	19,450	22,014	0.3	+13.2
比利時	13,882	15,552	0.2	+12.6
丹麥	9,994	11,052	0.2	+10.6
芬蘭	6,055	6,416	0.1	+16.0
法國	44,519	128,497	1.8	+33.8
意大利	69,959	80,634	1.2	+15.3
荷蘭	36,706	42,571	0.6	+16.0

來自地區	1991 年	1992 年	佔1992 年總數%	1992 年比1991 年±%
伊比利亞半島	37,962	45,397	0.6	+19.6
斯堪的納維亞半島	45,365	50,325	0.7	+10.9
挪威	7,793	8,209	0.1	+ 5.3
葡萄牙	19,744	24,525	0.4	+24.2
西班牙	18,218	20,872	0.3	+14.6
瑞典	21,523	24,648	0.4	+14.5
瑞士	44,999	50,709	0.7	+12.7
德國	136,967	172,200	2.5	+25.7
其他西歐	12,983	14,697	0.2	+13.2
東歐	4,867	7,211	0.1	+48.2
中東及非洲	84,778	92,554	1.3	+ 9.2
中東	19,289	23,304	0.3	+20.8
巴林	1,186	1,543	*	+30.1
伊朗	113	159	*	+40.7
科威特	653	833	*	+27.0
黎巴嫩	447	478	*	+ 6.9
沙特阿拉伯	4,220	5,043	0.1	+19.5
土耳其	4,213	4,324	0.1	+ 2.6
阿拉伯聯合酋長國	3,473	4,269	0.1	+22.9
其他中東地區	4,981	6,655	0.1	+33.6
以色列	10,049	13,034	0.2	+29.7
南非	24,039	25,556	0.4	+ 6.3
其他非洲	31,401	30,660	0.4	− 2.4
其他	3,811	2,475	*	−35.1
合計	6,032,081	6,986,163	100.0	+15.8

註：*少於0.1%。

9.11 旅 遊 收 益

年份	旅遊收益（億元）	比上年±%	來自遊客的收益			
			總消費（億元）	比上年±%	平均每人消費（港元）	比上年±%
1978	51.07	+25.9	46.44	+27.6	2,260	+ 9.0
1979	63.80	+25.0	59.24	+27.6	2,677	+18.5
1980	65.29	+ 2.3	60.60	+ 2.3	2,633	− 1.6
1981	81.43	+24.7	76.61	+26.4	3,022	+14.8
1982	87.70	+ 7.7	81.86	+ 6.8	3,137	+ 3.8
1983	113.76	+29.7	108.58	+32.6	3,913	+24.7
1984	140.32	+23.4	135.58	+24.9	4,302	+ 9.9
1985	144.71	+ 3.1	139.47	+ 2.9	4,138	− 3.8
1986	178.63	+23.4	172.44	+23.6	4,619	+11.6
1987	254.37	+42.4	248.37	+44.0	5,517	+19.4
1988	333.28	+31.0	324.96	+30.8	5,814	+ 5.4
1989	369.05	+10.7	358.43	+10.3	6,686	+15.0
1990	392.51	+ 6.4	379.77	+ 6.0	6,401	− 4.3
1991	396.07	+ 0.9	383.01	+ 0.8	6,349	− 0.8
1992	483.90	+22.2	466.99	+21.9	6,684	+ 5.3

9.12 1992年來港遊客消費

（單位：萬元）

居留國家	合計	購物	酒店	外餐	娛樂	旅遊
所有國家	**4,669,876**	**2,480,154**	**1,292,999**	**508,470**	**74,803**	**101,067**
東南亞	822,077	454,113	197,738	102,381	11,568	17,704
印尼	101,864	57,420	25,571	1,138	1,285	1,449
馬來西亞	116,652	46,478	33,983	21,497	2,849	4,534
菲律賓	181,688	120,356	32,951	16,497	2,000	3,489
新加坡	152,232	58,287	54,229	22,936	2,867	4,846
泰國	263,165	167,990	49,444	29,511	2,476	3,246
台灣省	1,181,071	771,226	206,715	118,942	16,343	17,846
日本	903,446	518,286	228,881	86,305	13,728	22,706
美國、加拿大	532,000	203,766	221,439	57,227	10,547	11,690
美國	452,871	178,778	184,979	48,617	8,984	9,072
加拿大	79,129	24,988	36,460	8,610	1,563	2,618
西歐	577,338	223,225	226,178	70,674	11,297	15,695
英國	173,296	53,337	74,388	24,490	4,713	6,264
奧地利	13,442	4,906	5,614	1,672	223	401
比利時	12,559	5,896	4,108	1,280	305	283
法國	64,960	24,009	27,723	6,880	993	1,338
西德	112,089	48,695	40,775	12,380	1,852	3,214
伊比利亞半島	38,599	18,255	11,965	5,437	415	881
意大利	58,760	28,565	19,543	6,104	873	1,234
荷蘭	26,235	7,170	12,390	3,651	672	599
斯堪的納維亞半島	36,004	15,653	13,539	3,951	629	453
瑞士	32,338	13,234	12,593	3,718	444	779
澳洲、新西蘭	208,981	92,673	74,967	22,289	3,263	6,480
澳大利亞	184,547	82,836	65,336	20,055	2,841	5,633
新西蘭	24,434	9,837	9,631	2,234	422	847
其他	444,963	216,865	137,081	50,652	8,057	8,946
印度	43,939	20,281	12,781	6,267	748	400
中東	21,205	10,043	6,856	2,783	276	271
南非	20,733	11,120	6,256	1,767	334	520
中南美洲	46,924	22,569	163.71	4,794	626	884
南韓	113,788	47,656	39,918	13,299	2,957	2,927

9.13 1992年來港遊客平均消費

（單位：萬元）

居留國家	消費總額		平均每名遊客消費(元)							
			總額		具體消費項目					
	萬元	比上年±%	元	比上年±%	購物	酒店	外餐	娛樂	旅遊	其他
所有國家	**4,669,876**	**+21.9**	**6,684**	**+ 5.3**	**3,550**	**1,851**	**728**	**107**	**144**	**304**
東南亞	822,077	+35.3	6,656	+11.1	3,677	1,601	829	94	14.3	312
印尼	101,864	+28.1	6,345	+ 0.8	3,577	1,593	694	80	90	311
馬來西亞	116,652	+24.9	5,005	+13.4	1,994	1,458	922	122	195	314
菲律賓	181,688	+50.3	7,916	+20.1	5,244	1,436	719	87	152	278
新加坡	152,232	+28.3	5,384	+ 4.1	2,062	1,918	811	101	171	321
泰國	263,165	+39.1	8,231	+10.3	5,254	1,547	923	77	102	328
台灣省	1,181,071	+67.9	7,215	+33.2	4,711	1,263	727	100	109	305
日本	903,446	− 1.6	6,843	− 6.1	3,926	1,733	654	104	172	254
美國、加拿大	532,000	+ 6.7	6,090	− 4.5	2,332	2,535	655	121	134	313
美國	452,871	+ 8.8	6,525	− 2.8	2,576	2,665	701	129	131	323
加拿大	79,129	− 4.0	4,376	−14.1	1,382	2,016	476	87	145	270
西歐	577,338	+15.0	6,162	− 3.0	2,382	2,414	754	121	168	323
英國	173,296	+ 3.6	5.517	− 9.1	1,698	2,368	780	150	199	322
奧地利	13,442	+ 6.1	6,122	− 6.0	2,234	2,557	761	102	183	285
比利時	12,559	+28.6	8,078	+14.8	3,793	2,642	823	196	182	442
法國	64,960	+41.9	5,048	+ 5.9	1,866	2,154	535	77	104	312
西德	112,089	+27.0	6,497	+ 0.8	2,823	2,363	718	107	186	300
伊比利亞半島	38,599	+15.3	8,499	− 3.6	4,020	2,635	1,197	91	194	362
意大利	58,760	+12.6	7,292	− 2.3	3,545	2,425	758	108	153	303

居留國家	消費總額		平均每名遊客消費(元)							
			總額		具體消費項目					
	萬元	比上年±%	元	比上年±%	購物	酒店	外餐	娛樂	旅遊	其他
荷蘭	26,235	+12.2	6,144	− 3.5	2,902	2,902	855	157	140	411
斯堪的納維亞半島	36,004	+15.9	7,155	+ 4.5	2,691	2,691	785	125	90	353
瑞士	32,338	+ 8. 7	6, 368	− 3. 7	2, 480	2, 480	732	88	153	309
澳洲、新西蘭	208,981	+ 1.4	6,878	− 7.4	2,467	2,467	734	108	213	306
澳大利亞	184,547	+ 2.9	7,061	− 7.4	2,500	2,500	767	109	216	300
新西蘭	24,434	− 8.7	5,709	− 9.6	2,250	2,250	522	99	198	342
其他	444,963	+12.8	6,692	+ 3.8	2,062	2,062	762	121	135	351
印度	43,939	+47.4	5,490	+40.8	1,597	1,597	783	93	50	433
中東	21,205	+21.3	9,096	+ 0.4	2,941	2,941	1,194	118	116	419
南非	20,733	+11.6	8,099	+ 4.8	2,444	2,444	690	130	203	288
中南美洲	46,924	+27.0	9,419	+ 4.3	3,286	3,286	962	126	178	337
南韓	113,788	− 3.8	5,784	− 9.7	2,029	2,029	676	150	149	357

9.14 來港遊客酒店房間使用情況

年份(期末)	高級酒店			中級酒店			招待所			合計		
	家數	客房數	開房率%	家數	客房數	開房率%	家數	客房數	開房率%	家數	客房數	開房率%
1986年	29	16,762	87	17	2,060	80	11	1,408	73	57	20,230	85
1987年	30	16,970	90	18	3,035	89	8	1,017	86	56	21,022	90
1988年	37	18,542	91	19	3,430	93	9	910	91	65	22,882	92
1989年	41	22,157	80	19	3,949	77	9	925	86	69	27,031	79
1990年	44	22,565	79	21	4,531	76	10	1,050	86	75	28,146	79
1991年	45	23,451	76	27	6,535	75	10	1,177	74	82	31,163	75
1992年	43	22,981	83	32	8,755	82	10	1,177	82	85	33,031	82
1月	45	23,451	80	27	6,535	73	10	1,177	74	82	31,163	78
2月	45	23,451	72	27	6,535	61	10	1,177	67	82	31,163	69
3月	45	23,451	82	27	6,535	78	10	1,177	74	82	31,163	81
4月	44	23,257	88	28	7,246	88	10	1,177	82	82	31,680	88
5月	44	23,257	82	28	7,246	80	10	1,177	75	82	31,680	81
6月	44	23,257	82	28	7,246	80	10	1,177	77	82	31,680	81
7月	44	23,257	78	28	7,246	78	10	1,238	79	82	31,680	78
8月	43	22,981	78	31	8,250	80	10	1,238	82	84	32,469	79
9月	43	22,981	85	31	8,250	87	10	1,295	83	84	32,469	85
10月	43	22,981	90	32	8,755	87	10	1,295	94	85	33,031	89
11月	43	22,981	91	32	8,755	93	10	1,295	95	85	33,031	91
12月	43	22,981	84	32	8,755	92	10	1,295	89	85	33,031	87

9.15 香港居民出外旅遊情況

（單位：人次）

旅遊地區	1991年	1992年	佔1992年總數%	1991年比1990年±%
亞洲及太平洋區	1,514,526	1,621,921	72.6	＋ 7.1
印尼	44,971	50,040	2.2	＋ 11.3
日本	261,035	291,791	13.1	＋ 11.8
馬來西亞	79,289	87,840	3.9	＋ 10.8
巴基斯坦、印度、斯里蘭卡	20,422	24,126	1.1	＋ 18.1
菲律賓	137,623	166,402	7.5	＋ 20.9
新加坡	170,708	195,818	8.8	＋ 14.7
南韓	98,372	124,743	5.6	＋ 26.8
台灣	261,821	270,995	12.1	＋ 3.5
泰國	343,611	316,683	14.2	－ 7.8
其他	96,674	93,483	4.2	－ 3.3
歐洲	170,842	188,402	8.4	＋ 10.3
英國	108,825	121,083	5.4	＋ 11.3
法國	13,706	16,462	0.7	＋ 20.1
意大利	7,701	7,392	0.3	－ 4.0
瑞士	5,927	6,806	0.3	＋ 14.8
德國	24,303	21,156	0.9	－ 12.9
其他	10,380	15,503	0.7	＋ 49.4
美洲	232,309	271,874	12.2	＋ 17.0
美國	137,901	151,823	6.8	＋ 10.1
加拿大	94,110	119,519	5.4	＋ 27.0
南美	298	532	*	＋ 78.5
澳洲、新西蘭	118,400	127,888	5.7	＋ 8.0
澳大利亞	102,094	109,464	4.9	＋ 7.2
新西蘭	16,306	18,424	0.8	＋ 13.0
其他	10,354	22,725	1.0	＋119.5
中東	6,198	10,860	0.5	＋ 75.2
其他	4,156	11,865	0.5	＋185.5
合計	**2,046,431**	**2,232,810**	**100.0**	**＋ 9.1**

註：香港居民外出旅遊統計數字，不包括去澳門和中國內地。

＊少於0.1%。

10 工地・房屋・建造

10.1 新建樓宇數量

（單位：萬平方米）

	總計		工業樓宇		商業樓宇		住宅樓宇		商住樓宇		其他	
	幢數	建築面積	幢數	建築面積	幢數	建築面積	幢數	建築面積	幢數	建築面積	幢數	建築面積
1987年	1,112	277.4	66	69.8	43	33.6	662	70.2	193	85.6	148	18.2
1988年	1,855	366.0	119	163.5	35	27.7	1,239	59.4	198	84.6	264	30.8
1989年	1,513	362.5	103	122.0	39	23.4	890	78.4	209	117.2	272	21.5
1990年	845	279.3	60	66.0	50	28.4	457	76.1	130	70.0	148	38.8
1991年	1,057	398.0	132	107.0	80	60.9	480	90.0	149	104.7	216	35.5
1992年	827	309.9	67	83.6	81	66.3	368	55.7	131	46.9	180	57.3
1月	57	20.7	8	9.0	9	7.9	16	1.3	8	1.1	16	1.2
2月	38	18.2	3	6.1	6	1.9	6	0.1	13	8.1	10	2.1
3月	101	33.2	4	11.8	9	6.7	63	8.8	14	5.1	11	0.8
4月	47	15.3	4	1.6	8	3.3	16	4.0	7	3.8	12	2.6
5月	88	32.3	6	8.5	8	11.6	46	2.9	17	8.3	11	1.1
6月	39	10.6	6	5.8	4	0.9	14	2.3	7	1.1	8	0.5
7月	107	10.9	3	1.8	7	2.3	71	4.4	12	1.2	14	1.1
8月	47	21.1	8	3.2	4	0.7	13	7.9	11	5.1	11	4.2
9月	67	26.7	12	10.6	8	6.0	10	2.8	9	2.6	28	4.6
10月	92	32.5	4	6.0	5	4.4	61	16.7	7	0.6	15	4.7
11月	59	46.0	5	6.0	2	1.7	10	2.8	12	2.9	30	32.6
12月	85	42.4	4	13.0	11	18.8	42	1.6	14	6.9	14	2.1

註：本表係根據建築物條例執行處和房屋署提供的統計，但各月份各項數字並不能代表各該月份實際完成樓宇的數字。

10.2 私人住宅樓宇供應情況

區域	1991年			1992年			預測	預測
	年內供應	年末空置	年末數量總計	年內供應	年末空置	年末數量總計	1993年內供應	1994年內供應
香港	7,095	8,650	271,501	7,165	10,399	277,680	10,035	8,902
西區	1,350	850	37,229	910	692	37,998	2,391	1,665
上環	130	210	12,443	312	43	12,669	589	515
中區	65	340	4,321	10	106	4,278	163	123
灣仔	30	850	28,309	45	799	28,068	133	964
半山區	1,160	1,010	22,691	853	972	23,411	1,879	2,246
山頂	15	170	1,949	33	164	1,954	10	84
銅鑼灣	320	430	25,593	668	2,769	26,189	1,202	392
北角	2,175	2,075	86,934	472	1,280	87,348	1,285	560
筲箕灣	155	395	28,159	687	352	28,788	296	227
香港仔	1,570	1,590	16,933	2,816	2,694	19,712	1,927	1,832
南區	125	730	6,940	359	528	7,265	160	294
九龍	1,595	2,210	151,232	1,093	3,093	151,501	1,561	3,052
尖沙咀	35	275	16,912	—	300	16,632	5	96
油蔴地	—	220	33,327	264	598	33,227	114	1,426
旺角	160	665	33,884	443	826	34,273	339	238
紅磡	985	720	51,880	308	728	52,088	1,048	603
何文田	415	330	15,229	78	641	15,281	55	689
新九龍	6,765	7,585	122,820	3,971	5,226	126,489	832	2,595
長沙灣	720	1,720	52,821	511	928	53,212	236	439
石硤尾	120	215	3,739	1,242	1,075	4,963	76	575
九龍塘	35	340	6,426	30	295	6,445	15	12
黃大仙	90	170	17,108	85	218	17,062	89	628
觀塘	5,800	5,135	42,726	2,103	2,710	44,807	416	941
新界	17,925	14,560	235,773	13,993	15,351	249,403	24,898	23,897
荃灣	4,040	2,820	70,614	3,235	3,921	73,834	1,710	1,514
屯門	3,285	2,720	32,542	2,405	2,415	34,924	6,348	684
元朗	2,755	3,590	32,545	2,912	4,346	35,381	6,602	8,574
北區	2,310	1,585	8,760	1,385	1,537	9,985	3,191	3,041
大埔	1,870	1,205	19,880	2,580	1,212	22,451	1,643	2,120
沙田	1,745	925	41,980	174	285	42,062	3,929	6,055
西貢	930	520	9,948	519	719	10,447	905	1,447
離島	990	1,195	19,576	783	916	20,319	1,110	462
合計	**33,380**	**33,005**	**781,326**	**26,222**	**34,069**	**805,073**	**37,326**	**38,446**

註："—"無統計。

10.3 1992年香港私人住宅樓宇租金和售價變化

	每月每平方米租金（港元）					每平方米售價（港元）				
	第一季	第二季	第三季	第四季*	全年*	第一季	第二季	第三季*	第四季*	全年*
面積 39.9 平方米以下										
香港	180.4	188.8	194.9	190.1	188.7	37,600	39,764	40,570	39,463	39,000
九龍	197.3	170.1	172.0	178.7	179.5	32,920	35,688	34,752	35,340	34,401
新九龍	152.8	155.2	161.6	172.1	157.9	31,455	33,998	35,698	37,865	33,107
新界	133.0	130.5	136.7	157.4	134.7	32,570	33,016	34,564	33,097	33,165
面積 40.0 至 69.9 平方米										
香港	191.3	193.8	195.2	183.7	192.7	39,146	42,613	44,040	41,665	41,222
九龍	174.3	152.5	157.0	150.2	160.3	29,294	32,006	31,785	30,701	30,854
新九龍	126.1	142.8	144.5	135.9	138.4	28,809	31,586	34,558	38,397	30,813
新界	107.7	124.0	123.0	140.0	122.4	31,471	33,267	34,181	33,134	32,690
面積 70.0 至 99.9 平方米										
香港	202.6	227.1	228.9	215.2	221.1	41.136	45,886	46,848	45,361	43,892
九龍	166.8	173.9	192.1	196.1	181.4	33,581	37,260	41,274	38,488	36,558
新九龍	(165.3)	197.7	(165.9)	(187.6)	180.6	32,667	37,534	37,324	(41,204)	35,343
新界	127.5	138.9	123.4	(156.4	134.2	28,670	30,615	32,983	29,906	30,007
面積 100.0 至 159.9 平方米										
香港	219.7	228.1	232.0	231.5	227.0	39,216	45,119	46,748	46,621	42,968
九龍	(181.3)	170.4	186.1	(171.2)	176.8	29,857	33,353	38,614	33,752	33,257
新九龍	(194.2)	(204.0)	(198.4)	(234.9)	202.7	33,316	38,532	(38,836)	(48,557)	36,246
新界	160.0	190.0	169.7	(179.4)	173.9	30,710	35,990	37,602	36,914	33,830
面積160. 0平方米以上										
香港	203.8	210.5	222.0	235.2	214.0	37,148	40,467	44,186	44,689	40,044
九龍	153.6	(158.8)	(152.6)	(160.5)	155.6	(36,833)	(38,198)	(51,051)	(50,223)	(41,710)
新九龍	(150.3)	(177.4)	(145.3)	(143.9)	(153.8)	(34,527)	(44,128)	—	—	(39,696)
新界	158.9	157.2	167.2	(159.0)	162.0	27.658	30,498	31,574	32,237	29,585

註：(　)少於20宗成交量。“—”無統計。*臨時數字。

10.4 私人商業樓宇供應情況

（單位：平方米）

區域	1991年			1992年			預測	預測
	年內供應	年末空置	年末數量總計	年內供應	年末空置	年末數量總計	1993年內供應	1994年內供應
香港	44,200	105,900	2,671,800	79,000	116,600	2,731,800	133,300	62,700
西區	3,800	18.200	257,000	10,300	20,900	262,200	9,800	10,000
上環	4,100	12,900	350,800	2,900	6,400	350,600	3,300	7,900
中區	10,300	14,600	436,800	13,000	10,300	448,900	7,900	1,500
灣仔	11,000	16,400	519,500	11,000	17,800	524,800	55,800	18,900
半山區	500	700	20,700	300	600	20,500	700	10,200
山頂	—	—	4,900	—	—	4,900	6,200	—
銅鑼灣	3,900	6,300	272,900	25,100	22,500	297,600	15,000	4,800
北角	9,300	26,300	501,000	6,300	20,300	502,300	9,100	3,200
筲箕灣	300	3,500	165,800	800	9,900	173,200	6,300	2,600
香港仔	900	7,000	120,500	2,000	7,700	121,900	19,100	3,200
南區	100	—	21,900	100	200	21,900	100	400
九龍	25,200	69,900	2,132,800	25,700	64,600	2,140,900	53,900	86,700
尖沙咀	13,000	28,500	795,800	4,400	22,200	792,100	29,500	34,400
油蔴地	2,400	10,500	473,900	9,500	8,600	476,600	3,500	26,300
旺角	4,300	12,800	360,700	7,200	15,500	367,200	4,100	17,900
紅磡	5,300	16,000	443,000	4,000	15,300	445,100	6,800	6,400
何文田	200	2,100	59,400	600	3,000	59,900	—	1,700
新九龍	28,400	30,000	1,078,200	14,900	31,700	1,078,100	123,100	45,300
長沙灣	9,400	15,000	520,500	7,100	11,200	523,900	2,600	32,600
石硤尾	—	500	16,600	—	3,000	16,600	—	—
九龍塘	—	100	14,100	—	—	14,100	—	—
黃大仙	600	3,500	243,000	1,200	5,400	236,100	24,300	10,100
觀塘	18,400	9,900	284,500	6,600	12,100	287,400	96,200	2,600
鯉魚門	—	1,000	—	—	—	—	—	—
新界	106,800	145,100	1,703,500	45,400	122,700	1,744,400	79,400	142,600
荃灣	64,700	69,000	567,300	4,400	45,900	571,700	1,700	28,200
屯門	700	20,100	234,600	16,000	22,600	250,600	19,000	1,600
元朗	3,100	19,100	292,900	14,200	32,200	304,800	31,500	43,800
北區	15,700	10,400	96,800	3,600	3,200	99,500	17,600	30,700
大埔	10,700	7,200	168,100	2,400	7,500	170,400	—	800
沙田	2,200	7,900	210,000	2,300	5,900	212,300	9,100	36,000
西貢	1,400	2,100	39,200	400	1,800	39,500	400	1,300
離島	8,300	9,300	94,600	2,100	3,600	95,600	100	200
合計	**204,600**	**350,900**	**7,586,300**	**165.000**	**335,600**	**7,695,200**	**379,700**	**337,300**

註："—"無統計。

10.5 1992年私人商業樓宇租金和售價變化

	每月每平方米租金(元)					每平方米售價(元)				
	第一季	第二季	第三季	第四季*	全年*	第一季	第二季	第三季	第四季*	全年*
	(平均面積69平方米)					(平均面積49平方米)				
港島	622.3	677.4	754.3	823.2	698.6	83,802	89,611	91,817	93,315	87,903
	(平均面積54平方米)					(平均面積38平方米)				
九龍	762.7	788.0	892.7	840.2	814.9	101,001	97,808	103,946	98,875	100,230
	(平均面積55平方米)					(平均面積41平方米)				
新九龍	480.0	519.2	520.6	642.5	527.4	77,147	78,743	68,700	(95,037)	77,269
	(平均面積55平方米)					(平均面積27平方米)				
新界	364.0	406.8	430.5	430.2	405.1	67,121	80,286	64,585	61,754	71,133

註：*臨時數字。

(　)少於20宗成交量。

平均面積是1992年內分析的單位的平均面積。

10.6 私人辦公室樓宇供應情況

（單位：平方米）

	1991年			1992年			預測	預測
	年內供應	年末空置	年末數量總計	年內供應	年末空置	年末數量總計	1993年內供應	1994年內供應
香港	319,600	406,100	3,834,900	385,800	419,800	4,213,400	285,000	354,200
西區	100	2,700	50,000	9,600	9,800	59,600	19,200	8,800
上環	33,600	52,400	659,400	31,800	48,900	686,900	24,600	90,000
中區	51,700	113,500	1,562,000	127,900	133,300	1,688,200	155,000	22,900
灣仔	152,400	143,100	1,038,400	97,200	129,600	1,134,300	118,500	54,700
半山區	—	—	3,500	—	—	3,500	—	—
銅鑼灣	7,500	15,200	281,300	76,300	74,900	357,600	13,600	23,700
北角	73,100	78,000	221,000	43,000	22,400	264,000	92,000	95,200
筲箕灣	—	—	11,000	—	400	11,100	1,600	18,700
香港仔	1,200	1,100	7,900	—	500	7,900	—	40,200
南區	—	100	300	—	—	300	—	—
九龍	69,800	81,600	1,342,000	35,400	55,900	1,377,400	122,600	365,100
尖沙咀	51,400	63,800	943,600	13,000	35,800	956,600	63,400	195,700
油蔴地	8,100	11,500	246,700	17,700	15,000	264,400	25,700	36,500
旺角	6,500	5,400	90,700	3,900	3,800	94,600	9,000	37,900
紅磡	3,800	900	55,200	800	1,300	56,000	25,100	72,100
何文田	—	—	5,800	—	—	5,800	—	22,900
新九龍	30,900	10,900	218,400	90,000	67,100	308,400	49,300	44,200
長沙灣	6,000	3,300	106,100	—	2,800	106,100	—	1,900
九龍塘	—	—	2,000	—	—	2,000	—	—
黃大仙	—	200	58,600	—	100	58,600	—	3,600
觀塘	24,900	7,400	32,000	90,000	63,800	122,000	49,300	20,600
石峽尾	—	—	19,700	—	400	19,700	—	18,100
新界	38,400	6,800	146,500	53,400	45,900	199,900	15,500	69,700
荃灣	38,400	4,000	71,300	53,400	44,600	124,700	15,500	21,000
屯門	—	100	8,400	—	—	8,400	—	—
元朗	—	700	22,900	—	500	22,900	—	—
北區	—	—	500	—	—	500		27,200
大埔	—	—	5,800	—	—	5,800	—	—
沙田	—	2,000	37,600	—	800	37,600	—	21,500
合計	**458,700**	**505,400**	**5,541,800**	**564,600**	**588,700**	**6,099,100**	**472,400**	**833,200**

註：“—”無統計。

10.7 1992年私人辦公室樓宇租金和售價變化

區域	每月每平方米租金（港元）					每平方米售價（港元）				
	第一季	第二季	第三季	第四季*	全　年*	第一季	第二季	第三季*	第四季*	全　年*
第一類	（平均面積 184 平方米）					（平均面積 354 平方米）				
上環	（443,0）	（380.9）	（382.5）	（370.9）	（388.5）	—	—	—	—	
中區	475.7	477.8	502.4	（500.5）	483.6	（78,446）	84,849	91,765	（93,056）	86,729
灣仔、銅鑼灣	372.1	374.0	412.3	366.3	385.6	（68,521）	（71,909）	（87,529）	（102,794）	76,975
尖沙咀	356.4	385.3	383.3	（377.2）	376.0	（59,732）	65,056	（73,584）	（73,210）	63,699
油蔴地、旺角	353.4	（338.5）	374.5	（357.8）	356.4	（66,667）	（48,872）	（64,955）	（71,329）	（62,956）
第二類	（平均面積 77 平方米）					（平均面積 84 平方米）				
上環	314.4	315.1	314.7	336.2	317.7	45,246	（50,616）	（62, 216）	（65,297）	51,556
中區	414.4	389.2	411.4	451.7	407.9	（71,554）	（66,147）	（95,030）	（53,430）	71,931
灣仔、銅鑼灣	311.0	323.0	320.9	326.1	319.4	55,050	56,771	59,462	（58,219）	57,353
尖沙咀	341.4	346.8	349.2	347.9	345.7	（58,317）	（62,570）	—	（59,807）	（60,395）
油蔴地、旺角	319.0	309.0	325.2	325.7	318.4	（41,482）	48,061	47,201	（70,786）	46,865
第三類	（平均面積 45 平方米）					（平均面積 47 平方米）				
上環	231.4	253.6	250.6	254.7	247.2	36,638	44,152	46,131	（43,728）	41,942
中區	303.0	303.6	304.0	314.0	304.9	（54,767）	42,608	（59,379）	（50,534）	47,660
灣仔、銅鑼灣	269.8	297.3	279.0	300.7	285.5	47,189	51,397	56,566	（61,911）	51,130
尖沙咀	325.7	320.4	310.9	309.2	318.4	44,903	49,718	（53,428）	（50,334）	47,482
油蔴地、旺角	301.9	301.6	301.1	291.1	300.6	46,059	50,140	53,180	（57,284）	49,769

（ ）少於 20 宗成交。

“—”無統計。　*臨時數字。

平均面積是1992年內分析的單位的平均面積。

平均租金和售價是就新界定級到的寫字樓編製，不能與較早前的數字比較。

10.8 私人分層工廠大廈供應情況

（單位：平方米）

	1991年			1992年			預測	預測
	年內供應	年末空置	年末數量總計	年內供應	年末空置	年末數量總計	1993年內供應	1994年內供應
香港	65,900	203,500	2,166,300	79,400	218,200	2,244,200	34,000	32,800
西環	—	3,800	118,300	—	1,000	118,300	—	—
灣仔	—	—	700	—	—	—	—	—
北角	—	8,500	470,800	35,000	49,600	505,000	—	—
筲箕灣	59,700	31,400	824,000	44,400	31,900	868,400	3,400	—
香港仔	6,200	159,800	752,500	—	135,700	752,500	—	32,800
九龍	17,400	47,600	1,357,200	4,600	38,600	1,343,700	17,300	4,000
旺角	16,700	21,800	408,100	4,600	17,100	412,100	19,300	4,000
紅磡	700	25,800	949,100	—	21,500	931,600	—	—
新九龍	157,000	254,500	5,463,000	84,000	216,700	5,532,300	21,600	219,100
長沙灣	39,600	54,800	1,152,800	15,400	38,600	1,161,400	3,200	4,800
黃大仙	38,200	34,900	839,000	—	14,100	834,900	—	21,500
觀塘	79,200	140,800	3,066,000	68,600	164,000	3,536,000	18,400	192,800
鯉魚門	—	24,000	404,300	—	—	—	—	—
新界	280,400	548,100	8,126,700	387,900	660,300	8,489,900	229,700	186,700
荃灣	83,700	210,000	5,335,200	182,600	328,600	5,513,100	159,700	93,900
屯門	66,100	107,700	1,379,700	95,100	201,400	1,474,800	—	45,400
元朗	11,400	29,200	171,200	9,800	18,600	181,000	8,500	—
北區	42,600	36,200	115,300	65,700	47,000	181,000	31,800	28,500
大埔	27,600	26,400	169,100	—	11,300	169,100	—	—
沙田	49,000	78,600	934,800	34,700	53,400	969,500	29,700	18,800
西貢	—	—	—	—	—	—	—	—
離島	—	—	1,400	—	—	1,400	—	100
合計	**520,700**	**1,053,700**	**17,113,200**	**555,900**	**1,133,800**	**17,610,100**	**302,600**	**442,600**

註："—"無統計。

10.9 1992年私人分層工廠大廈租金和售價變化

區域	每月每平方米租金（港元）					每平方米售價（港元）				
	第一季	第二季	第三季	第四季*	全 年*	第一季	第二季	第三季*	第四季*	全 年*
香港	（平均面積 259 平方米）					（平均面積 186 平方米）				
	101.3	109.8	112.1	120.4	109.2	15,678	17,838	18,589	16,873	17,343
九龍	（平均面積 257 平方米）					（平均面積 241 平方米）				
	104.0	113.2	106.6	93.8	107.1	17,257	18,315	17,306	（20,267）	17,745
新九龍	（平均面積 276 平方米）					（平均面積 167 平方米）				
	99.1	101.7	109.1	102.6	102.8	15,067	18,562	20,723	20,907	17,653
新界	（平均面積 227 平方米）					（平均面積 135 平方米）				
	77.2	73.4	79.4	78.8	76.4	10,431	11.090	12,425	12,256	11,251

註：（ ）少於 20 宗成交量。
*臨時數字。
平均租金和售價只以樓上單位計算。
平均面積是1992年內部分析的單位的平均面積。

10.10 私人貨倉供應情況

（單位：平方米）

	1991年			1992年			預測	預測
	年內供應	年末空置	年末數量總計	年內供應	年末空置	年末數量總計	1993年內供應	1994年內供應
香港	—	3,000	240,400	20,200	20,800	256,600	—	—
西區	—	2,400	47,100	—	—	43,500	—	—
上環	—	—	5,200	—	—	5,200	—	—
北角	—	—	47,600	20,200	20,200	67,800	—	—
筲箕灣	—	—	97,400	—	—	97,400	—	—
香港仔	—	600	43,100	—	600	42,700	—	—
九龍	—	4,300	90,400	36,400	34,100	126,800	—	—
尖沙咀	—	—	58,300	—	—	58,300	—	—
旺角	—	—	5,300	—	—	5,300	—	—
紅磡	—	4,300	26,800	36,400	34,100	63,200	—	
新九龍	44,600	20,600	532,300	31,300	53,200	560,800	—	—
長沙灣	44,600	200	134,400	—	18,100	134,400	—	—
黃大仙	—	—	6,100	—	—	6,100	—	—
觀塘	—	15,400	311,800	31,300	35,100	420,300	—	—
鯉魚門	—	5,000	80,000	—	—	—	—	—
新界	493,800	255,700	1,893,100	386,500	287,600	2,279,600	106,300	221,000
荃灣	391,100	245,400	1,444,900	319,400	275,900	1,764,300	11,700	184,700
屯門	15,300	100	59,200	—	—	59,200	—	—
元朗	7,400	7,400	17,900	27,400	4,900	45,300	—	—
北區	40,000	—	72,800	13,200	6,500	86,000	12,000	1,500
沙田	40,000	2,800	295,500	26,500	300	322,000	71,200	34,800
西貢	—	—	2,800	—	—	2,800	11,400	—
合計	**538,400**	**283,600**	**2,756,200**	**474,400**	**395,700**	**3,223,800**	**106,300**	**221,000**

註："—"無統計。

10.11 承建商所建工程總值

（單位：億元）

年份	工程總值指數（1982年每季平均＝100）	主要承建商			主要承建商對樓宇建造工程的建造價值
		一般工程承建商	特別工程承建商	合計	
1984年	95.8	240.51	12.00	252.50	207.07
1985年	93.6	228.76	17.94	246.70	191.56
1986年	98.6	242.17	16.99	259.16	205.31
1987年	123.8	301.64	23.85	325.48	249.04
1988年	154.8	376.17	30.84	407.02	314.15
1989年	189.0	567.44	40.46	496.89	380.15
1990年	233.1	567.79	45.29	613.08	447.40
1991年	243.5	596.76	43.53	640.30	477.70
第一季	238.0	146.63	9.69	156.33	114.80
第二季	240.3	147.33	10.51	157.84	117.48
第三季	239.4	145.95	11.26	157.21	116.96
第四季	257.2	156.85	12.07	168.92	128.46
1992年	257.9	624.80	52.62	677.40	491.38
第一季	245.6	149.86	11.47	161.32	120.77
第二季	248.2	150.03	12.98	163.01	116.63
第三季	257.9	156.15	13.25	169.39	121.53
第四季	279.7	168.76	14.92	183.68	132.45

10.12 物業契據登記情況

	1990 年	1991 年	1992 年
已登記的文件	673,400	823,842	685,136
整座樓宇或整幅工地轉讓	4,986	6,704	10,249
分層樓宇或其他居住單位的轉讓	166,354	182,997	157,920
買賣分層樓宇或其他居住單位的契約	130,109	180,964	139,927
樓宇按揭/樓宇合法抵押	155	156	117
其他按揭/合法抵押	185,883	213,081	168,478
收回按揭樓宇的地獎/收據/解除登記負債/解除扣押和還清債款證明書	111,306	137,030	123,921
樓宇豁免管制令	10	51	6
樓宇重建令	4	3	8
其他	74,593	102,856	84,510
已登記的出售、批租、交換土地等契約	598	588	691
批准簽署買賣樓宇契約	64	70	51
更改地獎規條	688	656	711
已簽發的政府地契	22	21	20
地稅和地價的評定	196	84	62
已登記的多層大厦業主法團	152	163	202
市民往田土註册處查閱紀錄	2,604,294	3,168,942	3,207,280
在田土註册處登記的文件交易總額(億元)	**4,671.37**	**7,389.30**	**8,794,35**
整座樓宇或整幅工地轉讓	273.70	410.72	582,25
分層樓宇或其他居住單位的轉讓	1,591.94	2,270.15	2,960,64
買賣分層樓宇或其他居住單位的契約	1,594.38	3,185.38	3,853,84
樓宇按揭/樓宇合法抵押	94.22	89.55	57.92
其他按揭/合法抵押	778.30	921.08	885.38
收回按揭樓宇的地獎/收據/解除登記負債/解除扣押和還清債款證明書	331.53	404.74	451.63
其他文件	7.29	107.69	2.67

10.13 香港住所數目和估計居住人數

（1992年3月底）

住所數目種類	港島	九龍及新九龍	新界	合計
政府宿舍	8,000	8,700	12,000	28,700
公共房屋				
房屋委員會屋邨	68,600	260,700	312,000	641,300
房屋委員會平房區	500	400	1,900	2,800
房屋協會樓宇	10,700	12,500	9,500	32,700
居者有其屋單位*	12,400	33,700	98,600	144,700
小計	92,200	307,300	422,000	821,500
私人房屋	306,100	322,000	324,800	952,900
永久房屋合計	**406,300**	**638,000**	**758,800**	**1,803,100**

估計居住人數種類	港島	九龍及新九龍	新界	合計
港府宿舍	20,300	19,900	21,800	62,000
公共房屋				
房屋委員會屋邨	243,900	821,900	1,180,000	2,245,800
房屋委員會平房區	1,400	700	3,600	5,700
房屋協會樓宇	41,700	42,500	35,700	119,900
居者有其屋單位*	44,600	117,900	348,200	510,700
小計	331,600	983,000	1,567,500	2,882,100
私人房屋	904,600	889,500	823,500	2,617,600
永久房屋合計	1,256,500	1,892,400	2,412,800	5,561,700
臨時居停				168,500
水上居所				20,800
人口總數				**5,571,000**

註：*包括私人機構參與計劃及中等入息家庭房屋計劃單位。

10.14 港府賣地情況

（單位面積：平方米；價值：萬元）

年、季 \ 項目	工業用地		商業用地		商住用地		住宅用地		其他		合計	
	面積	價值	面積	價值	面積	價值	面積	價值	面積	價值	面積	價值
市區												
1990年	10,503	43,400	20,304	85,700	—	—	—	—	—	—	30,807	129,100
1991年	6,520	19,100	4,172	20,200	805	12,300	65,914	360,670	224	2,700	77,635	414,970
第一季	4,500	6,000	—	—	726	10,500	32,960	55,320	224	2,700	38,410	74,520
第二季	2,020	13,100	—	—	—	—	—	—	—	—	2,202	13,100
第三季	—	—	—	—	79	1,800	11,233	89,000	—	—	11,312	90,800
第四季	—	—	4,172	20,200	—	—	21,721	216,350	—	—	25,893	236,550
1992年	7,653	31,400	5,535	125,000	1,685	47,500	20,463	169,310	—	—	35,336	373,210
第一季	2,115	9,400	5,535	125,000	—	—	11,397	129,500	—	—	19,047	263, 900
第二季	5,538	22,000	—	—	—	—	—	—	—	—	5,538	22,000
第三季	—	—	—	—	1,685	47,500	114	1,500	—	—	1,799	49,000
第四季	—	—	—	—	—	—	8,952	38,310	—	—	8,952	38,310
新界												
1990年	20,191	50,940	5,433	7,000	—	—	99,168	131,580	3,590	7,750	128,382	197,270
1991年	36,759	68,280	4,100	9,400	17,220	113,300	129,215	393,880	5,753	11,750	193,047	596,610
第一季	22,198	22,330	4,100	9,400	—	—	54,375	106,880	3,290	9,470	93,963	148,080
第二季	1,966	3,600	—	—	—	—	10,490	32,500	—	—	12,456	36,100
第三季	4,375	13,800	—	—	—	—	13,530	101,000	—	—	17,905	114,800
第四季	8,220	28,550	—	—	17,220	113,300	40,820	153,500	2,463	2,280	68,723	297,630
1992年	39,289	99,170	—	—	1,482	9,900	146,817	490,450	6,242	22,690	193.830	622,210
第一季	12,800	30,400	—	—	—	—	99,008	332,630	998	6,360	112.806	369,390
第二季	3,341	18,370	—	—	—	—	39,170	146,300	—	—	42.511	164,670
第三季	6,242	7,600	—	—	741	5,400	855	460	—	—	7,838	13,460
第四季	16,906	42,800	—	—	741	4,500	7,784	11,060	5,244	16,330	30,675	74,690

項目 / 年、季	工業用地		商業用地		商住用地		住宅用地		其他		合計	
	面積	價值	面積	價值	面積	價值	面積	價值	面積	價值	面積	價值
甲、乙類新界換地權益書												
1990年	—	—	8,463	7,250	—	—	28,579	14,440	—	—	37,042	21,690
1991年	—	—	—	—	37,945	43,290	13,650	2,860	—	—	51,595	46,150
第一季	—	—	—	—	17,960	30,880	4,850	970	—	—	22,810	31,850
第二季	—	—	—	—	—	—	—	—	—	—	—	—
第三季	—	—	—	—	—	—	—	—	—	—	—	—
第四季	—	—	—	—	19,985	12,410	8,800	1,890	—	—	28,785	14,300
1992年	—	—	3,395	1,790	—	—	15,013	15,050	—	—	18,408	16,840
第一季	—	—	3,395	1,790	—	—	13,423	13,540	—	—	16,818	15,330
第二季	—	—	—	—	—	—	—	—	—	—	—	—
第三季	—	—	—	—	—	—	—	—	—	—	—	—
第四季	—	—	—	—	—	—	1,590	1,510	—	—	1,590	1,510

註：“—”無統計。

11 能 源

11.1 電力消耗量

（單位：萬億焦耳）

	家庭用電	商業用電	工業用電	街燈用電	輸往中國	合計
1987 年	14,022.25	32,402.69	23,978.83	221.84	4,903.60	75,529.20
1988 年	15,711.45	34,817.95	24,876.25	227.54	5,185.51	80,818.70
1989 年	17,074.54	38,097.41	25,178.05	238.71	6,371.20	86,959.90
1990 年	19,037.42	41,581.57	24,933.60	248.36	6,469.56	92,270.51
1991 年	2,058,596	45,244.71	25,050.51	258.63	11,019.41	102,159.21
1992 年	21,715.95	47,970.90	24,193.88	270.69	17,865.66	112,017.09
1 月	1,300.95	3,397.84	1,890.54	22.44	1,205.86	7,817.62
2 月	1,255.33	3,005.15	1,336.54	22.26	702.18	6,321.47
3 月	1,182.96	3,258.30	1,788.73	22.26	1,226.94	7,479.20
4 月	1,289.00	3,552.27	1,917.58	22.51	984.59	7,715.95
5 月	1,540.09	4,090.53	2,162.18	22.54	1,227.87	9,043.21
6 月	1,826.54	4,333.07	2,206.95	22.71	1,238.10	9,627.37
7 月	2,601.80	4,757.46	2,357.98	22.49	1,524.40	11,258.14
8 月	2.918.31	4,610.91	2,250.24	22.58	2,068.17	11,870.21
9 月	3,206.82	4,998.09	2,376.31	22.71	1,914.14	12,518.06
10 月	2,286.29	4,542.97	2,167.67	22.71	1,709.75	10,729.38
11 月	1,218.06	3,735.26	1,887.76	22.70	1,878.57	8,742.34
12 月	1,139.80	3,689.07	1,857.39	22.78	2,185.09	8,894.13

11.2 煤氣消耗量

（單位：萬億焦耳）

	家庭用煤氣	商業用煤氣	工業用煤氣	合計
1987年	5,254.46	4,930.04	399.45	10,583.94
1988年	6,127.22	5,680.16	439.64	12,247.02
1989年	6,943.29	6,218.14	509.59	13,671.02
1990年	7,596.26	6,876.63	583.09	15,055.99
1991年	8,132.75	7,403.91	701.21	16,237.87
1992年	9,152.49	8,231.55	822.74	18,206.78
1月	877.68	733.50	68.34	1,679.52
2月	926.04	702.80	56.15	1,685.00
3月	876.20	649.68	61.80	1,587.68
4月	761.29	687.55	69.58	1,518.41
5月	739.73	661.23	69.30	1,470.26
6月	710.60	682.44	67.90	1,460.95
7月	694.19	664.40	67.91	1,426.50
8月	673.19	681.23	73.34	1,427.77
9月	656.25	691.04	70.03	1,417.32
10月	644.83	662.50	68.94	1,376.27
11月	736.91	713.19	75.89	1,526.00
12月	855.57	701.98	73.54	1,631.09

11.3 各類石油產品出倉量

（單位；公升）

	1987年	1989年	1990年	1991年	1992年
已完稅					
輕油類					
汽車用油	360,607	454,404	472,561	466,905	528,043
航空用油	153	140	103	167	217
航空渦輪燃料	1,447,840	1,855,430	2,126,021	2,089,729	2,393,367
重油類					
公共汽車用輕柴油	127,154	122,707	128,858	134,074	89,535
其他車輛使用輕柴油	1,164,387	1,875,335	1,479,425	2,043,886	2,382,122
其他柴油	464,567	529,440	751,134	931,125	1,035,298
免稅品					
重油類					
工業及船隻使用柴油	1,100,839	1,249,285	1,403,187	1,682,910	1,998,916
火水	144,281	137,112	111,616	102,311	103,541
中/重油渣	143,296	140,304	105,021	96,975	107,710
爐用燃油	2,637,214	2,864,006	2,613,249	2,627,496	3,371,640
其他					
潤滑油	146,855	166,084	176,542	179,027	226,776
其他石油產品	3,987	2,302	2,399	3,684	5,107
合計	**7,741,180**	**9,396,549**	**9,342,858**	**10,358,289**	**12,242,272**
液體石油氣（公噸）	193,869	221,445	250,948	272,391	283,183

12 農 業

12.1 農作物、牲口、家禽和魚類生產估計數字

項目	單位	1991年	1992年
農作物			
蔬菜（新鮮、凍藏或醃製）	公噸	105,000	95,000
鮮菓和硬殼菓	公噸	3,950	2,730
花卉	萬元	13,400	15,700
其他農作物	公噸	1,260	540
牲口和家禽			
牛	頭	820	490
豬*	萬頭	31	18
鷄	公噸	23,500	2,120
其他家禽	公噸	9,900	5,900
牛奶和蛋類			
鮮奶	公噸	1,670	1,180
鮮蛋	萬個	8,450	5,260
魚類和魚類製品			
魚類（新鮮、冷藏或凍藏）			
海魚†	公噸	167,500	160,990
淡水魚	公噸	5,900	5,400
魚類（曬乾、鹽醃或燻乾）			
海魚	公噸	1,140	480
貝蚧類和軟體類（新鮮、凍藏、曬乾、鹽醃等）	公噸	21,840	27,400
魚類產品及魚類製品	公噸	330	370
貝蚧類和軟體類產品和製品	公噸	240	180
魚粉（牲口飼料）	公噸	33,280	30,550

註：其他農作物包括山芋、粟、花生、大豆、甘蔗、番薯和荸薺。

*不在屠房屠宰的本地豬除外。†包括人工飼養的海魚。

12.2 入口農作物、牲口、家禽和魚類數字

項目	單位	1991年	1992年
農作物			
稻穀（未去殼）	公噸	391,644	400,165
小麥	公噸	133,250	144,887
其他穀類和穀類製品	公噸	378,738	373,006
其他農作物	公噸	88,760	75,209
蔬菜（新鮮、凍藏或醃製）	公噸	427,335	414,367
蔬菜（醃製或加工）	公噸	254,412	1,034,559
鮮菓和硬殼菓	公噸	602,418	
乾菓和水菓製品	公噸	116,476	
花卉	萬元	15,615	17,782
糖和蜂蜜	公噸	216,532	193,169
咖啡	公噸	5,998	6,760
可可	公噸	1,572	536
茶和各類茶品	公噸	24,274	31,229
牲口和家禽			
牛	頭	156,731	149,505
羊	頭	16,819	15,441
豬	萬頭	282	279
鷄	公噸	48,414	50,988
其他家禽	公噸	20,499	22,178
牲口	公噸	3,572	3,090
肉和肉類製品	公噸	404,517	470,841
牛奶製品和蛋類			
鮮奶	公噸	42,290	49,344
鮮奶油	公噸	384	354
牛奶和奶油（脫水、濃縮、粉末等）	公噸	74,754	80,448
牛油、乾酪和凝乳	公噸	11,203	13,739
鮮蛋	萬個	145,131	151,831
蛋（醃製）	萬個	18,806	20,778
魚類和魚類製品			
魚類（新鮮、冷藏或凍藏）			
海魚	公噸	117,409	188,865
淡水魚	公噸	45,211	
魚類（曬乾、鹽醃或燻乾）			
海魚	公噸	10,367	13,322
淡水魚	公噸	69	
貝蚧類和軟體類（新鮮、凍藏、曬乾、鹽醃等）	公噸	116,257	114,023
魚類產品和魚類製品	公噸	10,272	7,103
貝蚧類和軟體類產品和製品	公噸	4,782	5,562
油和脂肪（未提煉或已提煉的）	公噸	90	191
魚粉（牲口飼料）	公噸	43,601	23,971

13 外資在香港工業投資

13.1 海外投資來源

（單位：億元）

投資來源	工廠家數		固定資產增加值 A		固定資產帳面值 B		固定資產原始成本 C		營運資金 D		投資總額 C+D	
	1990年	1991年	1990年	1991年	1990年	1991年	1990年	1991年	1990年	1991年	1990年	1991年
美國	128	127	5.85	4,35	25,63	27,48	46,40	49,58	48,30	46,80	94,70	96,38
日本	173	174	10.22	11.89	39.99	39.16	62.71	68.94	34.81	40.88	97.52	109.82
中國	40	46	0.43	2.44	19.41	16.60	28.80	27.36	4.80	10.11	32.88	37.47
英國	58	55	1.92	2.60	11.64	10.97	18.06	16.05	3.94	2.86	22.00	18.91
荷蘭	12	11	2.31	1.61	6.71	5.67	12.57	11.31	-1.03	2.60	11.54	13.91
澳大利亞	22	18	1.02	0.53	5.58	5.51	7.30	7.27	-0.91	13.77	6.39	21.04
西德	34	28	1.12	0.45	2.06	2.58	3.81	4.34	4.03	4.27	7.84	8.61
菲律賓	—	3	—	1.75	—	3.29	—	4.20	—	1.24	—	5.44
利比里亞	7	8	0.40	0.23	1.38	1.22	2.84	3.13	3.19	3.31	6.03	6.44
新加坡	—	19	—	-0.14	—	1.64	—	3.34	—	1.58	—	4.91
其他	144	121	0.32	1.33	11.09	8.91	19.74	15.31	10.69	5.75	30.43	21.06
合計	**618**	**610**	**23.59**	**27.04**	**123.49**	**123.03**	**201.51**	**210.83**	**107.82**	**133.17**	**309.33**	**343.99**

註：外資在香港工業投資統計是工業署自1984年開始對外資在香港工業投資的調查結果。1990年，工業署向983家在香港投資的外資企業發出問卷調查，其中545家企業有回覆，83家婉拒，355家企業表示已改變投資形式或改變經營行業。1991年向968家發出問卷，回覆的有536家，婉拒有113家，243家企業表示已改變投資形式或改變經營行業。

"—"數字不詳

13.2 海外投資企業結構

（單位：億元）

企業結構	工廠家數		投資宗數		固定資產增加值 A		固定資產帳面值 B		固定資產原始成本 C		營運資金 D		投資總額 C+D	
	1990年	1991年	1990年	1991年	1990年	1991年	1990年	1991年	1990年	1991年	1990年	1991年	1990年	1991年
海外企業獨資	302	299	302	299	18.72	18.68	83.45	84.59	137.05	150.64	87.84	104.59	224.89	255.24
海外企業合資	26	26	55	57	0.96	0.87	4.87	4.77	7.50	6.18	3.58	3.46	11.08	9.64
海外和香港企業合資	217	211	261	254	3.91	7.49	35.17	33.67	56.97	54.00	16.40	25.12	73.37	79.12
其中：本地投入					2.24	5.29	24.30	32.19	38.58	44.66	7.68	18.77	46.26	63.43
總投資	**545**	**536**	**618**	**610**	**23.59**	**27.04**	**123.49**	**123.03**	**201.51**	**210.83**	**107.82**	**133.17**	**309.33**	**343.99**

註：因合資企業存在重覆計算情況，投資宗數與工廠家都有出入，後者小於前者。

13.3 按僱員規模分類的工廠家數及投資額

（單位：億元）

工廠規模	工廠家數		僱用人員		固定資產增加值 A		固定資產帳面值 B		固定資產原始成本 C		營運資金 D		投資總額 C+D	
	1990年	1991年	1990年	1991年	1990年	1991年	1990年	1991年	1990年	1991年	1990年	1991年	1990年	1991年
1-19人	88	80	997	862	0.66	0.32	2.02	2.29	3.06	3.46	2.17	2.23	5.23	5.69
	(16.1)	(14.9)	(1.1)	(1.1)	(2.8)	(1.2)	(1.6)	(1.9)	(1.5)	(1.6)	(2.0)	(1.7)	(1.7)	(1.7)
20-99人	246	261	12,566	13,044	2.12	4.18	16.40	23.66	25.24	35.71	18.53	34.15	43.77	69.86
	(45.1)	(48.7)	(13.9)	(16.2)	(9.0)	(15.5)	(13.3)	(19.2)	(12.5)	(16.9)	(17.2)	(25.6)	(14.1)	(20.3)
100-199人	97	89	13,474	12,720	2.90	2.59	23.52	16.21	39.01	27.09	17.92	16.30	56.93	43.39
	(17.8)	(16.6)	(14.9)	(15.8)	(12.3)	(9.6)	(19.0)	(13.2)	(19.4)	(12.8)	(16.6)	(12.2)	(18.4)	(12.6)
200-400人	66	70	21.095	23,204	5.22	6.12	23.44	27.56	42.98	53.24	20.42	26.11	63.40	79.35
	(12.1)	(13.1)	(23.4)	(28.7)	(22.1)	(22.6)	(19.0)	(22.4)	(21.3)	(25.3)	(18.9)	(19.6)	(20.5)	(23.1)
500人以上	48	36	42,130	30,906	12.68	13.83	58.10	53.30	91.23	91.32	48.78	54.39	140.00	145.70
	(8.8)	(6.7)	(46.7)	(38.3)	(53.8)	(51.1)	(47.0)	(43.3)	(45.3)	(43.3)	(45.2)	(40.8)	(45.3)	(42.4)
合計	**545**	**536**	**90,262**	**80,736**	**23.59**	**27.04**	**123.49**	**123.03**	**201.51**	**210.83**	**107.82**	**133.17**	**309.33**	**343.99**
	(100.0)	(100.0)	(100.0)	(100.0)	(100.0)	(100.0)	(100.0)	(100.0)	(100.0)	(100.0)	(100.0)	(100.0)	(100.0)	(100.0)

註：括號內的數目是佔該項的比率。

13.4 按行業分類的海外工業投資

（單位：億元）

工廠規模	工廠家數		僱用人員		固定資產增加值 A		固定資產帳面值 B		固定資產原始成本 C		營運資金 D		投資總額 C+D	
	1990年	1991年	1990年	1991年	1990年	1991年	1990年	1991年	1990年	1991年	1990年	1991年	1990年	1991年
電子業	96	109	25,581	26.137	9.98	8.92	32.28	36.18	54.21	67.52	38.03	43.50	92.24	111.02
電器產品業	52	57	10,688	9,669	2.16	3.69	9.78	12.94	19.93	26.05	13.66	18.59	33.60	44.64
紡織、製衣業	112	104	19,885	16.963	1.02	2.18	11.38	11.51	19.95	19.71	13.05	12.16	33.00	31.87
化工產品業	41	34	3,048	2,454	1.60	1.43	13.23	8.86	20.25	13.00	4.26	4.51	24.52	17.52
印刷、出版業	19	16	2,883	2.479	0.88	1.31	7.18	6.28	11.43	10.33	3.03	4.54	14.46	14.87
非金屬礦產業	—	7	—	982	—	0.31	—	3.17	—	5.35	—	11.40	—	16.75
食品飲料業	22	25	4,667	4,079	0.85	2.32	7.75	8.05	12.25	12.93	2.65	3.75	14.91	16.68
金屬製品業	23	20	3,452	2,739	0.65	0.48	7.09	4.83	10.53	7.47	1.53	3.28	12.06	10.75
運輸設備業	7	8	1,773	1,758	0.12	0.19	6.84	7.02	9.52	10.64	1.70	3.06	11.22	13.70
煙草製造業	4	3	1,238	1,085	0.75	2.47	6.57	7.45	9.26	11.26	4.33	6.89	13.59	18.15
其他	169	153	17,047	12,391	5.58	3.74	21,39	16.74	34.16	26.57	25.58	21.49	59.73	48.04
合計	**545**	**536**	**90,262**	**80,736**	**23.59**	**27.04**	**123.49**	**123.03**	**201.51**	**210.83**	**107.82**	**133.17**	**309.33**	**343.99**

註"一"數字不詳。

13.5 按固定資產性質分類的海外投資

（單位：億元）

	添置值 A		變賣值 B		固定資產 增加值A-B		固定資產 帳面值		固定資產 原始成本	
	1990年	1991年	1990年	1991年	1990年	1991年	1990年	1991年	1990年	1991年
土地及廠房	5.40	6.89	1. 68	0.67	3.37	6.23	55.56	47.85	69.90	58.57
	(18.0)	(20.3)	(26.1)	(9.8)	(15.8)	(23.0)	(45.0)	(38.9)	(34.7)	(27.8)
機械及設備	17.75	21.53	3.27	4.17	14. 48	17.36	52.62	57.61	103.42	117.01
	(59.1)	(63.5)	(50.9)	(60.9)	(61.4)	(64.2)	(42.6)	(46.8)	(51.3)	(55.5)
其他固定資產	6.86	5.46	1.48	2.00	5.38	3.46	15.31	17.57	28.19	35.25
	(22.9)	(16.1)	(23.0)	(29.2)	(22.8)	(12.8)	(12.4)	(14.3)	(14.0)	(16.7)
合計	**30.02**	**33.89**	**6.43**	**6.85**	**23.59**	**27.04**	**123.49**	**123.03**	**201.51**	**210.83**
	(100.0)	**(100.0)**	**(100.0)**	**(100.0)**	**(100.0)**	**(100.0)**	**(100.0)**	**(100.0)**	**(100.0)**	**(100.0)**

註：括號內的數目是佔該項的比率。

13.6　按工種分類的僱員結構

工種類型	本地僱員		外地僱員		其他		合計	
	1990年	1991年	1990年	1991年	1990年	1991年	1990年	1991年
操作員工工匠	53,673	44,435	36	322	102	258	53,811	45,617
	(60.6)	(57.0)	(3.1)	(25.0)	(19.3)	(40.4)	(59.6)	(56.5)
技術員	5,900	5,868	53	119	51	24	6,004	6,052
	(6.7)	(7.5)	(4.6)	(9.2)	(9.7)	(3.8)	(6.7)	(7.5)
專家操作人員	3,807	3,088	220	165	95	69	4,122	3,333
	(4.3)	(4.0)	(19.0)	(12.8)	(18.0)	(10.8)	(4.6)	(4.1)
研究發展人員	1,132	873	84	59	37	24	1,253	961
	(1.3)	(1.1)	(7.3)	(4.6)	(7.0)	(3.8)	(1.4)	(1.2)
管理人員	5,191	5,274	684	573	211	222	6,086	6,194
	(5.9)	(6.8)	(59.2)	(44.4)	(40.0)	(34.8)	(6.7)	(7.7)
其他僱員	18,875	18,395	79	52	32	41	18,986	18,579
	(21.3)	(23.6)	(6.8)	(4.0)	(6.1)	(6.4)	(21.0)	(23.0)
合計	**88,578**	**77,933**	**1,156**	**1,290**	**528**	**638**	**90,262**	**80,736**
	(100.0)	**(100.0)**	**(100.0)**	**(100.0)**	**(100.0)**	**(100.0)**	**(100.0)**	**(100.0)**

註：括號內的數目是佔該項的比率。

13.7　海外投資香港各種工業產品的市場銷售情況

（單位：億元）

	合計		香港		美國		新加坡		日本		西德		中國	
	1990年	1991年	1990年	1991年	1990年	1991年	1990年	1991年	1990年	1991年	1990年	1991年	1990年	1991年
電子	191.60	349.32	30.31	64.10	53.10	70.82	—	51.10	8.05	12.33	11.07	30.48	7.83	21.04
電器產品	80.34	81.40	12.32	19.71	31.40	26.12	—	1.32	4.78	6.80	7.07	7.78	0.43	1.00
紡織、製衣	106.96	93.38	31.71	29.70	37.53	29.98	—	1.38	9.13	6.85	8.30	7.36	1.86	1.79
成衣	67.26	54.02	6.05	4.94	35.52	25.67	—	0.37	8.64	6.34	6.73	5.76	0.13	0.48
紗布	39.70	39.36	25.66	24.75	4.01	4.31	—	1.02	0.48	0.51	1.57	1.60	1.73	1.31
化工產品	53.13	42.11	34.12	25.25	0.04	0.27	—	1.97	1.84	1.46	0.33	0	4.70	3.04
印刷、出版	20.08	18.07	14.41	15.57	1.32	0.29	—	0	0.09	0.39	0.02	0.02	0.60	0.19
非金屬製品	84.45	17.14	51.37	16.92	4.09	0	—	0	14.02	0	2.44	0	1.96	0.06
食品、飲料	38.71	41.66	32.99	35.03	0.96	1.10	—	0.60	0.56	0.39	0.43	0.04	1.14	1.86
金屬製品	27.63	4.56	14.64	11.71	0.88	0.79	—	0.23	5.16	4.08	0.03	0.02	2.93	1.62
運輸設備	5.99	7.07	1.90	1.75	0.49	1.44	—	0.23	0.28	0.26	0.21	0.11	2.64	1.65
煙草	24.15	24.89	8.36	8.28	0	0	—	0	0	0	0	0	9.34	11.13
其他	98.88	153.03	43.73	77.57	22.27	24.01	—	1.27	8.45	23.87	4.21	6.82	3.47	8.89
合計	**731.92**	**851.08**	**275.86**	**305.59**	**152.08**	**154.82**	**—**	**58.10**	**52.36**	**56.43**	**34.11**	**52.62**	**36.90**	**52.27**

註："數字不詳"。

13.8 按工業和生產分類的產品銷售

（單位：億元）

按工業分類	專利產品銷售額		按合約生產產品銷售額		工業服務銷售額		合計	
	1990年	1991年	1990年	1991年	1990年	1991年	1990年	1991年
電子	115.39	233.01	53.64	113.56	22.58	2.75	191.60	349.32
電器產品	44.16	42.04	36.01	38.91	0.17	0.45	80.34	81.40
紡織、製衣	41.40	42.92	60.06	49.21	5.49	1.25	106.96	93.38
成衣	28.43	24.23	37.32	29.45	1.51	0.34	67.26	54.02
紗布	12.97	18.69	22.74	19.76	3.99	0.91	39.70	39.36
化工產品	51.50	40.00	1.49	1.87	0.14	0.23	53.13	42.11
印刷出版	16.48	11.86	3.52	6.00	0.08	0.21	20.08	18.07
非金屬製品	57.46	7.80	25.67	8.66	1.32	0.68	84.45	17.14
食品、飲料	37.47	39.29	1.24	2.31	0	0.06	38.71	41.66
金屬製品	21.00	19.26	6.53	3.65	0.09	0.09	27.63	23.01
運輸設備	0.51	0.97	1.59	1.96	3.90	4.14	5.99	7.07
煙草	24.15	24.89	0	0	0	0	24.15	24.89
其他	61.32	81.50	36.58	69.19	0.98	2.37	98.88	153.03
合計	**470.84**	**543.54**	**226.33**	**295.32**	**34.76**	**12.23**	**731.92**	**731.92**

13.9 按行業及企業股權性質分類的美國在香港的工業投資(一)

工廠家數

投資行業	全美資企業		與其他海外資金合資的企業		與本地資金合資的企業		合　計	
	1990年	1991年	1990年	1991年	1990年	1991年	1990年	1991年
電子業	29	28	0	2	10	9	39	39
電器產品業	9	14	0	0	3	4	12	18
化工產品業	8	7	1	1	0	1	9	9
紡織、製衣業	10	11	1	1	4	5	15	17
塑膠製造業	—	2	—	0	—	4	—	6
玩具業	5	2	0	0	1	1	6	3
金屬製品業	1	1	2	2	2	1	5	3
印刷出版業	3	2	2	1	0	1	5	4
珠寶玉石製造業	—	2	—	0	—	2	—	4
煙草	1	1	0	0	0	0	1	1
其他	14	11	3	3	18	8	36	22
合計	**80**	**81**	**9**	**10**	**38**	**36**	**128**	**127**

註"—"數字不詳。

按行業及企業股權性質分類的美國在香港的工業投資(二)

投資額(億元)

投資行業	固定資產增加值 A		固定資產帳面值 B		固定資產原始成本 C		營運資金 D		投資總額 C+D	
	1990年	1991年	1990年	1991年	1990年	1991年	1990年	1991年	1990年	1991年
電子業	3.33	2.26	11.51	13.64	20.33	24.74	30.73	41.37	51.06	52.46
電器產品業	0.11	0.34	2.66	3.66	4.22	7.62	2.56	6.61	6.78	14.23
化工產品業	0.36	0.84	2.81	4.27	4.83	6.69	1.90	5.37	6.74	7.79
紡織、製衣業	0.28	0.03	1.63	0.57	3.26	1.28	3.33	2.29	6.59	3.57
塑膠製造業	—	0.09	—	0.41	—	0.70	—	0.72	—	1.41
玩具業	0.50	0.12	1.22	0.34	1.81	0.98	2.71	0.76	4.53	1.10
金屬製品業	0.47	0.29	1.98	1.98	2.97	3.24	0.45	1.75	3.42	4.99
印刷出版業	0.7	0.02	0.63	0.26	1.27	0.63	2.63	0.78	3.90	1.41
煙草		*		*		*		*		*
珠寶玉石製造業	—	0.03	—	0.29	—	0.52	—	0.66	—	1.19
其他	0.73	0.33	3.19	2.06	7.71	3.18	3.99	4.40	11.68	7.59
合計	**5.85**	**4.35**	**25.63**	**27.48**	**46.40**	**49.58**	**48.30**	**46.80**	**94.70**	**96.38**

註"—"數字不詳。

13.10 按行業及企業股權性質分類的日本在香港的工業投資(一)

工廠家數

投資行業	全美資企業		與其他海外資金合資的企業		與本地資金合資的企業		合計	
	1990年	1991年	1990年	1991年	1990年	1991年	1990年	1991年
電子業	20	20	3	3	5	9	28	32
電器產品業	11	9	0	0	7	4	18	13
化工產品業	5	2	1	2	2	3	8	7
紡織、製衣業	10	11	1	1	8	9	19	21
非電子機械製造業	12	9	0	0	18	20	30	29
玩具業	8	9	0	0	2	1	10	10
金屬製品業	6	6	1	1	2	1	9	8
基金屬製造業	2	2	0	0	1	2	3	4
塑膠製品業	6	7	0	0	7	6	13	13
食品、飲料業	—	4	—	0	—	5	—	9
其他	19	15	1	1	15	12	35	28
合計	**99**	**94**	**7**	**8**	**67**	**72**	**173**	**174**

註“—”數字不詳

按行業及企業股權性質分類的日本在香港的工業投資(二)

投資額(億元)

投資行業	固定資產增加值 A		固定資產帳面值 B		固定資產原始戎本 C		營運資金 D		投資總額 C+D	
	1990年	1991年	1990年	1991年	1990年	1991年	1990年	1991年	1990年	1991年
電子	3.91	4.44	11.74	11.31	16.95	21.18	8.31	15.28	25.26	36.47
電器產品業	1.22	2.17	3.90	5.39	9.00	11.32	6.95	7.46	15.93	18.77
印刷出版	0.51	0.79	2.52	1.79	5.17	3.75	1.23	0.81	6.40	4.56
鐘錶製造業	1.74	0.95	3.35	2.72	5.92	4.88	7.85	5.67	13.77	10.56
紡織製造業	0.20	0.83	3.34	4.62	6.48	7.89	2.47	1.54	8.95	9.43
攝影器材光學儀器	0.79	0.86	2.73	2.11	2.29	4.23	2.36	3.20	4.64	7.43
玩具業	—	0.58	—	2.67	—	4.12	—	−0.02	—	4.10
金屬製品業	0. 07	−0.02	3.11	1.00	3.99	1.13	0.58	1.61	4.58	2.74
基金屬	0.07	0.86	1.70	4.65	1.91	6.42	0.38	4.83	2.29	11.24
塑膠製品業	0.16	0.39	0.79	1.04	1.20	1.80	0.67	0.51	1.86	2.31
其他	1.55	0.86	6.81	4.65	9.80	6.42	4.01	4.83	13.82	11.24
合計	**10.22**	**11.89**	**39.99**	**39.16**	**62.17**	**68.94**	**34.81**	**40.88**	**97.52**	**109.82**

註"—"數字不詳。

13.11 按行業及企業股權性質分類的中國在香港的工業投資(一)

工廠家數

投資行業	全中資企業		與其他海外資金合資的企業		與本地資金合資的企業		合計	
	1990年	1991年	1990年	1991年	1990年	1991年	1990年	1991年
運輸設備業	2	2	0	0	1	0	3	2
化工產品業	0	0	0	0	4	4	4	4
煙草業	1	1	0	0	0	0	1	1
電子業	2	3	1	1	3	8	6	12
紡織、製衣業	1	2	0	0	8	6	9	8
紙製品業	1	1	0	0	1	3	2	4
電器產品業	2	3	0	0	2	1	4	4
印刷、出版社	—	0	—	0	—	1	—	1
非電力機械製造業	0	1	0	0	1	1	1	2
金屬製造業	0	1	1	1	1	1	2	3
其他	1	1	0	1	7	3	5	8
合計	**10**	**15**	**2**	**3**	**28**	**28**	**40**	**46**

按行業及企業股權性質分類的中國在香港的工業投資(二)

投資額(億元)

投資行業	固定資產增加值 A		固定資產帳面值 B		固定資產原始成本 C		營運資金 D		投資總額 C+D	
	1990年	1991年	1990年	1991年	1990年	1991年	1990年	1991年	1990年	1991年
運輸設備業	0.27	1.92	8.59	9.28	13.31	15.59	3.26	5.39	11.85	20.99
煙草業										
化工產品業	0.07	0.08	4.48	0.51	5.95	0.73	0.26	0.08	6.21	0.81
電子業	0.10	−0.08	0.82	1.55	2.00	3.74	0.55	1.49	2.55	5.23
紡織製衣業	−0.07	0.29	2.27	1.64	3.53	2.14	0.19	1.11	2.72	3.25
金屬製造業	*	0.10	*	1.40	*	2.20	*	−0.55	*	1.65
電器產品業	0.01	0.03	0.66	0.68	0.79	0.83	0.14	0.12	0.93	0.95
印刷、出版業		*		*		*		*		*
非電力機械製造業	−0.01	*	0.18	*	0.24	*	0.05	*	0.29	*
紙製品業	*	0.26	*	1.13	*	1.52	*	0.69	*	2.21
其他		−0.16	2.41	0.41	2.26	0.61	0.35	1.78	8.33	2.38
合計	**0.43**	**2.44**	**19.41**	**16.60**	**28.08**	**27.36**	**4.80**	**10.11**	**32.88**	**37.47**

註：＊少於1百萬元。
"—"數字不詳。

13.12 各主要國家和地區在香港的工業投資

（單位：億元）

	家數		固定資產增加值 A		固定資產帳面值 B		固定資產原始成本 C		營運資金 D		投資總額 C+D	
	1990年	1991年	1990年	1991年	1990年	1991年	1990年	1991年	1990年	1991年	1990年	1991年
電子業	107	126	9.98	8.92	32.28	36.18	54.21	67.52	38.03	43.50	92.24	111.02
美國	39	39	3.33	2.26	11.51	13.64	20.33	24.74	30.73	27.73	51.06	52.46
日本	28	32	3.91	4.44	11.74	11.31	16.95	21.18	8.31	15.28	25.26	36.47
荷蘭	6	7	1.75	1.51	5.07	5.30	9.77	10.06	−1.21	0.76	8.55	10.82
其他	34	48	0.99	0.71	3.96	5.93	7.16	11.54	0.20	−0.27	7.37	11.27
電器產品業	57	64	2.16	3.69	9.78	12.94	19.93	26.05	13.66	18.59	33.60	44.64
日本	18	13	1.22	2.17	3.90	5.39	9.00	11.32	6.95	7.46	15.95	18.77
美國	12	18	0.11	0.34	2.66	3.66	4.22	7.62	2.56	6.61	6.78	14.23
英國	4	5	0.41	0.71	1.62	1.66	3.28	3.23	1.06	0.85	4.34	4.08
德國	22	7	0.22	0.26	0.47	0.85	1.49	1.72	2.51	2.89	4.00	4.61
其他	20	21	0.20	0.21	1.13	1.38	1.94	2.16	0.58	0.78	2.53	2.95
紡織、製衣業	122	110	1.02	2.18	11.38	11.51	19.95	19.71	13.05	12.16	33.00	31.87
日本	30	29	0.20	0.83	3.34	4.62	6.48	7.89	2.47	1.54	8.95	9.43
美國	15	17	0.28	0.03	1.63	0.57	3.26	1.28	3.33	2.29	6.59	3.57
英國	24	21	0.01	0.60	1.48	2.17	2.54	3.15	1.21	0.94	3.74	4.09
利比里亞	3	2	0.21	*	0.61	*	1.33	*	2.94	*	4.27	*
中國	9	8	−0.07	0.29	2.27	1.64	2.53	2.14	0.19	1.11	2.72	3.25
其他	41	32	0.39	0.43	2.05	2.51	3.81	5.25	2.91	6.28	6.73	11.53

	家數		固定資產增加值 A		固定資產帳面值 B		固定資產原始成本 C		營運資金 D		投資總額 C+D	
	1990年	1991年	1990年	1991年	1990年	1991年	1990年	1991年	1990年	1991年	1990年	1991年
化工產品	45	39	1.60	1.43	13.23	8.86	20.26	13.00	4.26	4.51	24.52	17.52
美國	9	9	0.36	0.84	2.81	4.27	4.83	6.69	1.90	1.10	6.74	7.79
中國	4	—	0.07	—	4.48	—	5.95	—	0.26	—	6.21	—
日本	8	8	0.09	0.04	0.63	0.73	0.78	0.89	0.50	1.16	1.27	2.04
英國	3		0.38		1.24		2.12		0.29		2.41	
法國	2											
瑞士	3	3	0.06	2.35	1.38	2.71	2.78	0.46	0.73	3.40	3.51	3.75
維爾京羣島	—	—	—	—	—	—		—		—		—
其他	16	17	0.64	0.22	2.69	1.50	3.80	2.71	0.58	1.79	4.38	3.94

註：“—”數字不詳。

14 雜項統計

14.1 公司登記及結束情況

	新增公司家數			結束公司家數			期末登記總數		
	本地公司	外地公司	合計	本地公司	外地公司	合計	本地公司	外地公司	合計
1986年	16,743	288	17,031	2,393	142	2,535	161,986	2,238	164,224
1987年	26,380	240	26,620	2,778	189	2,967	185,588	2,289	187,877
1988年	30,474	250	30,724	2,548	191	2,739	213,515	2,348	215,863
1989年	31,674	266	31,940	2,483	150	2,633	242,709	2,464	245,173
1990年	26,147	350	26,497	3,408	179	3,587	265,452	2,635	268,087
1991年	43,975	402	44,377	4,891	209	5,100	304,538	2,828	307,366
1992年	58,110	550	58,660	4,521	185	4,706	358,129	3,193	361,322
1月	3,201	39	3,240	429	16	445	307,310	2,851	310,161
2月	2,961	40	3,001	375	14	389	309,896	2,877	312,773
3月	6,527	34	6,561	328	18	346	316,096	2,893	318,999
4月	3,898	50	3,948	391	20	411	319,603	2,923	322,526
5月	3,937	51	3,988	280	14	294	323,260	2,960	326,220
6月	5,948	40	5,988	414	14	428	328,794	2,986	331,780
7月	6,346	41	6,387	424	20	444	334,716	3,007	337,723
8月	4,965	49	5,014	371	10	381	339,311	3,046	342,357
9月	5,427	46	5,473	436	22	458	344,302	3,070	347,372
10月	5,140	42	5,182	377	8	385	349,065	3,104	352,169
11月	4,445	52	4,497	341	17	358	353,169	3,139	708,477
12月	5,135	66	5,381	355	12	367	358,129	3,193	36,1322

註："本地公司"指總公司設在香港、按香港公司註冊法例註冊者；"外地公司"係指總公司不在香港、按外地公司註冊法例的規定註冊者。

14.2 主要上市公司資本、市值、利潤一覽表

公司名稱	發行股數（億股）	票面值（港元）	1992年底收市價（港元）	1992年底市值（億港元）	純利（億元）	1992年底市價盈利率（倍）	1992年底息率	年度結算日期
東亞銀行	5.69	2.50	34.00	160.63	6.85	27.58	1.84	92/12/31
恆生銀行	14.86	5.00	53.00	787.46	56.97	22.36	2.36	92/12/31
滙豐銀行	16.91	10.00	55.50	1,398.69	143.21	10.57	3.33	92/12/31
怡和策略	9.44	USD0.05	19.70	166.97	USD2.62	7.30	4.16	92/12/31
中華電力	16.59	5.00	33.00	547.43	31.73	17.28	3.15	92/9/30
中華煤氣	13.08	0.25	15.70	205.41	9.36	26.52	2.10	92/12/31
香港電燈	20.20	1.00	15.60	315.72	30.50	13.45	4.49	92/12/31
香港電訊	111.53	0.50	9.65	1076.24	56.73	18.96	3.94	92/3/31
九龍巴士	4.04	1.00	8.90	35.92	2.98	12.03	6.52	92/12/31
長江實業	21.93	0.50	18.80	413.41	62.66	8.47	3.62	92/12/31
鷹君地產	7.22	0.10	3.05	53.59	3.78	21.33	2.95	92/3/31
恒隆地產	12.26	1.00	11.90	319.72	13.18	13.18	5.90	92/6/30
恒基地產	15.96	2.00	14.50	231.42	24.37	9.48	5.51	92/6/30
置地	26.87	USD0.10	11.90	319.72	USD3.05	13.18	5.90	92/12/31
合和實業	43.06	0.50	4.325	186.23	16.23	10.30	6.94	92/6/30
希慎興業	8.67	5.00	12.40	107.41	9.80	15.12	4.84	92/12/31
新世界發展	15.54	1.00	16.40	252.28	23.63	10.12	4.15	92/6/30
新鴻基地產	19.32	0.50	27.90	535.99	20.66	10.65	4.09	92/6/30
國泰航空	28.65	0.20	9.45	270.69	30.08	9.17	4.44	91/12/31
牛奶國際	16.60	USD0.05	11.60	191.62	USD1.78	16.57	3.09	92/12/31
港機工程	1.85	1.00	20.10	37.22	3.88	11.62	4.03	92/12/31
中信泰富	18.09	0.40	13.70	172.24	3.33	19.03	1.81	92/12/31

公司名稱	發行股數（億股）	票面值（港元）	1992年底收市價(港元)	1992年底市值(億港元)	純利（億元）	1992年底市價盈利率(倍)	1992年底息率	年度結算日期
和記黃埔	33.54	0.25	15.10	505.90	31.69	13.85	4.50	92/12/31
怡和控股	7.06	USD0.25	42.75	294.63	USD3.16	10.67	2.99	92/12/31
麗新國際	18.00	0.10	2.225	28.48	6.55	4.89	6.74	92/7/31
太古洋行A	9.71	0.60	29.30	284.47	44.19	15.10	3.04	92/12/31
文華東方	6.79	USD0.05	7.10	48.14	USD0.40	16.47	5.49	92/12/31
美麗華酒店	5.54	0.70	8.55	45.46	0.43	101.79	0.94	92/3/31
大酒店	10.79	0.50	5.50	56.73	3.72	17.19	3.09	92/12/31
電視廣播	4.20	0.05	11.80	194.19	3.66	20.00	3.39	92/12/31
九龍倉集團	20.98	1.00	15.30	321.05	20.51	19.90	3.69	92/12/31
南聯實業	2.61	0.50	11.90	31.09	2.72	11.44	6.72	92/3/31
隆豐國際	20.50	0.50	6.70	137.33	9.77	14.05	3.66	92/3/31

14.3 各類註册學校

教育院校	1990年	1991年	1992年
幼稚園	785	767	743
小學	681	671	652
中學	485	487	494
特殊學校	71	74	74
工業學院	8	8	7
教育學院	4	4	4
認可專上學院	2	1	1
高等教育院校*	5	7	7
香港公開進修學院	1	1	1
總計	**2,042**	**2,020**	**1,983**

註：*由大學及理工教育資助委員會資助

14.4 註册學校學生人數*

教育院校	1990年	1991年	1992年
學校			
幼稚園	196,466	193,658	189,730
小學	526,720	517,137	501,625
中學	453,423	454,372	461,460
特殊教育	7,999	8,224	8,257
小計	1,184,608	1,173,391	1,161,072
工業學院‡			
技工課程	28,983	28,173	23,503
技術員課程	28,542	28,245	27,279
小計	57,525	56,418	50,782
教育學院‡	4,979	4,891	4,355
認可專上學院‡	4,730	3,373	3,070
高等教育院校(由大學及理工教育資助委員會贊助)†			
學位以下程度	24,165	25,832	23,441
學位	28,154	32,138	35,745
研究生	5,345	6,960	9,508
小計	57,664	64,930	68,694
香港公開進修學院#	13,009	17,535	14,462
總計	**1,322,515**	**1,320,538**	**1,302,435**

註：*學生人數包括日夜校學生以及其他教育學院的全日制和兼讀制學生。
‡數字以十月的記錄爲依據。
†數字以十二月的紀錄爲依據。
#在十月份學期有上課的學生。

14.5 醫院病床數

醫院種類	1990年底	1991年底	1992年底
醫院管理局轄下醫院	21,374	21,684	22,395
懲教機構	759	776	827
政府留產所/診療所	315	175	164
私家醫院	2,790	2,907	2,955
私家護理兼留產所	44	44	44
總計	25,282	25,584	26,385

14.6 醫療專業人員

	註冊總數		在港府服務		在醫院管理局服務§	
	1991年	1992年	1991年#	1992年#	1991年	1992年
醫科						
醫生	6,545‡	6,818‡	456*	447*	2,218*	2,333*
暫准註册實習醫生	232	272	—	—	234	254
暫准註册非駐院實習醫生	63	69	—	—	63	21
牙科						
牙醫	1,526‡	1,565‡	181	182	5	4
牙科衞生員	98	108	3	4	—	—
護理科						
註册護士(普通科)	20,072	20,884	828	841	10,744	11,113
註册護士(精神科)	1,315	1,367	—	—	1,033	1,037
註册護士(智力遲緩科)	13	16	—	—	—	—
註册護士(兒科)	4	6	—	—	—	—
登記護士(普通科)	7,047	7,451	329	325	3,064	3,219
登記護士(精神科)	611	689	—	—	640	661
助產科						
助產士(無護士資格者)	981	981	107	98	141	131
藥劑及毒物科						
藥劑師	720	784	28	29	82	87
醫療化驗師	1,826	2,158	218	227	303	316
職業治療員	438	499	4	3	213	213

註：醫生、牙醫、藥劑師、醫療化驗師和職業治療員須每年重新註册。
於一九九一年起，醫療化驗師和職業治療員須註册。
‡由一九九一年十二月一日起，醫院管理局接管所有公營醫院。
#一九九一年及一九九二年的數字爲在衞生署服務的醫療專業人員數字
*包括無註册資格的醫生。
†包括本地及海外名册內的醫療/牙科專業人員。

資料來源

除以下另有說明者外，本年鑑統計資料來自香港政府的《香港統計月報》(Hong Kong Monthly Digest of Statistics).

1.1	本報整理
1.3,4	《1993年經濟展望》
1.2,5—8	《1966—92年本地生產總值估計》
2.3—4	《港府1991年人口普查統計》
3.1—4	《綜合戶口調查》(General Household Survey Labour Force Characteristics)
3.5—10	《就業空缺統計》(Report of Employment, Vacancies and Payroll Statistics)
3.11	《1992年經濟回顧》
3.12	《僱員工資統計》(Quarterly Report of Wages, Salaries and Employee Benefits Statistics)
4.2	Monthly Survey Employment Payroll and order-on-hand
5.2—5,20—27	《Hong Kong Trade Statistics》
5.6—19	《香港貿易回顧》(Hong Kong Review of Overseas Trade in 1991)
5.28—33	Hong Kong Trade Index Numbers
5.34	關稅貿易總協定
5.35	香港貿易發展局
5.36	《香港對外貿易》(Hong Kong External Trade)
6.1—4	Estimates for the year ending 31 March 1993
6.4—5	《香港政府憲報》
7.1	《香港年報1992》
7.2-17	《銀行監理專員一九九一年年報》
7.23	《1992年股市資料》(Fact Book 1992)
9.10—15	《香港旅遊協會統計》
10.2—10	《香港物業檢討報告》
13.1—12	《外資在香港工業統計》(Overseas Investments in Hong Kong's Manufacturing Industries 1992)
14.2	本報整理
14.3—6	香港年報1993

第五篇

工商便覽

第五篇　工商經濟便覽

香港社會經濟概要

本報資料室

【歷　史】 我們現在所稱的香港，包括香港島、九龍和新界三個部份，它位於珠江口之東，現有面積1,077平方公里，人口共有5,902,100人，我國同胞佔97.5%。

香港自古以來就是我國的神聖領土。清政府統治時期，香港歸廣東省新安縣(今深圳市)管轄。十八世紀下半葉，以英國人爲主的外國商人通過香港逐年向中國販運鴉片，進行非法貿易，掠奪我國錢財殘害人民健康，全國人民極大憤慨，清政府委派林則徐爲欽差大臣，到廣州禁烟。英國殖民者不僅不知罪收歛，反而於1840年發動了聞名世界的侵略戰爭——鴉片戰爭。腐敗無能的淸政府，被迫於1842年8月29日與英國簽訂了第一個不平等條約，即《南京條約》，割讓香港島、開放五口通商(廣州、福州、厦門、寧波、上海)和賠款等。1856年11月英國又製造藉口糾集法國組成聯軍發動了第二次鴉片戰爭，再次迫使清政府於1860年10月24日簽訂《北京條約》，割去九龍半島界限街以南的中國領土。1894年，清政府在中日甲午戰爭中戰敗，各帝國主義列强加緊瓜分中國，1898年6月9日英國强迫淸政府簽訂《展拓香港界址專條》“租借”深圳河以南、九龍半島界限街以北以及周圍島嶼的中國領土，即一般所謂“新界”，爲期99年。至此，英國通過三個不平等條約佔去整個香港地區。太平洋戰爭期間，香港曾被日本佔領；1945年8月日本無條件投降後，英國又重新佔領了香港。

新中國成立後，人民政府堅決維護我國主權和領土完整，主張在條件成熟時，用適當的方式和平解決香港問題。1982年以來，我國政府進一步闡明了解決香港問題的基本方針，這就是：一、到1997年，我們一定要收回香港主權。二、在收回主權後，將充分照顧香港的特殊情況，採取特殊政策，以保持其穩定和繁榮。即實行“一個國家，兩種制度”。1982年9月，英國首相撒切爾夫人訪華，中英雙方領導人同意通過外交途徑進行有關香港前途問題的談判。中英兩國政府代表於1983年7月12日開始了第二階段第一次會議，經過兩年二十二輪愼重和耐心的談判，由於兩國領導人高瞻遠矚的決策，1984年12月19日中英政府簽署了關於香港前途的《中英聯合聲明》。聯合聲明圓滿解決了中國恢復對香港行使主權的問題，也爲香港的長期繁榮和穩定提供了堅實的基礎。1985年2月7日英國議會下院通過香港法案，法案規定從1997年7月1日起，結束英國對香港的主權和治權。4月4日，英女皇簽署了該法案的批准書。4月10日，中華人民共和國全國人民代表大會通過了與英國政府交換關於香港前途聯合聲明的批准書。1985年5月27日，兩國政府在北京交換批准書，聯合聲明隨即生效，香港從此進入了過渡期。

在過渡期中，成立了香港特別行政區基本法起草委員會和基本法諮詢委員會，起草基本法。還成立了中英聯合聯絡小組，開始工作。經過四年八個月的努力，完成基本法草案，提交中國第七屆全國人民代表大會第三次會議審議，1990年4月4日《中華人民共和國香港特別行政區基本法》得到通過。包括：附件一：《香港特別行政區行政長官的產生辦法》；附件二：《香港特別行政區立法會的產生辦法和表決程序》；附件三：《在香港特別行政區實施的全國性法律》，以及香港特別行政區區旗、區徽圖案。基本法將自1997年7月1日起全面實施。目前，香港進入了後過渡期。

【地　理】　香港(包括香港島、九龍、新界地區)位於中國大陸南部，在北緯二十二度九分至二十二度三十七分，東經一百一十三度五十二分至一百一十四度三十分。1992年4月香港總面積爲1,076.27平方公里，細分起來爲：香港島面積(包括附近小島)79.77平方公里，九龍半島(包括昂船洲)面積11.76平方公里，新界(包括新界陸地及235個大小島嶼)面積984.74平方公里。1993年6月的統計是，香港總面積爲1,077平方公里。

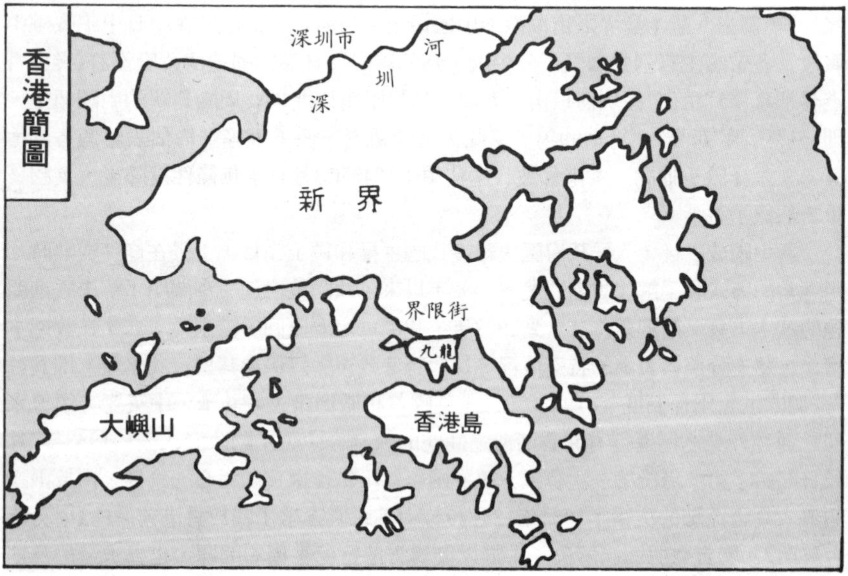

香港、九龍和新界的地勢，丘陵起伏，山丘大多從東北向南伸延，與中國福建省、廣東省部份的丘陵排列方向相同，但是香港地區的山丘，在古代有一部份已經沒於海裏，形成許多山勢陡斜的島嶼和海灣。

新界有幾條河流，其中最長者爲深圳河，發源於廣東省寶安縣，由東北向西流入后海灣。其他河流如城門河、錦田河、元朗河、屛山河、林村河等，皆非常短小，只可供灌溉之用。

在香港市區與九龍市區之間，是面積60平方公里、闊度1.6至9.6公里的海港，有三個主要入口：①東邊入港水道爲鯉魚門，可容巨輪進入；②西邊入港水道爲琉璜海峽；③西北邊入港水道爲汲水門。港內有三個大海灣，即九龍灣、紅磡灣和愛秩序灣。港內又有兩個避風塘，一爲九龍油蔴地避風塘，另一爲香港島銅鑼灣避風塘。

【氣　候】 香港位於熱帶，但異乎一般熱帶國家，氣候四季顯著不同。冬天的特點是亞洲大陸性反氣旋經常帶生寒冷及往往乾燥的空氣。一年中以11月和12月的天氣最好，1月、2月份的氣溫，跌破攝氏10度亦屬常見。在冷空氣侵襲期間，强風經常從北面或東面吹來。冬季及全年大部份時間吹和緩東風。

夏季屬熱帶氣候，天氣炎熱潮濕，間有驟雨或雷暴。雖然東南亞主要受西南季候風影響，但本港經常吹輕微及無定向風。在5月至8月間，下午氣溫常逾攝氏32度，晚上則爲攝氏26度左右。平均每年約有五個氣旋引致本港吹强風及大約有一個氣旋會帶來烈風或更强勁之風。雖然12月至4月間從無烈風吹襲本港，但太平洋及南中國海全年均有熱帶氣旋出現。當熱帶氣旋離香港約700至1,000千米時，本港天氣通常是晴朗和酷熱。但當氣旋迫近本港時，風力便會增强而且會帶來廣泛地區的大雨。由熱帶氣旋所引致之惡劣天氣，通常會影響本港一至三天。

春季的典型天氣是陰雲密佈，常下微雨或毛毛細雨，有時十分潮濕，沿岸有霧，日常氣溫變化很大，但整季氣溫顯著上升。秋季除了偶而受熱帶氣旋或冷空氣吹襲外，通常均陽光普照，而且乾燥。

本港各區的每年平均雨量差別很大，橫瀾島約爲1,200毫米，大帽山附近則超過3,000毫米。5月至9月所錄得的雨量約佔其中80%。6月爲全年最潮濕的月份，三天中約有兩天下雨，平均雨量爲431.8毫米。12月爲最乾燥的月份，平均雨量僅有25.3毫米，通常全月只約有五天下雨。

1992年全年總雨量爲2,678.8毫米，全年平均氣溫爲攝氏22.8度，平均相對濕度爲78%。

足以影響本港的嚴重氣候現象包括5月至11月的熱帶氣旋，多在10月至3月間出現的强烈冬季季候風，12月至2月間在新界山地及內陸下降的霜和冰雪，以及4月至9月間經常發生的雷暴等。水龍捲、冰雹及雪則較罕見。雖然位於尖沙咀的天文台錄得的最低氣溫爲攝氏零度，但新界及地勢較高地區有時錄得零度以下的氣溫。

【人　口】 1841年時，香港的人口只約有2,000人，幾乎全由筲箕灣、香港仔及赤柱的漁民所構成。第二次世界大戰日本佔領結束後，到1947年底，估計人口已增加至180萬人。至1961年5月30日，據香港戶口統計署長發表的核實戶口統計數字，香港人口總數爲3,133,131人；其中，男性1,610,650人，女性1,522,481人。至1965年人口覆查時，據香港戶口統計署長發表的數字爲3,716,400人；其中，男性1,884,400人，女性1,832,000人。1971年3月9日進行戶口調查，其後發表的人口數字爲3,948,179人。其中，男性2,010,204人，女性1,937,975人。

據《香港政府年報》報道，至1992年年底時，香港人口總數爲5,902,100人(男性佔3,003,900人；女性佔2,898,200人)，與1982年的估計人口5,319,500比較，增加了11.1%。

香港土地面積僅有1,077平方公里，但人口卻多達5,902,100名，是世界上人煙最稠密的地方之一。1992年全港人口密度爲每平方公里5,590人；但不同地區的人口密度差別頗大，上述數字卻未能顯示出來。港島、九龍及新九龍的人口密度爲每平方公里26,450人，新界則爲2,700人。由於新市鎮不斷發展，過去十年來，人口從九龍和新九龍流入新界，使人口分佈情況出現重大改變。不過，港島的人口數目卻沒有多大變動。港島區居民佔總人口的22.2%，九龍和新九龍區佔33.8%，而新界區則佔43.6%。

過去十年來，本港人口的年齡分佈有相當大變化。1982年，15歲以下的人口佔24.3%，1992年則佔20.5%。另一方面，同期內65歲或以上人士所佔比例，則由6.8%升至8.9%。隨着這些轉變，15歲至64歲的人口所佔比例由1982年的68.9%升至1992年的70.6%。與此同時，受供養人口比率(即年幼及年老人士與在15歲至64歲人士的比率)由1982年的千分之453降至1992年的千分之418。

與十年前比較，本港居民的性別比率已下降。1992年，居民的性別比率是每1,036名男性對1,000名女性；而1982年則爲每1,079名男性對1,000名女性。

在全港人口中，香港出生的估計約佔60%，中國出生的則約佔34%。

【政　制】 香港是歷史上遺留下來的一個特殊地區，至今仍由英國政府管治，現行政制是依照英國殖民地管治的基本模式發展而成。掌握香港政府最高權力的是由英女皇任命的總督。除極少數情況外，香港政府一切政令均由總督負責，但有關防衛及外交的事務，則由英國政府負責。

香港總督權力的法律根據是英皇制誥。這是香港的憲法文件。按照該文件規定，總督兼任香港三軍總司令，但必須遵守英皇或外交及聯邦事務大臣的訓令以及香港的法律。此外，制誥對行政及立法兩局的組織，總督在立法、土地處理、法官及公職人員的任命、赦免令、最高法院及地方法院法官的任期等方面的權力，均有所規定。

皇室訓令也是香港的憲法文件之一。該訓令詳細規定行政和立法兩局的人選、權力以及總督與上述兩局關係，同時也規定有關通過法案及規例的權力與程序。

香港政府設有行政局和立法局。行政局就政策發展和其他事宜，向總督提供意見。立法局負責制定法例及提供撥款，該局議員就政策進行辯論，並向當局提出質詢。兩個市政局——即市政局和區域市政局——有法定責任在各自的轄區內，提供公衆衞生及文娛康樂服務。此外，全港有19個區議會，就當局在地區層面推行的政策提供意見，並開闢一個有效途徑，以廣徵民意。

行政局基本上是一個諮詢機構，通常每週舉行會議一次。總督並非行政局議員，但主持該局的會議，有關一切重要決策，除少數事項外，總督必須徵詢該局意見。凡在行政局討論的事項，均由總督作最後決定。如總督的決定與大多數行政局議員的意見相左，則須向英國外交及聯邦事務大臣申述理由。該局現有4名當然官守議員(布政司、駐港三軍司令、財政司和律政司)，另有委任議員12名，其中3名是官守議員。委任議員有固定的任期。

立法局的主要職責是制訂法例和管制政費開支。該局每週舉行公開會議一次，有公開辯論和質詢。每年八月及九月休會大約兩個月。法案在立法局通過後，須經總督同意，才可成爲法律。獲得通過的法案，須送交英女皇審核，英女皇有權駁回。此外，英國國會和英女皇會同樞密院，也可爲香港訂立法例。立法局由60名議員組成，其中包括3名當然官守議員(即布政司、財政司及律政司)、18名委任議員(其中一名獲委任爲立法局副主席)，其餘39名則是民選議員。委任議員由總督任命，但必須獲外交及聯邦事務大臣批准。在民選議員中，21名是分別由所屬的經濟或社會功能組別選出的代表，另外18名分別由全港各個選區以直接選舉方式選出。立法局主席一職以往由總督出任。不過，總督在1992年10月向立法局發表施政報告時宣佈，爲了讓立法局自行處理本身的事務，他決定盡快將主持立法局會議的責任，交予一位由全體立法局議員互選出來的主席擔任。

由15個功能組別共選出21名議員進入立法局。每個功能組別各自代表一個職業或專業團體：計有商界；工業界；金融及金融服務界；勞工界；社會服務界；醫學及衞生界；教學界；法律界；工程、建築、測量及都市規劃界；會計界；地產及建造界；旅遊界；市政局；區域市政局；以及鄉事功能組別。其中商界，工業界，金融及金融服務界，勞工界，醫學及衞生界，工程、建築、測量及都市規劃界功能組別各自推選2名立法局議員，其餘9個功能組別則各自選出1名議員。

按地區劃分的選舉組別有9個，各自選出2名議員進入立法局。這些組別大致採用區議會的選區分界，計有港島東、港島西、九龍東、九龍中、九龍西、新界北、新界東、新界西及新界南。

在正常情況下，選舉每4年舉行一次。總督有權解散立法局；該局一經解散，所有民選議員便要退出議席，當局須在3個月內另外進行選舉。議席如中途出現空缺，則會進行補選。

立法局每周舉行一次公開會議，每年8月及9月休會約兩個月。會議採用雙語制，議員可用粵語及英語發言；會議進行時，設有即時傳譯服務。

根據公共財政條例的規定，財政司負責每年向立法局提交政府的收支預算案。財政司以立法局官守議員的身份，每年須發表一篇重要演辭，概述政府的預算案提

香港政府的架構(1)

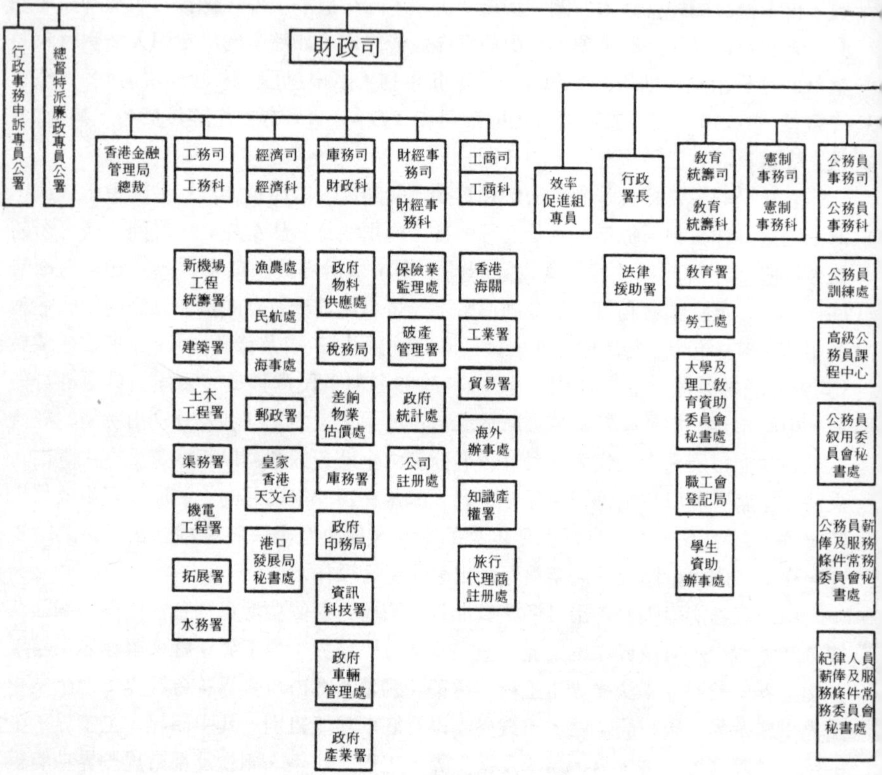

附註 (1) 這個組織圖是供一般參考用途，列出香港政府的行政架構。

(2) 全港所有負責執行工作或諮詢性質的公務法定組織名單，可參看由香港政府出版的香港政府各公務委員會及其他名表。

(3) 市政局及區域市政局是分別負責爲港九市區及新界提供市政服務的法定議會，而市政總署及區域市政總署則分別是該兩局的執行部門。同樣地，房屋署是房屋委員會的執行部門。

(4) 路政署署長就運輸政策及公路發展計劃向運輸司負責，並就工務計劃及標準、工務計劃的批出合約程序及統籌工作向工務司負責。

議，並動議通過撥款條例草案，使每年預算案中各項開支建議，在法律上生效。此外，根據其他條例的規定，財政司亦須親自執行行政職務，例如釐定某些收費和酬金的標準，以及審核若干個信託基金和法定組織的帳目等。

中央政策組於1989年4月成立。雖然該組隸屬布政司署，但並非一個本身有特

(截至九三年五月一日止)

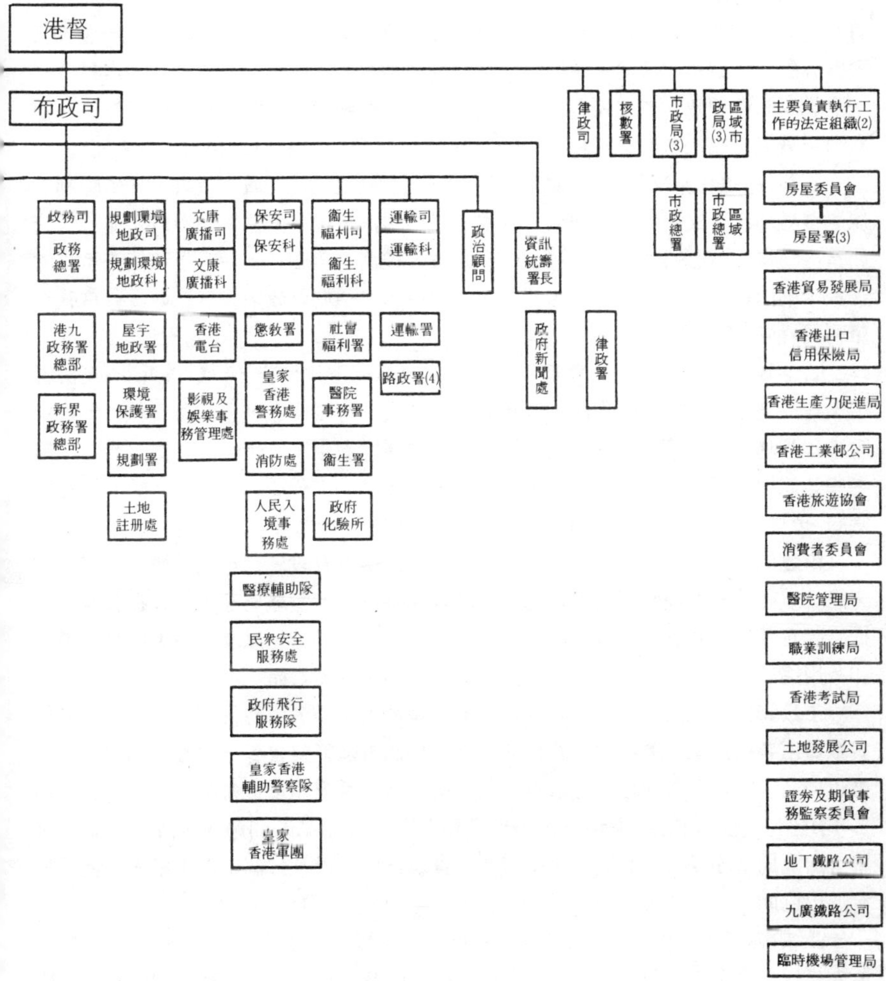

定工作範圍的決策科。中央政策組的職責，是深入研究複雜的政策問題、分析各項可供選擇的方案，以及提出解決辦法。這類政策問題，均由總督、布政司和財政司交由該組處理，並按個別情況給予指示。這些問題多屬策略性的長遠問題，或涉及政府內數個不同決策科或部門的工作範圍。該組並無參與政策的日常發展及施行工作。

香港政府的行政組織，由各科及部門構成，而各科均隸屬布政司署，概由司級首長主管。布政司署在1989年改組，旨在使決策科司級首長的職務合理化，並予以重新分配。透過這次改組，政府希望可以合理地平均分配各司級首長的工作量，更切實地反映各項政策的主要目標，以及改善一般的政策制訂和資源管理工作。目前布政司署屬下主決策的有12科；主資源的有2科，分別負責財政和公務員事宜。

政務(由政務司掌管)、憲制事務(已與前常務科合併)、教育統籌、衞生福利、規劃環境地政、文康廣播、保安及運輸等科均主決策，首長直接向布政司述職。公務員事務科(主資源)亦歸布政司管轄。此外，經濟、金融、工商、工務等決策科的首長，則直接向財政司述職。主資源的財政科，亦須向財政司負責。財政科首長爲庫務司(前稱副財政司)。

香港政府設有市政局，負責港島、九龍市區的市政事務，包括爲近328萬市區居民提供文康市政服務。因此，市政局有相當大的行政權力，全權負責執行多項文康市政職務，包括清潔街道、收集垃圾、管理環境衞生，並確保在酒樓、商店、屠場和其他地方處理和烹調的食物，都符合衞生標準。市政局亦是小販和販商的管理當局。但由於沒有足夠的人力物力單獨承擔這個責任，所以部分工作轉由警方負責。

市政局負責在市區內興建及管理所有公共康樂體育設施，包括泳池、公園、遊樂場、室內及室外運動場、網球場、足球場、壁球場和籃球場等，並且在各區大力推廣體育活動。此外，市政局又管理博物館、公共圖書館，以及多個大型文化場館和多用途設施，例如大會堂、伊利沙伯體育館和香港體育館。

市政局由40名議員組成，其中15名由各區選出，15名由總督委任，還有10名代表議員由各市區區議會選出。在1989年，自10個市區區議會各自選出一名代表加入市政局後，議員人數便由30名增至40名。市政局每月公開舉行會議一次，會上通過各項附例，並處理財政事務、正式動議和有關各項活動的問題。市政局的日常事務，由全局常務委員會負責，並由12個專責委員會，以及17個工作小組或小組委員會加以協助。

區域市政局於1986年4月1日成立。政府賦予該局法定權力，爲新界地區逾250萬人口提供文康市政服務。正如市政局一樣，區域市政局負責其轄區內所有環境衞生、公衆衞生、潔淨服務和簽發酒牌事宜，並負提供文娛康樂設施及服務。

區域市政局有議員36名，其中12名是由市民直接選出；9名間接推選，代表轄區內9個區議會；12名是由總督委任。其餘3名是當然議員，分別是鄉議局的主席和兩名副主席。區域市政局的主席和副主席，均由各議員互選產生。

區議會是法定組織，成立於1982年，爲當局開闢一個徵詢民意的有效途徑，並爲一般市民提供參與地區事務的機會。

港九新界現時共有19個區議會，其成員包括來自各個選區的民選議員、委任議員、市政局議員及鄉事委員會主席。(市區和新界的區議會，分別爲市政局議員和鄉事委員會主席預留席位。)各區區議會合計，共有民選議員274名，委任議員140名。

根據區議會條例的規定，區議會主要擔當諮詢角色，但可以透過提出建議，在管理地區事務上作出重大貢獻。在監察政府在各區的工作方面，區議會討論的事項包羅萬有，全都與區內居民息息相關。

【司法制度】 一般來說，香港在法律方面追隨英國及威爾斯的法律。1966年所通過的"英國法律適用範圍條例"，公佈英國法律在香港的適用範圍。該條例第三條規定：英國的習慣法和衡平法規中，凡可應用於香港情況或居民的，應就情形需要梢事修改而加以應用。此外，英國1361年太平紳士法和1689年欠租扣押法等法例，亦適用於香港。

由於英皇制誥第九條明文保留英國可爲香港的管理而制定所需法律的權力，英女皇曾數度會同樞密院規定香港施行某等法例。實際上，這項權力主要只施行於對香港國際地位有關的事項上。例如：英國1967年東京公約法(海外屬土)令便是英女皇會同樞密院頒發的命令，目的在香港實施一項條約，而英國本身則是締約的一方。

爲確保本港在1997年之前有一套完整法律，並由本港的立法機關賦予權力，當局必須以本地法例取代主題相同的英國法例。因此，港府通過了一項立法方案，逐步廢除引用於本港的英國法律，改以香港法例取代。根據樞密院令，1985年香港法授予香港立法機關在特定範圍內具有所需的額外權力，而1986年樞密院香港(立法權力)令具體說明特定範圍是指民用航空、商船航運和海事裁判權等方面的事宜。預料日後會制定更多法令，以便在其他範圍授予香港類似的權力。

香港本土的法例(亦即立法局所通過而由港督同意的條例)，通常由香港政府作決策的各科訂定明確草擬指示，交律政司署法律草擬科草擬。該等指示是政府各有關部門經過內部商議，並於適當時，諮詢有關民間組織的意見後而定出的。法案草擬完成後，便呈交總督會同行政局，請求批准呈交立法局審議。倘立法局表示贊成，港督方有權同意，港督同意後，有關法案才通過成爲法律。

香港的習慣法演變過程，與英國的頗相似。香港的法律，以英國的習慣法和衡平法規爲基礎，視情形需要而追隨及運用本土的條例或英國的法例。香港的條例多以英國法規爲藍本，如有英聯邦國家的法例更適合香港情況時，亦採用後者。香港法庭對英聯邦國家和英國法庭的判例，均予尊重，並加以引用。香港法庭所採用的案例約束原則，與英國法庭所採用的無甚差別。香港上訴法庭受其原先所作的判決約束。不服上訴法庭的判決，可向英國樞密院上訴。1969年，最高法院合議庭聆訊一宗案件時，曾有以下的陳述："香港法庭無疑是受英國樞密院及上議院的判決所約束"。1973年，最高法院合議庭再度研討案例問題，並申明"英國樞密院的任何有關決定"均對香港起約束作用。

法例的中文本與英文本一樣，同具法律效力，因此，法庭要確定某一條的意義時，亦可參照中文本。首條用雙語制定的法例於1989年4月13日頒佈。此後，所有新擬的主體法例均會用雙語制定。

司法機構的首長是首席大法官，由最高法院司法常務官、7名副司法常務官和1名助理司法常務官協助處理行政職務。助理司法常務官同時獲委任爲總裁判官。

司法機構按普通法法制的基本原則運作，完全獨立，絕對不受制於政府的行政和立法機關。無論是政府與個人之間的糾紛，抑或純粹是私人或法團間的糾紛，這個原則一樣適用。

最高法院是香港最高級的法院，由上訴法院和高等法院組成。除首席大法官外，最高法院由9名上訴法院大法官和22名高等法院大法官審理案件。司法常務官和副司法常務官以最高法院聆案官的身份，在高等法院民事審判中亦具審裁權。無論是民事或刑事案件，高等法院的審裁權均無限制。上訴法院是香港的最高法庭，負責審理高等法院和地方法院移交的民事與刑事上訴案。上訴人如不服該庭判決，可再向倫敦樞密院司法委員會上訴；但由於須符合嚴格條件才可獲准上訴，所以這類上訴並不常見。

律政司是總督的法律顧問。皇室訓令規定律政司爲行政立法兩局的當然議員。律政司兼任香港法律改革委員會主席、司法人員敍用委員會委員和廉政公署審查貪汚舉報諮詢委員會委員。

律政司是法律事務政策小組的主席，該小組是布政司委員會轄下的一個政策小組；這些政策小組的成立，使工作範圍相關的各科司級首長可以共商政務。法律事務政策小組在統籌法律政策事宜及決策方面，擔當重要角色，包括份配職責，以便進行與法律政策有關的立法工作。該小組經常要求律政司向行政立法兩局提出立法建議，並予以闡釋。

律政司負責爲政府各部門提供所需的法律指導。由政府提出或由他人控告政府的一切訴訟，均由律政司代表政府處理。律政司並負責草擬所有法例，以及執行所有檢控工作。

【稅　制】 香港內部稅收包括各類稅項及收費，香港稅務局負責徵收：博彩稅、商業登記費、娛樂稅、遺產稅、酒店房租稅、入息及利得稅、印花稅、貨品稅、差餉、薪俸稅。

博彩稅：根據博彩稅條例，合法彩金電算機的投注或彩池派彩，和六合彩的收益，均須繳納博彩稅。投注的稅率是投注額的11.5%或17.5%(視投注的形式而定)；彩票收益的稅率則爲30%。

商業登記費：所有在本港營業的人士均須辦理商業登記，每年繳交登記費900元。有限公司不論是否營業，均須履行同樣義務。由慈善機構經營的業務，或屬非有限公司而營業規模十分細小，則可免繳登記費。

每間分行必須申領分行登記證，並按年繳交登記費15元。此外，當局會就發出的每份商業登記證和分行登記證徵收附加稅250元，所得款項撥入破產欠薪保障基金。

娛樂稅：電影及賽馬入場劵收費須繳娛樂稅，稅率視入場收費額而定。電影入場費的稅率平均爲9%，賽馬入場費的稅率平均爲28%。

遺產稅：凡身故者在本港遺下的財產，必須繳納遺產稅。目前，遺產稅率最低爲6%，適用於價值在400萬元至450萬元之間的遺產；最高爲18%，適用於價值500萬元以上的遺產。價值在400萬元以下的遺產可獲豁免遺產稅。

酒店房租稅：酒店和招待所必須繳納酒店房租稅，稅率是酒店租客所付租金的5%。

入息及利得稅：根據稅務條例規定，須徵收入息及利得稅的不同入息來源有3種。某些納稅人可選擇以"個人入息課稅"辦法計算總入息所應課的稅款。該3種不同的入息來源計爲營業利潤、薪俸、物業收入。在本港獲得或賺取的入息才須課稅。

1.薪俸稅：在本港獲得或賺取薪酬，必須繳納薪俸稅。應課稅入息額是按課稅年度內實際入息評算；暫繳稅額則按上一課稅年度所賺入息評算。薪俸稅按遞增稅率計算，辦法是對應課稅入息，即扣除個人免稅額後的入息，按爲首的3個2萬元徵收2%至17%不等的稅款。餘下的入息，則徵收25%的稅款。不過，全部徵收稅額最高仍不超過總入息的15%。

2.利得稅：在本港從事貿易、專業或商業活動獲得或賺取的純利，均須繳納利得稅。非有限公司的營業利潤，目前須按15%的稅率繳納利得稅，而有限公司的營業利潤，則須繳納17.5%的利得稅。由有限公司支付的股息，毋須預扣稅款；從有限公司收取的股息，亦可免繳利得稅。

3.物業稅：物業稅是向本港土地及樓宇業主徵收的稅項，稅額是按實際所收租金，減去20%作爲修理及保養費，再按標準稅率15%計算。但如果物業由業主自住、空置、屬會社或商會所有，屬某類祖傳產業或位於新界部份仍未發展的地區內，即物業稅可獲豁免。在本港營業的有限公司，其名下物業均獲豁免物業稅，因爲來自物業的利潤必須繳納利得稅。

印花稅：不動產轉讓書、租約、股票買賣單據及轉讓書等各類文件，必須繳納定額或從價印花稅。

貨品稅：香港對進口貨物並無徵收一般關稅，但有5類貨物，不論是在本港製造或從外地輸入，均須課稅。這5類貨物是酒類、烟草、碳氫油類、甲醇和化粧品。所有輸入、輸出、製造或售賣應課稅品的商號，均須領有牌照。1991至1992年度應課稅品的稅收共達68億元，而1990至1991年度則爲57.29億元。

酒類的從量稅稅率，由蘋果酒和梨酒每升徵收1.84元，以至拔蘭地每升徵收66元不等。此外，政府亦對烈酒徵收相等於到岸價35%的稅款，以及對葡萄酒徵收相等於到岸價20%的稅款。煙草的稅率，由中國製造煙草每公斤徵收120元，以至香煙每1,000支徵收480元不等。汽車和飛機用燃油的稅率爲不含鉛汽油每升3.72元，含鉛汽油每升4.17元，而路上行駛車輛所用的柴油則爲每升1.87元。甲醇的稅率爲每升6.20元。化粧品方面，則須繳交相等於化粧品正常價30%的稅款。

差餉：政府根據物業的應課差餉租值(即預料物業每年可得的合理租值)，按固定的百分率徵收的一種稅項。徵收差餉的百分率，每年由立法局議決訂定。1992至93年度的差餉率爲5.5%。

差餉須每季上期繳納，而能獲豁免稅差餉的樓宇不多。但教育、慈善及福利機構的樓宇，若用作推廣某項當局認可的目標或政策者，則政府通常會在差餉方面予以資助。空置的住宅樓宇不會獲發還已繳的差餉，但空置的非住宅樓宇，則可獲發還已繳差餉的半數。

【商業註册】 註册總署的公司註册處，對於所有在本港註册的公司和在本港設立辦事處的海外公司，均存有記錄。

本港公司均根據公司條例註册成立，該條例雖然類似英國公司法，但在若干方面卻迥然不同。當局會根據公司法例改革常務委員會的建議，對該條例經常加以修訂及改善。上述委員會於1984年成立，其首要工作是確保本港的公司法例切合政府及商界的最新需要。

當局最近對上述條例所作的修訂，便是於1992年12月頒佈的公司(修訂)條例，該條例將會在總督指定的日期生效。該條例訂明審閱招股章程的工作，將由公司註册處移交證券及期貨事務監察委員會和香港聯合交易所負責。

年內，公司註册處設置了一個效能更大的新電腦系統，處理能力是舊系統的兩倍，並於1992年6月1日開始投入服務。由於電腦系統加强了處理能力，公司註册處正考慮於未來數年內推行一連串電腦化的新計劃，首先推行的計劃是文件索引及來件記錄册電腦化。年內，公司註册處還推行其他措施，以提高工作效率，其中包括編製尚待註册的抵押資料索引，並以電腦印製資料的形式供市民查閱，使用個人電腦印製某些註册抵押資料的證明書，使用電腦印製公司註册成立證明書，以及進一步改善辦公室地方及設計。此外，布政司署財政科人員及容永道會計師事務所的顧問人員曾應邀研究抵押註册部及查册處的工作程序，並提出改善的建議。在實施該等建議後，抵押註册部及查册處的工作效率和服務水平均大爲改善。

每家公司於註册時須繳交註册費1,000元，另每1,000元註册資本總額繳費6元。1992年內共有58,110家新公司註册，比1991年多14,135家。新公司的註册資本總額爲52.08億元，其中資本額達500萬元或以上的有235家。年內有11,657家公司增加註册資本，增加款額共達455.74億元，亦按每1,000元交6元的比率繳費。1992年年底時，已註册的本港公司共358,129家，而1991年則爲304,538家。

海外註册公司在香港設立辦事處，必須在一個月內將若干文件送交公司註册處登記。

海外公司註册時，必須繳付500元註册費及小額備案費用。年內有550家海外公司註册，185家停業。年底時，在本港設有註册辦事處的海外公司共有3,193家，分屬72個國家，其中美國公司佔656家、英國公司365家、日本公司299家。

公司註册處同時根據註册受託人法團條例，爲信託人登記爲法團；此外，亦辦理有限責任合夥經營的註册事宜。

【商標和專利】 知識產權署是發展本港知識產權保障制度的中心，轄下設有商標註册處和專利權註册處。

商標註册處負責商標的獨立註册事宜。商標註册以商標條例爲依據，該條例的條文類似英國商標法例。自1992年3月2日起，該處可以爲服務和商品的商標進行註册。註册程序詳載於商標規則內，申請人可向知識產權署屬下的商標註册處免費索取規定表格。任何商標，即使已在英國或其他國家註册，亦須符合商標條例的規定，方可在本港註册。

1992年內，該處共接獲註册申請16,456宗，其中10,586宗與商品有關，5,870宗則與服務有關。准予註册及刊登廣告的共有5,859(其中多宗是前數年申請的)。年內獲註册的商標共有5,500個，1991年則有4,340個，主要來源地如下：

美國	1355	英國	290
香港	973	德國	287
日本	759	瑞士	237
法國	362	台灣	141
意大利	317	新加坡	83

截至1992年12月31日止，註册商標總數達62,866個。

專利權註册處雖亦隸屬知識產權署，但由於所註册的專利權是先在外地頒授，故與商標註册的性質有所不同。該處爲英國專利權及歐洲專利權(英國)所頒授的專利法註册。根據專利權註册條例的規定，凡已獲得英國專利權或歐洲專利權(英國)的人士，得由頒授之日起計五年內，申請將該項專利權在香港註册。

年內在香港註册的專利權共1,069宗，1991年則有1,079宗。英國專利權或歐洲專利權(英國)在香港註册後，專利權持有人獲得的權利，與在英國註册所得者相同，一如該項專利權是在英國頒發而適用於香港。這些權利與英國專利權同日生效，直至專利權在英國告終時止。

【市內交通】　香港公共交通的服務範圍，包括專利巴士及豪華巴士、非專利公共巴士、小型巴士、計程車、雙層電車、渡輪、登山纜車、九廣鐵路(英段)列車及地下鐵路。

專利巴士：透過有效的策劃和協調，專利巴士的服務水平和載客量不斷提高。本港有4家專利巴士公司，共有固定行車線434條，每日共載客340萬人次。

九龍汽車(1933)有限公司(簡稱九巴)是規模最大的巴士公司，在九龍和新界經營266條巴士路線，並與中華汽車有限公司(簡稱中巴)聯營33條海底隧道巴士線，以及單獨經營兩條海底隧道巴士線，年內，九巴開辦了16條有空調的巴士路線，服務質素因而提高。另外，九巴又經營來往機場的"通天巴士"服務，其中包括3條往港島的路線，在九龍行走的則有一條。

年底時，九巴共有3,121輛登記車輛，包括2,610輛普通雙層巴士，以及有空調的雙層巴士241輛和單層巴士270輛，巴士載客量由24至164人不等。1992年，該公司共載客9.7億人次，行車達2.34億公里。

港島巴士服務由中華汽車有限公司提供。中巴在港島經營97條巴士線，又與九巴聯營33條海底隧道巴士線。1992年年底時，中巴有雙層巴士1,004輛和單層巴士23輛，其中分別有61輛和22輛爲有空調的巴士。中巴車隊全年共載客2.66億人次，行車達5,200萬公里；1991年載客量爲2.66億人次，行車達5,200萬公里。

新大嶼山巴士(1973)有限公司在大嶼山經營6條固定專利巴士線和一條旅遊專利巴士線，有單層巴士61輛，雙層巴士15輛，大部分路線均與梅窩碼頭連接。1991年9月，梅窩新車廠落成，從而改善了經營效率。年內，該公司在周日平均每日載客8,680人次，但星期日和公衆假期因旅遊人士特多，平均載客量增至18,470人次。該公司所收取的車費由1.1元至19元不等。爲應付假日達到高峯的需求，該公司在1991年6月開辦來往梅窩與寶蓮寺的特設巴士服務。這項服務使用的空調巴士是在周末以渡輪運往大嶼山。年內，這項特設服務平均每日載客2,070人次。

城巴有限公司是第四間專利巴士公司。該公司自1979年起一直營辦非專利巴士服務，但在1991年8月獲授經營來往中環(港澳碼頭)與麥當勞道巴士路線的專利權，以9部巴士爲市民提供服務，車費爲4.5元。這是首條透過競投獲授專利權的巴士路線。

當局爲促進各運輸服務機構之間的良性競爭，將會在1993年8月31日當中巴現有的專利權期滿時，收回該公司旗下24條港島及兩條過海路線，這些路線總共需要200輛巴士。城巴有限公司在1992年9月獲授這26條路線爲期三年的專利權，將於1993年9月1日開始提供服務。

93年4月起，九巴和中巴先後實施老人優惠計劃，65歲或以上老人獲全日半價優惠。

小型巴士：按牌照規定，本港的小型巴士最多可載客16人。1992年內，本港共有小型巴士6,900輛，其中4,350輛爲公共小型巴士，2,550輛爲私家小型巴士。公共小型巴士可向乘客個別收費；私家小型巴士則只許集體運載乘客，不得個別收費。

公共小型巴士的經營者須遵守客運牌照的規定。本港有綠色和紅色兩類公共小型巴士。綠色專線小巴按照正式規定路線提供服務。1992年內，本港有綠色專線小巴1,468輛，行走214條獲批准的路線，每日載客705,000人次，每一路線均訂有固定的車資和時間表。紅色公共小型巴士無須按照規定路線經營，這些小巴並無固定的路線、時間表和車資。1992年內，本港有紅色小巴約2,868輛，每日載客1,016,000次。

電車：在港島行走的電車，於1904年投入服務。目前，香港電車公司共經營6條部分重疊的行車路線，包括港島北岸堅尼地城與筲箕灣之間13多公里長的雙程路軌，以及環繞跑馬地約3公里長的單程路軌。整個車隊共有163輛電車，其中包括兩架開頂古典電車，供遊客和私人租用。這隊車隊是世界上唯一全由雙層電車組成的車隊。該公司已於1991年之前將所有的電車翻新。年內電車載客量有輕微增長，平均每日載客338,000人次。車費則維持不變， 成人車費1元，小童5角。

纜車：香港另一條“電車線”，由山頂纜車有限公司自1888年起經營，從中環花園道直達海拔373米山頂的域多利亞峽。纜車線全長1.4公里，所經過的地點，有些斜度達1.2。該公司在1989年8月爲纜車進行現代化工程。山頂纜車主要供來港觀光遊客使用，同時亦爲山頂居民服務，載客量平均每日達8,925人次。單程成人和小童車費分別爲10元和4元。

渡輪：渡輪仍爲來往香港與九龍之間的主要交通工具，亦爲新界西北部新市鎮提供重要的運輸聯繫，且在接載乘客往返離島方面，繼續發揮重要作用。渡輪服務主要由兩家擁有專利權的公司提供，即天星小輪有限公司(簡稱天星小輪)和香港小輪集團有限公司(簡稱香港小輪)。

天星小輪的船隊有渡輪12艘，來往港九兩地。年內，該公司屬下3條航線共載客3,580萬人次。船費由1至1.5元不等。

香港小輪擁有持牌渡輪73艘，經營23條渡輪航線，其中包括來往港九的載客及汽車輪線、來往新界西北部的飛翔船航線、離島航線，以及包船航線。年內，該公司的渡輪平均每日載客112,500人次，運載汽車6,600架次。來往港九的渡輪每人每程收費3.3元，每輛私家車每程收費4元。往新市鎮的客輪每程收費由5元至15元不等，往離島客輪每程收費由4.5元至23元不等。

另有8家領有牌照的公司經營14條渡輪航線，包括往返大嶼山愉景灣的服務。此外，亦有“街渡”作爲輔助交通工具，這些領有牌照的鄉村渡輪，專爲偏僻的沿海村落提供服務。年底時，經營這類渡輪服務的人士共94名，“街渡”共有109艘。

的士：當局在1991年年底檢討了市區、新界和大嶼山的士可獲發給的牌照的最高限額。年內，當局並無簽發市區的士新牌照。1992年年底時，市區的士共有14,949輛、新界的士2,731輛及大嶼山的士40輛，平均每日載客分別爲1,077,100、188,500和1,050人次。

年內，當局對新界的士的營業範圍作出修訂，使新界的士得以經由城門隧道來往新界的東北部和西北部。

1992年，交通諮詢委員會成立了一個工作小組，檢討政府對的士業的政策。工作小組就改善的士服務一事提出了多項措施，交通諮詢委員會遂於1992年10月就這些措施諮詢公衆的意見。

非專利巴士：1982年，本港開始有住宅巴士服務，旨在爲乘客提供另一個選擇。這類巴士主要在交通最繁忙的時間行走，以增補專利巴士服務。此舉有助減低專利巴士的數目；倘若沒有這類巴士，部分專利巴士在非繁忙時間便會變得多餘。居民組織可要求非專利巴士經營者申請開辦這類需要客運牌照才能經營的服務。住宅巴士服務必須按照批准路線經營，並列明行走的路線、時間表和上落客地點。牌照的有效期通常爲一年，但如居民繼續需要該項服務，則在有效期屆滿後可予續期。

年底時，住宅巴士路線共有79條，每日載客7萬人次，所採用的車輛包括小型豪華巴士以至雙層巴士。年內，有16條住宅巴士路線獲准開辦，爲本港多個主要位於新界和港島半山區及南部的住宅中心提供巴士服務。

除住宅巴士服務外，本港還有以團體租用方式經營的非專利巴士，用以接載工廠僱員、遊客和學生。截至1992年年底，領有牌照的非專利巴士共有4,011輛，其中288輛爲雙層巴士，而有空氣調節設備的巴士，所佔比例日漸增多。

地下鐵路：地下鐵路公司營辦的地下鐵路系統，由3條行車路線(觀塘線、荃灣線、港島線)組成，全長達43.2公里；鐵路系統共有38個車站671個獨立車卡，每列車由8卡組成。該系統由1979年10月至1989年8月分階段投入服務。在早上繁忙時間，荃灣線列車每兩分鐘開出一班，觀塘線和港島線列車則每2.25分鐘開出一班。傍晚繁忙時間，荃灣線列車每2.25分鐘開出一班，另外兩條線的列車則每2.5分鐘一班。各線列車在日間非繁忙時間則維持每4分鐘一班。

地下鐵路的載客量在年內略有增加；1992年底時，平均每日載客225萬人次。按長度計算，該系統可算是世界上第二繁忙的地下鐵路。車費按路程遠近計算，成人車費每程由3元至8.5元不等。

當局已有計劃興建和注資機場鐵路。新鐵路建成後，會提供兩項鐵路服務：其中一條連接赤鱲角新機場與中環的專辦快線，這條快線在機場、青衣、西九龍及中環均有車站；另一條是貫通東涌與中環的普通客運路線，在東涌、青衣、荔景、大角咀、西九龍及中環均有車站。這條路線在荔景設有連接現行地鐵系統荃灣線的轉車處，在中環則設有連貫地鐵港島線的轉車處，從而減輕地鐵彌敦道走廊的擠逼情況。

九廣鐵路：九廣鐵路於1910年通車；八十年代初期，九廣鐵路舖設雙軌，並推行電氣化計劃。當時的鐵路局，是政府屬下一個部門；1982年2月，鐵路局由新成立的九廣鐵路公司接管。

九廣鐵路長34公里，主要爲新界東北部的新市鎮提供郊區列車服務。此外，亦供貨運列車來往香港與中國，而上下行車線每日各有4班直通客車行走九龍與廣州兩地，另於1993年1月8日開始，每日提供兩班直通客車行走九龍與佛山兩地。自1982年推出電氣化火車服務以來，乘客人數不斷大幅增加；1992年年底時，火車平均每日載客量約爲561,600人次。繁忙時間的平均火車班次，鐵路北端爲每5分鐘一班，火炭至九龍則大約爲每3分鐘一班。客運服務由351節車卡提供，現時每列火車掛上12個車卡。鐵路沿線設有13個火車站。九廣鐵路公司於1991年展開一項增設及更換電動扶梯的大規模工程，該工程於年內繼續進行。

貨運方面，上下行每日各有約12班火車往來運貨，1992年經火車運載入境的貨物共280萬計費公噸，出境的則爲120萬公噸。本港5個貨場分設於紅磡、何文田、旺角、沙田及火炭，調車場則設於羅湖。貨運列車由柴油火車頭拖行，火車頭共有12個。此外，鐵路公司於 1992 年12月7日推行一項紅磡裝貨後將貨物運往大朗的大朗貨櫃專列服務。

輕便鐵路：除上述主要鐵路線外，新界西北部的輕便鐵路系統也是由九廣鐵路公司擁有和經營。該系統全長30.7公里，於1988年 9月 投入服務。連接屯門碼頭與友愛邨的支線在1991年11月3日通車。另外兩條往屯門東北部和三聖的支線在1992年2月2日通車。這些支線通車後，輕便鐵路的車站由41個增加至51個。鐵路網分爲6條路線，而行走其間的單卡或雙卡列車，合共有85卡。鐵路公司並在屯門至元朗之間的輕鐵服務區內，提供接駁巴士服務。年底時，輕鐵列車和接駁巴士平均每日載客314,100人次。輕鐵實施分區統一收費辦法，乘客可免費乘搭輕鐵的接駁巴士，或轉乘同一收費區內不同路線的輕鐵列車。成人一般收費由2.7元至3.9元不等。

連接天水圍新市鎮的支線已於1993年2月10日通車。輕便鐵路公司已增訂了30個車卡，1992年 9月 開始陸續運抵本港，預定在1993年年中全部運抵。

【港口發展】 香港是世界主要港口之一，由於能夠適應現代化航運不斷提高的需求，其服務效率已贏得各國稱譽。從使用港口船舶的噸位，處理貨物及載運乘客數量，足見本港海港設備已能發揮其最佳效用。位於港島及九龍半島之間的維多利亞港，是世界上最優良的天然海港之一。海港總面積約爲4,900公頃，寬度由1.2公里至9.6公里不等。

港內共有71個供遠洋輪船寄碇的繫泊浮筒，分爲“甲”類和“乙”類，分別適用於長度不超過183米和137米的輪船繫泊。

在港口浮筒停泊以裝卸貨物的普通貨船，平均需要逗留兩天半，而貨櫃輪則平均只需約13小時，這個裝卸貨物的時間紀錄，在遠東地區可稱最快。

香港已成爲世界第一大貨櫃港，於1992年間，共處理800萬個20呎標準貨櫃單位(T. E. U.)。由現時到2011年，本港平均每年須要提高貨櫃處理量100萬個，相當於每年興建一個規模像加州奧克蘭或英國最繁忙貨櫃港費利克斯托的港口。

爲應付上述激增的貨櫃吞吐量，香港將在大嶼山東北部興建一個全新的港口；這將會是世界最大的土木工程項目之一。

有關工程包括在大嶼山興建17個新貨櫃停泊處。香港現有的葵涌貨櫃碼頭，設有14個停泊處，另有8個將於1995年之前興建。

香港由於是中國的轉口港，才能有今天的成就。因此新港口將會如葵涌一樣，不但爲香港提供服務，還會發揮轉口港的作用。隨着中國經濟現代化及對世界市場開放，香港的轉口貿易，將會更形重要。

1992年內，約有146,000艘遠洋輪船和內河船隻抵港，共裝卸貨物一億公噸。由遠洋輪船裝卸的普通貨物佔6,000萬公噸，其中55%以貨櫃裝運。

年內，乘船來往中國與澳門的旅客，數目達1,900萬人次。行駛港澳線的船隻，大致可分爲動力承托高速船隻和普通渡輪兩類；而港島中區和九龍深水埗，各設有一個港澳渡輪碼頭。

由海事處管理的客運碼頭，來往乘客量亦有增加。年內，經由尖沙咀中國客運碼頭及中區港澳頭前往中國及澳門的旅客共達1,930萬人次，其中澳門航線的旅客達1,410萬人次；中國航線的旅客則達520萬人次。上述數字顯示來往乘客量較1991年增加了7.8%。

【公用事業】 香港公用事業近年有較快發展，服務水平也有所改善。

在電力供應方面，現時由香港電燈有限公司(簡稱港燈)和中華電力有限公司(簡稱中電)兩家商業機構負責。港燈負責供電給香港及鄰近的鴨脷洲和南丫島，中電則供電給九龍和新界，包括大嶼山和若干離島。

兩家電力公司均由投資者擁有，並無專利權。政府透過雙方同意的管制計劃協議來監管這兩家公司的財政安排。有關協議規定每家公司須就其財政計劃的某些項目，包括預測電費幅度，向政府申請批准。

中電的3間附屬發電公司：半島電力有限公司、九龍發電有限公司及青山電力有限公司，於1992年4月合併，由青山電力有限公司經營。青山電力有限公司現時的發電設施包括：青山“甲”廠(796兆瓦)、青衣“乙”廠(876兆瓦)、青山“甲”廠(1,752兆瓦)、青山“乙”廠(2,708兆瓦)，以及竹篙灣(300兆瓦)的發電廠。中電的總發電量爲6,432兆瓦。同時，政府亦已批准中電增設4台600兆瓦的發電機組，首兩台將分別於1996年及1997年裝設於屯門爛角咀新建的發電廠內；其餘兩台則將於

1998至2000年及1999至2001年兩段期間相繼投產。全部機組將從中國海南島附近的鶯歌海崖13-1氣田以管道輸入天然氣作爲燃料。

青衣電力有限公司由埃克森能源有限公司佔60%股權，中電則佔40%股權，但有關的輸電及配電系統則由中電全資擁有。現時與中電簽訂的管制計劃協議將於1993年9月30日期滿。政府已與中電、埃克森能源有限公司及其屬下發電公司簽訂新協議，由1993年10月1日起生效，爲期十五年。

中電的輸電系統分別以400千伏特、132千伏特和66千伏特功率輸電，配電則主要採用33千伏特、11千伏特和346伏特功率。所供電力是50赫玆的交流電，通常屬200伏特單相電壓或346伏特三相電壓。

中電的輸電及配電網由超過170個總配電站和超過6,903個副配電站組成。400千伏特的特高壓輸電系統已於1986年落成啟用，電力可由青山發電廠輸往各負荷中心。該400千伏特輸電網，包括環繞新界的雙線路架空電纜、地底電纜及7個特高壓配電站。加建特高壓配電站及加强現有系統的工程及規劃工作正在進行。

在港燈負責供電的地區，電力全由南丫島發電廠供應。1992年年底，南丫島發電廠的總發電量爲2,605兆瓦。有關方面計劃於九十年代中期，在南丫島添置一座350兆瓦發電機組。

港燈的輸電系統，分別以275千伏特、132千伏特和66千伏特功率輸電，配電則主要採用11千伏特和346伏特功率。除有小部分132千伏特架空電纜外，整個輸電及配電系統都設於地底，或經海底電纜輸送。所供電力是50赫玆、200伏特單相及346伏特三相，並以高壓供電予有需要的用戶。

中電與港燈的輸電系統，由橫跨海港的電纜連接。聯網系統使兩家電力公司的能源交流符合經濟原則，並減低爲應付其他機組出現故障所需的發電量運輸儲備，從而使用戶節省開支。聯網系統於1981年啟用，現時的輸電量爲720兆伏安。

中電的供電系統亦與廣東省電力公司的供電系統連接，每日向廣東省輸送電力。中電售予廣東省的電力，是從現時非用電高峯時間的發電量供給，並受1992年3月與政府簽訂的協議規管。根據該協議，中電用戶享有供電的優先權利以及售電利潤的80%。

此外，中電於1985年7月與招商局輪船股份有限公司簽訂合約，訂明由1986年後期起，由中電爲廣東省蛇口工業區及毗鄰的赤灣供應電力，爲期十年。這項供電安排使蛇口有可靠的電力供應，無須香港用戶津貼；這是中港雙方在能源事項方面緊密合作的一個例子。

1985年1月18日，香港核電投資有限公司(中電的全資附屬公司)與廣東核電投資有限公司(由中國核工業部全資擁有)簽訂聯營合約，組成廣東核電合營有限公司，在廣東省大亞灣興建及經營核電站。

大亞灣核電站將設有兩座985兆瓦壓水式反應堆，分別預定於1993年及1994年投產。核電站約70%電力將由中電購買，用以應付本港較長遠的用電需求。

本港住戶及工商界廣泛使用氣體燃料。用戶可使用香港中華煤氣有限公司(簡稱煤氣公司)供應的煤氣；或由各主要石油公司(蜆殼、美孚、埃索、加德士、香港火油、華潤及英國石油)供應的石油氣。煤氣主要是人工燃氣，但向若干用戶供應的煤氣，亦包括一些合成天然氣。石油氣的成分約爲75%丁烷和25%丙烷。

本港的氣體燃料用戶爲數約達186萬人。1992年，煤氣佔氣體燃料總銷量的63%，石油氣則佔37%。

煤氣公司位於馬頭角和大埔工業邨的兩間廠房，負責生產煤氣。兩廠均使用石腦油爲原料，每天的煤氣產量分別爲220萬立方米及840萬立方米。

煤氣是透過一個聯合分配系統供應給爲數約91萬名用戶，供作煮食及生熱用途。煤氣的供應遍及港島市區(包括香港仔、淺水灣、赤柱和鴨脷洲)、九龍及新界多個新市鎭(包括沙田、大埔、元朗及青衣島)。煤氣公司現正在新界敷設一條長達90公里、直徑爲600毫米的煤氣輸送管。新輸送管將以高壓操作，並可儲存80萬立方米的煤氣。

煤氣公司特別於屯門設立臨時廠房生產合成天然氣，以應付這個新市鎭居民對氣體燃料的需求。該廠房有需要繼續原地設置，直至連接大埔與屯門的新建煤氣輸送管道落成爲止。

本港使用的石油氣是由各主要石油公司從海路輸入。石油氣總銷量中，約有63%是以輕便的石油氣瓶盛載，由供應網內的分銷商出售；餘下的37%，則透過管道輸氣系統，從設於獲供應燃氣地區或附近的大型儲存裝置及汽化器裝置輸送給用戶。

現時全港約有535家石油氣分銷商。此外，約有23家中央石油氣供應商，根據政府的監管制度，經營475個大型儲存裝置。石油氣用戶共有95萬名。

政府於1982年開始推行管道輸送燃氣政策，以遏抑本港使用瓶裝石油氣住戶數目的增長；同時又推行一項計劃，勸諭使用不符合標準氣體熱水爐的用戶改善其裝置。本地石油氣用戶中，使用瓶裝石油氣的比例，在年內已降至35%以下，而進行了改善工程的氣體熱水爐則約有62,250具。年內，除自殺個案之外，並無因氣體燃料意外而引致的死亡事件。

爲進一步保障市民大衆及氣體用戶安全，政府已於1991年4月1日通運氣體安全條例。這項條例和附屬規則，就氣體燃料的進口、生產、儲存、運輸、供應及使用等事宜制定了一套全面的安全法例。機電工程署署長獲委任爲氣體安全監督，而氣體安全諮詢委員會亦已成立，負責就所有有關事宜向氣體安全監督提供意見。由1992年4月1日起，所有氣體供應公司、氣體裝置技工及氣體工程承辦商必須向氣體安全監督註册。在1992年，共有7家氣體供應公司、2,427名氣體裝置技工及353名氣體工程承辦商根據這項計劃註册。此外，有關管制石油氣缸車及石油氣瓶車安全運送石油氣的行政安排，已由消防處處長移交氣體安全監督處理。

政府和氣體燃料供應業人士曾採用評估風險的方法，詳細研究各項被認爲有潛在危險的裝置。這種風險評估，有助於在必要的情況下採取補救措施，從而確保在這些裝置附近地區居住的市民不致受到過高的風險威脅。

香港是亞洲的主要金融、商業中心，因此香港境內與海外的電訊必須有效率和可靠。電訊服務由兩間本地公司提供，即香港電話有限公司及香港大東電報局。

由政府授予法定專利權的香港電話有限公司，在本港提供電話服務及其他電訊服務。本港共有超過360萬具電話和280萬條電話線，即每100人中有電話超過63具。一般而言，本港任何地區的居民如提出申請，均可獲得電話服務。

年內，本地電訊業有多項重大發展。改進本地公共電話網絡的計劃，進行十分迅速。各電話機樓現已採用最新的現代訊號技術，而97%的電話網絡亦已改用數碼系統，使本港成爲世界上擁有最先進的電話網絡的地區之一。

新訂的"接駁許可"程序由1992年4月起實施。根據新安排，將單線器材(例如電話、圖文傳眞機)接駁至公共電話網絡，無須得到香港電話有限公司許可；不過，消費者只適宜使用那些已通過一項自願檢定測試的器材。該項測試旨在確保有關器材能夠與電話網絡的基本操作配合，同時保障使用者和網絡經營公司的職員免因發生觸電意外而受傷，以及防止網絡器材受損。測試的規格由電訊管理局局長負責擬訂。

圖文傳眞電訊越來越普遍，致令年內的專用電報通訊量減至4,300萬分鐘，較上一年下降16%。對比之下，圖文傳眞線路在年底時已增至184,000條。香港電話有限公司並設有一種稱爲"數據分組網"的分組交換式傳送服務，提供多類先進的數據傳送設備。

香港與世界各地的通訊由陸上和海底電纜、衞星及地面無線電系統互相連接。其中比較重要的電纜包括香港與廣東、香港與深圳之間的光導纖維電纜，連接新加坡、香港與台灣的海底電纜，香港與呂宋之間的海底電纜，連接香港、日本與韓國的光導纖維海底電纜，以及香港台灣2號光導纖維海底電纜。另有一條新的光導纖維海底電纜預定於1993年啟用，即連接馬來西亞、新加坡、香港、台灣與日本的亞洲太平洋電纜(亞太電纜)。香港國際電訊有限公司在赤柱設有一個地面衞星通訊站，使用6個甲級、一個乙級和一個庚級天線與印度洋及太平洋上空的國際衞星互相聯繫。

香港的地面無線電系統只用於與中國、澳門及老撾通訊。

年內長途電話的電訊量增至20.25億分鐘，較上一年增加26%。直通國際電話服務現時遍及全球超過210個國家及地區，並可直通中國境內超過1,078個城市。

除香港電話有限公司及香港國際電訊有限公司所提供的服務外，其他公司亦提供多類充滿競爭的公共電訊服務，這些服務是按電訊管理局局長所發的公共非專利電訊服務(PNETS)牌照及公共無線電通訊服務(PRS)牌照提供的，其中包括公共流動無線電話、公共無線電流動數據通訊、無線電資料傳送、無線電共用中繼台、電子郵遞(文字郵遞和聲音郵遞)、電子數據交換(EDI)、增值傳眞發送(例如文字傳眞變換)、第二代無線電話、數碼式公共流動無線電話和視頻電視服務。截至1992年12月止，有效的公共非專利電訊服務牌照及公共無線電通訊服務牌照總數分別有46個及10個。

香港已經與英國、美國、日本和澳洲達成特別的安排，以便能夠使用國際專用線路(IPLCs)，提供增值數據及圖文傳眞服務。根據有關安排，經營國際增值電訊網絡服務(IVANS)的公司，可繳交固定的費用租用國際專用線路，以提供國際增值電訊服務。

在香港註册的亞洲衞星有限公司，擁有"亞洲衞星1號"。該枚地區性電訊衞星在1990年4月成功發射後，即開始爲亞太地區提供電訊服務，覆蓋範圍遍及中東至日本一帶。

公共流動無線電話服務(PMRS)續有擴展。年內，用戶總數由189,500名增至233,500名。按人口平均計算，香港的用戶數目是全球最高的地區之一。爲了應付日後增加的需求，以及鼓勵這方面的市場競爭，電訊管理局局長於七月批准一個新經營者，採用GSM標準在本港經營數碼式流動無線電話服務。此外，當局亦已批准現時3個經營者將其現有的模擬系統改爲數碼系統，以提高服務質素和容量。其中一個採用USDC標準的數碼系統已在1992年10月投入服務。

公共無線電傳呼服務是另一項在香港極受歡迎的通訊服務。截至1992年12月止，獲發牌的傳呼機共有1,042,000個。按人口平均計算，香港是世界上使用無線電傳呼服務比率最高的地區之一(約爲每5.6人1個)。目前所使用的傳呼機主要是聲音、數字式及文字數字式傳呼機；以中文字體傳送信息的傳呼服務現時漸受歡迎。1991年，電訊管理局局長發牌予一個財團，使用931兆赫頻帶提供國際無線電傳呼服務。這項傳呼服務已在1993年推出。

年內，4個獲發牌照的第二代無線電話(CT2)經營者之中，有兩個已開始提供服務，而第三個經營者預計將於1993年提供服務。截至1992年12月，全港共設有7,900個公共發射站，爲37,300個用戶提供第二代無線電話服務。

香港的郵政服務在1992年處理的郵件數目共9.82億件，較1991年增加了3.8%。其中約有航空信件10,629公噸和包裹5,382公噸；與上一年比較，合計增加了7.5%。

特快專遞服務繼續迅速增長，爲本港的商業社會提供高效率的郵遞服務。香港郵政署是這項服務的先驅者，在全球十大速遞地區中，排名僅次於美國。服務範圍遍及60個國家，包括香港各主要貿易夥伴，例如澳洲、加拿大、中國、法國、德國、日本、新加坡、台灣、英國和美國等。年內處理的特快專遞郵件共400萬件，較上一年增加13.9%。這個數量高踞全球第三位，僅次於美國及日本。

爲了配合新市鎭的發展及日益增加的郵務需求，香港郵政署於過去一年總共開設了5間分局，使全港郵局總數增至122間。而粉嶺郵局和梅窩郵局則遷往更大的地方，以便爲該等地區提供更完善的郵務設施；跑馬地郵局亦搬遷以配合當地的發展需要。銅鑼灣郵政局、灣仔郵政局及荃灣郵政局已於年內遷往較大的新址，爲區內人士提供更佳服務。

【勞工就業】 根據1992年9月，全港就業人數共280萬人，其中男性佔64%，女性佔36%。本港的勞動人口中，從事批發零售業及酒樓酒店業的佔27.9%；運輸、倉庫及通訊業佔10.8%；建造業佔8.6%；財務、保險、地產及商業服務業佔8.6%；以及製造業佔23.5%。根據九月進行的製造業就業人數、職位空缺與工資統計顯示，全港共有工業機構41,937家，共僱用工人571,181名。製造業中，以紡織及衣着業工人爲數最多，約有239,947名；其次則爲電子業和金屬裝配製品業。

1991年9月曾進行一項製造業就業人數、職位空缺與工資統計，所得結果顯示，工業機構有46,276家，共僱用工人654,662名。該統計以廠號爲單位，對象包括廠號東主及合夥人，受薪職工及各廠號的不受薪家屬幫工。至於自僱者、外發工及其他不受薪工人，則包括於以住戶爲單位的調查內，並不列入此統計範圍。製造業中，以紡織及製衣業工人爲數最多，約計286,278名。其次則爲電機工業及塑膠業。

本港製造業工人大部份集中於港島及九龍市區。新界的工業亦不斷擴展，現時有超過36%的製造業工人在新界工作。

香港沒有法定最低工資額，一般工資水平，按供求的經濟力量相互影響而定。

計算工資，通常以時間爲基數，按時、按日或按月計算；或以工作量爲基數，按件計薪，鼓勵工人增產。按日或按件計薪的工人，通常每15日發薪一次。而按月計薪的工人，則每月發薪一次。製造業中，日薪制頗爲普遍，但半技工和普通工人多按件計薪。月薪工人通常受僱於需要熟練技能的行業，或擔任技術員、管理級人員、文員及秘書的工作。另一方面，受僱於非製造業的工人，普遍按月發薪。按件計算時，男女工資大致相同，但若按時計算，則女工工資通常較低，因爲工作未盡相同。

1992年第三季內，失業率爲1.9%，就業不足率爲1.9%。

在1990年9月至1991年9月期間，所有僱員(包括督導級或以下級別的受薪僱員)的平均工資，以貨幣計算增加了10.26%，以實質計算則爲0.3%。

1991年9月至1992年9月期間，製造業的平均工資，以貨幣計算增加了10.3%。扣除消費物價的上升後，1991年9月至1992年9月期間的工資實際增加了0.4%。

9月時，75%製造業體力勞動工人的日薪(包括附帶福利)爲174元或以上，其餘25%爲261元或以上；平均日薪則爲224元。

【職業訓練】 香港職業訓練的發展迅速，使學習職業技能和知識的機會日增，職業訓練的種類和水平亦日漸提高。在職業訓練方面提供更多更佳機會，是解決人力需求的唯一有效途徑。

香港政府於1982年2月根據職業訓練局條例成立職業訓練局。除提供意見，以便當局進行所需措施，確保香港有一個全面性的工業教育及訓練制度，以配合香港的發展需求外，該局的工作是建立、發展及推行訓練計劃，訓練操作員、技工、技術員及技師，以維持及促進香港工商業和服務業的發展；並設立及辦理工業學院和工業訓練中心。

港督亦採納訓練局的意見，委出20個訓練委員會和7個一般委員會。訓練委員會負責下述各項重要行業：會計、廣告、公共關係、汽車維修、銀行業、建築及土木工程、製衣、電機、電子、酒店、飲食及旅遊、保險、珠寶、新聞、機器及金屬品製造、商船海員、塑膠、印刷、船舶修建、紡織、貨運以及零沽批發、出入口業。7個一般委員會負責處理學徒及技能測驗事宜：電子資料處理訓練、管理及督導訓練、工業教育、技師訓練及翻譯工作。

各訓練委員會負責各自鑑定其工商行業的未來人力需求，並提供解決這些需求的方法，訂定工作範圍，設計訓練方案及技能測驗準則；此外，亦須執行開辦及管理訓練中心等其他任務。至於一般委員會則負責多個行業共通的專門訓練事宜。職業訓練局的訓練委員會及一般委員會所需的服務，均由工業教育及訓練署提供，該署是職業訓練局的行政機構。署內大部份職員直接為訓練局工作，受命於訓練局的執行幹事，該執行幹事亦為工業教育及訓練署首長。

職訓局屬下的訓練委員會及一般委員會，定期對各行業進行人力調查，以評估其人力需求；年內，有14個行業進行過人力調查。委員會根據調查結果，建議開辦新訓練課程或修訂現有課程。此外，職訓局及其屬下委員會亦在其他方面協助僱主，包括幫助他們在機構內設立僱員訓練計劃、籌辦外間訓練課程、訓練研討會和技能測驗，以及編寫工作說明、技能測驗指引、訓練大綱及常用技術詞彙等。

學徒條例為技工和技術員訓練提供法律上的依據。該條例規定僱主如僱用14至18歲的青年在指定行業工作，除非該青年已完成該行業的訓練，否則必須簽訂學徒合約，並須將合約送交工業教育及訓練署署長登記。僱用學徒從事非指定行業，或僱用18歲以上學徒從事指定行業而簽訂的學徒合約，亦可送交署長作自願登記。1984年底，根據該條例共有42個行業被列為指定行業。

香港學徒事務署負責向學徒的僱主提供意見及協助，其屬下的學徒督察會定期到學徒的工作地點視察，確保學徒能得到適當的訓練；他們亦協助調解已登記學徒合約所引起的糾紛，以及確保學徒能在香港理工學院或工業學院修讀所需的工業教育課程。該署亦為有意接受學徒訓練的求職人士，提供免費的學徒就業輔導服務。1992年，登記的學徒合約有4,300份，其中技工學徒合約3,650份，技術員學徒佔

650份。這些合約中有850份屬非指定行業。年底時，接受訓練的學徒共有9,000名。

職業訓練局屬下的九龍灣訓練中心綜合大樓，樓高九層，已於1984年12月建成。樓高十層的葵涌訓練中心綜合大樓，在1985年7月竣工。位於九龍灣的綜合大樓設有5個訓練中心，爲電子、酒店、金屬品製造、塑膠及印刷等行業提供訓練。葵涌的綜合大樓也設有6個訓練中心，爲汽車、電機、電子、金屬品製造(包括焊接)、以及紡織業提供訓練。這些訓練中心，每年將可容納9千名受訓者，給他們提供基本職外訓練，程度由操作工至技師均有。九龍灣的綜合大樓已開始提供一年制全日課程：短期課程已於1985年初開辦。

位於小柴灣的海員訓練臨時中心已於1984年2月啓用，該中心爲本港海員提供爲期30天的寄宿訓練課程，以便他們可以取得國際海事組織1978年航海人員培訓、發證及值班標準公約所規定的各項證書。該中心每年可訓練1,920名海員。

職業訓練局在1983年2月推行工科畢業生訓練計劃，爲工科畢業生提供爲期18個月的實務訓練，以便他們可以成爲合資格的專業工程師。1992年，參與此項計劃的機構計有85間，提供訓練名額280個。

香港管理專業發展中心已於1984年10月啓用，負責研究、發展、協調及推廣本港管理專業的訓練工作。

除推行工業學徒訓練計劃外，當局又開始爲會計及保險業提供從業員訓練計劃。由職業訓練局主持的訓練課程資助計劃，則甚受新聞業、批發零沽及出入口業人士歡迎。

製衣業訓練局與建造業訓練局均屬法定組織，分別爲製衣業及建造業這兩個重要行業進行訓練工作。製衣業訓練局屬下有訓練中心兩間。1992年，修讀課程的學員有7,700名。該局按照衣物及鞋類的出口價值徵收款項，作爲經費。建造業訓練局有訓練中心3間。經費方面，該局對耗資超過100萬元的建築工程，按其價值徵收款項。年內修讀課程人數有4,000人。

【教育事業】 教育經費是港府的一項主要開支。1990-1991財政年度內，各項教育計劃的非經常開支預算15.58億元，而經常開支爲138.88億元，佔總開支預算的15%，香港各類教育可簡介如下：

㈠**幼稚園**：至1992年9月間，共有189,730名3至5歲幼童在743間幼稚園就讀。

㈡**小學教育**：從1971年9月開始，所有官立小學和大部份資助小學均完全免費。1992年9月間，共有501,625名學童在652間小學就讀。年內，有4所新校舍落成，以應付新市鎮人口增長的需求。

修畢小學課程後，學生可獲派往官立或資助中學，或買位私立中學就讀。中學學位分配辦法是根據校內評分，加上中央統籌辦理的學能測驗成績，並考慮家長的選擇而作出分配。全港共分爲19個學校網，以便進行學位分配。年內，共有

84,696名學生參加學位分配，其中74,549名(88.02%)獲派官立及資助文法中學學位，4,886名(5.77%)獲派職業先修學校學位，而5,261名(6.1%)則獲派買位私校學位。

㈢**中學教育**：本港的中學主要分爲3類：文法中學、工業學校和職業先修學校。1992年時，文法中學共有410間，學生總數達403,619人。這些中學開設五年制的中學課程，教授多種學科、術科及實用科目，學生修業期滿可參加香港中學會考。此外，文法中學亦大多設有兩年制中六課程，修畢可參加香港高級程度會考，全港共有工業中學22間，就讀人數達21,967名。學生可參加香港中學會考，但較注重工商科目。成績符合要求的學生，可升讀中六或工業學院。

㈣**特殊教育**：爲弱能兒童而設的特殊學位，1987年超過13,516個。本港現有特殊學校62間。

㈤**工業教育**：職業訓練局屬下7間工業學院，爲青年人提供政府資助的工業教育。此外，該局又爲18個工商及服務行業提供職業訓練，另外兩個訓練局則爲製衣業及建造業開辦訓練課程，經費方面來自該兩個行業的徵款。

㈥**專上學院**：香港樹仁學院於1976年1月註册，設有文科、社會科學和商科3間學院，共有13個學系，分別辦理日夜校課程，學生人數共3,070名。

㈦**高等教育院校**：(由大學及理工教育資助委員會贊助)

香港大學於1911年創立，是本港歷史最悠久的高等教育院校。港大有全日制學生9,162名，兼讀制學生2,254名，分別就讀於9個學院，即文學院、建築學院、牙科學院、教育學院、工程學院、法學院、醫學院、理學院和社會科學院。

香港中文大學於1963年成立，由新亞(1949年創立)、崇基(1951年創立)和聯合(1956年創立)3間書院組成，而第四間書院，即逸夫書院，則於1986年創立。中大有全日制學生8,363名，兼讀制學生2,524名，分別就讀於7個學院，計爲文學院、工商管理學院、教育學院、工程學院、醫學院、理學院、和社會科學院。

香港科技大學於1988年成立，並於1991年10月取錄首批831名學生。科大的3間學院，即理學院、工學院和工商管理學院，開辦學士及高級學位課程，而第四間學院，即人文社會科學學院，則只頒發高級學位，並向所有修讀學士學位課程的學生提供通識教育。十月時，該校共有1,749名全日制學士學位課程的學生以及246名全日制及258名兼讀制研究生。

香港理工學院於1972年成立，設有6個學院，分別爲應用科學及紡織學院、商管及資訊學院、設計及語文學院、建築及地政學院、工程學院和醫療及社會科學院，提供深造、學士學位和學位以下程度課程。理工學院所開辦的兼讀及廠校交替制課程，鼓勵學生一面工作，一面進修，並與工商界及社會保持緊密聯繫。十月時，理工學院有全日制及廠校交替制學生10,209名，兼讀制學生14,989名。

香港城市理工學院於1984年成立，共有全日制學生7,729名、兼讀制學生5,734

名及廠校交替制學生379名。校內的3個學院，即商學院、人文及社會科學院，以及科技學院均設有學士學位課程，和以研究或教學形式修讀的碩士學位。此外，高級職業學院的商學部、人文及社會科學部和科技學部均設有文憑及高級文憑課程。

香港浸會學院是由香港浸聯會於1956年創立的。自1983年起，該學院受香港浸會學院條例所管轄，而經費全部來自政府撥款。1986年，浸會學院成爲認可學位的頒發機構。該學院有全日制學生3,634名，兼讀制學生64名，分別就讀於5個學院，即文學院、工商管理學院、傳理學院、理學院、和社會科學院。

香港公開進修學院於1989年成立，成爲第7間頒發學位的院校。學院初期由政府撥款資助，並希望在1993至94年度前達至財政自給自足。公開進修學院爲那些中學畢業以後未能繼續升學的成年人及有志獲取較高資歷或充實個人學識的在職人士，提供遙習課程。學院採取公開入學政策。截至1992年4月爲止，約有15,500名學生正用功修讀其所選修的課程。現有的3個學院，即科學及科技學院、商學及管理學院和文學及社會科學學院，均設有多項學位課程。

嶺南學院於1967年成立，繼承了1888年在廣州成立的嶺南大學的傳統。該學院自1991年7月起獲大學及理工教育資助委員會撥款資助。嶺南學院內設有文科、商科及社會科學3間學院及一個通識教育學部。10月時，全日制學生有1,495名，其中371名正修讀榮譽學位課程，另有1,193名則修讀榮譽文憑課程。嶺南學院計劃到1994年，學生人數會增至1,800人，屆時學院將遷往新校舍。

(八)師資教育：香港設有4間教育學院，負責爲中小學的非學位教師提供職前專業訓練，並爲中小學及幼稚園在職教師開辦課程。爲香港中學會考合格生開辦的全日制職前課程需要3年才可修畢，而爲具有兩科高級程度學歷者開辦的課程則只需攻讀2年。1991年10月，修讀全日制課程的受訓學員有2,144人，修讀部份時間制或短期課程的則有2,356人。此外，各教育學院亦爲中小學現職教師舉辦復修訓練課程。

香港大學及香港中文大學設有學位教師教育證書課程，供現職或有志任職教師的大學畢業生攻讀；同時亦爲教師提供短期課程，範圍包括課程改革、資源發展、教育心理學、學生指導及輔導、教師專業發展，以及教育行政等。

語文教育學院在1982年成立，是一所以專門研究語文學習與教學及從事有關的訓練工作而聞名的中心。該教育學院爲中小學中英文科的學位及非學位教師開辦全日制在職進修課程，亦爲準備任教普通話的教師舉辦部份時間制課程和研討會，以及就使用中文教授特殊科目開辦部份時間制課程。年內共有671位教師修讀全日制課程，859位修讀部份時間制課程。有118名課程學員參加在英國舉辦的暑期滲透訓練計劃。語文教育學院在12月舉行的周年國際會議，主題爲"語文與語文內容"，吸引了300人參加，會議上提出的論文超過100篇。英語教學是英國文化協會在本港的主要工作之一。年內，該會的英語教學中心，透過開辦實用及商業英語課程、暑期課程、教師訓練課程，以及與香港電台合辦的電台廣播會考英語課程，爲本港逾42,000名市民提供學習英語的機會。此外，該會又安排了100名教育學院的實習教師到英國參加滲透訓練課程。該項課程由英國文化協會及教育統籌科一同資助。

4所教育學院及語文教育學院都由教育署直接管理。師資教育的未來發展，包括訓練院校的未來地位，是教育統籌委員會年內所考慮的事項之一，並將在第五號報告書內加以探討。

【社會福利】 本港的社會福利服務，主要由港府及志願機構承擔。戰後初期，社會福利缺乏系統及長遠計劃，自1964年港府發佈關於社會福利工作白皮書後，社會福利事業才逐步納入港府的施政計劃中，社會福利開支也逐年增加。1991-92年度香港政府的社會福利支出達63.84億元，增幅約爲11%。

近十年來，港府致力的社會福利服務，是消極性的居多，預防性及發展性的較少。在社會保障方面，自1971年當局以現金的公共援助方式取代以前的派飯、派乾糧的基本救濟方式以來，1973年開始推行傷殘及高齡津貼計劃(現統稱特別需要津貼)，1988年開始將接受高齡津貼的合格年齡降低至68及69歲，1980年4月份傷殘津貼擴大至嚴重失聰人士。對於遭受天災橫禍者，1974年開始推行暴力及執法傷亡賠償計劃，1979年5月開始實施交通意外傷亡者援助計劃。1992年底，接受公共援助者共79,700宗，傷殘津貼及高齡津貼者共501,200人。此外，家庭服務、感化服務、社區及青年服務和康復及老人服務等方面的工作近年也有所進展。

至1991年底，社會福利署及福利機構一共提供了2,033個展能訓練的名額和4,155個庇護工場名額，爲成年弱能人士，提供就業機會。當局設弱智成年人收容所，提供2,061個名額，提供718個兼收弱能兒童計劃名額，987個特殊幼兒中心名額(包括54個留宿名額)，以及爲弱能學前兒童提供905個早期教育及訓練中心名額。此外，並爲各類弱能人士設立21間社交康樂中心。

香港進出口辦法及手續

(摘自香港貿易署供給的資料及香港政府年報)

一、管制貿易的機構

香港對外貿易的管制,主要由政府貿易署及海關執行。

貿易署

香港對外通商關係,由貿易署負責。貿易署亦施行各項貿易政策及協議,並辦理出入口簽證和產地來源簽證。一切貿易政策事宜,均由貿易諮詢委員會和紡織業諮詢委員會,向貿易署署長提供意見;兩會均由總督委任,並由工商司出任主席。

貿易署轄下設有5個部門,其中3個部門負責處理本港與位於不同地理區域的貿易夥伴的雙邊貿易關係,工作包括展開貿易談判、實施紡織品協議、搜集及發佈資料,使本港認識到可能影響本港對外貿易的種種發展,尤其是有關本港主要市場在貿易政策上所採取可能影響本港的政策及措施。這3個部門中,有一個須負責處理亞太區經濟合作及貿易署簽證制度電腦化及電子資料聯通的工作。第四個部門負責本港對外的多邊貿易關係,例如本港參與關貿總協定,以及關於多纖協定的談判。第五個部門則負責執行紡織品出口管制制度、一般的服務、產地來源簽證、非紡織品出入口簽證,以及食米管制方案等。

貿易署的工作得到香港政府8個海外辦事處協助;這些海外辦事處由布政司署工商科管理。

海關

海關貿易管制處負責就產地來源證、紡織品及戰略物品的出入口簽證、管制儲備物品、覆核及評估貿易報關單、保障消費者權益,以及度量衡等貿易管制事宜,執行有關的香港法例及規例。

香港亦履行國際公約及貿易協議的義務,有效地執行產地來源證的批核工作及紡織品、成衣與戰略物品的進出口牌照管制制度。該處與貿易署緊密合作,以確保該制度能夠完整運作。

鑑於出口紡織品產地來源證欺詐案件及非法轉運情況有增加的趨勢,該處已成立一支專責部隊,負責加强對進口紡織品的查驗工作以及加緊留意懷疑與非法來源的資料,被揭發的紡織品來源欺詐案件數目有顯著的增加。

該處並加强保障消費者的利益,致力執行度量衡條例。由於當局進行廣泛的宣傳,投訴個案相應激增;經過調查後,很多違法者被裁定有罪。

此外,預算在1991年實行的玩具及兒童產品安全管制措施,經已擬備就緒。

二、貨品管制

根據進出口法例(第60章)、儲備物品法例(第296章)、保護臭氧層條例及其附屬法例的規定，若干貨品的進口及出口，由香港政府貿易署長簽發進口或出口證加以管制。規定要進出口證是爲了履行一些特定的國際義務和爲了衞生和安全的原因對若干物品保留管制。

凡需領取進口或出口證的物品，均稱爲"管制品"(prohibited articles)。下面介紹的資料，是一般的發證程序和要求，由於貿易署可以隨時發出通知改變這些程序，因此這些資料不是最新的，不過僅供進出口商作參考而已。

(一)一些物品未列入受貿易署署長簽證管制的，則由香港政府其他部門執行進出口管制，這些物品包括：

部門	項目	詢問
(1)漁農處	哺乳動物、鳥獸及爬行動物的進口及轉運/過境事宜	九龍廣東道393號廣東道政府合署12至14樓 電話：7332142, 7332161
(2)同上	貓狗的進口及轉運/過境事宜	—地址同上—電話：7332142, 7332161
(3)同上	家禽肉殼或家禽產品輸往若干預定國家	—同上—
(4)同上	植物、植物害蟲及土壤的進口	—地址同上—電話：7332162
(5)同上	瀕於絕種生物(無論其爲活生或死去或其部份或衍生物)的進出口；此等均被視作表列植物、表列動物及表列部份及衍生物而受到管制	—地址同上—電話：7332122
(6)同上	任何本地受保護野生植物的出口	—地址同上— 電話：7332493
(7)同上	輸出任何在香港射殺或捕取的受保護野生鳥獸或受保護野生鳥獸的部份；或輸出在香港取得的任何受保護野生鳥獸的任何巢穴或卵蛋	—地址同上— 電話：7332117
(8)香港海關	應課稅品(煙草、酒、甲醇、碳氫油及化粧品)的進出口	香港統一碼頭38號海港政府大樓3樓應課稅品辦事處 電話：8523027(許可證) 8523260(進出口證) 九龍分處 九龍廣東道393號廣東道政府合署10樓 電話：3666065(許可證)
(9)同上	乙酰化物的進出口	香港統一碼頭道38號海港大厦2字樓簽證管制組(進出口) 電話：8523035
(10)—同上—	用總重量少於250噸的小型船隻輸出電視機、錄影機及錄影卡式放影機	—同上—電話：8523568
(11)—同上—	超過111.9千瓦(150匹馬力)的左軚車輛及舷外引擎的進出口	香港統一碼頭38號海港大厦2字樓簽證管制組(進出口)

部門	項目	詢問
		電話：8523568
⑿土木工程署	海沙的進口	九龍公主道一〇一號土木工程署大樓七樓土力工程處鑛務及石礦部 電話：7625486
⒀土木工程署	炸藥的進出口	九龍公主道一〇一號土木工程大樓七樓 電話：7625332
⒁郵政署	無線電發報設備的進出口	香港德輔道中一七三號先施大厦五字樓香港郵政署電信部 電話：8529600
⒂皇家香港警務處	槍械彈藥的進出口	香港灣仔軍器廠街三號警察總部堅偉樓東翼地下 電話：8602526
⒃衞生署	危險藥物的進出口	香港灣仔告士打道一八一至一八五號中怡大厦二字樓 電話：5734578
⒄衞生署	輸入(不論直接或過境)獵物，肉類及禁止進口的肉類	九龍花園街一二三號A花園街市政大厦八字樓衞生事務組 電話：3920325/0549
⒅—同上—	輸入含有附加染色劑的食物	—同上—
⒆—同上—	輸入含有金屬的食物	—同上—
⒇—同上—	輸入人造糖及含有人造糖的食物	—同上—
㉑—同上—	輸入含有黃麯霉毒素及/或芥子酸的食物	—同上—
㉒—同上—	輸入含有防腐劑及/或防氫化劑的食物	—同上—
㉓—同上—	進口冰凍甜點的售賣	—同上—
㉔—同上—	進口鮮奶及鮮奶飲品的售賣及加熱處理	—同上—
㉕—同上—	輸入無煙煙草產品	—同上—
㉖—同上—	輸入放射物質及放射儀器	香港灣仔堅尼地道九十九號地下輻射衞生部 電話：8363532
㉗環境保護署	耗蝕臭氧層物質的進出口	香港灣仔告士打道5號灣仔政府綜合大樓第三座33字樓空氣質素管制組 電話：5946242/6243

(二)若干管制品之出入口申請書必須事先獲下列其他政府部門加簽或予以分類：

管制品	政府部門	地址/電話
戰略物品	郵政署電訊部(須經分類，以決定有關貨品是否屬戰略物品)	香港康樂廣場郵政總局大厦地下 電話：5235377
儲備商品 布政司署民康市政科 (於1990年4月1日解散	九龍花園街123號8字樓 電話：3920549	

管制品	政府部門	地址/電話
同日轉交衞生署衞生組處理)		
殺蟲劑	漁農處(須事先獲加簽)	九龍廣東道393號廣東道政府合署808室 電話：7332163
放射物質及放射儀器	衞生署(須事先獲准)	香港堅尼地道99號地下衞生署輻射衞生部 電話：8363532
藥用物品及藥物	醫務衞生署藥物出入口管制組(須事先獲加簽)	香港灣仔告士打道181至185號中怡大厦4樓 電話：5734578
紡織品	貿易署(須事先登記)	九龍旺角彌敦道700號104室 電話：3985390
耗蝕臭氧層物質	環境保護署(須事先登記)	香港灣仔告士打道5號灣仔政府綜合大樓第三座33字樓 電話：5946242及5946243

(三)轉運貨物豁免簽證方案：

經已根據轉運貨物豁免簽證方案在貿易署辦理登記的船舶公司、航空公司及其指定代理商，倘符合若干條件，可就若干類轉運貨物獲豁免進出口簽證。不過，請注意此豁免簽證方案並非爲進口商或出口商而設。

三、進出口證申請

申請表格

凡申請進口證及出口證，須填具下列適當的標準表格：

(a)進口證——

(i)表格三(藍色)——適用於進口的非紡織品；

(ii)表格七(白色)——適用於進口的除表格八b，八c及八e所載列者以外的紡織品。

(iii)表格八b(黃色)——適用於將在香港織造的成形針織衫片製造的已製成或半製成的織片成衣輸進本港及憑表格八a*出口；

(iv)表格八c(黃色)——適用於將在本港以外地區織造的成形針織衫片輸入本港供在本港或其他地區*進行連接/縫盤及/或挑撞工序；

(v)表格八e(黃色)——適用於將以憑表格八d*出口的成形針織衫片製成的已製成或半製成織片成衣輸入本港；

(vi)進口證表格——適用於進口的耗蝕臭氧層物質

(b)出口證——

(i)表格四(白色)——適用於不受配額限制的出口紡織品；(除於輸往美國市場**

時須受出口授權書配額限制的織片成衣）

——須受簽證管制的紡織品轉口；

——紡織貨辦出口；

——非隨身携帶的私人紡織品出口；

——純粹作送禮用的紡織品的出口；

(ii)表格五（藍色）——適用於除憑配額將用在本港織造的成形針織衫片製成的已製成或半製成織片成衣轉往美國外須受特別配額限制的出口紡織品；

(iii)表格六（白色）——適用於紡織品以外的出口貨品；

(iv)表格八（藍色）——適用於將在香港織造的成形針織衫片製成的已製成或半製成的織片成衣輸往美國並須受香港/美國紡織品協議的配額限制；

(v)表格八a（黃色）——適用於輸出在香港織造的成形針織衫片供在本港以外地區*進行連接/縫盤及/或挑撞工序；

(vi)表格八d（黃色）——適用於輸出憑表格八c進口的成形針織衫片以供在本港以外地區*進行連接/縫盤及/或挑撞工序；

(vii)出口證表格——適用於出口耗蝕臭氧層物質

* 以已製成或半製成織片成衣的形式最終輸往美國。

**輸往美國須受出口授權書配額限制的織片成衣應塡交表格八出口證。

進口證及出口證表格在下述地點發售：——

(a)香港康樂廣場郵政局總局大厦地下

政府刊物銷售處　　電話：5235377

(b)九龍旺角彌敦道700號8樓813室

貿易署收款處　　電話：3985325

如購買表格五及表格八，必須向貿易署紡織品管制登記組申請；該表格只供已在貿易署辦理紡織品管制登記的商號使用。

現列出申請表格的售價如下：

	每本	每本
表格三	17.00元	20套
	2.00元	1套
表格四	20.00元	20套
	2.50元	1套
表格五	20.00元	25套
表格六	10.00元	20套
	1.00元	1套
表格七	15.00元	20套
表格七（連續打印紙式）	75.00元	100套

表格八	22.00元	25套
表格八a	15.00元	20套
表格八b	15.00元	20套
表格八c	45.00元	20套
表格八d	45.00元	20套
表格八e	45.00元	20套
進口證表格	17.00元	25套
出口證表格	17.00元	25套

從任何地區輸入下列貨品時，必須具備有效進口證：

(a)戰略物品

(b)儲備物品

(c)殺蟲劑

(d)放射性物體及照射儀器

(e)藥用物品及藥物

(f)紡織品

(g)耗蝕臭氧層物質

根據進出口條例保護臭氧層條例或儲備物品條例獲簽發某一"禁運品"進口證的人士，應於物品進口7日內向運載該等物品進口的船舶、飛機或車輛的擁有人出示進口證。

運載任何"禁運品"進口的船舶、飛機或車輛的擁有人必須保管有關的"禁運品"，直至物主向其出示根據進出口條例、儲備物品條例保護臭氧層條例或其他有關法例就該"禁運品"簽發的進口證爲止。

自香港輸出下列貨品往任何地區時，必須具備有效出口證：—

(a)戰略物品

(b)儲備物品

(c)殺蟲劑

(d)藥用物品及藥物

(e)紡織品

(f)耗蝕臭氧層物質

物主在根據進出口條例耗蝕臭氧層條例或儲備物品條例獲發某一"禁運品"的出口證後，應於物品出口前，將出口證交予準備運載物品出口的船舶、飛機或車輛的擁有人。

船舶、飛機或車輛的擁有人在接獲根據進出口條例、儲備物品條例或其他法例發出的"禁運品"出口證前，不得用其船舶、飛機或車輛運載任何"禁運品"出口。

申請手續

遞交申請書

爲免處理時有延誤，進出口證申請書應適當塡妥，及倘有需要，應先行交往其他部門加簽，始將申請書交往貿易署下列收件櫃台：

(a)九龍彌敦道700號貿易署總辦事處

(b)九龍啓德機場新貨運大厦2樓131室機場分處收發櫃台

謹請申請人注意，耗蝕臭氧層物質的進出口證申請證書必須交往貿易署總辦事處。

申請書將獲編上參考編號，而申請人亦獲發一張註有該編號的收據。申請人其後領證時，須在同一辦事處的收發處出示該收據。

在一般情況下，出口證表格四、五、八及八a以及耗蝕臭氧層物質的進出口證申請書，可於遞交表格翌日起計的兩個完整工作日後獲得批簽，而進口證表格三及出口證表格六申請書，則在遞交表格翌日起計的一至三個完整工作日後獲得批簽。完整的工作日並不包括遞交申請書當日、星期日及公衆假期。本署亦爲所有國家紡織品進口(包括特別進口證(紡織品)表格八b，八c及八e)、輸往及轉口往非受限制市場(憑表格八a輸出者除外)的紡織品、輸往所有歐洲市場的轉口紡織品、出口所有市場的紡織品貨辦、非隨身私人物品及禮品，提供即時簽證服務。

進出口證的修改

16. 已獲批簽的進/出口證上的任何細節，必須由貿易署授權人員作出修改。如需作出修改，申請人應以書面通知本署，並隨函附上有關的進出口證及證明文件。根據法例，任何人士如未經許可而擅自在已獲批簽的進/你口證上作出任何修改，即屬違法。

詢問

如對簽證規定及程序有任何疑問，可向貿易署下列各部查詢：

(a)紡織品項目

紡織品管制——歐洲部

德國及西班牙	3985378
葡萄牙、希臘及丹麥	398 5379
荷比盧	398 5381
法國及意大利	398 5382
英國	398 5383
愛爾蘭	398 5385
奧地利	398 5467
芬蘭及挪威	398 5468
貨辦簽證	398 5387/5393
輸往歐洲共同市場的非受限制項目	398 5370
非受限制市場轉口項目	398 5391
配額調用及轉讓	398 5388
貨辦分類	398 5386
特快簽證	398 5390
收發櫃台	398 5520
查詢	398 5390

紡織品管制——北美部	
美國，第一組類目	398 5423
美國，第二組棉質成衣配額類目	398 5419/5420
美國，第二組人造纖維成衣配額類目	398 5421
美國，第二組棉質出口授權書類目及人造纖維成衣配額類目	398 5589
美國，第二組羊毛成衣類目及第二組人造纖維出口授權書配額類目	398 5422
美國，第三組及毛衣類目及夾絲混紡及/或其他人造纖維非服裝	398 5426
美國，配額使用特別方案，私人付運物品及剪破或經蓋印的商業付運物品	398 5427
轉口及非受限制項目	
美國，配額調用及配額轉讓	398 5424
加拿大配額調用及轉讓；出口授權書及非受限制項目	398 5424
加拿大，配額項目	398 5425
紡織品管制——其他地區部	
輸往其他非受限制市場的紡織品	398 5469/5472
由所有國家進口紡織品	398 5473/5461
紡織品進口商登記	398 5465
輸往其他非受限制市場的紡織品及憑特別進出口證輸入紡織品	398 5637
(b)紡織品以外項目	
進出口證(非紡織品)組	398 5559/5560
戰略物品組	398 5576/5577
儲備商品組	398 5570

四、產地來源證申請

香港產地來源證通稱爲"C. O."，是用以證明有關貨物的產地爲香港。當局簽發來源證前，必須確定有關貨物是香港的天然產品或是在本港經過製造程序的產品，而該等製造程序必須使所用的主要原料的形狀、性質、形式或效用有永久性及實質上的改變。至於簽證制度的執行，則只有在貿易署登記領取有關產品來源證的製造商，方能獲發香港產地來源證。

簽證機構

香港產地來源證由下列六個經香港政府指定的機構負責簽發：

(1)貿易署

九龍旺角彌敦道700號

(2)香港總商會

香港金鐘道九十五號統一中心二十二樓

(3)印度商會

香港雲咸街六十九號三樓

(4)香港工業總會

九龍廣東道海洋中心七二六室

(5)香港中華廠商聯合會

香港干諾道中六十四號廠商會大厦三字樓

(6)香港中華總商會

香港干諾道中二十四至二十五號八樓

向貿易署申領香港產地來源證時，必須填寫規定表格；即TIC表格第一八五款(修訂)——申請書，以及TIC表格第一六款(修訂)——來源證。申請書及來源證在下列辦事處出售：

⑴貿易處收費處

九龍旺角彌敦道700號

⑵政府刊物銷售處

香港中區郵政總局大厦地下

遞交申請

申請人輸出每批貨物時，最遲必須於運輸工具離港日期兩整工作日前將申請書(TIC表格第一八五款(修訂))一份，連同產地來源證(TIC表格第一六款(修訂))一式三份，遞交九龍旺角彌敦道700號貿易署收發處或香港中環統一碼頭道三十八號海港政府大樓三樓該署港島辦事處。(前述兩整工作日並不包括遞表之日，運輸工具離港之日及公衆假期與星期日在內。)遞表時須繳費四十五元，以郵票或郵費機印方式附貼於申請書繳付。該署隨即將有編號之收據發給申請人。

如無問題，該署即在香港產地來源證上簽註。申請人可前往九龍廣東道海洋中心地下該署收發處或香港中環統一碼頭道三十八號海港政府大樓三樓貿易署港島辦事處，憑收據領取產地來源證正本及第一副本。第二副本及申請書則由該署保存。在正常情況下證書在遞交申請書兩整工作日即可簽發。

倘不能發給香港產地來源證，該署將發信通知申請人，並說明不能發證的理由；所遞交的整份申請書及香港產地來源證將由該署保存。該署保留一切權利，予以簽發、拒絕或取消任何申請書。在任何情況下，申請書遞交後，其申請費概不發還。

詢問

凡有關香港產地來源證的詢問，可向下列部門提出：

貿易署來源證科產地來源證組

九龍旺角彌敦道700號

電話：3985390(一般事項查詢)

3985525(修改事項查詢)

五、貨物報關手續

這是進出口商辦理報關手續的一般指引，如欲獲取有關報關方面的法例詳情，進出口商須參閱香港法例第六十章進出口(登記)規例及第三一八章工業訓練(製衣業)條例。

⑴**法律責任**

根據香港法例第六十章進出口(登記)規例的規定，凡將貨物輸入或輸出的人士或商號，除豁免報關物品外，必須在貨物輸入或輸出14日內向香港海關總監遞交一份填妥及正確的進口或出口/轉口報關表。任何人士或商號如未有遞交所需報關表或在報關表上故意虛報或粗心大意填錯任何細節，均有可能被提控。

(2)進/出口報關表格種類

根據規例規定，報關者必須使用下開指定表格(中文或英文本)：

(a)進口報關表格1

(b)進口報關表格1A(只適用於進口的食品)

(c)出口/轉口報關表格2

(d)出口報關表格2A(只適用於出口的香港製造成衣品(包括鞋履)

進出口報關表亦可用微型電腦磁碟遞交。

(3)進出口貨物分類表

遞交予香港海關總監的報關表資料必須正確及齊備。報關表內所須填寫的國家編號、運輸方式編號、貨物編號及數量單位必須要與香港進出口貨物分類表(協調制度)1992年版，或簡稱港貨(協制)分類表所列明的一致。前往/來自同一國家由同一船隻、車輛、火車或航機裝載的貨物，如港貨協制編號首四位數相同，可用同一份報關表填報。劃一收費的進口食品全部列在港貨(協制)分類表1992年版附錄一。須繳交成衣訓練稅的本港製成衣品(包括鞋履)已列於香港法例第三一八章工業訓練(製衣業)條例附表。該附表轉載於港貨(協制)分類表1992年版附錄二，以供參考。

(4)進/出口報關表格及分類表出售處

進/出口報關表格(中及英文本)每册(40張)售八元。

各協調制度書籍售價如下：

(a)香港進出口貨物分類表(協調制度)1992年版(中文及英文本)每本分別售四十三元

(b)香港貨物名稱及編號協調制度手册1992年版與香港進出口貨物分類表(協調制度)1992年版配合使用(中文及英文本)每本分別售壹拾元

(c)香港進出口貨物分類表(協調制度)更訂摘要：1992年版與1988年版比對每本售四十四元

(5)進/出口報關表格及各協調制度書籍可在下列地點購買：

(a)政府刋物銷售處	香港康樂廣場郵政總局大厦地下 (電話：5235377)
(b)香港海關九龍收款處	九龍尖沙咀中間道多層停車場大厦地下 (電話：3113053)
(c)香港海關港島收款處	香港統一碼頭三十八號海港政府大樓三樓 (電話：8523048)

除上述地點外，各協調制度書籍亦可到政府統計處刋物組購買，地址如下：

香港灣仔港灣道十二號灣仔政府綜合大樓第一座二十樓
(電話：5824737)

⑹**磁碟報關計劃**

除可用上文第3節所規定的表格報關外，還有一項磁碟報關計劃，爲貿易商提供另一個以微型電腦磁碟報關的方法。

進出口商如採用該項計劃報關，只須帶備下列各項前往任何一間香港海關收款處：

(a)錄有個別報關表的微型電腦磁碟。5 $\frac{1}{4}$ 吋(存儲量爲1.2百萬字節或360千字節)或3 $\frac{1}{2}$ 吋(存儲量爲1.44百萬字節或720千字節)的磁碟均可。磁碟上的資料必須按美國信息交換標準代碼(ASCII)格式，由MS-磁碟操作系統(DOS)2.0或以上版本編製；

(b)相應的電腦打印報關表；

(c)由報關者簽署的摘要報關表；

(d)適當繳費額——現金或支票。

上文第(a)至第(c)項所述的文件格式已列於1991年12月20日出版的政府憲報公告(公告第4542號)內。

該項計劃可爲進出口商帶來下列好處：

(a)採用電腦可預先儲存重複使用的資料，在準備報關表時再檢出使用。這樣可減少輸入資料的工作。此外，這些預先儲存的資料一經核對無誤後，以後所製作的報關表的準確性亦可得到保證。

(b)由於使用微型電腦磁碟報關，海關收款處收取報關表及報關費用的效率便得以大大提高，進出口商及櫃枱職員均可省回不少時間。

遞交大量報關表的進出口商會感到該計劃特別有用。

參加該計劃的進出口商需要備有一部使用MS-DOS的微型電腦系統(連硬磁碟機及打印機)。有關製作所需磁碟及打印文本的軟件，進出口商可向政府購買，每套售價爲港幣一百七十元(售價將於1992年六月一日起調整爲一百九十元)，亦可發展自己的軟件。

如欲知道更詳細的資料，請塡妥本小册子最後一頁回條，寄回政府統計處，地址如下：

香港灣仔
港灣道十二號
灣仔政府綜合大樓第一座二十三樓
政府統計處處長
(經辦人：高級統計師(貿易統計)二)
(檔名：磁碟報關計劃)

(7)**遞交報關表地點**

進/出口報關表應連同從價稅及/或出口成衣訓練稅費用(以現金或抬頭人爲"香港政府"的劃線支票支付)交往下列辦事處：

(a)香港海關九龍收款處	九龍尖沙咀中間道多層停車場大廈地下 (電話：311 3053)
(b)香港海關港島收款處	香港統一碼頭道三十八號海港政府大樓三樓 (電話：852 3048)

填妥的報關表格及繳付應交費用的劃線支票(抬頭人爲"香港政府"亦可寄往香港海關，地址是香港海港政府大樓郵政信箱25555號。

請保留報關收據以備查詢

(8)**從價稅及成衣訓練稅**

遞交報關表時，進出口商必須按下列比率繳付從價稅及出口成衣訓練稅：

進口

(a)貨值一萬元或以下者，繳費五元；一萬元以上者，則以後每一千元或不足一千元者，加繳五角。香港進出口貨物分類表(協調制度)1992年版內食品附表所列的食品除外(見下(b))。

(b)香港進出口貨物分類表(協調制度)1992年版內食品附錄所列的食品，不論貨值多少，每張報關表只須繳費五元。

出口/轉口

(a)貨值一萬元或以下者，繳費五元；一萬元以上者，則以後每一千元或不足一千元者，加繳五角。

(b)香港法例第三一八章工業訓練(製衣業)條例附表所列的港製成衣品及配件(包括鞋履)，在出口時除繳付上述從價稅外，每一千元或不足一千元價值的貨物須加繳成衣訓練稅三角。

(9)**查詢**

除貨物分類外，有關進出口報關事宜的一般查詢，請用熱線電話服務，電話號碼爲8020196。

有關填寫進/出口報關表事宜，請親往政府統計處貿易統計科查詢，地址是香港灣仔港道十二號灣仔政府綜合大樓第一座；或致電：

貨物分類

(a)玩具、塑膠及塑膠製品	5824902或5824907
(b)成衣及鞋履	5825005或5824904
(c)電子零件、收音機、電視機、電器用品、機器、電腦及其他電器	5824905或5824906
(d)化學品及藥物、皮草、皮革、旅行用品、交通工具、紙及紙製品	5824908或5825007
(e)紡織原料及紡織品(成衣及鞋履除外)	5824910或5824909
(f)石油產品、礦產、木及木製品、基本金屬及其製品、陶瓷產品、玻璃及玻璃製品	5824911或5824912
(g)食物、飲料及煙草	5824920
(h)首飾、寶石、傢具及照明設備配件	5824901
(i)樂器、鐘錶、精密儀器及雜項製品	5825004

艙單及進/出口報關表

(a)報關事宜

海運、空運及陸運	5825082

河運	5824882
(b)貨物艙單事宜	5824890
海運	
空運	5824880
河運及鐵路	5824873
(c)貨值審查	5825084
(d)補收及退回報關費用	5825083
(e)申請免稅貨物與非軍用物品卸貨證書	5825083
(f)申請艙單及報關表格背書	5825083

六、對外貿易關係

香港一向信奉自由貿易。其對外貿易關係政策的宗旨，便是在進行自由貿易時，既維護本身的權利，亦履行本身的責任。其中最重要的權利和責任，在關稅及貿易總協定和多種纖維協定內均有明文規定。

紡織品貿易

本港輸往奧地利、加拿大、歐洲經濟共同體、芬蘭、挪威、瑞典和美國的紡織品，均受到雙邊協議限制，而這些協議是根據多種纖維協定達成。

在1991年9月，美國政府就女裝緊身衣褲頒佈新的分類指引。香港政府認爲新的指引，相等於將有關貨品重新分類爲長褲。雙方政府於1991年11月至1992年7月進行磋商，並在1992年　月達成協議，使女裝、女童棉質及人造纖維長褲的配額有所調整。

由於加拿大建議根據"貨物名稱及編號協調制度"實施新的紡織品分類制度，香港曾與加拿大舉行3個回合的磋商。雙方於1992年10月達成協議，加拿大的新分類制度已於1993年1月1日實施。

本港與挪威的雙邊協議已於1992年六月到期。雙方於1992年3月舉行會議，簽訂新的香港/挪威紡織品協議，協議爲期18個月，由1992年7月1日至1993年12月31日止。在貿易增長方面，新協議不單大有改善，而受限制貨品的類目亦由5種減爲3種。1992年12月，香港亦與奧地利達成協議，將1993年一月到期的現行香港/奧地利紡織品協議延長11個月。在市場開放方面，新協議比現行協議作出更具意義的改善。倘烏拉圭回合協議於1994年1月1日前尚未生效，新協議將自動延長至1994年年底。

此外，本港與歐洲共同體的雙邊協議已於1992年年底屆滿。雙方於1992年11月初進行磋商，同意將協議延長兩年，至1994年12月31日止，但可再延長至1995年年底。然而，烏拉圭回合談判的協議生效時，該項新協議便會自動終止。新協議所訂的條件，與舊協議大致相同，但撤除了地域限制。

非紡織品貿易

1992年9月，歐洲共同體對香港公司輸出的三吋半磁碟展開一項新的反傾銷調查。歐洲共同體委員會現正調查該個案。

中美兩國之間貿易關係較不明朗的發展，使香港的經濟蒙上陰影。本港所關注的問題有多項，其中包括中國最惠國貿易地位能否延續、美國就開放市場按301條款向中國採取行動等等。美國總統否決有條件延續最惠國待遇的議案後，參議院未能推翻總統的決定，以及中美雙方就開放市場進行的談判圓滿結束，對香港來說都是好消息。然而，根據美國現行的法例，中國的最惠國貿易地位須每年延續。香港政府及私營機構會繼續向美國政府、美國國會議員及中國當局强調，取消或有條件延續中國最惠國地位，將會對香港的經濟造成不良的影響。

土耳其在1991年12月完成有關來自香港的梭織棉布的反傾銷調查，並裁定無須向該等布料徵收反傾銷稅。

在1992年，墨西哥對本港公司展開反傾銷調查，有關產品爲梭織棉布(粗斜棉布除外)及中國生產而經香港轉口的蠟燭。由於並無足夠證據顯示本港公司曾進行傾銷，墨西哥當局於1992年12月終止梭織棉布(粗斜棉布除外)的調查，但有關蠟燭的反傾銷調查工作仍在進行中。

墨西哥當局已完成在1991年向香港展開有關中國生產而經香港轉口的陶瓷餐具及廚具的調查。源自中國的瓷器餐具及廚具不論自何處轉口，均須按申報的進口價格徵收26%的最後補償稅，而陶製餐具及廚具，補償稅則爲申請進口價的23%。

1991年9月，墨西哥當局作出最後決議，向由香港進口含85%或以上棉質的粗斜棉布徵收反傾銷稅。1992年11月，墨西哥就該項決議進行覆檢，有關工作仍在進行中。

1992年3月，新西蘭當局向香港公司進口的若干類男裝鞋展開反傾銷調查。由於並無證據顯示自香港進口的產品對當地的工業造成實質損害，調查遂告終止。

此外，新西蘭當局在1992年4月向香港公司展開另一項反傾銷調查，有關產品爲中國生產而經香港轉口的若干類非皮革製女裝鞋。新西蘭政府決定由1992年9月開始，向該等女裝鞋徵收最終稅。須繳的稅額，爲這些產品輸入新西蘭作本銷時，其正常價格減去繳稅值後的數額。

1992年8月，南韓當局向香港公司展開反傾銷調查，有關產品爲中國生產而經香港轉口的磷酸。南韓當局於1992年10月向該等磷酸產品徵收臨時稅。

1992年9月，澳洲當局向由香港進口的塑膠餐具展開反傾銷調查，有關的調查現時仍在進行。

在上述所有事件中，香港政府與被指控曾作傾銷的有關工商界緊密合作，以確保他們獲得公平的機會向調查當局提出詳盡而確實的答辯，並保證關貿總協定反傾銷守則的原則及規定得到遵守。

七、促進貿易的組織

香港貿易發展局

香港貿易發展局是個法定組織，負責促進及拓展本港海外貿易，並向海外宣傳與香港通商的各種機會和利益。

該局主席由總督委任，其他18名成員包括各大商會代表、工商界領袖和2名政府高級人員。

貿易發展局自1966年成立迄今，除位於香港會議展覽中心的總部和觀塘的辦事處，以及分設於荃灣、旺角和中環的3個服務站外，並在全球各地開設33個辦事處。1991年，貿易發展局在布達佩斯開設1間新辦事處。

該局轄下各辦事處負責處理一切商務詢問，提供最新的經貿資料，並向有意與本港發展貿易的商家提供意見。貿易諮詢部以電腦登記了48,000名本港廠家和出口商的名單，因此海外代表和顧問人員亦可安排該等商人名單內的本地廠家和出口商接洽。經向該局登記的海外進口商和買家達215,000名，本港商家可透過這份名單，找尋貨品外銷市場。

1992年，該局的貿易諮詢部以電腦處理了逾30萬宗海外及本地貿易諮詢事項。研究部則繼續出版特別市場調查及詳盡的產品報告，詳細說明本港產品外銷的機會。

1992年內，貿易發展局舉辦超逾240項大型國際宣傳活動，其中包括在巴塞爾舉行的歐洲鐘錶珠寶展覽會、柏林國際視聽器材展覽會、紐倫堡國際玩具展覽會、東京玩具展覽會及日本電子產品展覽會。貿易發展局又參與美國多個重要的展覽會，包括芝加哥舉辦的夏季電子消費品展覽會、在拉斯維加斯舉辦的冬季電子消費品展覽會，以及在紐約舉行的美國國際玩具展覽會。

為加强香港作為亞太區商業中樞的地位，貿易發展局現正將香港發展為亞洲的會議及貿易展覽都會。年內，該局於香港會議展覽中心舉辦了16個貿易展覽會及消費品展覽會，包括香港時裝周、香港國際玩具及禮品展覽會、香港國際珠寶展覽會、香港國際書刊印刷展、美食博覽及香港精品展銷會。貿易發展局位於元朗的展覽服務中心繼續為該局在本地舉辦的貿易展覽會設計及建造展覽台館，並為其他展覽會提供特別的設計及合約承包服務。

貿易發展局現正優先處理的一項工作，便是協助香港的製造商提高產品品質及鼓勵他們於本港宣傳其產品的牌子。位於香港會議展覽中心的貿易發展局設計廊，是以零售店的形式經營，深受市民歡迎，因此該局於年內擴充其營業，不但增加設計廊的商品銷售種類，亦加强推廣港貨牌子的工作。貿易發展局又分別在位於上環、中環、尖沙咀和旺角的4間永安百貨公司開設設計廊。

年內，貿易發展局的研究部出版了逾70份特別市場調查及詳細的產品報告，以發掘本港產品在海外市場拓展的實際機會。該局轄下的研究組亦負責本地行政人員舉辦出口管理和實際訓練課程，作為一項持續推行計劃的一部分。

貿易發展局共印製10本商品刊物。年內，該局再次鞏定其他為本港最大的貿易刊物出版組織的地位。該局於1992年1月出版的"香港玩具專輯"，厚達1,356頁，以倫敦爲基地的健力士世界紀錄大全於六月接納該專輯爲1993年版所收錄的“最厚期刊”，創下新的世界紀錄。該項紀錄後來被“香港企業”所打破。“香港企業”十月號厚達1,374頁，爲貿易發展局首要的刋物。此外，該局又出版“香港時裝”、“香港時裝飾物”、“香港珠寶”、“香港鐘錶”、“香港傢具”及“香港禮品精選”等半年刋；“香港電子產品”月刋，及“香港眼鏡”年刋。此等貿易刋物的讀者人數達200萬名，分別爲來自超過100個海外市場的買家、入口商和商務決策者。貿易發展局出版的“香港工商”月刋，利用空運派發給世界各地的讀者，並在選定的航機上派發給商務客位的乘客。貿易發展局又以8種文字印行“香港商業指南”。

貿易發展局的國際聯繫網絡包括19個香港商務協會，成員達7,000名，爲其所屬行業的商界領袖。他們在印證與香港結成貿易夥伴的利益方面，提供了有力的支持。貿易發展局屬下的海外協會組，負責管理港美經濟合作委員會和港日經濟合作委員會的事務。該兩個委員會屬高層次的委員會，成員均爲各行業及政府的領導人。

爲進一步發展香港的對外貿易關係，貿易發展局爲多個香港經濟訪問團體作出安排，前往海外訪問多個已確立或開拓中的市場，有關活動包括拜訪政府領導人、接受報界訪問、於商務研討會致辭，以及舉辦產品展覽會。貿易發展局亦舉辦和接待來自各個海外市場的商務訪問團。1992年內，由該局舉辦的上述活動超過400項。

香港出口信用保險局

香港出口信用保險局於1966年成立，1992年是該局創立廿六周年紀念。保險局是一個法定機構，負責爲本港出口商和出口製造商提供保險，以保障他們以賒帳方式輸出的貨物和提供的服務，不會因通常不獲商業保險公司承保而蒙受海外買家壞帳所帶來的金錢損失。保險局就國家和買家風險所提供的保險，最高的損失補償爲90%。

保險局的實收資本爲2,000萬元，由政府撥給，用以保證該局償付一切應付款項。該局可承擔的保險及保證業務或有負責，最高限額爲75億元。根據香港法例第1115章香港出口信用保險局條例的規定，保險局在日常運作方面，可獨立自行處理，並根據商業原則辦事。該局由一個12人組成的諮詢委員會協助處理業務，成員包括來自私營機構的知名人士及政府委派的代表。

1991年，保險局在新任總監的領導下，繼續致力改善爲出口商和製造商提供的服務。保險局又與銀行家、保戶、商會代表及各職級的員工舉行一連串會議，旨在按最新情況修訂有關營運及管理的指引和手冊，以提高保險局的效率和工作能力。保險局又進行研究，以期擴闊保險範圍、推行新服務、降低保險費及支付保險費退款。

在1991至92年度，保險局承保的總額達152.91億元，保險費收入爲9,000萬元，兩者較1990至91年度同樣增加11%。該局對索償個案付出的賠償金額，總數達3,900萬元。在1991至92年度，收入比支出超出2,800萬元。

作爲信用保險業國際總會的成員，保險局可經常獲取所有主要貿易國家有關經濟和市場的機密及最新資料。保險局與出口商及製造商保持密切接觸，藉以瞭解他們的需要。該局亦爲銀行、商會及個別出口商舉辦研討會。

信用保險局的業務主要分爲3大類。最具體的是保險局提供的賠償保障，可達投保人損失的90%。除本地產品出口和轉口貨品外，由第三國直接裝運海外買家的貨品，也可獲得保障。該局亦爲出口商提供以下風險保障，包括在貨品製造期間買家無力償還貨款，因戰爭或內亂而無法付款，或在香港以外製造貨品所用的原料、半製成品和製成品遭沒收而不獲發還等。至於以中期或長期信用放帳方式出口的機器及其他生產設備和服務，該局亦提供特別的保單，以迎合出口商的個別需要。

保險局的第二大功能是爲保戶提供信貸諮詢服務。保險局會應保戶要求調查有關海外買家的商譽信用，市場貿易形勢及該宗交易擬採用的付款方式等，並就海外買家的信貸限額，向保戶提供意見。

第三，當保戶在收款方面出現問題時，保險局可提供風險管理服務。該局會向保戶建議可採取的行動，藉以避免或減輕損失。

香港生產力促進局

香港生產力促進局是於1967年成立的法定機構，負責進一步提高本港工業的生產力。促進局理事會由1名主席及21名委員組成，全部由總督委任，分別代表資方、勞方、學術界、專業人士及政府各有關科及部門。每年的經費，部份由政府資助，部份來自爲客戶服務的收費。

生產力促進局約有職員500名，他們均具備廣泛專業與科技知識。生產力促進局提供各種不同的訓練課程、工業與管理顧問及技術支援服務，其資源來自局內16個部門：計爲電腦服務部、電子服務部、工程服務部、企業組織及系統部、電腦輔助設計服務中心、化學及冶金部、製造工程技術部、紡織製衣部、顧問服務部、訓練部、環境管理部、資料服務部、發展與行政部、公共關係組、市場拓展組及會計部。

生產力促進局於1991年2月遷往九龍塘新總部辦事處。該局一切的運作，現時皆集中在新的生產力促進局大樓之內。其內設有展覽場地、禮堂、技術參考圖書館、電腦資料處理系統、電腦輔助設計服務中心、表面接洽技術實驗室、高頻與數碼通訊實驗室、光刻加工、金屬表面處理及工業化學實驗室、環境控制實驗室、金屬薄片處理、精密切削及壓鑄實驗室。

年內，工業界對促進局的顧問及技術支援服務，需求日益殷切。促進局完成了1,120項顧問服務，其中包括進行可行性研究、規劃生產管理、承擔設立廠房計劃、環境管理、品質管理、產品設計及發展，以及工業自動化等服務。該局亦完成了2,100項在實驗所進行的工作。

為促進轉移生產高增值產品，生產力促進局邀請本地公司加入財團，以分擔新產品的設計及發展成本，例如記事簿電腦、900兆赫室內無線電話及掌上電腦等。有30間公司參加這些發展項目。

年內，促進局共舉辦了622項訓練課程，學員人數達11,900名，課程內容廣泛，由管理與督導技術、高級程序編算、電腦資料處理，以至多個不同工業的工藝技術都有。在廠內舉辦的課程，繼續受到歡迎，促進局於年內舉辦了114項課程，以迎合個別公司的特定訓練需要。

年內，生產力促進局組成8個海外考察團，為本港工業界人士提供機會，取得多項最新技術的第一手資料，其中包括金屬薄片處理、紡織製衣技術、品質控制圈、全面品質管理及"切合時宜"生產系統、壓鑄技術、污水處理技術，環保及污染控制技術。

香港生產力促進局代表香港政府推行亞洲生產力組織在本港的一切活動。年內，在亞洲生產力組織的贊助下，生產力促進局先後主辦了3個關於管理生產力、工業污染控制及策略性資訊科科管理的研討會。此外，生產力促進局又於1992年2月在香港舉行第卅二屆國家生產力組織首長會議。

其他工商組織

香港總商會　成立於1961年，是本港歷史最悠久、並獲得國際承認的貿易商會，會員來自本港工商各行業，約有3,100多間商號，包括進入口商、多個製造行業、運輸、公用事業、銀行、保險、商業及專業服務。總商會促進貿易及工業發展，收集本地商界的意見，以及在有需要時將意見加以反映。此外，總商會又組織工貿投資促進小組和親善訪問團，處理貿易方面的諮詢，接待官方代表團和貿易代表團，以及海外的個別商人，並向他們提供適當的協助。該商會獲政府授權簽發產地來源證。雖然該商會是個獨立組織，但多個官方的諮詢委員會和其他本地組織，均有總商會的代表出任委員。總商會亦是國際商會的會員。並贊助太平洋地區經濟理事會香港委員會。香港服務業聯盟是該會轄下一個獨立的組織。

香港工業總會　是政府於1960年成立的法定組織。該會致力促進及保障本港製造業的利益。該會提供多類服務，包括簽發產地來源證、香港優質產品標誌計劃、按客戶要求而提供多種風險保障、就品質保證而提供顧問服務、解答貿易方面的查詢，以及進行經濟研究。

該會的會員來自各個行業，並為香港玩具協會、化工及藥業協會、運輸業協會、香港電子協會、香港塑膠業協會及模具協會提供服務。該會每年主辦青年工業家獎比賽，並負責籌辦總督工業獎消費品設計比賽。

香港中華總商會　於1990年成立，由本港華資公司、商人及專業人士組成，會員有6,000多名，來自各行業。該會提供多類服務，包括簽發產地來源證，組織研討會、展覽會、貿易訪問團，以及舉辦其他促進貿易的活動。該會與本港及國內的貿易組織保持密切聯繫，自1957年起，該會獲中國出口商品交易會當局授權，以交易會當局的名義函邀請本港的華資公司派員參加交易會。此外，由1982年起，該會為中國高級官員舉辦課程，讓學員更加瞭解本港經濟各方面的問題。

香港貿易協進局　於1981年註册成立，旨在推廣國際貿易程序簡易化，以及促進有關文件在往來及資訊交流。該局成員包括政府部門、工商團體及私營機構的代表。近年來，該局在促進貿易方面的工作，已由文件的傳遞轉為利用電子儀器傳達貿易數據。最近，該局協助香港總商會成立一間香港貨品編號協會有限公司，是本港發出辨別貨物電腦條紋的認可權威機構。

香港中華廠商聯合會　於1934年成立，是個非牟利的工商組織，有工商機構會員3,600多個。該會獲政府授權簽發產地來源證，又處理貿易方面的查詢，組織考察團和舉辦覽會，並積極鼓勵廠商發展產品及改善品質。該會屬下的檢定中心，提供多項技術支援服務，包括產品試驗、簽發證明、檢查及技術顧問服務。該會又開辦兩所職業先修學校，為2,200多名學生提供工業教育及訓練。自1964年起，該會每年平均透過廠商會獎學金計劃，頒發獎學金給大學、理工學院或工業學院成績優異的學生。自1989年起，該會獲政府委託主辦總督工業獎機器及設備設計比賽。

香港管理專業協會　成立於1960年，宗旨是提高本港管理專業的功能與效率。該會開辦超過1,500項訓練課程，並提供各項管理服務，例如翻譯、招聘及展覽會等。

香港出口商會　成立於1955年，有出口及製造業公司會員300個。該會會員的生產總值，約佔香港產品出口總值三分之一。該會的宗旨是維護及促進會員權益，分發貿易資料，以及代表會員表達他們所關注的事項和協助他們解決貿易方面的問題。

消費者委員會

消費者委員會(簡稱消委會)是一個法定團體，於1974年成立，專責維護及促進消費者在購買貨品和取得服務方面的權益。消委會的成員由總督委任，包括主席及副主席各一名，以及委員20人，分別代表社會各階層。辦事處的日常事務由總幹事統領執行，職員編制合共107人。消委會屬國際消費者聯合協會理事會員。

消委會為消費者提供的保障服務非常廣泛，包括代表消費者發言，向當局建議立例，接受諮詢和投訴，進行研究和試驗工作、提供資料和編備刊物等。消委會透過工商科與政府緊密合作，在涉及消費者利益的各項主要政策上，向當局提供意見，並派代表出席多個涉及消費及消費者所關注問題的委員會。委員會於年內自置物業並遷往新址辦公。

為配合社會環境變遷及市民對消委會服務日益增加的需求，消委會滙聚資源，以便處理一些最能惠及消費者的事務，作為未來的工作方向，其中對4方面的事宜特別關注，包括監察市場上有壟斷傾向的商業經營，留意其對一般消費者生計所造成的影響，以及令消費者的議價權利受到削弱的商業經營手法。消委會又繼續積極參與環境保護和綠色消費事務，以及有關保障消費者的國際活動。

年內，消委會繼續致力保障買樓人士的權益，例如調查消費者對地產代理商經營手法所提出的投訴，研究是否有監管的需要及監管的方法，並首次公佈"縮水樓"的發展商和代理商的名字。此外，消委會亦注視有關樓宇保養的問題，尋求一些可令新樓宇發展商負起樓宇保養責任的途徑，把保用期由現行的入伙後六個月延長至一個較合理的期間。

消委會在促進產品安全方面的努力開始獲得成果。為加強固定電器裝置的安全性，當局於1992年6月實施有關法例，規定電業承辦商及技工必須符合條件及通過註册後方可正式經營。有關玩具及兒童產品安全的法例現正呈交立法局審議。另外，消委會又協助當局研究有關消費產品安全管制的立法事宜。

消委會呼籲加强消費者在公用事業及公共交通服務方面的代表性和諮詢地位，所得反應甚好，現已有一些公司設立消費者諮詢小組或類似的組織。在的士發牌方面，為避免公開招標造成嚴重投機炒賣的情況，並鼓勵眞正以駕駛的士為專業的人士參加投標，消委會建議放寬發牌數目及約束自由轉讓牌照。此外，消委會又建議汽車保險業修改業內的若干營運方式，包括取消由意外保險公會釐訂的保費演算公式，並檢討經紀及中介人的基本佣金制度。為保障駕車人士的權益，消委會將定期檢討有關情況。

年內，消委會參與檢討外遊旅遊業的監管制度，令該業現時的自行監管機制有重大的修改，因旅行社倒閉而蒙受損失的消費者可獲得的賠償金額亦有所提高。至於銀行存款保障方面，消委會堅持設立存款保障制度，認為這個制度除可在銀行倒閉時為小額存戶提供保障外，還可促進社會和經濟穩定，以及提高銀行業的競爭。消委會又大力支持維護病人權益的運動，並要求醫生須事先讓病人得悉各項收費率及所開藥方。

年內，設於各區的16個消費者諮詢中心共接獲9,282宗投訴，又為消費者解答了各類產品和服務方面的詢問共249,097次。消委會出版的"選擇"月刊，為消費者提供種種消費資料，亦反映了消委會在研究、調查和產品試驗方面的工作質素和份量。另一方面，消委會經常主辦多項消費者教育活動，致力加深市民對消費事務和消費者權益的認識。

公司註册處

註册總署的公司註册處，對於所有本港註册的公司和在本港設立辦事處的海外公司，均存有紀錄。

本港公司均根據公司條例註册成立，該條例雖然類似英國公司法，但在若干方面卻迥然不同。該條例會根據公司法例改革常務委員會的建議，不斷修訂及改善。

上述委員會於1984年成立，首要工作是確保本港的公司法例切合政府及商界的最新需要。

當局最近對上述條例所作的修訂，便是於1992年12月頒佈的公司(修訂)條例，該條例將會在總督指定的日期生效。該條例訂明審閱招股章程的工作，將由公司註冊處移交證券及期貨事務監察委員會和香港聯合交易所負責。

年內，公司註冊處設置了一個效能更大的新電腦系統，處理能力是舊系統的兩倍，並於1992年6月1日開始投入服務。由於電腦系統加强了處理能力，公司註冊處正考慮於未來數年內推行一連串電腦化的新計劃，首先推行的計劃是文件索引及來件紀錄册電腦化。年內，公司註册處還推行其他措施，以提高工作效率，其中包括編製尚待註册的抵押資料索引，並以電腦印製資料的形式供市民查閱，使用個人電腦印製某些註册抵押資料的證明書，使用電腦印製公司註册成立證明書，以及進一步改善辦公室地方及設計。此外，布政司署財政科人員及容永道會計師事務所的顧問人員曾應邀研究抵押註册部及查册處的工作程序，並提出改善的建議。在實施該等建議後，抵押註册部及查册處的工作效率和服務水平均大爲改善。

每家公司於註册時須繳交註册費1,000元，另每1,000元註册資本總額繳費6元。1992年內共有58,110家新公司註册，比1991年多14,135家。新公司的註册資本總額爲52.08億元，其中資本額達500萬元或以上的有235家。年內有11,657家公司增加註册資本，增加款額共達455.74億元，亦按每1,000元交6元的比率繳費。1992年年底時，已註册的本港公司共358,129家，而1991年則爲304,538家。

海外註册公司在香港設立辦事處，必須在一個月內將若干文件送交公司註册處登記。

海外公司註册時，必須繳付500元註册費和小額備案費用。年內有550家海外公司註册，185家停業。年底時，在本港設有註册辦事處的海外公司有3,193家，分屬72個國家，其中美國公司佔656家，英國公司365家，日本公司299家。

公司註册處同時根據註册受託人法團條例，爲信託人登記爲法團；此外，亦辦理有限責任合夥經營的註册事宜。

當局現在計劃讓獨立的公司註册處以營運基金的形式運作，使該處在執行職務方面，能享有相當程度的財政及管理自主權。

香港工商業務有關機構、主要社團

公司名稱	地址	電話
香港政府統計處	香港灣仔港灣道12號	5824807
香港政府布政司署(財政司)	下亞畢諾道政府合署東翼七樓645室	8102589
香港政府民航處	香港金鐘道66號政府合署46樓	8674332
	香港啓德機場	7697531
香港政府工業署	九龍廣東道5號海洋中心十四樓	7372573
香港政府貿易署	九龍彌敦道700號貿易署大樓	3985333
證書及執照		
產地來源證		3985552
英聯邦特惠稅證		3985526
針織成衣產地來源證		3985526
工廠登記事務		3985531
非紡織品出入口簽證		3985559
外地加工		3985533
紡織品出口管制		
歐洲共同市場一般查詢		3985355
芬蘭及挪威貨辦簽證		3985457
奥地利、瑞典、瑞士配額調用及轉讓		3985458
美國(棉質類目)		3985410
美國(人造纖維成衣)		3985408
美國(羊毛及非成衣項目)		3985415
加拿大		3985415
非受限制市場		3985471
戰備物品進出口簽證		3985578
香港海關	香港統一碼頭38號海港政府大樓九樓	8521411
應課稅品行政科		
香港稅務組	香港統一碼頭38號	5824833
九龍稅務組	九龍東英大厦六樓	3662916
機場貨運		7696665
貿易調查局	香港軒尼詩道1號熙信樓5樓	8042399
商品標準調查局	香港中環永安中心14樓1405室	5441296
勞工處	統一碼頭38號	8155066
拓展署	香港禮頓道77號禮頓中心13樓	8827170
田土註册處	金鐘道政府合署14樓	8672873
核數署	告士打道7號2座26/F	8294210
差餉物業估價處	軒尼詩道500號	8057666
庫務署		8295124
稅務局	告士打道7號3座	5940888
運輸署	告士打道7號2座41/F	8295258

公司名稱	地址	電話
郵政總局	康樂廣場2號	8471111
公司註册處	金鐘道政府合署13樓	8672600
香港標準及校正實驗所	香港告士打道151號七樓	8937111
香港政府銀行業務監察專員		8672671
證券及商品交易監理專員辦事處	交易廣場二座38樓	8427666
消防處總部	康莊道1號	7244244
香港出口信用保險局	麼地道75號2樓	7233883
香港生產力局及生產力促進中心	九龍廣東道11號世界商業中心12字樓	7351656
九龍訓練中心	彌敦道636號銀行中心十四樓	7808251
港口管制科	統一碼頭道38號10字樓	8523407
人民入境事務處總部	告士打道7號	8246111
人民入境事務處各分處		
上水辦事處	新界上水新豐路82至84號	6727197
銅鑼灣辦事處	維園商業中心地下	8393242
九龍城辦事處	偉景街7-9號	3656434
荃灣辦事處	荃灣碼頭三樓	4924664
香港仔辦事處	香港仔中心K至N座	5548267
大埔辦事處	大埔政府合署	6577111
觀塘辦事處	觀塘牛頭角道77號淘大中心	7559541
元朗辦事處	元朗政府合署三樓	4754145
沙田辦事處	九廣鐵路大厦二樓	6065352
香港政府新聞處	大道中4號拱北行地下二、五、六、七樓	8428777
香港政府海事處	統一碼頭道38號	8523001
港口管制科	統一碼頭道38號10樓	8523407
水警總區總部	廣東道/疏利士巴利道	3670666
港口衞生處	香港希慎道10號4－13樓	8900770
天文台	九龍彌敦道134A號	
公共諮詢處		8351473
一般事務		7329200
天氣預報詢問		7329472
香港貿易發展局	會議廣場38字樓港灣道1號	8334333
香港市場研究社	糖廠街28號太古工商業中心東一7樓	8803388
香港國際電訊	告士打道3號	7324336
香港中華總商會	干諾道中24－25號7樓	5256385
香港中華廠商聯合會	干諾道中64－66號5樓	5456166
香港中華出入口商會	德輔道中287-291號7樓	5448474
香港總商會	金鐘道95號統一中心22樓	5299229
九龍辦事處	彌敦道683號11字樓	3955515
香港工業總會	漢口道15號漢口中心4樓	7230818
印度商會	雲咸街69號三樓	5233877
香港出口商會	尖沙咀星光行825室	7309851
香港美國商會	太古大厦1030室	5260165-8

公司名稱	地址	電話
香港日本貿易振興會	和記大厦19樓1910室	5264067
香港領港會	干諾道中122－124號11樓	5452228
香港船東會有限公司	皇后大道東58號12樓	5200206
香港付貨人委員會	港灣道1號2707A	8241228
香港旅遊協會	怡和大厦35樓	8017111
香港銀行公會	太子大厦525室5樓	5211169
香港保險業聯會	告士打道50號馬來西亞大厦21樓	5201868
香港管理專業協會	紅棉路8號東昌大厦14樓	5266516
香港會計師公會	高士打道77－79號華比大厦17樓	5299271

香港駐海外辦事處

政府機構

歐洲

布魯塞爾

Hong Kong Economic and Trade Office,
Avenue Louise 228, 1050 Brussels, Belgium.
Tel.: (02) 648-38-33
Cable: HONREP BRUSSELS
Telex: 04661750 HONREP B
Fax: (02) 640-66-55

日內瓦

Hong Kong Economic and Trade Office,
37-39 rue de Vermont,
1211 Geneva 20, Switzerland.
Tel.: (022) 734-90-40
Telex: 414196 HKGV CH
Fax: (022) 733-99-04

倫敦

Hong Kong Government Office,
6 Grafton Street,
London WIX 3LB, England.
Tel.: (071) 499-9821
Cable: HONGAID LONDON
Telex: 05128404 HKGOVT G
Fax: (071) 495-5033

北美洲

紐約

Hong Kong Economic and Trade Office,
British Consulate General,
680 Fifth Avenue, 22nd Floor,
New York, NY 10019, U.S.A.
Tel.: (212) 265-8888
Telex: 420086 NYHKO
Fax: (212) 974-3209

三藩市

Hong Kong Economic and Trade Office,
British Consulate General,
222 Kearny Street, Suite 402,
San Francisco, CA 94108, U.S.A.
Tel.: (415) 397-2215
Telex: 216708 HKIND SFO
Fax: (415) 421-0646

華盛頓

Hong Kong Economic and Trade Office,
British Embassy, 1233 20th Street, N.W.,
Suite 50
Washington DC 20036, U.S.A.
Tel.: (202) 331-8947
Cable: PRODROME WASHINGTON
Telex: 440484 HKWSH UI
Fax: (202) 331-8958

多倫多

Hong Kong Economic and Trade Office,
Suite 5900.
One First Canadian Place, Toronto,
Ontario,
M5X 1K2 Canada.
Tel.: (416) 777-2209
Fax: (416) 777-2217

亞洲

東京

Hong Kong Economic and Trade Office,
7th Floor, Nishi-Azabu Mitsui Building,
4-17-30, Nishi-Azabu,
Minato-ku, Tokyo 106, Japan.
Tel.: 81-3-3498-8808
Fax: 81-3-3498-8815

促進工業投資辦事處

歐洲

布魯塞爾

Industrial Promotion Unit,
Hong Kong Economic and Trade Office,
Avenue Louise 228, 1050 Brussels, Belgium.
Tel.: (02) 648-3966
Telex: 04661750 HONREP B
Fax: (02) 640-6655

倫敦

Industrial Promotion Unit,
Hong Kong Government Office,
6 Grafton Street, London W1X 3LB,
England.
Tel.: (071) 499-9821
Cable: HONGAID LONDON
Telex: 05128404 HKGOVT G
Fax: (071) 495-5033

北美洲

紐約

Industrial Promotion Unit,
Hong Kong Economic and Trade Office,
680 Fifth Avenue, 22nd Floor,
New York, NY 10019, U.S.A.
Tel.: (212) 265-7232
Telex: 420086 NYHKO
Fax: 212974-3209

三藩市

Industrial Promotion Unit,
Hong Kong Economic and Trade Office,
222 Kearny Street, Suite 402,
San Francisco, CA 94108, U.S.A.
Tel.: (415) 956-4560
Telex: 216708 HKIND SFO
Fax: (415) 421-0646

亞洲

東京

Industrial Promotion Unit,
Hong Kong Economic and Trade Office,
7th Floor, Nishi-Azabu Mitsui Building,
4-17-30, Nishi-Azabu,
Minato-ku, Tokyo 106, Japan.
Tel.: 81-3-3498-8808
Fax: 81-3-3498-8815

其他機構

香港貿易發展局

歐洲

阿姆斯特丹

Prinsengracht 771, G/F,
1017 JZ Amsterdam,
The Netherlands.
Tel.: 31-(020)-627-7101
Cable: CONOTRAD AMSTERDAM
Fax: 31-(020)-622-8529

雅典

2, Vassileos Alexandrou Str.
Athens 11634, Greece.
Tel.: 30-(1)-724-0594
Telex: 219591 GRAD GR
Fax: 30-(1)-724-8922
(貿易查詢專用)

巴塞羅那

Balmes 184, Barcelona 08006, Spain.
Tel.: 34-(3)-217-62-50
Answerphone night service: 34-(3)-217-66-54
Cable: PUBLICRELATIONS
BARCELONA 6 (Spain)
Fax: 34-(3)-415-47-48

布達佩斯

H-1117 Budapest, Kaposvar u. 5-7, Hungary.
Tel.: 36-(1)-181-3398, 166-6476

Fax: 36-(1)-161-2458

法蘭克福

Kreuzerhohl 5-7, D-6000 Frankfurt/Main 50
Germany
Tel.: 49-(069)-586011
Cable: CONOTRAD FRANKFURT
Fax: 49-(069)-5890752
Postal Address: P.O. Box 500551
D-6000 Frankfurt/Main 50, Germany

伊斯坦堡

Piyalepasa Bulvari,
Kastel Is Merkezi,
D. Blok Kat. 5,
80370 Piyalepasa, Istanbul, Turkey.
Tel.: 90-(1)-154-98-60
Fax: 90-(1)-154-98-67

倫敦

Swire House, Ground Floor,
59 Buckingham Gate,
London SW1E 6AJ, England.
Tel.: (44)-071-828-1661
Cable: CONOTRAD LONDON SW1
Fax: 44-(071)-828-9976
有關英國的貿易查詢，請電：0800-282-980

米蘭

2 Piazzetta Pattari, 20122 Milan, Italy.
Tel.: 39-(02)-865405, 865715
Cable: KONGTRAD MILAN
Telex: 333508 HKTDCI
Fax: 39-(02)-860304

巴黎

18 rue d' Aguesseau, 75008 Paris, France.
Tel.: 33-(01)-47-42-41-50
Telex: 283098 HKTDCF
Fax: 33-(01)-47-42-77-44

斯德哥爾摩

Kungsgatan 6, S-111 43 Stockholm,
Sweden.
Tel.: 46-(08)-100677, 115690
Cable: CONOTRAD STOCKHOLM
Telex: 11993 TDC S
Fax: 46-(08)-7231630
Postal Address: P.O. Box 7075
103 92 Stockholm, Sweden

維也納

Rotenturmstrasse 1-3/8/24,
A-1010 Vienna, Austria.
Tel.: 43-(01)-533-98-18
Cable: CONOTRADREP WIEN
Telex: 115079 HKTDC A
Fax: 43-(01)-535-31-56

蘇黎世

Seestrasse 135, Postfach CH-8027 Zurich,
Switzerland.
Tel.: 41-(01)-281-31-55
Fax: 41-(01)-281-31-91

北美洲

有關美國的貿易查詢，請電：1-800-TDC-HKTE

芝加哥

333 North Michigan Avenue,
Suite 2028, Chicago,
IL 60601, U.S.A.
Tel.: 1-(312)-726-4515
Cable: CONOTRAD CHICAGO
Fax: 1-(312)-726-2441

達拉斯

Suite 120, World Trade Centre,
2050 Stemmons Freeway, Dallas,
Texas 75207, U.S.A.
Tel.: 1-(214)-748-8162
Cable: HONGTRADS DALLAS
Fax: 1-(214)-742-6701
Postal Address: P.O. Box 58329 Dallas,
TX 75258, U.S.A.

洛杉磯

Los Angeles World Trade Centre

350 S. Figueroa Street, Suite # 282,
Los Angeles, CA 90071-1386, U.S.A.
Tel.: 1-(213)-622-3194
Cable: CONOTRAD LOS ANGELES
Fax: 1-(213)-613-1490

邁亞密

Courvoisier Center, Suite 402,
501 Brickell Key Drive,
Miami, FL 33131, U.S.A.
Tel.: 1-(305)-577-0414
Fax: 1-(305)-372-9142

紐約

219 East 46th Street,
New York,
NY 10017, U.S.A.
Tel.: 1-(212)-838-8688
Fax: 1-(212)-838-8441

三藩市

c/o Hong Kong Economic & Trade Office
222 Kearny Street, 4th Floor, Suite 402
San Francisco, CA 94108, U.S.A.
Tel.: (1)-415-677-9038
Fax: (1)-415-421-0646
（貿易查詢專用）

多倫多

Suite 1100, National Building,
347 Bay Street, Toronto,
Ont. M5H 2R7, Canada.
Tel.: 1-(416)-366-3594
Cable:CONOTRAD TORONTO
Fax: 1-(416)-366-1569

溫哥華

Suite 700, 1550 Alberni Street,
Vancouver, B.C. V6G 1A3, Canada.
Tel.: 1-(604)-685-0883, 669-4444
Fax: 1-(604)-669-3784

中美洲

墨西哥城

Manuel E. Izagurirre # 13, 3er piso
Ciudad Satelite
Mexico City 53310, Mexico.
Tel.: 52-(5)-572-41-13, 572-41-31
Fax: 52-(5)-393-59-40

巴拿馬城

Condominio Plaza Internacional,
Primer Alto, Oficina No. 27
Edificio del Banco Nacional de Panama
Vai Espana y Calle 55
Panama City, Republic de Panama.
Tel.: (507) 69-5894, 96-5611, 69-5109
Telex: 2989 HKTDCP PG
(From USA 3682989
From other countries 3792989)
Fax: (507) 69-6183
Postal Address: Apartado Postal 6-4510,
EI Dorado, Panama City, Panama,

亞洲

曼谷

20/F, Pacific Tower,
21 Vibhavadi Rangsit Road,
Bangkok 10900, Thailand.
Tel.: 66-(2)-273-8800
Fax: 66-(2)-273-8800

北京

Room 901, 9th Floor, CITIC Building,
19 Jianguomenwai Dajie,
Beijing, China.
Tel.: 86-(01)-500-2255 Ext. 3910
Fax: 86-(01)-500-3285

名古屋

Sakae-Machi Bldg., 4/F,
3-23-31 Nishiki, Naka-ku,
Nagoya 460, Japan.
Tel.: 81-(052)-971-3626
Fax: 01-(052)-962-0613

大阪

Osaka Ekimae Dai-San Building, 6/F,
1-1-3 Umeda, Kita-ku,
Osaka 530, Japan.
Tel.: 81-(06)-344-5211
Cable: CONNOTRADD OSAKA
Fax: 81-(06)-347-0791

漢城

720-721, KFSB Building,
16-2, Yoidodong, Youngdeungpoku
Seoul, Korea.
Tel.: 82-(02)-782-6115/7
Fax: 82-(02)-782-6118

上海

Room 1004, 10th Fl., Shanghai Union Building,
100 Yanan Dong Lu, Shanghai 200002
China.
Tel.: 86-(21)-326-4196, 326-5935
Telex: 30175 TDCSH CN
Fax: 86-(21)-328-7478

新加坡

20 Kallang Avenue,
2nd Fl., Pieo Creative Centre,
Singapore 1233.
Tel.: 65-293-7977
Fax: 65-292-7767

台北

7th Floor,
315 Sung Chiang Road,
Taipei, Taiwan.
Tel.: 886-(02)-516-6085
Fax: 886-(02)-502-2115

東京

Toho Twin Tower Building,
4th Fl., 1-5-2 Yurakucho
Chiyoda-ku, Tokyo 100, Japan.
Tel.: 81-(03)-3502-3251/5
Fax: 81-(03)-3591-6484

澳洲

悉尼

71 York Street, Sydney,
NSW 2000, Australia.
Tel.: 61-(02)-299-8343
Fax: 61-(02)-290-1889
Postal Address: G.P.O. Box 3877
Sydney, NSW 2001, Australia

中東

迪拜

New Juma Al-Majid Building,
Dubai Sharjah Road, Dubai, U.A.E.
Tel.: 971 (4)-665950, 660664
Cable: MARKETS DUBAI
Telex: 46361 MARKET EM
Fax: 971-(4)-667114
Postal Address: P.O. Box 7434
Dubai, U.A.E.

香港旅遊協會

歐洲

巴塞羅那

c/o Sergat Espana S.L., Apdo. Correos 30266,
08080 Barcelona, Spain.
Tel.: (93)280-5838
Telex: 54687 FGC E
Fax: (93)280-4520

法蘭克福

Wiesenau 1,
6000 Frankfurt am Main 1, Germany.
Tel.: (49) 6972-2841
Telex: 041 412402 HK TAF D
Fax: (49) 6972-1244

倫敦

4th Floor, 125 Pall Mall,
London SW1Y 5EA U.K.
Tel.: (071) 930-4775

Telex: 051 8950160 LUYULO G
Fax: (071) 930-4777

巴黎

38 Avenue George V
(entree 53 rue Francois ler, 7th Floor)
75008 Paris, France.
Tel.: (331) 4720-3954
Telex: 042 650055 ANI F
Fax: (331) 4723-0965

羅馬

c/o Sergat Italia, s.r.l
Piazza Dei Cenci 7/A
00186 Roma, Italy.
Tel.: (06) 686-9112/654-1336
Telex: 623033 SERGATI
Fax: (06)687-3644

北美洲

芝加哥

333 North Michigan Avenue, Suite 2400,
Chicago, Illinois 60601-3966
Tel.: (312) 782-3872
Telex: 023 4330404
DITTTRENDDDCGO
Fax: (312) 782-0864

洛杉磯

Suite 1220, 10940 Wilshire Boulevard,
Los Angeles, CA 90024
Tel.: (213) 208-4582
Telex: 023 3711 534 HKTA
Fax: (213) 208-1869

紐約

5th Floor,
590 Fifth Avenue,
New York, NY 10036-4706, USA
Tel.: (212) 869-5008/9
Fax: (212) 730-2605

多倫多

347 Bay Street, Suite 909,
Toronto, Ontario, M5H 2R7.
Canada,
Tel.: (416) 366-2389
Fax: (416) 366-1098

亞洲

東京

4/F, Toho Twin Tower Building,
1-5-2 Yurakucho, Chiyoda-ku,
Tokyo 100, Japan.
Tel.: (03) 3503-0731
Telex: 072 02225678 LUYUTO J
Fax: (03) 3503-0736

大阪

8th Floor, Osaka Saitama Building,
3-5-13 Awaji-machi,Chuo-ku,
Osaka 541, Japan.
Tel.: (06) 229-9240
Fax: (06) 229-9648

新加坡

13-08 Ocean Building, 10 Collyer Quay,
Singapore 0104, Republic of Singapore.
Tel.: (65) 532-3668
Telex: 087 28515 LUYUSN RS
Fax: (65) 534-3592

澳洲

悉尼

Level 5, 55 Harrington Street,
The Rocks, Sydney, NSW 2000,
Australia.
Tel.: (02) 251-2855
Fax: (02) 247-8812

新西蘭

奧克蘭

P.O. Box 2120, Level 1, 5 Averill Avenue
Kohimarama, Auckland 5,
New Zealand.
Tel.: (09) 521-3167

Fax: (09) 521-3165

台北

c/o Taikoo Travel Agency Ltd.,
7th Floor, 18 Chang An East Road.
Sec. 1, Taipei.
Tel.: (02) 581-2967
Fax: (02) 581-6062

漢城

c/o Universal Communications Inc.,
4th Floor, 18 Sangrok Building, 187-6, 2-ga,
Changchoong-dong, Chung-gu,
Seoul 100-392
Tel.: (02) 274-40-80
Fax: (02) 274-7214

南非

約翰內斯堡

c/o Development Promotions (Pty.) Ltd.
4th Floor, Evente House,
20 De Korte Street, Braamfontein 2001
Tel.: (011) 339-4865
Telex: 421741/421740
Fax: (011) 339-2474

各國(地區)駐港領事館及商務專員公署一覽表

領事館或專員公署 Offices	地址 Address	電話 Tel.	負責人 Officer in Charge
American Consulate-General 美國領事館	26, Garden Rd. 花園道26號	5239011	Richard L. Williams(Consul-General)
Antigua and Barbuda Consulate 安提瓜和巴布達領事館	905, Star House, 3 Salisbury Road, Tsimsha Sui, Kowloon 九龍尖沙咀星光行905室	7368033	Dr Cheung Dr.Ching Bill m (Honorary Consul)
Argentina Consulate 阿根廷領事館	2510 Jardine House Connaught Place 中環怡和大厦2510室	5233208	Juan A Peña (Consul General)
Australian Government Commissioner 澳州政府專員公署	23-24 Floor, Harbour Centre 25 Harbour Rd. 海港中心二十三及二十四樓	8278881	G.R. Bentley (Consul-General)
Australian Government Immigration Office 澳洲政府移民局	23-24 Floor, Harbour Centre 25 Harbour Rd. 海港中心二十三及二十四樓	8278881	A.E.F. Metcalfe(Consul-Immigration)
Austria Consulate-General 奥國領事館	Rm. 2201, Wang Kee Bldg. 34-37 Connaught Road Central 宏記大厦2201室	5228086	Dr. Heinrich Querner(Consul-General)
Austria Government Trade Commissioner 奥國商務專員公署	14 FL., Diamond Exchange Bldg. 鑽石交易大厦十五樓	5237555	Friedrich Kuen(Trade Commissioner)
Bangladesh, Commissioner 孟加拉商務專員	3807 China Resources Bldg. 26 Harbour Road. 華潤大厦3807室	8274278	(Commissioner)Sheikh Ahmed Jalal

領事館或專員公署 Offices	地　址 Address	電　話 Tel.	負責人 Officer in Charge
Benin Consulate 貝寧領事館	71 Wyndham Street 1st floor 雲咸街71號一樓	5257011	Gian Vachani
Barbados Consulate 巴巴多斯領事館	21 floor, China Building 29 Queen's Road, Central 皇后大道中29號21字樓	5266911	Victor,(Honorary Consul) T. K. Li
Belgium Consulate-General 比利時領事館	9 Floor St. John's Bldg. 33 Garden Road 花園道33號聖約翰大厦十樓	5243111	Gaston Van Duyse-Adam(Consul-General)
Belize Consulate 伯利兹領事館	14 floor, Tien Chu Commercial Building 173 Gloucester Road 告士打道173號14字樓	8351878	Ms Telly Tai (Consul General) Hsuan Chi
Bhutanese Consulate 不丹領事館	Unit B, 1 Floor Kowloon Centre, 29-43 Ashley Road. 亞士里道29-43號1樓B座	3762112	Hari N. Harilela, OBE, (Honorary Consul)
Bolivian Consulate 玻利維亞領事館	8 Floor, Woodland Garden, 10 Macdonnell Road, Hong Kong. 麥當奴道10號8樓	5258446	Oscar Siles (Consul-General)
Brazilian Consulate-General 巴西領事館	Room 201, Dina House, 11 Duddell Street, Hong Kong. 都爹利街11號201室	5257002	Arnaldo Carrilho(Consul-General)
British Trade Commissioner 英國商務專員	Bank of America Tower, 9th Fl. 12 Harcourt Road. 夏慤道美國銀行大厦十樓	5230176	Stepheu P. Day, CMG(Senior Trade Commissioner)
Canadian Immigration Office 加拿大移民局	12 Floor, Tower 1, Exchange Square, 8 Connaught Place 交易廣場12樓	8104321	W. Sheppit (Counsellor)

領事館或專員公署 Offices	地址 Address	電話 Tel.	負責人 Officer in Charge
Canadian Govt. Commissioner 加拿大政府商務專員公署	14 Floor, Tower 1, Exchange Square, 8 Connaught Place 交易廣場11-14樓	8104321	Mr. John Higginbotham (Commissioner)
Botswana Consulate-General 博茨瓦納總領事館	4 floor, Dina House, Ruttoujee Centre, 11 Dudalel Street 都爹利街11號4字樓	5328320	Otong B, Batlhoki
Chilean Consulate 智利領事館	Suite 1408, Great Eagle Centre, 23 Harbour Road 港灣道23號鷹君中心1408室	8271826	Augusto Marambio (Consul-Genaral)
Central African Republie Consulate-General 中非領事館	G/F-3/F Mohan Building 14-16Hankou Road, Kowloon 九龍模漢大厦G/F-3/F室	3118828	Clement Chan Pui-Yiu
Commonwealth of Dominica Consulate-General 多米尼加聯邦領事館	Room 1902 Allied Kajima Building, 138 Gloucester Road 高士打道138號1902室	5986899	Ms. Grace Tung
Consulate of Kingdom of Lesotho 萊索托王國領事館	72 Gloucester Road Luk Kwok Centre Room 1402 H. K. 香港告士打道72號六國中心14樓	5201648	Lydia Wu (Consul-General)
Colombian Consulate-General 哥倫比亞領事館	Unit A, 6 Floor C. M. A. Bldg. Connaught Road Central 干諾道中中華廠商聯合會大厦七樓A座	5458547	Carmeriza Jaranillo (Consul-General)
Costa Rica, The Consulate-General 哥斯達黎加領事館	Flat C-10 Hung on Bldg. 3 Tin Hau Temple Rd. 天后廟道3號C-10座	5665181	Edwin Li Lao (Consul-General)
Cuban Consulate-General 古巴領事館	Flat 25B, Bellevue Heights, 8 Tai Hang Drive	7621255	Siu Kwong m (Consul-General)
Cyprus Consulate-General 塞浦路斯領事館	Suite 703, One Pacific Place, 88 Queensway	8201100	Frank W. K. Tsao (Hon. Consul)

領事館或專員公署 Offices	地　址 Address	電　話 Tel.	負責人 Officer in Charge
Danish Consulate-General Royal 丹麥領事館	Room 2402B, Great Eagle Centre 23 Harbour Road 鷹君中心2402B室	8278101	Claus Junl Nielsen(Consul-General)
Dominican Republic Consulate-General 多米尼加共和國領事館	Asia Standard Town, Room 706, 7/F., 59-65 Queen's Road C. 皇后大道中59-65號7樓	5212801	Mrs. Nidia Nicolas de Berusch (Consul-General)
Egyptian Consul-General 埃及領事館	Suite 1309, 13/F Great Eagle Centre 23 Harbour Road 鷹君中心13/F1309室	8270668	Farouk Helmy(Consul-General)
El Salvadorian Consulate 薩爾瓦多領事館	4/F, Lyton Building 46 Mody Road Kowloon 九龍麼地道46號4樓	7232986	Caball Y. H. Chan (Hon. Consul)
Fiji Consulate 斐濟領事館	Room 1401-1402 Parkes Commercial Centre 2-8 Parkes Street, Kowloon 九龍白加士街2-3號白加士商業中心1401-1402室	3751618	Desmond Y. T. Lee
French Consulate-General 法國領事館	Admiralty Centre, Tower Ⅱ, 26 Floor, 18 Harcourt Road 夏慤道18號海富中心第二座二十七樓	5294351	Laurent Aublin (Consul-General)
French Trade Commissioner 法國商務專員	Admiralty Centre, Tower Ⅱ, 26Floor, 18 Harcourt Road 夏慤道18號海富中心第二座二十七樓	5294316	Yves de Ricaud (Trade Commissioner)
Finland Consulate 芬蘭領事館	1818 Hutchison House 10 Harcourt Road 夏慤道和記大厦1818室	5255385	Hannu Uusi- Videnoja (Consul General)
Gabon Consulate 加蓬領事館	P.O. Box 47103, Morrison Hill Post Office 摩利臣山道郵局信箱	5724062	C.S. Gooljarry (Honorary Consul)

領事館或專員公署 Offices	地址 Address	電話 Tel.	負責人 Officer in Charge
Gambia Consulate 岡比亞領事館	Apt 0791, 7/F, Tower 17,H. K. Parkview, 88 Tai Tam Reservior Road 大潭水塘道88號陽明山莊17座0791室	8129911	Dr. Ian S. Shelmerdine(Honorary Consul)
Germany, The Consulate-General of the Federal Republic of 德意志聯邦共和國總領事館	21 Fl. United Centre 95 Queens way 金鐘道統一中心二十二樓	5298855	Dr. Wolfgang Goettelmann Consul-General
Greek Consulate 希臘領事館	Room 914, Tower B, Hung Hom Commercial Centre, 37-39 Ma Tan Wai Road, Kowloon. 九龍碼頭圍道37-39號914室	7741682	W. S. Tsang(Hon. Consul-General)
Granada Consulate 格拉納達領事館	Flat D, 11 floor, Kiu Wang Mansion, 3 Hok Yu Lane, Homantin, Kowloon 九龍何文田學餘里3號11字樓D座	7622972	Lam Yin (Honorary Consul)
Guinea Consulate 畿內亞比紹領事館	4 floor, Block E, 702 Castle Peak Road, Hop Hing Industrial Building Kowloon 九龍堡壘街702號4樓	7445211	Davia W. B. Tse (Honorary Consul)
Honduras Consulate 洪都拉斯領事館	Room 1303, Pacific House, 20 Queen's Road, Central 皇后大道中20號1303室	5226593	Miss Julie Ng Kou-lai (Honorary Consul)
Iceland Consulate-General 冰島領事館	48 Fl., Hopewell Centre, 183 Queen's Road East. 合和中心49樓	5283911	A. J. Hardy(Hon. Consul)
Indian Government Commissioner 印度商務專員公署	Unit D, 16 Floor, United Centre, 95 Queensway 統一中心十七樓D座	5291289	Mrs. Kamlesh Kumar (Commissioner)
Israeli Consulate 以色列領事館	Room 701, Tower 2 Admiralty Centre, 18 Harcourt Road	5296091	Nachman Perel (Consul-General)

領事館或專員公署 Offices	地　址 Address	電　話 Tel.	負責人 Officer in Charge
Indonesian Consulate-General 印度尼西亞領事館	No.6-8, Keswick St., Causeway Bay 銅鑼灣嘉士域街6-8號	8904421/8	E. A. Tamara (Consul-General)
Italian Consulate-General 意大利領事館	Rm. 805, Hutchison House, 10 Harcourt Road. 夏慤道和記大厦805室	5220033/6	Folco de luca (Consul-General)
Italian Trade Commissioner 意大利商務專員	Suite 701-2, 3 Exchange Square, 8 Connaught Place 中環交易廣場701-2, 3號	8466500	Aniello Musella (Trade Commissioner)
Jamaica Consulate 牙買加領事館	18 floors, Shanghai Industrial Investment Building, 48-62 Hennessy Road, Wan Chai 軒尼詩道48-62號22-24樓	8238233	M. T. Geoffey Yeh (Honorary Consul)
Japanese Consulate-General 日本領事館	47 floor, Tower 1, Exchange Square, 8 Connaught Place, Central, Hong Kong	5221184	Masaki Orita (Consul-General)
Jordan Consulate-General 約旦領事館	Suite 1433A, Star House-3 Salisbury Road, Kowloon 梳士利巴道星光行1433A	7356399	Fahed S. Bughdadi (Hon. Consul)
Ireland Consulate 愛爾蘭領事館	AWT Services (HK) Ltd. 23 floor, Standard Chartered Bank 4-4A Des Voeux Road-Central	8211212	D. A. Marron
The Consulate-General of the Republic of Korea 大韓民國領事館	5-6th Floors, Far East Finance Centre, 16 Harcourt Road, Hong Kong. 夏慤道16號遠東金融中心5-6樓	5294141	Min Gil Chung (Consul-General)
Liberian Consulate 利比里亞領事館	Suite 1507, 15F, One Pacific Place 88 Queensway 皇后大道88號15樓1507室	8454161	Quincy Chuang (Hon. Consul)

領事館或專員公署 Offices	地址 Address	電話 Tel.	負責人 Officer in Charge
Luxembourg Consulate 盧森堡領事館	C/O Chekiang First Bank Ltd. 5 Queen's Road Central, Ground Floor, Hong Chong Building. 皇后大道中5號	8771018	James Kung Z. M. (Honorary Consul)
Malaysia Government Commissioner 馬來西亞專員公署	24th Fl., Malaysia Bldg. 50 Gloucester Rd. 高士打道50號立興大厦25樓	5270921	Kamaludin Hj Othman (Trade Commissioner)
Maldivian Consulate 馬爾代夫領事館	Room 201-205, Kowloon Centre, 29-43 Ashley Road, Kowloon	3762114	Bob N. Harilela JP
Malta Consulate 馬爾他領事館	Room 302, East Ocean Centre 98 Granville Road, Tsim Sha Tsui East. 九龍尖沙咀東海商業中心302室	7391515	Mrs. Vivien Chou Chen (Honorary Consul)
Mauritius Consulate 毛里求斯領事館	Room 215., Wing On Plaza, 62 Mody Road, Kowloon 麼地道62號215室	7311616	Chao Kuang Piu(Hon. Consul)
Mexican Consulate 墨西哥領事館	1809, World-Wide House, 19 Des Voeux Road Central 中環環球大厦1809室	5214365	Agustin Gutierres Canet (Consul-General)
Monaco Consulate 摩納哥領事館	33 Floor Harbour Centre 25 Harbour Road 九龍海港中心34樓	8930669	Mr. Tung Chee-hwa(Hon. Consul)
Mozambique Consulate 莫桑比克領事館	15 Floor, World Commerce Contre, 11 Canton Road Kowloon. 九龍廣東道11號15樓	7384400	Ira D. Kaye (Honorary Consul)
Morocco Consulate 摩洛哥領事館	Marine Deck Compartment W.1, Ocean Termimal, Kowloon	7367286	Gerald Godfrrey
Mongolia Consulate 蒙古領事館	4 Somerset Road Kowloon Tong, Kowloon	3389034	Dr. Kwok Shiu-ming

領事館或專員公署 Offices	地　址 Address	電　話 Tel.	負責人 Officer in Charge
Myanmar consulate 緬甸領事館	Rooms 2421-2425, Sun Hung Kai Centre, 30 Harbour Road 港灣道30號2421-2425室	8277929	U Soe Win (Consul General)
New Zealand Govt. Commissioner 新西蘭政府專員公署	3414, Connaught Centre Connaught Road 康樂大厦3414室	5255044	D. J. Greenfield (Commissioner)
Nicaraguan Consulate 尼加拉瓜領事館	51 Nga Tsin Wai Road 1 floor Kowloon	3373458	Timothy S. Y. Lam
Nigerian Govt. Commissioner 尼日利亞政府專員公署	25 Floor, Tung Wai Commercial Bldg. 東偉商業大厦26樓	8939444	Godfrey Bayour Preware (Commissioner)
Netherlandish Consulate-General 荷蘭領事館	3 Floor, China Bldg., 29 Queen's Road, Central.	5225127	H. J. van Pesch (Consul-General)
Norwegian Consulate-General 挪威領事館	1401, AIA. Bldg., 1, Stubbs Rd. 司徒拔道一號友邦大厦1401室	5749253	Bjarne E. Solheim (Consul-General)
Oman Consulate 阿曼領事館	65 Wong Chuk Hang Road, Gee Cheng Hong Centre, 19 floor	8732177	Miss Irene Wong
Papua New Guinea Consulate 巴布亞新幾內亞領事館	1801 Shui On Centre, 6-8 Harbbour Road 港灣道瑞安中心1801室	8207195	Miss Pratthara Aranbanphotkun
Pakistan Consulate-General 巴基斯坦領事館	Room 3806, 38/F China Resources Building, 26 Harbour Road	8271966	Sikandar Ali Keeriyo (Consul-General)
Panamanian Consulate-General 巴拿馬領事館	Rm. 1008, Wing On Centre 111 Connaught Road Central 中環永安中心1008室	5452166	R. Adames (Consul-General)
Paraguayan Consulate-General 巴拉圭領事館	1207 East Point Centre, 555 Hennessy Road. 軒尼詩道222號1027室	8336887	Chan Sze-sum (Consul)

領事館或專員公署 Offices	地 址 Address	電 話 Tel.	負 責 人 Officer in Charge
Peruvian Consulate-General 秘魯領事館	10/F., Wong Chung Ming Comm. House, 16 Wyndham Street, Central. 雲咸道16號10樓	8682622	Gabriel Alejandro (Consul-General) Pacheco Crespo
Philippine Consulate General 菲律賓領事館	21 floor, Wah Kwong Regent Centre, 88 Queen's Road Central 皇后大道中88號21字樓	8100183	Antonio P. Willamor (Consul-General)
Poland Consulat- Goneral 波蘭領事館	Suite 1006, One Pacific Place, 88 Queensway 金鐘道88號1006室	8400779	Krzysztof Ciebien
Portuguese Consulate-General 葡萄牙領事館	1001-1002, Two Exchange Square, 8 Connaught Place.	8681833	Filipe O. de Albuquerque (Consul-General)
St. Lucia Consulate 聖盧西亞領事館	7 Floor, Loke Yew Building, 50-52 Queen's Road Central 皇后大道中50-52號7樓	5245898	Stephen S. S. Tan. (Honorary Consul)
Republic of South Africa, The Consulate-General of 南非領事館	27 Floor, Sunning Plaza, 10 Hysan Avenue 希慎道新寧大厦二十八樓	5773279	M. J. Farr (Consul-General)
Seychelles Consulate 塞舌爾領事館	Room 3703, Hong Kong Plaza 186-191 Connaught Road West	8495337	Albert Y. F. Kao
Sierra Leone Consulate 塞拉利昂(塞拉勒窩內)領事館	Lucky Placa, 22 floor, Suite A, B, C, 315-321 Lockhart Road	8346961	Danny Li
Singapore Govt. Commissioner 新加坡政府專員公署	Units 901-2, 9 floor, Tower 1, Admiralty Centre, 18 Harcaurt Road 夏慤道18號9樓	5272212/4	Gordon Seowli (Commissioner)
Spanish Consulate 西班牙領事館	8 Floor, Printing House, 18 Ice House Street, Central. 中環雪廠街18號8樓	5253041/2	Miguel Jabala (Consul-General)

領事館或專員公署 Offices	地　址 Address	電　話 Tel.	負責人 Officer in Charge
Srilanka Consulate 斯里蘭卡領事館	22 floor, Dominion Centre, 43-59 Queen's Road East 皇后大道東43-59號22字樓	8662321	Thomas H. C. Cheung (Honorary Consul)
Swedish Consulate 瑞典領事館	8 Floor, The Hong Kong Club Bldg.3A Chater Road 香港會所大厦九樓	5211212	Ulf Norström(Consul-General)
Swiss Consulate-General 瑞士領事館	3703, Gloucester Tower, The landmark 11 Pedder Street 高羅士打大厦3703室	5227147/8	Jean-Marc Boillat(Consul-General)
Tonga Consulate General 東加領事館	Room 84, 8 Floor New Henry House, 10 Ice House Street 新顯利大厦九樓84室	5221321	George Chen (Hon. Consul)
Thailand, The Consulate General of 泰國領事館	Fairmont House, 8/F, 8 Cotton Tree Drive, Central 中環紅棉路8號8樓	5216431/5	Thawatjai Thavisri (Consul-General)
Thailand Trade Commissioner of 泰國商務專員	Fairmont House, 8/F, 8 Cotton Tree Drive, Central 中環紅棉路8號8樓	5216481/5	Pichai Saengpongchawal (Trade Commissioner and Consul)
Turkish Consulate General 土耳其領事館	Rooms 1507-1508, 15/F, Admiralty Centre (Tower Ⅱ) 18 Harcourt Rood 夏慤道海富中心第二座1507-1508室	5279556	Ömer Sahinkaya (Consul-General)
Togo Honorary Consulate 多哥領事館	A&E, 7 floor, Wah Shun Industrial Centre, 4 Cho Yuen Street, Yau Tong Bay Kowloon 油塘灣，草原街4號	3400285/7	David W. Lee(Honorary Consul)

領事館或專員公署 Offices	地　址 Address	電　話 Tel.	負責人 Officer in Charge
Trindiad and Tobago Consulate 千里達和多巴哥	Room15, 17/F 2Kai Hing Road Pacific Trade Centre, Kowlloon 九龍界限街2號太平洋貿易中心17樓	7568893	Alexander Lau(Honorary Consul)
Tuvalu Consulate 圖瓦盧領事館	Mt. 13/F., Hing Wah Mansion, 1 Babington Rd. 巴丙頓道1號13樓	5494085	Puran Sundarjee MBE(Honorary Consul)
Uruguayan Consulate General 烏拉圭領事館	Room 1701, Dina House, 11 Duddell Street	8680330	Mrs. Lucia T. Maruri (Consul-General)
Venezuelan Consulate 委內瑞拉領事館	Rm. D2-1, Star House, Kowloon 九龍星光行804室	7308099/90	Luis Alberto Altuve(Acting Consul-General)
Western Samoa Consulate 西薩摩西領事館	Suite 1301-1305, One Pacific Place, 88Queensway 皇后大道88號1301-1305室	5215621	Robert J. Lewington (Honorary Consul)

香港持牌銀行一覽表

（截至1992年12月31日）

行名	地址	電話	分支行間數
荷蘭銀行 ABN AMRO Bank N.V.	皇后大道中15號公爵大廈3-4字樓 3 &4/F, Edinburgh Tower, 15 Queen's Road Central, Hong Kong.	8429211	9
美國運通銀行 American Express Bank Limited,	金鐘太古廣場35字樓 One Pacific Place, 35/F., 88 Queensway, Hong Kong.	8440688	6
Asahi Bank Ltd.	太古廣場1座32樓 Level 32, One pacific place, 88 Queens Way, H. K.	5320500	1
澳洲紐西蘭銀行集團 Australia and New Zealand Banking Group Ltd.	交易廣場1座27字樓，康樂廣場8號 27/F., One Exchange Square, 8 Connaught Place, Hong Kong.	5215511	1
意大利商業銀行 Banca Commerciale Italiana	置地廣場公爵大厦3302-3306室 3302-3306 Edinburgh Tower, The Landmark, 15 Queen's Road C., Hong Kong.	5214403	1
意大利國家勞工銀行 Banca Nazionale del Lavoro S. P. A.	交易廣場3座6字樓，康樂廣場8號 6/F, Three Exchange Square, 8 Connaught Place Central Hong Kong.	5211577	1
意大利國民農業銀行 Banca Nazionale dell' Agricoltura	交易廣場1座35樓康樂廣場8號 35th Floor, One Exchange Square, 8 Connaught Place, Central, Hong Kong.	8421900	1
Banco de Santander, S.A.	交易廣場2座1301-1303室 1301-3, Two Exchange Square, Central, Hong Kong.	8683580	1
意大利拿玻里銀行 Banco di Napoli S. P. A	交易廣場1座33樓康樂廣場8號 33/F, One Exchange Square, 8 Connaught Place, Hong Kong.	8479800	1
羅馬銀行 Banco di Roma S.P.A.	中環遮打道3號A香港會所大厦16樓 16/F., The Hong Kong Club Building, 3A Chater Road, Central, Hong Kong.	5212221	1
西班牙對外銀行 Banco Exterior de Espana S.A.	交易廣場2座30樓康樂廣場8號 30/F., Two Exchange Square, 8 Connaught Place, Hong Kong.	8100866	1

行　名	地　址	電　話	分支行間數
西班牙銀行香港分行 Banco Central Hispanoamericano, S. A.	花園道1號中銀大廈54樓 1 Gardan Road, 54/F, Bank of China Tower, Hong Kong	8774133	1
盤谷銀行 Bangok Bank Limited,	德輔道中28號地下 G/F., 28 Des Voeux Road, Central, H. K.	8016688	3
伊朗國家銀行 Bank Melli Iran	中環畢打街11號告羅士打大厦601室 601 Gloucester Tower, 11 Pedder Street, Hong Kong.	5211127	1
美國銀行 Bank of America National Trust and Savings Association	夏慤道12號美國銀行中心 Bank of America Tower, 12 Harcourt Road, Hong Kong.	8475333	2
中國銀行香港分行 Bank of China	中環花園道1號中銀大厦 Bank of China Tower, 1 Garden Road, Central, Hong Kong.	8266888	27
交通銀行香港分行 Bank of Communications	香港畢打街20號 20 Pedder Street, Central, Hong Kong.	8419611	26
國際商業信貸銀行 Bank of Credit and Commerce Hong Kong. Limited,	鰂魚涌738號樂基中心4字樓 4/F, Stomhope House, 738 King's Road,Querry Bay. H.K.	5164333	1
東亞銀行 Bank of East Asia Limited, (The)	中環德輔道中10號 Bank of East Asia Building, 10 Des Voeux Road, Central, Hong Kong.	8423200	63
富岡銀行 Bank of Fukuoka, Ltd. (The)	中環歷山大厦2201室 Room 2201, Alexandra House, 16-20 Chater Road, Hong Kong.	5210457	1
印度銀行 Bank of India	香港都爹利街律敦治大厦2樓 2nd Floor, Ruttonjee House, 11 Duddell Street, Hong Kong.	5240186	2
Bank of Kinki,Ltd.	中環遮打道3A香港會所大厦17字樓 17/F, The Hong Kong Club Bldg., 3A Chater Road, Central. H. K	8454548	1
加拿大滿地可銀行 Bank of Montreal	香港怡和大厦2306-2309室 Suites 2306-2309 Jardine House, 1 Connaught Place, Hong Kong.	5224182	1
美國紐約銀行 Bank of New York (The)	雪廠街新顯利大厦7字樓 7/F, New Henry House, 10 Ice House Street H.K.	8409888	1

行　名	地　址	電　話	分支行間數
新西蘭銀行 Bank of New Zealand	交易廣場2座17樓 17/F, Two Exchange Square, 8 Connaught Place, Hong Kong.	5264039	1
加拿大高雅銀行 Bank of Nova Scotia (The)	海富中心1座6樓 6/F., Admiralty Centre, Towe 1, 18 Harcourt Road, Hong Kong.	5295511	1
蘇格蘭銀行 Bank of Scotland	香港怡和大厦14樓 14/F., Jardine House, 1 Connaught Place, Hong Kong.	5212155	1
漢城銀行 Bank of Seoul	皇后大道中新世界大厦901-2室 Room 901-2 New World Tower, 16-18 Queen's Road Central, Hong Kong.	5266754	1
東京銀行 Bank of Tokyo Limited,	夏慤道遠東金融中心1樓 1/F., Far East Finance Centre, 16 Harcourt Road, Hong Kong	8627888	7
橫濱銀行 Bank of Yokohama Ltd. (The)	皇后大道中15號公爵大厦36樓 36/F., Edinburgh Tower, 15 Queen's Road Central, Hong Kong.	5236041	1
美國信孚銀行 Bankers Trust Company	太古廣場2座36字樓 36/F., Two pacific place 88 Queensway H. K	5338000	1
法國東方銀行 Bangue Indosuez	交易廣場1座42-45字樓 42-45/F. One Exceange Square, Central. H. K	5265411	2
法國國家巴黎銀行 Bangue National de Paris	皇后大道中21-27號 Central Building 21-27 Queen's Road Central, Hong Kong.	5329288	6
百利達銀行 Bangue Paribas	畢打街11號告羅士打大厦39樓 39/F., Gloucester Tower, 11 Pedder Street, Hong Kong.	5255396	1
法安銀行 Bangue Worms	中環廣場39字樓港灣道18號 39/F Central plaga, 18 Harbour Road, Wanchai, H. K.	8028382	1
佰克萊銀行 Barclays Bank PLC	金鐘統一中心11樓 11/F, United Centre, 95 Queensway, Hong Kong.	5201181	2
裕寶銀行 Bayerische Hypotheken-und Wechsel-Bank Aktiengesellschaft (Hypo Bank AG)	金鐘道89號力寶中心百富勤大厦17樓 17/F, peregrine Tower, Lippo Centre, 89 Queensway, Central .H. K	8682123	1

行名	地址	電話	分支行間數
巴伐利亞銀行 Bayerische Vereinsbank Aktiengesellschaft	中銀大廈41樓 41/F, Bank of China Tower	8201333	1
加拿大帝國商業銀行 Canadian Imperial Bank of Commerce	皇后大道中29號17樓 17/F., China Building, 29 Queen's Road Central, Hong Kong.	8416111	1
加利寶銀行 Cassa di Risparmio delle Provincie Lombarde (Cariplo Bank)	美國銀行大廈18字樓 18/F, Bank of America Tower, 12 Harcourt Road, Hong Kong.	8682111	1
美國大通銀行 Chase Manhattan Bank N.A.	世界貿易中心5字樓 5/F., The World Trade Centre, 280 Gloucester Road, Hong Kong.	8375111	11
浙江第一銀行 Chekiang First Bank Limited,	皇后大道中恒昌大厦地下 G/F., Hang Chong Building, 5 Queen's Road Central, Hong Kong.	8236400	15
美華銀行 Chemical Bank	皇后大道中15號公爵行43字樓 43/F Edinburgh Tower, 15 Queens Road Central. H. K	8416880	1
千葉銀行 Chiba Bank, Ltd. (The)	金鐘道88號太古廣場第一期2510室 Unit 2510, One Pacific Place, 88 Queensway, Hong Kong	8401222	1
中南銀行 China and South Sea Bank Limited (The)	文咸東街22-26號 22-26 Bonham Strand East, Hong Kong.	5429429	21
國華商業銀行香港分行 China State Bank Limited, (The)	國華銀行大廈39-41字樓 China States Bank Building, 39-41 Des Road, Central, H. K.	5263235	20
集友銀行 Chiyu Banking Corporation Limited,	德輔道中80號 80 Des Voeux Road, Central, Hong Kong.	8430111	19
崇僑銀行 Chung Khiaw Bank Limited,	皇后大道中15號公爵行2508室 Room 2508 Edinburgh Tower, 15 Queens Road Central. H. K	5250318	2
中央信託銀行 Chuo Trust and Banking Co., Ltd. (The)	歷山大廈2305-2308室 2305-2308 Alexandra House, 16-20 Chater Road, Hong Kong.	8101461	1
萬國寶通銀行 Citibank, N.A.	花園道3號萬國寶通廣場40-50字樓 40-50/F Citibank Tower, Citibank plaza, 3 Garden Road. H. K	8688888	29

行 名	地 址	電 話	分支行間 數
香港商業銀行有限公司 Commercial Bank of Hong Kong Limited, (The)	德輔道中120-122號 Commercial Bank of Hong Kong Building, 120-122 Des Voeux Road, Central, Hong Kong.	5419222	15
西德商業銀行 Commerzbank AG	遮打道3號A香港會所大厦21字樓 21/F., The Hong Kong Club Building, 3A Chater Road Central, Hong Kong.	8429666	1
澳大利亞聯邦銀行 Commonwealth Bank of Australia	交易廣場2座1405-1408室 1405-1408 Two Exchange Square, 8 Connaught Place, Central, Hong Kong.	8447500	1
法國農業信貸銀行 Credit Agricole (Caisse National de Credit Agricole)	交易廣場1座50字樓 50/F., One Exchange Square, Central, Hong Kong.	5255231	1
奧地利第一國立銀行 Creditanstalt-Bankverein	交易廣場3座28字樓 28/F, Three Exchange Square, 8 Connaught Place, Central, Hong Kong.	8683111	1
法國商業銀行香港分行 Credit Commercial de France	怡和大厦3901-9室 3901-9 Jardine House, 1 Connaught Place, Hong Kong.	5258171	1
法國里昂信貸銀行 Credit Lyonnais	中環告羅士打大厦32樓 32/F., Gloucester Tower, 11 Pedder Street, Hong Kong.	8267333	1
瑞士信貸銀行 Credit Suisse	交易廣場3座22樓 22/F, Three Exchange Square, 8 Connaught Place, Central, Hong Kong.	8414800	1
意大利信託銀行 Credito Italiano	中環花園道1號中銀大厦36樓 36/F, Bank of China Tower, 1 Garden Road, Central, Hong Kong.	8207688	1
大新銀行 Dah Sing Bank Limited,	德輔道中19號地下 G/F., World-wide House, 19 Des Voeux Road, Central, Hong Kong.	5218118	30
第一勸業銀行 Dai-Ichi Kangyo Bank Ltd. (The)	畢打街11號31樓 31/F., Gloucester Tower, 11 Pedder Street, Central, Hong Kong.	5266591	1

行名	地址	電話	分支行間數
大和銀行 Daiwa Bank Limited,	中環香港會所大厦15樓 12/F., The Hong Kong Club Building, 3A Chater Road, Central, Hong Kong.	5216433	11
道亨銀行 Dao Heng Bank Limited,	文咸東街7-19號 7-19 Bonham Street East, Hong Kong.	5447141	46
Den Danske Bank Aktieselskab	交易廣場2座2105室 2105, Two Exchangs Square	8101871	1
德國銀行 Deutsche Bank AG	皇后大道中16-18號新世界大厦37樓 37/F New World Tower, 16-18 Queen's Road C., Hong Kong.	8430400	2
西德聯合銀行 Deutsche Genossenschaftsbank (DG Bank)	海富中心2座9字樓 9/F., Admiralty Centre, Tower Ⅱ, 18 Harcourt Road, Central, Hong Kong.	8643100	1
新加坡發展銀行 Development Bank of Singapore (The)	太古廣場2座33字樓 33/F Two pacific place,88 Queensway, H. K	8683386	1
捷力銀行 Dresdner Bank AG	德輔道中19號4樓 4/F., World-wide House, 19 Des Voeux Road, Central, Hong Kong.	8262000	1
建南銀行香港分行 Equitable Banking Corporation	都爹利街4號 4 Duddell Street, Hong Kong.	8680323	1
第一聯美銀行 First Interstate Bank of California	交易廣場1座29樓 29/F., One Exchange Square, 8 Connaught Place, Central, Hong Kong.	8443500	1
波士頓第一國民銀行 First National Bank of Boston	怡和大厦810-819號 801-809 Jardine House, 1 Connaught Place, Hong Kong.	5264361	1
芝加哥第一國民銀行 First National Bank of Chicago (The)	怡和大厦13樓 13/F., Jardine House, 1 Connaught Place, Hong Kong.	8449222	1
第一太平銀行 First Pacific Bank Limited,	告士打道56號第一太平銀行中心22字樓 22/F First pacific Bank Centre, 56 Gloucester Road H. K	8239823	23
富士銀行 Fuji Bank Limited, (The)	中環告羅士打大厦26字樓 26/F., Gloucester Tower, 11 Pedder Street, Hong Kong.	5244056	1

行名	地址	電話	分支行間數
富井銀行 Fukui Bank, Ltd. (The)	金鐘道89號力寶中心百富勤大厦3101室 Rm 3101, peregrine Tower, Lippo Centre, 89 Queensway, H. K.	5253057	1
華比銀行 Generale Bank Overseas (Belgium) (Belgian Bank)	告士打道77號華比大厦 G/F, 28-32 Floors, Belgian House, 77-79 Gloucester Road, Hong Kong.	8230566	20
Fukutoku Bank, Ltd (The)	金鐘道89號力寶中心力寶大厦3401室 Room 3401, 34/F, Lippo Tower, Lippo Centre, 89 Queensway H. K.	5221005	1
八十二銀行 Hachijuni Bank, Ltd. (The)	交易廣場第3座301-303室 Rm. 301-303 Two Exchomge Square. Centre	8454188	1
漢堡州立銀行香港分行 Hamburgische Landesbank Girozentrale	太古廣場2座2210-2220室 Suites 2210-2220, Two pacific place, 88 Queensway H. K	8432688	1
恒生銀行 Hang Seng Bank Limited,	德輔道中83號恆生銀行大厦 Hang Seng Bank Building, 83 Des Voeux Road, Central, Hong Kong.	8255111	126
韓一銀行 Hanil Bank	夏慤道12號美國銀行大厦13樓 13/F., Bank of America Tower, 12 Harcourt Road, Hong Kong.	5218016	1
北海道拓殖銀行 Hokkaido Takushoku Bank Limited, (The)	太古廣場2座28樓 28/F, Two Pacific place.	8420100	1
北陸銀行 Hokuriku Bank, Ltd. (The)	交易廣場第二期706-8室 Rm. 706-8 Two Exchange Square, 8 Connaught Place, Centre, Hong Kong	8101911	1
華人銀行 Hongkong Chinese Bank Limited, (The)	金鐘道89號力寶中心力寶大厦2樓 Floor Mezz 2, Lippo Tower, Lippo Centre, 89 Queensway, Central. H. K	8448833 8676833	16
香港工商銀行有限公司 Hongkong Industrial and Commercial Bank Ltd.	德輔道中97-105號 97-105 Des Voeux Road, Central, Hong Kong.	8436866	1
香港上海匯豐銀行 Hongkong and Shanghai Banking Corporation (The)	皇后大道中1號 1 Queen's Road Central, Hong Kong.	8221111	240

行名	地址	電話	分支行間數
華僑商業銀行 Hua Chiao Commercial Bank Limited,	德輔道中88-89號 Hua Chiao Commercial Building, 88-89 Des Voeux Road, Central, Hong Kong.	5429888	22
	金鐘道89號力寶中心力寶大廈3603-4室	5261214	1
Hyakujushi Bank, Ltd. (The)	Room 3603-4, 36/F., Lippo Tower,Lippo Centre, 89 Queensway H. K		
印度海外銀行 Indian Overseas Bank	都爹利街11號3字樓 3/F., Ruttonjee House, 11 Duddell Street, Central, Hong Kong.	5227157	2
日本興業銀行香港支店 Industrial Bank of Japan, Limited, (The)	皇后大道中15號41樓 41/F., Edinburgh Tower, 15 Queen's Road Central, Hong Kong.	5212402	1
港基國際銀行 International Bank of Asia Limited,	德輔道中34-38號 International Bank of Asia Building, 34-38 Des Voeux Road, Central, Hong Kong.	8426222	18
International Nederlanden Bank N. V.	中環歷山大廈10-11字樓 10-11/F Alexandra House, 16 Chater Road, Central. H. K	8463888	1
十六銀行香港分行 Juroku Bank, Ltd. (The)	交易廣場第一期1706A-8, 1706A-8 One Exchange Square, 8 Connaught Place, Hong Kong.	5265716	1
嘉華銀行有限公司 Ka Wah Bank Limited, (The)	德輔道中232號 232 Des Voeux Road, Central, Hong Kong.	5457131	31
金城銀行 Kincheng Banking Corporation	德輔道中51-57號 51-57 Des Voeux Road, Central, Hong Kong.	8430222	29
韓國外換銀行 Korea Exchange Bank	夏慤道16號32樓 32/F., Far East Finance Centre, 16 Harcourt Road, Hong Kong.	5201221	3
比利時信貸銀行 Kredietbank N.V.	金鐘道89號奔達中心東座15樓 15/F, Band Centre, East Tower, 89 Queensway, Central, Hong Kong.	8683191	1
廣東省銀行 Kwangtung Provincial Bank (The)	干諾道中13-14號2-3樓 Shop W, G/F, 2-3/F, Euro Trade Centre, 13-14 Connaught Road Central, Hong Kong.	8410410	25

行　名	地　址	電　話	分支行間　數
廣安銀行 Kwong On Bank Limited,	皇后大道中137-141號 137-141, Queen's Road Central, Hong Kong.	8153636	28
廖創興銀行 Liu Chong Hing Bank Limited,	德輔道中24號 24 Des Voeux Road, Central, Hong Kong.	8417417	29
日本長期信用銀行香港分行 Long-Term Credit Bank of Japan, Ltd. (The)	夏慤道16號遠東金融中心45樓 45/F., Far East Finance Centre, 16 Harcourt Road, Hong Kong.	5285670	1
馬來亞銀行 Malayan Banking Berhad	德輔道中19號 505 World-wide House, 19 Des Voeux Road, Central, Hong Kong.	5227141	1
三菱銀行香港支店 Mitsubishi Bank Limited, (The)	夏慤道海富中心1座14樓 14/F., Admiralty Centre, Tower I, 18 Harcourt Road, Central, Hong Kong.	8236666	4
三菱信託銀行 Mitsubishi Trust and Banking Corporation (The)	皇后大道中15號34樓 34/F., Edinburgh Tower, 15 Queen's Road Central, Hong Kong.	8448000	1
三井信託銀行 Mitsui Trust & Banking Co., Ltd. (The)	中環遮打道3A9字樓 9/F., The Hong Kong Club Building, 3A Chater Road, Central, Hong Kong.	5211121	1
美國摩根銀行 Morgan Guaranty Trust Company of New York	皇后大道中15號23樓 23/F., Edinburgh Tower, 15 Queen's Road Central, Hong Kong.	8411311	1
南洋商業銀行 Nanyang Commercial Bank Limited,	德輔道中151號 Nanyang Commercial Bank Building, 151 Des Voeux Road, Central, Hong Kong.	5421111	40
澳洲國民銀行 National Australia Bank Ltd	中環花園道1號中銀大厦46樓 46/F, Bank of China Tower 1 Garden Road, Central, Hong Kong.	5262041	1
加拿大國家銀行 National Bank of Canada	怡和大厦4001室 4001 Jardine House, 1 Connaught Place, Central, Hong Kong.	8017555	1
巴基斯坦國民銀行 National Bank of Pakistan	皇后大道中21-27號324室 Room 324, Central, Building, 21-27 Queen's Road Central, Hong Kong.	5217321	2

行名	地址	電話	分支行間數
浙江興業銀行 The National Commercial Bank Limited,	中環雲咸街1-3號 1-3 Wyndham Street, Hong Kong.	8432888	23
國民西敏寺銀行 National Westminster Bank PLC	交易廣場1座23樓 23/F., One Exchange Square, 8 Connaught Place, Central, Hong Kong.	5247071	1
日本債券信用銀行 Nippon Credit Bank Limited, (The)	畢打街11號告羅士打大厦1701室 Room 1701, Gloucester Tower, The Landmark, 11 Pedder Street, Hong Kong.	8209888	1
西北銀行 Norwest Bank Minnesota, N.A.	港灣道18號中環廣場4102-3室 4102-3 Central. plaza, 18 Harbour Road Wanchai, H. K	5192500	1
大垣共立銀行 Ogaki Kyoritsu Bank, Ltd. (The)	畢打街11號告羅士打大厦2504-6室 Rm. 2504-6 Gloucester Tower, 11 Pedder Street, Hong Kong.	5232058	1
西日本銀行 Nishi-Nippon Bank, Ltd. (The)	香港會所大厦19字樓 19/F., The Hong Kong Club Building.	5262259	1
瑞典北方銀行 Nordbanken	交易廣場3座1104室 11/F, Three Exchange Square.	8446900	1
華僑銀行 Oversea-Chinese Banking Corporation Ltd.	皇后大道中15號公爵行602-604室 Suite 602-604 Edinburgh Tower, 15 Queen's Road Central. H. K	8682086	3
海外信託銀行 Overseas Trust Bank Limited,	香港告士打道160號 O.T.B. Building, 160 Gloucester Road, Hong Kong.	5756657	42
華聯銀行 Overseas Union Bank Limited,	皇后大道中15號公爵行5樓 5/F, Edinburgh Tower, 15 Queen's Road Central, Hong Kong.	5211521	2
P. T. Bank Negara Indonesia (persero)	中環夏慤道16號遠東金融中心地下 G/F Far East Finance Centre, 16 Harcourt Road, Central. H. K	5299871	2
菲律賓國家銀行 Philippine National Bank	皇后大道中110-116號2樓 2/F., Wing's Building, 110-116 Queen's Road Central, Hong Kong.	5439555	1
寶生銀行 Po Sang Bank Limited,	德輔道中71號 71 Des Voeux Road, Central, Hong Kong.	8436111	12

行 名	地 址	電 話	分支行間數
荷蘭合作銀行 Rabobank Nederland	交易廣場2座39字樓 39/F Two Exchange Square, 8 Connaught place, Central. H. K	8269300	1
美國利寶銀行 Republic National Bank of New York	怡和大厦606室 606 Jardine House, 1 Connaught Place, Hong Kong.	5266941	1
加拿大皇家銀行 Royal Bank of Canada (The)	畢打街11號18樓 18/F., Gloucester Tower, 11 Pedder Street, Hong Kong.	8430888	1
蘇格蘭皇家銀行 Royal Bank of Scotland Public Limited Company (The)	交易廣場2座701-4室 701-4, Two Exchange Square, 8 Connaught Place, Central, Hong Kong.	5212411	1
Sakura Bank, Ltd (The)	太古廣場1座24樓 Level 24, One pacific place, 88 Queensway, H. K	8250800	1
三和銀行香港分行 Sanwa Bank Limited,	中環紅棉路東昌大厦 Fairmont House, 8 Cotton Tree Drive, Hong Kong.	5218311	8
太平洋亞洲銀行 Security Pacific Asian Bank Limited,	皇后大道中9號30字樓 30/F, 9 Queen's Road Central. H. K	8411811	18
上海商業銀行 Shanghai Commercial Bank Limited	皇后大道中12號 12, Queen's Road Central, Hong Kong.	8415415	32
靜崗銀行 Shizuoka Bank Ltd. (The)	畢打街11號告羅士打大厦3306室 Rm 3306, Gloucester Tower, 11 Pedder Street.	5216547	1
新華銀行 Sin Hua Bank Limited.	德輔道中134-136號 134-136, Des Voeux Road, C., Hong Kong.	8536388	40
北歐斯安銀行 Skandinaviska Enskilda Banken	怡和大厦2201-10室 Room 2201-10, Jardine House, Hong Kong.	8682011	1
法國興業銀行 Societe Generale	畢打街告羅士打街24樓 24/F., Gloucester Tower, 11 Pedder Street, Hong Kong.	8445388	1
渣打銀行 Standard Chartered Bank	德輔道中四至四號A 4-4A Des Voeux Road, C., Hong Kong.	8422333	120
印度國家銀行 State Bank of India	皇后大道中15號公爵行3103-3107 3103-3107 Edinburgh Tower. 15 Queen's Road Central, Hong Kong.	5233166	1

行名	地址	電話	分支行間數
住友銀行香港分行 Sumitomo Bank Limited,	皇后大道中15號2601室 2601 Edinburgh Tower, 15 Queen's Road Central, Hong Kong.	8421700	3
住友信託銀行 Sumitomo Trust & Banking Company Limited, (The)	交易廣場3座18樓 18/F., Three Exchange Square, 8 Connaught Place, Hong Kong.	5236026	1
瑞典商業銀行 Svenska Handelsbanken	金鐘道89號奔達中心西座3606室 3606 West Tower, Bond Centre, 89 Queensway Hong Kong.	8682131	1
瑞士銀行 Swiss Bank Corporation	交易廣場1座20樓 20/F., One Exchange Square, 8 Connaught Place, Hong Kong.	8421222	1
大生銀行 Tai Sang Bank Limited,	德輔道中130-132號 130-132 Des Voeux Road, Central, Hong Kong.	5445011	2
大有銀行 Tai Yau Bank Limited,	德輔道中20號 20 Des Voeux Road, Central, Hong Kong.	5229001	1
東海銀行 Tokai Bank, Limited, (The)	歷山大廈1801-8室 1801-8 Alexandra House, 16-20 Chater Road, Hong Kong.	5265861	1
多倫多道明銀行 Toronto-Dominion Bank	夏慤道10號18樓 18/F., Hutchison House, 10 Harcourt Road, Hong Kong.	8464111	1
東洋信託銀行香港支店 Toyo Trust and Banking Co., Ltd. (The)	告羅士打大厦15樓 15/F., Gloucester Tower, The Landmark, 11 Pedder Street, Hong Kong.	5265657	1
丹麥聯合銀行 Uuibank A/S	交易廣場第2座16樓 16/F. Two Exchange. Square.	5265926	1
友聯銀行 Union Bank of Hong Kong. Limited,	皇后大道中122-126號友聯銀行大厦 Union Bank Tower, 122-126 Queens Road Central. H. K	5343333	18
瑞士聯合銀行 Union Bank of Switzerland	告羅士打大厦13樓 13/F., Gloucester Tower, 11 Pedder Street, Hong Kong.	8461111	1
中國聯合銀行 United Chinese Bank Limited,	德輔道中31號 31 Des Voeux Road, C., Hong Kong.	5237091	17
合衆商業銀行 UCO Bank	皇后像廣場3號太子大厦414-429室 Suite 414-429 Prince's Building, 3 Statue Square, Hong Kong.	5249240	2

行 名	地 址	電 話	分支行間 數
大華銀行 United Overseas Bank Limited,	德輔道中54-58號 United Overseas Bank Building, 54-58 Des Voeux Road, Central, Hong Kong.	5257171	2
匯豐財務公司 Wayfoong Finance Limited,	禮頓道77號18樓 18/F., Leighton Centre, 77 Leighton Road, Hong Kong.	8396333	1
西德州立銀行 Westdeutsche Landesbank Girozentrale	夏慤道12號36樓 36/F., Bank of America Tower, 12 Harcourt Road, Hong Kong.	8420288	1
西太平洋銀行 Westpac Banking Corporation	交易廣場3座19-20樓 19-20/F, Three Exchange Square, 8 Connaught Place, Central, Hong Kong.	8429888	1
永亨銀行有限公司 Wing Hang Bank Limited,	皇后大道中161號 161 Queen's Road Central, Hong Kong.	8525111	19
永隆銀行 Wing Lung Bank Limited,	德輔道43-49號 43-49 Des Voeux Road, Central, Hong Kong.	8268333	27
永安銀行有限公司 Wing On Bank Limited, (The)	德輔道中22號 22 Des Voeux Road, Central, Hong Kong.	5251261	16
Yamaguchi Bank, Ltd (The)	交易廣場2座1706-7 1706-7 17/F Two Exchange Square, 8 Connaught place, Central. H. K	5217194	1
安田信託銀行 Yasuda Trust & Banking Co. Ltd. (The)	金鐘太古大厦1座23樓 Level 23, One Pacific Place, 88 Queensway, Hong Kong.	8101218	1
鹽業銀行 Yien Yieh Commercial Bank Limited, (The)	德輔道中242號 242 Des Voeux Road, Central, Hong Kong.	5411601	23
Z-Landerbank Bank Austria AG	中環美國銀行大厦31字樓 31/F. Bank of American Tower. 12 Harcourt Road H. K.	8205200	1

香港外國銀行代辦處一覽表

（截至1992年12月31日）

名　稱	地　址	電　話
邁進銀行 Advance Bank Australia Limited	中環怡和大厦19字樓 19/F, Jardine, House, Connaught place	8456166
愛知銀行 Aichi Bank, Ltd. (The)	歷山大厦3101室 Suite3101, 31/F, Alexandra House, 16-20 Chater Road, Hong Kong.	5252295
澳紐商人銀行 ANZ Grindlays Bank PLC	交易廣場1座27樓 27th Floor, One Exchange Square, 8 Connaught Place, Central, Hong Kong.	5266577
Arab Banking Corporation	德輔道中38號20樓 20th Floor, International Bank of Asia Bldg. 38 Des Voeux Road, C., Central, Hong Kong.	8426283
足利銀行 Ashikaga Bank, Ltd. (The)	遠東金融中心4樓 401, 4th Floor, Far East Finance Centre 16 Harcourt Road, Central, Hong Kong.	5290636-8
意大利安寶信銀行 Banca Popolave di Milano	中環怡和大厦3920室 3920, Jardine House.	5249066
Banca S. Paolo-Brescia	怡和大厦3920室 3920 Jardine House, 1 Connaught Place, Central, Hong Kong.	5235445
意大利安寶信銀行 Banco Ambrosiano Veneto	怡和大厦3920室 3920, Jardine House.	5249066
Banco do Brasil S.A.	遮打道16-20號909室 909, Alexandra House, 16-20, Chater Road, Central, Hong Kong.	5216411
Banco Nacional Ultramarino Limited	德輔道中19號804A 804A World-wide House, 19 Des Voeux Road, C., Hong Kong.	5212381
西班牙信貸銀行 Banco Espanol de Credito, S. A.	交易廣場2期3401室 Rm. 3401, Two Exchange Square, Central. H. K.	5238482
Bancomer S.N.A	怡和大厦1117-1118室 1117-1118, Jardine House, 1 Connaught Place, Central, Hong Kong.	8454121

名稱	地址	電話
曼谷京華銀行 Bangkok Metropolitan Bank Limited	環球大厦803室 803 World-wide House, 19 Des Voeux Road, C., Hong Kong.	5225781
Bank Dagang Negara	海富中心2座6樓 6/Fl., Admiralty Centre, Tower II, 18 Harcourt Road, Central, Hong Kong.	5294750
Bank Julius Baer & Co., Ltd.	怡和大厦2101室 2101 Jardine House, 1 Connaught Place, Central, Hong Kong	8773328
Bank Leu Limited	交易廣場2座1705室 Suite 1705, Two Exchange Square, 8 Connaught Place, Central, Hong Kong.	8107313
Bank Leumi Le-Israel B.M.	中環中建大厦1504室 1504 Central Building, Central, Hong Kong.	5240320
印尼國民銀行 Bank Rakyat Indonesia	遠東金融中心30樓 30/F, Far East Finance Central	5271318
列支頓士登銀行 Bank in Liechtenstein AG	交易廣場3座17樓 17/F, Three Exchange Square.	5236180
Bank of Hawaii	皇后大道中24-28號501室 Suite 501, Shell House, 24-28 Queen's Road C., Hong Kong.	5210107
Bank of Kyoto, Ltd. (The)	交易廣場第三座2907室 Suite 2907, Three Exchange Square, 8 Connaught Place, Central, Hong Kong.	5250727
Bank of Oman Limited	美國銀行大厦夏慤道10號2201室 2201 Bank of America Tower, 1 12 Harcourt Road, Central. Hong. Kong	5202513
Bank of Osaka, Ltd (The)	和記大厦2020室 2020 Hutchison House	8773392
Bank of Saga Ltd (The)	皇后大道中9號14字樓 14/F., Suite 1402, 9 Queen's Road Central. H. K	5238379
Bank of Scotland (Jersey) Limited	怡和大厦14樓 14/F, Jardine House	5212155
Bank of Taiwan	太古廣場2座2503-2504室 Suite 2503-2504, Two pacific place 88 Queensway, H. K	8698122

名稱	地址	電話
Bankorp Limited	和記大厦1704室 Room 1704 Hutchison House	5265731
布魯塞爾隆勃銀行 Banque Bruxelles Lambert S.A.	怡和大厦1219A-1220室 1219A-1220 Jardine House, 1 Connaught Place, Central, Hong Kong.	5212530
Bank Degroof	中建大厦1418室 1418,Central Building. 1-3, pedder street, Central. H. K	5224797
法國對外貿易銀行 Banque Francaise du Commerce Exterieur	紅棉道8號東昌大厦1604室 1604 Fairmont House, 8 Cotton Three Drive, Central. H. K	8104478
Banque Generale du Luxembourg S.A.	怡和大厦3215-3217室 3215-3217 Jardine House, 1 Connaught Place, Central, Hong Kong.	8107266
Banque Generale du Luxembourg (Suisse) S.A.	怡和大厦3215-3217室 3215-3217 Jardine House, 1 Connaught Place, Central, Hong Kong.	8107266
巴什利亞銀行 Bayerisch Landesbank Girozentrale	中國銀行大厦12字樓 Bank of China Bldg.	8778123
哥達銀行 Berliner Bank Aktienge-sellschaft	美國銀行大厦507室 Rm. 507 Bank of America Tower, 12 Harcourt Road, Central , H.K.	5235007
Banque Paribas (Suisse) S.A.	告羅士打大厦39樓 39th Floor, Gloucester Tower, The Landmark, 15 Queen's Road C., Hong Kong.	5255396
Berliner Handels-Und Frankfurter Bank (BHF Bank)	紅棉路8號東昌大厦16樓 16/F, Fairmant House, 8 Cotton Tree Drive, Central, Hong Kong.	8409188
瑞士瑞意銀行 BSI-Banca della Svizzera Italiana	交易廣場3座501室 501, Three Exchange Square, 8 Connaught Place, Central, Hong Kong.	8466600
CBI-TDB United private Bank	歷山大厦1207室 1207 Alexandra House	5234834
Carimonte Banca S.P.A.	會議中心辦公大樓2802-2804室 Suite 2802-2804 Office Tower, Convention Plaza. 1 Harbour Road, H. K.	8240611

名稱	地址	電話
Cassa di Risparmio di Verona Vicenza Bellunoe Ancona	會議中心辦公大樓2802-2804室 Suite 2802-2804 Office Tower, Convention Plaza, 1 Harbour Road, Hong Kong.	8240611
Cassa di Risparmio di Firenze	會議中心辦公大樓2802-2804室 Suite 2802-2804 Office Tower, Convention Plaza, 1 Harbour Road, Hong Kong.	8240611
Cassa di Risparmio di Genova e Imperia	會議中心辦公大樓2802-2804室 Suite 2802-2804 Office Tower, Convention Plaza, 1 Harbour Road, Hong Kong.	8240611
Banca Cassa di Risparmio di Torino S. P. A.	Suite 2100, Hotel Furama Kempinski H. K. 1 Counought Road Central. H. K.	5211038
Cassamarca S. P. A.	會議中心辦公大樓2802-2804室 Suite 2802-2804 Convention Plaza, office Tower,1 Harbour Road, H. K.	8240611
國泰銀行 Cathay Bank	交易廣場2座1101室 1101, Two Exchange Square, 8 Connaught Place, Central, Hong Kong.	5220071
彰化銀行 Chang Hwa Commercial Bank, Ltd.	皇后大道中9號2205A室 Rm 2205 A 9 Queen's Road Central, H. K.	8453006
中國國際信託投資香港集團有限公司 China International Trust and Investment Corporation (Holdings)	太古廣場2座, 35樓 Level 35, Two pacific place, 88 Queensway, Hong Kong.	8202111
China Merchants Bank	皇后大道中16-18號604-5室 Rm 604-5 New World Tower, 16-18 Queen's Road, Central. H. K	8685775
中央信託銀行 Cho-Hung Bank	置地廣場公爵行3205-7室 3205-7 Edinburgh Tower, The Landmark, 15 Queen's Road Central, Hong Kong.	5236143
Chugoku Bank, Ltd. (The)	交易廣場第1座3504室 Suite 3504, 35/F, One Exchange Square, 8 Conaught Place, Central, Hong Kong.	5230312
Chukyo Bank, Limited (The)	公爵行3603 3603 Edinburgh Tower	8773500

名 稱	地 址	電 話
Clariden Bank	交易廣場1座9樓 9/F., Exchange Square, Tower I, 8 Connaught Place, Central, Hong Kong.	8470388
韓國商業銀行 Commercial Bank of Korea, Ltd. (The)	怡和大厦4004室 4004 Jardine House, 1 Connaught Place, Central, Hong Kong. 交易廣場1座23樓	5265339 5256898
歐洲聯合工商銀行集團 Compagine Financiere de CIC et de I' Union Europeenne	中環雪廠街2號聖佐治大厦21字樓 21/F., St. George's Building 2 Ice House Street, Central. H. K.	5216151
Coutts & Co.	交易廣場1座23樓 23/F, One Exchange Square.	5256898
國民西敏寺銀行 Coutts & Co. AG	交易廣場1座23樓 23/F., Exchange Square I.	5247071
十八銀行 Eighteen Bank, Limited (The)		8778227
Credito Romagnolo	皇后大道中23號中建大厦 Central Bldg., 23 Queen's Road Central H.K.	5329288
第四銀行香港駐在員事務所 Daishi Bank, Ltd. (The)	遠東金融中心404室 404 Far East Finance Centre, 16 Harcourt Road, Hong Kong.	8654272
Darier, Hentsch & Cie,	怡和大厦29樓 29/F., Jardine House, 1 Connaught Place, Central, Hong Kong.	8472111
Ehime Bank, Ltd.(The)	高羅士打大厦3405室 Room 3405, Gloucester Tower.	5238110
韓國輸出入銀行 Export-Import Bank of Korea (The)	交易廣場3座503室 503, Three Exchange Square, 8 Connaught Place, Central, Hong Kong.	5218391
美國遠東國家銀行 Far East National Bank	九龍彌敦道610號荷李活商業中心1118室 Rm 1118, Hollywood plaza, 610 Nathan Road, Kowloon	3322671
Ferrier Lullin & Cie SA	奔達中心力寶大厦2008室 2008 Bond Centre, Lippo Tower, 89 Queensway, Central, Hong Kong.	5261288
Fiduciary Trust Company International	交易廣場3座9樓 9/F, Three Exchange Square, 8 Connaught place, Central. H. K.	8771931

名稱	地址	電話
第一商業銀行 First Commercial Bank	德輔道中120號19樓A 19/F A, Des Voeux Road Central.	5451933
First National Bank of Southern Africa Limited,	怡和大厦2315室 2315 Jardine House, 1 Connaught Place, Central, Hong Kong.	5210129
Four Seas Bank Limited	文咸西街49-51號 49-51 Bonham Strand West Hong Kong.	5435156
Fransabank S.A.L.	皇后大道中29號12字樓 12/F,China Building, 29 Queen's Road, Central. H. K.	8106108
福岡相互銀行 Fukuoka City Bank, Ltd. (The)	交易廣場2座901室 Suite 901, Two Exchange Square, 8 Connaught Place, Central, Hong Kong.	5245005
Qirocredit Bank Aktiengesellschaft-der Sparkassen	皇后大道中9號2661室 2601, 9 Queen's Road, Central. H. K	8453318
哥達銀行 Gota Bank	美國銀行大厦507室 Room 507, Bank of America Tower, 12 Harcourt Road, Central, Hong Kong.	5235007
意大利東北銀行集團 Gruppo Arca Nordest	和記大厦2116室 Room 2116 Hutchison House	5250808
羣馬銀行 Gunma Bank, Ltd (The)	交易廣場1座3801室 3801 One Exchange Square.	5230236
Guyerzeller Bank AG	皇后大道中1號 1 Queen's Road C., H. K.	8221111
HSBC Bank (Luxembaurg) S. A	皇后大道中1號8樓 Level 8, 1 Queen's Road, Central. H. K	8222681
Habib Bank A.G. Zurich	雲咸道19-27號14樓 14th Floor, Wilson House, 19-27 Wyndham Street, Central, Hong Kong.	5269009
亨寶銀行 Hambros Bank Limited,	怡和大厦2110室 2110 Jardine House, 1 Connaught Place, Central, Hong Kong.	5265237
法國商業銀行 Handelsfinanz CCF Bank	怡和大厦39樓15室 Suite 3915,Jardine House, Central, H. K.	5226880
Hanshin Bank, Ltd. (The)	升達中心西座2006室 Rm. 2006, West Tower Bond Centre.	5233667

名稱	地址	電話
廣島銀行 Hiroshima Bank, Limited, (The)	遮打道3號A15字樓 15/F, Hong Kong Club Building 3A, Central, Hong Kong.	8101636
Hokkaido Bank, Ltd (The)	交易廣場第1座1906室 Suite 1906, One Exchange Square, 8 Connaught Place, Central, Hong Kong.	5267767
Hokkoku Bank Ltd. (The)	遠東金融中心38樓 40/F, Far East Finance Central, 16 Harcourt Road, Hong kong.	5272089
北越銀行 Hokuetsu Bank, Ltd. (The)	遠東金融中心904室 Rm. 904, Far East Finance Central	5293661
華南銀行 Hua Nan Commercial Bank, Ltd.	會議展覽中心43樓115室 Rm. 115, 43/F. Convention Plaza, 1 Harbour Road.	8243211
Hyogo Bank, Ltd. (The)	遠東金融中心3504B 3504B Far East Finance Centre, 16 Hav court Road, H. K.	5277833
荷蘭銀行 Hollandsche Bank-Unie N.V.	太古廣場1座12字樓 12/F, One pacific place 88 Queens-H. K	8413500
Industrial Bank of Rorea	中環告羅士打大厦2107-9室 Rm 2107-9 Gloucester Tower, The Landmark, 11 Pedder Street Central. H. K	5211398
Iyo Bank Ltd. (The)	太古廣場1號3301室 Unit 3310, 33/F, One Pacific Place, 88 Queensway, Hong Kong.	8690466
Kagoshima Bank, Ltd. (The)	怡和大厦3208室 3208 Jardine House, 1 Connaught Place, Central, Hong Kong.	5215419
芬蘭國民銀行 Kansallis-Osake-Pankki	夏慤道12號美國銀行大厦507A室 Room 507A, Bank of America Tower, 12 Harcuort Road, Central, Hong Kong.	8016161
吉寶銀行有限公司 Keppel Bank of Singapore Limited	皇后大道中138號20字樓 20/F. 138 Queen's Road Central. H. K.	5416013
紀陽銀行 Kiyo Bank Ltd. (The)	交易廣場第2座1004室 Suite 1004, 10/F, Two Exchange Square, 8 Connaught Place, Hong Kong.	8458677

名稱	地址	電話
Kofuku Bank, Limited (The)	交易廣場1期1901室 Rm. 1901, One Exchange Square	8773193
Korea Development Bank (The)	交易廣場2座2101-2103室 Suite 2101-2103, Two Exchange Square, 8 Connaught Place, Central, Hong Kong.	5247011
韓國第一銀行 Korea First Bank	怡和大厦2007室 2007 Jardine House, 1 Connaught Place, Central, Hong Kong.	5265025
Korea Long Term Credit Bank	美國銀行大厦31字樓 31/F, Bank of America Tower, 12 Harcourt Road, Central. H. K	5213584-5
Kredietbank S.A. Luxembourgeoise	奔達中心力寶大厦15樓 15th Floor, Bond Centre, Lippo Tower, 89 Queensway, Central, Hong Kong.	8683191
勞合銀行有限公司 Lloyds Bank Plc	海富中心1座2901室 Rm 2901. Admiralty Centre, Tower I.	5289780
美林證券 Merrill Lyuch Bank (Suisse) S.A.	中環聖佐治大厦11樓 11/F, St. George's Bldg. Central, H. K.	8445678
MG財務有限公外 Metallbank GmbH	公爵行38樓 38/F. Edinburgh Tower	5226123
海豐銀行 Marine Midland Bank N.A.	皇后大道中1號30樓 Level 30, 1 Queen's Road C., Hong Kong.	8224300
美林國際銀行 Merrill Lynch International Bank Limted.	雪廠街2號聖佐治大厦16樓 16/F, St. George's Bldg., 2 Ice House Street, Hong Kong.	8445839
菲律賓首都銀行 Metropolitan Bank and Trust Company	統一中心15樓D座 Unit D, 15th Floor, United Centre, 95 Queensway, Central, Hong Kong.	5275019
Michiniko Bank, Ltd. (The)	中環夏慤道10號19樓 19/F, Hutchison House, 10 Harcourt Road, Central. H. K	8690823
米特蘭銀行 Midlang Bank Plc	滙豐總行大厦16樓 16/F, H. K Bank Bldg	8222288
Middle East Bank Limited	海富中心1座2604室 2604 Admiralty Centre, Tower I, 18 Harcourt Road, Central, Hong Kong.	5290444-2

名稱	地址	電話
Midlantic National Bank	遮打道16-20號705-707室 Room 705-707 Alexandra House, 16-20 Chater Road, Central, Hong Kong.	5235136
Mie Bank, Ltd. (The)	交易廣場第3座307室 Suite 307, Three Exchange Square, 8 Connaught Place, Central, Hong Kong.	8456476
NBD Bank, National Association	奔達中心東力寶大厦805室 Rm. 805 Bond Centre, Lippo Tower	5231189
National Bank of New Zealand Limited (The)	海富中心第1座29樓 29/F, Admiralty Centre Tower I.	8232213
National Westminster Bank USA	交易廣場1座23樓 23rd Floor, One Exchange Square, 8 Connaught Place, Central, Hong Kong.	5265249
Nedcor Bank Ltd.	會議中心辦公大樓4103-4109室 Units 4103-9, 41/F office Tower Convention plaza. 1 Harbour Road, Wanchai H. K.	8299111
Nederlandse Scheep shy poth eek bank N.V.	交易廣場2座39樓 39/F Two Exchange Square,8 Counought place, Central. H. K.	8269490
Nedperm Bank Limited	會議中心辦公大厦4103-4109 Units 4103-4109 41/F, Office Tower, Convention Plaza, 1 Harbour Road, Wanchai, Hong Kong.	8299111
Nordfinanz-Bank Zurich	柯士甸道49號1208室 1208 TAL Building, 49 Austin Road, Kowloon.	7368682
Overland Banca	高士打道77-79號華比大厦23字樓 23/F Belgian House, 77-79 Gloucerter Road. H. K.	5201620
P. T. Bank Donamon Indonesia	遠東金融中心703室 Rm 703. Far East Finance Central	5201397
P. T. Bank Bumi Daya (persero)	遠東金融中心7樓 7/F Far East Finance Centre, 16 Havcount Road, Central. H. K.	5276611
P.T. Bank Central Asia.	德輔道中19號24樓 24/F., World-wide House, 19 Des Voeux Road, C., Hong Kong.	5237016

名稱	地址	電話
P.T. Bank Duta	遮打道3號A1401室 1401, The Hong Kong Club Building, 3A Chater Road, Central, Hong Kong.	5224061
P. T. Bank Ekspor Impor Indonesia	交易廣場1座3301-3 3301-3303, One Exchange Square 8 Connaught place, Central. H. K.	5210451
Raiffeisen Zentralbank Osterreich Aktiengesellschaft	九龍尖沙咀新港中心第二期507室 Room 507, Tower Ⅱ. Silvercord.30 Conton Road, Tsimshatsui Kowloon.	7302112
羅富齊銀行 Rothschild Bank AG	遮打道16-20號16樓 16/Fl, Alexandra House, 16-20 Chater Road, Central, Hong Kong.	5255333
Samuel Montagu & Co. Limited,	皇后大道中1號16字樓 Level 16, 1 Queen's Road Central. H. K	8222288
San-in Godo BanK, Ltd (The)	怡和大厦2116-2118室 Suite 2116-2118, Jardine Housen	8773292
美國太平洋銀行 Security Pacific Bank, S.A.	交易廣場2座1701室 Room 1701, One Exchange Square, 8 Connaught Place, Central, Hong Kong.	8400878
Shiga Bank, Ltd. (The)	怡和大厦3808-3809室 Suite 3808-3809, Jardine House, No.1 Cannaught Place, Hong Kong.	8456548
新韓銀行 Shinhan Bank	皇后大道中15號公爵行605-607室 Rm. 605-607 Edinburgh Tower, 15 Queen's Road Central. H. K.	8773121
Shoko Chukin Bank (The)	力寶中心力寶大厦3607室 Rm. 3607. Lippo Centre, Lippo Tower.	5245111
Sicilcassa S. P. A.	會議中心辦公大樓2802-4室 Suite 2802-2804 Convention plaza office Tower 1 Harbunr Road, H. K	8240611
Standard Bank of South Africa Ltd. (The)	海富中心第1座804A室 Suite 804 A, Admiralty Centre Tower I, 18 Harcount Road, Hong Kong	5275106
標準渣打銀行(革國海峽羣島) Standard Chartered Bank (C.I.) Limited,	德輔道中4-4A，12字樓 12/F, 4-4A Des Voeux Road, Central. H. K.	5243037

名稱	地址	電話
新南威爾州銀行 State Bank of New South Wales Limited	交易廣場3座2904室 2904, Three Exchange Square, 8 Connaught Place, Hong Kong.	5211479
德國西南州立銀行 Sudwestdeutsche Landesbank	交易廣場2期907室 RM 907. Two Exchange Square.	5255013
Summa Handelsbank AG	海富中心1111室 11/F.Rm 1111, Admiralty Centre Towor Ⅱ Harcourt Road. H. K.	5285300
駿河銀行 Suruga Bank, Ltd. (The)	告羅士打大廈2707室 Room 2707. Gloucester Tower.	5225021-2
瑞士人民銀行 Swiss Volksbank	交易廣場3座1101室 Suite 1101, Three Exchange Square, 8 Connaught Place, Central Hong Kong.	8401112
達利銀行 Tat Lee bank Limited	都爹利街8-10號7樓 7th Floor, Hong Kong Diamond Exchange Building 8-10 Duddell Street, Central, Hong Kong.	5245105
Toho Bank Ltd	交易廣場1座3406室 Suite 3406, One Exchange Square, 8 Connaught place, Central. H. K	5265900
東京多民銀行 Tokyo Tomin Bank, Ltd. (The)	皇后大道中15號3301室 3301 Edinburgh Tower, The Landmark, 15 Queen's Road C., Hong Kong.	5266694
Trans-Arabian Investment Bank E.C.	九龍尖沙咀海港城海洋中心930室 Rm 930 Ocean, Centre, Harbour City Tsimshatsui Kowloon	7381411
英商天達國際銀行 Tyndall Bank International Limited	中環遮打道3A香港會所大廈1504室 Suite 1504, Hong Kong Club Building 3A Charter Road, Central. H. K	5245769
Ueberseebank AG	司徒拔道1號友邦大廈18樓 18th Floor, AIA Building, 1 Stubbs Road Hong Kong.	8321390
Union Bank of Finland Ltd.	中環交易廣場第二座16字樓 16/F, Two Exchange Square, 8 Connaught place, Central. H. K	5237505
富國銀行 Wells Fargo Bank N.A.	滙豐總行32樓 Level 32, The H.S.B.C. Building, 1 Queen's Road C., Hong Kong.	8221407
Westpac Banking Corporation (Jersey) Ltd	交易廣場3座20樓 20/F, Three Exchange Square, 8 Connaught place, Central. H. K.	8429811

香港有限制牌照銀行一覽表

（截至1992年12月31日）

名稱	地址	電話	間數
ANZ Banking Group (New Zealand) Limited	交易廣場1座27樓 27/F, One Exchange Square.	8437137	1
新聯財務有限公司 Allied Capital Resources Limited,	雪廠街32-38號新聯財務大厦3樓 3/F, Allied Capital Resources Building, 32-38 Ice House Street, H.K.	8462288	2
美銀亞洲有限公司 BA Asia Limited,	夏慤道12號2字樓 Bank of America Tower, 2/F, 12 Harcourt Road, Hong Kong.	8476666	1
霸凌兄弟亞洲有限公司 Baring Brothers & Co., Limited,	交易廣場3座703室 703 Three Exchange Square, Hong Kong.	8489600	1
東銀國際（香港）有限公司 BOT International (H.K.) Limited,	夏慤道16號1樓 1/F, Far East Finance Centre, 16 Harcourt Road, Hong Kong.	5202457	1
加拿大怡東財務有限公司 Canadian Eastern Finance Limited,	皇后大道中29號 7/F., China Building, 29 Queen's Road C., Hong Kong.	8463788	1
中芝興業財務有限公司 CCIC Finance Limited,	中銀大厦38樓 38/F, Bank of China Tower. 1 Garden Road, Central, Hong Kong.	8200888	1
美國大通亞洲有限公司 Chase Manhattan Aisa Limited,	交易廣場1座38樓 38/F, One Exchange Square, 8 Connaught Place, Central, Hong Kong.	8431234	1
萬國寶通機構有限公司 Citicorp International Limited,	花園道3號萬國寶通廣場萬國寶通大厦40-50樓 40-50/F Citibank Tower, Citibank plaza 3 Garden Road. Central H. K.	868666	1
DKB Asia Limited	告羅士打大厦31樓 31/F, Gloucester Tower	5266591	1
Bank Bumiputra Malaysia Berhad	交易廣場第2座3607-8 Rm. 3607-8. Two Exchange Square. Central. H. K.	5252829	1
Bank Mees & Hope NV	古太廣場1座3312室 Suite 3312 One pacific place, 88 Queensway, Central. H. K.	5214672	1

名稱	地址	電話	間數
Bank Pembangunar Indonesia	皇后大道中16-18號1701室 Rm. 1701. 16-18 Queen's Road. C., H. K.	8773632	1
Bank of Ayudhya Ltd.	怡和大厦1710室 Rm, 1710. Jardine House, Central. H. K.	5257398	1
Bank of N. T. Butterfield & Son Ltd. (The)	中銀大厦26樓 26/F, Bank of China Tower	8681010	1
Corestates Bank, National Association (trading in HK as PNB)	新世界大厦1001-4室 Room 1001-4 New World Tower, 16-18 Queen's Road Central. H. K.	5235191	1
大和證券有限公司 Daiwa Securities (H.K.) Limited	太古廣場第一座26樓 Level 26, One Pacific Place, 88 Queensway, Hong Kong.	5250121	1
東亞財務有限公司 East Asia Finance Company, Limited,	德輔道中10號8樓 8/Fl., The Bank of East Asia Building, 10 Des Voeux Road, C., Hong Kong.	8423200	1
Bank of Bermuda, Limited (The)	公爵行39樓 39/F Edinburgh Tower	8470100	
Bank of California, N.A. (The)	花園道3號萬國寶通廣場亞太金融大厦1006-8室 Suite 1006-8 Asia pacific Finance Tower Citibank plaza, 3 Garden Road, Central. H. K.	8260600	1
富士國際財務(香港)有限公司 Fuji International Finance (HK) Limited,	告羅士打大厦2501室 2501 Gloucester Tower, Hong Kong.	5217233	1
恒生財務有限公司 Hang Seng Finance Limited,	德輔道中83號恒生銀行大厦9樓 9/F. Hang Seng Bank Building Des Voeux Road, Central, Hong Kong.	8255111	1
曉商銀行 Hill Samuel Bank Limited,	夏慤道12號35樓 35/F, Bank of America Tower, 12 Harcourt Road, Hong Kong.	8473000	1
興銀亞洲有限公司 IBJ Asia Limited,	皇后大道中15號41樓 41/F, Edinburgh Tower, 15 Queen's Road Central, Hong Kong.	5216502	1
International Nederlanden Capital Markets (H.K.) Ltd	歷山大厦10-11樓 10-11/F Alexandra House, 16-20 Chater Road Central. H. K.	8463888	1

名稱	地址	電話	間數
KDB Asia Ltd	交易廣場2座2101-3 Suite 2101-2103 Two Exchange Square, 8 Connaught place, Central. H. K.	5247011	1
怡富有限公司 Jardine Fleming & Company Limited,	怡和大厦46樓 46/F, Jardine House, 1 Connaught Place, Central, Hong Kong.	8438888	1
佳活賓信(香港)有限公司 Kleinwort Benson (Hong Kong) Limited,	怡和大厦5樓 5/F Jardine House, 1 Connaught place, Central District, H. K.	5215331	1
LTCB Asia Limited	遠東金融中心45樓 45/F, Far East Finance Centre, 16 Harcourt Road, H.K.	5285670	1
三菱財務有限公司 Mitsubishi Finance (H.K.) Limited	海富中心第一座16樓 16/F, Admiralty Centre, Tower I, 18 Harcourt Road. H.K.	8669777	1
羅富齊父子(香港)有限公司 N.M. Rothschild & Sons (Hong Kong) Limited,	歷山大厦16樓 16/Fl., Alexandra House, Hong Kong.	5255333	1
Emirates Bank International Limited	海富中心第1期26樓 26/F, Admiralty Centre. Tower I Central. H. K.	8635800	
Kincheng- Tokyo Finance Company Limited	夏慤道16號遠東金融中心3樓 3/F, Far East Finance Centre, 16 Harcourt Road, H. K.	5292461	1
Kor Am Bank	夏慤道12號美國銀行中心大厦3701-3室 Rm 3701-3 Bank Of America Tower, 12 Harcourt Road, H. K.	8015360	1
Lehman Brothers Finance Limited	太古廣場第一座38-39樓 38-39/F. One Pacific Place. 88 Queensway H. K.	8460846	1
N. B D Bank, N. A.	奔達中心東座805室 Rm. 805, Bond Centre, Eart Towar. Central. H. K.	5231189	1
野村國際(香港)有限公司 Nomura International (Hong Kong) Limited,	夏慤道16號46 47樓 46/F-47/F, Far East Finance Centre, 16 Harcourt Road, Hong Kong.	5201811	1
東方利市香港有限公司 ORIX Asia Limited,	統一中心30樓 30/F, United Centre, 95 Queensway, H.K.	8629268	1
Pacific Bank, N.A. (The)	歷山大厦23樓 23/F, Alexandra House	5236176	

名稱	地址	電話	間數
荷蘭寶信有限公司 Pierson, Heldring & Pierson N.V.,	告羅士打大厦3301室 Room 3301, Gloucester Tower, Hong Kong.	5225191	1
加拿大皇家信託公司 Royal Trust Asia Limited,	交易廣場1座32樓 32/F, One Exchange Square, 8 Connaught Place, Hong Kong.	8478666	1
三和國際財務有限公司 Sanwa International Finance Limited,	皇后大道中15號2101室 2101 Edinburgh Tower, The Landmark, 15 Queen's Road Central, Hong Kong.	5243011	1
寶源投資有限公司 Schroders Asia Limited,	交易廣場2座25樓 25/F, Two Exchange Square, 8 Connaught Place, Hong Kong.	5211633	1
Shinhan Finance Limited	公爵行605室 Rm. 605 Edinburgh Tower	8773121	1
Siam Commercial Bank, Limited (The)	公爵行3309室 Rm. 3309 Edinburgh Tower	5244085	1
Societe Generale Asia Ltd.	告羅士打大厦24樓 24/F Gloucester Tower, The Landmark, 11 pedder Street, H. K.	8445388	1
標準渣打(亞洲)有限公司 Standard Chartered Asia Limited,	怡和大厦33樓 33/F, Jardine House, 1 Connaught Place, Central, Hong Kong.	8410333	1
道富銀行 State Street Bank and Trust Company	交易廣場2座32樓 32/F Two Exchange Square 8 Connaught place, Central. H. K	8405388	1
Public Bank Berhad	告羅士打大厦2204-2206室 Rm. 2204-2206 Gloucester Tower H. K.	5259355	1
Thai Farmers Bank, Limited (The)	交易廣場第一期2808室 Rm 2808. One Exchange Square. Central, H. K.	5266811	1
Thai Military Bank, Ltd.	皇后大道中9號2302-3室 Suite 2302-3 Nine Queen's Road Certral, Central, H. K	8456677	1
UBAF (Hong Kong) Limited,	夏慤道16號18樓 18/F, Far East Finance Centre, 16 Harcourt Road, Hong Kong.	5201361	1
治孚財務有限公司 United Merchants Finance Limited,	軒尼詩道302-308號24樓 24/F, C.C. Wu Building, 302-308 Hennessy Road, Hong Kong.	8325555	11

名　稱	地　址	電　話	間　數
獲多利有限公司 Wardley Limited,	夏慤道10號7樓 7/F, Hutchison House, 10 Harcourt Road, Hong Kong.	8418888	1
西太平洋財務亞洲有限公司 Westpac Finance Asia Limited,	交易廣場3座19-20樓 19/F & 20/F, Three Exchange Square, 8 Connaught Place, Central, Hong Kong.	8429888	1

香港註册接受存款公司一覽表

（截至1992年12月31日）

名稱	地址	電話	間數
澳洲信用財務有限公司 A.G.C. Finance (H.K) Limited,	太古廣場1座22字樓 Level 22, One Pacific Place, 88 Queensway, Hong Kong.	8683355	8
荷蘭財務有限公司 ABN AMRO Finance Limited,	皇后大道中15號2-3樓 2nd & 3rd Floors, Edinburgh Tower, 15 Queen's Road C., Hong Kong.	8429211	1
Argo Enterprises Company Limited,	德輔道中77號803室 803 Hang Seng Bank Building, 77 Des Voeux Road C., Hong Kong.	5213369	1
Asahi Finance (H. K.) Ltd.	古太廣場1座32樓 Level 32 One Pacific Place, 88 Queensway, Central, H.K.	5320500	1
足利財務香港有限公司 Ashikaga Finance (H.K.) Limited, (The)	遠東金融中心401室 Room 401, Far East Finance Centre, 16 Harcourt Road, H.K.	5290636	1
法國國家巴黎財務（香港）有限公司 B.N.P. Finance (Hong Kong) Limited,	畢打街中建大厦2樓 2/F Central Biulding, Pedder Street, Hong Kong.	5218218	1
美銀財務（香港）有限公司 BA Finance (Hong Kong) Limited,	美國銀行大厦1樓 1/F Bank of America Tower, 12 Harcourt Road, Central. H. K.	8475282	1
百答利財務有限公司 Bali International Finance Limited,	德輔道中71號2803-6室 Room 2803-6 Wing On House, 71 Des Voeux Road Central, Hong Kong.	5265915	1
柏克萊財務有限公司 Barclays Asia Finance Limited,	統一中心11樓 11/F, United Centre, 95 Queensway, Hong Kong.	5201181	1
國際商業信貸財務有限公司 BCCI Finance International Limited,	鰂魚涌英皇道738號4樓 4/F Stanhope House, 738 King's Road Quarry Bay, H.K.	5164333	1
交通財務有限公司 BCOM Finance (Hong Kong) Limited,	畢打街中20號1樓 1/F Wheelock House, 20 Pedder Street, Central, Hong Kong.	8419611	1
東美財務有限公司 BDNI Finance Limited,	干諾道中200號3605室 3605 Shun Tak Centre, West Tower, 200 Connaught Road C., Hong Kong.	5460087	1

名 稱	地 址	電 話	間 數
BEII (DTC) Limited,	交易廣場1座3301-3303室 Suites 3301-3303, One Exchange Square, 8 Connaught Place, Hong Kong.	5210451	1
B Ⅱ Finance Company Limited	聖佐治大厦22樓 22/F. St. George's Building. 2 Ice House St., H. K.	8100318	1
法國國家巴黎國際財務(香港)有限公司 BNP International Financial Services (Hong Kong) Limited,	怡和大厦4305室 4305 Jardine House, 1 Connaught Place, Central, Hong Kong.	5234161	1
加拿大士高雅香港有限公司 BNS International (Hong Kong) Limited,	海富中心1座6樓 6/F Admiralty Centre, Tower I, Harcourt Road, Hong Kong.	5295511	1
BPI International Finance Limited,	夏慤道12號31樓 31/F, Bank of America Tower, 12 Harcour Road, Hong Kong.	5211155	1
BRI Finance Limited	遠東金融中心30樓 30/F, Far East Finance Centre, 16 Harcourt Road, H.K.	5271318	1
美國信孚亞洲有限公司 BT Asia (H.K) Limited,	太古廣場2座36樓 Level 36 Two Pacific Place, 88 Queensway, Central. H. K.	5338400	1
美國信孚銀行 BT Asia Securities Limited,	太古廣場2座36樓 Level 36 Two pacific place, 88 Queensway, Central. H. K.	5338500	1
Bumi Daya International Finance Limited,	夏慤道16號7樓 7/FRl., Far East Finance Centre, 16 Harcourt Road, Hong Kong.	5276611	1
浙一財務有限公司 C.F. Finance Co., Ltd.	高士打道60號24樓 24/Fl, Chekiang First Bank Bldg. 60 Glousecter Hong Kong.	5299992	
廣東太平洋財務有限公司 Canton Pacific Finance Limited,	皇后大道中9號 Shop G10, 9 Queen's Road Central, Central H.K.	8411811	1
中亞財務有限公司 Central Asia Capital Corporation Limited,	德輔道中19號24樓 24/F, World-Wide House, 19 Des Voeux Road, Hong Kong.	8474388	2
卜蜂財務有限公司 Charoen Pokphand Finance Company Limited,	干諾道中19-20號9樓 9/F, Fung House, 19-20 Connaught Road C., Hong Kong.	5201601	2

名稱	地址	電話	間數
周氏兄弟財務有限公司 Chau's Brothers Finance Company Limited,	沙咀道284號11樓 11/F, Chau's Commercial Centre, 284 Sha Tsui Road, Tsuen Wan, N.T.	4934174	1
Chemical Securities Asia Ltd.	公爵行44樓 44/F Edinburgh Tower, The Landmark, 15 Queen's Road Central, Central district.	8416900	1
浙興財務有限公司 Che Hsing Finance Company Limited,	雲咸道1號 No. 1 Wyndham Street, Hong Kong.	8432888	1
Chiao Yue Finance Company Ltd.	德輔道中92號地下 G/F Hua Chiao Commercial Building, 92 Des Voeux Road Central, Central district. H. K.	5429888	1
中國建設財務(香港)有限公司 China Development Finance Company (Hong Kong) Limited,	中銀大厦10樓 10/F Bank of China Tower	8266333	1
國華財務有限公司 China State Finance Company, Limited, (The),	德輔道中39-41室 39-41 Des Voeux Road, C., Hong Kong.	5263235	1
集友財務有限公司 Chiyu Finance Company Limited,	德輔道中80號 80 Des Voeux Road, C., Hong Kong.	8430111	1
朝興財務有限公司 Cho Hung Finance Limited,	公爵行3205-7室 The Landmark, 15 Queen's Road Central, Hong Kong.	5236143	1
中南財務有限公司 Chung Nan Finance Company Limited,	文咸東街22-26號 22-26 Bonham Street East, Central, Hong Kong.	5429429	1
中央信託有限公司 Chuo Trust Asia Limited,	遮打道16-20號 2305-2308室 2305-2308, Alexandra House, 16-20 Chater Rd., Hong Kong.	8101461	1
萬國寶通工商財務有限公司 Citicorp Commerical Finance (H.K.) Limited,	萬國寶通廣場萬國寶通大厦39樓 39/F Citibank Tower, Citibank plaza 3 Garden Road, Central H. K.	8687979	1
聯邦財務有限公司 Commonwealth Finance Corporation Limited,	雲咸道40-44號雲咸商業中心11樓 11/F Wyndham place, 40-44 Wyndham Street, Central, H. K.	8017073	1

名稱	地址	電話	間數
協聯財務有限公司 Corporate Finance (D.T.C.) Limited,	雪廠街32-38號4樓 4/F, Allied Capital Resource Bldg., 32-38 Ice House Street, Central, Hong Kong.	5262525	1
宇宙財務有限公司 Cosmos Finance Limited,	干諾道中125-127號3樓 3/F, Tung Ning Building, 125-127 Connaught Road Central, Hong Kong.	5448186	1
法國農業信貸(香港)有限公司 Credit Agricole (Hong Kong) Limited,	交易廣場1座50樓 50/F, One Exchange Square, Central, Hong Kong.	5255231	1
法國里昂信貸香港有限公司 Credit Lyonnais Hong Kong (Finance) Limited,	告羅士打大厦32樓 32/F, Gloucester Tower, Hong Kong.	8267333	1
大新財務有限公司 Dah Sing Finance Limited,	大新金融中心36樓 36/F, Dah Sing Financial Centre, 108 Gloucester Road, Wanchai, H. K.	5078866	1
大和海外財務有限公司 Daiwa Overseas Finance Limited,	遮打道3號A11樓 11/F The Hong Kong Club Building, 3A Chater Road, Central, Hong Kong.	5261025	1
道亨財務有限公司 Dao Heng Finance Limited,	軒尼詩道4-6號9-10樓 9/F-10/F, 4-6, Hennessy Road, Hong Kong.	8610883	1
大馬集團 Dharmala International Finance Limited	德輔道中71號8樓 8/F, 71 Des Voeux Road Central	8409600	
Duta International Finance Company Limited,	遮打道3號A1401室 Suite 1401, The Hong Kong Club Bldg., 3A Chater Road, Hong Kong.	5224061	1
東亞信貸有限公司 East Asia Credit Company Limited,	德輔道中10號8樓 8/F, The Bank of East Asia Building, 10 Des Voeux Road, C., Hong Kong.	8423200	1
安泰有限公司 Edward Wong Credit Limited,	九龍長沙灣道910號安泰大厦11樓 11/F Edward Wong Tower, 910 Cheung Sha Wan Road, Shan Shai po Kowloon.	3703111	1
First Chicago Capital Markets Asia Limited	怡和大厦13樓 13/F, Jardine House, 1 Connaught Place, Central H.K.	8449222	1

名稱	地址	電話	間數
First Chicago Hong Kong Limited,	怡和大厦13樓 13/F, Jardine House, 1 Connaught Place, Central, Hong Kong.	8449222	1
第一聯美有限公司 First Interstate Aisa Limited,	交易廣場1座29樓 29/F, One Exchange Square, 8 Connaught Place, Hong Kong.	8443500	1
首都國際財務投資有限公司 First Metro International Investment Company Limited,	統一中心15樓D座 Unit D, 15/F, United Centre, 95 Queensway, Hong Kong.	5275019	1
五羊財務有限公司 Five Rams Finance Company Limited,	干諾道中13-14號地下至3樓 Shop W, G/F-3/F, Euro Trade Centre, 13-14 Connaught Road C., Hong Kong.	8410410	1
匯業有限公司 Foreign Exchange & Investment Limited,	怡和大厦31樓 31/F, Jardine House, 1 Connaught Place, Central, Hong Kong.	5262211	2
Fukuoka City Finance Limited	交易廣場2座901室 Rm 901, Two Exchange Square.	5245005	1
Fukuoka Finance International Ltd.	渣打道16-20號歷山大厦2201室 2201 Alexandra House, 16-20 Chater Road. H.K.	5242169	1
黃金金融有限公司 Golden Finance Limited,	皇后大道中138號20樓 20/F, V. Huen Bldg., 138 Queen's Road C., Hong Kong.	5416013	1
Gunma Finance (H. K.) Limited	交易廣場1座3801室 Suite 3801 One Exehange Square, Connaught place, Central. H. K.	5230236	1
Habib Finance International Limited,	德輔道中99-105號19樓 19/F, HICB Bldg. 99-105 Des Voeux Road C., Hong Kong	8504833	1
八十二亞洲有限公司 Hachijuni Asia Limited,	交易廣場3座301-303室 Suite 2210-2220 Two Pecific place, 88 Queen's way, Central. H. K. Hong Kong.	8454188	1
德國漢堡州立國際有限公司 Hamburg LB International Limited,	太古廣場2座2210-2220室 Suite 2210-2220 Two pecific place, 88 Queen's way, Central. H. K	5264241	1
恒生存款有限公司 Hang Seng Credit Limited,	德輔道中83號 83 Des Voeux Road, Hang Seng Bank Building C., Hong Kong.	8255111	1
韓一國際財務有限公司 Hanil International Finance Limited,	美國銀行大厦13樓 13/F, Bank of America Tower, 12 Harcourt Road, H.K.	5218016	1

名稱	地址	電話	間數
Hawaii Financial Corporation (Hong Kong) Limited,	皇后大道中24-28號501室 Suite 501, Shell House, 24-28 Queen's Road Central, Hong Kong.	5210107	1
HBZ財務有限公司 HBZ Finance Limited,	雲咸街19-27號14樓 Wilson House, 14/F, 19-27 Wyndham St., Hong Kong.	5214631	3
恒基國際財務有限公司 Henderson International Finance Limited,	德輔道中19號環球大厦6樓 6/F, World-Wide House, 19 Des Voeux Road, C., Hong Kong.	8265222	1
Hiroshima Finance (Asia) Limited	香港會所大厦15樓 15/F, The Hong Kong Club Building,3 Achater Road,	8101636	1
香港華人國際財務有限公司 Hong Kong Chinese International Finance Limited, (The),	德輔道中61-65號6樓 61-65 Des Voeux Road, C., Hong Kong.	8448833	1
香港商業財務有限公司 Hocomba Finance Limited,	德輔道中120號 The Commercial Bank of Hong Kong Bldg., 120 Des Voeux Road, C., Hong Kong.	5419222	1
北海道銀行 Hokkaido International Finance (Asia) Limited	交易廣場1座1906室 Rm. 1906. One Exchange Square H. K.	5267767	1
北陸財務(香港)有限公司 Hokuriku Finance (H.K) Limited	交易廣場2座706-8室 Suite 706-8, Two Exchange Square, 8 Connaught Place, Hong Kong.	8101911	1
鴻基財務有限公司 Hung Kai Finance Company, Limited,	港灣道30號45樓 45/F, Sun Hung Kai Centre, 30 Harbour Road, Hong Kong.	8278111	2
Hyakujushi Finance (Hong Kong) Limited	奔達中心東座3603室 Rm 3603, East Tower Bond Centre	5261214	1
港基國際財務有限公司 IBA Credit Limited,	德輔道中34-38號 International Bank of Asia Building, 34-38 Des Voeux Road, Central, Hong Kong.	8426222	1
IBU國際財務有限公司 IBU International Finance Limited,	皇后大道中20號9樓 9/F, Pacific House, 20 Queen's Road Central, Hong Kong.	5215166	1
英利信用財務有限公司 Inchroy Credit Corporation Limited,	告士打道311號3905-3908室 3905-3908 Windsor House, 311 Gloucester Road, Hong Kong.	8909561	4

名稱	地址	電話	間數
印友香港國際財務有限公司 Indo Hong Kong International Finance Limited,	軒尼詩道1號1709-11室 Suite No. 1709-11, 17/F, Asian House, No. 1, Hennessy Road, H.K.	5291398	1
法國亞洲匯理有限公司 Indosuez Asia Limited,	交易廣場1座43樓 43/F, One Exchange Square, 8 Connaught place, Central. H. K.	8207472	1
Indover Asia Limited	海富中心第2座13樓 13/F, Admiralty Centre, Tower II, Queensway, H.K.	5285300	1
怡富投資有限公司 Jardine Fleming (Capital) Limited,	怡和大厦16樓 46/F, Jardine House, 1 Connaught Place, Central, Hong Kong.	8438888	1
日本信用保證財務有限公司 JCG Finance Company, Limited	告羅士打大厦22樓 22/F Gloucester Tower, Hong Kong.	5259351	32
加華國際財務有限公司 Ka Wah International Merchant Finance Limited,	德輔道中232號9樓 Ka Wah Bank Centre, 9/F, 232 Des Voeux Road C., Hong Kong.	5434684	1
予伊銀行 Iyo Finance (H. K.) Limited	太古廣場第1座3310室 Rm 3310 One Pacific Place. 88 Queensway, H. K.	8690466	1
十六銀行 Juroku International Finance Limited	交易廣場第一座1706A-8室 Rm 1706 A-8 One Exchange Square, Central, H. K.	5265716	1
京都銀行 Kyoto International Finance (H. K.) Limited	交易廣場3座2907室 Rm. 2907 Three Exchange Square Central H. K.	5250727	1
協和琦玉銀行 Kyowa Saitama Finance (H. K.) Limited	太古廣場第1座32樓 32/F. One Pacific Place. 88 Queensway. H. K.	5320500	1
產銀亞洲金融有限公司 KDB Asia Limited,	交易廣場2座2101-2103室 2101-2103 Two Exchange Square, 8 Connaught Place, Hong Kong.	5247011	1
韓國外換銀行 KEB (Asia) Finance Limited,	夏慤道16號33樓 33/F, Far East Finance Centre, 16 Harcourt Road, Hong Kong.	5201221	1
輸銀亞洲金融有限公司 Kexim Asia Limited,	交易廣場3座5樓502-3室 Suite 502-503, 5/F Three Exchange Square, 8 Connaught Place, Hong Kong.	8100182	1

名 稱	地 址	電 話	間 數
金城財務香港有限公司 Kingcheng Finance (H.K.) Limited	德輔道中51-57號 51-57 Des Voeux Road C., Hong Kong.	8430222	1
KLB Asia Finance Limited	美國銀行大厦31樓 31/F, Bank of America Tower, 12 Harcourt Road, Central H.K.	5213584	1
韓國商業金融有限公司 Korea Commercial Finance Limited,	怡和大厦4004室 4004 Jardine House, 1 Connaught Place, Central, Hong Kong.	5265339	1
第一金融有限公司 Korea First Finance Limited,	怡和大厦2007室 2007 Jardine House, 1 Connaught Place, Central, Hong Kong.	5265025	1
韓日金融有限公司 Korea-Japan Finance Company Limited,	金鐘奔達中心西座38樓 38/F West Tower, Bond Centre, 89 Queensway, Central, Hong Kong.	5223187	1
廣安財務有限公司 Kwong On Finance Limited,	皇后大道中137-141號 137-141 Queen's Road C., Hong Kong.	8153636	1
協和財務(香港)有限公司 Kyowa Finance (Hong Kong) Limited,	海富中心1座21樓 21/F, Admiralty Centre, Tower I, Harcourt Road, Hong Kong.	5290414	1
LBI Finance (Hong Kong) Limited,	海富中心1座2901-4室 2901-4 Admiralty Centre, Tower I, Harcourt Road, Hong Kong.	8232111	1
廖創興財務有限公司 Liu Chong Hing Finance Limited,	德輔道中24號2樓 Liu Chong Hing Bnak Bldg., 2/F. 24 Des Voeux Road, C., Hong Kong.	8417417	1
漢華實業亞洲有限公司 Manufacturers Hanover Asia, Limited,	香港公爵大厦43樓 43/F, Edinburgh Tower, Hong Kong.	8416900	1
中東財務國際有限公司 Middle East Finance International Limited,	海富中心1座2604室 2604 Admiralty Centre, Tower I, Harcourt Road, Hong Kong.	5290444	1
中洋亞洲財務有限公司 Midlantic (Asia) Limited,	遮打道16-20號705-707室 Room 705-707, Alexandra House, 16-20 Chater Road, Hong Kong.	8107766	1
三菱信託財務(亞洲)有限公司 Mitsubishi Trust Finance (Asia) Limited,	皇后大道中15號3401室 Room 3401 Edinburgh Tower, 15 Queen's Road Central, Hong Kong.	8448000	1
三井信託財務(香港)有限公司 Mitsui Trust Finance (Hong Kong) Limited,	遮打道3號A9樓 9/F, The Hong Kong Club Bldg., 3A Chater Road, Hong Kong.	5211121	1

名稱	地址	電話	間數
南洋財務有限公司 Nanyang Finance Company, Limited,	德輔道中151號地下 151 Des Voeux Road, C., G/F., Hong Kong.	8520888	1
勵力(亞洲)有限公司 Nedfinance (Asia) Limited,	會議中心辦公大樓4103－4109室 Units 4103-4109, 41/F, Office Tower, Convention Plaza, 1 harbour Road, Wanchai, H.K.	8299111	1
利也加商業財務有限公司 Niaga Finance Company Limited,	怡和大厦3916-3919號 3916-3919 Jardine House, 1 Connaught Place, Central, Hong Kong.	5232145	1
Nikko Securities Co. (Asia) Limited (The)	太古廣場19樓 19/F, One pacific place, 88 Queensway, H.K.	8421111	1
香港國際信用有限公司 Nippon Credit International (Hong Kong) Limited,	告羅士打大厦1701室 Room 1701 Gloucester Tower, Hong Kong.	8209888	1
O.C.B.C. Finance (Hong Kong) Limited,	公爵行602-604室 Room 602-604 Edinburgh Tower, The Landmark, 15 Queen's Road Central. H. K.	8682086	1
海外財務有限公司 O.T.B. Finance Limited,	軒尼詩道393號6樓 6/F, Eastern Commerical Centre, 393 Hennessy Road, Hong Kong.	5745397	2
奥文國際財務有限公司 Oman International Finance Limited,	美國銀行大厦2201室 Room 2201 Bank of America Tower, 12 Harcourt Road, Central. H. K.	5202651	1
王集團(香港)有限公司 Ong Finance (H.K.) Limited,	告羅士打大厦801室 Room. 801 Gloucester Tower, The Landmark, 11 peddsr street, Central. H. K.	8680328	1
Orient First Capital Limited,	都爹利街8-10號1樓 1/F, Hong Kong Diamond Exchange Building, 8-10 Duddell Street, Hong Kong.	5211611	1
OUB Finance (H.K.) Limited,	皇后大道中15號5樓 5/F, Edinburgh Tower, 15 Queen's Road C., Hong Kong.	5211521	1
高翊金融服務有限公司 Oakreed Financial Services Limited	遠東金融中心42樓 42/F Far East Finance Cantre, 16 Harcourt Road. H. K.	5293337	

名稱	地址	電話	間數
百利達亞洲(1986)有限公司 Paribas Aisa (1986) Limited,	告羅士打大厦39樓 39/F, Gloucester Tower, Hong Kong.	5255396	1
Peace Finance Company Ltd.	灣仔洛克道20號1601室 Room 1601 Golden Star Building, 20 Lockhart Road, Wanchai H. K.	5278173	1
菲律賓信託財務有限公司 Philtrust Finance Limited,	德輔道中19號1501B室 1501B, World-wide House, 19 Des Voeux Road C, H.K.	5264357	1
菲律賓財務有限公司 PNB International Finance Limited,	皇后大道110-116號2樓 2/F, Wing's Building, 110-116 Queen's Road C., Hong Kong.	5439555	2
寶豐財務股份有限公司 Po Fung Finance Company Limited,	德輔道中71號 71 Des Voeux Road, C., Hong Kong.	8436230	1
中華財務有限公司 RCBC International Finance Limited,	德輔道中19號1201室 Room 1201 World-wide House, 19 Des Voeux Road Central, Central. H. K.	5294416	1
S.B.印度香港財務有限公司 S.B. India Hong Kong Finance Limited,	公爵行3103-7室 Room 3103-7 Edinburgh Tower, The Landmark 15 Queen's Road Central, Central. H. K.	5233166	1
S.G. Warburg & Co. Limited	歷山大厦20樓 20/F, Alexandra House	5218168	1
琦玉國際(香港)有限公司 Saitama International (Hong Kong) Limited,	遮打道3號A10樓 10/F, The Hong Kong Club Bldg., 3A Chater Road, Hong Kong.	5253151	1
美國太平洋財務(香港)有限公司 Security Pacific Credit (Hong Kong) Limited,	中國銀行大厦40樓 40/F, Bank of China Tower, 1 Garden Road, Central. H.K.	8663033	13
Seoul (Asia) Finance Limited	皇后大道中901-902室 Room 901-902, New World Tower, 16-18 Queen's Road, C. H.K.	5266754	1
Sakura Finance Asla Ltd.	遠東金融中心41樓 41/F Far East Finance Centre, 16 Harcourt Road, Central. H. K.	8649300	1
Sakura Finance Hong Kong Ltd	遠東金融中心41樓 41/F Far East Finance Centre, 16 Harcourt Road, Central. H. K.	8649300	1
上商財務有限公司 Shacom Finance Limited,	皇后大道中12號 12 Queen's Road C., Hong Kong.	8415291	3

名稱	地址	電話	間數
靜岡財務有限公司 Shizuoka Finance (H.K) Limited,	畢打街11號33樓 33/F, Gloucester Tower, II Pedder Street, Hong Kong.	5216547	1
新華財務有限公司 Sin Hua Finance Company Limited,	中環威靈頓街2-8號 28 Wellington Street, Central. H. K	8420668	1
Staco International Finance Limited,	海富中心2座6樓 6/F, Admiralty Centre, Tower II, 18 Harcourt Road, Hong Kong.	5294750	1
渣打財務有限公司 Standard Chartered Finance Limited,	高士打道38號22樓 22/F, Fleet House, 38 Gloucester Road, Wanchai, Hong Kong.	8615168	1
住友財務(亞洲)有限公司 Sumitomo Finance (Asia) Limited,	皇后大道中15號2701室 2701 Edinburgh Tower, 15 Queen's Road C., Hong Kong.	5210311	1
住友信託財務(香港)有限公司 Sumitomo Trust Finance (H.K) Limited, (The),	交易廣場3座18樓 18/F Three Exchange Square, 8 Connaught Place, Hong Kong.	5236026	1
新寶城財務有限公司 Sun Poh Shing Finance Company Limited,	皇后大道中36號805-6室 805-6 Hing Wai Building, 36 Queen's Road Central, Hong Kong.	5265202	1
新泰昌財務有限公司 Sun Tai Cheung Finance Company Limited,	海富中心1座3樓 3/F, Admiralty Centre, Tower I, Hong Kong.	8225678	1
拓銀國際(亞洲)有限公司 Takugin International (Asia) Limited,	太古廣場2座28樓 28/F, Two Pacific Place	8420100	1
達利金融投資有限公司 Tat Lee Finance (HK) Limited,	都爹利街8-10號7樓 7/F, Hong Kong Diamond Exchange Building, 8-10 Duddell Street, Hong Kong.	5245105	1
東海亞洲有限公司 Tokai Asia Limited,	遮打道16-20號1801-1804室 1801-1804 Alexandra House, 16-20 Chater Road, Hong Kong.	5265861	1
Tokyo Tomin Finance (Hong Kong) Limited	公爵行3301室 Rm 3301 Edinburgh Tower	5266694	1
東洋信託亞洲有限公司 Toyo Trust Asia Limited,	告羅士打大厦15樓 15/F, Gloucester Tower, The Landmark, Hong Kong.	5265657	1
南非信邦財務有限公司 Trusban Finance Asia Limited,	皇后大道中9號2202-4室 Suite 2202-4, 9 Queen's Road, Central, Central. H. K.	5265731	1

名稱	地址	電話	間數
友聯財務有限公司 Union Finance Limited,	皇后大道中122-126, 1樓 1/F Union Bank Tower,122-126 Queen's Road Central, Central H. K.	5251041	1
華比財務有限公司 Wa Pei Finance Company Limited,	告士打道77-79號31樓 31/F, Belgian House, 77-79 Gloucester Road, Hong Kong.	5276955	1
匯豐財務有限公司 Wayfoong Credit Limited,	禮頓道77號18樓 Leighton Centre, 18/F, 77 Leighton Road, Hong Kong.	8396333	1
永亨財務有限公司 Wing Hang Finance Company Limited,	皇后大道中161號 161 Queen's Road Central, Hong Kong.	8525111	1
永隆財務有限公司 Wing Lung Finance Limited,	德輔道中45號 45 Des Voeux Road, Central, Hong Kong.	8268333	1
永安財務有限公司 Wing On Finance Company Limited, (The),	德輔道中22號 22 Des Voeux Road, Central, Hong Kong.	5251261	1
厦門國際財務有限公司 Xiamen International Finance Company Limited,	紅棉路8號18樓 18/F, Fairmont House, 8 Cotton Tree Drive, Hong Kong.	5215661	2
山一國際(香港)有限公司 Yamaichi International (H.K) Limited,	太古廣場2座30樓 R30/F, Two Pacific Place	8260700	1
安田信託銀行 Yasuda Trust Asia Pacific Limited,	太古廣場1座23樓 Level 23 One Pacific Place, 88 Queensway, Central, Hong Kong.	8101218	1
鹽業財務有限公司 Yien Yieh Finance Company Limited, (The),	德輔道中242號 242 Des Voeux Road, Central, Hong Kong.	5411601	1
橫濱亞洲有限公司 Yokohama Asia Limited,	皇后大道中15號36樓 36/F, Edinburgh Tower, 15 Queen's Road Central, Hong Kong.	5236041	1

香港保險公司一覽表

名　　稱	地　　址	電　話
中國保險股份有限公司	德輔道中141號國際大厦十五樓	5455077
三聯保險有限公司	香港商業中心	5595175
工安保險有限公司	香港貿易中心	5441888
大西洋保險公司	冠興樓	4571338
大西洋保險有限公司	旺角商業大厦	7893132
大利保險有限公司	洛克道20號	5284067
大信保險公司	通明大厦	5254249
大華保險(香港)有限公司	帝納大厦	8107383
五豐保險有限公司	統一中心	5294401
友邦保險有限公司	興利中心	8813333
太平保險有限公司香港分公司	國際大厦	5433261
太平洋行保險	德輔道中132	5443043
太平洋保險有限公司	陸佑行	5227191
太古保險有限公司	太古大厦	8408080
太古皇家保險有限公司	太古大厦	8469333
中國人壽保險股份有限公司	國際大厦	5458111
中國再保險(香港)有限公司	國際大厦	5411031
中國康年人壽保險有限公司	安美大厦	8948918
中華保險集團	海富中心	5279161
北美洲保險公司	港灣道1號29樓	8240131
平安保險有限公司	永安人壽大厦	5260076
民威保險公司	鴻基大厦	5266600
王氏公司	友邦中心	8811051
加洲保險有限公司	國際大厦	5455877
加拿大永明人壽保險公司	海富中心	5278733
加拿大帝國人壽保險公司	裕景商業中心	8949228
加拿大皇冠人壽保險公司	奔達中心	8681128
永安人壽保險有限公司	永安人壽大厦	8459885
永安水火保險有限公司	德輔道中26號	5248091
全球保險股份有限公司	上海實業大厦	8655201
永聯保險代理有限公司	昌泰商業大厦	5417383
朱慧儀保險公司	第一太平銀行中心	8653288
同澤(鴻澤)有限公司	捷利商業大厦	5681184
先施人壽保險有限公司	德輔道中173號	5410668
先施保險置業有限公司	軒尼詩道4號	5276278
宇宙火險有限公司	永樂街131號	5456828
宇宙保險有限公司	京銀大厦	5232334
合益保險有限公司	彌敦中心	7806271
合衆保險有限公司	結志街43號	5445503
合羣保險有限公司	加寶商業大厦	5434893
安利行	詹氏商業大厦	5416529

名　稱	地　址	電　話
安昌公司	德輔道中243號	5430095
安田保險股份有限公司	中環交易廣場	8101383
安聯康洋保險(遠東)有限公司	律敦治大厦	5216651
北美洲人壽保險公司	東角中心	8339929
吳棟材	美麗閣	8588269
均益保險公司	興隆商業大厦	5417669
汎南保險有限公司	東海商業中心	7234867
宏利人壽保險公司	宏利保險公司	5103888
李啟康公司	利源西街21號	5229427
李楚文	第一太平銀行中心	8657883
利安保險有限公司	德士古大厦	8339008
步飛保險有限公司	麗斯大厦	7807371
忠誠保險有限公司	立輝大厦	5229037
迅輝有限公司	中央大厦	5431281
亞洲保險公司	廖創興銀行大厦	5232232
亞洲保險有限公司	德輔道中19號16字樓	5266202
亞洲船險聯營有限公司	先施大厦	5450378
法國再保險(亞洲)有限公司	夏慤大厦	8643535
法國安基保險有限公司	華比大厦	8663603
法國於仁保險公司	海富中心	8652301
怡東保險有限公司	大道中204號	8505208
怡和人壽保險有限公司	夏慤大厦	8614000
東西方保險有限公司	凱利商業大厦	8920299
東亞火災海上再保險株式會社	海富中心	8657581
東亞安拿人壽	東亞銀行大厦	5261367
東南亞保險有限公司	華比大厦	5280702
東英保險代理有限公司	海富中心	8663121
於仁保險有限公司	太古大厦	5233061
招商局保險有限公司	友邦中心	8905940
昆士蘭保險(香港)有限公司	銅鑼灣廣場	8388023
定能保險有限公司	新世界寫字樓大厦	3114180
恒信保險公司	誠信大厦	5456227
恒信保險有限公司	統一中心	5292156
洪大德宏利保險中心	海富中心	5108100
建安保險有限公司	洛克道20號	5283661
星輝保險有限公司	官塘碼頭廣場	7907800
保誠保險有限公司	東亞銀行大厦	5252367
南英保險有限公司	世界貿易中心	8940666
南洋(香港)保險有限公司	富樂大厦	5410844
南華保險有限公司	德輔道西48號	5484939
信誠保險公司	華冠大厦	5421519
保信保險顧問有限公司	漢口中心	3688121
飛鳳保險有限公司	郚爹利街11號	8107383
香港上海聯保保險有限公司	銅鑼灣廣場	8386196

名稱	地址	電話
香港民安保險有限公司	國際大厦	8151551
香港宇聯再保險有限公司	樂古大厦	5258371
香港保險公司	六基大厦	5253964
香港家庭保險有限公司	永安人壽大厦	8683313
英國聯邦公司	歷山大厦	5236626
美亞保險有限公司	司徒拔道1號	8321800
香港華人保險有限公司	華人銀行大厦	5260217
美國大陸保險	奔達中心	8015150
美國友邦保險有限公司	司徒拔道1號	8321800
美國友邦保險(百慕達)有限公司	友邦中心	8813333
美國家庭保險公司	柏餘中心	5733100
美國加寧人壽保險有限公司	誠信大厦	5415802
美聯保險公司	東利商業大厦	8151968
美商美聯保險公司	東利商業大厦	8151968
城市保險代理公司	柏裕商業大厦	7705888
倫敦及太平洋保險(香港)有限公司	永安集團大厦	5238314
馬英保險有限公司	其昌大厦	8938330
高保公司	錦華大厦	8581771
夏巴保險有限公司	馬來西亞大厦	5299311
海外保險有限公司	告士打道160號	5756841
海洋保險有限公司	東英大厦	3676557
海寧保險股份有限公司	先施大厦	5423207
泰生保險有限公司	華懋廣場	7214421
泰加保險有限公司	亞皆老街39號	3954111
家賢保險有限公司	太古大厦	5264301
紐西蘭人壽保險(百慕達)有限公司	世界貿易中心	8940777
紐西蘭保險有限公司	世界貿易中心	8940555
紐約人壽環球保險有限公司	啟德商業大厦	8158848
茵萊保險有限公司	裕景商業中心	5771001
捷安保險有限公司	富偉商業大厦	5433555
域多利分保有限公司	和記大厦	5260044
康美保險公司	交易廣場	8682018
康美福人壽保險	交易廣場	8682018
國民保險有限公司	雲咸街15號	5233103
國際皇家人壽保險有限公司	德成商業大厦	5242027
國際保險公司	裕成商業大厦	8015345
國衛保險有限公司	新鴻基中心	8278282
商聯保險有限公司	告羅士打大厦	5255245
基隆保險有限公司	好望角大厦	7715839
基富保險有限公司	金豐商業大厦	8934402
陸海通人壽保險有限公司	陸海通大厦	5239091
得利保險代理有限公司	馬來西亞大厦	8669893
健峯保險(亞洲)有限公司	上海實業大厦	8238238
港基國際保險有限公司	麥當奴大厦	5760280

名　　稱	地　　址	電　話
隆德保險有限公司	會展廣場	8299399
喜來登保險公司	荷李活商業中心	3881068
華僑保險有限公司	易通商業大廈	5451878
華聯保險有限公司	文咸西街38號	8542263
華耀汽車勞工保險公司	浙江街44B	3629817
荷蘭保險有限公司	告羅士打大廈	8456555
森那美保險有限公司	凱利商業大廈	8913345
瑞隆保險有限公司	奔達中心	8682767
閩信保險有限公司	東昌大廈	5215671
祿記保險公司	華昌大廈	5239955
道亨保險有限公司	永安集團大廈	5211681
新印度保險股份有限公司	雲咸街15號	5224195
集泰保險代理有限公司	金殿大廈	8876113
黃玉霞	國衞中心	8383701
新聯保險有限公司	帝后行	5417566
瑞士永得福人壽保險公司	大新金融中心	5987088
瑞士保險有限公司	集成中心	8339923
瑞典保險有限公司	東昌大廈	5232272
萬利保險有限公司	華昌大廈	5251976
滙業集團公司	怡和大廈	5262211
廖創興保險有限公司	德輔道中24號	5257810
赫德福蒸汽機視察及保險公司	奔達中心	5231016
遠洋保險有限公司	中國聯合銀行大廈	5222633
嘉里保險有限公司	香港電腦中心	5202802
嘉華安美保險有限公司	嘉華銀行中心	5440388
嘉誠保險顧問公司	中源中心	8156613
嘉豐太古福利保險集團	萬國寶通中心	8026388
嘉豐保險有限公司	新鴻基中心	8273322
嘉豐醫療保險有限公司	新鴻基中心	8280101
銀聯保險有限公司	環球大厦	5252151
歐亞保險有限公司	漢口中心	3692606
歐美保險有限公司	彌敦道727號	3920271
樂民保險有限公司	先施大厦	5452215
摩拿保險代理(香港)有限公司	夏慤大厦	8653228
德高保險有限公司	新寧大厦	8956756
劉榮貴	都城大厦	5680062
廣安保險有限公司	機利文新街7號	5417871
廣聯保險有限公司	太子大厦	5240036
錦泰保險代理有限公司	華泰國際大厦	5448822
環宇保險有限公司	士丹利街6號	5250116
環美永亨人壽保險公司	泛海大厦	5232161
聯合保險有限公司	德輔道中31號	5210267
聯邦保險公司	雲咸街3A	5242424
聯亞保險公司	鴻基大厦	5248169

名稱	地址	電話
聯益保險有限公司	興隆商業大厦	5439059
豐盛保險有限公司	裕景商業中心	5771001
藍十字(亞太)保險有限公司	宇宙商業大厦11字樓	5748291
寶達(遠東)有限公司	先施保險大厦	5295568
寶豐保險有限公司	太古大厦	8408701
麒麟公司	愛羣商業大厦	5722782
鷹星保險有限公司	太古廣場一座18樓	8100313

香港基金公司一覽表

名稱	地址	電話
安泰投資(香港)公司 Aetna Investment Management (Far East) Ltd	太古廣場2座2106室 Suite 2106, Two Pacifc Place H.K.	5214585
栢克萊國際基金有限公司 Barclays International Fund Managers Ltd	太古廣場第2座1802室 Level 18 Two Pacific Place 88 Queensway Hong Kong	8261888
霸菱國際投資管理有限公司 Baring International Fund Managers Ltd	置地廣場公爵行1901室 1901 Edinburgh Tower The Landmark.	8411411
Bridge Management Ltd	交易廣場1座43字樓 43/F One Exchange Square	8435782
加拿大怡東投資管理有限公司 CEF Investment Management Ltd.	皇后大道中29號16樓 16/F, China Bldg 29 Queen's Road C, H.K.	8463688
萬國寶通投資有限公司 Citibank NA	交易廣場1座47樓 47/F One Exchange Square, 8 Connaught place H.K.	8435351
鑫濤投資有限公司 Connaught Investments Ltd	皇后大道東43-59號1405室 1405 Dominion Centre 43-59 Queen's Road East Wanchai	5282456
法國里昂國際公司 Credit Lyonnais International Asset Management (HK) Ltd	交易廣場第三座604室 6/F Three Exchange Square 8 Connaught Place Hong Kong	8467555
道亨基金管理有限公司 Dao Heng Fund Management Ltd	文咸東街7-19號 7-19 Bonham Strand	5449192
富達國際投資(香港)有限公司 Fidelity International Investment Management (HK) Ltd	怡和大厦19字樓 19/F Jardine House 1 Connaught Place	8481700
景泰投資經理(亞洲)有限公司 G T Management (Asia) Ltd	交易廣場3座17字樓 17/F Three Exchange Square	8427200
Global Asset Management (HK) Ltd	1801 Two Exchange Square	5250015
亨寶財務有限公司 Hambro Pacific Fund Management Ltd	怡和大厦2110室 2110 Jardine House	5265237
景順投資亞洲有限公司 Invesco MIM Asia Ltd	交易廣場2座2001室 2001 Two Exchange Square	8683228
東方匯利投資有限公司 Indosuez Asia Investment Services Ltd	交易廣場1座2606-2608室 2606-2608 One Exchange Square	5214231
怡富單位信託基金有限公司 Jardine Fleming Unit Trusts Ltd	怡和大厦47字樓 47/F Jardine House	8438888

名　稱	地　址	電　話
佳活賓信(香港)有限公司 Kleinwort Benson (HK) Ltd	置地廣場公爵行40字樓 40/F Gloucester Tower The Landmark	5215331
萬順證券有限公司 Mansion House Investment Management Services Ltd	中銀大厦37樓 37th Floor, Bank of China Tower, 1 Garden Road, H.K.	8431431
怡和私人投資顧問有限公司 Matheson PFC Ltd	世界貿易中心32樓 32/F World Trade Centre	8908448
國衞保險公司 National Mutual Fund Management Co Ltd	新鴻基中心8樓 8/F, Sun Hung Kai Centre	8332255
Panurgy Limited	洛克道301-7號洛克中心19C 19 C Lookhart Centre 301-7 Lockhart Road H.K.	5744050
加拿大皇家銀行(亞洲)信託公司 Royal Bank of Canada Trust Company (Asia) Ltd	置地廣場告羅士打大厦22字樓 22/F Gloucester Tower The Landmark	8205111
寶源有限公司 Schroders Asia Ltd	交易廣場2座25字樓 25/F Two Exchange Square	5211633
新鴻基信託基金管理有限公司 SHK Unit Trust Managers Ltd	遠東金融中心9樓 9/F Far East Finance Centre H.K.	8225783
陳新燊金融管理有限公司 Sun Sun Chan Financial Management Ltd	海富中心第3樓 3 rd, Admiralty Centre	8225679
保誠保險公司 The Prudential Assurance Co Ltd	中環東亞銀行大厦18樓 18/F The Bank of East Asia Building 10 Des Voeus Road Central Hong Kong	5252367
豐盛投資管理有限公司 Thornton Management (Asia) Ltd	怡和大厦25樓 25/F, Jardine House, 1 Connaught Place, Central H.K.	8268999
活多利投資有限公司 Wardley International Management Ltd	美國銀行大厦 12/F Bank of America Tower	8479600
羅富齊父子有限公司 Rothschild Asset Management (H.K.) Ltd.	歷山大厦16樓 16/F Alexandra House	5255333
Credit Suisse, Hong Kong Branch	交易廣場第3座22樓 22/F Three Exchange Square	8414984
顏施日百慕達律師行 Appleby, Spurling & Kempe	怡和大厦1620室 1620 Jardine House	5238123
羅兵咸會計師事務所 Price Waterhouse	太子大厦22樓 22/F, Prince's Building	8262111

名稱	地址	電話
中央證劵登記有限公司 Central Registration Hong Kong Ltd.	皇后大道東183號19樓 19/F Hopewell Centre 183 Queen's Road East	8628628
容永道會計師行 Coooper's & Lybrand	希愼道10號新寧大厦23樓 23/F Sunning Plaza 10 Hysan Avenue	8394321
的近律師行 Deacons	歷山大厦3-6樓 3 rd-6th Floors Alexandra House	8259271
滙豐銀行信託有限公司 Hong Kong Bank Trustee Ltd.	皇后大道中29號華人行2樓 2/F China Building 29 Queen's Road Central	8260222
畢馬域會計師行 KPMG Peat Marwick	太子大厦第8樓 8 th Floor Prince's Building	5226022
年利達律師行 Linklaters & Paines	歷山大厦第14樓 14/F Alexandra House	8424857
偉世顧問有限公司 William M. Mercer Ltd	奔達中心西座69室 601 West Tower, Bond Centre	5257333
百慕達銀行 Bermuda Trust (Far East) Ltd.	公爵行第39樓 39/F Edinburgh Tower	8470100
司力達公司 Slaughter and May	交易廣場第2座27樓 27/F Two Exchange Square	5210551
羅夏信律師行 Stephenson Harwood & Lo	公爵行1802室 1802 Edinburgh Tower	8680789
端簡百朗 Turner Kenneth Brown	德輔道西19號19樓 19 th Flooor Worldwide House 19 Des Voeux Road Central H. K.	8105081
荷蘭寶信銀行 Pierson Management (Asia) Ltd.	都爹利街8-10號13樓 13/F Hong Kong Diamond Exchange Building 8/10 Duddell Street	8463310
Gibson Public Relations (HK) Ltd.	都爹利街11號18樓 18/F Dina House 11 Duddell Street	5241106

香港主要航空公司一覽表

名　稱	地　址	電話
中國航空公司(CAAC)	統一中心34字樓	8610288
加拿大航空公司(Air Canada)	太古大厦1026室	8683123
法國航空公司(Air France)	歷山大厦21字樓	5248145
毛里裘斯航空公司(Air Mauritius)	皇后大道中33號1512室	5231114
新西蘭航空公司(Air New Zealand)	交易廣場第3座902室	5249041
意大利航空公司(Alitalia Airline)	和記大厦2101室	5237047
美國航空公司(American Airline Inc.)	公爵大厦	8269269
英國航空公司(British Airways)	告羅士打大厦3404	5233031
國泰航空公司(Cathay Pacific Airways)	太古大厦	7475000
印度航空公司(Air India)	告羅士打大厦1002－1006室	5221176
嘉魯達印尼航空公司(Garuda Indonesian Airways)	皇后大道中8號成報大厦2樓	5225033
日本航空公司(Japan Air Lines)	告羅士打大厦21樓	8474567
荷蘭航空公司(KLM Royal Dutch Airlines)	中環怡和大厦701-705室	8228122 8228118
大韓航空公司(Korean Air Lines)	聖佐治大厦	5235177
德國航空公司(Lufthansa German Airlines)	置地廣場	8466388
馬來西亞航空系統(Malaysian Airline System)	太子大厦1306室	5218181
西北(遠東)航空公司(Northwest Orient Airlines)	雪廠街2號聖佐治大厦地下	5225168
巴基斯坦國際航空公司(Pakistan International Airlines)	尖沙咀東帝國中心401A室	3664770
泛美世界航空公司(Pan American World Airway Inc.)	歷山大厦	5231111
菲律賓航空公司(Philippine Airlines)	尖沙咀東海商業中心地下	7227723
澳洲航空公司(Qantas Airways Ltd.)	太古大厦	5242101
比利時航空公司(SABENA Belgian World Airline)	合和中心	5282738
北歐航空公司(Scandinavian Airlines System)	雲咸街19-27號威信大厦20樓	5265978

名　稱	地　址	電　話
歐洲航空公司(Air Europe)	皇后大道中158號1003室	8508255
馬拉維航空公司(Air Malawi)	歷山大厦30樓	8467811
肯尼亞航空公司(Kenya Airways Ltd.)	廖創興銀行大厦	5236053
新加坡航空公司(Singapore Airlines)	統一中心	5202233
南非航空公司(South African Airways)	新世界寫字樓大厦	7225768
瑞士航空公司(Swiss Air)	海富中心第二座九樓	5292193
泰國國際航空公司(Thai Airways International)	統一中心24樓	5295681
美國環球航空公司(Trans America Airlines)	德輔道中西伯利亞皮草大厦	5254189
聯合航空公司(United Airlines)	告羅士打大厦29字樓	8104888
巴西航空公司(Varig Brazilian Airlines)	奔達中心	5260213
港龍航空(Hong Kong Dragon Airlines Ltd.)	太古大厦	8108055
三角洲航空公司(Delta Airlines)	太古廣場第2座2915-2921室	5265875
巴拿馬航空公司(Panama Airlines)	尖沙咀世紀商業大厦7字樓	3699883
日本亞細亞航空(Japan Asia Airways)	告羅士打大厦	5218102
中華航空公司(China Airlines Ltd.)	聖佐治大厦	8439800
英國金獅航空公司(British Caleconian Airways)	歷山大厦	8680303
全日本空輸株式會社(All Nippon Airways)	太古廣場2座	8107100
海灣航空公司(Gulf Air)	歐陸貿易中心	8680832
蘇聯航空公司(Aeroflot Soviet Airlines)	中環雪廠街	8454232
捷克斯洛伐克航空公司(Ceskeslovenske Airlines)	中環雪廠街	8683231
皇家汶萊航空公司(Royal Brunei Airlines)	畢打街3號中建大厦1406室	7471888
阿根廷航空公司(Aerolineas Argentina)	德輔道中德成大厦	5212307
越南航空公司	永傑中心	8540949
維也納航空公司(Landa Air)	新顯利大厦	5246178
韓亞航空公司(Asiana Airlines Inc)	告羅士打大厦	5238585
大陸航空公司(Continental Airlines)	新顯利大厦	5257759

香港主要輪船公司一覽表

名稱	地址	電話
Alfa Transportation 安快運輸公司	紅磡差館里75號	3345023
American President Lines Ltd. 美國總統輪船公司	廣東道7號環球航運中心16樓	7387333
Arya Agencies(H. K.)Ltd. 亞利來輪船公司	干諾道中111號永安中心28號2710室	5458131
Awards Shipping (HK) Ltd. 富裕船務(香港)有限公司	德輔道中156-164號	5441108
China Navigation Co Ltd. 太古輪船公司	太古大厦八樓	8408301
Asia Transportation Limited 亞洲運輸有限公司	美國銀行大厦28樓	5225133
Australia Pacific Shipping Co.(H. K.)Ltd. 澳洲船務有限公司	永樂街93號1602室	5456773
Australian National Line, The 澳洲國家航運公司	世界貿易中心	8956123
Bee Seng Shipping & Trading Co. Ltd. 美成船務貿易有限公司	協生大厦	5200076
Central Maritime Ltd. 中央航業有限公司	陸佑行七樓	8613967
Chin Seng Hong Limited 振盛行有限公司	干諾道西88號	5480136
China Merchants Steam Navigation Co., Ltd(Incorporated in China) 招商局輪船股份有限公司(中國註册)	干諾道中152－155號	5428288
China Navigation Co. Ltd. The 太古輪船有限公司	太古大厦八樓	8408301
Chu Kong Shipping Co. Ltd. 珠江船務有限公司	干諾道西28號八樓	5479947
Compagnie Maritime D' Affretement 法國沙嗜輪船公司	華潤大厦	8270978
Cosmos Marine Development Corporation(H. K.)Ltd. 大華航業(香港)有限公司	亞細亞行209室	5228305
Cresson Shipping Company Limited 嘉信船務有限公司	干諾道中125號	5457185
Daya Shipping Co. Ltd. 大亞船務有限公司	國際大厦2003－4室	5451833
Denholm Ship Management Ltd. 登航有限公司	浙江第一銀行大厦	5202811

名　　稱	地　　址	電　話
Dong Woo Shipping Co. 東宇海運公司	干諾道中111號永安中心909室	5444126
East Asia Shipping(H. K.)Ltd. 香港東亞航業有限公司	陸佑行	8610721
East Asiatic Co. Ltd., The 寶隆洋行	鷹君中心十一字樓	5866888
Eastern Prime Line Ltd. 東元航業有限公司	海富中心	5285271
Eastern Overseas Navigation(H. K.)Co., Ltd. 東海航業(香港)有限公司	干諾道西42－44號十二樓	8580088
Eternity Shipping Agencies Ltd. 益大航業有限公司	干諾道中111號永安中心1606室	5459861
Evolution Maritime & Enterprises Ltd. 展達海運管理有限公司	德輔道西32-36號三樓	5593340
Fairmont Shipping(H. K.)Ltd. 東昌航運(香港)有限公司	紅棉路8號東昌大厦21樓	5218338
Far East Hydrofoil Co. Ltd. 遠東水翼船務有限公司	荔枝角道8857號	7455818
Fidelity Shipping & Agencies Ltd. 維信船務管理公司	大道東43－59號1205室	5293830
Frever Enterprise Ltd. 富繁企業有限公司	文咸東街35－43號	5411705
Fullymoon Shipping Ltd. 富利滿船務運輸公司	九龍廣東道7號	7354881
Germanischer Lloyd 德意志勞埃德船務社	干諾道中61號	5459883
Golden Star Shipping Ltd. 金星海運有限公司	洛克道20號	5270495
Golden Way Shipping Ltd. 金威船務有限公司	永樂街89號	8505068
Grand Seatrade Shipping Agencies Ltd. 隆星航業有限公司	歷山大厦2607室	5264294
Guan Guan Shipping(Pte.)Limited 源源船務有限公司香港分公司	文咸西街64號永順大厦十四樓	5406701 5406678
Guangzhou pacific Cargo Service Co., Ltd. 廣州太平洋轉運裝卸有限公司	九龍渡船角文昌樓47號	3843788
Hiong Guan Navigation Co., Ltd. 雄源船務有限公司	太子大厦	5241187
Hong Kong Borneo Shipping Co., Ltd. 港婆船務有限公司	國際大厦815－818室	5413797
Hongkong Macao Hydrofoil Co. Ltd. 港澳飛翼船有限公司	信德中心	5470405
Hongkong Maritime Co. Ltd. 香港海運有限公司	裕景商業大厦	8948676

名　稱	地　址	電話
Hwa Pyung Shipping Corp. 和平海運公司	尖沙咀金巴利街7－11號	7213464
IKE Maritime Co., Ltd. 益記海運有限公司	德己立街46號	5214361
Ikhlas Steamship Co. Ltd.	士丹利街20號六樓502－3室	5260337
Industrial Navigation Co. Ltd. 興業航運有限公司	德輔道中249－253號401室	5438669
International Maritime Carriers Ltd. 萬邦航運有限公司	統一中心20樓	5292161 (10Lines)
Interocean Shipping Co. Ltd. 海洋船務有限公司	干諾道中122號海港商業大廈五樓	5412634
Island Navigation Corp., Ltd. 金山輪船有限公司	海港中心29樓	8333222
Jardine Shipping Agencies(H. K.)Ltd. 怡和船務代理(香港)有限公司	怡和大厦	8439239
Jebsen & Co. Ltd. 捷成洋行	現代貨櫃碼頭1號	4873768
Jecking Maritime Ltd. 積誠船務有限公司	海基商業大厦十二樓	8956835
Joint Maritime Co., Ltd. 聯航船務有限公司	干諾道西21-24 海景商業大厦三樓	5485144
Kawasaki (H. K.)Limited 川崎(香港)有限公司	統一中心16樓1507室	8615511 (10Lines)
Kong Hing Shipping Co. 港興船務公司	永安中心	5413140
Kuehne & Nagel (H.K.) Ltd. 德迅海空運有限公司	干諾道中111號	5457101
Lida Shipping Co. Ltd. 利達航運有限公司	告羅士打大厦3804－3809室	8258211
Maersk Line(H. K.)Ltd. 馬士基輪船(香港)有限公司	新寧大厦17至19樓	8372222
Man Cheung Yuen Services Ltd. 萬祥源管業有限公司	干諾道中130－136號誠信大厦十九樓	5457031
Mercury Shipping Co. Ltd. 萬里輪船有限公司	夏慤大厦501-4室	5293138
Ming Sung Ind Co (H.K) Ltd. 香港民生實業有限公司	干諾道西144-151號	5475793
Mitsui O. S. K. Lines(H. K.)Ltd. 大阪商船三井船舶(香港)有限公司	海富中心第2座22樓	5293110
N. Y. K. Line(H. K.)Ltd. 日本郵船(香港)有限公司	海富中心第一期32樓	8645100
Nedlloyd(H. K.)Ltd. 渣華(香港)有限公司	渣華道191號海景大厦	8566100

名　稱	地　址	電　話
Northern Star Shipping Co., Ltd. 北辰船務有限公司	日發大厦九樓	5263165 5238438
OAK Steamship Co. Ltd. 和合輪船有限公司	港灣道鷹君中心1002室	8270039
Ocean Shipping & Enterprises Ltd. 海德航運企業有限公司	渣打銀行大厦410室	8120234
Ocean Tramping Co. Ltd. 遠洋輪船有限公司	干諾道西406A號	5408175
Orient Overseas Container Line Ltd. 東方海外貨櫃航運有限公司	港灣道海港中心31字樓	8333888
Pacific International Lines(H. K.)Ltd. 太平船務(香港)有限公司	華比大厦	5293283
Pakistan National Shipping Corporation 巴基斯坦國家船務公司	高士打道173-174	8343231
Patt Manfield & Co. Ltd. 新茂豐有限公司	香港鑽石會大厦16樓	5249863
Pearl Maritime Ltd. 寶龍航業有限公司	海基商業大厦十二樓	8956839 -40
Phoenix Enterprise Co., Ltd. 鳳凰企業有限公司	德輔道中287－291號長達大厦十五樓	5453777 5453799
Ping An Steamship Co.(H. K.)Ltd. 香港平安輪船有限公司	東美中心603室	5275369
Pinewood Marine S A	信德中心	5170402
Prosperity Steamship Co. Ltd. 順利輪船有限公司	高陞街43號	8032218
Regent Shipping Ltd. 聯成輪船有限公司	環球大厦1501室	5254565
Sea－Land Orient Ltd. 美國海陸聯運有限公司	葵涌葵涌貨箱碼頭第三座	4235231
Seashine Navigation Corporation Ltd. 海明航業股份有限公司	好時中心1015室	7220623
Shun Cheong Steam Navigation Co. Ltd. 順昌航業有限公司	中建大厦二十樓	5249096
Sino－English Shipping & Agencies Co.(H. K.)Ltd. 華英船務(香港)有限公司	軒尼詩道393－407號東區商業大厦1803－4室	5748286
Skaarup Shipping(Asia)Ltd. 香港史格拉航運有限公司	路德商業大厦1304室	8051482
Sun Hing Shipping Co., Ltd. 新興行船務有限公司	統一中心	8235888
Sun Lord Co. Ltd. 信樂有限公司	威勝商業大厦1905－7室	5482661
Swire Shipping(Agencies)Ltd. 太古船務(代理)有限公司	太古大厦四樓	5247262

名　　　稱	地　　　址	電　話
Swire Pacific Ship Management Ltd. 太古輪船管理有限公司	太古大厦十二樓	8408998
Tak Wing Shipping Co.(H. K. & Macau) 港澳德榮船務公司	吉直街98號1A樓	8188060
Teh—Hu Cargocean Management Ltd. 德和海運管理有限公司	高羅士打道77－79號八樓	5275424
Timmar Ltd. 田華有限公司	惟康大厦1601－2室	5232952
Treasure Maritime Ltd. 大順航運有限公司	干諾道中130－6號誠信大厦23樓	5444141
Union Overseas Marine Transportation Ltd. 海外聯合海運有限公司	永昌商業大厦17樓C座	5412821
Unique Shipping Agencies Limited 懋德航運有限公司	海港中心	8274828
Valles Steamship Company Ltd. 萬利輪船有限公司	新顯利大厦15樓	5247111
Van Shipping Co. Ltd. 萬安輪船有限公司	鷹君中心十三樓	8278307
Vermillion Overseas Management Co. Ltd. 維明有限公司	高士打道77號26樓	5285095
Viking Shipping & Transport Ltd. 偉光船務運輸有限公司	九龍廣東道992-998號	3593111
Wah Kwong Shipping Agency Co. Ltd. 華光船務代理有限公司	軒尼詩道48號華光大厦27樓	5279227
Wallem & Co. Ltd. 華林洋行	合和中心46－48樓	5283911
Wan Lee Shipping & Trading Ltd. 萬利船務貿易有限公司	高陞街25－29號十一樓1004室	5474381
Wang Fook Navigation Co. 宏福海運公司	永樂街121號十三樓	5411615
Welltime Shipping Co. Ltd. 運泰航業有限公司	皇后大道中367號2101室	5443991
Fanwick Shipping 鋒偉船務有限公司	灣仔軒尼詩道145號4樓	8611688
Wing Tai & Co. Ltd. 永泰海運有限公司	永樂街219號三樓A室	5458175/6 5433496
World—wide Shipping Agency Ltd. 環球輪船代理有限公司	會德豐大厦6字	8423888
Yamashita—Shinnihon Line(H. K.)Ltd. 山下新日本汽船(香港)有限公司	統一中心十七樓	5286350
Yasa Nanzai Shipping Co., Ltd. 南材航業有限公司	信德中心32字樓	5475051
Yong Yuh Navigation Co., Ltd. 永裕航業有限公司	信德中心	5592021

名　　　稱	地　　　址	電　話
YS Container Associattes Ltd 粤成貨櫃運輸有限公司	干諾道中200號	5594033
Zim Israel Navigation Co. Ltd. (Far East Regional Office) 以星船務公司	高士打道151號	8336313
Golden Fortune Shipping Co. Ltd. 金發船務有限公司	港灣道6-8號	8246428
Fujian Shipping Interprises Ltd 華閩船務企業有限公司	信德中心33字樓	5460572

香港主要貨倉及冷藏貨倉一覽表

貨倉名	地址	電話
招商局倉碼運輸有限公司	堅尼地城西寧街18號	8168168
華潤運輸倉儲有限公司貨倉 China Resources Transport & Godown Co., Ltd.	香港灣仔港灣道26號華潤大厦19樓	8283668
香港中旅協記貨倉有限公司 China Travel Service(H. K.)Ltd.	皇后大道中138號21字樓	8521388
大昌貿易行貨倉有限公司 Dah Chong Hong,(Godown)Ltd.	九龍通洲街500號	3614363
大强建業有限公司貨倉 Dah Keung Enterprise Co., Ltd. Godown Dept.	九龍觀塘海濱道155號	3419285
興發貨倉有限公司	元朗3719地段	4719031
實用貨倉有限公司 Fidelity Godown Co., Ltd.	葵涌葵德街7-13號	4283300
香港九龍倉碼頭及貨倉有限公司 H. K. & Kowloon Wharf & Godown Co., Ltd.	啓興道1號	7574818
耀榮貨倉有限公司	任合興工業大厦	4088299
廣安貨倉有限公司 Kwong On Godown Co., Ltd.	南海大厦	8188601
葵中貨倉有限公司	貨櫃碼頭路43號8字樓	4240416
萬興貨倉有限公司 Man Hing Express & Godown Co., Ltd.	德士古道TWIL53	4070938
南洋商業貨倉有限公司 Nanyang Commercial Godown Co., Ltd.	干諾道西64號	5488061
新興貨倉有限公司 Sun Hing Godown Co., Ltd.	九龍油塘灣東源街8號	7755233
聯合貨倉有限公司 Union Godowns Limited	北角油街17號	5712201
義利工業原料有限公司	德輔道中120號	5452611
安全貨倉有限公司 Safety Godown Co., Ltd.	海濱道181號	3890884
耀輝高級貨倉有限公司 Yiu Fai Warehousing Ltd.	上葵涌國瑞道124－130號	4251461
亞洲凍房有限公司 Nanyang Commercial Godown Co., Ltd	香港京華道30號	5703745
南洋商業貨倉有限公司 Chiao Tung Cold Storage	干諾道西64-68號	5489311
大强建業有限公司貨倉及凍房 Dah Keung Enterprises Co., Ltd.	九龍官塘海濱道155號	3419285
興偉冰廠凍房有限公司 Hing Wai Ice & Cold Storage Co., Ltd.	香港田灣海傍道9號	5537476

貨　倉　名	地　址	電　話
九龍興偉冰廠凍房有限公司 Kowloon Hing Wai Ice & Cold Storage Co., Ltd.	葵涌葵喜道360地段	4248383
葵涌冷房有限公司 Kwai Chung Cold Storage Co., Ltd.	葵涌青山道403號	4241288
呂興合長記銀莊有限公司 Lui Hing Hop Cheung Kee Finance Ltd.	香港堅尼地城海傍20-21號	5408668
友聯貨倉	友聯工業大厦	3400676
開源企業凍房貨倉有限公司 Pioneer Industry & Cold Storage Co., Ltd.	油塘東源街16號	3496155
香港安全貨倉有限公司	青山道481號	7468555
新益凍房貨倉有限公司 Summit Cold Storage Ltd.	香港堅尼地城新海傍31號	8188081
大生凍房倉庫有限公司 Tai Sang Cold Storage & Godown Co., Ltd.	黃竹坑道12號	5528391
大生貨櫃凍房倉庫有限公司 Tai Sang Container Cold Storage & Wharf Ltd.	青衣島56號	4951157
華達凍房有限公司 Wah Tat Cold Storage Co., Ltd.	葵涌葵福路26-32號金發工業大厦	4282181
裕林貨倉凍房有限公司 Yee Lim Godown & Cold Storage Ltd.	下葵涌葵樂街2-28號裕林工業中心C座	4288801
耀豐冷藏倉庫有限公司 Yiu Fung Cold Storage & Warehousing Ltd.	永業街11-19號	4276771
業利倉 Yip Lee Co.	元朗唐人新邨DD121	4796569
第一倉庫有限公司 Dah-Yat Co Ltd The	華基工業大厦	4255366
菲力貨倉有限公司	德士古道工業中心	4086336
堅信貨倉有限公司 Kin Shun Warehouse Co Ltd.		
京華貨倉 King Wah Warehouse	荃灣享華工廠貨倉大厦	4075133
北角貨櫃碼頭有限公司 North Point Terminal Ltd.	北角油街17號	5716192
永南貨倉有限公司 Winner Godown Ltd.	橫龍街35號	4087221
百滴企業有限公司	聯發商業中心	5418823
利民貨倉	葵德工業中心	4281388

貨　倉　名	地　址	電　話
東北貨倉有限公司	上葵涌傅屋道1-11號	4221551
現代貨倉有限公司	貨櫃碼頭路43號	4289618
裕中華貨倉有限公司	樂基大廈	4279801
嘉里貨倉集團有限公司	葵泰路4號	4286011
潤發倉碼有限公司 Yuen Fat Wharf & Godown Co., Ltd.	香港灣仔港灣道28號灣景中心2樓	5863288

香港速遞公司一覽表

公司名稱	地　址	電　話
UPS美國包裹服務公司	環球金融中心	7353535
桂林行	永達商業大厦	5455639
集富服務有限公司	安隆商業大厦	5756532
天天快遞公司	九龍太子道基隆街19號	7893716
速達成文件專遞	旺角花園街192號	7875220
捷迅傳遞服務	土瓜灣北帝街42號	7139557
準時達專遞服務有限公司	彌敦道760號519室	3973611
和源傳遞服務公司	永盛工業大廈	7423262
友聯傳遞服務公司	九龍太子道西171號	3804556
文達辦公室服務公司	榮華大厦	8685573
本地快信	環球工商大厦	7980982
早晨快信	新平工業大厦	7863978
快遞香港服務中心	盈業工業大厦818室	4814873
城市包裹服務有限公司	灣仔中心	8910831
你的速遞公司	春園大厦	8034018
海灣速遞服務公司	貨櫃碼頭道82號	4100148
快達郵遞服務	商業大厦	5262020
巡城速遞服務	鹿角大厦	5459655
奔達速遞有限公司	有利大厦13樓A室	3689399
DHL速遞中心		7658111
超迅服務公司	官塘開源道60號駱駝工業大厦3字樓5室	7630803
捷迅傳遞公司	北帝街42號	7139557
捷邦專業速遞公司	高達商業大厦1字樓	7811603
飛燕傳遞服務公司	東海大厦	7807323
飛達速遞服務公司	東海大厦	3975262
東亞商務速遞有限公司	雲豐大厦	8380219
信駒香港速遞公司	華豐工業中心	4200801
駿達傳遞服務公司	宏昌商業大厦	3889123
飛捷速遞	白布街18號	7826276
梁西速遞服務公司	西源里14	5467842
寰宇速遞服務公司	永盛工業大厦	7419198
敦豪國際集團總辦事處	上瓜灣木廠街13號	7658111

公司名稱	地　址	電　話
榕煒快遞公司	富利來商場	5712225
精英(香港)速遞公司	永盛工業大厦	7420863
領先速遞服務公司	好景商業大厦	3855219
聯和專業速遞公司	榮吉工業大厦	7861393
MPC速遞服務公司	長沙灣道244	3602229
中國快遞公司	億利商業大厦	5418213
中國速遞	軒尼詩道117	5293439
世界快遞香港有限公司	集成中心	8335775
港龍速遞有限公司	高明商業大厦	3842878
世界速遞服務	威皇商業大厦	5419558
全達文件香港服務公司	永盛工業大厦	7863691
多速有限公司	永盛工業大厦	7441303
即發傳遞	祐華大厦	8571077
快速速遞公司	蘇杭街	5438815
快遞中心	威達商業大厦	7710177
迅達文件速遞公司	上海街	3976932
巡城馬速遞有限公司	文明商業大厦	7702084
京廣速遞	遠東銀行大厦	3081000
卓越傳遞服務公司	榮吉工業大厦	7457937
發達傳遞服務公司	東利商業大厦	5410400
萬里速遞服務公司	順利大厦	5984128
萬里速遞公司	好望角大厦	7108902
萬里達傳遞服務公司	富業大厦	3341507
萬維服務有限公司	卓信商業大厦	8034345
達興快遞公司	彌敦道495	7808323
遞速國際捷運(香港)有限公司	美華工業中心	3332802
特快本地文件速遞服務		3963623

香港郵費表

航空郵件(單位：港元)

(1993年11月1日起)

所有國家已劃分爲一、二兩區，寄往該兩區的航空信件收費如下：

郵件類別	重　量	一　區	二　區
信件及明信片	首10克	1.90	2.40
	每加10克	1.00	1.10
二等郵件(印刷品)	首10克	1.30	1.80
	每加10克	0.60	0.80

航空標誌　所有空郵郵件均必須上註「BY AIR MALL」(空郵)字樣。在投寄時須將藍色航空標誌貼在信封有地址一面的左上角，或在包裹或郵包接近地址的地方。這些藍色航空標誌在所有郵政局均有免費供應。另外的做法是用筆將「BY AIR MALL」以粗壯字體寫於空郵郵件的正面。若郵件是須填寫發遞單的包裹，還須將航空標誌貼在單上。

航空郵簡　不論寄往任何地區，郵費一律一元八角。郵簡內不得附有任何物品。各郵局均有發售。

二等空郵　印刷品及小郵包如以空郵投寄，必須符合投寄此類物品之規例。此外，並須在郵件封面左上角標明欲以“印刷品”或以“小郵包”的形式投寄。此等郵件不得封密妨礙檢查，印刷品亦不得夾有任何類似普通信件之紙張。

亞洲國家和地區(除蒙古、巴布亞新幾內亞及中東國家外)均列入一區，世界其他國家爲二區。

本地郵件及平郵(單位：港元)

(1993年11月1日起)

地區 郵件類別	重量	香港	中國(包括台灣省、澳門)	其他各國
信件及明信片 (寄各地均不逾二千克)	20克	1.00	1.20	2.00
	30克	1.00	2.20	3.60
	50克	1.70	2.20	3.60
	100克	2.40	4.50	4.80
	250克	3.50	9.00	9.50
	500克	7.10	17.50	18.00
	1千克	15.00	31.00	32.00
	2千克	25.00	47.00	52.00
小郵包	20克	不接受辦理	4.20	4.20
	50克		4.20	4.20
	100克		4.20	4.20
	250克		8.60	8.60
	500克		16.00	16.00
	1千克		29.00	29.00
	2千克		42.00	42.00
印刷品(寄本港者不逾1千克，寄海外各地者不逾2千克)	20克		1.00	1.80
	30克	0.90	1.70	3.20
	50克	0.30	1.70	3.20
	100克	1.90	2.30	4.20
	250克	2.80	4.70	8.60
	500克	5.70	8.70	16.00
	1千克	9.00	15.00	29.00
	2千克	——	22.00	42.00
	每加1千克		11.00	21.00
書　籍	每加1千克 (限5千克)	——	11.00	21.50
掛號費	每件附加11元			
保險費	每500元或不足500元收費2.5元，最高保險額各地不同，請參閱郵政指南。			

盲人刊物：免費(重量限制：7,000克)

本港包裹：首1,000克或不足1,000克收費20元，每加1,000克或不足1,000克收費10元(重量限制：10,000克)

一般事項

體積限制——信件、印刷品、小郵包、盲人刊物。

非捲狀郵件：　最大：長寬厚合計以900毫米爲限，其中最大的尺度不得超逾600毫米。
　　　　　　　最大：90毫米×140毫米。

捲軸狀郵件：　最大：直徑的兩倍及長度最大爲1.04米
　　　　　　　最大尺度不得超逾900毫米
　　　　　最小：直徑的兩倍及長度最小爲170毫米
　　　　　　　最大尺度不得小過100毫米

明信片：　最大：105毫米×148毫米。最小：90毫米×140毫米。厚度：不得小過0.25毫米。

包裹：　最大：(i)接受重量達10公斤包裹的國家：長度以1.05米爲限，長度及周長合計以2米爲限。上述尺寸限制亦適用於澳大利亞、印度、印度尼西亞、肯尼亞、尼泊爾、菲律賓、坦桑尼亞及南斯拉夫等接受重量超過10公斤包裹的國家。

(ii)美國(包括波多黎各)：長度以1.50米爲限，長度及周長合計以2.75米爲限。

(iii)接受重量超過10公斤包裹的國家：長度以1.50米爲限，長度及周長合計以3米爲限。

最小：與信件同。

掛號　寄往任何目的地的郵件，掛號費一律9元。如需發給收件回執，投寄時須即時提出及另付費用9元。

包裹　可寄往的國家列於本散頁第四至七頁。投寄人須遵照載於郵件指南內有關重量限制、報關文件、發遞單及賠償的規則。體積較大(請參閱體積限制項)或重量超過10公斤的包裹，可在所有郵政局投寄，但三間流動郵局除外。

保險信件及包裹　可寄往的國家列於本散頁第四至七頁。投寄人須遵照載於郵政指南內的規則。保險包裹及信件，除本身郵費外，每500元或不足500元的保險價值收費2元5角，保險信件另收掛號費9元。

快郵　快郵派遞服務可達的國家列於本散頁第四至七頁。投寄快郵郵件，須另付費用5元，並須貼上"快郵"標誌，標誌可向郵政局免費索取。

國際商業回郵服務　每件國際商業回郵郵件的派遞收費爲5元8角。

小郵包　所有海外目的地均設有小郵包服務。重量一般以2公斤爲限。但寄往聖誕島、科科斯羣島、古巴、緬甸、諾福克島及巴布亞新畿內亞的小郵包則不得超逾500克；而意大利則只接受重量不超逾1公斤的小郵包。

報關表格　所有郵寄往海外的物品，不論是以信件、小郵包或包裹形式投寄，均須填寫報關表格，表格可向各郵政局索取。

追查郵件　追查掛號郵件及包裹的查詢表格可於任何郵政局索取。有關郵件的查詢須於投寄日期起計一年內提出。查詢一件或以上由同一寄件人於同一時間寄給同一收件人的郵件，須繳費7元。

投訴 如對櫃位及派遞服務有任何投訴，請撥下列熱線號碼：

香港 5255856 九龍 7233454 新界 4132772

詢問 有關郵政服務的詳細資料，請往任何郵政局查詢或致電9221222郵政署查詢組。

特快專遞

特快專遞 爲商業文件的航空寄運提供一項非常快捷可靠的郵遞服務。此外，商品及無商業價值的樣本亦可寄至某些國家。特快專遞服務詳情刊載於另附散頁內。欲知有關的詳細資料，詳細資料，請致電92212222郵政署查詢組。

電信傳眞

電信傳眞 是一項傳眞發送郵件的公衆服務，可發送面積最大爲A4尺碼的商業文件、信件、線條繪圖、圖表，甚至節日賀辭。電信傳眞服務詳情刊載於另附散頁內。欲知有關的詳細資料，請致電92212222向郵政署查詢組或92212271向郵政署電信傳眞經理查詢。

航空郵包

（1993年5月1日起生效）　　　（單位：港元）

目 的 地		首500克或不足500克的郵費	每加500克或不足500克的郵費
阿富汗	(Afghanistan)	153	35
亞爾巴尼亞	(Albania)	132	35
阿爾及利亞	(Algeria)	126	40
安哥拉	(Angola, Rep. of)	129	55
安圭拉島	Anguilla	81	53
安提瓜及巴布達	Antigua and Barbuda	82	53
阿根廷	Argentina	154	53
澳大利亞	Australia	85	23
奧地利	Austria	89	28
亞速爾	Azores	118	39
巴哈馬	Bahamas	86	30
巴林	Bahrain (State of)	80	20
巴利阿里羣島	Balearic Islands	96	32
孟加拉	Bangladesh	84	17
巴比多斯	Barbados	103	46
比利時	Belgium	117	30
伯利玆	Belize	76	48
貝寧	Benin (People's Rep. of)	105	47
百慕達	Bermuda	101	29
不丹	Bhutan	97	29
玻利維亞	Bolivia	119	50
博茨瓦納	Botswana	96	46
巴西	Brazil	152	46
汶萊達路撒林	Brunei Darussalam	66	12
保加利亞	Bulgaria (People's Rep.)	108	32
布基納法索	Burkina Faso	133	52
布隆迪	Burundi	112	49
喀麥隆	Cameroon (Rep. of)	134	49
加拿大	Canada	89	29
加那利羣島	Canary Islands	96	32
佛得角羣島	Cape Verde Islands	111	44
加羅林羣島	Caroline Islands	55	29
開曼羣島	Cayman Islands	77	40
中非共和國	Central African Republic	106	46
乍得	Chad	130	46
智利	Chile	135	53
中華人民共和國	China (People's Rep. of)	93	14
聖誕島	Christmas Island	95	23

目 的 地		首500克或不足500克的郵費	每加500克或不足500克的郵費
科科斯羣島	Cocos (Keeling) Islands	95	23
哥倫比亞	Colombia	111	52
獨立國家聯合體	Commonwealth of independent states(CIS)	162	46
科摩羅	Comoros (Fed. Islamic Rep. of the)	138	63
剛果	Congo (People's Rep.)	126	49
科西嘉島	Corsica	129	29
哥斯達黎加	Costa Rica	111	52
象牙海岸	Côte d'Ivoire	132	48
古巴	Cuba		
關塔那摩灣	Guantanamo Bay	151	82
其他地方	Other places	151	82
塞浦路斯	Cyprus	81	26
捷克	Czechoslovakia	102	30
丹麥	Denmark	88	28
吉布提	Djibouti	97	47
多明尼加	Dominica	83	54
多明尼加共和國	Dominican Republic	88	46
厄瓜多爾	Ecuador	126	54
埃及	Egypt (Arab Rep. of)	154	25
薩爾瓦多	El Salvador	122	45
赤道畿內亞	Equatorial Guinea (Rep. of)	99	47
埃塞俄比亞	Ethiopia	90	31
福克蘭羣島	Falkland Islands (inc. Dependencies)	154	38
法羅羣島	Faroe Islands	96	32
斐濟羣島	Fiji	78	31
芬蘭	Finland	123	32
法國	France	129	29
法屬圭亞那	French Guiana	125	52
法屬波利尼西亞	French Polynesia	117	44
法屬西印度羣島	French West Indies		
瓜德羅普島	Guadeloupe	124	51
馬提尼克島	Martinique	124	51
加蓬	Gabon	146	50
岡比亞	Gambia	133	55
加沙及汗尤尼斯	Gaza and Khan Yunis	116	33
德意志聯邦共和國	Germany (Federal Rep. of)	107	27
加納	Ghana	106	47
直布羅陀	Gibraltar	93	33
英國及北愛爾蘭	Great Britain & Northern Ireland	124	31
希臘	Greece	95	28

目 的 地		首500克或不足500克的郵費	每加500克或不足500克的郵費
格陵蘭	Greenland	119	57
格林納達	Grenada	83	55
危地馬拉	Guatemala	142	54
畿內亞	Guinea	131	46
畿內亞比紹	Guinea Bissau	133	47
圭亞那	Guyana	105	41
海地	Haiti	95	47
洪都拉斯	Honduras (Rep. of)	119	54
匈牙利	Hungary	101	30
冰島	Iceland	108	32
印度	India	114	21
印度尼西亞	Indonesia	85	19
伊朗	Iran	115	28
伊拉克	Iraq	153	30
愛爾蘭共和國	Irish Republic	92	28
以色列	Israel	115	33
意大利	Italy	131	28
牙買加	Jamaica	111	51
日本	Japan	90	14
約旦	Jordan	96	25
柬埔寨	Kampuchea (People's Rep. of)	76	14
肯尼亞	Kenya	92	34
基里巴斯	Kiribati (Republic of)	86	37
朝鮮人民共和國	Korea (Dem. People's Rep. of)	107	24
大韓民國	Korea (Rep. of)	73	11
科威特	Kuwait	73	20
寮國	Lao (People's Dem. Rep.)	96	14
黎巴嫩	Lebanon	102	23
萊索托	Lesotho	117	46
利比里亞	Liberia	93	46
利比亞	Libyan Arab Jamahiriya	104	32
盧森堡	Luxembourg	92	27
澳門	Macau		
馬達加斯加	Madagascar (Dem. Rep. of)	115	58
馬德拉	Madeira	118	39
馬拉維	Malawi	138	62
馬來西亞	Malaysia		
馬來西亞半島	Peninsular Malaysia	66	12
沙巴	Sabah	65	13
沙捞越	Sarawak	66	12
馬爾代夫	Maldives (Rep. of)	60	17
馬里	Mali	101	43

	目 的 地	首500克或不足500克的郵費	每加500克或不足500克的郵費
馬爾他	Malta	114	30
馬里亞納羣島	Mariana Islands	55	29
馬紹爾羣島	Marshall Islands	55	29
毛里塔尼亞	Mauritania	107	42
毛里求斯	Mauritius	84	36
墨西哥	Mexico	106	39
摩納哥	Monaco	129	29
蒙特塞拉特	Montserrat	80	52
摩洛哥	Morocco	104	34
莫桑比克	Mozambique	126	49
緬甸	Myanmar(Union of)	92	14
納米比亞	Namibia	104	46
瑙魯	Nauru	79	34
尼泊爾	Nepal	82	18
荷蘭	Netherlands	95	28
荷屬安的列斯及阿魯巴	Netherlands Antilles and Aruba		
荷屬安的列斯	Netherlands Antilles	98	36
阿魯巴	Aruba	90	37
新喀里多尼亞	New Caledonia	103	29
新西蘭	New Zealand	90	29
新西蘭屬土島嶼	New Zealand Islands Territories	113	42
尼加拉瓜	Nicaragua	126	50
尼日爾共和國	Niger Republic	104	43
尼日利亞	Nigeria	96	43
諾福克島	Norfolk Island	95	23
挪威	Norway	123	28
阿曼	Oman, Sultanate of	134	22
巴基斯坦	Pakistan	83	22
巴拿馬	Panama (Rep. of)	103	54
巴布亞新畿內亞	Papua New Guinea	112	37
巴拉圭	Paraguay	169	69
祕魯	Peru	154	51
菲律賓	Philippines	72	11
皮特凱恩島	Pitcairn Island	59	28
波蘭	Poland	100	29
葡萄牙	Portugal	109	34
波多黎各	Puerto Rico	68	43
卡塔爾	Qatar (Doha and Umm Said)	92	21
留尼汪島	Reunion	133	60
羅馬尼亞	Rumania	117	35
盧旺達	Rwanda	153	52

目的地		首500克或不足500克的郵費	每加500克或不足500克的郵費
聖克里斯托佛島及尼維斯島	St. Christopher and Nevis	82	54
聖赫勒拿島	St. Helena	134	58
聖盧西亞	St. Lucia	86	57
聖皮埃爾島和密克隆島	St. Pierre and Maquelon	105	30
聖文森特和格林納丁斯	St. Vincent and the Grenadines	83	54
薩摩亞(美國屬土)	Samoa, USA Territory	75	46
聖多美和普林西比	Sao Tome and Principe (Rep. of)	114	53
沙地阿拉伯	Saudi Arabia	89	21
塞內加爾	Senegal	136	46
塞舌爾	Seychelles	80	42
塞拉利昂	Sierra Leone	143	65
新加坡	Singapore (Rep. of)	65	10
所羅門羣島	Solomon Islands	93	40
索馬里	Somali Democratic Republic	122	57
南非	South Africa (Rep. of)	113	46
西南非——見納米比亞	South West Africa–see Namibia		
西班牙	Spain	96	32
北非之西班牙屬土	Spanish Territories of North Africa	96	32
斯匹次卑爾根羣島	Spitzbergen (Svalbard)	123	28
斯里蘭卡	Sri Lanka (Dem. Socialist Rep. of)	78	16
蘇丹	Sudan (Rep. of)	128	30
蘇里南	Suriname (Rep. of)	124	54
斯威士蘭	Swaziland	95	46
瑞典	Sweden	136	26
瑞士	Switzerland	81	27
叙利亞	Syrian Arab Republic	93	28
台灣	Taiwan	75	9
坦桑尼亞	Tanzania	107	46
泰國	Thailand	65	11
多哥	Togo	111	43
湯加	Tonga	76	34
托爾托拉島(英屬處女島)	Tortola (British Virgin Islands)	107	53
千里達和多巴哥	Trinidad and Tobago (Rep. of)	89	37
特里斯坦——達庫尼亞島	Tristan Da Cunha	137	55
突尼斯	Tunisia	110	33
土耳其	Turkey	99	35
特克斯和凱科斯羣島	Turks and Caicos Islands	81	52
圖瓦盧	Tuvalu	92	35
烏干達	Uganda	99	38

	目的地	首500克或不足500克的郵費	每加500克或不足500克的郵費
阿拉伯聯合酋長國	United Arab Emirates	98	21
美國	United States of America		
夏威夷	Hawaii	57	32
所有其他州省	All other States	68	43
上沃爾特——見布基納法索	Upper Volta-see Burkina Faso		
烏拉圭	Uruguay	132	50
瓦努阿圖	Vanuatu (Republic of)	93	35
梵蒂岡	Vatican City State	88	30
委內瑞拉	Venezuela	113	43
越南	Vietnam (Socialist Rep. of)	97	24
美屬處女羣島	Virgin Islands of USA	68	43
威克島	Wake Island	57	32
瓦利斯羣島和富圖納嶼島	Wallis and Futuna Islands	109	35
西薩摩亞	Western Samoa	86	36
也門共和國	Yemen (Rep. of)	123	31
其他地方	Other places	127	37
南斯拉夫	Yugoslavia	117	33
扎伊爾	Zaire (Rep. of)	156	56
贊比亞	Zambia	142	52
津巴布韋	Zimbabwe	116	50

(註)航空郵包每件重量不得超逾五公斤。

平郵郵包

（1993年5月1日起生效）　　　　（單位：港元）

目的地		不超過					
		一千克	三千克	五千克	十千克	十五千克	二十千克
阿富汗	Afghanistan	175	265	390	595		
亞爾巴尼亞	Albania	120	160	225	295	375	465
阿爾及利亞	Algeria	110	150	210	280		
安哥拉	Angola (Rep. of)	110	175	260	400		
安圭拉島	Anguilla	105	145	200	265		
安提瓜及巴布達	Antigua and Barbuda	120	155	210	280		
阿根廷	Argentina	125	155	225	275	395	525
阿森松	Ascension	170	325	490	865		
澳大利亞	Australia	85	100	130	170	220	285
奧地利	Austria	80	105	140	185	255	325
亞速爾	Azores	100	145	200	275	375	480
巴哈馬	Bahamas	85	140	205	320		
巴林	Bahrain (State of)	75	110	155	195		
巴利阿里羣島	Balearic Islands	80	95	130	160	200	250
孟加拉	Bangladesh	80	105	140	175		
巴比多斯	Barbados	80	115	170	235		
比利時	Belgium	75	95	125	165	215	275
伯利茲	Belize	80	110	165	235		
貝寧	Benin (People's Rep. of)	90	125	190	265		
百慕達	Bermuda	95	135	190	260		
不丹	Bhutan	90	115	160	210		
玻利維亞	Bolivia	110	140	195	275	385	500
博茨瓦納	Botswana	120	145	195	245		
巴西	Brazil	125	145	195	230		
英屬印度洋地區	British Indian Ocean Territory	65	85	120	155		
汶萊達路撒林	Brunei Darussalam	70	95	120	165	210	260
保加利亞	Bulgaria (People's Rep.)	95	120	165	220	300	370
布基納法索	Burkina Faso	110	145	220	330	445	585
布隆迪	Burundi	105	140	195	260		
喀麥隆	Cameroon (Rep. of)	100	130	180	225	285	355
加拿大	Canada	70	85	115	150	200	255
加那利羣島	Canary Islands	85	115	160	220	295	380
佛得角羣島	Cape Verde Islands	85	120	170	230		
加羅林羣島	Caroline Islands	65	130	205	360		

目的地		不超過					
		一千克	三千克	五千克	十千克	十五千克	二十千克
開曼羣島	Cayman Islands	60	125	195	350		
中非共和國	Central African Republic	75	105	170	240		
乍得	Chad	100	140	205	280		
智利	Chile	100	130	180	220		
中華人民共和國	China (People's Rep. of)	80	100	125	165	200	235
聖誕島	Christmas Island	85	100	130	170		
科科斯羣島	Cocos (Keeling) Islands	85	100	130	170		
哥倫比亞	Colombia	80	100	135	185	235	290
獨立國家聯合體	Commonwealth of Independent states(CIS)	140	180	245	320		
科摩羅	Comoros (Fed. Islamic Rep. of the)	125	205	300	490		
剛果	Congo (People's Rep.)	105	145	205	280	380	485
科西嘉島	Corsica	100	110	150	185	260	320
哥斯達黎加	Costa Rica	80	100	125	155	210	255
象牙海岸	Côte d'Ivoire	100	125	175	230	280	350
古巴	Cuba						
關塔那摩灣	Guantanamo Bay	60	115	185	320		
其他地方	Other places	90	130	180	245		
塞浦路斯	Cyprus	70	90	125	155	195	250
捷克	Czechoslovakia	85	110	155	200	260	
丹麥	Denmark	75	95	125	160	200	245
吉布提	Djibouti	60	75	110	145		
多明尼加	Dominica	75	110	160	225		
多明尼加共和國	Dominican Republic	65	95	140	200		
東帝汶——見印度尼西亞	East Timor-See Indonesia						
厄瓜多爾	Ecuador	100	125	170	210	265	325
埃及	Egypt (Arab Rep. of)	155	185	235	290	370	465
薩爾瓦多	El Salvador	90	110	145	180	220	265
赤道幾內亞	Equatorial Guinea (Rep. of)	70	95	150	210		
埃塞俄比亞	Ethiopia	90	125	185	255	355	475
福克蘭羣島	Falkland Islands (inc. Dependencies)	140	185	245	335	465	590
法羅羣島	Faroe Islands	80	105	150	200	265	335
斐濟羣島	Fiji	60	75	115	145	205	265
芬蘭	Finland	120	145	195	265	355	455

目的地		不超過					
		一千克	三千克	五千克	十千克	十五千克	二十千克
法國	France	100	110	150	185	260	320
法屬圭亞那	French Guiana	140	260	400	700	1040	1360
法屬波利尼西亞	French Polynesia	100	135	205	280	405	540
法屬西印度羣島	French West Indies						
瓜德羅普島	Guadeloupe	110	180	265	430	635	820
馬提尼克島	Martinique	110	180	265	430	640	830
加蓬	Gabon	165	205	265	330		
岡比亞	Gambia	100	145	200	275		
加沙及汗尤尼斯	Gaza and Khan Yunis	100	125	170	215	270	340
德意志聯邦共和國	Germany (Federal Rep. of)	95	110	145	180	220	265
加納	Ghana	85	120	175	245		
直布羅陀	Gibraltar	75	105	155	195	270	350
英國及北愛爾蘭	Great Britain & Northern Ireland	110	140	185	230	295	370
希臘	Greece	85	105	145	180	230	285
格陵蘭	Greenland	75	95	125	160	200	245
格林納達	Grenada	90	125	180	250		
危地馬拉	Guatemala	105	130	175	220		
畿內亞	Guinea	100	135	195	265		
畿內亞比紹	Guinea Bissau	115	165	230	330		
圭亞那	Guyana	80	100	130	165	215	265
海地	Haiti	80	130	190	310	435	555
洪都拉斯	Honduras (Rep. of)	80	100	130	165		
匈牙利	Hungary	85	115	165	220	290	370
冰島	Iceland	95	130	180	250	345	450
印度	India	110	135	180	220	275	335
印度尼西亞	Indonesia	85	110	135	170	205	235
伊朗	Iran	115	155	225	295	385	505
伊拉克	Iraq	145	190	255	335		
愛爾蘭共和國	Irish Republic	115	165	210	280	370	460
以色列	Israel	100	125	170	215	270	340
意大利	Italy	120	130	160	190	230	280
牙買加	Jamaica	90	145	215	335		
日本	Japan	90	110	135	155	180	210
琉球羣島	Ryukyu Islands						
約旦	Jordan	85	105	145	180		
柬埔寨	Kampuchea (People's Rep. of)	85	125	180	265		
肯尼亞	Kenya	75	95	130	165	210	260
基里巴斯	Kiribati (Republic of)	75	100	140	190	250	315

目的地		不超過					
		一千克	三千克	五千克	十千克	十五千克	二十千克
朝鮮人民共和國	Korea (Dem. People's Rep. of)	100	135	175	235	305	380
大韓民國	Korea (Rep. of)	70	90	115	135	170	200
科威特	Kuwait	70	90	130	165		
寮國	Lao (People's Dem. Rep.)	105	140	185	235		
黎巴嫩	Lebanon	95	105	145	180		
萊索托	Lesotho	145	170	220	275		
利比里亞	Liberia	65	85	130	175		
利比亞	Libyan Arab Jamahiriya	90	110	150	190		
盧森堡	Luxembourg	75	100	135	170	230	295
澳門	Macau	75	105	125	155	185	210
馬達加斯加	Madagascar (Dem. Rep. of)	70	85	115	145	215	280
馬德拉	Madeira	100	145	200	275	375	480
馬拉維	Malawi	130	175	245	330		
馬來西亞	Malaysia						
馬來西亞半島	Peninsular Malaysia	65	75	100	120		
沙巴	Sabah	65	75	100	120		
沙撈越	Sarawak	65	75	100	120		
馬爾代夫	Maldives (Rep. of)	55	75	100	135		
馬里	Mali	80	110	165	240	280	375
馬爾他	Malta	110	155	200	265	350	425
馬里亞納羣島	Mariana Islands	65	130	205	360		
馬紹爾羣島	Marshall Islands	65	130	205	360		
毛里塔尼亞	Mauritania	85	120	175	240	330	420
毛里求斯	Mauritius	65	85	120	155	205	265
墨西哥	Mexico	80	100	135	165	205	245
摩納哥	Monaco	100	110	150	185	260	320
蒙特塞拉特	Montserrat	105	145	195	270		
摩洛哥	Morocco	80	105	140	175	230	290
莫桑比克	Mozambique	125	155	200	250		
緬甸	Myanmar (Union of)	100	125	160	215		
納米比亞	Namibia	90	110	150	190		
瑙魯	Nauru	75	100	140	190	250	315
尼泊爾	Nepal	95	130	180	240		
荷蘭	Netherlands	80	100	135	170	210	260
荷屬安的列斯及阿魯巴	Netherlands Antilles and Aruba						
荷屬安的列斯	Netherlands Antilles	75	95	130	160	220	265

目的地		不超過					
		一千克	三千克	五千克	十千克	十五千克	二十千克
阿魯巴	Aruba	70	90	130	170	230	280
新喀里多尼亞	New Caledonia	85	100	145	180	255	335
新西蘭	New Zealand	90	110	155	225		
新西蘭屬土島嶼	New Zealand Islands Territories	95	120	175	265		
尼加拉瓜	Nicaragua	95	145	210	325		
尼日爾共和國	Niger Republic	70	125	195	275		
尼日利亞	Nigeria	70	90	135	180	235	310
諾福克島	Norfolk Island	85	100	130	170		
挪威	Norway	95	115	155	205	275	345
阿曼	Oman, Sultanate of	150	195	265	325		
巴基斯坦	Pakistan	75	95	135	170		
巴拿馬	Panama (Rep. of)	70	85	115	145	180	220
巴布亞新畿內亞	Papua New Guinea	95	115	150	200	310	350
巴拉圭	Paraguay	135	175	250	325		
秘魯	Peru	125	155	195	245		
菲律賓	Philippines	70	90	110	140	170	195
皮特凱恩島	Pitcairn Island	40	60	105	140		
波蘭	Poland	85	105	140	175	255	
葡萄牙	Portugal	95	125	170	215	280	345
波多黎各	Puerto Rico	60	115	185	320	470	615
卡塔爾	Qatar (Doha and Umm Said)	100	130	190	250		
留尼汪島	Reunion	85	100	140	170	245	305
羅馬尼亞	Rumania	105	135	190	250	335	420
盧旺達	Rwanda	135	170	225	290		
聖克里斯托佛島及尼維斯島	St. Christopher and Nevis	105	145	190	260		
聖赫勒拿島	St. Helena	115	160	230	340		
聖盧西亞	St. Lucia	120	165	220	290		
聖皮埃爾島和密克隆島	St. Pierre and Miquelon	85	100	135	170	245	300
聖文森特和格林納丁斯	St. Vincent and the Grenadines	65	95	150	210		
薩摩亞(美國屬土)	Samoa, USA Territory	65	135	230	305		
聖多美和普林西比	Sao Tome and Principe (Rep. of)	95	150	220	340		
沙地阿拉伯	Saudi Arabia	85	105	145	180	230	285
塞內加爾	Senegal	105	140	195	265	295	370
塞舌爾	Seychelles	50	60	95	120	155	205
塞拉利昂	Sierra Leone	105	140	200	275	375	480
新加坡	Singapore (Rep. of)	70	80	100	125	150	190

目的地		不超過					
		一千克	三千克	五千克	十千克	十五千克	二十千克
所羅門羣島	Solomon Islands	70	95	135	185		
索馬里	Somali Democratic Republic	125	160	215	270		
南非	South Africa (Rep. of)	90	110	150	190		
西南非——見納米比亞	South West Africa-See Namibia						
西班牙	Spain	80	95	130	160	200	250
北非之西班牙屬土	Spanish Territories of North Africa	80	95	130	160	200	250
斯匹次卑爾根羣島	Spitzbergen (Svalbard)	95	115	155	205	275	345
斯里蘭卡	Sri Lanka (Dem. Socialist Rep. of)	80	105	140	190	245	295
蘇丹	Sudan (Rep. of)	150	195	245	305		
蘇里南	Suriname (Rep. of)	95	130	185	260	375	480
斯威士蘭	Swaziland	120	145	195	245		
瑞典	Sweden	125	135	160	205	265	330
瑞士	Switzerland	70	95	130	175	240	310
叙利亞	Syrian Arab Republic	85	105	145	180	230	285
台灣	Taiwan	80	95	120	145	175	200
坦桑尼亞	Tanzania	95	120	160	200	255	330
泰國	Thailand	65	80	100	125	150	175
多哥	Togo	80	120	185	260		
湯加	Tonga	55	75	120	170		
托爾托拉島(英屬處女島)	Tortola (British Virgin Islands)	155	300	435	735		
千里達和多巴哥	Trinidad and Tobago (Rep. of)	75	110	160	225		
特里斯坦——達庫尼亞島	Tristan Da Cunha	125	170	235	335		
突尼斯	Tunisia	95	125	175	235	310	385
土耳其	Turkey	85	125	175	245	335	435
特克斯和凱科斯羣島	Turks and Caicos Islands	60	130	205	360		
圖瓦盧	Tuvalu	75	100	150	195		
烏干達	Uganda	105	130	175	225		
阿拉伯聯合酋長國	United Arab Emirates	95	120	170	220	290	375
美國	United States of America						
夏威夷	Hawaii	60	115	185	320	470	615
所有其他州省	All other States	60	115	185	320	470	615

目的地		不超過					
		一千克	三千克	五千克	十千克	十五千克	二十千克
上沃爾特——見布基納法索	Upper Volta-see Burkina Faso						
烏拉圭	Uruguay	110	140	205	260	335	440
瓦努阿圖	Vanuatu (Republic of)	70	85	125	165		
梵蒂岡	Vatican City State	70	90	125	160	210	265
委內瑞拉	Venezuela	90	110	145	180	240	280
越南	Vietnam (Socialist Rep. of)	110	150	200	275	365	450
美屬處女羣島	Virgin Islands of USA	60	115	185	320	470	615
威克島	Wake Island	60	115	185	320		
瓦利斯羣島和富圖納羣島	Wallis and Futuna Islands	90	120	175	235		
西薩摩亞	Western Samoa	70	90	140	185		
也門共和國	Yemen (Rep. of)	115	145	190	270	335	400
其他地方	Other places	115	145	190	280	365	420
南斯拉夫	Yugoslavia	105	140	195	260	345	
扎伊爾	Zaire (Rep. of)	128	170	220	295		
贊比亞	Zambia	125	160	215	280	335	420
津巴布韋	Zimbabwe	160	200	265	340		

特快專遞

目的地	重量不超過二百五十克	重量不超過五百克	以後每五百克	專遞文件袋	每件最高重量 kg公斤
阿根廷 Argentina	145	190	70	250	20
澳大利亞 Australia	85	90	35	115	20
新南威爾士及昆士蘭 New South Wales & Queensland					
西澳大利亞 W. Australia					
其他州省 Other States					
奧地利 Austria	145	160	35	185	20
巴林 Bahrain (State of)	125	145	25	160	20
孟加拉 Bangladesh	85	100	20	110	20
比利時 Belgium	130	150	35	175	15
百慕達 Bermuda	120	145	55	190	20
巴西 Brazil	145	190	60	240	20
加拿大 Canada	115	145	40	175	20
開曼羣島 Cayman Islands	105	130	55	175	20
中國 China (People's Rep. of)	90	95	20	105	15
哥倫比亞 Colombia	135	180	65	235	20
剛果 Congo (People's Republic)	110	145	55	190	20
塞浦路斯 Cyprus	95	115	30	135	20
丹麥 Denmark	145	160	40	190	20
吉布堤 Djibouti	145	180	55	225	20
埃及 Egypt (Arab Rep. of)	110	170	30	190	20
芬蘭 Finland	145	160	40	190	10
法國 France	135	160	35	185	20
德國 Germany (Fed. Republic of)	135	160	30	180	20
英國及北愛爾蘭 Great Britain & Northern Ireland	135	160	35	185	20
希臘 Greece	105	135	35	160	20
匈牙利 Hungary	95	115	35	140	20
印度 India	105	130	25	145	10
印尼 Indonesia	85	90	25	105	20
愛爾蘭 Irish Republic	125	150	35	175	20
以色列 Israel	125	155	40	185	15
意大利 Italy	145	160	35	185	20
日本 Japan	80	95	20	105	20
福岡及佐賀 Fukuoka and Saga					
所有其他地方 All other places					
約旦 Jordan	95	115	30	135	20
南韓 Korea (Rep. of)	75	80	15	85	20
科威特 Kuwait	110	130	40	160	20

目　的　地	重量不超過二百五十克	重量不超過五百克	以後每五百克	專遞文件袋	每件最高重量kg公斤
列支敦士登 LieChtenstein	145	160	35	185	20
盧　森　堡 Luxembourg	110	135	30	155	20
澳　　　門 Macau	60	65	15	70	20
馬 來 西 亞 Malaysia	75	85	15	90	15
荷　　　蘭 Netherlands	115	140	35	165	20
荷屬安的列　斯 Netherlands Antilles	105	140	50	180	20
新　西　蘭 New Zealand	90	95	35	120	20
尼 日 利 亞 Nigeria	95	125	55	170	20
挪　　　威 Norway	150	160	40	190	20
阿　　　曼 Oman (Sultanate of)	110	150	25	165	20
巴 基 斯 坦 Pakistan	95	115	25	130	10
菲　律　賓 Philippines	80	85	15	90	15
葡　萄　牙 Portugal	120	150	40	180	20
卡　塔　爾 Qatar	125	140	25	155	15
沙地阿拉伯 Saudi Arabia	130	155	35	180	10
塞 內 加 爾 Senegal	135	170	55	215	20
新　加　坡 Singapore (Rep. of)	65	70	20	80	20
南　　　非 South Africa (Rep. of)	155	185	55	230	10
西　班　牙 Spain	100	120	40	150	15
瑞　　　典 Sweden	130	155	35	180	20
瑞　　　士 Switzerland	145	160	35	185	20
台　　　灣 Taiwan	75	80	15	85	20
泰　　　國 Thailand	75	80	15	85	20
突　尼　斯 Tunisia	95	125	40	155	15
土　耳　其 Turkey	110	135	40	165	20
阿　聯　酋 United Arab Emirates	95	110	25	125	20
美　　　國 United States of America	95	110	45	145	20
津 巴 布 韋 Zimbabwe	125	160	60	210	20

香港電報收費表

主要地區

(單位：港元)

目的地	電報(每字收費)			
	普通電(至少7字)	急電(至少7字)	信電	
			信電(至少22字)	交際電(至少11字)
阿富汗	2.40	—	—	—
阿爾巴尼亞	3.60	7.20	1.80	—
阿爾及利亞	3.60	7.20	—	—
東薩摩亞	2.40	—	1.20	—
安道爾	3.60	—	—	—
安哥拉	3.60	7.20	—	—
安圭拉	3.60	7.20	1.80	1.80
安提瓜及巴布達	3.60	7.20	1.80	1.80
阿根廷	4.80	9.60	2.40	—
阿魯巴	3.60	7.20	—	—
阿森松	3.60	7.20	—	—
澳洲	2.40	4.80	—	—
奥地利	3.60	7.20	1.80	—
亞速爾	3.60	7.20	—	—
巴哈馬	3.60	7.20	1.80	1.80
巴林	3.60	7.20	1.80	—
孟加拉	2.20	4.40	1.10	1.10
巴巴多斯	3.60	—	—	—
比利時	3.60	—	—	—
伯利兹	4.80	9.60	2.40	2.40
貝寧	3.60	7.20	—	—
百慕達	3.60	7.20	1.80	1.80
不丹	2.20	4.40	1.10	1.10
玻利維亞	4.80	9.60	2.40	—
博茨瓦納	3.60	—	—	—
巴西	4.80	—	2.40	—
英屬維爾京羣島	3.60	7.20	1.80	1.80
汶萊	2.20	4.40	—	—
保加利亞	3.60	7.20	1.80	—
布基納法索	3.60	7.20	—	—
緬甸	2.40	4.80	1.20	—
布隆廸	3.60	7.20	—	—
喀麥隆	3.60	7.20	1.80	—
加拿大(包括紐芬蘭)	2.40	4.80	—	—
佛得角	3.60	7.20	1.80	—

目的地	電報（每字收費）			
	普通電（至少7字）	急電（至少7字）	信電	
			信電（至少22字）	交際電（至少11字）
開曼羣島	3.60	—	—	—
中非共和國	3.60	7.20	1.80	—
乍得	3.60	7.20	1.80	—
智利	4.80	—	—	—
中國普通電報	1.20	2.40	—	—
（中文四數字電碼）	0.60	1.20	—	—
聖誕島	2.40	4.80	—	—
科科斯及基靈羣島	2.40	4.80	—	—
哥倫比亞	4.80	—	—	—
科摩羅	3.60	7.20	—	—
剛果	3.60	—	—	—
科克羣島	2.40	4.80	—	—
哥斯達尼加	4.80	9.60	—	—
科特迪瓦（象牙海岸）	3.60	7.20	—	—
古巴	3.60	7.20	1.80	—
塞浦路斯	3.60	7.20	1.80	1.80
捷克	3.60	7.20	1.80	—
丹麥	3.60	—	—	—
吉布提	3.60	7.20	—	—
多米尼加聯邦	3.60	7.20	—	—
多米尼加共和國	3.60	7.20	1.80	—
厄瓜多爾	4.80	9.60	2.40	—
埃及	3.60	—	—	—
薩爾瓦多	4.80	9.60	—	—
赤道畿內亞	3.60	7.20	1.80	—
埃塞俄比亞	3.60	7.20	—	—
福克蘭羣島	4.80	—	—	—
法魯斯	3.60	7.20	—	—
斐濟	2.40	4.80	—	—
芬蘭	3.60	—	—	—
法國	3.60	—	—	—
法屬圭亞那	4.80	—	—	—
法屬波里尼西亞	2.40	4.80	—	—
法屬部份島嶼及南極大陸：				
阿黛利	2.40	4.80	—	—
克羅澤特羣島	3.60	7.20	—	—
凱爾蓋朗羣島				
聖保羅及阿姆斯特丹島				
加蓬	3.60	7.20	1.80	—
岡比亞	3.60	7.20	1.80	1.80
東德	3.60	7.20	1.80	—

目的地	電報（每字收費）			
	普通電	急電	信電	
			信電	交際電
	（至少7字）	（至少7字）	（至少22字）	（至少11字）
西德	3.60	7.20	1.80	—
加納	3.60	7.20	1.80	1.80
直布羅陀	3.60	—	—	—
希臘	3.60	7.20	—	—
格陵蘭	3.60	—	—	—
格林納達	3.60	—	—	—
瓜德羅普	3.60	—	—	—
關島	2.40	—	1.20	—
危地馬拉	4.80	9.60	—	—
畿內亞共和國	3.60	7.20	—	—
畿內亞比紹	3.60	7.20	1.80	—
圭亞那	4.80	9.60	2.40	2.40
海地	3.60	7.20	1.80	—
洪都拉斯	4.80	9.60	—	—
匈牙利	3.60	7.20	1.80	—
冰島	3.60	7.20	—	—
印度	2.20	4.40	1.10	1.10
印度尼西亞	2.40	—	—	—
伊朗	3.60	7.20	1.80	—
伊拉克	3.60	—	—	—
愛爾蘭共和國	3.60	—	1.80	1.80
以色列	3.60	7.20	1.80	—
意大利	3.60	—	—	—
牙買加	3.60	7.20	1.80	1.80
日本	2.40	—	1.20	—
約旦	3.60	7.20	—	—
柬埔寨	2.40	4.80	1.20	—
肯尼亞	3.60	7.20	1.80	1.80
基里巴斯	2.40	4.80	—	—
北韓	2.40	4.80	1.20	—
南韓	2.40	4.80	1.20	—
科威特	3.60	7.20	—	—
老撾	2.40	—	—	—
黎巴嫩	3.60	7.20	1.80	—
萊索托	3.60	7.20	1.80	1.80
利比里亞	3.60	7.20	1.80	—
利比亞	3.60	7.20	1.80	—
列支敦士登	3.60	7.20	1.80	—
盧森堡	3.60	7.20	—	—
澳門	0.50	1.00	—	—
馬達加斯加	3.60	7.20	—	—

目的地	電報（每字收費）			
	普通電（至少7字）	急電（至少7字）	信電	
			信電（至少22字）	交際電（至少11字）
馬德拉	3.60	7.20	—	—
馬拉維	3.60	7.20	1.80	1.80
馬來西亞	2.20	4.40	1.10	1.10
馬爾代夫	2.20	4.40	1.10	—
馬里	3.60	7.20	—	—
馬耳他	3.60	—	1.80	1.80
馬里亞納羣島	2.40	—	—	—
馬紹爾羣島	2.40	—	—	—
馬提尼克	3.60	—	—	—
毛里塔尼亞	3.60	7.20	—	—
毛里求斯	3.60	7.20	1.80	1.80
馬約特島	3.60	—	—	—
墨西哥	2.40	—	—	—
米克羅尼西亞	2.40	4.80	—	—
中途島	2.40	—	1.20	—
摩納哥	3.60	—	—	—
蒙古	2.20	—	—	—
蒙特塞拉特島	3.60	—	—	—
摩洛哥	3.60	7.20	—	—
莫桑比克	3.60	7.20	1.80	—
納米比亞	3.60	7.20	1.80	—
瑙魯	2.40	4.80	1.20	1.20
尼泊爾	2.40	4.80	1.20	—
荷蘭	3.60	—	1.80	—
荷屬安的列斯	3.60	—	—	—
新喀里多尼亞	2.40	4.80	—	—
新西蘭	2.40	4.80	—	—
尼加拉瓜	4.80	9.60	—	—
尼日爾	3.60	7.20	—	—
尼日利亞	3.60	7.20	—	—
紐埃島	2.40	4.80	1.20	—
諾福克島	2.40	4.80	—	—
挪威	3.60	—	—	—
阿曼	3.60	7.20	1.80	—
巴基斯坦	2.20	4.40	1.10	—
帕勞	2.40	4.80	1.20	—
巴拿馬	4.80	—	—	—
巴布亞新畿內亞	2.40	4.80	—	—
巴拉圭	4.80	9.60	2.40	—
秘魯	4.80	9.00	2.40	—
菲律賓				

目的地	電報（每字收費）			
	普通電（至少7字）	急電（至少7字）	信電	
			信電（至少22字）	交際電（至少11字）
馬尼拉	1.20	2.40	—	—
其他	2.20	4.40	—	—
皮特克恩島	2.40	4.80	1.20	1.20
波蘭	3.60	7.20	1.80	—
葡萄牙	3.60	7.20	—	—
波多黎各	3.60	—	1.80	—
卡塔爾	3.60	7.20	1.80	—
留尼汪	3.60	—	—	—
羅德里格斯	3.60	7.20	1.80	1.80
羅馬尼亞	3.60	7.20	—	—
盧旺達	3.60	7.20	—	—
聖克里斯托弗及尼維斯	3.60	7.20	1.80	1.80
聖赫勒拿島	3.60	—	—	—
聖盧西亞	3.60	—	—	—
聖皮埃爾及密克隆	2.40	—	—	—
聖文森特島	3.60	—	—	—
聖馬力諾	3.60	—	1.80	—
聖多美及普林西比	3.60	7.20	1.80	—
沙特阿拉伯	3.60	7.20	—	—
塞內加爾	3.60	7.20	—	—
塞舌爾	3.60	7.20	1.80	1.80
塞拉利昂	3.60	7.20	—	—
新加坡	2.20	4.40	1.10	1.10
所羅門羣島	2.40	4.80	—	—
索馬里	3.60	7.20	1.80	—
南非	3.60	7.20	—	—
西班牙	3.60	7.20	—	—
斯里蘭卡	2.20	4.40	1.10	1.10
蘇丹	3.60	7.20	—	—
蘇里南	4.80	9.60	2.40	—
斯威士蘭	3.60	7.20	—	—
瑞典	3.60	—	—	—
瑞士	3.60	7.20	1.80	—
敘利亞	3.60	7.20	1.80	—
台灣	1.20	—	—	—
坦桑尼亞	3.60	7.20	1.80	1.80
泰國	2.20	4.40	—	—
多哥	3.60	7.20	1.80	—
托克勞羣島	2.40	4.80	1.20	—
湯加	2.40	4.80	—	—
特立尼達及多巴哥	3.60	7.20	1.80	1.80

目的地	電報（每字收費）			
	普通電（至少7字）	急電（至少7字）	信電	
			信電（至少22字）	交際電（至少11字）
特里斯坦－達康尼亞	3.60	7.20	1.80	1.80
突尼斯	3.60	7.20	—	—
土耳其	3.60	7.20	—	—
特克斯及凱科斯羣島	3.60	7.20	1.80	1.80
蒂尤瓦柳	2.40	4.80	1.20	1.20
烏干達	3.60	7.20	—	—
蘇聯	3.60	7.20	—	—
阿拉伯聯合酋長國	3.60	7.20	1.80	—
英國及北愛爾蘭	2.40	—	—	—
美國	2.40	—	1.20	—
阿拉斯加	2.40	—	1.20	
夏威夷	2.40	—	1.20	
烏拉圭	4.80	9.60	2.40	—
瓦努阿圖	2.40	4.80	—	—
梵蒂岡	3.60	7.20	1.80	—
委內瑞拉	4.80	9.60	—	—
越南	2.40	4.80	—	—
美屬維爾京羣島	3.60	—	1.80	—
威克島	2.40	—	—	—
瓦利斯及富圖納羣島	2.40	4.80	—	—
西薩摩亞	2.40	4.80	—	—
阿拉伯也門共和國	3.60	7.20	1.80	—
民主也門包括和德洛穆特	3.60	7.20	1.80	—
南斯拉夫	3.60	7.20	—	—
扎伊爾	3.60	7.20	—	—
贊比亞	3.60	—	—	—
津巴布韋(羅德西亞)	3.60	—	—	—

*每封電報須繳付手續費二十五元。

香港國際電話收費表

世界主要地區

(單位：元)

通話地點		起碼3分鐘收費	每加1分鐘收費
阿富汗	Afghanistan	90.00	30.00
阿爾巴尼亞	Albania	72.00	18.00
阿爾及利亞	Algeria	72.00	18.00
澳大利亞	Australia	63.00	14.00
奥地利	Austria	72.00	18.00
比利時	Belgium	72.00	18.00
百慕達	Bermuda	72.00	18.00
巴西	Brazil	72.00	18.00
汶萊	Brimei	45.00	9.00
緬甸	Burma	45.00	9.00
加拿大	Canada	63.00	14.00
哥斯達黎加	Costa Rica	72.00	18.00
古巴	Cuba	72.00	18.00
捷克	Czechoslovakia	72.00	18.00
丹麥	Denmark	72.00	18.00
法羅羣島	Faroe Islands	72.00	18.00
芬蘭	Finland	72.00	18.00
法國	France	72.00	18.00
德國	Germany	72.00	18.00
加納	Ghana	72.00	18.00
直布羅陀	Gibraltar	72.00	18.00
關島	Guam	63.00	14.00
危地馬拉	Guatemala	72.00	18.00
圭亞那	Guyana	72.00	18.00
洪都拉斯	Honduras	72.00	18.00
匈牙利	Hungary	72.00	18.00
冰島	Iceland	72.00	18.00
印度	India	63.00	14.00
印尼	Indonesia	48.00	12.00
伊朗	Iran	72.00	16.00
愛爾蘭	Irish Republic	72.00	18.00
以色列	Israel	72.00	16.00
意大利	Italy	72.00	18.00
牙買加	Jamaica	72.00	18.00
日本	Japan	45.00	9.00
肯尼亞	Kenya	72.00	18.00
黎巴嫩	Lebanon	72.00	16.00
盧森堡	Luxembourg	72.00	18.00
澳門①	Macao	10.80	2.40
馬拉維	Malawi	72.00	18.00

通 話 地 點		起碼3分鐘收費	每加1分鐘收費
馬來西亞	Malaysia	45.00	9.00
墨西哥	Mexico	72.00	18.00
摩洛哥	Morocco	72.00	18.00
那魯島	Nauru Island	63.00	14.00
荷蘭	Netherlands	72.00	18.00
新西蘭	New Zealand	63.00	14.00
尼加拉瓜	Nicaragua	72.00	24.00
尼日利亞	Nigeria	72.00	18.00
挪威	Norway	72.00	18.00
巴基斯坦	Pakistan	63.00	14.00
巴拿馬	Panama	72.00	18.00
秘魯	Peru	72.00	18.00
菲律賓	Philippines	45.00	9.00
波蘭	Poland	72.00	18.00
葡萄牙	Portugal	72.00	18.00
波多黎各	Puerto Rico	72.00	18.00
津巴布韋	Zimbabwe	72.00	18.00
越南	Vietnam(Hanoi)	45.00	9.00
*北韓	North Korea	45.00	9.00
南韓	South Korea	45.00	9.00
新加坡	Singapore	30.00	8.00
南非	South Africa	72.00	18.00
西班牙	Spain	72.00	18.00
斯里蘭卡共和國	Sri Lanka	63.00	14.00
瑞典	Sweden	72.00	18.00
瑞士	Switzerland	72.00	18.00
台北①	Taipei	45.00	9.00
坦桑尼亞	Tanzania	72.00	18.00
泰國	Thailand	45.00	9.00
特立尼達及多巴哥	Trinidad & Tobago	72.00	18.00
突尼斯	Tunisia	72.00	18.00
烏干達	Uganda	72.00	18.00
英國	United Kingdom	60.00	12.00
美國	United States of America	63.00	14.00
烏拉圭	Uruguay	72.00	18.00
蘇聯	U. S. S. R.	72.00	18.00
委內瑞拉	Venezuela	72.00	18.00
維爾京羣島	Virgin Islands	72.00	18.00
南斯拉夫	Yugoslavia	72.00	18.00
贊比亞	Zambia	72.00	18.00

註：①私人電話、預約電話和緊急電話均可通話，電話費另議。

②各類電話收費均以每三分鐘為一單位計算。

③*非全日電話。

香港國際直通通話(IDD)撥號及收費表
(世界主要國家地區)

(單位：港元)

通　話　地　點		國際線號碼	國家號碼	區域字頭	每分鐘收費	時差(小時)(香港標準時間)
亞布達比	Abu Dhabi	001	971	2	14.00	−4
阿治曼	Ajman	001	971	6	14.00	−4
阿拉斯加	Alaska	001	1	907	12.30	−18—−19
亞爾及利亞	Algeria	001	213	2	15.80	−7
阿根廷	Argentina (Buenos Aires)	001	54	1	15.80	−11
澳洲	Australia (Melbourne)	001	61	3	12.30	0—+2
奧地利	Austria (Vienna)	001	43	1	15.80	−7
巴林	Bahrain	001	973		14.00	−5
孟加拉	Bangladesh (Dhaka)	001	880	2	12.30	−2
比利時	Belgium (Brussels)	001	32	2	15.80	−7
百慕達	Bermuda	001	1	809	15.80	−12
巴西	Brazil (Brasilia)	001	55	61	15.80	−11—−12
汶萊	Brunei (Bandar Seri Begawan)	001	673	2	7.90	0
緬甸	Burma (Mandalay)	001	95	2	7.90	$-1\frac{1}{2}$
加拿大	Canada (Ottawa)	001	1	613	11.70	−12—−16
智利	Chile (Santiago)	001	56	2	15.80	−12
哥倫比亞	Colombia (Bogota)	001	57	1	15.80	−13
哥斯達黎加	Costa Rica	001	506		15.80	−14
塞浦路斯	Cyprus (Limassol)	001	357	5	15.80	−6
捷克	Czechoslovakia (Prague)	001	42	2	15.80	−7
丹麥	Denmark (Copenhagen)	001	45		15.80	−7
多明尼加	Dominica	001	1	809	15.80	−12

通 話 地 點		國際線號碼	國家號碼	區域字頭	每分鐘收費	時差(小時)(香港標準時間)
厄瓜多爾	Ecuador (Quito)	001	593	2	15.80	−13
埃及	Egypt (Cairo)	001	20	2	24.00	−6
埃塞俄比亞	Ethiopia (Addis Ababa)	001	251	1	15.80	−5
芬蘭	Finland (Helsinki)	001	358	0	15.80	−6
法國	France (Paris)	001	33	1	15.80	−7
岡比亞	Gambia	001	220		15.80	−8
東德	Germany (East) (Berlin) (East)	001	37	2	15.80	−7
西德	Germany (West) (Berlin) (West)	001	49	30	15.80	−7
直布羅陀	Gibraltar	001	350		15.80	−7
希臘	Greece (Athens)	001	30	1	15.80	−6
格陵蘭	Greenland	001	299		15.80	−11
關島	Guam	001	671		12.30	+2
危地馬拉	Guatemala	001	502	2	15.80	−14
圭亞那	Guyana (George Town)	001	592	2	15.80	−11
夏威夷	Hawaii	001	1	808	12.30	−18
洪都拉斯	Honduras	001	504		15.80	−14
匈牙利	Hungary (Budapest)	001	36	1	15.80	−7
冰島	Iceland (Akureyri)	001	354	6	15.80	−8
印度	India (New Delhi)	001	91	11	12.30	−2½
印尼	Indonesia (Jakarta)	001	62	21	10.50	−1—+1
伊朗	Iran (Tehran)	001	98	21	14.00	−4½
伊拉克	Iraq (Baghdad)	001	964	1	14.00	−5
愛爾蘭共和國	Ireland(Republic of) (Cork)	001	353	21	15.80	−8
以色列	Israel (Jerusalem)	001	972	2	14.00	−6

通話地點		國際線號碼	國家號碼	區域字頭	每分鐘收費	時差(小時)(香港標準時間)
意大利	Italy					
	(Rome)	001	39	6	15.80	−7
日本	Japan					
	(Kyoto)	001	81	75	7.90	+1
	(Tokyo)	001	81	3	7.90	+1
	(Osaka)	001	81	6	7.90	+1
	(Yokohama)	001	81	45	7.90	+1
肯尼雅	Kenya					
	(Nairobi)	001	254	2	15.80	−5
北韓	Korea (North)					
	(Pyongyang)	001	850	2	7.90	+1
南韓	Korea (South)					
	(Seoul)	001	82	2	7.90	+1
科威特	Kuwait	001	965		14.00	−5
盧森堡	Luxembourg	001	352		15.80	−7
澳門	Macau	001	853		2.10	0
馬來西亞	Malaysia					
	(Kuala Lumpur)	001	60	3	7.90	0
馬爾代夫羣島	Maldive Is.	001	960		12.30	−3
馬爾他	Malta	001	356		15.80	−7
毛里求斯	Mauritius	001	230		15.80	−4
墨西哥	Mexico					
	(Mexico City)	001	52	5	15.80	−14—16
摩納哥	Monaco	001	33	93	15.80	−7
摩洛哥	Morocco (Agadir)	001	212	8	15.80	−8
納米比亞(西南非)	Namibia (SW Africa)					
	(Gobabis)	001	264	681	15.80	−6
荷蘭	Netherlands					
	(Amsterdam)	001	31	20	15.80	−7
紐西蘭	New Zealand					
	(Wellington)	001	64	4	12.30	+4
尼日利亞	Nigeria					
	(Lagos)	001	234	1	15.80	−7
挪威	Norway					
	(Oslo)	001	47	2	15.80	−7
阿曼	Oman	001	968		14.00	−4
巴拿馬	Panama	001	507		15.80	−13
巴布亞新畿內亞	Papua New Guinea	001	675		12.30	+2
菲律賓	Philippines					
	(Manila)	001	63	2	7.90	0
波蘭	Poland					
	(Warsaw)	001	48	2	15.80	−7

通 話 地 點		國際線號碼	國家號碼	區域字頭	每分鐘收費	時差(小時)(香港標準時間)
葡萄牙	Portugal					
	(Lisbon)	001	351	1	15.80	−8
秘魯	Peru	001	51		15.80	-13
卡塔爾	Qatar	001	974		14.00	−5
羅馬尼亞	Romania					
	(Bucharest)	001	40	0	15.80	−6
聖馬力諾	San Marino	001	39	549	15.80	−7
沙地阿拉伯	Saudi Arabia					
	(Riyadh)	001	966	1	14.00	−5
新加坡	Singapore	001	65		7.00	0
所羅門羣島	Solomon Is.	001	677		12.30	+3
南非	South Africa					
	(Cape Town)	001	27	21	15.80	−6
西班牙	Spain					
	(Madrid)	001	34	1	15.80	−7
西屬北非	Spanish North Africa					
	(Ceuta)	001	34	56	15.80	−7
斯里蘭卡	Sri Lanka					
	(Colombo)	001	94	1	12.30	−2½
瑞典	Sweden					
	(Stockholm)	001	46	8	15.80	−7
瑞士	Switzerland					
	(Geneve)	001	41	22	15.80	−7
台灣	Taiwan					
	(高雄 Kaohsiung)	001	886	7	7.90	0
	(基隆 Keelung)	001	886	2	7.90	0
	(台北 Taipei)	001	886	2	7.90	0
坦桑尼亞	Tanzania					
	(Dares Salaam)	001	255	51	15.80	−5
泰國	Thailand					
	(Bangkok)	001	66	2	8.50	−1
東加	Tonga	001	676		12.30	+5
土耳其	Turkey					
	(Ankara)	001	90	4	15.80	−6
烏干達	Uganda					
	(Kampala)	001	256	41	15.80	−5
英國	United Kingdom					
	(Birmingham)	001	44	21	10.50	−8
	(Cambridge)	001	44	223	10.50	−8
	(Edinburgh)	001	44	31	10.50	−8
	(Liverpool)	001	44	51	10.50	8

通　話　地　點		國際線號碼	國家號碼	區域字頭	每分鐘收費	時差(小時)(香港標準時間)
	(London)	001	44	71	10.50	−8
	(Manchester)	001	44	61	10.50	−8
美國	United States of America					
	(Atlanta)	001	1	404	12.30	−13—16
	(Boston)	001	1	617	12.30	−13—16
	(Houston)	001	1	713	12.30	−13—16
	(New York City)	001	1	212	12.30	−13—16
	(San Francisco)	001	1	415	12.30	−13—16
	(Washington)	001	1	202	12.30	−13—16
蘇聯	USSR					
	(Moscow)	001	7	095	15.80	−5
烏拉圭	Uruguay					
	(Montevideo)	001	598	2	15.80	−11
梵蒂岡	Vatican City	001	39	6	15.80	−7
委內瑞拉	Venezuela					
	(Caracas)	001	58	2	15.80	−12
越南	Vietnam	001	84	4	7.90	−1
西薩摩亞	Western Samoa	001	685		12.30	−19
也門阿拉伯共和國	Yemen Arab Republic					
	(Dhamar)	001	967	2	14.00	−5
南斯拉夫	Yugoslavia					
	(Belgrade)	001	38	11	15.80	−7
贊比亞	Zambia					
	(Lusaka)	001	260	1	15.80	−6
津巴布韋	Zimbabwe					
	(Bulawayo)	001	263	9	15.80	−6
中國						
山西省－太原	Taiyuan	001	86	351	9.50	
山東省－烟台	Yantai	001	86	535	9.50	
－濟南	Jinan	001	86	531	9.50	
上海市	Shanghai Shi	001	86	21	9.50	
天津市	Tianjin Shi	001	86	22	9.50	
－大港	Dagang	001	86	22	9.50	
－塘沽	Hanggu	001	86	22	9.50	
－漢沽	Hangu	001	86	22	9.50	
四川省－成都	Chengdu	001	86	28	9.50	
－重慶	Chongqing	001	86	811	9.50	
北京市	Beijing Shi	001	86	1	9.50	
甘肅省－蘭州	Lanzhou	001	86	931	9.50	
江西省－南昌	Nanchang	001	86	791	9.50	

通　話　地　點		國際線號碼	國家號碼	區域字頭	每分鐘收費	時差(小時)(香港標準時間)
吉林省－長春	Changchun	001	86	431	9.50	
安徽省－合肥	Hefei	001	86	551	9.50	
江蘇省－南京	Nanjing	001	86	25	9.50	
河北省－石家莊	Shijiazhuang	001	86	311	9.50	
－秦皇島	Qinhuangdao	001	86	335	9.50	
河南省－鄭州	Zhengzhou	001	86	371	9.50	
青海省－西寧	Xining	001	86	971	9.50	
陝西省－西安	Xian	001	86	29	9.50	
浙江省－杭州	Hangzhou	001	86	571	9.50	
－寧波	Ningbo	001	86	574	9.50	
貴州省　貴陽	Guiyang	001	86	851	9.50	
湖北省－武漢	Wuhan	001	86	27	9.50	
湖南省－長沙	Changsha	001	86	731	9.50	
雲南省－昆明	Kunming	001	86	871	9.50	
黑龍江省－哈爾濱	Harbin	001	86	451	9.50	
福建省－三明	Sanming	001	86	598	9.50	
－永安	Yongan	001	86	5084	9.50	
－古田	Gutian	001	86	5037	9.50	
－平潭	Pingtan	001	86	5043	9.50	
－同安	Tongan	001	86	592	9.50	
－邵武	Shaowu	001	86	5096	9.50	
－沙縣	Sha Xian	001	86	5081	9.50	
－泉州	Quanzhou	001	86	595	9.50	
－建陽	Jianyang	001	86	590	9.50	
－長樂	Changle	001	86	5041	9.50	
－南安	Nanan	001	86	5053	9.50	
－南平	Nanping	001	86	599	9.50	
－馬尾	Mawei	001	86	591	9.50	
－莆田	Putian	001	86	594	9.50	
－惠安	Huian	001	86	5051	9.50	
－寧德	Ningde	001	86	593	9.50	
－福州	Fuzhou	001	86	591	9.50	
－廈門	Xiamen	001	86	592	9.50	
－福鼎	Fuding	001	86	5033	9.50	
－漳州	Zhangzhou	001	86	596	9.50	
－龍海	Longhai	001	86	5062	9.50	
廣東省－中山	Zhougshan	001	86	7654	3.70	
－江門	Jiangmen	001	86	7682	3.70	
－汕頭	Shantou	001	86	754	3.70	
－佛山	Foshan	001	86	757	3.70	

通話地點		國際線號碼	國家號碼	區域字頭	每分鐘收費	時差(小時)(香港標準時間)
一東莞	Dongguan	001	86	7620	3.70	
一寶安縣	Baoan Xian	001	86	755	2.40	
一珠海	Zhuhai	001	86	756	3.70	
一蛇口	Shekou	001	86	755	2.40	
一深圳	Shenzhen	001	86	755	2.40	
一惠州	Huizhou	001	86	752	3.70	
一湛江	Zhanjiang	001	86	759	3.70	
一順德	Shunde	001	86	7653	3.70	
一廣州	Guangzhou	001	86	20	3.70	
一肇慶	Zhaoqing	001	86	758	3.70	
廣西省一北海	Beihai	001	86	779	9.50	
一桂林	Guilin	001	86	773	9.50	
一南寧	Nanning	001	86	771	9.50	
寧夏省一銀川	Yinchuan	001	86	951	9.50	
遼寧省一大連	Dalian	001	86	411	9.50	
一瀋陽	Shenyang	001	86	24	9.50	
海南省一海口	Haikou	001	86	898	9.50	
新疆省一烏魯木齊	Urumqi	001	86	991	9.50	
內蒙古一包頭	Baotou	001	86	472	9.50	

註：①IDD服務的收費率以每六秒鐘爲計算單位。

②查詢直通國際電話(IDD)號碼：013

中國各省、市、自治區、經濟特區、開放城市駐港貿易代表機構

地區	駐港機構名稱	地　址	電　話	電報掛號	電傳	圖文傳眞
北京	京泰有限公司 SCRIVEN TRADING LTD.	香港干諾道中200號信德中心西翼1010—1012室	5402086	7046	71852 CBSTHX	8581544
天津	津聯有限公司 TSINLIEN TRADING CO. LTD.	九龍尖沙咀麼地道75號南洋中心第二座401室	7232072	TSIN-LIENTC	37476 TSINS HX	7210858
河北	燕山發展有限公司 HEBEI ENTER PRISES LIMITED	九龍尖沙咀半島中心13樓A座	7226530	HEBEI ENT	41179 HBETP HX	3112346
山西	恒山貿易公司 HENG SHAN TRADING CO.	香港皇后大道東141-145號恒山中心27樓	5274928	HSTCOM-PANY	89053 HSHTC HX	5281088
內蒙古	內蒙古興源(香港)有限公司 INNER MON-GOLIA XIN YIAN(H.K) CO. LTD.	干諾道西1—6號15樓B座億利商業大厦	5421002	2173	61830 HYNTC HX	5411436
遼寧	中遼有限公司 CHINA LIAON-ING LIMITED	香港灣仔港灣道1號40樓	8243262	1253	71941 CHULI HX	8240677
吉林	振興貿易公司 CHUN SHING TRADING COMPANY	香港皇后大道西2—12號聯發商業中心16字樓1601-6	5451021	3667	74905 CHUSH HX	5416968
黑龍江	黑龍江隆豐有限公司 HLJLOONG FUNG CO. LTD.	香港德輔道中19號環球大厦701室	5212425	8186	65347 LFHL ZHX	8453504

地區	駐港機構名稱	地址	電話	電報掛號	電傳	圖文傳眞
上海	上海實業有限公司 SHANGHAI INDUSTRIAL INVEST CO. LTD.	軒尼詩道48-62號上海實業大廈10樓	8663918	8609	71777 SHANG HX	8663986
江蘇	鍾山有限公司 ZHONG SIIAN CO. LTD.	高士打道77-79號21樓	5273600	NSZONSAN	89699 ZHOSA HX	5273029
浙江	富春公司 FUCHUEN COMPANY LTD.	金鐘道95號統一中心35字樓C座	5292287	0600	89218 FUCUN HX	8650007
安徽	江海國際貿易有限公司 CAN HIGH INTERNATIONAL TRADIDG LTD	干諾道西186號香港商業中心39樓3906室－3909室	5464036		70246 ZHITL HX	8581242
福建	華閩(集團)有限公司 FUJIAN ENTERPRISES (HOLDINGS) CO. LTD.	干諾道中200號信德中心33字樓	5468068	7044	73986 FUJEN HX	8581669
江西	華贛企業有限公司 HUA GAN ENTERPRISES CO. LTD.	中環干諾道中64號香港中華廠商會大廈8字樓	5432662	0694	80215 HGECL HX	5434124
山東	華魯有限公司 CHINA SHAN DONG CO. LTD.	香港灣仔港灣道1號會展廣場辦公大樓42樓	8241268	HK WELBRING	77243 WELBN HX	8243551
河南	豫港企業有限公司 HENAN HONG KONG ENTERPRISES LIMITED	謝斐道92號豫港大廈21/F	5279278	2364	84755	5201787
湖北	宜豐貿易公司 YIFENG TRADING CO.	九龍尖沙咀麼地道67號半島中心510室	3692382	YIFENGCO	41189 YIFEN HX	7217147
湖南	三湘貿易有限公司 HUNAN TRADING CO. LTD.	港灣道8號瑞安中心高座3樓	8024040	SHANG XIANG	89072 HENAN HX	8024510

地區	駐港機構名稱	地　址	電　話	電報掛號	電傳	圖文傳眞
廣東	粵海企業(集團)有限公司 GUANGDONG ENTER-PRISES (HOLDINGS) LTD.	干諾道中74—77號粵海大厦	8529288	5620	62103 GDEL HX	8158130
廣西	桂江企業有限公司 GUI JIANG EN-TERPRISES CO. LTD.	干諾道中200號信德中心西翼2310-2311	5594023	5452	81606 GJENT HX	8581477
四川	嘉陵公司 JIALING (HONG KONG) CO. LTD.	銅鑼灣軒尼詩道555號東角中心21字樓2101室	5728897	JALNG	58908605 JIALG HX	5720437
貴州	貴海有限公司 HONG KONG GUIHAI CO. LTD.	干諾道中200號信德中心202室	5593293	GUI HAI HK	82677 GHCOM HX	5482635
雲南	香港通達貿易公司 TOM DAR TRADING CO. HK.	荷里活道233號18字樓	8152575	TONG DA	76906 TONGA HX	5439097
西藏	中國西藏珠穆朗瑪旅遊有限公司 CHINA TIBET QOMOLANG MA TRAVEL-WAYS LTD.	謝菲道393號新時代中心37樓	8383391	GOMOT-RAVEL	81506 CTQTL HX	8341535
陝西	驪山有限公司 LISHAN COM-PANY LIMTTED	皇后大道中340號2字樓	8153085	2158	76435 UMIWL HX	8540035
甘肅	龍港有限公司 GANSV COM-PANY LTD.	干諾道西1—3號億利商業大厦12樓	8540866	LGECGS	81847 LIICLD HX	5411263
青海	海湖貿易有限公司 QHL TRADING CO. LTD.	九龍尖沙咀東部麼地道63號好時中心4167室	3681211	QIIL IIX	32975	7393387

地區	駐港機構名稱	地址	電話	電報掛號	電傳	圖文傳眞
寧夏	嘉川發展有限公司 KACHANT DEVELOPMENT CO. LTD.	皇后大道中340號華秦國際大厦504-506室	5419378	5869	77318 KCDL HX	8152014
新疆	新疆開發有限公司 XIM GING DIVELOPMNT LTD.	北角蜆殼街9—25號秀明中心25字樓A—C室	5663686	—		5129746
海南	南珠企業有限公司 RICH ENTERPISES LTD.	皇后大道中340號華秦國際大厦16樓	5443283	RICHIS LAND	63511 RIEL HX	5449455
深圳經濟特區	深業(集團)有限公司 SHUM YIP HOLDINGS CO. LTD.	九龍尖沙咀東科學館道9號新東海中心8樓	7238113	—	41454 SYTCO HX	3112481
珠海經濟特區	珠海國際有限公司 ZHUHAI INTERNATIONAL LTD. COMPANY LTD.	干諾道西三號億利商業大厦14字樓	8536188	0757	76970 ZUHAI HX	5419501
厦門經濟特區	興厦有限公司 XING XIA COMPANY LTD.	德輔道中71號永安集團大厦17樓	5215491	HINGHACO H.K.	83625 XIMEN HX	8100920
汕頭經濟特區	粵東發展有限公司 GUANY DENG EAST DEVELOPMENT CO. LTD.	德輔道中141號國際大厦19樓1906-8室	8152303	0966	89880 LXL HX	5411007
大連市	大連國際發展有限公司 DALIAN INTERNATIONAI COMPANY LIMITED	德輔道中272-284號興業商業中心六樓	8153318	7948	83700 CKS HX	8151757
秦皇島	海岳有限公司 HAI YUE COMPANY LTD.	告士打道128號21樓E座	8921261	9681	60477 HYCOT HX	8345310
烟台市	芝興貿易有限公司 CHINA YANTAI COMPANY LTD.	永樂西街177-183號永德商業中心1509號	5436627	YANTAI CO	81561 CHAYT HX	5420325

地區	駐港機構名稱	地　址	電　話	電報掛號	電傳	圖文傳眞
青島市	華青發展貿易有限公司 CHINA QING DAO DE-VELOP MENT CO. LTD.	干諾道西148號40字樓1室	5594018	6274	82340 CQDC HX	5590043
連雲港	振雲有限公司 ZHEN YUN LTD	北角英皇道75—83號聯合出版大厦2101—2102室	8062203		89543 ZHYL HX	5666790
南通市	振南發展有限公司 ZHEN NAN DE-VELOP MENT CO. LTD.	蘇杭街49-51號建安商業大厦7樓	8505668	ZHEM-MAMCO	67598 ZMCO HX	8505148
寧波市	寧興開發有限公司 NING SHING DEVELOP MENT CO. LTD.	港灣道28號灣景中心302-303室	8276820	5148	84154 LOVIL HX	8277216
溫州市	雁蕩有限公司 NGAN TONG CO. LTD.	洛克道401號榮華商業大厦13字樓	8335033	6276	82198 WZNTC HX	8381548
福州市	華榕有限公司 HUA RONG COMPANY LIMITED	銅鑼灣紀利佐治街1號金堡中心1702—1703室	8901716	2263	77434 RONG HX	8956806
廣州市	越秀企業有限公司 YUE XIU EN-TERPRISES LIMITED	灣仔洛克道160-174號越秀大厦25－26樓	8336671	0659	89554 YXEL HX	8345176
湛江市	湛興發展有限公司 ZHON HENG DEVELOP-MENT LTD.	德輔道中302號華傑商業中心2字樓	8151167	8511	77412 ZHUHE HX	8151990
北海市	金海岸企業有限公司 GIN HAI AN ENTER-PRISES LTD.	干諾道西148號成基商業中心24字樓	5472171	JINHAEL HK	80055 JNAEL HX	8582553

「外滙孖展」買賣
投資靈活•一擊即中
七大優點
＊開戶手續簡便
＊電話交易，靈活方便
＊交易佣金全免
＊交易時間每日長達十九小時
＊孖展買賣保證金每月結息
＊七種外幣任意選擇
＊每日提供外滙走勢分析，供客戶取閱
鹽業銀行
服務多元化
中銀集團

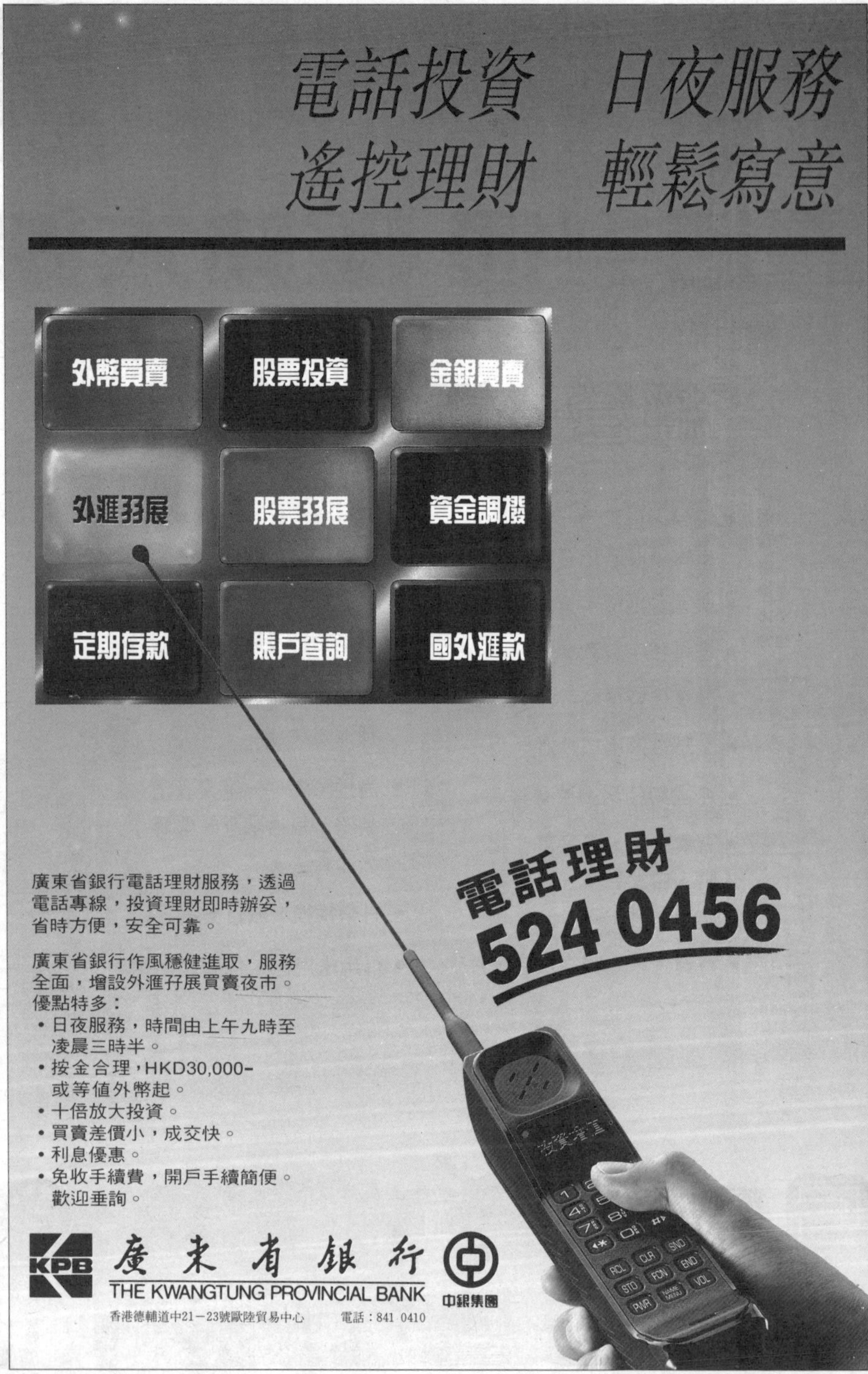

電話投資　日夜服務
遙控理財　輕鬆寫意
外幣買賣
股票投資
金銀買賣
外滙孖展
股票孖展
資金調撥
定期存款
賬戶查詢
國外滙款
電話理財
524 0456
廣東省銀行電話理財服務，透過電話專線，投資理財即時辦妥，省時方便，安全可靠。
廣東省銀行作風穩健進取，服務全面，增設外滙孖展買賣夜市。
優點特多：
• 日夜服務，時間由上午九時至凌晨三時半。
• 按金合理，HKD30,000-或等值外幣起。
• 十倍放大投資。
• 買賣差價小，成交快。
• 利息優惠。
• 免收手續費，開戶手續簡便。歡迎垂詢。
KPB
廣東省銀行
THE KWANGTUNG PROVINCIAL BANK
中銀集團
香港德輔道中21－23號歐陸貿易中心　電話：841 0410

不可居無竹
無竹令人俗
元 李衎 四季平安 軸
杏花村
竹葉青酒
"CHU YEH CHING" CHIEW
長城牌
GREAT WALL BRAND
代理處：五豐行
經銷處：中國酒業貿易有限公司
經營・必屬精品

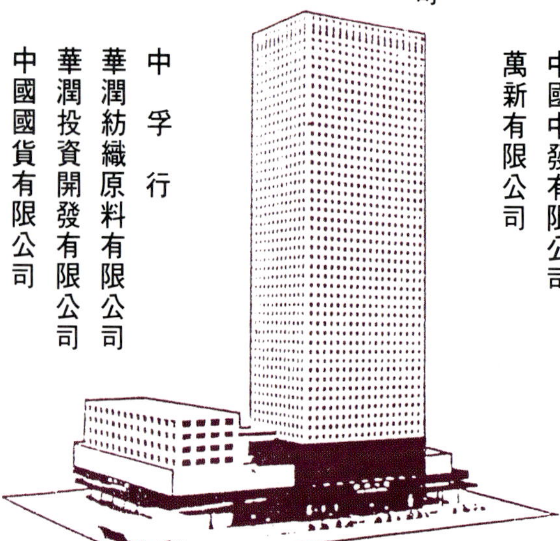

港九國產針棉織品經銷商

東后有限公司
九龍深水埗福榮街三十三號
電話：7790137-9(三線) 傳眞：7880536

合豐號飛輪線
九龍長沙灣道156號
電話：7294660 傳眞：7250931

恒興隆有限公司
香港永樂街59號
電話：5444256 5447841 傳眞：8540657

偉豐線廠
九龍深水埗福華街182號
電話：3867790 7291027 傳眞：7257485

加馬貿易(香港)有限公司
香港干諾道中130-136號誠信大厦1001-2室
電話：5438577 5438284 傳眞：5453033

建華行
九龍南昌街155號
電話：3870404

合豐線業公司
九龍福華街87號地下
電話：7779315-6 傳眞：7881912

錦豐貿易行
荃灣德士古道186號連豐中心15字樓
電話：4080823 傳眞：4080570

新豐行
九龍南昌街52號
電話：3900318(8線) 傳眞：7891552

興華紡織品有限公司
香港干諾道西188號香港商業中心1913室
電話：5475501 傳眞：8582437

華松企業有限公司
香港干諾道西3號億利商業大厦1501-3室
電話：5455770 5455099 傳眞：5419382

華誠企業有限公司
香港干諾道西3號億利商業大厦16樓
電話：5455099 5413705 傳眞：8540127

山泰有限公司
香港太子大厦1128室
電話：5225023 5259302 傳眞：8104191

迅行有限公司
香港灣仔莊士頓道51-53號兆豐商業大厦17字樓
電話：5296303 傳眞：8612548

永華公司
九龍九龍灣常怡道33號宏力工業大厦五樓13-17室
電話：7553395(4線) 傳眞：7540297

新僑興有限公司
香港德輔道中288號易通商業大厦13樓B室
電話：5442013 5435149 傳眞：5443142

中建國貨有限公司
九龍青山道277-281號
電話：7292281 傳眞：3878630

海光貿易公司
九龍長沙灣醫局街555號怡高工業中心10字樓2-4室
電話：3872732 7280643 傳眞：3872493

義記手帕行
香港文咸東街至德大厦102-105室
電話：5447869 5430117 傳眞：8153589

俊昌行有限公司
香港文咸東街29號
電話：5440401 5441847 傳眞：8151372

中記服裝用品有限公司
荃灣沙咀道57號荃運工業中心第二期(22字)C、D座
電話：4137606 傳眞：4150932

漢華線業有限公司
九龍深水埗南昌街73號
電話：7290215-7 傳眞：3873005

蔣氏兄弟公司
香港永樂街72-76號永利大厦10樓B/C座
電話：5446639 5446649 傳眞：5450875

永泰實業公司
九龍荔枝角道808號好運工業中心6字樓12室
電話：7435502(4線) 傳眞：7436798

振昌行
九龍大角咀角祥街27號大志工廠大厦13字A座
電話：3934231-3 傳眞：7894050

永高家紡有限公司
九龍彌敦道610號荷里活商業中心17字1705-6室
電話：7713040 7702395-6 傳眞：7108552

振興行
九龍深水埗荔枝角道351號
電話：7283211-4 傳眞：3875893

藝强線廠有限公司
九龍大角咀道203號油蔴地工業大厦第四期十樓B&C座
電話：7898282-5 傳眞：7870881